C000303147

ISBN 978-0-331-26977-2
PIBN 11201331

FB &c Ltd, Dalton House, 60 Windsor Avenue, London, SW19 2RR.
Company number 08720141. Registered in England and Wales.

For support please visit www.forgottenbooks.com

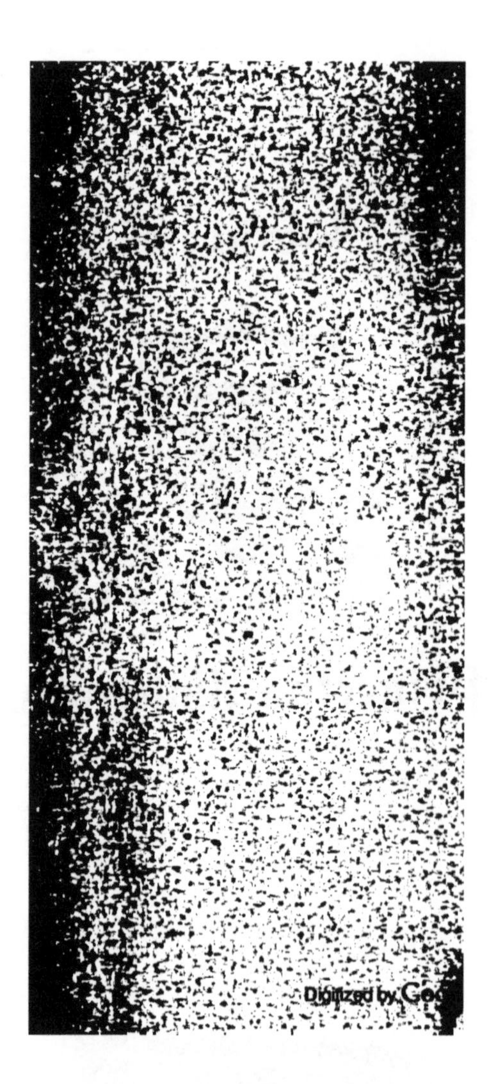

Nachrichten

von der

Gesellschaft der Wissenschafte

und der

Georg - Augusts - Universität

zu Göttingen.

Aus dem Jahre 1880.

No. 1—21.

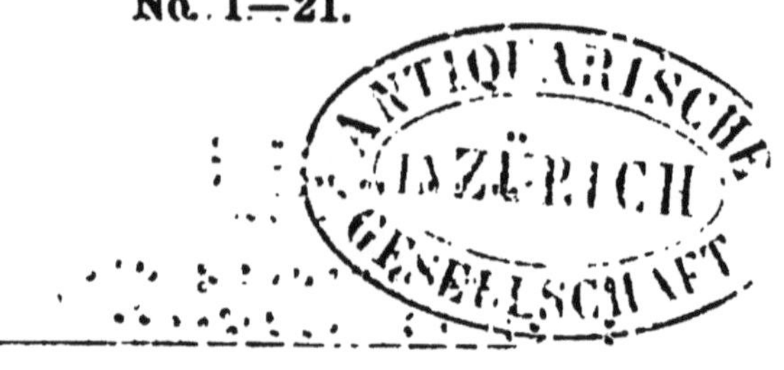

Göttingen.

Dieterich'sche Verlags-Buchhandlung.

1880.

Man bittet die Verzeichnisse der bei der Königl. Gesellschaft der Wissenschaften eingegangenen Druckschriften zugleich als Empfangsanzeigen betrachten zn wollen.

Register

über

die Nachrichten von der Königl. Gesellschaft der Wissenschaften und der Georg-Augusts-Universität aus dem Jahre 1880.

Die Zahlen verweisen auf die Seiten.

Man bittet diese Verzeichnisse zugleich als Empfangsanzeigen für die der K. Ges. d. WW. übersandten Werke betrachten zu wollen.

Druckfehler.

Seite 641 muß Zeile 6. 7 v. o. anstatt »Königliche Gesellschaft der Wissenschaften. Sitzung am 4. December« *die Ueberschrift lauten* »Universität.«

Nachrichten

von der Königl. Gesellschaft der Wissenschaften und der G. A. Universität zu Göttingen.

21. Januar. № 1. 1880.

Königliche Gesellschaft der Wissenschaften

Sitzung am 10. Januar.

Klein, Ueber den Boracit.

Wüstenfeld, Die Arabische Uebersetzung der Taktik des Aelianus. (Erscheint in den Abhandlungen.)

Benfey, Die Quantitätsverschiedenheiten in den Samhitâ- und Pada-Texten der Veden. (5te Abh. 1te Abtheil. Erscheint in den Abhandlungen.)

Benfey, Ueber einige indogermanische — insbesondre lateinische und griechische — Zahlwörter.

Wieseler, Bemerkungen zu einigen Thracischen und Moesischen Münzen.

Trieber, Die Chronologie des Julius Africanus. (Vorgelegt von H. Sauppe.)

Ueber einige indogermanische — insbesondre lateinische und griechische — Zahlwörter

von

Theodor Benfey.

§. 1.

In der Vten Abhandlung über 'Die Quantitätsverschiedenheiten in den Samhitâ- und Pada-

Texten der Veden' unter *ashṭa-* habe ich gezeigt, daß *ashṭă-*, wo es das vordere Glied einer Zusammensetzung bildet, genau dem griech. ὀκτα- in demselben Gebrauch (z. B. in ὀκτα-κόσιοι) entspricht und dem lateinischen *octin-* (z. B. in dem, dem griech. ὀκτα-κόσιοι wesentlich entsprechenden *octin-genti*), daß alle drei das Thema dieses Zahlworts widerspiegeln: indogermanisch *aktan-*, sskr. — wie die großen indischen Grammatiker aus der Declination schlossen — *ashṭan-*. Im Sanskrit ist, nach der bekannten allgemeinen Regel über die auf *n* auslautenden Themen, das *n* im vorderen Glied eingebüßt; im Griechischen zeigt, wie ebenfalls bekannt, das auslautende *α*, daß dahinter ein Nasal eingebüßt sei, welcher, da das Thema dieses Zahlworts entschieden nicht auf *m* auslautete, nur ein *n* sein konnte; nur im Latein ist dieses *n* bewahrt und *a* zu *i* geworden, ganz wie in *in-*, dem Reflex des sogenannten *an-* privativum (eher oppositionale, da es ursprünglich und theilweis auch noch im späteren Gebrauch dem dadurch gebildeten Worte die positiv entgegengesetzte Bedeutung von dem Worte, oder dessen Ableitung giebt, welches das hintere Glied der Zusammensetzung bildet, z. B. sskr. *ûná*, ermangelnd, aber *án-ûna*, viel, Rv. X. 140, 2, voll, Rv. VII. 27, 4, *sakṛit*, adv. einmal, aber *a-sakṛit*, wiederholt, oftmals, z. B. Nal. IX. 24 Bopp, *un-matta*, toll, aber *an-unmatta*, bei voller Besinnung seiend, z. B. Nal. VIII. 1 Bopp; ebenso *ṛita* adj. wahr, ntr. Wahrheit, *an-ṛita*, adj. lügnerisch, n. Lüge, ἀλκή, Stärke, ἀν-άλκεια, Schwäche, *firmus*, fest, stark, *in-firmus*, schwach; es beruht dies auf der GWL. II. 45 ff. gegebnen Etymologie, wonach die Negation im Indogermanischen aus dem Begriff anders (als) hervorgegangen ist[1]); daher denn auch die Bed. 'schlecht', eigentlich 'anders als es sein müßte', z. B. sskr. *á-suta* 'schlecht, d. i. anders als [d. h. nicht] auf die richtige Weise gepreßt' Rv. VII. 26, 1[2]); *ἀβουλία* 'Zustand, schlecht berathen zu sein, böser Rath'; das deutsche 'Unthier' für 'widernatürliches, abscheuliches Geschöpf').

Gegen diese Auffassung von lateinisch *octin-* kann man ein Bedenken aus dem Zahlworte *quadrin-genti* entnehmen; es gilt demnach, den Versuch zu machen, dieses zu entfernen. Ehe wir uns jedoch dieser Aufgabe speciell zuwenden, wollen wir die übrigen dem *octin-* analogen Formen in Betracht ziehen, und zeigen, oder wenigstens höchst wahrscheinlich machen, daß das in ihnen erscheinende *n* ebensowenig wie in *octin-* ein *m* vertrete.

§. 2.

Hier tritt uns zunächst *non-genti* entgegen, in welchem *nôn* (vgl. wegen der Länge des *o* weiterhin *nônin-genti*), da *m* vor *g* fast durchweg zu *n* wird (vgl. z. B. *con-gero*, aber auch z. B. *circum-gemo*), eben so gut eine Zusammenziehung von *novem*, wie von *noven* sein könnte;

1) Daher auch die Negationen *na* und *mâ* im Sanskrit so gebraucht werden, z. B. Nalus VIII. 18 (Bopp) ist *na çudhyate* zu übertragen 'es verdunkelt sich' statt 'nicht (*na*) erhellt sich' (*çudhyate*); in Bezug auf *mâ* vgl. 'Quantitätsversch.' V. unter *prâyogá*.

2) Nur in der im Text angeführten Stelle glaube ich diese Bedeutung mit Sicherheit annehmen zu dürfen, mit Wahrscheinlichkeit auch Rv. VI, 41, 4. Dagegen bin ich zweifelhaft über die Bedeutung in Bezug auf Rv. VIII. 64 (53), 3 (= Sv. II. 6. 1. 3. 3 = Ath. XX. 93, 3). Für VS. XIX. 78; 95 (beide auch im TBr.) vgl. man den Commentar von Mahîdhara.

novem wäre die lateinische Form dieses Zahlworts, *noven* dagegen, in der Zusammensetzung, nach Analogie von *octin-*, *novin-* (zusammengezogen zu *nôn-*, indem °*ovi*° zu *ô* ward, wie in *nônus* aus *nŏvimus* = sskr. *navamás*) der Reflex des griechischen *ἐννα-* (für *ἐνϝαν-* in Zusammensetzungen) = sskr. *nava-* (für *navan-* in Zusammensetzungen), so daß *nôn-genti* für **nŏvin-genti* in dasselbe Verhältniß zu *ἐννα-κόσιοι* tritt, wie *octin-genti* zu *ὀκτα-κόσιοι*. Das sskritische *navan*, als Thema, ist wiederum von den indischen Grammatikern nur aus der Declination erschlossen, erhält aber hier seine glänzende Bestätigung durch das entsprechende deutsche Zahlwort: denn mag das gothische *niun* den ursprünglichen Nominativ Singularis des Ntr. widerspiegeln, oder eine Verstümmelung des Nomin. Plur. dieses Geschlechtes sein, was mir viel wahrscheinlicher — Verstümmelungen der so häufig gebrauchten Zahlwörter sind ja bekanntlich sehr häufig und schon in der indogermanischen Zeit eingetreten [1]) — es beweist unzweifelhaft, daß *n* Auslaut des Themas ist; denn wenn es den Nomin. Sing. Ntr. widerspiegelt, dann vertritt es ursprüngliches *navan* (identisch mit dem Thema); wenn aber den Nomin. Plur., dann ist es eine Verstümmelung von ursprünglichem *navăn-â* oder *navân-â* [2]).

Es wird Niemand verkennen, daß durch die thatsächliche Nachweisung von *n* als Auslaut des Themas vermittelst goth. *niun* unsre Auffassung des *n* in *octin-*, so wie die des *-α* für

1) Vgl. diese 'Nachrichten' 1879 S. 365 Anm. und die dort im Texte angeführten Stellen, zu welchen die Anmerkung gehört.

2) 'Quantitätsverschiedenheiten' IV. 2, S. 16 und 3, S. 3 unter *bhûma*.

-αν in *ὀκτα-* und des sskrit. *-a* für *-an* in *ashṭa-* keine geringe Bestätigung erhält (vgl. übrigens auch das schon von Bopp Vgl. Gr. §. 313; 316 hervorgehobene litauische *n* in *aszton-i*). Andrerseits wird aber auch, da auch in *octin-* das *n* unter keiner Bedingung ein Vertreter von *m* sein kann, dadurch höchst unwahrscheinlich, ja wohl schon unmöglich, daß das auslautende *n* von *nôn-*, für *nŏvin-* das *m* in *novem* repräsentire; es ist vielmehr völlig identisch mit dem auslautenden *n* von gothisch *niun*, d. h. Auslaut des Themas dieses Zahlworts, welches die indischen Grammatiker, mit ihrem grammatisch sichern Blick, nicht bloß für das Sanskrit, sondern wesentlich auch für die Indogermanischen Sprachen allsammt einzig aus der sskritischen Declination erschlossen haben.

Vielleicht, ja nicht unwahrscheinlich ergiebt sich auch aus dem Latein allein der Beweis, daß das auslautende *n* in *nôn-* nicht für *m* stehe. Wir haben nämlich neben *nongenti* und dessen Ableitungen auch die Form *nôn-in-genti*, *nôn-in-gentesimus* (auch *nôn-i-gesimus*, vgl. *octi-pes* statt *octin-*), *non-in-genties*. Diese Formen sind zwar nach falscher Analogie gebildet — indem das *in* zu fehlen schien, welches in *octin-genti*, *septin-genti*, *quin-genti* erscheint und nun nach deren Analogie eingeschoben ward; allein, wenn diese Nebenform verhältnißmäßig alt war und *nôn* nicht aus *novin*, sondern aus *novim* = *novem* entstanden wäre, dann würde das Sprachgefühl, welches gewöhnlich ein zähes Leben führt, sich vielleicht dieser Entstehung erinnert und nicht *nôn-in-genti*, sondern *nôm-in-genti* gebildet haben. Doch die Verballhornisirung von *nongenti* zu *noningenti* konnte freilich auch erst zu einer Zeit eingetreten sein, in welcher sich das *n* — selbst wenn es für *m* eingetreten wäre — schon so festgesetzt hatte, daß seine Entstehung aus *m* dem Sprachgefühl ganz entschwunden gewesen sein konnte; in diesem Falle würde das *n* in *non-in-genti* u. s. w. für die Entscheidung der Frage, ob es in ihnen ursprünglich, oder für *m* eingetreten sei, unerheblich sein. Zwar glaube ich, daß wir nach den bisher geltend gemachten Gründen eigentlich kaum eines weiteren bedürfen, um uns für die Ursprünglichkeit des auslautenden *n* in *nôn-* zu entscheiden; glücklicher Weise fehlt es aber auch daran nicht.

Ganz wie in *nôn-genti*, ergiebt sich nämlich auch in *septin-genti* der Auslaut des vorderen Theils als *n*, durch die Vergleichung mit *ἑπτακόσιοι*, mit sskr. *sapta-* als vorderem Glied von Zusammensetzungen (z. B. *saptá-daçan* 'siebenzehn') und vor allem mit gothisch *sibun*, welches wie *niun* entweder Nom. Sing. Ntr. und dann mit dem Thema identisch ist, oder, wie mir wahrscheinlicher, verstümmelter Nom. Pl. Ntr., d. h. des indogermanischen *saptăn-â* oder *saptān-â* (s. oben S. 4). Auch hier erhält die Annahme der indischen Grammatiker, daß als Thema *saptán* aufzustellen ist, durch das Germanische eine glänzende Bestätigung und nach Analogie von *octin-genti*, *non-genti* werden wir dasselbe auch in latein. *septin-* aufs treueste widergespiegelt finden.

Ueberhaupt dürfen wir als Gewinn der bisherigen Untersuchung die zwei Punkte hinstellen:

1. daß für die Zahlwörter sieben, acht, neun in der That die indogermanischen Themen zur Zeit der Spaltung *saptán*, *aktán*, *návan* lauteten;

2. daß sie treu in latein. *septin- octin-* und *nôn-* für *novin-* bewahrt sind.

§. 3.

Es scheint mir aber noch ein weiterer Gewinn daraus hervorzugehen.

Wie die indischen Grammatiker die echten Repräsentanten von jenen im Sanskrit erkannten, nämlich *saptán* (vedisch, gewöhnlich *sáptan*, vgl. *ἑπτά*), *ashṭán* (vedisch, in der gewöhnlichen Sprache *áshṭan*, vgl. *ὀκτώ*) und *návan*, so stellen sie auch für das Zahlwort 'fünf' als Thema *páñcan* auf. Auch hier beruht diese Annahme einzig auf der Declination und vielleicht der Analogie mit jenen und *dáçan* (indog. *dákan*, wie vor allem goth. *taihun* zeigt, vgl. auch das auslautende *α* in *δέκα*).

Allein während die Berechtigung für die indogermanischen und sanskritischen Zahlwörter von 7. 8. 9. 10. Themen mit auslautendem *n* aufzustellen wohl von Niemand in Abrede gestellt wird, hat bekanntlich schon Bopp (VGr. §. 313) bezweifelt, ob dem Zahlwort für 'fünf' im Indogermanischen ein auslautendes *n* hinzuzufügen sei und geglaubt, daß im Sanskrit und Zend das auslautende *n* ein späterer Zusatz sei. In der That ist es auffallend, daß in dem einfachen Cardinale sich keine Spur eines auslautenden *n* findet; aber dieser Mangel trifft nicht bloß die europäischen Sprachen und das Armenische, sondern, was Bopp unbemerkt gelassen hat, entschieden auch das Sanskrit und wahrscheinlich auch das Zend; denn das *n* im Genetiv der sskritischen Form *páñcânâm* gehört wenigstens in dieser Gestalt des Genetivs nicht dem Thema an und in Bezug auf das zendische *pañcănăm*, welches in der That der Genetiv von einem Thema *pañcan* sein würde, kann man bei der sonstigen großen Uebereinstimmung des Zends mit dem Sanskrit und der so starken Corruption der Zend-Texte sehr zweifelhaft sein, ob die Kürze oder das nicht nasalirte *a* vor *n* richtig sei. Die übrigen Casus folgen zwar der Analogie der Themen auf *an*, zeigen aber — freilich in Uebereinstimmung mit diesen — kein *n*.

Sonderbarer Weise hat aber Bopp, trotzdem er an derselben Stelle die Bemerkung in Bezug auf auslautendes griechisches *α* für einstiges *an* macht, nicht angemerkt, daß in der überwiegenden Mehrzahl der Zusammensetzungen als vorderes Glied nicht die gewöhnliche Form *πεντε-* erscheint, sondern *πεντα-* d. h. eine Form, welche, wie *ἑπτα-*, *ὀκτα-*, *ἐννα-*, auf ein Thema *πένταν* deutet. So erscheint denn auch *πεντα-κόσιοι*, aber kein *πεντε-κόσιοι*, gerade wie *ἑπτα-κόσιοι*, *ὀκτα-κόσιοι*, *ἐννα-κόσιοι*. Wie nun den drei letzteren im Latein *septin-genti*, *octin-genti*, *non-genti* (für *novin-genti*) entsprechen (s. §. 2), so würde *πεντα-κόσιοι* im Latein durch *quin-quin-genti* widergespiegelt werden. Statt dessen finden wir im Latein *quin-genti*, ein Wort, dessen erster Theil auf jeden Fall — wie das ja bei Zahlwörtern so oft vorkömmt — verstümmelt ist. Man könnte nun zwar vom isolirt lateinischen Standpunkt aus an ein *quinque-genti* denken, aber da dies gar keine Analogie in den Zahlwörtern für die Hunderte hat, wohl aber ein **quinquin-genti* sich genau so zu *πεντα-κόσιοι* verhält, wie *septin-genti* u. s. w. zu *ἑπτα-κόσιοι* u. s. w., so scheint es mir kaum zweifelhaft, daß dieses als die volle Form dieses Zahlworts aufzustellen sei. Dabei halte ich es zwar kaum für nöthig, will aber doch nicht unterlassen zu bemerken, daß *quinquin-genti*, bei der zwiefachen Wiederholung ein und derselben Silbe, sich weit eher geneigt zeigt, verstümmelt zu werden, als *quinquegenti*, welches sich eben so gut vollständig zu erhalten vermocht hätte, wie *quinquâginta*, fünfzig. Zwar könnte man auf den ersten Anblick in dem lateinischen Zahlwort für 'fünfzehn', in welchem *quin-decim*, nach Analogie von *un-decim*, *duo-decim*, *tre-decim*, *quatuor-decim*, *se-decim*, *septen-decim*, *octo-decim*, *noven-decim*, unzweifelhaft eine Verstümmelung von *quinque-decim* ist, einen Grund finden *quin* auch in *quin-genti* für *quinque* zu nehmen; allein wer diese Zahlwörter genauer betrachtet, kann schon aus ihnen erkennen, daß sie keine Zusammensetzungen, wie die für die Hunderte (von 600 an) unzweifelhaft, sind, sondern Zusammenrückungen, in denen beide Glieder in ihrer flexivischen Form einst getrennt neben einander gesprochen und erst später verbunden wurden; dafür entscheidet auch das Griechische, wo sie, obgleich ein Wort bildend, noch durch *και* verbunden sind und das vordere Glied seine grammatische Form (außer in *τρισκαίδεκα* für *τρεισκαίδ^0*) treu bewahrt, in 'fünfzehn' speciell nicht *πεντα* (wie in *πεντακόσιοι*), sondern *πεντε* zeigt.

Ich glaube, daß wir somit eine Bestätigung dafür erhalten nicht bloß, daß die indischen Grammatiker *páñcan* mit Recht als das Thema dieses Zahlworts im Sanskrit aufgestellt haben, sondern auch, daß man für das Indogermanische *pánkan* als Thema aufstellen müsse.

Es bliebe nun noch übrig, zu erklären, wie so es gekommen, daß — außer dem Sanskrit und Zend — die indogermanischen Sprachen in dem unzusammengesetzten Zahlwort für 'fünf' jede Spur des auslautenden *n* eingebüßt haben; in Betracht kommen hierbei jedoch nur griech. *πέντε* (statt *πέντα*, wie *ἑπτά*, *ἐννέα* und auch *δέκα*), lat. *quinque*, deutsch, z. B. goth. *fimf* (statt *fimfun*, wie *sibun*, *niun*, *taihun*) und vielleicht armenisch; denn die celtischen Zahlwörter haben von 5 bis 10 durchweg das Ende vom letzten Vocal an (diesen eingeschlossen) eingebüßt, die slavischen haben das Zahlabstract [1]) an die Stelle des Cardinale gesetzt und die lettischen eine durch ein hinzugetretenes Suffix veränderte Form. Da es für unsren Zweck genügt, *pánkan* mit auslautendem *n* nachgewiesen zu haben, so ist es nicht nöthig, jene erwähnten Umwandlungen und Verstümmelungen zu erklären. Gern gestehe ich auch, daß ich nicht im Stande bin, sie so klar zu legen und zu erweisen, wie es der heutige Standpunkt der Sprachwissenschaft erfordern würde, erlaube mir aber die Bemerkung, daß, wenn die starken Umwandlungen und Verstümmelungen, denen wir bei den Zahlwörtern begegnen, sich im Allgemeinen aus dem so häufigen Gebrauch derselben ergeben, sie natürlich am stärksten in den Zahlwörtern erscheinen werden, welche häufiger als die andern oder am häufigsten gebraucht werden. Dazu gehört aber wohl unzweifelhaft das Zahlwort 'fünf'. Denn es giebt mehrere Dinge, welche in der Fünfzahl existiren; vor allen die fünf Finger; an diese schließt sich die sehr vorherrschende und wahrscheinlich älteste Gruppenzahl 'Fünfheit' [2]) und die Zahl vieler Einrichtungen, Aemter u. aa., z. B. Einsetzung von Festen, die alle fünf Jahre gefeiert werden,

1) s. Nachrichten 1879 S. 364.
2) s. a. a. O. S. 371.

von Aemtern, welche von fünf Männern verwaltet werden u. aa. Durch einen derartigen häufigen Gebrauch wurde goth. **fimfun* ebenso verstümmelt wie die meisten celtischen Zahlwörter (wo z. B. irisch *pimp* entspricht); im Griechischen mochte sich durch den häufigen Gebrauch von *πέντα* (wie *ἑπτά*) der Werth des *α* aus dem Sprachbewußtsein verlieren und es nach der Analogie so vieler andren *α* sich zu *ε* schwächen — wofür ich aber bis jetzt keinen ganz analogen Fall nachzuweisen vermag (*μέ* z. B. entspricht zwar, wie die Accentuirung wahrscheinlich macht, dem sskrit. *mâm*, allein *mâ* erscheint neben letzterem — freilich ohne Accent- und eine ganz sichre Erklärung des Verhältnisses beider Formen giebt es — so viel mir bekannt — bis jetzt nicht).

§. 4.

Wir haben absichtlich in den beiden vorhergehenden §§. die vier lateinischen Zahlwörter für Hunderte vorausgeschickt, in denen das auslautende *n* des vorderen Gliedes sich als Schlußlaut des Themas wohl unzweifelhaft erwiesen hat, nämlich *septin-genti*, *octin-genti*, *nôn-genti* und *quin-genti*, welches ich wohl mit Recht als eine Syncopirung von *quinquin-genti* erklärt habe. Denn wenn sich nun auch ein Bedenken gegen diese vier mit einander harmonirende Fälle von einem einzigen anderen, *quadringenti* aus erhebt, so wird man doch gern zugeben, daß es nicht sehr ins Gewicht fällt und wir können sagen, daß, wenn wir es auch nicht wegzuräumen im Stande wären, das Resultat in Bezug auf jene vier dadurch kaum beeinträchtigt werden würde. Allein ich glaube, daß es uns gelingen wird, das Bedenken, welches aus *quadringenti* entnommen werden könnte, zu entfernen, wenn wir nachweisen, wodurch die Anomalie in diesem herbeigeführt ward.

Das Bedenken, welches durch *quadringenti* entsteht, ist, wie wohl jedem Sprachforscher bekannt sein wird, folgendes. Die Zahlwörter für 200, 300 und 400 — vielleicht auch das für 100 im Griechischen — beruhen im Latein und Griechischen nicht, wie die von 600 an entschieden, auf Zusammensetzung, sondern auf Zusammenrückung (wie denn bekanntlich das Sanskrit und Zend für die Hunderte allsammt weder die eine noch die andere Verbindung zu einem Worte kennt, sondern alle von 200 an durch zwei Wörter ausdrückt: Zwei Hunderte, Drei Hunderte u. s. w.); so beruht lateinisch *du-centi*, gleichwie *διᾱ-κόσιοι*, *tre-centi* = *τριᾱ-κόσιοι* auf den zwei Pluralen Nom. Ntr. *διᾱ*, lat. *duo*, *τριᾱ*, lat. *trî* (vgl. *trî-ginta* = *τριά-κοντα* [1]), indem des letzteren *i* sich dem Vocal *e* der folgenden Silbe *cen* assimilirte) und dem Plural des Wortes für 'Hundert'. Die beiden zusammengerückten Wörter wurden aber dann in Adjectiva verwandelt, im Lateinischen, wie es scheint, unmittelbar, im Griechischen durch Antritt des sekundären Affixes *ιο*. Der Nom. Plur. Ntr. des Zahlwortes 'vier' lautete indogermanisch *katvărâ* oder *katvârâ*, welchem im Griech. *τέσσαρᾰ* (mit Verkürzung des Auslauts, dessen Länge im ionischen *τεσσερή-κοντα* = lat. *quadrâ ginta* bewahrt ist), *τέτταρα* und mit spurloser Einbuße des indogerman. *va* — jedoch

1) Vgl. 'Das Indogermanische Thema des Zahlworts 'Zwei' u. s. w. S. 5; in Abhdlgen der k. Ges. d. Wiss. zu Göttingen. Bd. XXI.

nur wo es vorderes Glied eines Compositum ist — *τετρα*. Diesem entspricht genau latein. *quadra*, obgleich für dessen *d* statt *t* bis jetzt ebenso wenig eine sichere Erklärung geliefert ist, als für das griech. *βδ* in *ἑβδομο* gegenüber von sskr. *saptamá* und lat. *septimo*, so wie für das griech. *γδ* in *ὄγδοο* gegenüber von sskr. *ashṭamá*, lat. *octavo*. Trotz dieses Mangels bezweifelt aber Niemand die Identität von *ἑβδομο* mit *saptamá septimo* und eben so wenig die von *quadra* mit *τετρα*. Dieses *τετρα* erscheint nun in *τετρα-κόσιοι* und sein auslautendes *α* ist ein ganz anderes als das von *ἑπτα-* in *ἑπτα-κόσιοι*; während hinter letzterem ein *ν* eingebüßt ist, ist in *τετρᾰ* für *τετϝαρᾱ* nur das auslautende ursprünglich lange *ᾱ* verkürzt, wie auch in *τετταρᾰ-κοντα*, gegenüber von *τεσσερή-κοντα* und dorisch *τετρώ-κοντα*, welches letzte das ganz getreue Spiegelbild von lat. *quadrâ-ginta* ist. Trotzdem finden wir als Reflex von *τετρα-κόσιοι*, im Latein *quadrin-genti*, als ob, wie in *septin-genti*, der vordere Theil nicht eigentlich *quadrâ*, sondern *quadran*, wie *septan* in *septingenti* u. s. w. gewesen wäre. Man könnte demnach sagen, wie sich *quadra* in anomaler Weise hier in *quadrin-* umgewandelt hat, so könnte *in* auch in *octin-genti* u. s. w. in anomaler Weise aus *octo* oder *octa* entstanden sein, so daß also aus *ἑπτα-κόσιοι* = *septin-genti*, *ὀκτα-κόσιοι* = *octin-genti*, *non-genti* (für *novin-genti*) = *ἐννα-κόσιοι* nicht geschlossen werden dürfe, daß in *quin-genti* (für *quinquin-genti*) *πεντά-κοσιοι* das *in* ein ursprüngliches *an* repräsentire.

Freilich kann man sich gegen diese Einrede auf das Zahlenverhältniß berufen, geltend machen, daß es doch immer wahrscheinlicher sei, daß vier nach lautlichen Gesetzen erklärbare

Formen eine, derselben begrifflichen Categorie angehörige, anomaler Weise in ihre Analogie gezogen haben, als daß eine anomal entstandene vier in dieselbe Anomalie hinüber geführt habe. Dadurch würde die Frage aber keineswegs entschieden. Eine Entscheidung, welche auf hohe, ja die höchste Wahrscheinlichkeit Anspruch machen kann, gewinnt man nur, wenn man im Stande ist, nachzuweisen, aus welchem Grunde in dieser einen Form dieser Anomalie oder eher falschen Analogie Statt gegeben ward und ich glaube, daß dies nicht so schwer sein wird.

Stellen wir uns vor: die Sprache wäre bei Bildung des Zahlworts für 'vierhundert' streng den Sprachgesetzen gefolgt, dann würde das Wort — nach Analogie von *quadrâ-ginta* zu **τεσσερή-κοντα**, **τετταρᾰ́-κοντα** — entweder *quadrâ-genti* oder *quadră-genti* geworden sein. Wenn von diesem ein Nominativ oder Accusativ des Neutrum zu bilden gewesen wäre, dann hätten sie *quadra-genta* geheißen, wären also, wenn *quadrâ-genta*, nur durch den Vocal *e* statt *i* von jenem geschieden gewesen, also nur durch Vocale, welche noch obendrein im Latein so oft mit einander wechseln, ohne die Bedeutung zu beeinträchtigen. Sprach man aber *quadră-genta*, dann wäre zwar noch ein kurzes *a* statt des langen hinzugetreten, allein — aber auch so — welch geringe kaum in das Ohr fallende Unterschiede bei Wörtern, welche kategorisch verwandte und doch um das Zehnfache verschiedene (40 und 400) Bedeutungen zu bezeichnen bestimmt waren. Eine solche Aehnlichkeit, ja! man kann sagen, in practischer Beziehung fast vollständige Gleichheit zweier Wörter, deren, möchte man sagen, zehnfache Verschiedenheit für fast alle socialen Verhältnisse von der größten Wichtigkeit gewesen wäre, konnte sich sicherlich bei keinem Volke längere Zeit behaupten, bei welchem der Sinn für Hab und Gut auch nur in geringem Maße entwickelt war, am wenigsten aber bei den alten Römern, welche sich durch Fleiß, Sparsamkeit, sorgsame Haushaltung, eifrige Pflege von Hab und Gut und achtsames Rechnen auszeichneten — Tugenden, welche alle, die die niederen Classen des italiänischen Volkes kennen gelernt haben, bei diesen auch heute noch gefunden haben, wo irgend die gränzenlos zerrütteten Besitzverhältnisse dieses, von der Natur reich gesegneten, aber durch jene Zerrüttung fast ganz verkommenen Landes, die Uebung derselben ermöglichen.

Es war somit für die Römer die Nothwendigkeit gegeben, die Zahlwörter für 'vierzig' und 'vierhundert' stärker von einander zu scheiden, als in ihrer etymologischen Gestalt geschehen war. Was lag da näher, als daß das Zahlwort für 'vierhundert' sich der Analogie von *quingenti* (für *quinquin-genti*, wie ich angenommen habe), *septin-genti*, *octin-genti*, *non-genti* (für *novin-genti*) eng anschloß und man statt *quadragenta* fortan *quadrin-genta* sprach. Sahen wir doch, daß dieses mittlere *-in-* so sehr Character dieser Hunderte zu sein schien, daß dadurch für *non-genti*, in welchem durch die Zusammenziehung von *novin-* zu *nôn-* dieses *-in-* verdunkelt war, eine Nebenform *nônin-genti* entstand, in welcher es, da dieses *novin-in-genti* repräsentirt, in etymologischer Beziehung zweimal enthalten ist.

Da es vielleicht dazu dienen kann, die Richtigkeit meiner Erklärung von *quadrin-genti* noch mehr zu erhärten, außerdem an und für sich für die Erkenntniß der Zahlwörter nicht ganz unerheblich sein möchte, endlich mit wenigen Worten abgethan werden kann, verstatte ich mir zwei griechische Zahlwörter kurz zu besprechen, deren eines, ebenfalls durch das Bedürfniß strengerer Scheidung in seiner Form fixirt zu sein scheint, während das andre wohl auf gleich anomale Weise wie *quadrin-genti* in die Analogie der nächststehenden Zahlwörter hinüber geführt ward.

Das erste ist ebenfalls das Zahlwort für 'vierhundert'. Genau genommen bedurften die Griechen hier keiner Scheidung zwischen den Zehnern und Hunderten im vorderen Compositionsglied, da das zweite Glied scharf geschieden war, nämlich durch -κοντα (für ursprünglich indogermanisches *dúkantá*, Zehne, Plur. Nom. Ntr., dessen erste Silbe aber schon vor der Sprachspaltung eingebüßt war) in den Zehnern von κοσιο (für κοτιο ursprünglich κοντιο durch ιο aus κοντο für indogermanischen *kanta* 'Hundert' abgeleitet) in den Hunderten. Eine ähnliche fast vollständige Gleichheit, wie zwischen lat. *quadra-ginta* und **quadra-genta*, war also hier unmöglich, da selbst ein aus dorisch τετρώ-κοντα erschließbares *τετρά-κοντα, 'vierzig', von τετρά-κοσια (Nom. Plur. Ntr.), 'vierhundert', wohl hinlänglich verschieden war. Dennoch war wie seit Buttmann (Ausführliche Griechische Sprachlehre II. 2 (1827), S. 412, Berichtigungen zu I. S. 283) in den mir zugänglichen griechischen Grammatiken gelehrt wird, während für 'vierzig' τεσσαρά-κοντα, τετταρά-κοντα (ion. τεσσερή-κοντα, dor. τετρώ-κοντα) verstattet sind, für 'vierhundert' nur die Form τετρακόσιοι erlaubt. Ist diese Lehre richtig (was zu verificiren ich den Philologen anheimstellen muß), dann wird diese Beschränkung wohl sicherlich dem Bestreben zuzuschreiben sein, die beiden so bedeutungsverschiedenen Zahlwörter auch in der Form stärker von einander zu scheiden.

Der andre Fall betrifft das griechische Zahlwort für 'sechshundert' *ἑξα-κόσιοι*. Den Ergebnissen unsrer Untersuchung gemäß ist im Lateinischen sowohl als Griechischen das vordere Glied der Zahlwörter für 500 und 700—900 die thematische Form

in der Graeco-Lateinischen Grundform:	im Lateinischen:	Griechischen:
penkan	*quinquin- (quin-)	*πεντα-*
septan	septin-	*ἑπτα-*
oktan	octin-	*ὀκτα-*
navan	*novin- (nōn-)	**ἐνϝα-*, (*ἐννα-* für *nvan-* statt *navan-*).

Im Lateinischen gilt dasselbe Gesetz auch für sechshundert in *sex-centi*, in welchem *sex* die Graeco-Lat. Grundform ist, welche im Latein. treu bewahrt, im Griech. *ἑξ* geworden ist. Im Griechischen tritt dagegen *ἑξα-* statt *ἑξ-* ein, also *ἑξακόσιοι*. Bei der vollständigen Uebereinstimmung der umgebenden Zahlwörter im Latein und Griechischen ist wohl kaum zu bezweifeln, daß die Griechen so lange sie *-ξκ-* zu sprechen vermochten, dem Lateinischen entsprechend, *ἑξκόσιοι* sprachen; als aber die griechische Phonetik die Einbuße des Zischlautes in *ξ* vor *κ* u. aa. Consonanten zum Gesetz erhoben hatte, hätte die Form *ἑκ-κόσιοι* lauten müssen, wodurch die Bedeutung — zumal für ein Zahlwort — zu sehr verdunkelt worden wäre; zwar könnte man dagegen anführen, daß man ja *ἑκκαίδεκα* 'elf' ohne Scrupel statt *ἑξκαίδεκα* (= lat. *sexdecim*) sprach; allein hier war *ἑκ* durch das folgende *καὶ* 'und' im Sprachbewußtsein als categorisch gleich mit dem dann folgenden *δεκα*, also als Zahlwort, fixirt, so daß die phonetische Umwandlung die Erkenntniß der Bedeutung nicht beeinträchtigen konnte. In **ἑκκόσιοι* wäre dies aber schwerlich der Fall gewesen und so ergab sich — wie in *quadringenti* — durch die Nähe der categorisch gleichen, an Anzahl noch reicheren, Zahlwörter mit *α* vor *κ*, nämlich *διακόσιοι τριακόσιοι τεσσαρακόσιοι πεντακόσιοι ἑπτακόσιοι ὀκτακόσιοι ἐννακόσιοι* mit Leichtigkeit ein — anomales — Eindringen von *α* an derselben Stelle auch in *ἑξακόσιοι*. Freilich erscheint dieses anomale *α* auch in anderen Bildungen, so der Ableitung durch *κις ἑξά-κις* (nicht *ἑκ-κις*), aber auch hier wird es wohl ebenfalls dem Einfluß des *α* vor *κ* in *δυάκις τριάκις τετράκις πεντάκις ἑπτάκις ὀκτάκις ἐννάκις* und *ἐννεάκις* zuzuschreiben sein. Endlich erscheint *ἑξα-* auch in mehreren Zusammensetzungen, allein theilweis neben *ἑκ*, z. B. *ἑξά-πους* neben *ἕκπους*, woraus wir wohl schließen dürfen — zumal wenn wir lat. *sex-vir* und *sevir*, *sexprimi* berücksichtigen — daß die Formen ohne *α* die älteren waren. Die mit *α*, wie *ἑξά-κλινος* u. s. w. erklären sich wiederum durch den Einfluß der Zahlwörter, die gesetzlich als vordere Glieder einer Zusammensetzung auf *α* auslauten, wie z. B. *τετρά-πους πεντά-πους ἑπτά-πους ὀκτά-πους ἐννεά-πους δεκά-πους*.

Indem wir somit das Bedenken, welches von *quadringenti* hergenommen werden konnte, weggeräumt zu haben glauben, möchte der Nachweis, daß zur Zeit der Spaltung der indogermanischen Sprachen die Themen für die Zahlwörter sieben, acht, neun, *saptán aktán návan* und das für 'fünf' *pánkan* gelautet haben, als ein höchst wahrscheinlicher, ja wohl sicherer, zu betrachten sein.

Nachtrag zu S. 3, Z. 3: Rigveda VII. 26.

Vielleicht möchte meine Erklärung von *ásuta* in VII. 26, 1 manchem, welcher seine Aufmerksamkeit auf den Gebrauch der Negation in den Veden nicht speciell gerichtet hat, auffallen. Ich wollte mir deßhalb erlauben, die beiden ersten Verse dieses Liedes hier zu übersetzen, da der zweite die Bedeutung von *ásuta* im ersten erläutert, indem er angiebt, wie der Soma auf richtige (d. h. dem überlieferten Brauch oder Vorschriften angemessene) Weise gepreßt wird. Da der Hymnus aber sehr kurz ist und auch in den weiteren Versen nicht ohne Interesse, verstatte ich mir, ihn ganz mitzutheilen. Die zur richtigen Auffassung nothwendigen erklärenden Zusätze habe ich der Uebersetzung in Klammern eingefügt.

1. Nicht erfreuet Indra der Soma [1]), wenn in unrichtiger Weise gepreßt, nicht [erfreuen ihn] die [in richtiger Weise] gepreßten, wenn nicht von Gebeten begleitet; [so] will ich [denn] ein Lied aus mir erzeugen, an welchem er Gefallen finden soll, ein kräftiges, ganz neues, auf daß er uns erhöre.

2. Der Somatrank erfreut Indra, wenn Lied auf Lied ihn begleitet, die gepreßten [Somapflanzen erfreuen] den spendereichen, wenn Sang auf Sang sich dabei folgen; wenn [die Darbringenden] vereint mit vereinigten Kräften [ihn] zu Hülfe rufen, wie Söhne den Vater.

3. Diese [bekannten, schon oft gerühmten Thaten] hat er [in früheren Zeiten] vollbracht; jetzt soll er andere vollbringen, welche die Weisen bei den gepreßten [Somatränken in Zukunft] rühmen sollen: gleich wie ein einziger gemeinsamer Gatte eine Menge Frauen, so hat Indra mit Leichtigkeit alle Burgen überwältigt.

1) d. h. die Somapflanze.

4. So haben sie [die Weisen] ihn bezeichnet und [unter diesem Namen] ist Indra berühmt, (nämlich): als mächtiger Vertheiler von Spenden: [als der], dessen zahlreiche Hülfen, mit einander wetteifernd, liebe Schätze zu uns geleiten.

5. So preiset Vasishṭha[1]) den Indra, den Herrscher der Menschen, beim Somatrank, auf daß er den Männern helfe[2]): miß uns zu tausendfältige Güter! — Ihr[3]) [aber] schützet uns alle Zeit mit Segnungen!

Damit dem Leser, welchem andere Uebersetzungen gerade nicht zur Hand, doch die Wahl freistehe, erlaube ich mir die Uebersetzung der beiden ersten Verse von Ludwig beizufügen.

Sie findet sich in dessen Uebersetzung des Rigveda (1876) II. S. 161 und lautet: 1. »Nicht der ungepreßte Soma hat Indra berauscht, nicht den Maghavan der gekelterte ohne brahma, | ihm bring ich ein preislied hervor, an dem er wolgefallen haben soll, ein heldenmäsziges, neueres, dasz er uns erhöre.

2. bei preislied, bei preislied hat den Indra der Soma berauschet, bei Liedesweise den Maghavan die gekelterten Säfte, | wenn ihn die priester wie den Vater die Söhne mit gemeinsamer Geschicklichkeit begabt zur Gnade rufen«.

Beiläufig bemerke ich, daß es sich so sehr von selbſt versteht, daß 'der ungepreßte Soma' Indra so wenig als sonst Jemand berauschen kann, daß schon dadurch diese Auffassung von *ásuta* vollständig gerichtet sein möchte.

1) d. h. 'so preise ich' und *vasishṭha* bedeutet hier wohl *Vasishṭhide*.

2) *ắtáye* im Sinn des Infinitivs und, wie die verbale Basis, mit Accusativ construirt.

3) Schluß-Refrain der Hymnen von VII. 19 bis 30. Mit 'ihr' sind wohl alle Götter gemeint.

Bemerkungen zu einigen Thracischen und Moesischen Münzen.

Von

F. Wieseler.

Diese Bemerkungen sind zunächst veranlaßt durch das Werk:

A Catalogue of the Greek coins in the British Museum. The Tauric Chersonese, Sarmatia, Dacia, Moesia, Thrace, etc. Edited by Reginald Stuart Poole, Thrace and the Islands, by Barcley V. Head, the rest of the volume by Percy Gardner. London, printed by order of the trustees, 1877. XII u. 274 S. in Octav.

Das betreffende Werk macht den dritten Theil des Catalogs der Griechischen Münzen im Brit. Museum aus, über dessen beiden ersten Theile wir in den Götting. gel. Anzeigen berichtet haben. Auch dieser Theil, welcher in seiner Anlage den früheren wesentlich entspricht, zeichnet sich durch die Kunde und Genauigkeit, mit welcher der Text gearbeitet, und durch die schönen Holzschnitte, mit welchen derselbe ausgestattet ist, auf das Vortheilhafteste aus. Auch er macht uns mit einer Reihe von Stücken bekannt, die entweder als einzig in ihrer Art oder doch als große Seltenheiten zu betrachten sind, und enthält hinsichtlich der Typen manches Neue und Belehrende.

Unter den Münzen des Thracischen Festlandes nehmen die von Aenos ein ganz besonderes Interesse in Anspruch, sowohl in kunstgeschichtlicher und kunstmythologischer Hinsicht als auch in Beziehung auf die zahlreichen sogenannten Symbole, welche auf der Rückseite angebracht sind.

In kunstgeschichtlicher und metrologischer

Hinsicht sind die Silbermünzen von A. von Sallet besprochen in einem Aufsatze, der etwa zu derselben Zeit wie der vorliegende Theil der Cataloge des Brit. Mus. in jenes Gelehrten Zeitschrift für Numismatik erschien, Bd. V, H. 2, S. 177 fg. Auch hat H. Brunn, »Päonios und die nordgriechische Kunst«, in den Sitzungsberichten der K. Bayer. Akad. der Wissensch. Bd. I, Heft 3 von 1876, S. 327 fg. den Styl des Hermeskopfes auf den älteren Münzen von Aenos, so weit diese ihm bekannt waren, mit dem der Werke des Päonios zusammengestellt. Ueber die Symbole ist noch nirgends genauer und in gehörigem Zusammenhange gehandelt. Leider fehlt es an einer größeren Anzahl genügender Abbildungen wie sie in neuerer Zeit von Cohen Collect. de M. J. Gréau, 1867, pl. II, n. 1023, Imhoof-Blumer Choix de monn. Gr. pl. I, n. 4, J. Friedlaender und A. von Sallet »Das K. Münzkabinet«, Berlin 1873, Taf. IV, von Sallet in seiner Zeitschr. a. a. O. und von den Herren Poole und Head in dem vorliegenden Werke p. 77 fg. gegeben sind. Unter den letzten ist die wichtigste die auf p. 77, n. 1, weil sie die einzige bis jetzt bekannte, freilich schon früher, aber in minder genauer Abbildung herausgegebene Goldmünze betrifft, welche Hr. Head der Zeit von 400—350 v. Chr. zuweist. Der Revers zeigt den bekannten, auch in unseren Denkm. d. a. Kunst II, 28, 298 nach der Abbildung einer Silbermünze in Dumersan's Cabinet de M. Allier de Hauteroche pl. III, fig. 3. wiederholten Typus der auf einem Throne stehenden Herme und davor ein Kerykeion. Aber der Thron hat Zierathen, von welchen wir früher nichts wußten, die inzwischen nach Herrn Head's Text und Abbildung p. 80, n. 23 auch auf Silbermünzen der späteren Zeit, welche der von Dumersan herausgegebenen entsprechen, vorkommen. Hr. Head beschreibt den chair or throne als with arm ending in ram's head versehen und upon the front leg a sphinx, which supports the arm, zeigend. Daß »die Armlehne auf den späteren Münzen vorn in Widderköpfe endet, die auch, wenn man es weiß, auf den früheren Tetradrachmen sichtbar werden«, bemerkt auch Sallet in seiner Zeitschr. a. a. O., ohne inzwischen von der Sphinx ein Wort zu sagen.

Die Münzen von Aenos zeigen bis zur Zeit der Römischen Herrschaft hinab auf dem Averse regelmäßig den Kopf des Hermes. Erst zu dieser Zeit findet sich auf den damals allein geprägten Kupfermünzen als Averstypus ein mit einer Tänia versehener Kopf.

Diesen bezieht Hr. Head auf Poseidon. Schade, daß er keine Abbildung beigegeben hat. Mionnet nahm einen Zeuskopf an, Descr. de Médailles T. I, p. 370, n. 55 u. Supplém. T. II, p. 214, n. 57. Außerdem führt Mionnet Suppl. II, p. 214, n. 56 noch eine Kupfermünze mit der tête *laurée* de Jupiter auf dem Averse und dem stehenden Hermes als Reverstypus an nach Mus. Sanclem. num. sel. T. I, p. 132, und ebenda unter n. 53 eine Kupfermünze mit einer tête imberbe laurée auf dem Averse und caducée et astre auf dem Reverse, nach Eckhel Cat. mus. Caes. Vindob. T. I, p. 64 n. 3. Es kann wohl nicht dem mindesten Zweifel unterliegen, daß es sich in dem letzteren Falle um einen Hermeskopf handelt, welcher mehrfach mit Lorbeerkranz und dabei ohne Kopfbedeckung erscheint. Rücksichtlich der »tête laurée de Jupiter« (wohl desselben Typus, welchen C. Combe in den Numm. mus. Hunter. p. 14, n. 8 ohne Deutung beschrieben und t. 3, fig. VII in sehr mangelhafter Abbildung mitgetheilt hat) stellt sich aber die Frage, ob er denselben Gott darstellen solle wie die tête diadémée de Jupiter (was auch im Text des Mus. Sanclem. a. a. O. angenommen wird) oder, nach Head, der Poseidonkopf, oder ob er auf einen anderen Gott zu beziehen sei. Auf Poseidon bieten, so viel wir sehen können, die Typen der Münzen von Aenos sonst nicht die mindeste Andeutung. Auf Zeus wird man zunächst geneigt sein einige der Symbole im Felde auf dem Reverse dieser Münzen zu beziehen, von denen wir weiter unten sprechen werden. Aber noch sicherer ist es, daß ein anderer Gott, der für die in Rede stehenden Köpfe sehr wohl in Betracht kommen kann, in den Münztypen von Aenos vertreten ist, nämlich Asklepios, welcher auf der von Mionnet a. a. O. unter nr. 58 angeführten, in C. Combe's Numm. mus. Hunter. t. 3, fig. VIII abbildlich mitgetheilten Kupfermünze mit dem Averstypus des Hermeskopfes in voller Figur stehend den Reverstypus ausmacht. Hiernach kann es sich fragen, ob die »tête de Jupiter« je nach der Verzierung mit Lorbeerkranz oder mit Tänia unter diesen Gott und den Aesculap zu vertheilen ist, oder ob sie nur den letzteren angeht, eine Frage, auf deren Beantwortung wir hier in Göttingen bei dem Mangel genügender Hülfsmittel verzichten müssen.

Auch der Revers der späteren Kupfermünzen von der Zeit nach Alexander dem Gr. an ist dem Hermes gewidmet, und zwar ihm ausschließlich, abgesehen von der oben erwähnten Münze mit der stehenden Figur des Asklepios. Der Gott ist auf jenen in ganzer Gestalt entweder stehend oder sitzend dargestellt. Die Darstellung des sitzenden Hermes in ganzer Gestalt findet sich auf dem Reverse einer Kupfermünze aus etwas früherer Zeit, aber aus der nach Alexander dem Großen, zu welcher zu vergleichen Mionnet Suppl. II, p. 213, n. 51 und die ungenaue Beschreibung und Abbildung bei C. Combe Numm. mus. Hunter. p. 14, n. 6 und t. 3, n. VI. Man gewahrt nach Hrn. Head p. 81, n. 42 den Gott seated on throne, holding purse and sceptre. Diese Darstellung ist — um das beiläufig zu bemerken — in mehreren Beziehungen sehr beachtenswerth, nicht bloß wegen des thronenden Gottes, der seinen Vorgänger in der auf den Thron gestellten Herme auf Münzen von Aenos hat, sondern auch wegen der Attribute des Beutels und des Scepters in den Händen des Gottes. Aller Wahrscheinlichkeit nach hat der Beutel hier eine tiefere und umfassendere Beziehung als die eines bloßen Abzeichens des Kaufmannsgottes, als welches jenen noch Conze Heroen- und Göttergestalt. d. Griech. Kunst S. 36 nur gelten lassen wollte, indem er als bemerkenswerth hervorhob, daß der Beutel auf keinem Griechischen Vasenbilde bei Hermes vorkomme. Inzwischen hatte schon Brunn im Bullett. d. Inst. di corrisp. arch. 1859, p. 103 darauf aufmerksam gemacht, daß der Beutel sich auf einem rothfigurigen Vasenbilde in Cetona finde, und Friederichs in Berlins ant. Bildw. II, S. 408 auf eine Marmorstatue in Athen hingewiesen, »die unzweifelhaft nach der Haltung der fast ganz unversehrten Hand einen Beutel trug, übrigens aber im Kopf und auch in Haltung und Formen des Körpers so sehr an den bekannten Apoxyomenos des Lysippos erinnert, daß sie demselben Meister oder seiner Schule zugeschrieben werden muß«, indem er die Vermuthung äußerte, daß der Gedanke des beuteltragenden Hermes von Lysippos oder seiner Schule ausgegangen sein möge, den Beutel aber nur auf den Marktverkehr bezog. Wir können dieser Ansicht nicht beipflichten, sondern glauben, daß der Beutel bei Hermes ursprünglich ein allgemeines Symbol des Segens und Reichthums war, das späterhin vorzugsweise auf den Handelsgott übertragen wurde, aber dennoch auch noch in späterer Zeit dann und wann in dem früheren Sinne gebraucht ist (vgl. Denkm. d. a. Kunst II, Taf. XXX, n. 320 nebst Text).

Auf dem Revers der Silbermünzen von Aenos und denen von Kupfer, welche den Silbermünzen der Periode von etwa 400—350 n. Chr. gleichzeitig sind, finden wir entweder einen Typus oder ein paar oder noch mehrere angebracht.

Die älteste, wahrscheinlich nur in einem Exemplare vorhandene Tetradrachme hat als einzigen Typus das Kerykeion. Dann folgt als Haupttypus, selten als einziger, der durch zahlreiche Exemplare bekannte des Ziegenbockes, endlich der entweder als alleiniger oder als Haupttypus vorkommende der auf einen Thronsessel gestellten Herme. Diese drei Typen beziehen sich ohne allen Zweifel auf Hermes.

Wie steht es aber bei diesen Münzen mit den Nebentypen, den sogenannten Symbolen im Felde? Sie sind an Zahl sehr groß, der Art nach sehr manichfaltig. Kunde von ihnen bringen hauptsächlich die Angaben Mionnet's Descr. T. I, p. 368 fg. u. Suppl. T. II, p. 211 fg., J. Brandis' Münz- Maß- und Gewichtswesen in Vorderasien bis auf Alex. d. Gr. S. 519 fg. u. 575, Head's im vorliegenden Catalog, auch von Sallet's in der Ztschr. f. Num. V, S. 179 u. 187 (der übrigens diese Symbole nur gelegentlich berührt). Vermuthlich sind uns nicht alle Symbole bekannt, und wir würden es dankbar anerkennen, wenn uns über Nichtbemerktes Mittheilung gemacht würde. Nichtsdestoweniger kennen wir, zum Theil freilich durch bloße Angabe des Namens folgende Symbole: Kerykeion, Petasos, Hermesherme auf Thronsessel gestellt, Hermeskopf mit dem Petasos (Imhoof-Blumer in Sallet's Zeitschr. VI, S. 3), Schlange, Widderkopf, Thierschädel, Delphin, Adler, Fliege, vielleicht auch Biene, Krebs, Muschel, Lyra, Astragal (in der Ein- oder Zweizahl), Gefäße verschiedener Art (an Trinkgefäßen Kantharos und Rhyton, sonst die Amphora oder Diota und ein einhenkliches Gefäß), mehrfache Geräthe (Dreifuß, »Leuchter« — etwa Thymiaterion? —), brennende Fackel, auch waffenartige wie Doppelbeil und Keule, Aehren- und Gerstenkorn, Baum- Zweige, -Blätter und -Früchte (Oliven- oder wahrscheinlicher Lorbeerzweig, Epheublatt und Epheuzweig, Weinstock, Weintraube), Kranz, Halbmond, Stern, Blitz, Pentagramm, Tropäum, (»trophy«, ein paar Male nach Head, abgebildet p. 79), Helm (abgeb. bei Mionnet Suppl. T. II, pl. 5, n. 4), Lanzenspitze (Mionnet a. a. O. p. 212 mit Berufung auf Combe Mus. Hunter. p. 13, n. 3, wenn es sich nicht etwa um ein Gerstenkorn handelt), endlich Silenkopf, wie es scheint (Imhoof-Blumer Choix a. a. O.) und jugendlicher Pan, in die Ferne schauend, in vollständiger Gestalt. Unter diesen Gegenständen und Wesen findet sich eine Reihe der bekanntesten Attribute oder Genossen des Hermes. Ebenso viele Gegenstände sind als Hermesattribute freilich weniger bekannt, aber doch mit Sicherheit nachzuweisen. Dahin gehören u. A. auch Adler, Helm [1]) und Lanze. Unter dem Rest

1) Die Bronzemünze, welche Mionnet Suppl. II, p, 213, n. 50 als auf dem Avers eine tête casquée, auf dem Revers eine chèvre zeigend beschreibt, indem er auf Eckhel Doctr. num. vet. n. 38 verweist, kann nicht etwa

ist kein Ding, bezüglich dessen sich nicht die Möglichkeit der Beziehung auf Hermes leicht darthun ließe. Das gilt z. B. von Tropäum, wenn dieses sicher steht[1]), Blitz, Pentagramm. Als siegbringenden Gott kennen wir den Hermes auch sonst selbst aus Bildwerken, auf denen er als solcher mit dem Attribut des Adlers erscheint. Ja auf einem Werke der Glyptik sitzt der Gott, vor welchem man den Adler mit Palmzweig im Schnabel auf einem Altärchen stehend erblickt, auf einem Panzer (wie Mars Victor) und faßt mit der Rechten einen neben dem Siegesadler zum Vorschein kommenden Gegenstand, in welchem Passeri ein parvum tropaeum zu erkennen geneigt war, außer dem man übrigens auch an ein Feldzeichen denken könnte. Es ist die Rede von dem Sard in Passeri's u. Gori's Thesaur. gemm. ant. astrif. Vol. I, t. CXXIV, auf welchem nicht etwa eine »Deus pantheus« dargestellt ist, sondern Mercur. — Was den Blitz anbetrifft, so findet sich derselbe meines Wissens in der Hand des Hermes allerdings nur einmal, nämlich auf dem geschnittenen Steine, welchen

verwendet werden, um jenen Helm auf irgend einen andern auf Aenos verehrten Gott oder einen Heros zu beziehen. Wer Eckhel's D. N. P. I, Vol. II, p. 23, Anfang, vergleicht, wird nicht daran zweifeln, daß unter seiner Bezeichnung caput galeatum und capra nichts Anderes zu verstehen ist als der gewöhnliche Hermeskopf mit der Kyne und der Bock.

1) Die betreffende von Head mitgetheilte Abbildung zeigt auf einer kurzen Säule, wie es scheint Ionischer Ordnung, einen Gegenstand, welcher sich zunächst wie ein Schild ausnimmt, aber etwa auch einen Diskos vorstellen könnte, und darüber hervorragend zwei andere, die ich nicht wagen möchte als mit Sicherheit auf eine Kyne und einen Bogen bezüglich zu betrachten. Inzwischen soll hiemit das Tropäum keineswegs in Abrede gestellt, sondern nur zu erneuter Prüfung des Gegenstandes aufgefordert werden.

Gori Thes. gemm. astrif. Vol. II, p. 201 Viguette, herausgegeben hat. Doch verschlägt das nichts. Daß Hermes sehr wohl als Inhaber des Blitzes betrachtet werden konnte, unterliegt keinem Zweifel. Er ist ja von Hause aus solarischer Beziehung und dieser Umstand tritt auch in den Werken der bildenden Künste mehrfach zu Tage. Alle Sonnengötter sind aber auch Blitzgötter. — Das Pentagramm ist als Heilsymbol bekannt. Bei den Pythagoreern hieß es geradezu ʽΥΓΙΕΙΑ. Hermes war aber auch Heilgott. Nach Cornutus de nat. deor. T. XVI, p. 64 *τὴν ʽΥγίειαν αὐτῷ συνῴκισαν*. Der Mythographus Vatic. I. berichtet II, 118 daß Juno ihm die Arzneikunst beigebracht habe. Man könnte, da Asklepios auf einer Münze von Aenos sicher dargestellt ist, sich versucht fühlen, das Pentagramm auf diesen zu beziehen; so wie, wenn unter den Münztypen von Aenos der Zeuskopf mit Sicherheit nachgewiesen sein wird, den Blitz auf Zeus, und dann weiter auf jenen und auf diesen noch einige andere der oben angeführten Symbole zurückführen wollen, auf Asklepios z. B. die Schlange und den Dreifuß, auf Zeus den Adler. Aber ich werde mich nicht eher von der Richtigkeit dieses Verfahrens, welches namentlich in Betreff des Zeus als mißlich erscheint, überzeugen, als bis mir noch nicht bekannte Symbole nachgewiesen werden, deren Beziehung auf eine andere zu Aenos verehrte Gottheit gegenüber der auf Hermes, den in den Münztypen so dominirenden Hauptgott der Insel, durchaus erfordert würde. Ich bemerke in dieser Beziehung noch Folgendes. Die Umgegend von Aenos war ganz besonders durch ihr Getreide berühmt (Plinius Nat. hist. XVIII, 70). Auch Weinbau hatte dort statt, wenn auch in späterer Zeit nicht mit so günstigem Erfolge als in früherer (Plin. N. h. XVII, 30). Es erscheint danach durchaus angemessen, die Culte der Demeter und des Dionysos vorauszusetzen. Wie kommt es aber, daß von diesen Gottheiten als Haupttypen des Averses und des Reverses auf den Münzen von Aenos noch nicht ein einziges Beispiel nachgewiesen ist, während sich die Sache doch z. B. in Betreff der Münzen von Sestos ganz anders stellt, in denen diese drei Gottheiten in den Haupttypen vertreten sind? Wer, der da weiß, daß Hermes den Erdensegen ebenso fördert wie Demeter und Dionysos und im Verein mit ihnen, wird nicht annehmen, daß die auf Getreide- und Weinbau bezüglichen Symbole auf Münzen, deren Haupttypen in der betreffenden früheren Zeit nur diesem Gotte gewidmet sind, auch zunächst in Beziehung zu ihm stehen sollen? Daß von jenen Symbolen auch nur ein einziges einen Beamten angehe (von denen wir nur einen kennen, wie A. von Sallet dargethan hat) ist ohne Wahrscheinlichkeit. Wollte man aber sagen, daß diejenigen unter ihnen, welche Erzeugnisse des Bodens darstellen können, nur als solche auf den Münzen angebracht seien, so halten wir diese Erklärungsweise für minder richtig als diejenige, nach welcher sie als auf die Gottheit, unter deren Obhut diese Erzeugnisse stehen, bezüglich zu betrachten sind. Ob eine andere, von L. Müller in seiner Schrift über die Münzen des Thracischen Königs Lysimachos S. 58, Anm. 29 angedeutete Erklärungsweise mehr Beachtung verdiene, muß bis auf Weiteres dahingestellt bleiben.

Von den übrigen Thracischen Ortschaften mit autonomen Münzen ist die durch frühzeitige schöne Prägung ausgezeichnete Stadt Abdera durch interessante Exemplare besonders stark vertreten. Auf der Vorderseite einer Silbermünze der ersten und der zweiten Periode findet sich je ein uns bisher noch nicht bekannt gewesenes Symbol vor dem Greifen, dort ein »dancing satyr« (oder anscheinend ein Silen und zwar ein sitzender) p. 64, n. 4, hier ein die Kugel nach sich schleppender Scarabäus (p. 67, n. 28), vermuthlich in Beziehung auf Apollon stehend, wie auf der bekannten Bronzemünze von Athen Denkm. d. a. Kunst II, 11, 126). — Eine andere Silbermünze aus derselben Periode zeigt neben dem Hermes auf dem Reverse, einen Astragalos (p. 71, n. 46), der auch sonst als Hermesattribut nachweisbar ist. — Von der mehrfach besprochenen zuerst durch Millingen Sylloge of ancient coins, 1837, pl. II, n. 18 herausgegebenen Münze mit dem Reverstypus der tanzenden weiblichen Figur besitzt das Brit. Mus., nachdem es durch ein glänzendes Geschenk von Seiten der Londoner Bank bereichert ist, zwei Exemplare, beide unter dem Beamten Molpagores geprägt (p. 70, n. 35, wo von dem schon früher vorhandenen eine Abbildung, aber die Beschreibung nicht ganz richtig gegeben ist, und p. 230, n. 35. a). Daß inzwischen die Darstellung nicht auf den Namen des Beamten in Beziehung steht, wie man gemeint hat, indem man behauptete, die Figur singe (?) und tanze zugleich, erhellt auch aus dem Umstande, daß eine Münze mit dem Namen Molpagores einen ganz anderen Reverstypus hat (p. 71, n. 42). — Das Didrachmon auf p. 231, n. 251 ist nicht allein wegen seiner Seltenheit, sondern auch hinsichtlich des Typus des Reverses (Artemis in langem Chiton, in der L. den Bogen, in der R. einen »Lorbeerzweig« haltend, begleitet von einem Reh), beachtenswerth. Aehnliche Darstellungen hat Stephani Compte rend. de la comm. impér. arch. de St. Pétersb. pour 1868, p. 16 fg. besprochen. Einen Zweig findet man in der Hand der Artemis nur äußerst selten.

Ihn hält in der Rechten auch die in Jägertracht mit dem Köcher auf der Schulter dargestellte Artemis auf dem Revers einer Bronzemünze von Kyparissa in Messsnien, welche jüngst Imhoof-Blumer in Sallet's Zeitschr. f. Numism. VI, S. 17 besprochen hat, indem er die Meinung äußerte, daß die Beischrift *ΚΥΠΑΡΙΣΣΙΑ* sich auf die Göttin beziehen und der Zweig vielleicht ein Cypressenzweig sein solle. Aus Schriftstellen ist uns für die betreffende Stadt nur der Cultus des Apollon und der Athena bekannt. Daß der Artemis recht wohl ein Zweig von der Cypresse gegeben werden konnte, wird man gern zugestehen. Beruht aber die Annahme eines Cypressenzweiges wesentlich nur auf der obigen Auffassung der Beischrift, so wird Vorsicht um so mehr anzuempfehlen sein, als die Beischrift ja auch den Namen der Stadt enthalten kann. Den Zweig auf der Münze von Abdera würden auch wir zunächst für einen Lorbeerzweig halten. Daß dieser der Schwester Apollons zustand, die selbst im Cultus als *Δαφναία* (Pausan. III, 24, 8) und *Δαφνία* (Strabo VIII, p. 343) vorkam, bedarf keiner weiteren Bemerkung. Schwieriger ist es zu sagen, in welcher Beziehung die Göttin mit dem Lorbeerzweig auf der Münze von Abdera zu fassen sei. Auf Head's Meinung, daß das Reh auf dieser an dem Zweige nage, ist dabei ohne Zweifel nichts zu geben, da diese Auffassungsweise entschieden irrig ist. Das Thier hält den Kopf, wie auch sonst, nur in die Höhe. Vermuthlich ist Artemis als reinigende und sühnende, etwa auch heilende Göttin gemeint. Die Figur erinnert hinsichtlich der Attribute des Rehes und des Baumzweiges an zwei geschnittene Steine, von denen der eine aus Millin's Pierr. grav. pl. XI in den Denkm. d. a. Kunst II, 16, 171 wiederholt ist, der andere, dem Berliner Mus.

angehörende (Toelken Erkl. Verz. Kl. III, Abth. 2, n. 811) in der neuen Ausgabe der Denkm. II, 16, 171, a, abbildlich mitgetheilt werden wird. Auf jenem ist nach Müller ein Lorbeerzweig dargestellt; bezüglich des andern spricht Toelken nur im Allgemeinen von einem »Baumzweig«. Ich habe in Betreff der Gemme n. 171 in Erinnerung an den Eschenzweig der Nemesis, da eine Artemis Upis oder Nemesis dargestellt zu sein scheint, an einen solchen Zweig gedacht. Ein Kenner der Botanik machte mich darauf aufmerksam, daß der Zweig durchaus so aussehe, als sei er vom Diptam. Daß das auf der Insel Creta, einer der wichtigsten Cultusstätten der Artemis, heimische, für das Wild und die Menschen, namentlich die Weiber, besonders die in Geburtsnöthen befindlichen, so heilkräftige dictamnum jener Göttin heilig gewesen sein möge, läßt sich sehr wohl denken. Nur kann man nicht errathen, inwiefern der Diptam gerade der Artemis als Upis gegeben ist, was freilich auch in Betreff des Lorbeers statthat.

Unter den Kaisermünzen des vorliegenden Theiles, deren umfassende, manches Neue bietende Berücksichtigung sehr dankenswerth ist, erregen einige Stücke von Bizya ein besonderes Interesse. Namentlich gilt dieses von dem großen Bronzestück aus der Zeit des Philippus senior, dessen Revers Hr. Head p. 90, n. 10 so beschreibt: Asklepios reclining l. on couch, and placing his r. on the shoulder of Hygieia, who is seated in the edge of the couch in front of him; beneath Asklepios, a tripod; beneath Hygieia, a staff with serpent twined round it. On the left of the central group, a trie, on which hangs a cuirass, and beneath which stands a man clad in short chiton, and placing his r.

hand in amphora; on the right of group, the fore-part of a horse advancing l.; above group a round shield. Ein jeder gewahrt auf den ersten Blick, daß die Darstellung den vielfach besprochenen Reliefs mit dem sogenannten Todtenmahle wesentlich entspricht. Hier ist aber der Mann auf der Kline ohne allen Zweifel Asklepios und das Weib, das ihm gegenüber sitzt, seine Frau. Durch das Interesse des Münztypus bewogen hat A. von Sallet in seiner Zeitschr. für Numism. Bd. V, S. 320 fg. demselben in Zusammenhang mit den betreffenden Reliefs eine eingehende Abhandlung gewidmet, in welcher der von Head gegebene Holzschnitt auf S. 326 wiederholt ist. Er hält den Münztypus für eine Votivdarstellung an Asklepios und Hygieia von Seiten eines Kriegers, der, »unverletzt zurückgekehrt, seine Rüstung, Schild und Pferd den günstigen Gesundheitsgöttern weiht, die ihn in der Schlacht beschützt,« und glaubt, daß solche Votivbilder für Asklepios und Hygieia den Reliefs, welche man jetzt als Anathemata für heroisirte Todte betrachte, zu Grunde liegen. Er hat es versäumt, die Auffassung von Asklepios und Hygieia als Beschützer des Kriegers in der Schlacht zu belegen; auch vergessen zu bemerken, wen man sich in dem vorliegenden Falle als den glücklich aus dem Kriege heimgekehrten Krieger zu denken habe, der doch nicht wohl ein Anderer sein könnte als der Kaiser Philippus, gegen welche Annahme sich aber starke Bedenken erheben. Unseres Erachtens geht der Münztypus auf die so verbreiteten viel früher gearbeiteten anathematischen Darstellungen heroisirter Verstorbener zurück. Asklepios ist hier in seiner Eigenschaft als Heros dargestellt. Als von Zeus mit dem Blitzstrahl getödteten Menschen kennt ihn ja der Mythus. Sein Grab wurde in Arkadien an zwei Stellen gezeigt. Im Mythus finden wir ihn als Theilnehmer an der Kalydonischen Jagd und am Argonautenzuge. Er konnte ebensowohl als Krieger betrachtet werden wie seine Söhne, die Aerzte Padaleirios und Machaon, welche beiden auch als Heroen verehrt wurden. Nur so erklärt sich auch das Roß. Es ist das Lieblingsthier dessen, welcher, so lange er Mensch war, kriegerischer Thätigkeit oblag, wie seine Standes- und Zeitgenossen. Für die Beziehung des Rosses zu dem Gott Asklepios läßt sich durchaus kein auch nur halbwegs sicherer Beleg beibringen. Die von Sallet a. a. O. S. 329 veranschlagten Münztypen beweisen gar nichts (über die von Nikaia vgl. Gerhard's Arch. Ztg. 1854 S. 216 fg., zu Taf. LXV, n. 4, wo eine Abbildung gegeben ist). Ob das dem Asklepios gegenüber sitzende Weib Hygieia sein solle, wie allgemein angenommen wird, ist sehr fraglich. Die Analogie der Reliefs heischt an die Gemahlin Asklepios' zu denken. Als solche gilt Hygieia nur dem Verfasser des Orphischen Hymnus LXVI, 7. Ja es scheint sehr fraglich, ob der Orphiker in der That Hygieia als Asklepios' Gemahlin erwähnte. Die auf diesen bezüglichen Worte lauten: Ὑγίειαν ἔχων σύλλεκτρον ἀμεμφῆ. Wenn Gesner σύλλεκτρον in dem Sinne in der Bedeutung von σύνεδρον oder πάρεδρον fassen wollte, so ist das allerdings nicht zulässig. Vielmehr wird eine Verderbniß jenes Wortes anzunehmen sein. Darauf führt auch die Mangelhaftigkeit des Gedankens, welcher ein Epitheton in der Bedeutung von συνεργόν erheischt. Vermuthlich war ursprünglich geschrieben: συλλήπτορ' ἀμεμφῆ. Hermippos bei dem Scholiasten zu Aristoph. Plut. 701

nennt Lampetia als Weib des Asklepios, Hygin. fab. XCVII die Koronis. Zu Epidauros galt Epione als seine Gattin (Pausan. II, 29, 1) und diese Angabe findet sich auch sonst mehrfach. Epione wird auch in dem Münztypus zunächst zu erkennen sein. Aus dem Umstande, daß in diesem der Schlangenstab unterhalb des Weibes angelehnt erscheint, läßt sich nicht schließen, daß jener als diesem angehörend betrachtet werden soll. Der Stab geht vielmehr den Asklepios an, ebensogut wie der in der Nähe und unterhalb dieses zum Vorschein kommende Dreifuß der Heilgottheiten (nicht bloß »des Apollo«, und keineswegs »Tisch« wie A. von Sallet vermuthungsweise äußert) und die Schutzwaffen, ganz in Uebereinstimmung damit, daß auch auf den Reliefs die sitzende Frau nicht weiter als insofern sie Gattin des gelagerten Mannes ist, in Betracht kommt.

In Paris und in Wien befinden sich noch andere unter Philippus senior geschlagene Bronzemünzen, welche auf dem Revers Asklepios sitzend und ihm gegenüber ein sitzendes, dazu noch ein stehendes Weib zeigen. Die Rückseite jener hat v. Sallet a. a. O. S. 329 nach einem Abdruck in Abbildung mitgetheilt. Sie ist von Mionnet T. I, p. 375 n. 78 so beschrieben: Aesculape avec ses attributs, assis auprès d'un arbre, tenant de la main droite une patère, dans laquelle une femme voilée paroît faire une libation; en façe, Hygiée assise près de Télesphore. Daß die femme voilée mit ihrer Schale in die Schale des Asklepios libiren wolle, wird man aber nach dem Holzschnitt bei Sallet nicht sagen wollen; auch erinnere ich mich nicht, diese Art zu libiren irgendwo dargestellt gefunden zu haben. Auf jenem ist nur ein Halten der Schale von Seiten des Weibes ohne augenblicklich beabsichtigten Gebrauch zu gewahren. Auch in der erhobenen Linken hält dasselbe allem Anschein nach — Mionnet und Sallet sagen kein Wort davon — einen Gegenstand, der doch wohl nur eine Rolle sein kann, welche sich mehrfach bei Asklepios, auch bei Telesphoros findet und ohne Zweifel auch der Hygieia als Attribut gegeben werden konnte. Diese, bei der ja die Patera etwas so gewöhnliches ist, erkennen wir in dem stehenden Weibe. Die sitzende attributlose weibliche Figur beziehen wir auf die Gemahlin des Asklepios, Epione, die wir ohne Schleier auf dem Hinterhaupte auch auf der vorher besprochenen Münze dargestellt finden. Hygieia kommt auch sonst mit dem Schleier vor, vgl. z. B. Denkm. d. a. Kunst II, 56, 782 u. 784. Auf dem in den Annali d. Inst. arch. T. XLV, tav. d'agg. MN, abgebildeten, aus Luku am Golf von Nauplia stammenden Votivrelief, welches Asklepios und seine Familie darstellt, gewahrt man im Hintergrunde zwischen jenem und seinem älteren Sohn ein mit Stephane und Schleier versehenes Weib, während drei andere weibliche Figuren erst den Platz hinter dem zweiten Sohne

1) Die Wiener Münze beschreibt Mionnet nach Eckhel Cat. Mus. Caes. Vindobon. T. I, p. 65, nr. 3. Asklepios soll neben einem Gebäude sitzen; das stehende Weib halte die linke Hand gegen das Gesicht hin, das sitzende fasse mit beiden Händen einen auf ihrem Knie stehenden Korb. Das Exemplar ist — was weder Mionnet noch Sallet angiebt — abgebildet in den Num. cim. Austr. Vindob. T. II, p. 80, II. Nach dem Text hält der Gott mit der Rechten »globum« (die Abbildung zeigt ihn diese Hand auf einen Gegenstand legend, welcher auf seinem rechten Knie oder Oberschenkel liegt). Das sitzende Weib hält einen oblongen, einem Kästchen ähnlichen Gegenstand, bezüglich dessen man zunächst an einen Medicinkasten denken möchte.

einnehmen. Diese sind kleiner von Gestalt als jenes Weib und ohne Kopfschmuck und Schleier. Sie stellen ohne Zweifel drei Töchter des Asklepios dar. Es liegt nahe das vordere Weib auf Asklepios' Gemahlin zu beziehen. Dennoch neige ich mich dahin, in ihm Hygieia zu erkennen, nicht allein weil wir so die vier anerkannten Töchter des Gottes gleichmäßig berücksichtigt finden, sondern auch weil Hygieia so bedeutend vor den übrigen Kindern des Asklepios hervorragt, daß der Vorzug, welcher ihr durch die Stelle, die bedeutendere Größe und den Schmuck gegeben ist, zur Genüge motivirt erscheint und es bedenklich erscheinen kann sie unter den drei gleichmäßig dargestellten Asklepiostöchtern vorauszusetzen, welche hinter dem zweiten Asklepiossohne eine Gruppe bilden. Auch der Herausgeber des Reliefs, O. Lüders, hat sich, wie ich hinterdrein sehe, in den Ann. a. a. O., p. 118 aus guten Gründen für Hygieia entschieden. Aber auch wenn man auf dem Relief von Luku lieber Epione erkennen wollte als Hygieia, so würde dadurch doch unserer Vertheilung der Namen für die Münztypen von Bizya kein Eintrag geschehen.

Auf die Heilgottheiten bezieht sich noch eine andere unter Philippus senior zu Bizya geschlagene Bronzemünze gleicher Größe, welche in dem vorliegenden Catal. p. 89, n. 8 zuerst beschrieben und abgebildet ist. Auch diese Abbildung hat Sallet a. a. O. S. 327 wiederholt. Der Beschauer gewahrt von links nach rechts hin Asklepios, Apollon, Hygieia stehend, die beiden ersten einander das Gesicht zukehrend, Hygieia ihren Kopf nach der Gruppe hinwendend, zwischen Asklepios und Apollon Telesphoros, oberhalb dieser Gruppe die Statuen der Tyche und des nackten, blitzschleudernden Zeus. Asklepios und Hygieia haben ihre gewöhnlichen Attribute; Apollon, der in vollständiger Nacktheit, das linke Bein über das rechte schlagend, dasteht, hält in der gesenkten Rechten einen Lorbeerzweig. Auf ihn bezieht sich auch das Attribut, welches links von ihm, zwischen ihm und Hygieia, am Boden steht; ein konischer Gegenstand, um welchen sich eine Schlange wickelt. Dieses geht auch daraus unzweifelhaft hervor, daß sich der Typus des Apollon auf Münzen identischen Gepräges von Bizya aus der Zeit desselben Philippus auch allein findet und der Gott jenen Gegenstand zu seiner linken Seite neben sich hat. Ein Exemplar hat schon Froelich Quatt. tent. p. 339 und nach ihm Mionnet Suppl. T. II, p. 236, n. 183 beschrieben; ein anderes verzeichnet Hr. Head p. 90, n. 9. Jene bezeichnen den fraglichen Gegenstand als Altar; dieser nennt ihn »egg«. Es ist aber derselbe Gegenstand, welcher früher Cortina, jetzt gewöhnlich Omphalos genannt wird. Apollon ist auf diesen Münzen offenbar als Heilgott gemeint. A. von Sallet hat in demselben Bd. V seiner Zeitschrift S. 108 eine kleinasiatische Kupfermünze beschrieben, deren Revers einen stehenden nackten Apollon zeigt, welcher in der Rechten einen bis auf den Boden reichenden Lorbeerzweig, in der herabhängenden Linken den Bogen hält. Er meint, man werde wohl mit Recht in allen ähnlichen häufig vorkommenden Apollofiguren mit dem langen reinigenden Zweig den Ἀπόλλων ἰατρός zu erkennen haben, z. B. auch auf den Silbermünzen von Metapont. Das ist aber sicherlich zuweit gegangen. Der Lorbeerzweig, sei er nun lang oder kurz, kann sich auf den ἰατρόμαντις beziehen; nöthig ist es aber nicht, grade diese Beziehung vorauszusetzen; auf jenen Silbermünzen z. B. geht er zunächst den καθαρτής an. Ein feststehender unterscheidender Typus für den Apollon als ἰατρὸς hat sich offenbar nicht ausgebildet.

Auch auf anderen der im Catal. beschriebenen und abgebildeten Kupfermünzen kommen interessante Darstellungen der Heilgottheiten vor. So auf der unter Caracalla geprägten von Pautalia p. 145, n. 34 und auf der aus der Regierungszeit desselben Kaisers stammenden von Serdica p. 172, n. 8. Dort ist Asklepios mit dem kurzen Schlangenstab im linken Arme auf einem geflügelten Drachen durch die Luft hineilend dargestellt. Die Schlange hat die Crista und den Bart, worüber kürzlich Dressel und Milchhöfer in den Mittheil. des arch. Instit. zu Athen II, S. 470, A. 1 gesprochen haben. Der Reverstypus der anderen Münze wird von Hrn. Head so beschrieben: Female figure, standing l., holding patera and sceptre round which serpent is coiled; in front, cista mystica from which issues another serpent. Er hätte gewiß mit Recht das mit langem Chiton und weitem, auf den Rücken und von beiden Oberarmen herabfallenden Himation angethane Weib geradezu als Hygieia bezeichnen dürfen, obgleich allerdings bei dieser der von der Schlange umwundene Stab etwas sehr seltenes ist. Epione würde doch schwerlich gleiche Wahrscheinlichkeit haben. Die Cista, welche doch wohl nicht als mystica hätte bezeichnet werden dürfen, kommt mit der Schlange darin dann und wann bei den Heilgöttern vor.

Auch die von Hrn. Gardner und Hrn. Head nach dem Vorgange früherer Gelehrten als Thanatos bezeichnete Figur eines geflügelten Knaben, welcher mit übereinandergeschlagenen Beinen dastehend, und die umgekehrte Fakel auf einen Altar setzend, auf Münzen des Brit. Mus. von Nicopolis ad Istrum, Tomi, Pautalia, Plotinopolis, Topirus in gleicher Darstellung vorkommt, gehört nach unserem Ermessen in die Kategorie der Gesundheits- und Heilgottheiten. Thanatos paßt doch nicht wohl zu einem Münztypus; recht gut dagegen Hypnos, der als jener Kategorie angehörend betrachtet werden kann, da der Schlaf den Körper stärkt, und namentlich deshalb, weil der Schlaf Träume bringt. Eine wie große Rolle die Traumorakel in der Heilkunde spielten, ist bekannt.

Eben, da ich im Begriff bin diesen Aufsatz in die Druckerei zu geben, sehe ich, daß schon Fr. Kenner »Die Münzsamml. des Stiftes St. Florian in Ober-Oesterreich« S. 80 dieselbe Ansicht in Beziehung auf das im K. K. Cabinet in Wien befindliche Exemplar einer Münze von Serdica mit dem betreffenden Typus ausgesprochen hat.

Derselbe Gelehrte glaubt auch den Eros auf Münzen von Serdica als Heilgott fassen zu können, und zwar besonders den auf der von ihm Taf. II, Fig. 11 herausgegebenen unter Caracalla geprägten, welcher den Dorn hält, den er einem Löwen aus der Vorderpranke herausgezogen hat. Ich kann mich aber seiner Ansicht nicht einmal in Betreff dieses Typus anschließen. Die übrigen Erosdarstellungen auf Münzen von Serdica, welche Kenner anführt, und die aus dem Catal. des Brit. Mus. p. 174, n. 25 neu hinzukommenden, zeigen auch nicht die mindeste Beziehung zur Heilkunst. Daß Eros allerdings zu den Heilgöttern gehört, habe ich schon im Text zu den Denkm. d. a. Kunst II, 61, 792, b darzuthun mich bemüht. Den Schriftstellen kann etwa hinzugefügt werden die des Eunapius de vita Iamblichi p. 26 ed. Steph., wo wir Eros als Namengeber einer Heilquelle kennen lernen. Sehr beachtenswerth ist, was Kenner S. 20 über eine im K. K. Cabinet zu Wien befindliche Münze von Serdica aus der Zeit des Caracalla berichtet. Auf ihr »sieht man Asklepios gegen seine Gewohnheit nackt mit dem schlangenumwundenen Stabe stehen; neben ihm zeigt sich, wie in anderen Fällen Telesphoros, eine kleine, gleichfalls nackte Knabenfigur, von der sich freilich nicht mehr ausnehmen läßt, ob sie mit Flügeln versehen sei«. Er vermuthet »einen Genius, den der Localcult von Serdica mit Asklepios in ähnlicher Weise verband, wie jener von Pergamon den Telesphoros«. Eros scheint auch mir nicht gemeint zu sein, obgleich es nicht unmöglich ist, daß man diesen in der nackten, eine Fackel in der Linken haltenden Knabenfigur zu erkennen hat, welche auf der Pergamenischen Münze bei Panofka »Asklepios und die Asklepiaden« Taf. II, n. 4 neben Asklepios dargestellt ist. Das Knäbchen erinnert vielmehr an das, welches außer Eros auf dem Diptychon in den Denkm. d. a. Kunst II, 61, 792, b dargestellt ist. Einen bestimmten Namen zu geben, ist schwierig, da sich mehrere darbieten: Alexanor, Euamerion, Akesios, Ianiskos (Pausan. II, 11, 6. 7 u. 23, 5; schol. ad Aristoph. Plut 701). Vielleicht läßt sich folgende Vermuthung hören. Daß die nackte Figur mit dem Schlangenstabe auf der Wiener Münze nicht den Asklepios darstellen soll, liegt wohl auf der Hand. Man wird an einen seiner beiden als Heroen verehrten Söhne, Podaleirios und Machaon, zu denken haben, zunächst wohl an den letzteren. Als Sohn dieses galt Alexanor, welcher, wenn jene Deutung der Hauptfigur gebilligt wird, demnach wohl den nächsten Anspruch hat erkannt zu werden.

Die p. 161 fg. beschriebenen Münzen von Philippopolis beginnen mit Domitianus. Es fehlt also dem Brit. Mus. nicht bloß die von Mionnet Descr. T. I, p. 415, n. 339 nach Eckhel Doctr. num. T. II, p. 42 verzeichnete mit dem Typus des Dionysioskopfes und des Dreifußes, von welcher die Schrift *ΙΣΤΟΡΙΟΓΡΑΦΙΚΗ ΠΕΡΙΓΡΑΦΗ ΤΗΣ ΕΠΑΡΧΙΑΣ ΦΙΛΙΠΠΟΥΠΟΛΕΩΣ ΠΑΡΑ ΤΣΟΥΚΑΛΑ τοῦ ΖΑΚΥΝΘΙΟΥ*, Wien 1871, §. 54 noch einige Exemplare signalisirt, mit dem Zusatze, daß auf dem Dreifuß des Reverses sich Epheuzweige befinden, sondern auch die, wenn die Zutheilung richtig wäre, unter den bekannten zweitälteste, bei Mionnet nicht verzeichnete, über welche jene Schrift a. a. O. § 55 berichtet, daß ihr Revers den Kopf der Julia, Tochter des Augustus, mit der Aufschrift *Ἰουλία Αὐ*, und der Revers die Stadtgöttin nebst der Aufschrift . . . . *Φιλιππόπολις* enthalte. Indessen liegt es nahe, bezüglich der Julia auf der Münze an die J. Domna zu denken, deren Kopf nach Mionnet Suppl. T. II, p. 466 fg. auf mehreren Münzen von Philippopolis erscheint, denen noch hinzuzufügen sind die im Hoffmann'schen Catal. des méd. Rom. compos. la collection de feu Mr. le marquis de Moustier p. 140, n. 2206, und die von Hrn. Head p. 165, n. 34 verzeichnete, obgleich in der Aufschrift dieser Münzen der Name Domna stets angegeben ist. — Unter den Kaisermünzen von Philippopolis hat in kunstmythologischer Beziehung seit längerer Zeit meine Aufmerksamkeit auf sich gezogen die unter Aelius Caesar geprägte, von Mionnet Suppl. T. II, pl. VII, n. 1 abbildlich mitgetheilte, deren Revers ich in der zweiten Ausgabe der Denkm. d. a. Kunst Bd. II, Taf. XXVIII, n. 306, a wiederholen ließ, weil er mir eine interessante Darstellung des Hermes zu enthalten schien und ich glaubte, auf die Abbildung mehr geben zu müssen als auf die Beschreibung des Französischen Gelehrten a. a. O. p. 445, n. 1430: »Figure nue d'un jeune homme, tenant de la main droite une patère et de la gauche la haste pure«. Die Abbildung zeigt in dem linken Arm der Figur, von deren linken Achsel ein schmales Gewandstück herabhängt, eine Keule und den unbärtigen Kopf mit dem Petasos bedeckt. In T. I der Descr. p. 415, n. 341 beschreibt Mionnet den Revers einer unter Domitian geprägten Münze derselben Stadt also: Figure virile nue debout, tenant de la main d. une patère, la gauche appuyée sur une colonne, et tenant le pedum. Es liegt sehr nahe, die Figur dieser Münze als identisch mit der auf jener zu betrachten. Nun verzeichnet Head den Revers der einzigen unter Domitianus geprägten Münze von Philippopolis im Brit. Mus. p. 161, n. 1 mit folgenden Worten: Naked male figure, standing l., holding patera and two javelins? and resting upon column. Auch nach ihnen wird man nicht abgeneigt sein den Typus auf dieselbe Figur zu beziehen. Aber man wird schwankend, wenn man bei Mionnet Suppl. II, p. 444 folgende Beschreibung des Reverses einer unter Domitianus geprägten Münze nach Sestini Descr. num. vet. pag. 69, n. 1 liest: homme nu, la tête radiée, debout, tenant une patère de la main gauche, et deux javelots de la droite qui est appuyée en même temps sur une colonne. Leider hat Head nicht angegeben, in welcher Hand die Patera und in welcher die von ihm als fraglich bezeichneten javelins sich befinden. Daß es mit dem Strahlenkranz nichts sei, ist von vornherein wahrscheinlich. Doch mag die Figur etwas auf dem Kopfe haben, was zu dessen Anerkennung Veranlassung geben konnte. Hat Sestini die Hände mit ihren Attributen verwechselt, so würde ich auch hier am liebsten dasselbe Wesen wie auf den beiden an erster Stelle erwähnten Münzen voraussetzen. Daß die Figur auf diesen zunächst auf Hermes zu beziehen sein wird, ist noch jetzt meine Meinung, obgleich dieser Gott sonst auf den Kaisermünzen von Philippopolis mit den gewöhnlichsten Attributen, dem Beutel und dem Kerykeion, vorkommt. Es wäre sehr wünschenswerth, wenn Gelehrte, die in der Lage sind, das factisch Dargestellte genauer zu controliren, sich über den Sachverhalt äußern wollten.

Eine unter Philippus senior geschlagene, auf p. 92 abgebildete Bronzemünze von Bizya und Byzanz zeigt ein neues Beispiel des verhältnißmäßig seltenen Attributs des Speeres bei Apollon, worüber ich anderswo gehandelt habe. In dem vorliegenden Falle ist offenbar der Jagdgott, Ἀγρεύς, gemeint.

Der auf p. 97, n. 48 abgebildete Typus des Averses einer Bronzemünze von Byzanz »young male bust r., with flowing hair and short horn, shoulders draped« bezieht sich sicherlich auf Dionysos.

Der p. 61, n. 48 u. 51 erwähnte Reverstypus auf Münzen von Tomi aus der Regierungszeit des Maximus und Gordianus Pius vorkommende Wassergott mit Krebsscheeren auf dem Kopfe unterhalb der Tyche der Stadt kann doch nur den Pontos repräsentiren sollen. Soviel uns bekannt ist, giebt es sonst keine Darstellung des Pontos Euxeinos. Merkwürdig wäre es, wenn die betreffende Figur auf der ersten jener Münzen ithyphallisch dargestellt wäre, wie Gardner angiebt. — Nicht minder eigenthümlich ist der Reverstypus einer anderen unter Gordianus Pius geprägten Münze, nach Gardner's Beschreibung p. 62, n. 37: Two male figures, naked to waist, reclining l., beardless, having short horns above their foreheads, surmounted by stars, holding in r. pateras or shells. Auf dem beigegebenen Holzschnitt gewahrt man weder die Hörner noch die Schalen oder Muscheln. Zudem scheint nach ihm die Männlichkeit der Figuren keineswegs sicher zu stehen. Vergleicht man Mionnet T. I, p. 362, n. 55 über den Revers einer Münze aus der Regierungszeit des Pertinax: Deux nymphes couchées, ayant chacune la tête surmontée d'un astre, et le coude gauche appuyé sur une urne renversée, denselben ebenda p. 363, n. 59 über einen solchen aus der Zeit des Maximus: Deux nymphes couchées à gauche, endlich denselben nach Vaillant Num. graec. über den Revers eines ebenso wie das in Rede stehende Exemplar des Brit. Museums unter Gordianus Pius geschlagenen, Suppl. T. II, p. 203 n. 846: »Deux femmes assises à terre avec des urnes«, drei Typen, die ohne Zweifel dieselben Wesen betreffen, so wird man wohl die Ueberzeugung gewinnen, daß es sich nicht um gehörnte männliche Wesen, die doch nur Flußgötter sein könnten, mit denen wir für Tomi nichts anzufangen wissen, sondern um Nymphen handelt. Die Sterne, rücksichtlich deren wir es dahin gestellt sein lassen müssen und können, ob sie auf den beiden letzten der von Mionnet beschriebenen Münzen wirklich fehlen oder nicht, wissen wir nicht anders zu erklären als durch Hinweisung auf die zu Tomi besonders hochverehrten Dioskuren, in welcher Beziehung dieselben auf Münzen dieser Stadt aus früherer Zeit bekanntlich mehrfach vorkommen. Inzwischen hat es wohl keine überwiegende Wahrscheinlichkeit, daß die Dioskuren selbst durch die Sterne repräsentirt werden sollen. Sollten etwa zwei im Culte zu Tomi mit den beiden Dioskuren eng verbundene, ihnen dem Wesen und der Wirksamkeit nach entsprechende Meernymphen gemeint sein? Es ist vielleicht nicht abwegig, daran zu erinnern, daß die Töchter des Leukippos Phöbe und Hilaira als Gattinnen der Dioskuren galten (Apollodor I, 11, 2), daß Phöbe auch als Schwester der Helena und der Dioskuren vorkommt (Eurip. Iphig. Aulid. Vs 50, Ovid. Her. VIII, 77), daß in enger Verbindung mit Helena auch Aethra stehend erscheint, die in der Ilias III, 144 Dienerin jener ist, sonst in Gemeinschaft mit ihr von den Dioskuren fortgeführt wird (vgl. den Kasten des Kypselos nach Pausan. V, 19, 1, Herodot. IX, 73, Apollodor. III, 10, 7, Plutarch, Thes. XXXI, Schol. z. Homer. Il. III, Vs 242), ein Umstand der schon sonst mit der Entführung der Töchter des Leukippos durch die Dioskuren zusammengestellt ist. Helena ist als eine andere Leukothea (welcher sie nach Duris bei Ttetzes z. Lycophron Vs 103 zuerst geopfert haben soll), als *σὺν Τυνδαρίδαις, τοῖς Διὸς υἱοῖς, ναύταις μεδέουσα θαλάσσης* (Eurip. Orest. Vs. 1689 fg.) bekannt. Aethra stellt sich uns schon als die Gemahlin des Aegeus oder Poseidon, die Mutter des Poseidonischen Heros Theseus, als ein Meerwesen dar. Diese Andeutungen mögen hier genügen, um es glaublich zu machen, daß es im Mythus und Cultus der Griechen an zwei weiblichen, durch ihren Namen auf Lichtglanz hindeutenden, mit den Dioskuren gepaarten Wesen, welche recht wohl als Nereiden, *Λευκοθέαι*, aufgefaßt werden konnten, keineswegs fehlte.

Berücksichtigung verdienen schließlich auch einige auf Flußgottheiten bezügliche Münztypen: der Kopf des Flußgottes auf Münzen von Olbia, mag er nun als Borysthenes zu bezeichnen sein oder als Hypanis, abgebildet auf p. 12 unter n. 10, und die ganze Figur des Istros auf Münzen von Nicopolis ad Istrum in zwei Darstellungsweisen, abgeb. p. 44 u. n. 20 u. p. 48 u. n. 48. Die drei Typen hat Hr. Gardner schon in seinem belehrenden Aufsatz Greek river worship (reprinted from the transactions of the R. Soc. of Literat. Vol. XI, P. II, New Series, pl. I, n. 14 u. pl. II, n. 8 u. 9 herausgegeben und p. 37 u. n. 41 genauer besprochen. Während der Repräsentant des kleinern Flusses bei Olbia bärtig erscheint, wie der Hebros auf der Münze von Philippopolis bei Kenner a. a. O. Taf. II, n. 17, ist der große Istras unbärtig dargestellt. In Betreff des Kopfes des »Borysthenes« hebt Gardner hervor, daß er deutlich eine Nachahmung der Skythischen Physiognomie zeige. Rücksichtlich des, wie die Flußgötter gewöhnlich in halbliegender Stellung dargestellten Istros äußert er, da derselbe beide Male sein Haupt rückwärts wende, solle hiedurch vielleicht angedeutet werden, that his sources lay in an unknown and mysterious region, indem er jedoch selbst hinzufügt: though but little importance is to be attached to these speculative explanations. Und damit hat er sicherlich Recht. Die Stempelschneider haben den Kopf der gewiß nach einem berühmten Werke gearbeiteten Figur zu sehr in's Profil gestellt, während das Original denselben etwa so hielt wie die berühmten Statuen des Nil zu Rom und des Tiber zu Paris.

Die Chronologie des Julius Africanus.

Von

Dr. Conrad Trieber in Frankfurt a./M.

Obwohl der chronologische Aufriß des Africanus der gesammten christlichen Literatur der römischen Kaiserzeit und des Mittelalters zu Grunde liegt, so konnte gleichwohl Ludwig Ideler[1]) in seinem Handbuche der Chronologie noch von der »ihren Principien nach uns nicht hinlänglich bekannten Chronologie des Julius Africanus« mit vollem Rechte reden. Auch der neueste Bearbeiter des Africanus, M. J. Routh[2]), hat den Gegenstand eher verwirrt als gefördert.

Derjenige Punkt, um welchen sich die ganze Untersuchung dreht, ist das Jahr der Geburt Christi. Dieses ist vor Allem zu bestimmen. Nun macht Syncellus[3]) die gelegentliche Bemerkung, daß Africanus in Uebereinstimmung mit der apostolischen Ueberlieferung Christi Geburt zwar richtig ins J. d. W. 5500 setze, sich aber im Todesjahre um zwei Jahre irre, da er hierfür a. m. 5531 annehme. Dieser bestimmten Aeußerung des Syncellus trat Dionysius Petavius[4]) mit der Behauptung entgegen, daß Afri-

1) Ideler, Hdb. d. Chronol. II, p. 456.

2) Routh, reliquiae sacrae Oxford 1846 (2. edit.), vol. II.

3) African. bei Sync. p. 326^A: *ὁ μὲν οὖν Ἀφρικανὸς συμφώνως τῇ ἀποστολικῇ παραδόσει τῷ ‚εφ' ἔτει τὴν θείαν χρονολογήσας σάρκωσιν, περὶ τὸ πάθος καὶ τὴν σωτήριον ἀνάστασιν δυσὶν ἔτεσι διήμαρτε, κατὰ τὸ ‚εφλα' ἔτος τοῦ κόσμου ταύτην συναγαγών.*

4) Petavius, var. diss. VIII, 2; gedruckt als Anhang zu auctar. op. de doctr. temp. Antverp. 1703, vol. III, p. 155^b: »biennio itaque Dionysianam epocham antevertit Africanus«. p. 156^a: »biennio ante communem aeram; mundi 5501«.

canus Christi Geburt nicht 5500, sondern zwei Jahre früher, a. m. 5501, angesetzt habe. Da Petavius hierfür nur ein einziges Argument herbeibringt, dem andere entgegenstehen, so scheint es geboten, Alles was an indirekten Beweisen für und wider geltend gemacht werden kann, herbeizuschaffen und gegen einander abzuwägen.

Der Angelpunkt der ganzen Untersuchung wird das Jahr des Ogygus, oder, was dasselbe ist, das Jahr des Exodus sein. Nun theilt Eusebius [1]) in der praeparatio evangelica ein Bruchstück des Africanus mit, in welchem vom Auszug der Israeliten aus Aegypten bis zum ersten Jahre des Cyrus 1237 Jahre gezählt werden. Obgleich diese Zahl mehrmals wiederholt wird, so daß ein Irrthum ausgeschlossen ist, so spricht Syncellus [2]), der dasselbe Bruchstück im Auszuge mittheilt, zwei Mal nur von 1235 J. Und zwar erhält Eusebius diese Zahl dadurch, daß er von Ogygus (Exodus) bis zur ersten Olympiade 1020 J., von da aber bis zum ersten Jahre des Cyrus 217 J. [3]) zählt, während Syncellus [4]) nur 215 J. angiebt. Nun berichten aber Beide [5]) übereinstimmend, daß Africanus das erste Jahr des Cyrus in das erste Jahr der 55ten Olympiade setze. Daß dies nur 217 J. geben kann, versteht sich von selbst. Folglich ist die Zahl des Eusebius, bei welcher beide Male nach griechischer Gewohnheit das erste und letzte Jahr

1) Africanus bei Euseb. praep. ev. X p. 489^B ff.

2) Africanus bei Sync. p. 64 f. und kurz zusammenfassend p. 148^D. Dieselbe Zahl 1235 giebt Johannes Antiochenus bei Cramer, Anecd. Paris. II, p. 388.

3) Euseb. l. c. p. 489^B.

4) Sync. p. 64^A.

5) Euseb. l. c. p. 488^C. 489^B. 490^A. Sync. p. 64^A.

mitgezählt sind, die richtige[1]). Demnach setzt Africanus

Ogygus (Exodus) 1795 a. Chr.
Ol. 1, 1 776 a. Chr.
Cyrus Ol. 55, 1 560 a. Chr.

Genau genommen sind von 1795—560 nur 1236 J., aber bei der Addirung der einzelnen Differenzen 1020 und 217 ergeben sich 1237. Alle diese Zahlen sind übrigens auch anderweit[2]) gesichert, die 1020 J. jedoch sind von einem älteren Geschichtschreiber entlehnt.

Die Hauptfrage bleibt indessen, welchem Jahre der Welt entsprechen nun bei Africanus die angegebenen Zahlen? Zum Glück haben sich bei Eusebius[3]) die einzelnen Ziffern erhalten, aus denen sich die 1237 J. ergeben sollen. Es sind folgende:

1) Der Grundfehler in Routh's Untersuchung ist der, dies nicht erkannt zu haben.

2) So durch die argivische Königsliste der Excerpta lat. barb. tab. 38b. 39a. Daselbst werden vom 1. J. des Inachus bis zum Falle Trojas (im 18. J. des Agamemnon 718 J., und von da bis zu Ol. 1. 1 nach Porphyrius 407 J. angegeben, so daß Inachus 1125 J. vor Ol. 1, 1 = 1900 a. Chr. zur Regierung gelangte. Unter seiner Regierung, welche 50 J. dauerte, wird Moses geboren, und im 55. J. seines Nachfolgers Phoroneus, also 1795 a. Chr., zieht derselbe aus Aegypten. Der Zusatz zu den anni CCCCVII »et Porfyrius autem in historia philosofiae sic dixit« beweist, daß die Excerpta nicht direct aus Africanus geschöpft sind; wenigstens berichtet auch Malalas p. 37A, daß Africanus nur 405 J. für diesen Zeitraum von der Dorischen Wanderung aber 325 J. gezählt habe, Eusebius hat also in seinem Canon diese Zahlen aus Africanus entlehnt. Dies zur Berichtigung von Aug. Böckh, Manetho u. d. Hundsternperiode Berl. 1845, p. 200.

3) Euseb. l. c. p. 489D. Die 30 J. der πρεσβύτεροι bei Africanus werden durch Syncellus p. 174C bestätigt.

Moses	40 J.
Josua	25[1])
πρεσβύτεροι	30
die übrigen Richter . .	490
Eli und Samuel	90
Könige	490
babylonische Gefangenschaft	70.

Nun aber fügt es sich, daß Syncellus[2]) selbst gelegentlich bei einem Rückblicke bemerkt, daß Africanus das Ende der Richter und den Anfang Elis a. m. 4292 festgesetzt habe. Dann muß a. m. 3707 das Jahr des Exodus sein. Wenn jedoch a. m. 3707 dem J. 1795 a. Chr. entspricht, so muß wiederum Ol. 1, 1 in a. m. 4726, und die Geburt Christi in a. m. 5502 fallen. In diesem Falle hätte Africanus eine eigene Aera.

Allein auch auf einem anderen Wege gelangt man zu demselben Resultat. Nach den Excerpta latina barbari tab. 39b setzte Africanus, dessen Namen ausdrücklich genannt wird, den Beginn des sicyonischen Reiches 1336 J., und das Ende desselben 329 J. vor die erste Olympiade. Demnach bestand es nach Africanus[3]) 1007 J.

1) Mit Unrecht nimmt Routh l. c. p. 431 f. 461 von Syncellus in Folge einer Aeußerung p. 174C an, daß Africanus dem Josua 27 J. gebe. Denn Syncellus behauptet dies nur von der ἄγραφος συνήθεια. Routh will damit l. c. p. 278 ff. 429 die Richtigkeit der 1237 J. begründen und begeht den logischen Fehler, das Hauptargument des Eusebius, seines Schützlings, fallen zu lassen und ein anderes seinem Gegner Syncellus zu entnehmen.

2) Sync. p. 176A: τὰ κατὰ Ἀφρικανὸν ἀπὸ Ἀδὰμ ἕως τέλους τῶν κριτῶν καὶ ἀρχῆς Ἠλεὶ τοῦ ἱερέως ἔτη ,δσϟβ′.

3) Nach Malalas p. 28A hat Africanus 985 J. (2111—1127 a. Chr.) angenommen, aber ohne die ἱερεῖς, während die Excerpta diese mit einbegreifen (2111—1105 a. Chr.).

(diese Zahl wird noch besonders hinzugefügt), und nahm 2111 a. Chr. seinen Anfang.

Zugleich wird indessen bemerkt, daß sein Beginn in das 29te J. des Patriarchen Jakob[1]) falle. Und das ist wichtig. Denn aus Syncellus p. 92^{D} ist bekannt, daß nach Africanus die Geburt Abrahams a. m. 3202 erfolgt sei; ebenso berichtet er p. 93^{A}, daß Abraham nach Africanus a. m. 3277 in das gelobte Land gezogen, sowie p. 106^{C} und 111^{B}, daß nach ihm Joseph a. m. 3563 gestorben sei. Daraus läßt sich die folgende chronologische Tabelle des Africanus herstellen:

Abraham geboren	a. m. 3202
A. zieht in Canaan ein (75 J. alt)	3277
Isaac geboren (in A.s 100ten J.)	3302
Jakob[2]) geboren (in J.s 60ten J.)	3362
Joseph geboren (in Jakobs 91ten J.)	3453
Joseph gestorben (110 J. alt)	3563.

1) An der Seite ist Nachstehendes vermerkt:
»anni autem Jacob XXVIIII
anni Isaac LXXXVIIII
anni Abraham CXIIII
initiaverunt regna«.
Aus Z. 9 geht hervor, daß mit »regna« das sicyonische Reich gemeint ist. In den »anni Abraham« muß jedoch ein Fehler verborgen sein. Denn damals war Abraham längst todt. Da aber Abraham 175 J. alt wird, und im 100ten J. erst den Isaac erhält, so war er bereits 14 J. gestorben. Im Original hat daher etwa gestanden: *ἔτη Ἀβρααμοῦ θανόντος ιδ'*.

2) Wenn Syncellus p. 110^{A} im Namen des Africanus überliefert, daß Jakob a. m. 3606 nach Aegypten gezogen sei, so ist dies unmöglich. Das Ganze beruht auf einem Trugschluß. Syncellus selbst setzt nämlich ibid. dieses Ereigniß a. m. 3602, und zwar in dasselbe Jahr, in dem Kaat nach p. 108^{C}. 109^{D} geboren ist. Nun bemerkt Syncellus, daß nach Africanus Jakobs Einwanderung in das vierte Jahr des Kaat falle; also giebt er fälschlich a. m. 3606 an.

Es folgt aus dieser Uebersicht, daß das 29te J. Jakobs dem Jahre der Welt 3391 entspricht, und daß dieses dem J. 2111 a. Chr. gleich sein muß. Dann aber ist auch die Geburt Christi a. m. 5502 und die erste Olympiade a. m. 4726 nach Africanus.

Allein schon die einfache Notiz, daß Abraham a. m. 3277 in Canaan eingezogen sei, führt auf das Hauptjahr a. m. 3707. Denn nach dem Vorgange des Demetrius[1]) und Eupolemus[2]) sowie der Septuaginta rechneten die christlichen Chronologen 430 J. von jenem Zeitpunkt bis zum Auszuge Mosis aus Aegypten.

Wollte man trotz alledem daran zweifeln, daß auch Africanus jene 430 J. angenommen habe, so wird dies durch die wichtige sicyonische Liste der Excerpta latina barbari schlagend bewiesen. Denn daselbst heißt es in einer Randbemerkung: »anno quadragesimo tertio Leucippi egressio Judeorum ex Aegypto«. Nun

1) Demetrius rechnet nach Alexander Polyhistor fr. 8 von dem Einzuge Abrahams in Canaan bis zum Zuge Jakobs nach Aegypten (a. m. 3624) 215 J.
Damals war

Levi 48½ J. alt. Nach 17 J. erzeugt er Kaath	17
Kaath erzeugt Amram im Alter von 40 J.	40
Amram erzeugt Moses im Alter von 78 J.	78
Moses zieht aus Aegypten im Alter von 80 J.	80
Summa	430 J.

2) Des Eupolemus Berechnung giebt M. v. Niebuhr, G. Assurs und Babels, Berlin 1857, p. 355 ff. ausführlich. Christi Geburt würde nach Eupolemus a. m. 5290 stattgefunden haben. Diese Erkenntniß bringt Carl Müller. FHG. III, p. 208 Anm. auf den richtigen Gedanken, daß Panodor, welcher die Herrschaft der Götter in Aegypten 5290 a. Chr. ansetzt, diese Zahl aus Eupolemus übernommen habe, um hiermit den Anfang der Welt anzudeuten.

regieren nach Africanus die sicyonischen Könige in folgender Weise:
1. Aegialeus 52 J.
2. Europs 45
3. Telchus 20
4. Amfus 25
5. Thelxius 52
6. Egydrus 34
7. Turimachus 45. Rechnet man die 43 Jahre des Leucippus
43 hinzu, so erhält man
316 J. Dazu kommen
29 J. des Jakob,
60 J. des Isaac,
25 J. des Abraham bis zur Geburt des Isaac; so hat man
430 J.

Die Gesammtübersicht der africanischen Chronologie[1]) (bei Routh fr. 56) nennt denn auch wirklich direct für diesen Zeitraum 430 J., wie sie von der Sintfluth bis zur Einwanderung Abrahams in Canaan 1015 J. angiebt (2262 + 1015 = 3277). Ferner zählen die ἐκλογαὶ ἱστοριῶν[2]), welche africanischen Ursprungs sind, 430 J., bis zum Tode Josuas aber 495 J., so

1) Zuerst publicirt von H. Dodwell, dann von Pearson und Vallars. Nur muß daselbst die Zahl bis zur Sintfluth IICCXLII in IICCLXII emendirt werden. Sonst ist dieselbe dem Berichte des Eusebius ganz gleich.

2) Bei Cramer, Anecd. Paris. II, p. 257 f. Da jedoch in denselben p. 265 von dem 1ten J. des Achaz und der ersten Olympiade bis zur babylonischen Gefangenschaft, welche a. m. 4872 gesetzt wird, 141 J. angegeben werden, so ergiebt dies als Olympiadenjahr a. m. 4732, also das Jahr der byzantinischen Aera. Die ἐκλογαὶ stimmen daher mit Africanus nur in den Jahren der Welt, nicht aber im Jahre der Geburt Christi, überein.

daß sie dem Josua, ebenso wie Eusebius dies von Africanus berichtet, 25 J. zuertheilen. Aber auch darin stimmt mit ihnen jenes 56te Fragment (bei Routh) überein, da dasselbe angiebt: Hiesus Nave et qui post ipsum Presbyteri anni LV«.

Endlich gelangt man zu demselben Angelpunkt 3707, wenn man erwägt, daß nach Eusebius[1]) alle Exegeten von der Geburt Abrahams bis zum Exodus 505 J. angenommen haben. Und in der That sind von a. m. 3202 bis 3707 grade 505 J.

Somit ergeben sich die nachstehenden Ansätze des Africanus, denen die Zahlen von Routh[2]) gegenüber gestellt werden mögen.

			Routh.
Exodus 40	a. m.	3707	3705
Josua 25		3747	3745
Presbyteri 30		3772	3772
die übrigen Richter 490		3802	3802
Ende der Richter und Anf. Elis 4292			
Eli und Samuel 90		4292	
Könige 490		4382[3])	
babylonische Gefangenschaft (Zedekias' 1tes J.) 70		4872	
Cyrus' erstes J.		4942	4942
Ol. 1, 1		4726	4725
Christi Geburt		5502	5500

Es ist selbstverständlich, daß bei Routh die Zeitbestimmung des Cyrus a. m. 4942 etwas An-

1) Euseb. chron. p. 95, 25: »juxta *omnes* interpretes«.

2) Routh l. c. p. 507 ff.

3) Diese Zahl wird wie die folgende in den *ἐκλογαί* bei Cramer l. c. p. 260 direkt genannt.

deres bedeutet als bei mir. Bei ihm kann sie nur dem J. 558 a. Chr. entsprechen; dies verstößt gegen die ausdrückliche Bemerkung des Africanus, die von Eusebius und selbst von Syncellus überliefert ist, daß Cyrus' erstes Jahr in das erste Jahr der 55ten Olympiade falle.

Was ist es aber, das die meisten Chronologen bei der Wiedergabe des Africanus irre führte? Es ist dies die eigenthümliche Weise, zwei Differenzen (1020 und 217) welche nach griechischer Weise die Zeitunterschiede angaben, einfach zu addiren, so daß die Späteren daran irre wurden, und zwei Jahre mehr berechneten, als Africanus wirklich beabsichtigte, und von a. m. 3705 statt von 3707 ausgingen[1]). Dies wird sich bei einer anderen Gelegenheit bald von Neuem zeigen.

Wenn in der attischen Liste der Excerpta latina barbari tab. 40[b]. 41[a] das erste Jahr des Cecrops in das 208te J. nach dem Auszuge gesetzt wird, und bald darauf von dem ersten J. des Cecrops bis zur ersten Olympiade 814 J. gerechnet werden, so läßt sich der Widerspruch auf denselben Fehler im Jahre des Auszugs (Ogygus) zurückführen. Denn hier ergiebt sich 1589 a. Chr. = a. m. 3913, dort 1587 a. Chr. = a. m. 3915 als Ausgangspunkt. Hier erhält man als Jahr des Ogygus a. m. 3705, dort a. m.

1) Sobald man aber den Exodus a. m. 3705 ansetzte, so konnte man von dem Einzuge Abrahams in Canaan bis zu demselben nur 428 J. rechnen. Diese Zahl findet sich wirklich in den Exc. lat. barb. Denn dieselben setzen tab. 15[a] die Geburt Abrahams a. m. 3313; darnach wäre der Einzug in Canaan a. m. 3388. Der Auszug fällt jedoch nach tab. 16[a]. [b] a. m. 3816, also 428 J. später.

3707, das Jahr des Africanus. Freilich läßt Africanus nach den eigenen Worten, welche Eusebius[1]) und Syncellus überliefern, Cecrops 189 J. nach Ogygus regieren.

Diese Liste[2]) enthält indessen noch mancherlei Auffallendes. So soll ihre Summe nach der Schlußbemerkung 907 J. betragen. Da jedoch nach derselben der Schluß des zehnjährigen Archontats in die 24te Olympiade = 684 a. Chr. fällt, so verbleiben nur 906, resp. 904 J. (davon abgesehen, daß thatsächlich durch Verderbniß des Textes 926 J. die Summe bilden). Nun ist die Gesammtzahl 907 von Malalas[3]) als die des Africanus bezeugt. Die Einzelzahlen dagegen rühren vielleicht nicht von Africanus her. Denn Syncellus[4]) bemerkt gelegentlich, daß Ariphron nach Africanus 31 J. regiert habe, während ihm die Excerpta nur 30 J. zutheilen. Jedoch mag auch das nur eine der vielen Flüchtigkeiten des barbarischen Verfassers sein. Allein das Schluß- ist so wenig

1) Euseb. pr. ev. X p. 490A, Sync. p. 148D: *μετὰ δὲ Ὤγυγον διὰ τὴν ἀπὸ τοῦ κατακλυσμοῦ πολλὴν φθορὰν ἀβασίλευτος ἔμεινεν ἡ νῦν Ἀττικὴ μέχρι Κέκροπος ἔτη ρπθ'*. Bei Beiden sind dieselben Worte.

2) Ueberhaupt wimmelt die Liste von Verderbnissen, welche der Unwissenheit des Schreibers entstammen. Durch die gleiche Endung verführt hat der Verfasser nach Archippus, dem lebenslänglichen Archonten, den Thersippus ausgelassen, um ihn dann nachträglich vor Aeschylus einzuschieben, legt ihm aber bei dieser Gelegenheit die 28 J. bei, die dem Aeschylus zukommen (worauf Joh. Brandis, de temp. Gr. ant. rat. Bonn 1857, p. 12 aufmerksam gemacht hat), und läßt die Zahl des Aeschylus ganz aus, welche 14 sein soll, wie aus einer nachträglichen Notiz hervorgeht.

3) African. bei Malal. p. 29C.

4) Sync. p. 185B.

wie das Anfangsjahr aus Africanus entnommen. Denn Africanus kann unmöglich den Beginn der jährlichen Archonten 684 a. Chr. angesetzt haben. Dem widerstreitet auch eine ausfühliche Berechnung des Syncellus[1]).

Wie er dies sonst zu thun pflegt, so schließt Syncellus auch das Endjahr seiner eigenen attischen Liste an dasjenige des Africanus an. Seine Worte sind einerseits zu wichtig, als daß sie nicht hier einen Platz, andrerseits aber zu verderbt, als daß sie nicht eine Besprechung verdienten. Sie lauten: *Ἀθηναίων λζ' ἐβασίλευσεν Ἐρυξίας ἔτη ι'. τοῦ δὲ κόσμου ἦν ἔτος ,δψϟα'. ἕως τοῦδε τοῦ ,δωα'*[2]) *ἔτους ἐξ Ἀδὰμ οἱ Ἀθηναίων βασιλεῖς πρῶτοι ιζ' καὶ μετ' αὐτοὺς οἱ διὰ βίου λεγόμενοι ἄρχοντες ιγ', ἔπειτα δεκαετεῖς ζ'. ὁμοῦ πάντα λζ' . . . ἡ δὲ τῶν ἐνιαυσιαίων ἤρχθη τῷ ,δωδ'* (G. *,δωα'*) *ἔτει τοῦ κόσμου Κρέοντος πρώτου ἄρχοντος ἡγησαμένου ἐπὶ τῆς ιθ' Ὀλυμπιάδος, οἱ δὲ ἐπὶ κε'*[3]). *ἀφ' οὗ* (sc. *ιθ' Ὀλ.*) *ἐπὶ σν' Ὀλυμπιάδα ἄρχοντες ϡγ'* (m. *ϡκγ'*[4]) *μέχρι Φιλίνου, καθ' ὃν ὑπάτευον Γράτος Σαβινιανὸς Ῥωμαίων καὶ Σέλευκος, ἀπὸ τῶν περὶ Βροῦτον μετὰ τοὺς βασιλεῖς ὑπατευσάντων, ψκε'*[5]) *καταριθμούμενοι ἐπὶ τὸ ,εψκγ' ἔτος τοῦ*

1) Sync. p. 212A.B.

2) Man erwartet eigentlich nur *,δω'*.

3) Richtig ist *κδ'*.

4) Die Lesart 923 ist nach dem Sinne des Textes so selbstverständlich, daß man nicht begreift, wie dies übersehen werden konnte. Natürlicher Weise erbt sich die verderbte Zahl 903 seit undenklichen Zeiten als altes Uebel fort, da Scaliger animadv. in Euseb. p. 232 dieselbe zu emendiren verabsäumt hat.

5) Von 510 a. Chr. sind bis 221 p. Chr. nach des Petavius Bemerkung wirklich 725 Mal Consuln gewesen, da von a. U. 378—382 ein ununterbrochnes Interregnum bestand.

κόσμου, κατὰ τὸν Ἀφρικανόν, ὅπερ ἦν Ἀντωνίνου τοῦ καὶ Αὐγέντου (*Αὐείτου*[1]) Scalig.) *Ῥωμαίων βασιλέως ἔτος γ΄.*

Dieselbe Zahl ‚*εψκγ΄* a. m. 5723 kehrt in dem Auszuge des Africanus bei Photius[2]) wieder, ist daher zur Genüge gesichert. Sie entspricht nach Africanus dem ersten Jahre der 250ten Olympiade. Mit dem Kaiser Antoninus ist Heliogabal gemeint, welcher auf den Münzen immer so heißt. Das erste Jahr der 250ten Olympiade aber ist = 221 a. Chr. und fällt in der That in das dritte Jahr seiner Regierung. Hieronymus[3]) setzt die Gesandtschaft des Africanus nach Emmaus (Nicopolis) eben in dieses dritte Jahr des Kaisers und in dasselbe Jahr derselben Olympiade. Daraus ersieht man, warum Africanus mit diesem Jahre seine Chronik abschloß. Annius Gratus und Claudius Seleucus sind wirklich die Consuln dieses Jahres. Daß dagegen Philinus damals Archont war, ist nur durch die vorliegende Stelle bezeugt.

So stimmt Alles zusammen, um den Schluß zu bestätigen, daß Africanus a. m. 5502 als das J. der Geburt Christi betrachtet und wirklich eine

1) Scaligers, animadv. in Euseb. p. 232^a Lesart *Αὐείτου* wird von Routh l. c. p. 462 f. vertheidigt. Es ist die griechische Form für Avitus.

2) Photius bibl. 34. Indessen heißt es hier: *μέχρι τῆς Μακρίνου τοῦ Ῥωμαίων βασιλέως βασιλείας.* Deshalb emendirt Petavius l. c. p. 156 *Ἀντωνίνου*. Scaliger l. c. p. 232^b nimmt richtiger nur ein Versehen des Photius an, da Macrinus Ol. 249, 1 regierte.

3) Hieronym. in a. A. 2237. Die armenische Uebersetzung jedoch verlegt dies Ereigniß in das zweite J. des Kaisers, der zugleich das zweite J. der Olympiade ist. Das Chronicon Paschale p. 267^D erwähnt zwar auch die Gesandtschaft Ol. 250, 2, macht aber Gratus und Seleucus zu Consuln von Ol. 249, 4.

eigene Aera gehabt habe; und gerade auf diese Stelle allein stützte sich Petavius, als er zuerst der direkten Behauptung des Syncellus entgegentrat, welche so viel Unheil gestiftet hat.

Africanus muß demnach bei seiner eigenthümlichen Weise der Zählung

Ogygus	a. m. 3707 =	1795 a. Chr.
Cecrops 1. J.	a. m. 3895 =	1607 a. Chr.
erst. jährlich. Archont	a. m. 4801 =	701 a. Chr.

angesetzt haben; so daß er dadurch die zwei Differenzen 189 und 907 erhielt und Cecrops um ein J. früher ansetzte, als dies Philochorus gethan hat, von dem er die 189 J. sammt dem Jahre des Ogygus übernommen hat. Dies scheint die Lösung des Knotens zu sein.

Es bleibt nur noch die Frage, wie Syncellus so gröblich irren und dem Africanus ein Geburtsjahr Christi andichten konnte, das ihn als einen verwirrten Kopf erscheinen läßt? Eine Antwort hierauf zu geben, welche über allen Zweifel erhaben wäre, ist unmöglich. Allein die eigenen Worte des Africanus, welche Syncellus[1]) überliefert, geben einen gewissen Anhalt. Es scheint, daß Syncellus diese Stelle vor Augen gehabt habe, in der aber Africanus nicht in seinem Namen, sondern nur von den Juden berichtet, daß sie a. m. 5500 die Geburt Christi setzen: *ἐκ τούτων γὰρ οἱ Ἰουδαῖοι .... ἀριθμὸν ἐτῶν πεντακιςχιλίων πεντακοσίων εἰς τὴν ἐπιφάνειαν τοῦ σωτηρίου λόγου τὴν ἐπὶ τῆς μοναρχίας τῶν Καισάρων κηρυσσομένην παραδεδώκασιν.* Dies mag Syncellus irrthümlich als eigne Meinung des Africanus betrachtet haben. Syncellus selbst hält sich in seiner eigenen Zeitangabe des Ereignisses ganz unabhängig von Africanus.

1) African. bei Sync. p. 18A.

ihm[1]) fällt Christi Geburt Ende a. m. 5500, Anfang 5501, d. h. den 25. Dezember. Trotzdem verrechnet er in den Zeiten vor Chr. wie Africanus das J. d. W. 5502[2]), in den Zeiten nach Chr. aber zählt er nach der Alexandrinischen Aera[3]). Diese wendet er auch zuweilen, wie in der babylonischen, persischen und macedonischen Königsliste[4]) schon vor Christi Geburt an; und zwar in der dem Ptolemäischen Canon nachgebildeten *ἐκκλησιαστικὴ στοιχείωσις*, welche im Einzelnen gar sehr von ihrem Original abweicht.

Dies ist indessen so auffallend, daß angenommen werden muß, Syncellus handle hier nicht auf eigene Faust: denn die Kaiserzeit ist ja im

1) Sync. p. 316^{B}: *πληρωθέντος τοῦ ͵εφʹ καὶ ἀρξαμένου τοῦ ͵εφαʹ*.

2) Demgemäß setzt Syncellus p. 199^{B} die erste Olympiade a. m. 4726 wie Africanus, und zwar in das 45te J. des Ozias. Verderbt ist daher die Stelle am Schlusse seiner eigenen attischen Liste p. 195^{C}, nach der die erste Olympiade a. m. 4721 und in das 34te J. des Ozias fällt. Ebenso korrumpirt ist die Aeußerung am Anfang derselben Liste p. 158^{A}, nach welcher von a. m. 3595 bis zur ersten Olympiade nur 700 J. sein sollen. Eine Verbesserung am Rande bietet dafür 730 J.; richtiger sind 732 J.

3) So setzt Syncellus p. 357^{C} Heliogabals Regierung a. m. 5710—18; was bei ihm dasselbe ist wie 219—22 p. Chr.

4) Syncell. p. 208^{D} ff. Da mit Alexander M. die macedonische Liste sich an den Ptolemäischen Canon anschließt, so hat er auch alle Vorgänger Alexanders, von Karanos an, nach der alexandrinischen Aera berechnet; p. 198^{C}—260^{B}. Scaliger hat darum in richtiger Erkenntniß dieses Umstandes bei Syncellus p. 263^{D} die 420 J., welche von der ersten Olympiade bis zum Regierungsantritt Alexanders M. gezählt sind, in 441 J. emendirt. Denn ausdrücklich bemerkt Syncellus p. 195^{C} zum ersten J. des Karanos 4701, daß es das 18te J. vor Ol. 1, 1 sei.

Ptolemäischen Canon nur eine Fortsetzung der genannten drei Königslisten.

Nun aber setzt kein Anderer als Annianus nach den eigenen Worten des Syncellus [1]) selbst Christi Geburt Ende a. m. 5500, Anfang 5501, und zwar mit denselben Worten. Und wenn Annian an eben derselben Stelle als Tag der Auferstehung den 25. März oder 29. Phamenoth, d. h. den ersten Nisan, bezeichnet, und als das Jahr desselben a. m. 5534 festsetzt, so giebt Syncellus [2]) bis auf Tag, Monat und Jahr zwei Mal dieselben eigenen Daten. Folglich hat er anstatt des wirklichen Ptolemäischen Canon dîe sogenannte *ἐκκλησιαστικὴ στοιχείωσις* des Annian ebenso benutzt, wie er die Sothis und das *παλαιὸν χρονικόν* des Panodor anstatt des echten Manetho für die ägyptische Götter- und Königsliste zu Grunde gelegt hat [3]).

Hat Syncellus das Jahr, in dem Christus nach Africanus geboren wurde, falsch überliefert, und sich um zwei J. geirrt, so ist es fraglich, ob nicht dasselbe bei dem Todesjahr Christi der Fall ist. Nach den eigenen Worten

1) Annian. bei Sync. p. 35^A: *τὴν θείαν σάρκωσιν τῷ ,εφ' πληρουμένῳ καὶ ἀρξαμένῳ τῷ ,εφα'*. Der Zweifel, den noch Ideler, Hb. d. Chr. II, p. 455, A. 1 hegte, scheint hierdurch beseitigt zu sein. Auch als Tag der Verkündigung wird von Syncellus p. 315^C logisch der erste Nisan a. m. 5500 (p. 312^A sogar a. m. 5500/1) angegeben, mit dem Zusatze, dieses Jahr sei das 181te J. der 11ten Periode von 532 J. Diese Periode stammt aber nach p. 35^A. 36^A. 315^D von Annianus, somit auch die ganze Bemerkung.

2) Sync. p. 2^A. Das Ganze ist p. 327^C wiederholt. Gegen diese Zeitbestimmung polemisirt Petavius, de doct. temp. lib. IX, cap. 3.

3) Vgl. R. Lepsius, Chronol. d. Aegypt. Berl. 1849. I, p. 440. 459.

des Africanus bei Syncellus[1]) soll dies a. m. 5531 sein. Allein bisher ergab sich, daß das beglaubigte Jahr des Africanus für das Ende der Richter und Anfang Elis a. m. *4292* war. Daraus folgte, daß Cyrus' erstes Jahr[2]) a. m. 4942 sein muß, welches als das erste Jahr der 55ten Olympiade von Africanus bezeichnet war.

Nun ersieht man aus dem 50. Fragment[3]), daß nach Africanus das Perserreich 230, und die macedonische Herrschaft 300 J.[4]) bestand. (Unter den Macedoniern sind nämlich die Ptole-

1) Außer der schon angeführten Stelle ist besonders wichtig Africanus bei Sync. p. 324^D: *συνάγονται δὲ τοίνυν οἱ χρόνοι ἐπὶ τὴν τοῦ κυρίου παρουσίαν ἀπὸ Ἀδὰμ καὶ τῆς ἀναστάσεως ἔτη ,ϛφλα'. ἀφ' οὗ χρόνου ἐπὶ Ὀλυμπιάδα σν' ἔτη ϙϟβ'.* vgl. p. 325^C.

2) Unrichtig ist jedoch das Jahr des Tempelbaus von Syncellus angegeben. Nach ihm p. 181^D soll Africanus denselben in das achte J. Salomons a. m. 4457 setzen; was eine Unmöglichkeit ist. Richtig kann nur a. m. 445*0* sein; demnach ist *,δυν'* statt *,δυνζ'* zu lesen. Nach Africanus bei Eusebius chron. p. 99, 16 f. 100, 13. fällt der Bau *ὑπὲρ τὰ ἔτη ψμ'* nach dem Auszuge; ibid. p. 99, 5 werden volle 744 J. angegeben. Routh l. c. p. 451 ff. 508 will 445*3* lesen.

3) Fr. 50 bei Routh p. 301.

4) Folgendes sind bei Syncellus p. 308^C die Worte des Africanus: *μετὰ ἔτη τ' τῆς Περσῶν καθαιρέσεως δυοῖν δέοντα.* Die beiden letzten Worte streicht Routh fr. 49, und dies mit Recht. Denn in dem 50. Fragmente, in dem Einiges zu erläutern bleibt, heißt es: *εὑρίσκομεν (γὰρ) τὴν Περσῶν βασιλείαν ἔτεσι διακοσίοις τριάκοντα περιγραφομένην, τήν τε Μακεδόνων εἰς ἔτη τριακόσια* [*ἑβδομήκοντα* del. Routh] *παρατείνουσαν. κἀκεῖθεν ἐπὶ τὸ Τιβερίου Καίσαρος ἑκκαιδέκατον ἔτος εἰς ἔτη ἑξήκοντα.* Routh möchte das zweite *εἰς* in *εἰσὶ* emendiren. Allein dies *εἰς* kann hier nicht seine gewöhnliche Bedeutung haben, und es ist gerade so gesichert wie das erste. Beide Male heißt es nicht *fere*, sondern *per*. Die 298 J. jedoch stammen aus der eigenen Rechnung des Syncellus p. 303^B.

mäer zugleich mit inbegriffen). Von da aber bis zum sechzehnten Jahre des Tiberius, unter dem Christus starb, rechnet er weitere 60 J. Demnach stellt sich seine Chronologie in folgender Weise dar:

Perserreich 230 a. m. 4942—5171
Macedonien 300 a. m. 5172—5471
16. J. des Tiberius 60 a. m. 553*1* resp. 553*2*.

Diese Zahlen sind zunächst dadurch gesichert, daß Hieronymus in einem Citate des Africanus[4]) sowohl die 300 J. des macedonischen Reiches als die 60 J. bis zur Passion wiederholt. Bis zum Tode Christi zählt er am Schluß 590 J., so daß auch er 230 J. für das Perserreich angenommen haben muß. Allein sein Endpunkt ist das funfzehnte J. des Tiberius.

Ferner kehren dieselben Zahlen 230 und 300 in der zuverlässigen chronologischen Uebersicht des Africanus wieder, welche Routh als fr. 56 bezeichnet. Dann heißt es daselbst weiter: »imperium Romanum usque ad Salvatorem et resurrectionem ejus anni LXXIV. In se omnes anni in tempus supra scriptum anni $\overline{V}$DCCXXVI«. Was diese Worte zu bedeuten haben, wird bald klar werden. Zunächst sei nur bemerkt, daß sie das bisherige Ergebniß bestätigen.

Vor Allem aber sind zwei Bemerkungen des Africanus bei Syncellus von Wichtigkeit, welche die Gedankenlosigkeit des Syncellus am besten darlegen. Nachdem gesagt ist, daß Macedonien

4) Hieronym. comm. in cap. IX Daniel.: »Macedones regnaverunt annis *trecentis;* atque exinde usque ad annum *quintum* decimum Tiberii, quando passus est Christus, numerantur anni *sexaginta*, qui simul faciunt annos *quingentos nonaginta*, ita ut centum supersint anni (nämlich über die 70 Jahrwochen).

300 J. bestanden hat, fährt er[1]) fort, indem er das Ganze beschließt: *συνάγονται τοίνων οἱ χρόνοι ἀπὸ μὲν τῆς Μακεδόνων ἀρχῆς καὶ καταλύσεως κατὰ Πτολεμαίους καὶ τὴν τελευταίαν Κλεοπάτραν, ὃ γίνεται τῆς Ῥωμαίων μοναρχίας ἡγεμονίας ἔτος ια', Ὀλυμπιάδος δὲ ρπζ' ἔτος δ', σύμπαντα ἔτη ἀπὸ Ἀδὰμ ,ε υ ο β'.*

Daß hier nicht das 11te, sondern das 14te J. der Römischen Monarchie zu lesen ist, hat Scaliger wohl erkannt, und selbst Goar[2]) zugestanden. Durch diese vierzehn Jahre erhalten die Worte des fr. 56 ihre wahre Bedeutung. Statt einfach 60 J. von Cleopatras Sturz zu rechnen, zählt er die 14 Jahre des Augustus hinzu. Als Summe ergiebt sich ihm in Folge der falschen Addition von *74* statt *60* dann 55*46* anstatt 55*32*. Demnach ist $\overline{\text{V}}\overline{\text{D}}CCXXVI$ für $\overline{\text{V}}$DXXXXVI, und nicht, wie Routh[3]) meint, für $\overline{\text{V}}$DXXVI verschrieben.

Allein von entscheidender Bedeutung wird die Stelle des Africanus erst durch die Zahl *5472* für das Ende der macedonischen-ägyptischen Herrschaft. Denn sie bestätigt die ganze bisherige Wiederherstellung der Chronologie des Africanus. Rechnet man 60 J. hinzu, so erhält man 5531/2. Unrichtig ist indessen die Bezeichnung durch das Olympiadenjahr 187,4 = 29 a. Chr. Es muß Ol. 187,3 dafür gelesen werden, und dieses ist = 30 a. Chr.

Auch sonst sind die Worte des Africanus[4])

1) African. bei Sync. p. 308^D^.
2) Goar adnot. in p. 308^D^. Ebenso Routh l. c. p. 295. 472.
3) Routh l. c. p. 500.
4) African. bei Sync. p. 323^A.B^.

lehrreich. Indem er die siebzig Jahrwochen bis zu Christi Tod herausrechnen will, nimmt er als Ausgangspunkt das 115te J. des Perserreiches, das er noch näher als das 185te nach der Zerstörung Jerusalems bezeichnet. In diesem Jahre, dem 20ten des Artaxerxes, beginne unter Neemia der Aufbau des Tempels. Darum zählt er von diesem Zeitpunkte den Beginn der 70 Jahreswochen[1]). Es muß dies also a. m. 5057 nach ihm gewesen sein. Genauer bezeichnet es aber Africanus durch das vierte Jahr der 83ten Olympiade. Dies ist aber 445 a. Ch. (woraus aufs Neue klar hervorgeht, daß nur 5502 das Jahr der Geburt Christi sein kann). Zum Ueberfluß bemerkt Africanus selbst noch, daß bis zu Christi Tod 475 J. verflossen sind, welche den 490 Mondjahren der Juden entsprächen. Abgesehen von der inneren Unwahrscheinlichkeit dieser Berechnung folgt daraus, daß a. m. 5531/2 als das wahre Todesjahr Christi von Africanus betrachtet worden ist. Hier ist es auch, wo er das Todesjahr durch Ol. 202, 2 und das sechszehnte[2]) J. des Tiberius näher bestimmt. Ol.

1) Dieselbe Bemerkung mit denselben Zahlen wiederholt sich in dem bei Routh p. 300, 11 ff. abgedruckten Fragmente aus Eusebius dem. evang.

2) Es kann also nur ein Irrthum des Hieronymus sein, wenn er vom funfzehnten J. des Tiberius spricht. Die Verführung war freilich zu groß für ihn, da alle Kirchenväter dieses 15te J. annehmen; vgl. L. Ideler, Hb. d. Chron. II, p. 418 ff. (Routh nennt p. 483 f. dagegen einige Autoren, welche das 16te J. angeben). Anton. Pagi, crit. hist. chron. in Baronii annal. ad. a. 32 Antverp. 1705, vol. I, p. 26 möchte Ol. 202, 2 in 202, 1 verändern oder wenigstens annehmen. »Julium Africanum passum dicere Christum modo anno XV modo XVI Tiberii, ut scilicet secundum Orientalium et Occidentalium loquendi modum annum mortis Christi magis exprimeret«.

202, 2 ist aber gleich 30 p. Chr. Deshalb gelangt Petavius[1]) zu dem Schlusse, daß Christi Tod Ende a. m. 5531, oder Anfang 5532 erfolgt sei, und zwar im April des J. 30 der gewöhnlichen christlichen Aera, im 16ten J. des Tiberius. Wenn er aber hinzufügt, daß damals das zweite Jahr der 202ten Olympiade noch nicht begonnen hatte, sondern nur proleptisch vom 1. Januar oder einem anderen Ausgang des Jahres von Africanus gezählt worden sei, so ist er zweimal ungenau. Denn erstens hatte Ol. 202, 2 schon mit dem ersten Vollmonde nach der Sommersonnenwende a. m. 5531 angefangen; zweitens aber begann Africanus sicherlich, wie alle Väter und Lehrer der Kirche, und die Kirche selbst, das Weltjahr mit dem ersten des Nisan[2]). Wenn Syncellus[3]) diesen Tag wiederholt als den 25. März oder 29. Phamenoth bezeichnet, so wird dies wohl auch allgemeine Tradition gewesen sein. Es fällt daher der Beginn des Olympiadenjahres auf den ersten des vierten Monats Thamus der Weltaera.

1) Petavius l. c. p. 156[a]: »passum denique anno mundi *desinente 5531*, *sequente 5532* a Paschate, vel Aprili anni Christi communis 30, Tiberii XVI et Olympiadis CCII anno secundo nondum ab aestivis mensibus inchoato, sed *κατὰ πρόληψιν* a Januario aut alio quopiam initio popularis anni, quo usus est Africanus.

2) Sync. p. 1. 2[A]: *τοῦτο πᾶσιν ὁμολογούμενόν ἐστι τοῖς ἁγίοις ἡμῶν πατράσι καὶ διδασκάλοις καὶ τῇ ἁγίᾳ καθολικῇ καὶ ἀποστολικῇ ἐκκλησίᾳ.*

3) Sync. p. 1. 3[C]. Die Auferstehung Christi verlegt Syncellus p. 2[A]. 327[C] darum auch zur Erinnerung an den ersten Welttag auf den ersten Nisan a. m. 5534, und zwar wiederum nach dem Vorgange des Annianus, von dem Sync. p. 35[A] dasselbe berichtet. Dasselbe folgt aus der Berechnung des Syncellus p. 326[A], weil er den Cyclus des Annian von 532 J. hierbei zu Grunde legt.

Darum erstreckte sich Olympiade 202, 2 vom ersten Thamus 5531 bis 1. Thamus 5532 [1]). Da Christus im Nisan starb, so entspricht in diesem Falle Ol. 202, 2 dem J. d. W. 5532.

Auf a. m. *5532* weist auch die Bemerkung des Syncellus [2]), daß vom Tode Christi bis zum Ende seiner Chronik (a. m. 5723 = Ol. 250, 1 = 221 p. Chr.) 192 J. zu zählen sind, wobei nach der Gewohnheit des Africanus das erste und letzte Jahr mitgezählt werden.

Somit ergiebt sich folgende Chronologie des Africanus:

	Ol. 1, 1 =	776 a. Chr. =	a. m. 4726/7.
	Ol. 55, 1 =	560 a. Chr. =	a. m. 4942/3.
	Ol. 194, 4 =	1 a. Chr. =	a. m. 5501/2.
	Ol. 195, 1 =	1 p. Chr. =	a. m. 5502/3.
1. J. d. Tiberius	Ol. 198, 2 =	14 p. Chr. =	a. m. 5515/6.
	Ol. 202, 2 =	30 p. Chr. =	a. m. 5531/2.
	Ol. 250, 1 =	221 p. Chr. =	a. m. 5722/3.

1) Anders rechnet trotzdem Syncellus selbst. Nach p. 315A fällt die Verkündigung Johannis auf den 7. Monat (1. Tischri) oder 27. September a. m. 5500; sechs Monate darauf findet nach p. 315B die Verkündigung Christi statt, und zwar 24/5. März oder 28/29 Phamenoth a. m. 5500. Die Geburt desselben aber setzt er Ende a. m. 5500, Anfang 5501. Dies Alles giebt keinen Sinn. Selbst wenn er von Tischri, dem wirklichen Neujahrstage der Juden, ausgegangen wäre, hätte er die Verkündigung Christi im Nisan *5501*, und Christi Geburt im 10. Monat 5501 ansetzen müssen.

2) Sync. p. 324D; obwohl Syncellus selbst irrthümlich von a. m. *5531* ausgeht, so erhält er doch durch die Jahre der Olympiaden die richtige Zahl. Routh l. c. p. 501 möchte in der verdorbenen Zahl des schon öfter behandelten fr. 56 auch *192* herstellen: »exinde ad imperium Alexandri, . . . qui et Antoninus cognominatus est, anni CLXXXIV«. Dies geht jedoch nicht an,

So fällt auch die Geburt Christi wirklich genau in das J. d. W. 5502.

Wie kam aber Africanus dazu, nur im Geringsten von der Zahl 5500 abzuweichen, welche doch durch die Tradition sanktionirt war? Dies wird sich schwerlich je feststellen lassen. Nur das kann für jetzt eruirt werden, von wem er die Gleichzeitigkeit des Moses und Ogygus entlehnt hat. Er wurde dazu zunächst durch die Angaben der älteren Chronologen Castor, Thallus und Diodor über die Zeit des Cyrus sowie über die des Auszugs augenscheinlich veranlaßt. Cyrus' erstes Jahr ist nämlich bei ihnen allen Ol. 55, 1, wie Africanus[1]) selbst angiebt. Zugleich jedoch werden eben dieselben neben Alexander Polyhistor von Africanus[2]) als diejenigen genannt, die nach dem Vorgange des Hellanicus und Philochorus Ogygus zur Zeit des Phoroneus, Königs von Argos, und zwar 1020 J. vor der ersten Olympiade, leben lassen. Von eben denselben Autoren aber (nur Diodor wird zufälliger Weise nicht genannt) erzählt Justinus Martyr[3]), daß sie des Moses als eines sehr alten Anführers der Juden gedenken (*σφόδρα ἀρχαίου καὶ παλαιοῦ τοῦ Ἰουδαίων ἄρχοντος μέμνηνται*). Offenbar hat der Polyhistor lange vor Africanus Moses und Ogygus in dasselbe Zeitalter gesetzt, und er liegt allen Uebrigen zu Grunde. Wenn Justinus aber sogar Hellanicus und Philochorus von Moses berichten läßt, so hat derselbe sicher-

1) African. bei Euseb. pr. ev. X p. 488C. Auch Polybius und Phlegon nennt er nebenher.

2) African. bei Euseb. l. c. p. 489A.

3) Justin. Mart. coh. ad Gr. p. 10A. Der Polyhistor hat in der That fr. 13—17 aus echten und unechten Schriftstellern Auszüge über Moses überliefert. Albernes über denselben enthält fr. 25.

lich den Schluß, welchen Alexander und seine Nachbeter aus ihnen gezogen haben, diesen selbst blindlings imputirt.

Es ist von großer Wichtigkeit, daß die eigenen Worte des Africanus[1]), in welchen er seinen Zeitansatz des Exodus zu begründen versucht, genau erhalten sind. Zunächst stützt er sich auf den Grammatiker Apion, der sich in den Kopf gesetzt hatte, der Auszug habe unter Amosis, dem ersten König der achtzehnten Dynastie, stattgefunden, während derselbe thatsächlich unter Menephthes, einen König der neunzehnten Dynastie statt hatte. Es darf nach der Untersuchung von Richard Lepsius[2]) als definitives Resultat betrachtet werden, daß die Hyksôs mit den Juden nicht identisch sind. Wie sehr jedoch Apion mit eben dieser irrigen Behauptung selbst seine Gegner überrumpelte, geht aus der Gegenschrift des Josephus hervor, der gerade diesen wundesten Punkt freiwillig zugestand. Freilich erlangte dieser Irrthum erst

1) African. bei Euseb. l. c. p. 490 und bei Sync. p. 64^C. 148^D. Johannes Antiochenus bei Cramer, Anecd. Paris. II, p. 383 hat dasselbe, aber ohne Africanus zu nennen.

2) Lepsius, Chronol. der Aegypt. I, p. 330 ff. 358 ff. 536 ff. Selbst das Lügenwerk des Artapan (bei Euseb. praep. ev. IX p. 432), das Alexander Polyhistor fr. 14 überliefert, hat den richtigen König *Χενέφρης*, sicherlich nur eine Verdrehung oder Verschreibung von *Μενέφθης*; vgl. Lepsius l. c. p. 359, A. 2. Auch der Astronom Theon thut der Epoche des *Μενόφρης* Erwähnung (citirt von Lepsius l. c. p. 169). Es ist dies Nichts Anderes als die *Σωθιακὴ περίοδος* des Thrasyllus Rhodius (Hofastronomen des Kaisers Tiberius) fr. 3 (Clem. Alex. strom. I p. 335^D). Sowohl nach Theon als nach Thrasyllus fällt der Anfang der Epoche 1322 a. Chr.; vgl. L. Ideler, Hb. d. Chronol. I, p. 135 f.

durch die Sanktion des Africanus[1]) ausschließliche Geltung.

Wie bewies dies nun Apion? So weit sich dies aus den Ueberresten bei Tatian und Africanus[2]) erkennen läßt, behauptet er, daß Amosis Avaris, die Festung der Hyksôs, zerstört und darauf die Fremden aus dem Lande getrieben habe. Das aber soll zur Zeit des Inachus geschehen sein, »wie Ptolemaeus Mendesius angebe«. Daraus folge, daß Moses zur Zeit des Amosis und des Inachus gelebt habe. In der That sagt aber Ptolemaeus[3]) nur Folgendes: *ὁ δὲ Ἄμωσις ἐγένετο κατὰ τὸν Ἴναχον τὸν βασιλέα*, und weiter nichts. Indem Tatian dies berichtet, giebt er seinen eigenen Commentar: *κατὰ Ἄμωσιν Αἰγύπτου βασιλέα γεγονέναι Ἰουδαίοις φησὶ τὴν ἐξ Αἰγύπτου πορείαν ... Μωσέως ἡγουμένου.* Obwohl dies natürlich nur freie Auslegung des Tatian ist, so betrachtet Clemens Alexandrinus[4]) gerade diese Worte als die eigenen Worte des Priesters von Mende, und berichtet sie allein, nicht aber die ursprünglichen.

1) African. bei Sync. p. 62[B]: *ὀκτωκαιδεκάτη δυναστεία Διοσπολιτῶν βασιλέων ιϛ', ὧν πρῶτος Ἀμώς, ἐφ' οὗ Μωϋσῆς ἐξῆλθεν ἐξ Αἰγύπτου, ὡς ἡμεῖς ἀποδεικνύομεν.* Zu vergleichen ist p. 69[A]. Josephus c. Apion. I, 26 verdrehte den Amosis noch in Tethmosis und I, 14 in Misphragmuthosis; dieser Name ist nach Lepsius l. c. p. 540 f. aus demjenigen zweier Könige Misphres und Tuthmosis zusammengezogen.

2) Tatian, or. ad Gr. c. 38 § 59 (w. bei Euseb. praep. ev. X p. 493[D]) = Apion fr. 2. Jedoch findet sich in den Worten des Africanus bei Euseb. l. c. p. 490[B] und bei Sync. p. 64[D] nicht der Zusatz *ὡς ἐν τοῖς χρόνοις ἀνέγραψεν ὁ Μενδήσιος Πτολεμαῖος.*

3) Ptolem. Mendesius bei Tatian und Euseb. ll. cc.

4) Clem. Alex. strom. I p. 320[C]: *κατὰ Ἄμωσιν, Αἰγύπτου βασιλέα, Μωσέως ἡγουμένου γεγονέναι τοῖς Ἰουδαίοις τὴν ἐξ Αἰγύπτου πορείαν.*

Als zweiter Hauptbeweis figurirt bei Africanus[1]) der Perieget Polemo (ob auch schon bei Apion, läßt sich nicht feststellen). Daselbst heißt es, daß unter Apis, Sohn des Phoroneus, ein Theil des ägyptischen Heeres vertrieben wurde, welcher sich darauf in Palaestina angesiedelt habe. Damit ersichtlich sei, wie morsch der ganze Aufbau von Beweismitteln ist, mögen die eigenen Worte des Polemo folgen: *ἐπὶ Ἄπιδος τοῦ Φορωνέως μοῖρα τοῦ Αἰγυπτίων στρατοῦ ἐξέπεσεν Αἰγύπτου, οἳ ἐν τῇ Παλαιστίνῃ καλουμένῃ Συρίᾳ οὐ πόῤῥω Ἀραβίας ᾤκησαν.* Daraus schließt nun Africanus, daß »offenbar Moses darunter gemeint sei, *αὐτοὶ δηλονότι οἱ μετὰ Μωσέως*«; während Polemo weder von Moses noch von Amosis ein Wörtchen weiß.

Obwohl ferner Africanus zunächst nur die Gleichzeitigkeit des Moses und Ogygus darthun wollte, und die argivischen Könige nur in zweiter Linie Bedeutung haben, wird Moses dennoch das eine Mal zum Zeitgenossen des Phoroneus, ein anderes Mal zu dem des Apis, und zuletzt zu demjenigen des Inachus gestempelt, so daß er mit Sohn, Vater und Großvater, deren Regierung sich durch 145 J. erstreckt, zugleich gelebt haben soll. Und zwar dachte sich dies Africanus[2]) so, daß Moses unter Inachus geboren sei, unter Phoroneus geblüht und unter Apis den Auszug veranstaltet habe. Bietet aber Africanus Derartiges, so darf man sich nicht wundern, daß nach Cyrillus[3]) Moses nicht nur dem Castor *καὶ ἕτεροι*, nicht bloß dem Hellanicus und Philocho-

1) African. bei Euseb. pr. ev. X p. 490B und bei Sync. p. 64C = Polemo fr. 13.
2) African. bei Sync. p. 121C.
3) Cyrill. c. Jul. I p. 15.

rus, sondern auch dem Polemo und Ptolemaeus Mendesius bekannt gewesen sind.

Das Stärkste aber wird in der Interpretation des Herodot geleistet. Nach Africanus[1]) soll Herodot im zweiten Buche des Auszugs und des Amosis gedenken: *μέμνηται δὲ καὶ Ἡρόδοτος τῆς ἀποστασίας ταύτης καὶ Ἀμώσιος ἐν τῇ δευτέρᾳ· τρόπῳ δέ τινι καὶ Ἰουδαίων αὐτῶν, ἐν τοῖς περιτεμνομένοις αὐτοὺς καταριθμῶν, καὶ Ἀσσυρίους τοὺς ἐν τῇ Παλαιστίνῃ ἀποκαλῶν, τάχα δι' Ἀβραάμ.* Gemeint ist Herodot II, 103 ff., wo von Sesostris erzählt wird, daß er auf seinen Eroberungszügen bis nach Kolchis vorgedrungen sei. Daran knüpft nun Herodot die Bemerkung, daß die Kolcher die Sitte der Beschneidung hätten, und fährt darauf fort: *Φοίνικες δὲ καὶ Σύριοι οἱ ἐν τῇ Παλαιστίνῃ καὶ αὐτοὶ ὁμολογέουσι παρ' Αἰγυπτίων μεμαθηκέναι.* Ganz soll davon geschwiegen werden, daß die Syrer hier wieder einmal von dem Interpreten mit den Assyrern verwechselt werden; aber aus Sesostris im Interesse einer Hypothese einen Amosis[2]) zu machen, das ist stark, und gemahnt auf's Neue daran, daß die geschichtliche Kritik immer die schwächste Seite der Alten gewesen ist.

Von gleicher Schwäche des geschichtlichen Sinnes zeugt es, wenn durchgehends das Ende der babylonischen Gefangenschaft an das erste

1) African. bei Euseb. l. c. p. 490^C und bei Sync. p. 64^D.

2) Da Josephus c. Apion. I, 26 Amosis in Tethmosis verdreht, so nimmt Syncellus p. 69^B die gute Gelegenheit in seiner Weise wahr, um die Ansichten beider zu vereinigen: *οἶμαι τὸν Ἀφρικανὸν ἀγνοεῖν, ὅτι καὶ ὁ παρ' αὐτῷ Ἀμὼς Ἄμωσις ἐκαλεῖτο ὁ αὐτὸς καὶ Τέθμωσις*, cf. p. 68^B: *Ἄμωσις ὁ αὐτὸς καὶ Τέθμωσις.*

Jahr des Cyrus geknüpft wird, obgleich der Gedanke so nahe lag, daß Cyrus doch erst nach der Eroberung Babylons sich der Juden hatte annehmen können.

Trotz aller dieser Mängel bleibt indessen die Chronik des Julius Africanus von großer Bedeutung, weil in ihr zum ersten Male der Versuch gemacht ist, das gesammte Alterthum chronologisch mit der Bibel zu vereinigen. Erhalten ja alle großen Leistungen weniger durch ihre augenblicklichen Ergebnisse als durch die Anregung, die von ihnen ausgeht, ihren eigentlichen, bleibenden Werth.

Uebersicht der Chronologie des Africanus.

	nach Syncellus.	Ergänzungen und Verbesserungen von Routh.	mir.
Sintfluth	a.m. 2262		
Abraham geboren ..	3202		
Abraham zieht in Canaan ein	3277		
Isaac geboren			a.m. 3302
Jakob geboren			3362
Beginn des sicyonischen Reiches im 29. J. Jakobs		a.m. 3390	3391
Levi geb. im 87. J. Jakobs		3448	3449
Joseph geb. i. 91. J. Jakobs			3453
Jakob zieht nach Aegypten i. 4. J. Kaaths 130 J. alt	*3606* (!)	3493	3492
Joseph gestorben 110 J. alt	3563		
Moses geboren ...			3627
Auszug aus Aegypten. Ogygus		3705	3707

	nach Syncellus.	Ergänzungen und Verbesserungen von Routh.	mir.
Josua 25		a. m. 3745	a. m. 3747
Presbyteri 30		3772	
Richter 490		3802	
Cecrops' erstes J., 189 J. nach Ogygos		3894	3895
Ende der Richter und Anfang Elis	a. m. 4292		
Eli und Samuel 90 . .	[bis 4382]		
Ende des sicyonischen Reiches nach 1007 J.		4396	4397
Salomo			4442
Tempelbau im 8. J. Salomos	4457(!)	*4453*	*4450*
Erstes Jahr der ersten Olympiade 776 a. Chr.		4725	*4726*
Fall des Reiches Israel .	4750		
Jährliche Archonten in Athen	4801		
Babylonische Gefangenschaft. Erstes Jahr des Zedekias	[4872]		
Ende der Babylonischen Gefangenschaft. Cyrus' erst. J. Ol. 55, 1 . .		4942	
Artaxerxes' 20tes J. Ol. 83, 4.		5057	
Perserreich 230 J. . . .		bis 5172	
Macedonische Herrschaft (incl. Ptolemaeer) 300 J.	bis 5472		
Christi Geburt	*5500* (!)		5502
Christi Tod (60 J. nach dem Ende der Maced. Herrsch.; 475 J. nach Ol. 83, 4) Ol. 202, 2 .	558*1* (!)		5582
Die Chronik endet im 3. Jahr des Heliogabal Ol. 250, 1	5723		

Universität.

Ein Doctordiplom für nichtig erklärt.

Der Grieche Demetrius Menagius, und zwar er selbst, nicht wie er jetzt in der russischen St. Petersburger Zeitung angiebt, ohne sein Wissen ein Anderer, bewarb sich im August 1871 von Berlin aus, wo er studierte, um die Promotion, indem er an die damalige Honorenfacultät eine angeblich von ihm verfaßte und früher herausgegebene Schrift über Xenophons Hellenika einschickte. Auf diese hin wurde ihm nach dem bis zum Januar 1873 geltenden Herkommen durch Diplom vom 20. August die Doctorwürde in absentia ertheilt. Die eingesandte Arbeit war aber nur ein Exemplar der in Athen 1858 (auf dem Umschlag 1859) erschienenen Schrift von A. Kyprianos mit gefälschtem Titelblatt, das Menagius als Verfasser bezeichnet. Nachdem sich die unterzeichnete Facultät von diesem damals leider nicht bemerkten frechen Betruge überzeugt hat, erklärt sie hierdurch das am 20. August 1871 vollzogene Diplom für null und nichtig, Demetrius Menagius der von ihm erschlichenen Doctorwürde für verlustig.

Göttingen, den 27. December 1879.

Die philosophische Facultät:
d. z. Decan
Hermann Sauppe.

Bericht über die Poliklinik für Ohrenkranke des

Dr. K. Bürkner.

In der Zeit vom 1. Januar bis 31. December 1879 wurden in meiner Poliklinik für Ohrenkranke im Ganzen an 328 Personen mit 359 verschiedenen Erkrankungsformen 2449 Consultationen ertheilt. 305 Patienten wurden in Behandlung genommen, 23 dagegen als gänzlich unheilbar abgewiesen.

Geheilt wurden	148.
Wesentlich gebessert	69.
Ungeheilt blieben	18.
Ohne Behandlung entlassen wurden .	23.
Der Erfolg der Behandlung blieb unbekannt, weil die Patienten ausblieben, bei	42.
Gestorben ist	1.
In Behandlung verblieben	27.
	328.

Es war somit Heilung zu verzeichnen in 53,2 %, Besserung in 24,8 % der Fälle; von den in Aufnahme genommenen Kranken wurden mithin 78,0 % mit vollständigem oder theilweisem Erfolge behandelt.

Von den 328 Patienten waren

aus Göttingen 123, d. i. 37,5 %,
von Auswärts 205, d. i. 62,5 %;

auf das männliche Geschlecht kamen 212, d. i. 64,6 %,

auf das weibliche Geschlecht kamen 116, d. i. 35,4 % der Fälle.

Kinder waren 94, d. i. 23,9 %,
Erwachsene 234, d. i. 71,1 %.

Nach dem Krankheitsschema vertheilen sich die Fälle in folgender Weise:

A. *Krankheiten des äußeren Ohres. 81 Fälle.*

1. Neubildungen der Ohrmuschel. 2 Fälle. Der eine betraf einen 5jährigen Knaben und zeigte eine halbkugelige, elastische, sehr harte, die linke Coucha fast ganz ausfüllende Geschwulst, vermuthlich ein Fibroid; der andre Fall betraf einen 20jährigen Studenten, unter dessen linkem Ohre sich, angeblich seit 2 Jahren, eine ziemlich harte, mit nicht verschiebbarer Haut bedeckte, annähernd halbkugelige Geschwulst von etwa 6^{mm} Halbmesser befand, wahrscheinlich ein Lipom. Leider blieben beide Patienten nach einmaliger Untersuchung aus.

2. Eczem der Ohrmuschel und des äußern Gehörganges. 10 Fälle,

Einseitig 3 mal, acut 6 mal,
Doppelseitig 7 mal, chronisch 4 mal.

Die Behandlung bestand theils in einem Streupulver von Zinc. oxyd. mit Alumen und Amylum, theils in Borsäure mit Vaselin in Salbenform; beide Mittel wirkten vorzüglich, namentlich letzteres oft mit überraschendem Erfolge. Geheilt wurden 6 Fälle, ungeheilt blieb 1, während 3 ausblieben, von denen übrigens 2 fast vollständig geheilt waren. Eczem wurde außerdem als Complication bei vielen Fällen von Otorrhöe behandelt.

3. Diffuse Entzündung des äußeren Gehörganges. 14 Fälle.

Einseitig 10 mal. acut: 5 mal.
Doppelseitig 4 mal. chronisch: 9 mal.

Die Patienten waren vorwiegend Kinder; geheilt wurden 10, während 3 ausblieben und 1 noch in Behandlung ist. Besondere Schwierigkeiten verursachte ein Fall von hochgradiger

Phlegmone der Gehörgangshaut und Periostitis; hier trat erst nach sechswöchentlicher Behandlung mit verschiedenen Arzneimitteln Heilung ein; eine Zeitlang war der Befund dem bei Caries gewöhnlichen ungemein ähnlich, doch blieb der Knochen trotz der langen Dauer der Periostitis gesund.

4. Circumscripte Entzündung des äußeren Gehörganges (Furunkel.) 8 Fälle.

Einseitig 7 mal,
Doppelseitig 1 mal, Stets acut.

Dieses höchst schmerzhafte Leiden wurde in allen Fällen, meist durch Incisionen, geheilt. Auch hier zeigte sich die Borsalbe (2,5—5,0 Borsäure auf 20—30,0 Vaselin) sehr wirkungsvoll.

5. Cermuinalpfröpfe. 43 Fälle (und 13 mal als Complicationen)

Einseitig 18 mal, (12 mal rechts, 6 mal links)
Doppelseitig 25 mal.

Vollständige Heilung trat nach der Entfernung der obturirenden Massen ein in 34 Fällen, Besserung des Gehörs in 9 Fällen.

Von den Kranken waren 39 Männer, nur 4 Weiber.

6. Fremdkörper. 4 Fälle (und 2 mal als Complicationen bei Ceruminalpfröpfen.)

Einseitig 3 mal.
Doppelseitig 1 mal.

Nur in einem Falle, der ein Kind betraf, war der Fremdkörper mit dem Zuthun des Patienten in das Ohr gerathen, in allen übrigen waren dieselben zufällig hinein verschlagen worden; die in Cermuinalpröpfen vorgefundenen Körper waren bei einem Falle in jedem Ohre eine halbe Perlzwiebel, in dem zweitem eine ca 2^{cm} lange Borste. In den direct der Fremdkörper wegen in Behandlung genommenen Fällen handelte es sich einmal (bei einem Kinde) um ein Stück einer grünen Bohne, einmal um eine halbe gelbe Erbse, einmal um eine Esparsette-Ranke und einmal um eine lebende Forficula auricularia, die während der Nacht dem Patienten in's Ohr gekrochen war und enorme Schmerzen durch ihre Betastungen des Trommelfelles verursacht hatte. Der Ohrwurm verdankt bekanntlich seinen Namen einer Sage, und mir ist in der That aus der Litteratur kein einziger Fall erinnerlich, der über die Anwesenheit einer Forficula im Ohre berichtete.

B. *Krankheitend es Trommmelfelles. 17 Fälle.*

7. Acute Entzündung des Trommelfelles. 7 Fälle.

Einseitig: 6 mal.
Doppelseitig: 1 mal.

Sämmtlich geheilt.

8. Chronische Entzündung des Trommelfelles. 3 Fälle.

Einseitig: 3 mal.
Doppelseitig: —

Es waren dies zweimal Fälle, in denen eine diffuse Gehörgangsentzündung das Trommelfell in Mitleidenschaft gezogen hatte, einmal ein Fall von protrahirter acuter Myringitis. Letzterer wurde geheilt, die beiden andren sehr wesentlich gebessert.

9. Traumatische Krankheiten des Trommelfelles. 7 Fälle.

Einseitig: 7 mal.
Doppelseitig: —

Sämmtliche Fälle wurden vollständig geheilt, obwohl einige zu den schwereren zählten. Einmal nur war das Trommelfell intact geblieben, war aber (die Ursache war ein Faustschlag auf's

Ohr gewesen) so heftig nach innen gedrückt worden, daß der Steigbügel im ovalen Fenster fixirt geblieben war; wiederholte Luftdouche stellte den an hochgradigen Hirnsymptomen leidenden Patienten bald wieder her. In den übrigen Fällen hatte das Trommelfell der Gewalt nicht widerstehen können; es war zu Rupturen und Ecchymosen gekommen; so bei 2 Patienten in Folge von Schlägen auf das Ohr, also durch Luftverdichtung im Gehörgange; bei 4 Kranken hingegen war das Trommelfell direct von spitzen Körpern durchstoßen worden, nämlich einmal bei einem 5monatlichen Kinde von der Mutter mit einer Haarnadel, zweimal durch unvorsichtiges Gebahren mit Stricknadeln, und ein Fall betraf ein Mädchen, das im Vorbeigehn an einer Hecke sich beim Ausweichen an einen spitzen Zweig gestossen und das Trommelfell perforirt hatte. In dem letzteren Falle war auch das Extravasat besonders umfangreich; doch wurde es im Laufe weniger Wochen vollständig resorbirt. Das Gehör war in der Mehrzahl der Fälle durch das Trauma sehr beträchtlich herabgesetzt worden, aber mit der Heilung der Trommelfellwunden fand es sich allmählich wieder ein.

10. Veraltete Trommelfellanomalien wurden als Complicationen sehr häufig beobachtet, soweit sie keinen beträchtlichen Einfluß auf die Hörfunction ausübten jedoch nicht als besondere Krankheitsformen aufgezählt. So fanden sich Verkalkungen 23 mal, Narben 25 mal, Verkalkungen mit Narben combinirt 8 mal; ein Trommelfell zeigte eine Verkalkung, eine Narbe und eine Perforation. Ecchymosen wurden 9 mal notirt, Pigmentirung einmal, Cholesteatome 1 mal.

C. *Krankheiten des Mittelohres. 198 Fälle.*

11. Acuter einfacher Mittelohrcatarrh. 18 Fälle.

Einseitig: 1 mal.
Doppelseitig: 17 mal.

Die Kranken, zu zwei Dritteln Kinder, wurden in 17 Fällen geheilt, in einem Falle gebessert. Paracentese der Paukenhöhle wurde zur Beseitigung von Secret 11 mal, und zwar fast stets mit bestem und dauerndem Erfolge, ausgeführt; die Schleimmassen waren in zwei Fällen ganz enorm. Bei mehreren Patienten genügte neben einer energischen Behandlung der fast regelmäßig vorhandenen Retronasalcatarrhe die wiederholte Anwendung des Politzer'schen Verfahrens zur Vertheilung und Resorbirung des Secretes.

12. Chronischer einfacher Mittelohrcatarrh. 90 Fälle.

Einseitig: 5 mal.
Doppelseitig: 85 mal.

Diese hartnäckige Affection wurde in 18 Fällen (sämmtlich Kinder) geheilt, 32 mal wesentlich gebessert; 5 Patienten mußten ohne Behandlung, 6 ungeheilt entlassen werden, während 17 ausblieben, wodurch der Erfolg unbekannt blieb, und 12 gegenwärtig noch in Behandlung sind. In einer großen Zahl von Fällen, zu denen sämmtliche ohne Behandlung und ungebessert Entlassene gehören, bestand bereits eine so hochgradige Rigidität der Paukenhöhlenauskleidung, oft mit vollständiger Unbeweglichkeit der Gehörknöchelchengelenke und mitunter selbst mit Ankylose des Stapes im ovalen Fenster complicirt, daß die Therapie ohnmächtig sein mußte; einige Male wurden schon längere Zeit bestehende Retractionen der Tensorsehne wesentlich gebessert, Adhaesionen zerrissen und Narben incidirt. Paracentese wurde mehrfach ausgeführt, aber selten mit dauerndem Erfolge. Relativ günstig waren die Resultate in den frischeren Fällen, die mit Jodkali-Injectionen per tubas behandelt wurden; im übrigen erwiesen sich die Arzneimittel ziemlich wirkungslos, der Katheter half durchschnittlich überall am besten; nur wo es sich um hochgradige Tubenstenose handelte, und das ereignete sich nur zweimal, verursachte auch die Luftdouche nicht die geringste Veränderung, während selbst in den Fällen, die bereits mit secundären Labyrinthaffectionen combinirt waren, stets ein directer Einfluß, in einigen Fällen freilich eine vorübergehende Verschlimmerung, nicht zu verkennen war.

13. Acuter Tubencatarrh. 8 Fälle.
Einseitig: 1 mal.
Doppelseitig: 7 mal.

7 Kranke wurden von dieser Affection sehr bald unter Anwendung von Gurgelungen, Rachenätzungen und Lufteinblasungen geheilt; bei einem Patienten blieb der Erfolg unbekannt. Die Symptome waren in einigen Fällen so beunruhigend, daß eine viel ernstere Krankheit als die Ursache hätte vermuthet werden sollen.

14. Chronischer Tubencatarrh. 3 Fälle.
Einseitig: 1 mal (?)
Doppelseitig: 2 mal.

Ein Patient wurde geheilt, zwei stehn noch in Behandlung.

15. Acute eitrige Mittelohrentzündung. 11 Fälle.

Einseitig: 10.
Doppelseitig: 1.

Sämmtliche Kranke, bei denen es noch nicht zur Trommelfellperforation gekommen war, fieberten und wurden durch Paracentese von äußerst heftigen Schmerzen befreit. Die Operation unterblieb nur in einem Falle, der sich durch ein totales Hämatom des Trommelfells auszeichnete. Geheilt wurden 8 Kranke, Besserung trat in 1 Falle ein, ohne Erfolg blieb die Therapie einmal; 1 Patient ist noch in Behandlung.

16. Chronische eitrige Mittelohrentzündung. 55 Fälle.

Einseitig: 26 mal.
Doppelseitig: 29 mal.

Geheilt 15 mal, gebessert 17 mal, ungeheilt 1 mal, Erfolg unbekannt 13 mal, in Behandlung geblieben 8, gestorben 1.

Die Ohreneiterung wurde in den meisten Fällen mit Borsäurepulver bekämpft, und zwar mitunter mit überraschendem Erfolge; selbst Jahre lang bestehende Eiterungen wurden einzelne Male durch wiederholte Einblasungen in wenigen Wochen, ja in einigen Tagen dauernd geheilt. Freilich gab es Fälle, in denen sich Borsäure ebenso wirkungslos zeigte wie andre Mittel, während schwache Höllenstein- und Zinkvitriollösungen Besserung brachten. Caries des Felsenbeines bestand in 6 Fällen, Polypen wurden 11 mal operirt, 13 mal mit Aetzungen und Resorbentien behandelt. In 4 Fällen kam es zu äußerst bedenklichen meningitischen Symptomen; 3 von diesen Kranken wurden gerettet, während 1 an Sinusphlebitis verstarb. Cholesteatomatöse Massen, welche die Mittelohrräume ausfüllten, wurden 7 mal entfernt, mit Sicherheit vollständig freilich nur in 2 Fällen. Trommelfellperforationen, im Ganzen 83 mal beobachtet, schlossen sich im Verlauf der Behandlung 8 mal, später noch öfter.

17. Abgelaufene Mittelohrkrankheiten. 13 Fälle.

Einseitig: 9 mal.
Doppelseitig: 4 mal.

Zumeist ausgedehnte Vernarbungen, Verkalkungen und alte, trockene Perforationen. Geheilt wurden 2 Fälle, gebessert 6, ungeheilt blieben 3, abgewiesen wurde 1, 1 blieb aus.

D. *Krankheiten des inneren Ohres. 17 Fälle.*

18. Acute Labyrinthentzündung. 4 Fälle.

Stets doppelseitig.

Wurde 1 mal geheilt, 1 mal gebessert, der Erfolg blieb 2 mal unbekannt, doch war bereits Besserung eingetreten. Bromkali erwies sich als wirksamstes Mittel gegen die Ménière'schen Symptome.

19. Chronische Labyrinthaffectionen. 13 Fälle.

Einseitig: 7 mal.
Doppelseitig: 6 mal.

Hier waren die Erfolge naturgemäß die schlechtesten. 4 Patienten mußten nach längerer Behandlung ungebessert entlassen werden, 7 blieben von selbst aus und 2 sind noch in ziemlich hoffnungsloser Behandlung.

E. *Verschiedene Krankheiten. 15 Fälle.*

Hierher gehören 5 Fälle von (4 mal erworbener, 1 mal angeborener) Taubstummheit, die sämmtlich ungeheilt blieben, 1 geheilter Fall von idiopathischer Periostitis des Warzenfortsatzes (einer Krankheit, die im Gefolge von

Ohreneiterungen wiederholt auftrat), 1 gleichfalls geheilter Fall von Parotitis; 2 Personen ließen ihre Ohren nur prüfen, um sich der Normalität zu versichern; 1 mal wurde Ozaena allein behandelt (Nasenrachenkrankheiten als Complicationen über 100 mal), und schließlich war die Diagnose nicht festzustellen (wegen Ausbleibens nach einer unvollständigen Untersuchung) in 5 Fällen.

Einige zufällige und gleichgültige Befunde konnten in das vorstehende Schema nicht aufgenommen werden.

Zum Schlusse sei bemerkt, daß ich den Herren Dr. Hauptmann und Dr. Wengler für ihre Unterstützung während der Zeit der größten Frequenz zu Danke verpflichtet bin.

Verzeichniß der Promotionen der philosophischen Fakultät in dem Dekanatsjahre 187⁸/₉.

I. Von den unter dem Dekanate des Professors Wüstenfeld beschlossenen Promotionen sind folgende vollzogen:

(Fortsetzung.)

8. 11. August 1878: Ottomar Bachmann aus Berlin. Diss.: Conjecturarum Observationumque Aristophanearum Specimen I.
9. 10. December: Gottfried Berthold aus Gahmen in Westfalen. Diss.: Untersuchungen über den Aufbau einiger Algen.
10. 14. December: Ernst Voges aus Heisede. Diss.: Beiträge zur Kenntniß der Juliden.
11. 10. März 1879: Adolf Kaufmann aus Münden. Diss.: Die Wahl König Sigismund's von Ungarn zum römischen Könige.
12. 16. März: Adolf Pichler aus Hannover. Diss.: Ueber die Einwirkung von Jod, Jod-

amyl und Jodäthyl auf Anhydrobenzoyldiamidobenzol.

13. 18. Juni: Hans Meyer aus Zürich. Diss.: Ueber die von graden Linien und von Kegelschnitten gebildeten Schaaren von Isothermen.
14. 27. Juni: Oscar Hennicke aus Gotha. Diss.: Der Conjunctiv im Altenglischen und seine Umschreibung durch modale Hilfsverba.
15. 29. Juni: William Pauli aus Göttingen. Diss.: Ueber Chlor und Dichlorsalicylsäure, Chlornitrosalicylsäure-Abkömmlinge und Metachlormetanitrorthamidobenzoesäure.
16. 29. Juni: Heinrich Buermann aus Eldagsen. Diss: De titulis Atticis quibus civitas alicui confertur sive redintegratur.

Zusatz zu S. 19, Z. 19

von

Theodor Benfey.

Zu den an dieser Stelle eingehakten Worten: 'in richtiger Weise' hätte es eigentlich einer Bemerkung bedurft, welche ich hier nachzutragen mir erlaube. Sie finden zwar schon ihre Berechtigung in dem Gegensatz von *sutá* zu *ásuta* und der Bedeutung, welche ich dem letzteren gegeben habe, allein im Wesentlichen beruhen beide Bedeutungen, sowohl die 'in unrichtiger Weise gepreßt' von *ásuta*, als die 'in richtiger Weise gepreßt' von *sutá* auf der bekannten Eigenthümlichkeit des Sanskrits: Wörter ohne weiteres in derjenigen Bedeutung zu gebrauchen, welche wir dadurch erzielen, daß wir hinzufügen 'im wahren Sinn des Wortes', einer Bedeutung, welche wir wohl am besten als energische bezeichnen dürfen; so bedeutet z. B. *jâta*, geboren, bei *Böhtlingk*, Indische Sprüche No. 6680; 6681 'im wahren Sinne des Wortes geboren, in Wahrheit, in Wirklichkeit geboren'; *putra*, Sohn, *kalatra*, Eheweib, *mitra* Freund, ebds. No. 4363: 'ein Sohn, ein Weib, ein Freund im wahren Sinne des Worts, ein wahrhafter Sohn, wahrhaftes Eheweib, wahrhafter Freund'.

Daß dieser Gebrauch auch schon in der vedischen Zeit herrschte, zeigen die Bedeutungen von *sát*, 'wahr, gut', eigentlich 'seiendes', dann 'im wahren Sinn des Wortes seiendes = wahr, gut', Bedeutungen, welche, wie im späteren Sanskrit, auch im Rv. erscheinen (s. St. Petersb. Wtbch VII, 627, und Graßmann, Wtbch 151); noch mehr die des von *sát* durch Suffix *ya* (für ursprüngliches *îa*, dann mit Verkürzung des *î* vor folgendem Vocal *ĭa*) abgeleiteten *satyá*, der Etymologie nach: dem Seienden angehörig, aber nur in der aus dem energischen Gebrauch hervorgegangenen Bedeutung: adj. 'wahr', sbst. 'Wahrheit, Recht' gebraucht.

So ist auch *sutá* in unsrer Stelle des Veda im energischen Sinn gebraucht 'gepreßt im wahren Sinne des Wortes' d. h. wie dem Brauch oder der Vorschrift gemäß die Somapflanzen ausgepreßt werden müssen.

Beiläufig bemerke ich, daß, wenn die zu den ältesten Vergleichungen gehörige Identificirung von *ἐτεό* mit sskr. *satyá* aufrecht gehalten werden könnte (Fick giebt sie noch in seinem Vgl. Wtbch 1874, I[3] 226), dieser energische Gebrauch von Wörtern schon in indogermanischer Zeit existirt haben würde. Allein es sprechen so viele Momente gegen diese Identificirung, daß sie schwerlich aufrecht erhalten werden kann. Da im sskr. *satyá* bekanntlich, außer dem anlautenden *a*, auch ein *n* vor *t* eingebüßt ist (das Thema des Ptcps Präs. von *as* lautete ursprünglich *as-*

ant), die Form also ursprünglich (zugleich mit *ia* für *ya*) *asantia* lautete, so entspricht ihr, abgesehen vom Geschlecht, ganz genau, auch in Bezug auf die Einbuße des anlautenden *a*, lat. *-sentia* z. B. in *ab-sentia*, *prae-sentia*. Dem lateinischen Particip *sent*, z. B. *ab-sent*, *prae-sent*, steht aber im Griechischen mit Bewahrung des Reflexes des anlautenden *a*, nämlich *ε*, aber mit der gewöhnlichen Einbuße des *s* zwischen Vocalen, homerisch und ionisch *ἐόντ* (für *ἐσόντ* = grdsprchl. *asánt*) gegenüber. Dieses büßt in der gewöhnlichen Sprache auch — wahrscheinlich durch Einfluß des Accents auf der folgenden Silbe — das anlautende *ε* ein, so daß es *ὀντ* = lat. *sent* lautet; indem daran das dem latein. *ia* in *prae-sent-ia* entsprechende Suffix *ια* tritt, wird — nach Analogie von z. B. *-ουσι* in 3 Plur Präs. Act. für *-οντι* — *ὀντ-ια* zu *οὐσία*. Demgemäß dürfen wir sagen, daß sskr. *sat-yá*, lat. *-sent-ia* und griech. *οὐσία* alle drei auf ursprünglichem *as-ant-ia* beruhen; ob dieses Wort aber schon in der indogermanischen Zeit wirklich existirte und alle drei erwähnten Formen mit ihm historisch zusammenhängen, oder diese alle oder ein oder die andre derselben unabhängig von einander erst nach der Trennung gebildet sind, wage ich nicht zu entscheiden.

Da ich mir einmal erlaubt habe, einen Zusatz zu dem Aufsatz, welcher den Anfang dieser Nummer bildet zu fügen, so möge es mir verstattet sein, auch noch einige wenige Worte in Betreff des Gebrauches negativer (oppositionneller) Wendungen statt der positiven zu S. 2 hinzuzufügen, nämlich daß jene stärker sind als die positiven. So ist z. B. im Deutschen die Wendung: 'Es war nicht leicht ihn dazu zu bewegen' viel stärker als die positive: 'Es war schwer ihn dazu zu 'bewegen'. Wollte man dieselbe Wirkung, wie durch 'nicht leicht' durch eine positive Wendung hervorbringen, so müßte man sagen: 'es war sehr schwer u. s. w.'. Aus diesem Grunde übersetze ich *naikân* und *naikâs* (Nal. XII. 109 Bopp) — für *na-e*°, eigentlich 'nicht einige' — mit Bopp (multos, multas), 'viele'; ebenso ist Nal. XIII. 31 Bopp

aho mamopari vidheḥ saṃrambho dâruṇo mahân |
nânu badhnâti kuçalaṃ,

welches grammatisch übersetzt lautet:

'Ach! der furchtbare, große Zorn des Schicksals gegen mich knüpft nicht glückliches an';

zu übersetzen

'Ach der furchtbare, große Zorn des Schicksals gegen mich bringt nichts als Unglück'.

Hierhin gehört auch die schon von Graßmann (Wtbch zum Rigveda 1526 unter *sú*, 2) richtig erkannte Bedeutung von *mó* (d. i. *mā́ u*) *shú*, 'nimmer', als Gegensatz von *u* (*û*) *shú* 'bald', aber in verstärkter Bedeutung 'niemals, statt nicht bald'.

Bei der Königl. Gesellschaft der Wissenschaften eingegangene Druckschriften.

December 1879. Januar 1880.

Monatsbericht der Berliner Akademie. August 1879.
Nature. 527. 528. 529. 531. 533.
Annales de la Société Géologique de Belgique. T. V.
Leopoldina. H. XV. No. 21—22.
M. Neumayr, zur Kenntniß der Fauna des untersten Lias in den Nordalpen. Wien 1879. 4.
Jahrbuch der K. K. Geol. Reichsanstalt. XXIX. 1879. Wien.
Verhandl. der K. K. Geol. Reichsanstalt. No. 10—18. 1879.
Erdélyi Muzeum. 10. VI. evfolyam. 1879.

56. Jahresbericht der Schlesischen Gesellsch. für vaterländ. Cultur. 1879.
XVI. Jahresbericht des Vereins für Erdkunde zu Dresden. 1879.
F. Prestel, die höchste und niedrigste Temperatur an jedem Tage von 1836 bis 1877 beobachtet zu Emden. 1879. 4.
64. Jahresbericht der naturforsch. Gesellsch. zu Emden.
Monthly Notices of the R. Astronom. Society. Vol. XI. N. 1.
Abhandl. des naturwiss. Vereins in Hamburg. Bd. IV. 4. Abth.
Vierteljahrsschrift der naturf. Gesellsch. in Zürich. Jahrg. 23.
Mittheil. aus dem naturwiss. Verein in Greifswald. 11. Jahrg. 1879.
Journal of the R. Microscopical Soc. Vol. II. No. 7 and Supplementary No.
Annales de la Sociedad científica Argentina. T. I—VII. T. VIII. Sept. Oct. Nov. 1879.
Atti della Società Toscana. Vol. II.
H. A. Hagen, destruction of obnoxious insects. Cambridge. Mass. 1879.
Politische Correspondenz Friedrich's d. Großen. Bd. III.
Exposé de la situation du Royaume de Belgique 4—5. Fasc.
Waldeyer, über die Endigungsweise der sensiblen Nerven.
Derselbe, Beiträge zur Kenntniß der Lymphbahnen des Central-Nervensystems.

Von der Universität von Chile, Santiago:

Sesiones del Congreso Nacional de Chile. 1877.
Anales de la Universidad de Chile de 1877. la i 2a seccion.
Cuenta de las entradas i gastos fiscales de la República de Chile en 1877.
Memoria del Ministro del Interior de 1878.
Memoria del Ministro de Justicia, Culto e Instruccion. Pública de 1878.
Memoria del Ministro de Hacienda de 1878.
— del Ministro de Guerra i Marina de 1878.
— del Ministro de Relaciones Esteriores de 1878.

Fortsetzung folgt.

Für d. Redaction verantwortlich: *Wüstenfeld*, d. Z. Director d. K. Ges. d. Wiss.
Commissions-Verlag der *Dieterich'schen Verlags-Buchhandlung*.
Druck der *Dieterich'schen Univ.-Buchdruckerei (W. Fr. Kaestner)*.

Nachrichten

von der Königl. Gesellschaft der Wissenschaften und der G. A. Universität zu Göttingen.

28. Januar. №. 2. 1880.

Königliche Gesellschaft der Wissenschaften

Sitzung am 10. Januar.

(Fortsetzung.)

Ueber den Boracit

von

C. Klein.

(Mit zwei Tafeln.)

1. *Historische Einleitung.*

Kurze Zeit vordem Brewster den Zusammenhang zwischen der Form der Mineralien und ihren optischen Eigenschaften dargelegt hatte [1]), zeigte er in einer am 20. Nov. 1815 vor der königlichen Gesellschaft zu Edinburgh gelesenen Abhandlung [2]), daß Steinsalz, Flußspath, Diamant und Alaun [3]) in einer Weise auf das polarisirte

1) On the Connexion between the Primitive Forms of Crystals and the Number of their Axes of Double Refraction. Mem. of the Wernerian Soc. 1821. III. 50. 337.

2) On the optical properties of Muriate of Soda, Fluate of Lime and the Diamond, as exhibited in their action upon polarised light. Transact. of the royal soc. of Edinburgh Vol. VIII. 1818.

3) Letzterer ist zwar in der Ueberschrift der Abhandlung nicht erwähnt, wird aber ausdrücklich im Text besprochen, vergl. p. 158 und 160.

Licht wirken, die in lebhaftestem Widerspruch mit der Ansicht stand, die man sich, nach dem Vorgange von Hauy, Malus und Biot von dem Verhalten dieser Körper gebildet hatte.

Im Jahre 1821 fügte Brewster dem eben Mitgetheilten hinzu [1]), daß auch der Boracit sich in optischer Hinsicht nicht den Anforderungen des regulären Systems entsprechend gebildet erweise, vielmehr einaxig sei und ein Zusammenfallen der optischen Axe mit einer der trigonalen Zwischenaxen des Würfels stattfinde. Demnach müßte diese Gestalt, wie Beudant näher ausführte (vergl. Hausmann Mineralogie, Bd. II, 2. 1847 p. 1425), eigentlich als ein Rhomboëder aufgefaßt werden, bei dem dann die Richtung der optischen Axe die der krystallographischen Hauptaxe sei. —

Auch der Analcim ward von Brewster der optischen Untersuchung unterzogen [2]), bei der nicht nur die Wirkung der Substanz auf das polarisirte Licht nachgewiesen, sondern auch noch eine besondere Beziehung constatirt ward, die zwischen den hier auftretenden Erscheinungen der Doppelbrechung und gewissen Richtungen in den Krystallen zu erkennen war. Brewster sagt hierüber (Optics, p. 215): »In all other doubly refracting crystals, each particle has the same force of double refraction; but in the analcime, the double refraction of each particle varies with the square of its distance from the

1) The Edinburgh philosoph. Journal Vol. V 1821, p. 217.

2) On a new species of double refraction, accompanying a remarkable structure in the mineral called Analcime. (Read 7 Jan. 1822). Transact. of the royal soc. of Edinburgh Vol. X 1824. — Brewster, Optics, 1835 p. 214 u. f.

planes already described«. Diese Ebenen sind die »planes of no double refraction« und entsprechen am Ikositetraëder den 6 Hauptschnitten, die durch die Ebenen des Rhombendodekaëders erzeugt werden. Näher spricht sich Brewster über denselben Gegenstand in seiner Hauptabhandlung l. c. p. 191 aus.

Durch diese und ähnliche Untersuchungen angeregt, unternahm es Biot im Jahre 1841 [1]) die optischen Anomalien krystallisirter, besonders regulärer Körper zu untersuchen und er wandte daher sein Augenmerk dem Alaun, Steinsalz, Flußspath, Salmiak, Boracit, Leucit und, von nicht regulären, dem Apophyllit zu.

Im Allgemeinen glaubte Biot nach seinen Untersuchungen annehmen zu müssen, daß die in Rede stehenden, besonders die regulären Krystalle, die Eigenschaft auf das polarisirte Licht zu wirken einer Absonderung ihrer Masse in ein System von Platten verdankten, wonach ihre Wirkung auf das Licht etwa einem Glasplattensatze vergleichbar sei. Die Eigenschaft einiger regulärer Krystalle, auf das polarisirte Licht zu wirken, dürfe daher nicht überraschen, sei keine Ausnahme: »Tous« (cristaux du système régulier) »en seraient susceptibles, non moléculairement, mais comme agrégations de masses d'un volume fini, distribués en systèmes distincts avec un ordre régulier d'apposition« [2]).

Was speciell den Boracit anlangt, so glaubte Biot zur Erklärung der Polarisationserscheinungen desselben auch die Absonderung in ein System von Lamellen annehmen zu sollen und konnte die Brewster'sche Beobachtung von der

1) Mémoire sur la polarisation lamellaire. Lu à l'Academie des sciences le 31 mai 1841 et séances suivantes.

2) l. c. pag. 672.

optischen Einaxigkeit nicht bestätigen, wohl aber, besonders bei dünnen Schliffen, die Einwirkung des Minerals auf das polarisirte Licht deutlich erkennen [1]). Er wies mit Recht darauf hin, wie erst durch Untersuchung vollkommen durchsichtiger Krystalle die wahre Structur des Minerals (von der er glaubte, sie sei eine lamellare) erkannt werden könne.

Gestützt auf die Biot'schen Untersuchungen hat Volger in den Jahren 1854 [2]) und 1855 [3]) nachzuweisen gesucht, daß bei den meisten Boracitkrystallen eine Umwandlung derartig vor sich gegangen sei, daß die hellen Krystalle weniger, die trüben mehr in ihrem Innern aus einer secundären Substanz, Parasit, bestehend angesehen werden müßten. Bezüglich letzterer Substanz nahm er eine, gegenüber der Constitution des Boracits etwas geänderte Zusammensetzung an, wahrscheinlich solle die Parasitsubstanz doppeltbrechend sein, jedenfalls aber durch ihre regelmäßige Einlagerung in die einfach brechende Boracitmasse, oder durch das gänzliche Verdrängen letzterer, die von Biot beschrie-

1) l. c. pag. 667 u. f.

2) Ueber die Erscheinungen der Aggregatpolarisation (polarisation lamellaire) im Boracit. Poggend. Ann. 1854, B. 92, p. 77 u. f.

3) Versuch einer Monographie des Borazits. Hannover 1855.

Dieses Werk enthält, von der eigenthümlichen krystallographischen Sprache abgesehen, viele gute Beobachtungen und namentlich eine recht vollständige Literaturangabe. Fernere Zusammenstellungen in letzterer Hinsicht gibt E. Geinitz, N. Jahrb. f. Mineralogie 1876, p. 484 und endlich sei noch auf die recht vollständige Uebersicht der Literatur der durch zufällige Umstände hervorgerufenen Doppelbrechung (double refraction accidentelle) verwiesen in dem vorzüglichen Werke: Verdet, Leçons d'optique physique, 1870 T. II p. 390 u. f.

benen Erscheinungen der Lamellarpolarisation hervorrufen. Volger glaubte, daß nicht, wie Biot es sich vorstellte, die hellen, sondern grade die trüben Krystalle am ehesten den vollen Aufschluß über die von ihm angedeuteten Erscheinungen bringen würden.

In dem gleichen Jahre veröffentlichte Marbach [1]) seine Beobachtungen »über die optischen Eigenschaften einiger Krystalle des tesseralen Systems«. Er kam dabei, neben der am chlorsauren Natron u. s. w. nachgewiesenen Circularpolarisation, auch auf die Wirkungen der Lamellarpolarisation zu sprechen und machte die Annahme, es sei eine orientirte Einlagerung doppeltbrechender Schichten in einem einfach brechenden Körper da anzunehmen, wo eine Einwirkung desselben auf das polarisirte Licht beobachtet werde. Diese doppeltbrechenden Schichten verdanken, nach ihm, einer Spannung der Theile beim Act der Krystallisation ihre Entstehung. — Im Eingange der Arbeit wird auch kurz der Boracit (sowie auch der Leucit) erwähnt, sein optisches Verhalten als ähnlich dem des Analcims hingestellt, das dann nach den Untersuchungen von Brewster dem der gepreßten oder erhitzten Gläser einerseits, dem der eigentlich doppeltbrechenden Körper andererseits gegenübergestellt wird. —

Die Marbach'sche Anschauung wurde 1867 durch von Reusch [2]) weiter ausgeführt und durch Versuche, gespannte Theile eines regulären Krystalls durch einen in der Spannungsrichtung ausgeübten Druck wieder einfach brechend zu machen, begründet.

Unter Hinweis darauf, daß es mißlich erscheine

1) Pogg. Annalen 1855. B. 94 p. 412 u. f.
2) Pogg. Annalen 1867. B. 132 p. 618 u. f.

die Biot'sche Hypothese der Lamellarstructur auch da anzunehmen, wo man diese letztere nicht bemerke, zumal grade solche Partien regulärer Krystalle bisweilen die schönsten Doppelbrechungserscheinungen zeigen, verlegt von Reusch die Spannungen von den hypothetischen Durchgängen in die krystallographischen Ebenen und denkt sich den ganzen Krystall durch gewisse Vorgänge beim Wachsthum in Spannungszustand versetzt. — Diese Ansicht von v. Reusch hat in neuester Zeit eine Bestätigung durch die wichtige Arbeit von Fr. Klocke[1]) »Ueber Doppelbrechung regulärer Krystalle« erfahren und werden wir auf diese letztere noch später zurück kommen. Hier sei nur einstweilen bemerkt, daß Klocke überzeugend nachweist, daß seine Untersuchungen, im Anschluß an das früher Bekannte, die Richtungen der Spannungen in bestimmtem Zusammenhang mit der Krystallform stehend, erkennen lassen.

Kehren wir nach dieser für unsere späteren Zwecke nothwendigen Abschweifung zu dem Boracit zurück, so sehen wir Des-Cloizeaux im Jahre 1868 nach vollständig richtiger Beobachtung der Erscheinungen, wie sie die Würfelflächen des Boracits darbieten[2]), doch zu der Ansicht zurückkehren, der Boracit bestehe aus einfach brechender Substanz mit eingelagerten Lamellen (Parasit) von doppeltbrechender Beschaffenheit. Er hat unter dieser Annahme sowohl den Brechungsexponenten der von ihm als einfach brechend angenommenen Boracitsubstanz, als auch den Axenwinkel des Parasits bestimmt[3]).

1) Neues Jahrbuch für Mineralogie u. s. w. 1880, B. I p. 53 u. f.

2) Nouvelles recherches sur les propriétés optiques des cristaux. (Mém. prés. par divers savants à l'Academie des sciences. T. 18. 1868. pag. 516.)

3) L. c. pag. 392—398.

Im Jahre 1874 reproducirt er[1]), unter Mittheilung einiger neuer Beobachtungen, die vorstehend angeführten, — sie waren als den thatsächlichen Verhältnissen entsprechend, fast von allen Forschern angenommen worden.

Da zeigte E. Geinitz in seinen Studien über Mineralpseudomorphosen[2]), daß auch die frische Boracitsubstanz doppeltbrechend sei und somit die bisherige Annahme der Parasitlamellen in einfach brechender Masse nicht haltbar erscheinen könne. Geinitz hat diesem seinem Ausspruche keine weitere Folge gegeben, und hat es unterlassen die Krystalle nunmehr in Dünnschliffen nach krystallographischen Ebenen zu untersuchen. Er hat nur zum Schlusse seiner Mittheilung über den Boracit noch ausgesprochen, daß eine weitere Untersuchung, namentlich in krystallographischer Hinsicht, ebenso wünschenswerth, wie Erfolge versprechend sei.

Das unbestrittene Verdienst, die optischen Erscheinungen des Boracits zuerst klar dargelegt zu haben, gebührt Er. Mallard, der etwas später in seiner: Explication des phénomènes optiques anomaux que présentent un grand nombre de substances cristallisées[3]) auch den Boracit unter-

1) Descloizeaux, Manuel de Minéralogie 1874. T. II. prem. fascicule, p. 4.

2) Neues Jahrb. f. Mineralogie 1876 p. 484 u. f.

3) Annales des mines, T. X 1876. — Separat. Paris 1877, Dunod. pag. 39 u. f. Mallard hat die Structur des Boracits optisch klargestellt, geometrisch war die eigenthümliche Zusammensetzung schon lange vorher erkannt. Im Jahre 1826 spricht sich Carl Hartmann in der Uebersetzung der Beudant'schen Mineralogie p. 353 (vergl. Volger Boracit p. 208) unzweifelhaft so aus, wie es 50 Jahre später Mallard bestätigte. Der Hartmannsche Ausspruch findet sich wieder in: Naumann, Mineralogie 1828 p. 298; Hartmann, Mineralogie

suchte. Nach Mallard besteht eine scheinbar einfache Gestalt des Boracits, das Rhombendodekaëder aus zwölf rhombischen Pyramiden, deren Basisflächen die Flächen des Rhombendodekaëders sind, während sie ihre gemeinsame Spitze im Krystallmittelpunkt haben. Je zwei dieser so gebildeten 4seitigen Pyramiden befinden sich in paralleler Stellung, somit reducirt sich die Gesammtzahl der verschiedenen Stellungen auf sechs. Die Trace der Ebene der optischen Axen einer jeden Pyramide fällt mit der längeren Diagonale der Fläche des Rhombendodekaëders zusammen, auf den Würfelflächen tritt Viertheilung nach den Diagonalen ein und in jedem Sector ist eine optische Axe sichtbar, die fast normal zur Fläche austritt. Die an dem Mineral beobachtete Hemiëdrie wird als Hemimorphismus nach der Brachydiagonale der Basis der rhombischen Pyramide aufgefaßt. — Sonderbarer Weise entsprechen aber die Krystallwinkel vollkommen den Anforderungen des regulären Systems.

Ich hatte bald nach dem Bekanntwerden der Mallard'schen Arbeit es unternommen seine Resultate zu prüfen, da bei dem Interesse, welches seine Schlußfolgerungen weit über den engen Rahmen der Kenntniß der einzelnen Körper hinaus in Anspruch nehmen, dies geboten erschien. Allein die Untersuchungen waren nicht leicht durchzuführen und mußten, sollten sie in gewissem Sinne abschließend sein, sich auf ein großes Beobachtungsmaterial stützen.

So geschah es, daß noch vor Veröffentlichung

B. II 1848 pag. 201; Breithaupt, Mineralogie B. III 1847 p. 629. In den neueren Auflagen von Naumanns Elementen der Mineralogie 1850—1877 geschieht dieser Hartmannschen Entdeckung keine Erwähnung.

meiner Arbeit eine solche von Baumhauer (der bereits früher sich mit den Aetzfiguren des Boracits beschäftigt hatte, vergl. N. Jahrb. f. Mineralogie u. s. w. 1876, p. 607) über den gleichen Gegenstand erschien [1]), in der zwar gleichfalls das rhombische System für den Boracit angenommen, aber wieder ein anderer Aufbau der Krystalle desselben auf Grund der beobachteten Aetzfiguren und der optischen Erscheinungen dargethan ward. Nach Baumhauer soll nämlich die Bildung der Krystalle, die $\infty O \infty$ (100) mit ∞O (110) und $\pm \frac{O}{2} \varkappa$ (111) aufweisen, derartig sein, daß sechs Individuen, die ihre Basis in der Würfelfläche, ihre Spitze im Krystallmittelpunkt haben, zum Aufbau beitragen. Die vorkommenden Krystalle wären also Sechslinge, die Würfelflächen müßten einheitlich erscheinen (abgesehen von den Einlagerungen, herrührend von den anderen Individuen, da die Würfelflächen in oP (001) und ∞P (110) zerfallen), die Flächen der vom Rhombendodekaëder begrenzten Tetraëder müßten vom Dreiecksmittelpunkt nach der Mitte der Kanten getheilt sein, auf den Flächen der Rhombendodekaëder dagegen würde im Normalfalle eine Zweitheilung parallel der kürzeren Diagonale der Rhomben erscheinen. Im Allgemeinen könnten die Flächen des scheinbaren Rhombendodekaëders dreierlei Art sein, da diese Gestalt selbst in P(111), $\infty P \breve{\infty}$ (010) und $\infty P \bar{\infty}$ (100) zerfällt und Einlagerungen von je zwei Flächenarten in der dritten vorkommen können. Die dreifache Art der auf den Rhombendodekaëderflächen beobachteten Aetzfi-

1) Zeitschrift für Krystallographie und Mineralogie 1879 p. 337 u. f.

guren nimmt der Verfasser für diese Anordnung in Anspruch, wie er die zweifache Art der auf den Würfelflächen bemerkten im oben erwähnten Sinne deutet.

Gegen diese Baumhauer'sche Auffassung hat bereits Mallard Bedenken erhoben[1]) und unter wiederholter Berufung auf den Befund seiner Präparate seine oben ausgesprochene Ansicht geltend gemacht.

Ich habe nach der sorgfältigen Durchmusterung von 150 orientirten Dünnschliffen hervorzuheben, daß in der Erscheinung, soweit sie auf optischem Wege darstellbar ist, die Mallard'sche Ansicht die richtige ist und nicht nur gilt für die rhombendodekaëdrischen Krystalle, sondern auch für die, welche hexaëdrisch gebildet sind oder ein vorwaltendes Tetraëder zeigen. Das, was Baumhauer für die Würfelflächen annahm und das, was er bezüglich der Zusammensetzung der Rhombendodekaëderflächen gelten lassen wollte, konnte ich optisch nicht bestätigen. Seine Dreitheilung der Tetraëderflächen kommt vor, erhebt sich aber, wie ich später zeigen werde, nicht zu der Bedeutung einer durchgreifenden Structurform, da ein und derselbe Krystall, ja ein und dieselbe Krystallfläche, die Dreitheilung nach Mallard (vom Dreiecksmittelpunkt nach den Ecken, vorausgesetzt, daß vom Rhombendodekaëder begrenzte Tetraëderflächen angenommen werden) und die nach Baumhauer zeigt. Auf die Aetzfiguren werde ich bei der Beschreibung meiner Präparate näher eingehen. Die Baumhauer'sche Arbeit hat, so groß ihr Werth bezüglich der Detailbeobachtungen auch sein mag, doch gezeigt,

1) Bulletin de la soc. minéralogique de France 1879 p. 147 u. 148.

daß man auf Grund der Aetzfiguren allein oder doch fast allein und ohne eingehendste optische Prüfung ein Krystallsystem nach seiner Bauweise nicht immer mit Sicherheit bestimmen kann.

---

2. *Untersuchung der Krystalle des Boracits in krystallographischer und optischer Hinsicht.*

Ich habe mich bei diesen Untersuchungen auf die Krystalle des Vorkommens vom Kalkberge und vom Schildsteine bei Lüneburg beschränkt, da nur hiervon ein größerer Vorrath ausgezeichneter Krystalle in der hiesigen königlichen Universitätssammlung vorhanden war.

Ganz vorzugsweise habe ich die Gestalten mit vorwaltendem Rhombendodekaëder geprüft, dann aber auch solche, an denen der Würfel vorherrscht und die das Tetraëder hauptsächlich aufweisen.

Bei der krystallographischen Untersuchung, der vorzugsweise drei ausgezeichnet gebildete Rhombendodekaëder bezüglich der Neigungen aller Flächen zu einander in den Kantenzonen des Würfels und denen des Rhombendodekaëders unterzogen wurden, ist es mir ebensowenig wie Mallard[1]) gelungen, eine begründete Abweichung von der regulären Symmetrie zu finden. Die gemessenen Winkel entsprechen dem theoretischen Erforderniß vollkommen und nur da, wo die Flächenbeschaffenheit nicht so ganz günstig war, gaben sich kleine Abweichungen bis zu 2 Minuten kund, die aber in den nachweisbaren Ursachen ihre genügende Erklärung finden.

Auch bei würfelförmigen Krystallen habe ich

1) l. c. pag. 46.

die Neigungen der glatten Tetraëderflächen zu Rhombendodekaëder und Würfel messen und mit dem Erforderniß in vollkommenem Einklang finden können.

Tetraëdrisch ausgebildete Krystalle habe ich aus Mangel an für solche Untersuchungen genügend beschaffenem Material nicht untersucht.

Auf Grund der angestellten Messungen und der an den Krystallen beobachteten, mit höchster Regelmäßigkeit dem Gesetze tetraëdrischer Hemiëdrie entsprechenden Flächenvertheilung darf man daher für die äußere Erscheinung an dem regulären Systeme nicht zweifeln.

Im grellen Gegensatz hierzu stehen die optischen Erscheinungen. Ich werde bei der Beschreibung derselben zuerst die Untersuchung der Würfelflächen rhombendodekaëdrischer, hexaëdrischer und tetraëdrischer Krystalle, dann die der Flächen des Rhombendodekaëders und endlich die der Flächen der Tetraëder angeben, zu jeder dieser drei Abtheilungen aber die Resultate der Aetzversuche hinzufügen.

Bei der optischen Untersuchung bediente ich mich eines Mikroskops mit Nicols und wandte, wenn nichts Anderes angegeben ist, schwache Vergrößerung an. Das Mikroskop wurde für feinere Untersuchungen mit einem das Roth der I. Ordnung zeigenden Gypsblättchen versehen [1]), das auf das Ocular des Instrumentes und zwischen dasselbe und das obere Nicol so eingelegt wurde, daß mit den Polarisationsebenen NN' der gekreuzten Nicols die Richtung der Axe der kleinsten Elasticität im Gyps MM Winkel von 45° bildete, (vergl. Fig. 1).

1) Dasselbe wurde besonders bei der Untersuchung der nicht sehr stark auf das polarisirte Licht wirkenden Würfelschnitte angewandt.

— Die Nicols des Mikroskops waren stets gekreuzt. — Bei manchen Untersuchungen kam auch das Nörrembergische Polarisationsinstrument zur Anwendung.

a. Untersuchung von nach den Flächen des Würfels geschnittenen Boracitplatten im polarisirten Licht[1]).

α. Platten aus rhombendodekaëdrischen Krystallen.

Man erhält die schönsten und einfachst gebildeten Präparate, wenn man an einem Rhombendodekaëder, das fast selbstständig ist, d. h. an dem der Würfel möglichst untergeordnet auftritt, die vierkantigen oktaëdrischen Ecken gerade abstumpft und den Schliff nahe der Ecke führt. Betrachtet man einen solchen Schliff im Mikroskop, so zeigt er eine mehr oder weniger deutliche Theilung in 4 Sectoren nach den Diagonalen der Würfelfläche und bietet in der Normalstellung das Maximum der Dunkelheit (Fig. 2) in der diagonalen Stellung die größte Helligkeit dar. Auf Axenaustritt untersucht, zeigt ein jeder Sector eine optische Axe annähernd in der Richtung der Plattennormale und an verschiedenen Stellen der Platte bald mehr, bald weniger dazu geneigt. Die Richtungen der Barren dieser 4 Axen sind die in der Figur 2 angegebenen, wenn das Präparat in der Normalstellung betrachtet wird.

1) Die Herstellung der orientirten Dünnschliffe hat mit möglichster Ausnutzung des werthvollen Materials — es kamen immer ganz durchsichtige Krystalle zur Verwendung — und größter Sorgfalt unter meiner speciellen Leitung der rühmlichst bekannte Herr Mechaniker Voigt dahier übernommen. Ich sage ihm für seine aufopfernde Mühe an dieser Stelle meinen besten Dank.

In der Diagonalstellung laufen die Barren der optischen Axen den Kanten des Quadrats parallel.

Schaltet man das Gypsblättchen ein, so behält die Platte in der Normalstellung den Ton des Gesichtsfeldes; geht man in die diagonale Stellung über, so färben sich die beiden Sectoren, durch die die kleinste Elasticitätsaxe des Blättchens geht, gelb, die beiden anderen (in der Fig. 3 schraffirten) nehmen eine blaue Farbe an [1]). Da, wo die Sectoren differenter Färbung aneinanderstoßen, beobachtet man bisweilen haarscharfe Grenzen derselben, mitunter auch einen allmäligen Verlauf durch eine schmale neutrale Zone hindurch.

Dies ist, wie schon gesagt, der einfachste Fall, und wir können, von ihm als Normalfall ausgehend, nunmehr die ganze Vielgestaltigkeit dessen zu entwirren versuchen, was sich in Schliffen nach dem Würfel darbietet.

Zunächst verschwindet in anderen Schliffen die regelmäßige Viertheilung insofern, als die Grenzen nicht scharf bleiben, ein oder zwei Sectoren zurücktreten, ganz verschwinden, manchmal auch unregelmäßig in einander übergreifen. Eine Vorstellung hiervon gewähren die Fig. 4 und 5.

Dehnt sich ein Sector, z. B. *BOC*, Fig. 2, auf Kosten eines anderen *AOB* aus, so kann es geschehen, daß von diesem nur ein schmaler Streifen übrig bleibt und die Substanz von der Orientirung *BOC* fast ganz *AOB* erfüllt, Fig. 6. Man sieht dies deutlich an der Lage der Barre in *AOB*, die der Kante *AB* parallel geht und an der einheitlichen Färbung, die *AOB* wie *BOC* annimmt, wenn die Platte in der Diagonalstellung, Fig. 7, mit dem Gypsblättchen untersucht wird. Das Stück zwischen

1) Vergl. Klocke l. c. Fig. 7.

beiden Sectoren, das als Streifen übrig bleibt, nimmt dann die Färbung an, die *AOB* in Fig, 3 zeigt.

Hiermit ist jedoch die Mannigfaltigkeit des Auftretens von solchen Theilen, die den Austritt einer optischen Axe im convergenten Lichte zeigen, noch nicht geschlossen. In gewissen Schliffen, vornehmlich solchen, die nach der Mitte der Krystalle zu liegen, beobachtet man, daß einige eingelagerte Partien nicht das Maximum der Dunkelheit zeigen, wenn die Hauptmasse sich in der Normalstellung befindet und auslöscht. Solche Einlagerungen zeigt der Würfelschliff Fig. 8. Derselbe ist so aufgenommen, daß die Seiten *AB*, *AD*, welche den Kanten des Würfels parallel sind, mit den gekreuzten Polarisationsebenen der Nicols zusammenfallen. Die Stellen, auf die es ankommt, sind die mit 1, 2, 3, 4 bezeichneten. Auf den ersten Anblick glaubt man nach der Lage der Barre das in Fig. 6 vorgeführte Verhältniß vor sich zu haben, allein, wie gesagt, die bezeichneten Theile sind in der Normalstellung der Platte hell und zeigen in dieser Stellung mit dem Gypsblättchen untersucht, nicht wie die vorherbeschriebenen Partien den Ton des Gesichtsfelds, sondern es tritt in 1, 2 eine gelbe (in Fig. 8 hell gelassene), in 3 eine blaue Färbung (in Fig. 8 schraffirt) auf; in der Gruppe 4 wechselt gelbe mit blauer Färbung.

Wird das Präparat in die diagonale Stellung gebracht, so daß *AB*, *AD* 45° mit *NN*, *N'N'* bilden, so löschen die Theile 1, 2, 3 nun ihrerseits aus, die Barren stellen sich in 1, 2, 3 normal zu *AB* und, mit dem Gypsblättchen untersucht, ändern die Stellen 1, 2, 3 jetzt nicht den Ton des Gesichtsfelds.

Lamellen dieser Art pflegen in den Würfelschliffen parallel den Würfelkanten oder Diagonalen eingelagert zu sein; sie treten gegenüber den Theilen der erst beschriebenen Orientirung zurück und sind, wenn sie vorkommen, meist schmal.

Außer diesen Theilen kommen dann in den Würfelflächen und zwar von den Ecken ausgehend, noch andere vor, die nicht in der Weise wie die früheren Axenaustritt zeigen. Dieselben rühren, wie schon Mallard nachgewiesen hat [1]), von den 4 ferneren Individuen her, die der Würfelschnitt trifft, wenn er mehr nach der Mitte zu geführt wird. Im Dünnschliff stellt sich eine Platte mit solchen Einlagerungen dar, wie es Fig. 10 zeigt. Die Einlagerungen erfolgen im regelmäßigsten Falle in Form von Vierecken, oder, wenn die Ecken des Würfels abgestumpft sind, von Dreiecken, die nicht scharf gegen die Würfelmasse abgrenzen, sondern dieselbe über- oder unterlagern und so zu Farbenfransen im polarisirten Lichte Veranlassung geben. Recht häufig beobachtet man auch, daß die Einlagerungen in Form von Streifen parallel den Diagonalen der Würfelfläche erfolgen, weit in's Innere des Schliffs eingreifen und denselben ganz erfüllen. (Vergl. die zwei mit welligen Linien erfüllten Sectoren von Fig. 6 und 7, sowie die Ecken von Fig. 8 und 9. Dieselben stellen solche Einlagerungen dar).

Befindet sich die Platte in der Normalstellung, Fig. 10, so haben die besprochenen Einlagerungen das Maximum der Helligkeit, respective des Gefärbtseins; in der diagonalen Stellung der Platte werden sie dunkel. — Sind sie farbig,

1) l. c. Fig. 12, Tafel 1.

und im Würfelschnitt zerstreut, so gewinnt derselbe recht eigentlieh das Ansehen eines scheinbar einfach brechenden Körpers, der doppeltbrechende Lamellen in sich birgt, wenn er im gewöhnlichen Mikroskop mit gekreuzten Nicols betrachtet wird.

— Diese soeben beschriebenen Theile kreuzen und durchsetzen sich nun in der verschiedensten Weise und erzeugen dadurch ein äußerst complicirtes Bild, was in vielen Fällen schwierig zu entwirren ist. Wenn der Schliff sehr mit Lamellen erfüllt ist, scheinen diese letzteren auch in ihren optischen Orientirungen sich gegenseitig zu beeinflussen; man findet in solchen Fällen wenigstens von den eben mitgetheilten Daten abweichende Werthe der Auslöschungsrichtungen. Im Allgemeinen beobachtet man endlich, daß je mehr nach den oktaëdrischen Ecken des Rhombendodekaëders zu der Schliff geführt ist, desto einfacher, je mehr nach der Mitte zu, desto verwickelter er sich darbietet. Alle Würfelflächen aber verhalten sich, wie mich dem entsprechende Schliffe gelehrt haben, im Wesentlichen gleich, und es ist daher das von Des-Cloizeaux, Mineralogie 1874 T. II. 2. pag. 4 hervorgehobene besondere Verhalten zweier Würfelflächen gegenüber einer dritten für den allgemeinen Fall nicht zutreffend. Das specielle Verhalten erklärt sich wahrscheinlich durch die zahlreichen letztbeschriebenen Einlagerungen in einer Fläche des Würfels, die dessen eigentliche Substanz ganz verdrängten.

β. Platten aus vorherrschend würfelförmigen Krystallen.

Dieselben sind grade so gebildet, wie die aus rhombendodekaëdrischen Krystallen, es treten überdies ganz dieselben Einlagerungen wie dort auf und diese bieten auch die schon beschriebenen Erscheinungen dar.

Bei den Platten aus würfelförmigen Krystallen läßt sich aber auf das Beste ein Einfluß der Flächen und Kanten des Krystalls auf seine optische Structur darlegen, der darin besteht, daß da, wo die natürliche Würfelfläche im Schliff erscheint die Anordnung eine andere ist, als wo die Kanten des Rhombendodekaëders hinzutreten. Fig. 11 stellt dies dar. Das Rechteck in der Mitte entspricht der natürlichen Fläche, die optische Structur ist hier ohne Regelmäßigkeit und in der diagonalen Stellung mit dem Gypsblättchen untersucht, zeigt sich ein Gewirr von Farben. Da, wo die Kanten des Rhombendodekaëders an das innere Rechteck stoßen, ordnet sich das Gewirr zu vier schön erkennbaren Sectoren, die dieselbe Orientirung haben, wie in Fig. 2 und sich auch gegen den Ton des Gypsblättchens ebenso verhalten. Man kann dies in allen Schliffen der Art mehr oder weniger deutlich erkennen und dadurch obengenannten Einfluß bestätigen. Die nicht unterbrochene Viertheilung der Fig. 2 wird danach ebenfalls durch den Umstand erklärlich, daß an dem Krystall keine Würfelfläche oder nur eine verschwindend kleine vorhanden war.

Nicht in allen Fällen ist die Viertheilung so scharf ausgedrückt wie in Fig. 11; es kommen namentlich auch minder scharfe Grenzen vor und Andeutungen der Viertheilung in dem inneren Rechteck, Fig. 12, dieselben sind aber nur Andeutungen und werden vielfach von den Lamellen aus den anderen Sectoren unterbrochen. Alle Würfelschliffe nach den 3 Richtungen des Krystalls verhalten sich auch hier in der Hauptsache gleich; nach dem Inneren zu werden die

Einlagerungen häufiger und die Erscheinungen verwickelter.

γ. Platten aus tetraëdrischen Krystallen.

Die Erscheinungen derselben sind ebenfalls auf den Normalfall der Platten rhombendodekaëdrischer Krystalle zurückzuführen. An Schliffen, die auf der einen Seite natürliche Würfelflächen besaßen, fand ich die bei Gelegenheit der Würfelschliffe aus Rhombendodekaëdern zuletzt beschriebenen Einlagerungen, vergl. Fig. 10, an den Ecken, so vorwaltend, daß dagegen die andere Substanz fast völlig zurück trat.

— Was die Aetzversuche anlangt, so lassen sich dieselben, der vielfach complicirten Structur der Würfelflächen wegen, nur an Schliffen anstellen unter gleichzeitiger Beobachtung der optischen Orientirung der geätzten Theile. Nach den Angaben Baumhauer's verfahrend [1]), fand ich, wie er, daß die Aetzfiguren auf der ganzen Würfelfläche einander parallel laufen und sowohl Quadrate, wie Rechtecke nebeneinander darbieten. Einen Unterschied, wie ihn Baumhauer in seiner Fig. 11 bezüglich der einzelnen Figuren angibt, habe ich nicht durchgreifend finden können. Dagegen zeigen die Flächentheile, welche den Austritt einer Axe darbieten, das in Figur 13 dargestellte Verhältniß, während die, welche den Axenaustritt nicht in der Weise darbieten (also die, wie sie in Fig. 10 die Ecken erfüllen und sich öfters bandartig in das Innere des Krystalls hinein erstrecken) erkennen lassen, daß die Hauptauslöschungsrichtungen des Lichts, zu den Quadrat- respective Rechtecksseiten der Aetzfiguren senkrecht und pa-

1) l. c. pag. 342.

rallel verlaufen. Diese Flächentheile sind in Fig. 13 durch *ABCD*, jene durch *BCDEFG* dargestellt. Gar nicht selten sieht man die Aetzfiguren halb auf dem einen, halb auf dem anderen Theil liegen. Da nun die Auslöschungen des Lichts in den erstgenannten Theilen nach den Diagonalen der quadratischen Würfelschnitte erfolgen, so müssen die Seiten der Aetzfiguren den Diagonalen des Würfels parallel gehen. Die Baumhauer'sche Fig. 11 stellt die Sache so dar, daß die Seiten der Aetzfiguren den Kanten des Quadrats, gebildet durch die begrenzenden Rhombendodekaëderflächen, parallel laufen.

Die soeben beschriebenen Erscheinungen sind an Platten beobachtet, die nach den Würfelflächen aus rhombendodekaëdrischen Krystallen geschnitten waren. Schnitte aus würfelförmigen Krystallen zeigten dieselben Erscheinungen, aber nur weniger deutlich. — Ob und inwiefern indessen diese beobachteten Aetzfiguren als solche zu betrachten sind, die eine Folge der primären Structur des untersuchten Minerals sind, darüber wolle man das bei der Aetzung der Platten des Rhombendodekaëders Mitgetheilte vergleichen.

b. Untersuchung von nach den Flächen des Rhombendodekaëders geschnittenen Boracitplatten im polarisirten Licht.

Ich werde mich hier fast ausschließlich mit Schnitten rhombendodekaëdrischer Krystalle beschäftigen und solche würfelförmiger Krystalle, da sie dieselben Erscheinungen in der Hauptsache, wie die der rhombendodekaëdrischen zeigen, nur zum Vergleich heranziehen. Schnitte aus tetraëdrischen Krystallen habe ich wegen der Kleinheit dieser Gebilde nicht untersucht.

Im Allgemeinen bestätigen die Schnitte parallel den Flächen des Rhombendodekaëders die Mallard'schen Angaben vollkommen. Wird der Schnitt auf der einen Seite von der natürlichen Fläche begrenzt, so beobachtet man in klaren Präparaten eine fast einheitliche Auslöschung des inneren Rhombus nach den Diagonalen und findet, daß die Ebene der optischen Axen, parallel der längeren Diagonale geht, die erste Mittellinie (von negativem Charakter) auf der Fläche des Rhombendodekaëders senkrecht steht [1]).

An einem relativ einheitlichen Präparat fand ich für:

$$2H_a = 101^0\,40'\ Na;$$

also einen etwas größeren Werth, als Des-Cloizeaux angibt; übrigens ist der Axenwinkel eine sehr schwankende Größe und die Einstellung keine sehr sichere der nicht distincten Erscheinungen wegen.

Der erwähnte Schliff nach einer der natürlichen Rhombendodekaëderflächen hat das Ansehen von Fig. 14, wenn er homogen ist. Die den inneren Rhombus umgebenden Paralleltrapeze rühren von den vier Pyramiden her, die die eine, parallel deren Basisfläche der Schliff erfolgte, begrenzen. Wird der Schnitt näher der Mitte des Krystalls zu geführt, so treten noch andere Theile in ihn ein, wie es bereits Mallard in seiner Fig. 10 schematisch und in Fig. 11 nach der Natur darstellt. Die Fig. 15 der vorliegenden Abhandlung ist eine naturgetreue Abbildung eines sehr guten Schliffs. In der gezeichneten Normalstellung löschen die Theile *A*, *B*, *C* aus, während *D*, *E*, *F*, *G* farbig sind. Die

1) Der Charakter dieser Mittellinie wurde meist negativ, seltener positiv befunden.

Auslöschungen dieser Theile erfolgt unter je 45° zu den Diagonalen des Rhombus, wie dies schon Mallard angibt[1]). Die Grenzen zwischen *D*, *E*, *F*, *G* sind scharf, die dieser Theile zu *A*, *B*, *C* aber, da die Partien übereinandergreifen durch Farbenfransen kenntlich.

In dieser regelmäßigen Weise beobachtet man die Erscheinungen selten. Sehr oft behaupten die Theile *A*, *B*, *C* nicht die in Fig. 15 dargestellte Lage und auch öfters nicht die regelmäßigen Umgrenzungen. Namentlich in ersterer Hinsicht und besonders häufig für den Theil *A* tritt eine Verschiebung ein, er findet sich dann in Form mehrerer Rhomben etwa an der Kante *FG* oder *DE*, während die Mitte von den zusammenstoßenden Theilen *D*, *E*, *F*, *G* eingenommen wird. Spannungserscheinungen zeigen die Theile *A*, *B*, *C* nicht selten; es treten dann in ihnen nach den Diagonalen von *A* zungenförmige Partien auf, Fig. 16, Theile α, β, die, wenn die Platte in der Diagonalstellung mit dem Gypsblättchen untersucht wird, zum Theil gelb, zum Theil blau werden und in der Normalstellung ohne Anwendung eines Gypsblättchens fast nahezu (Abweichungen 1—2°) mit der Hauptmasse auslöschen.

Dann findet man aber auch häufig, daß die Masse von *A* (oder *B*, *C*) zungenförmig in die von *D*, *E*, *F*, *G* über- und eingreift und die Theile *D*, *E*, *F*, *G* Fortsetzungen in *A*, *B* oder *C* hineinschicken (Fig. 16, Theile γ, δ). Letztere Fortsätze sind auch zungen- oder lamellen-

1) l. c. p. 48. Ich werde die Auslöschungen durch Linien mit dicken Punkten an den Enden darstellen und die Axen durch eine Linie mit 2 kleinen Ovalen an den Enden.

artig, meist parallel den Kanten des Rhombus und berühren sich in Linien parallel dessen Diagonalen.

Dieses eben beschriebene Verhältniß zeigen auch die Rhombendodekaëderflächen von vorherrschend würfelartigen Krystallen sehr schön, ebenso lassen sie erkennen (es wurden sechs verschiedene Schliffe parallel den sechs unter einander ihrerseits nicht parallelen natürlichen Rhombendodekaëderflächen eines würfelförmigen Krystalls untersucht), daß sie alle in Bezug auf Orientirung der Hauptschwingungsrichtungen und mit Rücksicht auf die Lage der Ebene der optischen Axen sich einander gleich verhalten, also in keiner Weise die Baumhauer'sche Annahme bestätigen, denn nach dieser müßten sie, abgesehen von dem Bestehen aus zwei Theilen, Flächen der rhombischen Pyramiden sein, die sich aber optisch nicht, wie Endflächen verhalten können.

Die Untersuchung der Aetzfiguren hat fernerhin auf den Flächen von ∞O (110) zu sehr interessanten Aufschlüssen geführt.

Aetzt man nämlich einen einheitlichen, im Schliffe noch die natürliche Fläche von ∞O (110) zeigenden Schnitt nach dem Rhombendodekaëder, so erscheint die ganze Fläche gleichmäßig bedeckt mit Aetzfiguren, die die Form der in Fig. 17 mit schwachen Linien dargestellten haben, entweder also Paralleltrapeze, gleichschenklige Dreiecke, oder (seltener) Parallelogramme sind, indessen immer so gerichtet erscheinen, daß die kürzeren Kanten der Paralleltrapeze oder die von den gleichen Schenkeln der Dreiecke

1) p. 349, Fig. 3.

gebildeten Winkel nach der Seite des Rhombus zeigen, an welcher die Combinationskante desselben zu der glatten Tetraëderfläche auftritt. Aetzfiguren derselben Art, was wenigstens die Paralleltrapeze anlangt, beschreibt Baumhauer und bildet sie als Aetzfiguren γ ab. Der von ihm aufgefundene Hemimorphismus, den diese Figuren zeigen und im Krystallbau andeuten, findet nach dem Vorstehenden seine einfache und naturgemäße Deutung. Die Aetzfiguren zeigen eine Hemimorphie nach der Brachydiagonale der Rhomben an, was den Gesetzen der tetraëdrischen Hemiëdrie entspricht.

Ihre gleichmäßige Vertheilung und gleichbleibenden Formen auf den verschiedensten Theilen eines Schliffes von der Art der Fig. 15 sprechen ebenfalls nur für das reguläre System.

Auch Aetzfiguren, die denen, welche Baumhauer als Figuren α angibt, zu vergleichen sind, habe ich gefunden, doch hat es damit eine eigene Bewandtniß. Diese Aetzfiguren (ich will sie ebenfalls α nennen) treten nämlich immer mit den Aetzfiguren γ zusammen auf (Fig. 17 sind die dickeren die α Figuren), während diese sehr oft ohne die Aetzfiguren α beobachtet werden. Beide liegen fast in derselben Ebene, da man bei stärkster Vergrößerung (System 9 Hartnack) die Mikrometerschraube nur wenig in Thätigkeit setzen muß, um beide gleich scharf zu sehen, aber schon bei einer Mittelstellung des Tubus beide Arten von Aetzfiguren erkannt werden können.

Diese auffallende Erscheinung macht stutzig; sie ist indessen nicht so zu erklären, daß sehr dünne Schichten verschiedener Orientirung sich überlagern, sondern einem ganz anderen Umstande zuzuschreiben.

Wenn man nämlich Schliffe nach ∞O (110)

ätzt, besonders solche, die mehr nach dem Innern der Krystalle zu genommen sind, so bemerkt man sehr bald auf ihnen einen Seidenglanz. Derselbe rührt von der Bloslegung eines Systems von einander parallelen Kanälen und Röhren quadratischen und rhombischen Querschnitts her, die alle entweder normal zu je einer der Flächen von $\infty O (110)$ stehen, oder wenigstens sehr annähernd diese Lage haben. Das Vorhandensein dieser Kanäle kann man unzweifelhaft und in sehr ausgezeichneter Weise beobachten. In Fig. 18 sind diese Kanäle in Form von Linien in einen Schliff von der Lage der Fig. 15 eingezeichnet. Da, wo sie vom Schliffe senkrecht getroffen werden, sind ihre quadratischen und rhombischen Querschnitte wiedergegeben, so in dem Flächentheile A. In den Flächentheilen B und C laufen die Kanäle der Höhenlinie des Dreiecks parallel und sind normal zu den begrenzenden Flächen des Rhombendodekaëders; in den Theilen F, G stehen sie zur kürzeren Diagonale des Rhombus geneigt. Wie schon bemerkt, deckt das Aetzmittel diese Kanäle auf; wo sie im Schnitt normal getroffen werden, entstehen Durchschnitte, vergl. Fig. 18, die vom Aetzmittel anders, als die umgebende Masse angegriffen werden, etwas erhaben stehen bleiben und so, wie ich glaube, zu den wahren Aetzfiguren gerechnet worden sind. Daß die von mir beobachteten Gebilde keine wahren Aetzfiguren sind, dafür sprechen alle Beobachtungen, namentlich auch die, daß man an sehr vielen Stellen des Schliffs den Verlauf und die Fortsetzung der eigentlichen Kanäle von den Pseudo-Aetzfiguren an in das Krystallinnere hinein, besonders wenn die Kanäle nur wenig schief zur Plattenoberfläche stehen, (Fig. 18 neben *A*) auf das Deutlichste verfolgen kann.

Da ich nun sonst nichts bemerkt habe, was mit den Baumhauer'schen Aetzfiguren α auch nur die entfernteste Aehnlichkeit hätte, so schließe ich, daß das, was Baumhauer als Aetzfiguren α bezeichnet, mit den oben beschriebenen identisch ist. Da diese Gebilde aber nicht aus der primären Structur der Flächen hervorgehen, so müssen sie in Wegfall kommen, wenn das System des Boracits aus den Aetzfiguren erschlossen werden soll. Was die noch übrig bleibenden Aetzfiguren β anlangt, so habe ich dieselben überhaupt nicht beobachten können und halte sie, als wahre Aetzfiguren, noch der Bestätigung bedürftig.

Auf den Rhombendodekaëderflächen und zwar in ihrem ganzen Verlauf gleich und einerlei, ob die Flächen natürliche sind, oder dem Innern des Krystalls entnommen wurden, vgl. Fig. 15, 17, 18 und wie auch die optische Orientirung sei, kommen daher nur in unzweifelhafter Weise die Aetzfiguren vor, die ich in Fig. 17 als solche wiedergegeben habe. Die anderen sind Durchschnitte von durch die Aetzung blosgelegten, zu den Flächen von $\infty O(110)$ normal stehenden, einander parallelen Kanälen, quadratischen und rhombischen Querschnitts. Bei der Verwitterung und Veränderung der Krystalle spielen diese Kanäle offenbar eine große Rolle, in dem von hier aus die Substanz des Boracits in ein Fasersystem umgewandelt wird. Dieses Fasersystem nahm Volger für seine Schlußfolgerungen in Anspruch und hat es, abgesehen davon, vollständig richtig beobachtet und in verschiedenen Figuren zum Ausdruck gebracht [1]).

Eine genauere Betrachtung dieser durch Aetzung in scheinbar homogenen Krystallen aufgedeckten Bildungsweise läßt bei Anwendung starker Vergrößerung erkennen, daß die Kanäle zum Theil hohl, zum Theil mit Substanz erfüllt sind und nicht selten kleine, nicht näher bestimmbare Körperchen enthalten. Die optische Wirkung einer dodekaëdrischen Platte ist nach wie vor der Aetzung dieselbe, die Substanz um die Kanäle herum und, wenn diese erfüllt sind, in denselben, daher im Wesentlichen die gleiche und nur, wie aus dem Verhalten gegen das Aetzmittel zu folgern ist, in der Dichtigkeit etwas verschieden. Die langspindelförmigen Gebilde, die Geinitz beschrieb und zeichnete [2]) gehören offenbar an beiden Seiten geschlossenen kanalartigen Partien an, die schon ohne weitere Vorbereitung dem Beobachter sich darboten, deren Zahl sich aber nach dem Aetzen erbeblich vermehrt zeigt.

Nachdem ich auf den Rhombendodekaëderflächen diese Pseudo-Aetzfiguren gefunden hatte, ist es mir zweifelhaft geworden, ob die auf den Würfelschliffen nachgewiesenen Figuren nicht am Ende auch zu den Kanälen in Beziehung stünden. Ich habe bei der Nachforschung auf geätzten Würfelschliffen zwar auch die Kanäle beobachtet, aber keine Beziehung der Aetzfiguren zu ihnen wahrgenommen.

Die Würfelschliffe werden übrigens rasch trüb und eignen sich wenig zu solchen Untersuchungen.

1) Vergl. Volger, Boracit, Fig. 84, 85, 86, 88.
2) Geinitz l. c. p. 486 u. f., Fig. 6 (Taf. VII).

c. Untersuchung von nach den Flächen der Tetraëder geschnittenen Boracitplatten im polarisirten Licht.

α. Platten aus rhombendodekaëdrischen Krystallen.

Nach Mallard beobachtet man in tetraëdrischen Schliffen, wenn solche von den Flächen des Rhombendodekaëders begrenzt sind, eine Dreitheilung vom Mittelpunkt des gleichseitigen Dreiecks nach den Ecken[1], nach Baumhauer soll aus demselben Punkt des Dreiecks eine Dreitheilung senkrecht auf die Seiten und im regelmäßigsten Falle nach deren Mitte stattfinden. Ich werde von der ersteren Theilung kurz als der Dreitheilung nach den Ecken und von letzterer als der Dreitheilung nach den Seiten reden. Beide Dreitheilungen kommen zusammen vor, die Dreitheilung nach den Ecken ist die durchgreifendere Structurform.

Man erhält die zur Untersuchung geeignetsten Präparate, wenn man an klaren Rhombendodekaëdern, die nur das glatte Tetraëder zeigen, Schnitte vom matten Tetraëder an, senkrecht zur trigonalen Zwischenaxe bis zum glatten Tetraëder, das in einer natürlichen Krystallfläche sich darstellt, anfertigt.

Der Verlauf bis zur Krystallmitte ist in den Figuren 19, 20, 21, 22 wiedergegeben, die alle in der Hauptsache nach der Natur gezeichnet sind; von der Mitte ab bis zum glatten Tetraëder, Fig. 23, liegen die Schliffe, Fig. 21 und 20.

In der Richtung der trigonalen Zwischenaxe gesehen, nehmen von dem Mittelschliff an Fig.

1) Mallard gibt in den Figuren Begrenzungen von den Würfelflächen an.

21, 20 und 23 eine gegenüber der ersten um 180° gedrehte Lage an.

Das matte Tetraëder ist im vorliegenden Falle keine natürliche Krystallfläche, die Ecken des Rhombendodekaëders stoßen im Endpunkt der trigonalen Zwischenaxe zusammen und, wenn der Krystall regelmäßig gebildet ist, zeigt sich Dreitheilung nach den Ecken. Die 3 Sectoren, Fig. 19, haben scharfe Grenzen und löschen parallel den Dreiecksseiten aus [1]). — Von Einschlüssen werde ich später reden.

Liegt der Schnitt mehr nach der Mitte zu, so ergibt sich Fig. 20. Zu den 3 Sectoren, zu deren Bildung 3 Theilpyramiden beitragen, kommen noch fernere drei und ihre in paralleler Stellung befindlichen hinzu, wie man sich an der Hand eines Modells überzeugen kann. Die Auslöschungen sind dreierlei Art, je 3 Theile löschen, wie in Fig. 20 ersichtlich, zusammen aus.

Fig. 21 zeigt einen Schliff in derselben Richtung, aber noch mehr nach der Mitte zu geführt.

Fig. 22 endlich den Mittelschliff mit den drei verschiedenen Auslöschungen. Je zwei gegenüberliegende Partien löschen zusammen aus.

Danach käme dann, wie schon mitgetheilt, wieder ein Schliff wie Fig. 21, dann einer wie Fig. 20, endlich, auf der einen Seite begrenzt von der natürlichen Fläche, Fig. 23.

In allen Schliffen sind die Grenzen der Theile untereinander mehr oder weniger scharf, bisweilen findet sogar Trennung der Partien statt;

1) In den Figuren sind die Auslöschungen durch eine Linie angegeben, die an den Enden zwei Punkte besitzt.

nur in Fig. 20 und 21 beobachtet man zwischen inneren und äußeren Theilen, da hier Ueberlagerung eintritt, Farbenfransen.

Es entgeht der aufmerksamen Betrachtung nicht, daß Fig. 23 einen deutlich erkennbaren Einfluß der natürlichen Tetraëderfläche auf die Anordnung der Theilchen zeigt: wo diese Fläche aufhört und die Kanten von ∞ *O* (110) beginnen, zeigt sich die normale Dreitheilung.

Was diese Schnitte ferner lehren, ist, daß die Bildung vom Mittelpunkt des Krystalls gleichmäßig nach außen vor sich geht, sofern ein ganz normaler Bau vorliegt.

Ich bemerke hierzu ausdrücklich, daß zwei Krystalle diesen normalen Bau ganz und fast vollkommen zeigen; in der besten Reihe fehlt, durch einen Unfall beim Schleifen, leider der Schliff, Fig. 19, den aber zahlreiche andere, in ähnlicher Richtung angestellte Versuche, wie Fig. 19, ergeben.

Nun sind aber durchaus nicht alle Krystalle so regelmäßig gebildet, die einzelnen Theile greifen vielmehr in einander über, keilen sich in einander ein, die Grenzen werden undeutlich, zuweilen dominiren namentlich von den inneren oder äußeren Theilen eine oder zwei Orientirungen und alle anderen fallen weg, so daß öfters höchst unregelmäßige Erscheinungen sich darbieten.

Am regelmäßigsten stellen sich die Schliffe Fig. 19 und 23 dar, in letzterem ist jedoch das concentrische Dreieck (der natürlichen Fläche entsprechend) selten ganz einheitlich in seiner Auslöschung, die mit der des unteren Sectors zusammenfällt, sondern zeigt bisweilen unregelmäßige Dreitheilung, manch Mal solche nach den Seiten. Auf der Seite des matten Tetraëders erscheint Schliff Fig. 20 wie diese; auf der anderen Seite sind die Grenzen der Dreitheilung verwischter, die einzelnen Theile greifen mehr in einander über. Im Gegensatz hierzu ist Schliff Fig. 21 auf der Seite des glatten Tetraëders immer besser, als auf der anderen. Der Mittelschliff ist höchst selten so regelmäßig wie in Fig. 22. So sehr sich aber auch die Theile in- und übereinander schieben mögen: alle haben sie zusammen doch nur drei Auslöschungen. Durch diese Schliffe wird die Mallardsche Anschauung in der Erscheinung vollkommen bestätigt. —

Da ich eine große Zahl von Krystallen untersucht habe, so darf ich in den Fig. 24—28 noch einige Schliffe nach dem matten und glatten Tetraëder darstellen, die solchen Krystallen entstammen, welche kleine natürliche Flächen dieser Tetraëder zeigten. Man sieht die beiden Theilungen kommen zusammen vor, jedoch ist es auffallend, daß während der Schliff an einer Ecke von ∞O (110) eine bestimmte Figur darbietet, z. B. Fig. 25, der an einer anderen entsprechenden ganz normal sein kann, wie Fig. 19. Dann findet man aber auch wieder an anderen Krystallen rhombendodekaëdrischer Bildung, daß alle Schnitte nach dem matten Tetraëder, dicht an den Ecken gelegen, sich wie Fig. 19 verhalten, während wiederum andere Krystalle bei solchen Schnitten Erscheinungen, wie Fig. 27 zeigen.

Fig. 28 stellt einen Schliff nach dem glatten Tetraëder dar.

So kommen diese beiden Dreitheilungen zusammen vor, manchmal ist auch der Schliff von Substanz nur einer Auslöschung erfüllt und sehr sparsam treten die anderen Orientirungen darin auf.

Die Verhältnisse der glatten Tetraëder habe ich schon aufgeführt und es ist nur noch nachzutragen, daß da, wo keine oder nur eine sehr kleine glänzende Tetraëderfläche am Krystall erscheint, der nahe der Ecke geführte Schliff dieselbe Erscheinung zeigt wie Fig. 19, also auch hier wieder eine Beziehung der optischen Orientirung zu den Begrenzungselementen des Krystalls zu Tage tritt.

Von Einschlüssen in den diversen Sectoren sind außer Theilen aus anderen Sectoren, die aber mit jenen auslöschen und in allen Schliffen vorkommen (ganz besonders in Schliffen von der Art der Fig. 22 gern senkrecht zu den Seiten des Sechsecks stehen) solche zu nennen, die offenbar durch sekundäre Spannungen entstanden sind.

Ich habe deren von blattförmiger Art, die etwa unter 30° zu den Grenzen der Sectoren neigen und denselben ein federfahnenähnliches Ansehen verleihen, in Fig. 29 dargestellt. Sie zeigen an ihren Rändern lebhafte Farben und löschen fast gleichzeitig (Abweichung 1—2°) mit dem Sector aus, in dem sie vorkommen. Von den in der Fig. 30 dargestellten, senkrecht zur Sectorengrenze stehenden Einlagerungen glaube ich denselben Ursprung, wie bei den vorigen, annehmen zu müssen. Das Auslöschen mit dem Sector habe ich hier nicht so durchgreifend beobachtet.

β. Platten aus würfelförmigen Krystallen.

Ich habe hier nur solche Würfel untersucht, an denen ∞O (110) mit auftrat. Es bieten sich im Wesentlichen dieselben Erscheinungen dar, wie vorhin mitgetheilt.

Die zwei Dreitheilungen auf derselben Fläche

zeigt besonders schön Fig. 31 nach dem matten Tetraëder, die Fig. 32 und 33 entsprechen anderen Flächen derselben Lage vom gleichen Krystall. Die glatten (natürlichen) Tetraëderflächen desselben sind im Wesentlichen wie Fig. 23 gebildet.

Andere Krystalle verhalten sich ähnlich: auf den nach dem matten Tetraëder angeschliffenen Flächen wechselt Dreitheilung nach den Ecken mit solcher nach den Seiten und die Schliffe nach den glatten (natürlichen) Tetraëderflächen lassen in der Hauptsache den Einfluß der natürlichen Flächen erkennen vergl. Fig. 23.

γ. Platten aus tetraëdrischen Krystallen.

Das vorherrschende Tetraëder zeigt im Dünnschliff eine Dreitheilung, die meist der Regelmäßigkeit entbehrt und nur selten sich an die Dreitheilung nach den Ecken oder Seiten mehr anschließt. Die Schliffe, welche nach den Ecken des vorherrschenden Tetraëders zu liegen, zeigen Dreitheilung nach den Ecken des durch den Schliff entstehenden Dreiecks. Im Allgemeinen lassen sich die Erscheinungen in diesen Krystallen am wenigsten gut beobachten.

— Was die Aetzfiguren anlangt, so wurden Tetraëderschliffe von den entgegengesetzten Enden einer trigonalen Zwischenaxe (glattes Tetraëder als natürliche Fläche, mattes als angeschliffene) untersucht[1]). Bei 3 Paaren solcher Schliffe ergab sich, daß auf den matten Tetraëderflächen die Aetzfiguren gleichseitige Dreiecke, an den Ecken bisweilen gerade abgestumpft, sind und mit ihren Seiten den Kanten der Hauptfigur parallel gehen, vergl. Fig. 34; auf

1) Die untersuchten Krystalle waren Rhombendodekaëder.

den Flächen der glatten Tetraëder haben die Aetzfiguren dieselbe Form, liegen aber zu den Begrenzungselementen umgekehrt, Fig. 35. Besonders ausgezeichnet tritt dies Verhältniß bei einem Schliff von der Lage der Fig. 21 nach dem glatten Tetraëder zu Tage, vgl. Fig. 36.

Auf allen Stellen der sämmtlichen Schliffe liegen die Aetzfiguren einander parallel, einerlei, ob der Schliff Dreitheilung nach den Ecken, nach den Seiten, oder beide zugleich zeigt. Sehr schön beobachtet man auch die zur Fläche geneigten Kanäle (worüber schon Volger bei Besprechung der Fasersysteme berichtet, l. c. pag. 224) und kann ihre Durchschnitte nicht selten deutlich wahrnehmen.

3. *Zusammenstellung der Resultate und Schlußfolgerungen.*

Die vorstehenden auf Grund der Beobachtungen gemachten Mittheilungen lassen von optischer Seite her erkennen, daß die Substanz des Boracits doppeltbrechend und in der Erscheinung die Mallard'sche Annahme zutreffend ist.

Sie haben aber auch, indem der Bau der Krystalle noch mehr in's Einzelne hinein verfolgt wurde, nachgewiesen, daß die Begrenzungselemente derselben von nicht unerheblichem Einfluß auf die Regelmäßigkeit der Anordnung im optischen Sinne sind und somit wieder die Erfahrung bestätigt, die Klocke in seiner Untersuchung über den Alaun durch den Einfluß des Vorhandenseins und Verschwindens gewisser Begrenzungselemente auf die optische Structur sicher gestellt und neu dargethan hat[1]). Während aber beim Alaun die Erscheinungen der

1) l. c. pag. 68, 72, 78 u. 79.

Doppelbrechung wesentlich nur von der Krystallbegrenzung abzuhängen scheinen, sind beim Boracit noch andere Momente in Betracht zu ziehen.

Jedenfalls lehrt zunächst die Erfahrung, daß sich optische Zweiaxigkeit verbunden mit regulärer Symmetrie zusammen findet und diese letztere ist nicht nur gewährleistet durch die Messungen, sondern auch, mit Rücksicht auf die tetraëdrische Hemiëdrie, durch die ganze Erscheinungsweise der Krystalle. Fernerhin sind die Aetzerscheinungen, namentlich auf den Flächen von ∞ *O* (110), dann aber auch auf den anderen, nur zu Gunsten des regulären Systems zu verwerthen.

Will man die Erscheinungen, wie sie der Boracit bietet, deuten, so sind 2 Annahmen möglich:

1. Entweder man hat, nach Mallard, kleinste Theilchen eines niedereren Symmetriegrades, die eine reguläre Pseudosymmetrie veranlassen.
2. Oder der Boracit ist regulär und die optischen Erscheinungen eine Folge seines besonderen Krystallwachsthums.

Was die erstere Annahme anlangt, so ist sie im Sinne der neuesten Richtung in der Mineralogie, die auf jede optische Anomalie hin, ohne sich zu fragen, was dieselbe wohl veranlaßt haben könnte, das System der Körper umstürzt. Wie viele Körper, kann man mit Recht fragen, sind in ihrer Bildungsweise so einheitlich, daß das Erforderniß der Theorie in aller Strenge erfüllt wäre und wie viele werden, wenn ein solcher Maßstab angelegt wird, noch in den seither für sie angenommenen Systemen verbleiben? —

Wie steht es aber in weiterer Folge mit gar manchen Krystallsystemen überhaupt, bestehen sie, z. B. das reguläre, noch, oder sind es nur vollendete Täuschungen der Natur?

Die Beantwortungen dieser Fragen haben das höchste Interesse. Sicher wird zur präcisen Systembestimmung die genaue optische Untersuchung von größter Wichtigkeit sein; ich bin der Letzte, der dieses verkennt, aber ich scheue mich nicht, es ebenfalls öffentlich auszusprechen, daß es verkehrt ist zu Gunsten jeder optischen Anomalie, die eine Structur- u. Bauunregelmäßigkeit aufdeckt, eine altbewährte Gesetzmäßigkeit umzustoßen. Es wäre viel richtiger nach den Gründen eines solchen gesetzwidrigen Verhaltens zu forschen, als dasselbe nun seinerseits zum Gesetz zu erheben.

Meine Ansicht ist demnach, daß, wenn man durch Annahme des rhombischen Systems beim Boracit die bestehende Anomalie beseitigen will, dadurch wiederum eine noch viel größere geschaffen wird, denn wie wollte man, wenn der Boden der Thatsachen nicht verlassen werden soll, die reguläre Symmetrie, gestützt durch Anordnung der Flächen und Neigungswinkel derselben, die ganze, höchst regelmäßige, man kann sagen musterhafte Erscheinungsweise der Krystalle, die Aetzfiguren derselben u. s. w. erklären, wenn das rhombische System angenommen wird?

Aus diesen Gründen halte ich es für nothwendig an die zweite Annahme heranzutreten und zu untersuchen, ob nicht durch die Wachsthumsrichtungen der Krystalle, die ganze Bildungsweise derselben und den Einfluß der Begrenzungselemente die optischen Erscheinungen erklärt werden können.

Wie sich Körper gegen Spannung und Druck, resp. Temperaturveränderungen u. s. w.

verhalten, ist genugsam bekannt und ebenso weiß man, daß die hier erzeugten optischen Erscheinungen sich von der wahren Doppelbrechung im Allgemeinen wesentlich unterscheiden.

Denn, wenn für diese angenommen wird, daß sie den kleinsten Theilchen der Körper inne wohne, unabhängig von den Begrenzungselementen derselben sei und sich in allen parallelen Richtungen ebenso kund gebe, wie sie sich in einer bestimmten zeigt, so bieten die gewöhnlichen Spannungserscheinungen solche dar, die an den Ort gebunden sind, auch mit Aenderung der Umgrenzungselemente variiren (gekühlte Gläser) und so sich wesentlich verschieden von der wahren Doppelbrechung erweisen.

Nicht alle Erscheinungen, die durch Druck zu Stande kommen, verhalten sich indessen so. Allbekannt ist es, daß, wenn ein einaxiger Körper durch Spannungserscheinungen beim Wachsthum, z. B. durch solche senkrecht zur optischen Axe, alterirt wird, er die Erscheinungen eines zweiaxigen zeigt. Die neue Erscheinung wechselt dann in einem passend hergestellten Präparat zwar von Stelle zu Stelle, ist aber innerhalb einer Stelle nicht an den Ort gebunden, sondern auf ziemliche Ausdehnung hinaus in allen parallelen Richtungen dieselbe.

Andererseits hat schon Brewster die Beobachtung gemacht, daß durch einen gleichmäßigen Druck ein amorpher Körper die Eigenschaften eines einaxigen annehmen könne und, wenn man, abgesehen von den früheren Mittheilungen [1]) die Angaben Brewster's in seinem Werke Optics 1835 p. 241 nachliest, so unterliegt es keinem Zweifel, daß in diesem Falle es

1) Philos. Transaction 1815, p. 33 u. 34.

sich um eine Erscheinung handelte, die unabhängig vom Orte in allen parallelen Richtungen dieselbe war, welches Resultat auch Brewster ganz und voll für seine weiteren Schlußfolgerungen in Anspruch nahm.

Wir können daraus schließen, daß ein gleichmäßig wirkender Druck, in seiner Intensität verschieden nach drei auf einander senkrechten Richtungen, es bei einem regulären Körper vermögen könnte, die Erscheinungen eines zweiaxigen hervorzurufen, denn im ersten Falle hatten wir einen Körper, der sich in einer Richtung in gewisser Weise, in allen senkrechten hierzu gleich und von der ersten verschieden verhielt, es kam ein Druck hinzu, der die Gleichheit der zur ersten senkrechten Richtungen aufhob; im zweiten Falle bewirkte ein in einer bestimmten Richtung wirkender Druck eine gleichmäßige Gestaltung der Verhältnisse in den zur Druckrichtung senkrechten Richtungen.

Könnten wir beim Boracit darthun, daß durch das Krystallwachsthum Erscheinungen entstehen, die eine Spannung der Theile, wie sie zur Bildung der Zweiaxigkeit nothwendig ist, ermöglichen, so wäre die Erklärung des Thatbestandes um einen wesentlichen Schritt gefördert.

Dies läßt sich, wenn auch nicht direct, so doch indirect mit aller Evidenz erweisen, wenn man die Veränderungen beachtet, denen der Boracit unterliegt. Schon Volger hat darauf gebührend hingewiesen und den Umstand betont, daß bei der Veränderung der Krystalle ein Gerüst nach den Ebenen des Rhombendodekaëders erhalten bleibt, was bedeutend widerstandsfähiger ist, als die ausfüllende Masse[1]).

1) l. c. p. 208 und 209 Fig. 84 und 85, p. 224. Fig. 86.

Ich kann diese Beobachtung völlig bestätigen. Fig. 37 stellt einen der Lage nach Fig. 22 ähnlichen Schnitt durch die Mitte eines Krystalls dar zur Darlegung dieser Verhältnisse. Eine ganze Reihe von Präparaten zeigt diese Erscheinungen von den frischesten Krystallen an bis zu den zersetztesten und es kann sich ein Jeder leicht davon überzeugen.

Kann man sonach auch nicht das Gerüst in seinem Entstehen beobachten, so gelingt es doch bei der anfangenden Veränderung und dem Fortschreiten derselben im Krystalle dasselbe unzweifelhaft nachzuweisen. Wenn die Krystallmasse bei dem wachsenden Krystalle ein solches Gerüst erfüllt, so werden Trichter gebildet, die von der Form einer vierseitigen Pyramide mit der Rhombendodekaëderfläche als Basis sich darstellen, entsprechend der Hartmann-Mallard'schen Annahme. In diesen Trichtern sind die Dimensionen: Höhe der Pyramide zu der kleineren und größeren Diagonale des basischen Schnitts drei ungleichwerthige Richtungen, denen die optischen Elasticitätsaxen in folgender Reihe: größte, mittlere, kleinste (sofern die Beobachtung: erste Mittellinie der Axen von negativem Charakter zu Grunde gelegt ist vergl. p. 113) entsprechen. Durch das feste im Wachsthum voranschreitende Gerüst sind also innerhalb desselben die Bedingungen gegeben, die ein Wachsen nach den rhombischen Zwischenaxen, »ein rhombisches Wachsthum«[1]) ermöglichen und die sich einlagernde Krystallmasse kann beim Festwerden eine von kleinstem Theilchen auf kleinstes Theilchen wirkende,

1) Ich bediene mich hier eines Ausdrucks Knop's in seinem Werke: Molecularconstitution und Wachsthum der Krystalle 1867 p. 62 und verweise auf Fig. 62.

also sehr regelmäßige, nach den oben erwähnten Hauptrichtungen orientirte Spannung erfahren.

In dieser Annahme kann man, wie ich glaube, einen auf Thatsachen gestützten Erklärungsversuch der Erscheinungen, die der Boracit in optischer Hinsicht darbietet, erblicken. In der Hauptsache darf er als eine weitere Ausführung der Ideen betrachtet werden, die v. Reusch seiner Zeit entwickelt hat[1]).

Berücksichtigt man nun noch die verschiedene Dichtigkeit der Substanz in krystallographisch gleichwerthigen Richtungen, die sich durch die beim Aetzen hervortretenden Kanäle und deren umgebende Masse, die das Aetzmittel fortnimmt, kund gibt, zieht man ferner in Betracht, daß dünnste Schliffe bei stärkster Vergrößerung und mit Zuhülfenahme des Gypsblättchens untersucht, durchaus nicht das Verhalten eines einheitlichen Körpers an Stellen, die einheitlich sein sollten, zeigen, daß auch schon bei schwächerer Vergrößerung solche Stellen der einheitlichen Polarisationsfarben entbehren und ein Aufsteigen und Abfallen der Farbe bei der Verschiebung der Platte auf den gleichwerthig sein sollenden Stellen gleicher Dicke bemerkt wird, so drängen alle diese Erscheinungen zu der Annahme, daß der Boracit seine eigenthümlichen im Widerspruch mit der Structur stehenden optischen Eigenschaften zum Theil dem Einfluß seiner Begrenzungselemente, ganz vorzugsweise aber dem seiner Wachsthumsrichtungen verdanke.

1) l. c. p. 621 u. 622.

Für d. Redaction verantwortlich: *Bezzenberger*, Director d. Gött. gel. Anz.
Commissions-Verlag der *Dieterich'schen Verlags-Buchhandlung*.
Druck der *Dieterich'schen Univ.-Buchdruckerei (W. Fr. Kaestner)*.

al
Ha

ein
sü
tis
Ha
de
ne

de
ph
di
de
ni
da
un
te
ei
se
ch
lic
A
sc
so
so
A
ch
de
Ei
zu
ge

Für

als
Ha

ein
suc
tis
Ha
de
ne

de
ph
die
de
nir
da
un
ter
ein
sei
ch
lic
Au
scl
so
so
Ar
ch
de
Ei
zu
ge

Für

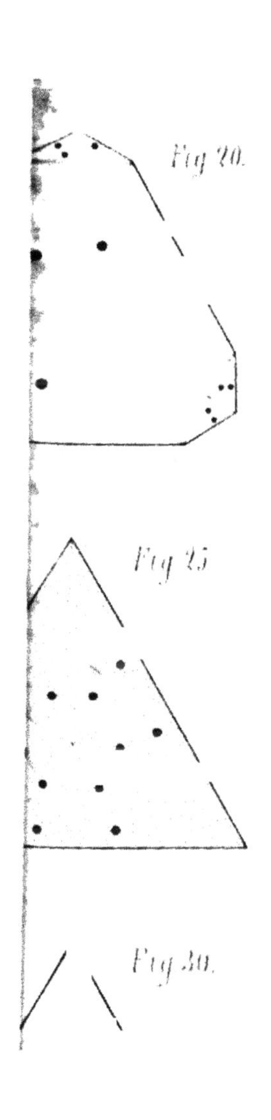

Fi

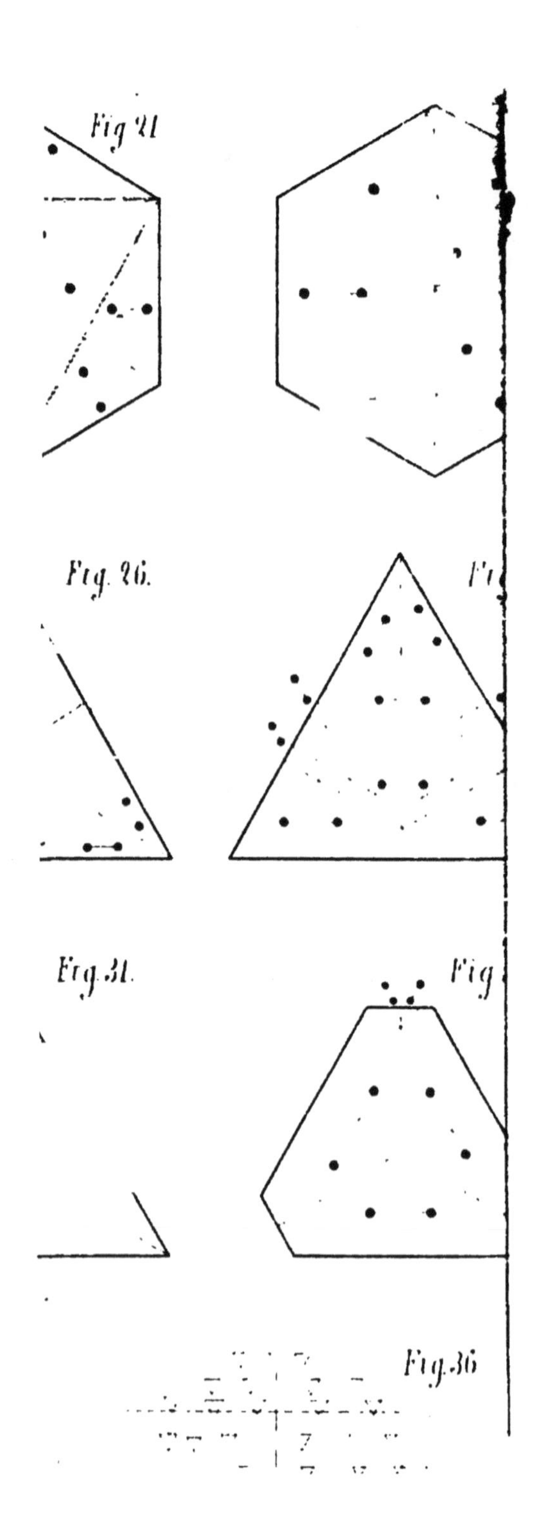

Fig. 21
Fig. 26.
Fig. 31.
Fig. 36

Nachrichten

von der Königl. Gesellschaft der Wissenschaften und der G. A. Universität zu Göttingen.

25. Februar. № 3. 1880.

Königliche Gesellschaft der Wissenschaften.

Sitzung am 7. Februar.

Wüstenfeld, Die Namen der Schiffe im Arabischen.
Pauli, Ueber Heinrich den Löwen und Wilhelm den Löwen von Schottland.
Bezzenberger, Die verwandtschaftliche Gruppirung der altgermanischen Dialecte. (Vorgelegt von Benfey).
v. Brunn, Zur Kenntniß der physiologischen Rückbildung der Eierstockseier bei Säugethieren. (Vorgelegt von J. Henle.)
Dr. Berthold in Neapel, Mittheilung der Untersuchungen über Fortpflanzung einer Algen-Gattung. (Vorgelegt von Graf Solms-Laubach.)
Mittheilung des Correspondenten Prof. Cantor in Halle. (Vorgelegt von Stern.)
L. Fuchs, Ueber eine Klasse von Funktionen mehrerer Variabeln, welche durch Umkehrung der Integrale von Lösungen der linearen Differenzialgleichungen mit rationalen Coefficienten entstehen. (Vorgelegt von de Lagarde.)

Die Namen der Schiffe im Arabischen

von

F. Wüstenfeld.

Ueber das Seewesen der Muhammedaner ist bis jetzt nichts im Zusammenhange bekannt geworden; das Werk, aus welchem ich die Abhandlung über das Heerwesen herausgegeben habe, enthält sehr wahrscheinlich auch einen Abschnitt über das Seewesen, wie man aus dem Vorkommen der darauf bezüglichen Fragen in dem Desideraten-Buche des *Lord Munster* pag. ٨١ fg. schließen muß, und auf ein ähnliches Capitel verweist *Ibn Mammâtî* in seinen »Regeln für die Diwane«, welches in den Gothaer Handschriften leider! nicht enthalten ist. *Ibn Chaldûn*, Prolegomènes IIe Partie, texte pag. 32, traduct. pag. 37 giebt unter der Ueberschrift, »das Commando der Flotte« nur einige interessante Nachrichten über die Eroberungen der Araber im Mittelländischen Meere, wobei er nur die gewöhnlichen Ausdrücke Schiffe, Fahrzeug, Flotte gebraucht und bei dem Schiffbau texte pag. 325, traduct. pag. 378 spricht er nur ganz kurz über die dazu nöthige Kenntniß der Mathematik.

Die Araber vor Muhammed waren nicht viel über die Küstenfahrt im rothen und Persischen Meere hinausgekommen und besaßen nur wenige Transportschiffe für ihren Handel nach Aegypten, Nubien und Habessinien auf der einen, nach Vorderindien und Ceylon auf der anderen Seite. Sobald sie aber in den Besitz von Syrien und Palästina gelangten und an das Mittelländische Meer kamen, richteten sie ihre Blicke auch nach den Griechischen Inseln, und wir sehen sie zur See ebenso siegreich als zu Lande, Cypern wurde nach einigen schon im J. 27 oder 28 d. H. erobert, Rhodus im J. 52, Creta und Arwâd[1]) im J. 54. Schiffbare Flüsse

1) *Beladsori* pag. 236 und *Jâcût* I, 224 verlegen diese Insel »in die Nähe von Constantinopel«; *Abulfida*

hat Arabien nicht, erst am Euphrat, Tigris und Nil lernten die Araber Flußschiffe kennen, wenn sie auch einzelne Wörter dafür schon hatten. Deßhalb muß es bei allem Reichthum der Arabischen Sprache, welche z. B. für Camel 200, für Löwe über 400 verschiedene Namen hat, doch Wunder nehmen, daß auch für Schiff weit über 100 Ausdrücke vorkommen. Diese vermindern sich aber schon um die Hälfte, wenn man nur die ältere Sprache berücksichtigt, und auch von diesen ist eine große Anzahl erst außerhalb Arabien zu dem Arabischen Wortschatze hinzugekommen und deßhalb von den Puristen, welche nur das classische Arabisch berücksichtigten, in ihre Wörterbücher nicht aufgenommen, fehlt doch bei *'Gauharí* und *Feiruzabâdí* das Wort für Flotte, weil es aus dem Griechischen entlehnt war اسطول στόλος und *Macrizi* kennt die Ableitung desselben nicht. Bei manchen Wörtern wird es ausdrücklich angegeben, daß sie die Namen für Schiffe von einer bestimmten Größe, Form und Bauart sind, wie sie auf dem Euphrat oder auf dem Nil vorkommen, und gewiß noch andere, von denen es nicht bemerkt wird, sind nur in gewissen Gegenden gebräuchlich gewesen. Die zweite größere Hälfte aus der späteren Zeit ist zum Theil nachweisbar aus anderen Sprachen, namentlich aus dem Griechischen, Italienischen und Spanischen entlehnt, zum Theil so verändert, daß ihre Etymo-

Annal. V, 180 hat das Richtige: »*Arwâd* gegenüber Antartus« d. i. *Aradus* gegenüber Antaradus (Tortosa), eine kleine Insel dicht an der Syrischen Küste in der Richtung von Cypern, schon im Alten Test. als ארוד erwähnt und ein Hauptsitz der Phönicier; im Mittelalter hatte sie noch einige Wichtigkeit, jetzt ist sie gänzlich verödet und unter dem Namen Ruad kaum noch bekannt.

logie nicht mehr zu erkennen ist, denn die Araber haben Fremdwörter sich gewöhnlich so zurecht gemacht, daß man sie als von einer Arabischen Wurzel abstammend betrachten konnte, mit deren Grundbedeutung das Wort gleichwohl nichts gemein hatte.

Von manchen der ursprünglich Arabischen Wörter ist die Ableitung deutlich, wie durch vorgesetztes م z. B. مركب, معبر, معدية oder durch angehängtes ىّ, يّة bei Namen von Oertern, wo Schiffe gebaut wurden oder woher sie kamen und wohin sie fuhren, wie عدولى, واسطية, مكية, جبلية vielleicht auch وجية; einige sind sicher nur von Dichtern substantivisch gebrauchte Adjectiva, wie das Schankende, das Meer durchfurchtende, das Schwimmende. Von vielen Wörtern wird weiter nichts gesagt, als daß sie »ein Schiff« bedeuten, Art, Form und Bestimmung kennt man nicht, manche sind nur aus einer einzigen Stelle, besonders aus einer Aufzählung bei *Mucaddasí* bekannt geworden, von mehreren auch schon länger bekannten ist die Erklärung noch mangelhaft. Ein Paragraph bei *Ibn Mammâti*, in welchem die Namen der zur Kriegsflotte gehörenden Schiffe kurz erläutert werden, gab Veranlassung, alle bekannten Ausdrücke für Schiff aus *Feirúzabâdí*, *Lane*, *Dozy*, *de Goeje* in den Registern der von ihm herausgegebenen Werke, Lord *Munster's* Desideraten und dem *Vocabulista in Arabico* zu sammeln und in nachstehende alphabetische Ordnung zu bringen.

اسطول, *pl.* اساطيل — بارجة — بحرية

اصطولا *στολή* — بالوع — بُراكية

اعزارى — باهرات — برعانى

بركة ,لَبَرْكة
بركوس .v مركوس
برمة
بَريك
بسطة
بطاش
بطان
بُطْسة
بوس ,بوص ,بوصي
بيرجه
تَلَّوى
جارية .pl جوارٍ
جاسوس
جَبَلية
جدى
جُراب
جَرْم
جُفاء ,جُفاية
جُفْل
جَفَن
جلبة
جُنْك

حَرّاقة ,حَرّاك
حَمّالة
حمامة
خليج
خلية
خن
خيطية
دُغَيّص
دقل
ذات الرفيف
ذونيج
ذهبية
ركوة
رمادة *armada*
رَمَث
زبرباذية
زَبْزَب
زَلّاج
زلال
زَوْراء
زَوْرَق
سفينة

سكان
سَلُّورة
سَمَارية
سُمَيْرى
سنبوق
سوقية
شبارة
شَبّاك
شبوق
شختور
شختوة
شلملى
شَلَنْدى
شموط
شنان
شنكولية
شينى
صَلْغة
طبطاب
طريدة
طيار ,طيرة
ظُلْظُل

عجوز	كلك	معبر
غَدَوْلى	كمندوريات	مَغْدية
عرداس	لَاطَنَة	مقلّع
عشارى ,عشرى	ماجشون	مكية
غارب	ماشوت	ملقوطة
غُراب	مثلّثة	ناغصة
فُلْك ,فُلوك	مرزاب	نقيرة
فَلوكة	مَرْكَب	نُهْبوغ
قادس	مركوس	واسطية
قارب	مسبحية	ورحيات
قُرْقُور ,قرقورة	مستعام	ولجية
قطعات	مُسَطَّحات	هُرْهور
كارونية	مِضْباب	

Die betreffende Stelle aus *Ibn Mammâtî* lautet:

الاسطول المنصور، وهو الآن يجرى فى ديوان جيش المصريين وسنذكر حاله فى موضعه،

اسماء مراكبه طريدة، شينى، مسطح، حراقة، مركوس، شلندى، اعرارى، ومنفعة المسلمين به اشهر من ان تذكر واكثر من ان تحصَر فاما الطريدة فانها برسم حمل الخيل واكثر ما تحمل اربعين فرسًا واما الحمّالة فيحمل

فيها الغلّة واما الشلندى فانه مركب مسقف تقاتل

الغُزاة على ظهره وجدّافون يجدفون تحتهم واما المسطح

فهو فى معناه فاما الشينى ويسمّى الغُراب (B العرات)

ايضا فانه يجدف بماية واربعين مجداقا والمقاتلة والجدافون

والحرّاقة مختصرة وربما كانت ماية (B ثلثه) وحوالى ذلك

والاعرارى (A والاعزارى) من توابعه تحمل فيه الازواد

والمَرْكوس لطيف لنقل الماء لخفّته يدخل على المواضع

ويكون وسقه دون ماية اردب ؟

Die großherrliche Flotte steht zur Zeit unter dem Aegyptischen Kriegsministerium und wir werden über ihren Zustand an der betreffenden Stelle handeln. Die Namen für ihre Schiffe sind طريدة *ṭarîda*, شينى *schînî*[1]), مُسَطَّح *musaṭṭaḥ*, حَرّاقة *ḥarrâca*, مركوس *markûs*, شلندى *schalandî*, اعرارى *a'rârî*. Der Vortheil, welchen die Muslimen davon haben, ist zu bekannt, als daß man darüber weiter reden müßte, und ihre Zahl größer, als daß man sie zählen könnte. Die *ṭarîda* ist

1) Die Richtigkeit der Lesart سينّى mit Teschîd, welche ich nach der Handschrift des *Calcaschandi* in der Abhandlung über die Geographie und Verwaltung Aegyptens S. 215 habe abdrucken lassen, ist mehr als zweifelhaft, da der Plural شوانٍ oder شوانى gebildet wird; bei *L. Munster* S. 81 unrichtig الشوانى.

zur Aufnahme von Pferden [1]) bestimmt, gewöhnlich kann sie vierzig Pferde aufnehmen. الحمّالة die ḥammâla [2]), Transportschiff, darin wird der Proviant verladen. *schalandí* ist ein Schiff mit einem Verdeck, auf welchem die Soldaten kämpfen, während die Ruderer unter ihnen rudern. *musaṭṭaḥ* hat dieselbe Bedeutung [mit einem *saṭḥ* Verdeck versehen, Glattdeck-Corvette]. *schînî* die Galeere wird auch الغُراب *el-gurâb* der Raabe genannt, sie wird mit 140 Rudern gerudert und die Soldaten sind zugleich Ruderer. *harrâca* [3]) das Brandschiff ist kurz, zuweilen sind deren Hundert oder etwa so viel. *a'rârí* (oder a'zârí) sind der Flotte nachfolgende Schiffe, in denen Reisevorräthe transportirt werden. *markûs* [4]) ist ein kleines Schiff zum Wasserholen, wegen seiner Leichtigkeit kann es an allen Orten anlaufen und die Tragfähigkeit beträgt unter Hundert Irdabb.

Hieran schließt sich bei *Ibn Mammâtí* noch Folgendes:

القرظ وهو ثمرة السنط وليس لاحد من النـــاس ان يتصرّف فيه سوى مستخدمين الديوان ومتى وجـــدوا شيئا منه لم يكن اشترى منهم استهلكوه،

1) Nach dem Codex des *L. Munster* S. 82 auch für Gepäck und Munition.

2) Dies Wort ist in der obigen Aufzählung ausgelassen.

3) In dem *Vocabulista* unrichtig mit ك geschrieben.

4) Vermuthlich dasselbe, was bei *Freytag* ohne Quellenangabe unter dem Namen بركوس *barkûs* »navis parva« vorkommt.

ساحل السنط موضع يصل اليه مراكب للحطب وتعتبر
فيه وتُبْتاع على التجار منه وتشون حاصل الديوان به
وهي معاملة معتدّة لها مستخدمون وارتفاع ومال وحطبٌ
ولا يُبطئُ فيه ما يُحْمَل من خشب العَمَل،

ارباع الكَيْل هذه مراكب تعمَّر من الخراج المقدم ذكرها
فاذا وصلت الى ساحل السنط قُوِّمَتْ او نودى عليها
فهما بلغت طولب مالكها بحقّ الربع من القيمة عمّا
اخذه من خشب العمل،

المراكب المُلَوَّحة هذه مراكب جارية فى ذلك الديوان
يضمنها الرؤساء لمدّة معلومة بأُجرة معيَّنة واذا احتاجت
الى عمارة اعتدّ لهم باجرة مُدَّتها بالنسبة من تقسيطه
ذلك الفصل وسَنَتُها ثلاثة عشر شهرًا منها خمسة
نيليّة يجب عنها نصف الضمان وفيها سبعة اشهر يجب
عليها النصف الثانى اقساط متساوية والشهر الثالث
عشر عُطْلَةٌ لا قِسط فيه،

Caradh ist die Frucht des Acacien Baumes, kein Mensch darf damit Handel treiben als die von dem Diwân angestellten, und bei wem etwas davon gefunden wird, was nicht von ihnen gekauft wurde, den bestrafen sie. Das Acacien-Ufer ist ein Ort, wohin die Schiffe mit Holz kommen, welches abgeschätzt und an die Kaufleute verkauft wird. Dort sind die Vorräthe des Diwân aufgespeichert und es findet ein geregelter Handelsverkehr statt, wozu Beamte, Vorräthe, Geld, Holz vorhanden sind und für das angebrachte Nutzholz findet keine Verzögerung statt. *Arbâ' el-Keil* Viertel-Maaß dies sind Schiffe, welche aus den erwähnten Erträgen unterhalten werden, und wenn sie an das Acacien-Ufer kommen, werden sie abgeschätzt oder es wird zum Verkauf ausgerufen, und so oft ein annehmbarer Preis geboten ist, wird der Eigenthümer angehalten, ein Viertel von dem Werthe dessen, was er für das Nutzholz eingenommen hat, abzugeben.

Die gecharterten Schiffe[1]) stehen unter diesem Diwân und werden von den Capitainen auf bestimmte Zeit für einen gewissen Preis gemiethet, und wenn sie eine Ausbesserung nöthig haben, wird ihnen in dem Preise die Zeit angerechnet nach einem mäsigen Ueberschlag dieser Unterbrechung. Das Jahr wird dabei zu dreizehn Monaten gerechnet, fünf Monat auf dem Nil, wofür die Hälfte bezahlt werden muß, sieben Monat, wofür die zweite Hälfte fällig ist, zu gleichen Theilen, und der dreizehnte Monat ist zum Ausruhen ohne Antheilzahlung.

Ueber die bei Festlichkeiten auf dem Nil gebrauchten bunt bemalten Schiffe spricht *Calcaschandî* S. 209 und 212, und *Ibn 'Adsârî* S.

1) Dieser Ausdruck scheint dem Arabischen zu entsprechen, von لوح *tabula*, *charta*, ein aufgeschriebener Contract.

132 erwähnt, daß Abu Muslim Mançûr im J. 292 eine schnell segelnde Gondel زلاج zu Vergnügungsfahrten auf dem Landsee von Keirawân habe erbauen lassen.

Herzog Heinrich der Löwe und Wilhelm der Löwe, König von Schottland.

Von

R. Pauli.

Gewisse Partien der Geschichte Heinrichs des Löwen werden bekanntlich mehr aus englischen als aus deutschen Quellen erläutert. Die Ehe mit Mathilde, der ältesten Tochter König Heinrich II. von England, war der Anlaß, daß der Herzog, nachdem er im Streit mit Kaiser Friedrich I. und den deutschen Fürsten unterlegen, zweimal sein Exil in den englisch-normännischen Territorien verbrachte, daß seine Söhne in enger politischer Verbindung mit ihren Oheimen, den Königen Richard I. und Johann, erschienen und überhaupt durch mehrere Generationen eine bemerkenswerthe Gemeinschaft welfischer und englischer Interessen bestand. Noch im Jahre 1285 nannte sich Herzog Heinrich der Wunderliche von Grubenhagen Blutsverwandter Eduards I.[1]) Nicht von ungefähr also feiern die alten Wandgemälde im Braunschweiger Dom das Martyrium des Thomas Becket und zeigen eben dort die herrlichen Grabdenkmäler des Löwen und seiner Gemahlin den Stempel derselben Kunstschule

1) Geschichte von England IV, 47.

wie die freilich viel pietätsloser behandelten Sepulcralstatuen der ersten Anjoukönige im Erbbegräbniß zu Fontevrault. Unter den ältesten Schätzen der Wolfenbüttler Bibliothek begegnen Handschriften provençalischer Dichtung, die bei Gelegenheit der Vermählung Albrechts des Großen von Braunschweig mit Adelheid von Montferrat, welche der Sippe der Mutter Eduards I. angehörte, nach dem sächsischen Norden gekommen sein müssen.

Die allerwichtigsten Zeugnisse dieser dynastischen Verbindung indeß stecken selbstverständlich in gleichzeitigen geschichtlichen und urkundlichen Aufzeichnungen. Daß die Quelle letzterer Art bis nach Schottland reicht, ist, wie ich sehe, in deutschen Forschungen noch nicht bemerkt worden und verdient daher, auch wegen ihrer eigenthümlichen Natur eine nähere Mittheilung.

Als an Heinrich den Löwen der Spruch von Gelnhausen vollstreckt worden, war er im Sommer 1182 zu König Heinrich II. in die Verbannung gegangen, zunächst in die Normandie, von wo aus wahrscheinlich auch eine Wallfahrt nach St. Jakob von Compostella unternommen wurde, während seine Gemahlin nebst den bis dahin geborenen Kindern mit Ausnahme des jüngsten Lothar, der in Deutschland zurückgeblieben, in Argenton oder Rouen verweilte. In den nächsten drei Jahren lebte der verbannte Hof auf Kosten des Königs von England [1]). Dem Löwen und den Seinen gewährte das Ausland auch fernerhin den Titel, der ihnen daheim aberkannt worden war.

1) Rex maximas expensas fecit pro eo, cotidie scilicet 50 libras Andegavensium. Rob. de Monte, SS. VI, 532.

Erst nachdem Heinrich II., der über zwei Jahre aus zwingenden Gründen an seinen festländischen Territorien gefesselt gewesen, um England wieder zu besuchen, am Sonntag dem 10. Juni 1184 von der flandrischen Küste nach Dover übersetzte, ist ihm seine Tochter, die Herzogin von Sachsen, zwei Tage später gefolgt. Er sandte ihr sein eigenes Schiff zurück um sie bei stark bewegter See von Witsant, der damals dem Hafen von Calais häufig vorgezogenen Einschiffungsstelle, herüber zu holen [1]). Sie nahm in Winchester Wohnung, wo sie von ihrer Mutter Eleonore, welche der Vater in strengem Gewahrsam hielt, besucht werden durfte und wenige Tage später eines Sohns genas [2]), Wilhelm von Winchester oder der Engländer, doch wohl nach dem Eroberer, geheißen, von dem hernachmals die Häuser von Braunschweig und Lüneburg abstammen sollten. Schon vor der Geburt war, wie ein anderer Zeuge, der Dechant der Paulskirche in London, berichtet, auch Herzog Heinrich eingetroffen [3]) und über Dover und London

1) Mane die Dominica scilicet 4 idus Junii... transfretavit... et statim remisit eandem navem propter ducissam Saxonie filiam suam, quam ipse dimiserat apud Witsand. Ipsa vero die Martis proximo sequentis cum familia patris sui et sua non sine gravi periculo applicuit in Angliam apud Doveram, quassatis multis navibus. Gesta Henrici II. ed. Stubbs I, 312.

2) Regina Alienor, que iam in custodia tenebatur, permissa exire, usque ad Wintoniam adducta est ad loquendum cum filia sua, ducissa Saxonie, que in Anglia venerat pregnans, que paulo post peperit ibi filium. Ibid. pag. 313.

3) Rex venit in Angliam 8 idus Junii. Circa tempus hoc dux Saxonum cum familia, cum suppellectile sua regnum intravit Anglorum; et infra paucos dies ducissa Wintonie filium peperit, quem vocavit Willelmum. Radulfi de Diceto Ymagines Historiarum ed. Stubbs II, 22.

ebenfalls nach Winchester geeilt. Dort hat ihm, wie der am besten unterrichtete Zeitgenosse weiß, der König einen freudigen Empfang bereitet [1]).

Ein anderer gleichzeitiger Autor, Gervasius, Mönch der Domkirche zu Canterbury, läßt den verbannten Sachsenherzog erst zu St. Jacobi (Juli 25.) mit seiner schwangeren Gemahlin nach England kommen. Aber sichtlich entspringt die irrige Zeitangabe daraus, daß dieser Berichterstatter den Herzog im Juli in Canterbury sah, wohin er in des Königs Begleitung kam um am Schrein des h. Thomas anzubeten [2]). Daß Heinrich II. um diese Zeit Canterbury besuchte, ist auch sonst bezeugt [3]). Der Löwe ist Jahr und Tag in England verblieben und hat König Heinrich zunächst von Canterbury nach London [4]) und, wie wenigstens vermuthet werden darf, auch zu einem Gespräche mit dem Könige von Schottland begleitet.

Wilhelm der Löwe, seit 1165 der Nachfolger seines Bruders Malcolm IV., ein Enkel jenes David I., durch welchen das nationale Königthum der Schotten in der kirchlichen Einigung mit Rom und in dem normännischen Feudalismus neue Stützen erhalten hatte, war in mehr-

1) Gesta Henrici II., I, 316, cui rex ibidem obvius venit, cum magno gaudio suscipiens illum.

2) Venit in Anglia circa festum b. Jacobi apostoli... processuque temporis eundem regem, ut predictum est, in Angliam secutus a Cantuaritis honorifice susceptus est. Chronica Gervasii Cantuariensis in der neuen Ausgabe von Stubbs I, 310. 311.

3) Graf Theobald von Blois weilte dort vierzehn Tage mit dem Könige, Gesta I, 313.

4) Adorato itaque Deo et s. Thoma martyre Lundoniam perductus est et toto fere anno ad expensas regis in Anglicis deliciis perendinavit. Chron. Gervasii l. l.

facher Beziehung Vassall Heinrichs II. und zumal, seitdem er, im Jahre 1174 bei einem Einbruch in Northumberland gefangen genommen, die Freiheit wieder erlangt hatte, im eigenen Interesse dem mächtigen Fürsten zugewandt. In einer Fehde mit Gilbert Mac Fergus, dem Herrn von Galloway, der, ebenfalls Vassall der englischen Krone, in die schottischen Marken eingefallen war, hatte er sich im Sommer 1184 Genugthung verschaffen wollen, als er von Heinrichs Rückkehr von dem Festlande vernahm, sein Heer entließ und zu einer Begegnung mit dem Lehnsherrn nach Süden eilte. Man erfährt weder an welchem Tage, noch an welchem Orte dieselbe stattfand. Der Schotte, von seinem Kanzler, dem Bischof Hugo von St. Andrews, und anderen vornehmen Klerikern und Laien seines Reiches begleitet, wurde ehrenvoll von Heinrich empfangen, den er um die Hand seiner Enkelin Mathilde, der ältesten im Jahre 1172 geborenen Tochter der Herzogin von Sachsen, zu bitten kam, obwohl beide von Seiten Wilhelms im dritten, von Seiten der Jungfrau im fünften Grade verwandt waren [1]). Heinrich der II. hat den Antrag zwar nicht ungnädig aufgenommen, die Entscheidung aber doch dem Papste anheim zu geben empfohlen, durch dessen Dispens allein der Ehebund geschlossen werden könnte [2]). Da

1) Gesta I, 313. 314. Petiit ab eo sibi in uxorem dari neptem suam, scilicet Matildem filiam Matildis ducisse Saxonie, licet consanguinei essent in tertio gradu ex parte regis Scotie et in quinto gradu ex parte puelle. Folgen die Stammbäume. Habens et filiam nubilem sagt Rad. de Diceto II., 13 von Heinrich dem Löwen unter dem J. 1182, aber nicht vor 1185 eingetragen.

2) Respondit, rem bene processuram, Deo volente, sed dominum papam prius inde oporteret consulere, cuius consensu gratius negotium expleretur. Gesta 1. 1.

die Heirath nicht zu Stande kam, hat man mit Recht vermuthet, daß der Papst entweder die Zustimmung verweigerte oder, was ebenso wahrscheinlich, daß König Heinrich seine Gründe hatte, die dagegen sprachen. Als Balsam auf die Wunde scheint er bald hernach dem Könige Wilhelm das früher verwirkte Lehen von Huntingdon zurückgegeben zu haben[1]).

Um dieselbe Zeit datiert Wilhelm der Löwe ein öffentliches Instrument nach der Ankunft des Herzogs von Sachsen in England. Es ist dasselbe zwar nicht eine Urkunde im engeren Sinn (deed), wie Cosmo Jnnes[2]) sagt, der zuerst auf eine so ungewöhnliche Art der diplomatischen Zeitbestimmung aufmerksam gemacht hat. Sie findet sich vielmehr nach vielem Suchen, wobei ich dem gelehrten Vorstande des Staatsarchivs in Edinburgh, Herrn Thomas Dickson, zu lebhaftem Dank verpflichtet bin, in keiner anderen Urkunde als mit einer gewissen Feierlichkeit in einem Paragraphen von Statuten (Assise Willelmi regis), welche Wilhelm der Löwe mit seinen Ständen vereinbarte. Dort heißt es § 16: De warranto furti. Assise regis facte apud Perth die martis proxima ante festum omnium sanctorum coram episcopis abbatibus prioribus comitibus baronibus et aliis probis hominibus terre sue anno scilicet quo dux Saxonum primo venit in Angliam[3]). Si quis calumpniatus fuerit de furto etc.

Das merkwürdige Actenstück ist in einer

1) E. W. Robertson, Scotland under her early kings I, 386.

2) Lectures on Scotch Legal Antiquities p. 81.

3) So die Handschrift nach Dickson, und nicht Anglia, wie es im Drucke heißt.

werthvollen Handschrift aus dem Ende des 13. Jahrhunderts erhalten, die einst während Cromwells Protectorat von dem Agenten der Schweizer Eidgenossen angekauft und lange Zeit in der Berner Bibliothek bewahrt wurde, bis sie im Herbst 1814 durch Vermittlung Lord Castlereaghs von der damaligen Schweizer Regierung in artigster Weise der britischen zurückerstattet worden ist. Jetzt sind diese Statuten abgedruckt im ersten, kürzlich in neuer Auflage durchpaginierten Bande der Acts of the Parliaments of Scotland, der betreffende Paragraph p. 376 zu vergleichen p. 177.

Das Gesetz ist nach unserer Bezeichnung also erlassen worden am Dienstag vor Allerheiligen 1184, ein Tag, welcher in diesem Jahre auf den 28. October fiel, auf einem Hoftage Wilhelms des Löwen in Perth, wahrscheinlich bald nach seiner Begegnung mit Heinrich II., während das *primo* allerdings auf eine spätere Redaction schließen läßt. Ein öffentlicher Act, datiert nach einer höchst persönlichen Angelegenheit, welche den heirathslustigen Schottenkönig mit dem verbannten Welfenherzog in Beziehung brachte. Das Verfahren wäre in der That ganz singulär, wenn nicht ähnliche Beispiele auf einen älteren diplomatischen Brauch der schottischen Kanzlei schließen ließen, die sich denn auch in der That im zwölften Jahrhundert eine feste Rechnung nach Christi Geburt oder nach den Regierungsjahren der Könige noch nicht angeeignet hatte. Wilhelms Vorgänger König Malcolm IV. (1153—1165), der im Jahre 1159 von Heinrich II. von England in Tours zum Ritter geschlagen wurde, datierte hierauf: *postquam arma suscepi* und, nachdem er mit einem trotzigen Vassallen, dem Herrn der Inseln Somarled

Mac Gillebride, Frieden geschlossen: *post concordiam regis et Sumerledi*, und wiederum, nachdem dieser sich abermals erhoben, er aber ihn bezwungen hatte: *post devictum Somerledum*, Ereignisse, welche innerhalb der Jahre 1159 und 1164 fallen[1]). Wilhelms des Löwen Kanzlei befolgte demnach wie die des älteren Bruders dieselbe laxe Zeitbestimmung, die trotz der eingreifenden kirchlichen und staatlichen Reformen ihres Großvaters David I. noch bei der alten Weise keltischer und angelsächsischer Vorfahren beharrte.

Weitere Beziehungen des Schottenkönigs zu Heinrich dem Löwen lassen sich aus den vorhandenen Quellen nicht nachweisen. Der Aufenthalt des letzteren während seines ersten Exils ist indeß einigermaßen zu verfolgen. Ende November weilte er mit seiner Familie in Westminster, feierte dann Weihnachten in Windsor, wo allerdings auch David, ein jüngerer Bruder Wilhelms des Löwen, sich einfand, vertraute seit Anfang 1185 gleich seinem Schwiegervater der Aussicht, daß Kaiser Friedrich ihm die Rückkehr gestatten würde, und trat dann im October, in Begleitung seiner Gemahlin und der Königin Eleonore wie es scheint, von Portsmouth aus über die Normandie, die Heimfahrt in sein Erbland an[2]).

Ueber die letzten Monate des englischen

1) Cosmo Jnnes, Lectures on Scotch Legal Antiquities p. 31 und E. W. Robertson, Scotland under her early kings I, 354. 359.

2) Gesta I, 319. 333. 334. Chron. Gervasii Cantuar I, 326 transfretavit hoc anno mense ... in Normanniam, der Monat fehlt in den Handschriften, und Rad. de Diceto Ymagines Historiarum II., 38. cf. Annales Weingartenses Welfici SS. XVII, 309 post festum sancti Michahelis de Anglia reversus est.

Aufenthalts ist bisher eine urkundliche Quelle von der deutschen Forschung völlig übersehen worden, obwohl sie allerlei interessante Fingerzeige bietet. Aus dem Rotulus Magnus Pipae 31 Henr. II. (19. Dec. 1184 — 18. Dec. 1185) nämlich theilt Madox in seiner unschätzbaren History of the Exchequer II., 339 ed. 1769, speciell aus der Abrechnung mit dem Sheriff von Sudhantescire, wohin Winchester, Porchester und Portsmouth gehören, Folgendes mit:

Et pro frumento et ordeo et melle ad cerevisiam faciendam ad opus ducis Saxoniae 86 s. et 10 d. per breve regis et per visum Galfridi de Cariate. Et pro ducenda roba ducis et ducissae Saxoniae a Wintonia usque Londoniam 20 s. et per idem breve. Et in liberatione octo servientium regis cum duohus equis qui moram faciunt apud Wintoniam cum harnasio eius a festo s. Ambrosii (April 4.) usque ad festum s. Michaelis (Sept. 29.) 19 L. et 13 s. et 6 d. per breve regis. Et in expensa ducis Saxoniae a Wintonia usque Londoniam 78 s. per breve regis. Et Radulfo filio Stephani 13 L. ad procurationem regiuae et ducis Saxoniae apud Porcestriam et Portesmuam per breve regis. Et item ad procurationem Willelmi iunioris filii ducis et familiae suae a festo Annuntiationis (März 25.) usque ad festum s. Michaelis (Sept. 29.) 28 L. et 2 s. et 9 d per breve regis.

Da diese Ausgaben für das 31. Regierungsjahr Heinrichs II. berechnet werden, können sie nur dem Jahre 1185 angehören. Aehnliches zum zweiten Exil findet sich in dem Magnus Rotulus Pipae, Ric. I. (3. Sept. 1189 — 2. Sept. 1190) herausgegeben von der Record Commission 1844.

Die verwantschaftliche Gruppierung der altgermanischen Dialekte.

(Vorläufige Mittheilung).

Von

Ad. Bezzenberger.

Die Mehrzahl der heutigen Sprachforscher ist der Ansicht, das germanische Urvolk habe sich in Ostgermanen (Vandilier) und Westgermanen (Sueben) gespalten, und aus dem ostgermanischen Aste seien Skandinavier und Goten hervorgegangen, während sich der westgermanische zu Irminonen, Ingävonen und Istävonen oder zu Hochdeutschen und Niederdeutschen (in weiterem Sinne) entwickelt habe. Ich halte diese Ansicht für unrichtig und glaube mit sprachlichen Gründen beweisen zu können, daß sich das germanische Urvolk zunächst vielmehr in einen gotischen (ostgermanischen) und einen nicht-gotischen Ast trennte, und daß dieser letztere sich weiterhin in Skandinavier (Nordgermanen) und Westgermanen (d. h. den Stamm, aus welchem Hochdeutsche und Niederdeutsche hervorgegangen sind) verzweigte — eine Ansicht, die schon Förstemann in Kuhns Zeitschrift XVIII, 163 f. ausgesprochen und in seiner Geschichte d. deutsch. Sprachstammes (vgl. besonders II, 247 ff.) zu begründen versucht hat. Als Hauptstützpunkte derselben hebe ich hervor:

1) Got. *ê* = skandinav.-westgerm. *â* (z. B. got. *sêhvun* = altnord. *sá*, althochd. *sâhun*, altsächs. *sâhun*, altniederfränk. *sâgon*, angelsächs. *sâvon*, altwestfries. *sâgen*);
2) skandinav.-westgerm. *ĕ*, *ŏ* = got. *ĭ*, *ŭ* (z. B. altnord. altfries. *meta*, altniederfränk. an-

gelsächs. *metan*, ahd. *me n* = got. *mitan*; altnord. *lokinn*, althochd. *lohhan*, altsächs. *lokan*, angelsächs. *locen* = got. *lukans*;

3) skandinav.-westgerm. *r* = got. *z* (*s*) (z. B. altnord. *heyra*, althochd. *hôrran*, altsächs. *hôrean*, altniederfränk. *hôran*, angelsächs. *hŷran*, altfries. *hêra* = got. *hausjan*).

Vielleicht ist auch der in den skandinavischen und westgermanischen Dialekten hervortretende *i*-Umlaut des *a* ein Kriterium der von mir behaupteten Spaltung; ich wage jedoch nicht, ihn dafür zu erklären, besonders mit Rücksicht auf die Sprache der älteren Runeninschriften und auf die Thatsache, daß jener Umlaut z. B. in die Sanctgallischen Namen »beinahe vor unseren Augen einzudringen scheint« (Henning Ueber die Sanctgallischen Sprachdenkmäler S. 110 ff.).

Den hervorgehobenen Hauptstützpunkten steht eine große Menge von bestätigenden Thatsachen zur Seite; ich hebe aus ihrer Zahl hervor: got. hausi*dêdun* = altnord. heyr*ðu*, althochd. hôr*tun*, altsächs. hôr*dun*, altniederfränk. hôr*don*, angelsächs. hŷr*don*, altfries. hêr*don*; die verschiedenen Erscheinungsformen der reduplicierten Präterita im Gotischen einerseits und in den skandinavisch-westgerman. Dialekten andererseits; got. *bauan*, *binauan*, *trauan* neben altnord. *búa*, *gnúa*, *trúa*, althochd. *pûan*, *nûwen*, *trûên*, altsächs. *bûan*, *trûôn*, altniederfränk. *bûôn*, *trûôn*, angelsächs. *bûvan*, *trûvian*, altfries. *bûwa*; die Bewahrung der verbalen Dualformen und der Adverbien auf *ba* im Gotischen gegenüber ihrer Einbuße in allen anderen Dialekten (vgl. jedoch die unsicheren Vermutungen J. Grimms in Pfeiffers Germania I, 485); got. *bajoþs* (starke form) neben altnord. *báðir*, althochd. *bêdê*, altsächs. *bêđie*, altfries. *bêthe* (schwächste form [1]); vgl. skr. *nápât* : *naptî*); got. *baitrs* neben altnord. *bitr*, althochd. *pittar*, altsächs. *bitar*, angelsächs. *bittor*.

Was die Argumente anlangt, welche für die von mir bestrittene Ansicht angeführt sind oder angeführt werden können, so sind sie theils unrichtig, theils beweisen sie nicht, was sie sollen. Gewiß ist es richtig, daß ursprünglich auslautendes *s* im Westgermanischen im allgemeinen fehlt (Scherer Zur Geschichte der deutschen Sprache [2] S. 179), daß die unter bestimmten Bedingungen hier eintretende Consonantenverdoppelung — oder wie Paul in seiner scholastischen Weise sagt »Consonantendehnung« — im allgemeinen den skandinavischen Dialekten und dem Gotischen fremd ist, daß Gotisch und Nordisch mit Rücksicht auf die Behandlung des *v* nach kurzem Vokal den übrigen deutschen Sprachen gegenüberstehen (Holtzmann Altdeutsche Grammatik I, 95, 128) — aber was beweisen diese Thatsachen sowie die, welche man ihnen mit Recht zur Seite stellen kann? Doch nur, daß die westgermanischen Dialekte eine Periode gemeinsamer Entwicklung durchlebt haben, die zu manchen Neuerungen führte, durch welche ein Gegensatz zwischen ihnen einerseits und dem Nordgermanischen und Gotischen andererseits geschaffen wurde, nicht aber, daß die letztge-

1) Eine andere, vielleicht schon von anderen erkannte Spur von flexivischer Formabstufung im Germanischen bieten altnord. *hêri* und angelsächs. *hara*, verglichen mit althochd. *haso;* man erkennt mit Hilfe dieser Formen deutlich eine Flexion *hásô*: *hasnós*. Wegen des *é* von *héri* vgl. Wimmer Fornnordisk Formlära [Lund 1874] §. 12., Anm. 2. *Héri* steht neben *haso* ebenso wie *hifinn* neben *himinn* (Holtzmann Altd. Gramm. I, 118).

nannten Dialekte eine besondere Spracheinheit bilden. Das, worin sie übereinstimmen, sind lediglich einige Alterthümlichkeiten, die zufällig in beiden gleichmäßig bewahrt sind.

Zur Kenntniß der physiologischen Rückbildung der Eierstockseier bei Säugethieren.

Von

Dr. A. v. Brunn.

(Vorgelegt von J. Henle.)

Bei der Untersuchung gefärbter Schnitte des Hundeeierstockes stieß ich auf eine sehr große Anzahl von in Rückbildung begriffenen Fallikeln und Eiern; ich bespreche die erhaltenen Resultate nur an dieser Stelle ganz kurz, weil ich erfahren habe, daß bereits anderwärts über denselben Gegenstand gearbeitet wird.

Zunächst bestätigten sich die Resultate von Pflüger (Ueber die Eierstöcke der Säugethiere etc. Leipzig 1863) und Wagner (Archiv f. Anat. u. Phys. 1879), daß bei der Zerstörung des bereits von der Zona umschlossenen Eies Zellen, welche durch erstere einwandern, die Hauptrolle spielen; ob diese Zellen Elemente der Membr. granulosa sind, wie die genannten Autoren wollen, oder amöboide, von außen in den Fallikel eingedrungene Zellen, wie Schneider (Zool. Anzeiger, 12. Jan. 1880, No. 46) von Hirudineen angiebt, habe ich nicht untersucht.

Betreffend das weitere Verhalten der eingewanderten Zellen, so kann ich Wageners Angaben Folgendes hinzufügen: Dieselben platten sich zunächst zwischen Zona und Dotter ab, wodurch der Anschein erzeugt wird, als sei die Innenfläche der ersteren mit einem Endothel ausgekleidet. Die Eier selbst sind bis dahin und auch noch in diesem Stadium kugelig, Keimbläschen und Keimfleck wohl erhalten, nur der Dotter dunkler und stärker körnig, als bei den übrigen. Dieser Zustand scheint nur sehr kurze Zeit zu bestehen, — wenigstens habe ich ihn in mehr als 40 Präparaten, von denen jedes mindestens 12 in Rückbildung begriffene Eier enthält, nur 5 mal deutlich gesehen. Dann schwindet der Dotter, während die sich aufblähenden eingewanderten Zellen seinen Raum einnehmen, den sie meist nicht ganz ausfüllen. Erst nach dem vollständigen Schwunde des Dotters giebt die Zona die Hohlkugelform auf und fällt zusammen, — was wohl darin seinen Grund hat, daß die von ihr umschlossenen Zellen sich in ein Gallertgewebe mit sternförmigen Zellen verwandeln, deren Ausläufer nachträglich sich verkürzen. Solch' zusammengefallene Zonae sind sehr häufig; sie enthalten neben Zellen und Zellenresten häufig einige Schollen dunkelgelben Pigments.

Die Membr. granulosa verhält sich während des Rückbildungsvorganges nicht immer gleich; meist schwindet sie bis auf unbedeutende Reste, bevor eine Zelleneinwanderung durch die Zona erfolgt; in selteneren Fällen erhält sie sich bis zur vollständigen Lösung des Dotters.

Die geschlechtliche Fortpflanzung von Dasycladus clavaeformis Ag.

Von

G. Berthold,
Assistent an der zool. Station zu Neapel.

(Vorgelegt von Graf zu Solms.)

Nachdem wir durch die vor zwei Jahren erschienene Monographie von de Bary und Straßburger über Acetabularia mediterranea [1]) mit der geschlechtlichen Fortpflanzung dieser merkwürdigen Alge bekannt geworden sind, lag die Vermuthung nahe, daß auch bei Dasycladus clavaeformis die Schwärmer copuliren würden. Als daher dem Verfasser dieses am letzten September vorigen Jahres aus dem Golf von Baiae eine Anzahl fructificirender Exemplare dieser Pflanze zugebracht wurden, richtete derselbe sein Hauptaugenmerk auf den Punkt, ob bei den Schwärmsporen Copulation stattfinde oder nicht.

Die ersten genaueren Angaben über die Fructification von Dasycladus verdanken wir Derbès und Solier [2]), später hat sie Hauck [3]) wieder beschrieben und die Angaben von Derbès und Solier im wesentlichen bestätigt.

Die großen kugligen Sporangien [4]) entstehen einzeln an der Spitze den Quirläste umgeben von den Aestchen zweiter Ordnung. Mit einem kurzen, dünnen Stiel sitzen sie dem Quirlast auf, durch denselben tritt in die heranwachsenden

1) Bot. Zeitg 1877 pag. 713.

2) Mémoire sur quelques points de la physiologie des algues, pag. 44.

3) Oesterreichische bot. Zeitschrift. 1878 pag. 78 f.

4) Da die in ihnen entstehenden Schwärmer geschlechtliche sind und copuliren, so soll weiterhin die von Straßburger l. c. vorgeschlagene Nomenclatur angewandt werden.

Gametangien fast alles Plasma der fructificirenden Pflanze ein, so daß letztere nunmehr ganz farblos erscheint jedoch mit einer großen Zahl dunkelgrüner Punkte besetzt ist. Ist der Uebertritt des Plasma vollzogen so schließt sich die Oeffnung des Stiels durch einen braunen Pfropf.

Im Gametangium bildet das Plasma einen dicken, undurchsichtigen Wandbeleg, doch bleibt an der der Pflanze zugekehrten Seite öfter eine hellere Partie von wechselnder Größe. Durch simultane Theilung zerfällt der Inhalt in die einzelnen Gameten, welche in mehreren Lagen die Wand des Gametangium bedecken. Sie werden entleert durch einen Riß an der äußeren Seite des letzteren und breiten sich bald lebhaft schwärmend im umgebenden Wasser aus. Zugleich mit ihnen tritt in großer Menge der für Dasycladus eigenthümliche gelblichgrüne Farbstoff aus, so wie körnige Bildungen, welche bei der Bildung der Gameten zurückblieben.

Die Gameten sind von stark abgeplatteter Gestalt, von der flachen Seite herzförmig; in der Mitte der vorderen breiteren Seite, an der Spitze eines kurzen farblosen Vorsprunges sitzen zwei lange Cilien. Ein rother Punkt konnte nicht wahrgenommen werden. Der helle Fleck in der Nähe der Anheftungsstelle der Cilien entspricht dem Zellkern, er läßt sich durch Färbungsmittel (alkoholische Cochenillelösung, Haematoxylin) leicht nachweisen. Zerdrückt man ein Gametangium vor der Bildung der Gameten, so kann man in der Masse auch ohne Färbung die Kerne als kleine elliptische Körper mit deutlichem Nucleolus wahrnehmen. Auch die vegetative Pflanze enthält zahlreiche Kerne; dieselben sind aber von sehr verschiedener Größe, immer kleiner als die Kerne im Gametangium und schwieriger nachzuweisen.

Die fructificirenden Exemplare wurden einzeln in kleineren Glasgefäßen cultivirt. Am 1. October entließ nur ein Exemplar wenige, zum Theil mißgestaltete Schwärmer. Am folgenden Tage erfolgte der Austritt reichlicher und zwar entließen zwei Exemplare fast gleichzeitig um 4½ Uhr Nachmittags die Gameten. Bei der mikroscopischen Untersuchung ergab sich, daß die von einer Pflanze stammenden Gameten nicht copuliren, sie verhalten sich vollkommen indifferent gegen einander. Auch als zahlreiche Gameten enthaltende Wassertropfen aus den zwei Gefäßen, in welchen der Austritt stattgefunden hatte im hohlgeschliffenen Objectträger vereinigt wurden erfolgte keine Reaction.

Um 4¾ entließen bald nacheinander zwei weitere Exemplare die Gameten. Auch diesmal copulirten weder die Gameten von einer Pflanze unter sich noch solche von diesen beiden Exemplaren. Dagegen erfolgte die Copulation sehr reichlich, als Gameten von einer der beiden ersten Pflanzen mit solchen von einer der letzten beiden zusammen gebracht wurden. Die Vereinigung erfolgt sehr rasch; in kaum einer Minute war sie bei der größeren Mehrzahl vollzogen. Viele Gameten gelangten jedoch nicht zur Copulation. Einige male wurden jene Copulationsknäuel beobachtet, wie sie Straßburger für Acetabularia beschrieben hat.

Die Einzelstadien des Copulationsvorganges lassen sich am lebenden Material nicht gut studiren, besser eignen sich hierzu solche Präparate in denen durch Einwirkung einer Spur von Osmiumsäure Alles momentan abgetödtet ist. Hiernach legen sich die Gameten entweder mit den flachen oder auch mit den schmalen Seiten paarweise an einander, die Verschmelzung erfolgt zuerst in der Mitte und schreitet von hier nach vorn und nach hinten vor, so jedoch, daß am hinteren Ende noch eine Einkerbung vorhanden ist, wenn vorn die beiden Kerne und die Schnäbel schon verschmolzen sind. Während und nach der Copulation schwärmen die Zygoten sehr lebhaft, am nächsten Morgen, circa 16 Stunden nach der Copulation waren sie noch nicht alle zur Ruhe gekommen. Andere hatten sich abgerundet und begannen bald darauf zu keimen.

Die nicht copulirten Gameten schwärmten über einen Tag lang, schließlich gingen sie ohne zu keimen zu Grunde.

Zum Schluß mag noch ausdrücklich hervorgehoben werden, daß weder an den fructificirenden Exemplaren noch an den Gameten irgend eine morphologische Verschiedenheit constatirt werden konnte; daß aber physiologisch eine strenge geschlechtliche Differenzirung in männliche und weibliche Pflanzen vorhanden ist geht aus den verschiedenen Beobachtungen klar hervor.

Bezüglich der Ausfüllung der in der obigen Darstellung noch vorhandenen Lücken, sowie einer Erläuterung der Angaben durch Zeichnungen darf ich hier noch auf eine demnächstige monographische Bearbeitung der Dasycladeen verweisen, welche wir von der Hand des Herrn Prof. Grafen H. zu Solms-Laubach zu erwarten haben.

Neapel den 9. Januar 1880.

Zur Theorie der zahlentheoretischen Functionen.

Von

Prof. **Georg Cantor** in Halle a/S.

Corresp. der K. Ges. d. W.

Eine kürzlich von Herrn R. Lipschitz in den C. R. der Pariser Akademie (8ten Dec. 1879) veröffentlichte Notiz über die Sätze:

$$(1) \qquad \sum_n f(n) . n^{-s} = (\zeta(s))^2,$$

$$(2) \qquad \sum_n g(n) . n^{-s} = \zeta(s)\, \zeta(s-1),$$

$$(3) \qquad \sum_n \varphi(n) . n^{-s} = \frac{\zeta(s-1)}{\zeta(s)},$$

(wo $\zeta(s) = \sum_n n^{-s}$, $f(n)$ die Anzahl der Divisoren von n, $g(n)$ die Summe derselben, $\varphi(n)$ die Anzahl der Zahlen ist, welche rel. prim. zu n und kleiner als n sind; wo in den Summen der Buchstabe n, wie auch im Folgenden die Buchstaben ν, μ, ν_0, ν_1, . . . etc. alle positiven ganzen Zahlen zu durchlaufen haben, wenn nicht Besonderes über sie bestimmt wird)

brachte mir eine Untersuchung wieder in Erinnerung, welche ich vor einer längeren Reihe von Jahren unter dem Eindrucke der Arbeit Riemanns: Ueber die Anzahl der Primzahlen unter einer gegebenen Größe (Monatsb. d. Berl. Akad. Nov. 1859) ausgeführt und in welcher ich nicht nur jene, sondern auch noch allgemeinere

Sätze entwickelt und Folgerungen aus ihnen gezogen habe, wovon ich hier Einiges mitheilen möchte.

Die oben angeführten Sätze und alle desselben Charakters beruhen auf der von Lejeune Dirichlet häufig gebrauchten Eulerschen Identität:

$$(4) \qquad \prod_p \sum_\alpha \psi(p^\alpha) p^{-\alpha s} = \sum_n \psi(n) . n^{-s},$$

wo der Buchstabe α die Zahlen 0, 1, 2, 3, ... zu durchlaufen hat, während in dem Producte der Buchstabe p alle Primzahlwerthe 2, 3, 5, 7, 11, ... erhält; es bedeutet $\psi(n)$ irgend eine Function von n, welche der Functionalgleichung:

$$(5) \qquad \psi(m)\, \psi(n) = \psi(mn)$$

genügt, wenn m und n rel. prim. zu einander sind.

Unter $\eta(n)$ verstehen wir im Folgenden diejenige zahlenth. Function, welche, wenn n durch kein von 1 verschiedenes Quadrat theilbar ist die Werthe $+1$ oder -1 erhält, je nachdem die Anzahl der in n aufgehenden Primzahlen gerade oder ungerade ist; in den übrigen Fällen hat $\eta(n)$ den Werth 0. Man hat alsdann

$$(6) \qquad \sum_n \eta(n) . n^{-s} = \frac{1}{\zeta(s)}.$$

Die Gleichung (3) läßt sich in folgender Form schreiben:

$$\sum_\mu \mu^{-s} . \sum_\nu \varphi(\nu) \nu^{-s} = \sum_n n . n^{-s}$$

und ergiebt, wenn beide Seiten verglichen werden, den bekannten Satz:

$$(7) \qquad \sum_{\nu} \varphi(\nu) = n,$$

wo die Summation über alle Zahlen ν auszudehnen ist, welche der Gleichung $\nu\mu = n$ genügen, d. h. über alle Divisoren ν von n.

Multiplicirt man aber die aus (3) fließenden ϱ Gleichungen:

$$\sum_{\nu_0} \varphi(\nu_0)\nu_0^{-s} = \frac{\zeta(s-1)}{\zeta(s)}; \quad \sum_{\nu_1} \varphi(\nu_1)\nu_1^{-(s+1)} = \frac{\zeta(s)}{\zeta(s+1)}; \quad \ldots\ldots \sum_{\nu_{\varrho-1}} \varphi(\nu_{\varrho-1})\nu_{\varrho-1}^{-(s+\varrho-1)} = \frac{\zeta(s+\varrho-2)}{\zeta(s+\varrho-1)}$$

ineinander und mit der Gleichung:

$$\sum_{\nu_\varrho} \nu_\varrho^{s+\varrho-1} = \zeta(s+\varrho-1),$$

so erhält man den allgemeineren Satz:

$$(8) \quad \sum_{\nu_0, \nu_1, \ldots \nu_{\varrho-1}} \nu_0^{\varrho-1}\nu_1^{\varrho-2}\ldots\nu^2_{\varrho-3}\nu^1_{\varrho-2}\varphi(\nu_0)\varphi(\nu_1)\ldots\varphi(\nu_{\varrho-1}) = n^\varrho.$$

Hier ist die Summe auszudehnen über alle verschiedenen Lösungen $\nu_0, \nu_1, \ldots \nu_{\varrho-1}$ der

Gleichung:

$$\nu_0 \, \nu_1 \, \nu_2 \ldots \nu_{\varrho-1} \, \nu_\varrho = n.$$

Daß dieser Satz (8) auch auf rein zahlentheoretischem Wege als eine Folge von (7) (freilich nicht durch Potenzirung) abgeleitet werden kann, geht schon aus dem bekannten Umstande hervor, daß der Satz (7) für die Function $\varphi(n)$ bestimmend ist, indem nur $\varphi(n)$ dieser Gleichung genügt.

Ist $f_{\varrho-1}(n)$ die Anzahl jener Lösungen, so genügt $f_{\varrho-1}(n)$ der Functionalgleichung (5) und wenn p eine Primzahl ist, so hat man:

$$(9) \quad f_{\varrho-1}(p^\alpha) = \frac{(\alpha+1)(\alpha+2)\ldots(\alpha+\varrho)}{1.2.3\ldots\varrho}.$$

Daraus folgt unter Anwendung von (4):

$$(10) \qquad \sum_n f_{\varrho-1}(n)\, n^{-s} = (\zeta(s))^{\varrho+1}.$$

Im engen Zusammenhange mit $f_{\varrho-1}(n)$ steht eine Function $\Theta_{\varrho-1}(n)$, die auch der Functionalgleichung (5) unterworfen ist und für welche, wenn p eine Primzahl ist:

$$(11) \; \Theta_{\varrho-1}(p^\alpha) = \frac{(\alpha+1)(\alpha+2)\ldots(\alpha+\varrho)-(\alpha-1)(\alpha-2)\ldots(\alpha-\varrho)}{1.2.3\ldots\varrho}.$$

Man erhält bei Anwendung von (4):

$$(12) \qquad \sum_n \Theta_{\varrho-1}(n)\, n^{-s} = \frac{(\zeta(s))^{\varrho+1}}{\zeta(\varrho+1\,s)}.$$

und es ergeben sich nun aus (6), (10) und (12) leicht die Sätze:

$$(13)\ \sum_{\nu} f_{\varrho-2}(\nu) = f_{\varrho-1}(n); \ldots \{\nu\mu = n\}.$$

$$(14)\ \sum_{\nu} \Theta_{\varrho-1}(\nu) = f_{\varrho-1}(n); \ldots \{\nu\mu^{\varrho+1} = n\}.$$

$$(15)\ \sum_{\nu,\mu} \eta(\mu) f_{\varrho-1}(\nu) = \Theta_{\varrho-1}(n); \ldots \{\nu\mu^{\varrho+1} = n\}.$$

Wir haben hier neben jede dieser Formeln in Klammer $\{\ldots\}$ die Gleichung gesetzt, welcher in der hetreffenden Summe die Buchstaben ν, μ unterworfen sind.

Im Besondern erhält man aus diesen Sätzen folgende Resultate: es ist

$$\Theta_0(p^\alpha) = 2;\ \Theta_1(p^\alpha) = 3\alpha;\ \Theta_2(p^\alpha) = 2(\alpha^2+1);$$
$$\Theta_3(p^\alpha) = \tfrac{5}{6}\alpha(\alpha^2+5);$$

versteht man daher, wenn $n = p^\alpha\, q^\beta\, r^\gamma \ldots\ldots$, unter $\varpi(n)$ die Anzahl der verschiedenen Primzahlen $p, q, r, \ldots$, unter $\varkappa(n)$ das Product $\alpha\beta\gamma\ldots\ldots$, unter $\lambda(n)$ das Product $(\alpha^2+1)(\beta^2+1)\ldots\ldots$; unter $\lambda_1(n)$ das Product: $(\alpha^2+5)(\beta^2+5)\ldots\ldots\ \varkappa(1) = 1$; $\lambda(1) = \lambda_1(1) = 1$; so hat man:

$$(16)\ f(n) = \sum_{\nu} 2^{\varpi(\nu)} \ldots\ldots\ldots \{\nu\mu^2 = n\}.$$

$$(17)\ f_1(n) = \sum_{\nu} 3^{\varpi(\nu)} \varkappa(\nu) \ldots\ldots \{\nu\mu^3 = n\}.$$

$$(18)\ f_2(n) = \sum_{\nu} 2^{\varpi(\nu)} \lambda(\nu) \ldots\ldots \{\nu\mu^4 = n\}.$$

$$(19) \quad f_3(n) = \sum_{\nu} \left(\tfrac{5}{6}\right)^{(\nu\varpi)} \varkappa(\nu)\lambda_1(\nu) \ldots \{\nu\mu^5 = n\}.$$

Durch Vergleichung der Formeln (1), (2), (3), (10) ergeben sich noch die Sätze:

$$(20) \qquad g(n) = \sum_{\nu,\mu} \varphi(\nu) f(\mu); \ldots \{\nu\mu = n\}.$$

$$(21) \qquad n f(n) = \sum_{\nu,\mu} \varphi(\nu) g(\mu); \ldots \{\nu\mu = n\}.$$

$$(22) \quad \sum_{\nu,\mu} f(\nu) g(\mu) = \sum_{\mu,\nu} \mu f_1(\nu); \ldots \{\nu\mu = n\}.$$

Bei Anwendung der Formel (4) findet man noch folgende Sätze:

$$(23) \qquad \sum_{n} \varkappa(n) \quad n^{-s} = \frac{\zeta(s)\,\zeta(2s)\,\zeta(3s)}{\zeta(6s)},$$

$$(24) \qquad \sum_{n} \varrho(n) \quad n^{-s} = \frac{\zeta(2s)}{\zeta(s)},$$

$$(25) \qquad \sum_{n} \sigma(n) \quad n^{-s} = \frac{\zeta(s)\,\zeta(2s)}{\zeta(3s)},$$

wo, wenn $n = p^\alpha q^\beta r^\gamma \ldots$, : $\varrho(n) = (-1)^{\alpha+\beta+\gamma+\ldots}$ und

$$\sigma(n) = \frac{3+(-1)^\alpha}{2} \cdot \frac{3+(-1)^\beta}{2} \cdot \frac{3+(-1)^\gamma}{2} \cdots$$

$$\varrho(1) = \sigma(1) = 1.$$

Zu diesen Formeln könnten wir manche anderen hinzufügen, welche sich aus demselben Principe ergeben und verschiedene Folgerungen zulassen; es würde dies jedoch hier zu weit führen.

Um die hier vorkommenden zahlentheoretischen Functionen $\varphi(n)$, $f(n)$, $g(n)$, $\eta(n)$, etc. ... in analytische Formen zu bringen, bedienen wir uns einer Methode, welche derjenigen verwandt ist, welche Lejeune Dirichlet, Riemann und Kronecker (man vergl. Monatsb. d. Berl. Akad. Febr. 1838, Nov. 1859 und Jan. 1878) in ähnlichen Fällen gebraucht haben *).

Sei $\psi(n)$ irgend eine zahlentheoretische Function der ganzen, positiven Zahl n, welche nur die Bedingung erfüllt, daß die unendliche Reihe:

$$(26) \qquad \sum_n \psi(n)\, n^{-s} = F(s)$$

für solche complexe Werthe von $s = u + vi$, in welchen u positiv ist und eine angebbare Grenze überschreitet, absolut convergirt. Sei σ ein reeller positiver, im Folgenden als constant gebrauchter Werth von s, für welchen jene Bedingung erfüllt ist, so daß sicher die Reihe:

$$(27) \qquad F(\sigma + s) = \sum_n \psi(n)\, n^{-\sigma} . n^{-s}$$

für alle Werthe von $s = u + vi$, in welchen u nicht negativ ist, absolut convergirt.

Wir betrachten die Function $F(s)$ für die Werthe von s, für welche die Reihe (26) convergirt, als bekannt, was beispielsweise für die Annahmen $\psi(n) = f(n)$, $g(n)$, $\varphi(n)$, $\varkappa(n)$ durch die Sätze (1), (2), (3), (23) erfüllt ist, und suchen aus $F(s)$ einen Ausdruck für $\psi(n)$ zu gewinnen.

1) Man vergleiche noch: Dirichlet, Ueber die Best. d. mittleren Werthe etc. Abh. d. Berl. Ac. 1849; ferner: Dirichlet, Sur l'usage etc., Crelle J. Bd. 18, und Recherches etc. Crelle J. Bd. 19 und 21.

Zu dem Ende führen wir hülfsweise eine Function $G(x)$ durch die für alle Werthe von x, deren reeller Theil nicht negativ ist, absolut und gleichmäßig convergente Reihe ein:

$$(28) \qquad G(x) = \sum_n \psi(n)\, n^{-\sigma}\, e^{-nx}.$$

Es ist bekanntlich, unter $\Gamma(s)$ die Euler-Legendresche Function verstanden:

$$n^{-s}\,\Gamma(s) = \int_0^\infty e^{-nx}\, x^{s-1}\, dx,$$

und daher:

$$F(\sigma + s)\,.\,\Gamma(s) = \int_0^\infty G(x)\, x^{s-1}\, dx.$$

Setzt man hierin $x = e^y$, $s = u + vi$, wo $u \gtreqless 0$, so kommt:

$$F(\sigma + s)\,.\,\Gamma(s) = \int_{-\infty}^{+\infty} G(e^y)\, e^{y(u+vi)}\, dy.$$

Diese Gleichung werde mit $\frac{1}{2\pi}\, e^{-iv\eta}\, dv$ multiplicirt und nach v in den Grenzen $-\infty$ und $+\infty$ integrirt.

Unter Anwendung der bekannten Fourierschen Formel:

$$(29) \quad f(\eta) = \frac{1}{2\pi} \int_{-\infty}^{+\infty} dv \int_{-\infty}^{+\infty} f(y)\, e^{iv(y-\eta)}\, dy$$

auf die Function $f(\eta) = G(e^\eta) \, . \, e^{\eta u}$ erhält man:

$$\frac{1}{2\pi} \int_{-\infty}^{+\infty} F(\sigma + s) \; \Gamma(s) \; e^{-iv\eta} \, dv = G(e^\eta) \; e^{\eta u}$$

und wenn man in dieser Gleichung η durch $y = \log x$ ersetzt:

$$(30) \quad G(x) = \frac{1}{2\pi} \, . \int_{-\infty}^{+\infty} F(\sigma + s) \; \Gamma(s) \, . \, x^{-s} \, dv.$$

Durch diesen Ausdruck ist die Function $G(x)$ auf die als bekannt vorausgesetzte Function $F(s)$ allerdings, wie aus der Ableitung hervorgeht, zunächst nur für reelle positive Werthe von x zurückgeführt; man ist aber nach den bekannten neueren analytischen Fortsetzungsmethoden im Stande, daraus die Function $G(x)$ auch für die übrigen Werthe von x auszudrücken. —

Betrachten wir daher $G(x)$ auch für rein imaginäre Werthe von x als bekannt und setzen $x = ti$, so folgt, nach geläufiger Weise, aus (28):

$$(31) \qquad \psi(n) = \frac{n^\sigma}{2\pi} \, . \int_0^{2\pi} G(ti) \; e^{nti} \, dt.$$

Auf eine umformende Behandlung dieser Formeln (30) und (31) möchte ich bei einer späteren Gelegenheit eingehen, wo es sich zeigen wird, wie dieselben zur Bestimmung der asymptotischen Gesetze der betreffenden zahlentheoretischen Functionen $\psi(n)$ dienen können.

Halle a/S., im Januar 1880.

Ueber eine Klasse von Funktionen mehrerer Variabeln, welche durch Umkehrung der Integrale von Lösungen der linearen Differenzialgleichungen mit rationalen Coëfficienten entstehen.

Von

L. Fuchs in Heidelberg.

Der königlichen Societät beehre ich mich von dem Inhalt einer Arbeit Kenntniß zu geben, welche ich zu veröffentlichen im Begriffe bin.

Gleich wie diejenigen Funktionen mehrerer Variabeln, welche man Abelsche Funktionen nennt, den Integralen algebraischer Funktionen ihre Entstehung verdanken, indem man nach dem Vorgange von Jacobi die oberen Grenzen von p Integralen einer geeigneten algebraischen Funktion als Funktion von der Summe dieser Integrale und von $p-1$ anderen ähnlich gebildeten Summen auffaßt, ebenso entsteht, wie ich in dieser Arbeit zeige, eine neue Klasse von Funktionen mehrerer Variabeln, wenn man die Integrale der Lösungen linearer Differenzialgleichungen mit rationalen Coëfficienten zu Grunde legt.

Ich habe mir zunächst die Aufgabe gestellt, die Beschaffenheit der Integrale einer linearen homogenen Differenzialgleichung m^{ter} Ordnung zu untersuchen, wenn durch die m Gleichungen

$$\sum_1^m {}_i \int_{\zeta_i}^{z_i} f_a(z)\, dz = u_a, \quad a = 1, 2, \ldots m$$

wo $\zeta_1, \zeta_2, \ldots \zeta_m$ Constanten, $f_1(z), f_2(z), \ldots f_m(z)$

ein Fundamentalsystem von Lösungen der Differenzialgleichung bedeutet, z_1, z_2, . . z_m als analytische Funktionen der Veränderlichen u_1, u_2, . . u_m definirt werden sollen.

Ich habe diese Aufgabe für die Differenzialgleichungen zweiter Ordnung durchgeführt, und bin zu den folgenden Resultaten gekommen.

1.

Es sei die gegebene Differenzialgleichung

$$\text{(A)} \qquad \frac{d^2y}{dz^2} + P\frac{dy}{dz} + Qy = 0,$$

worin P, Q rationale Funktionen von z, $f(z)$, $\varphi(z)$ sei ein willkürliches Fundamentalsystem von Lösungen dieser Gleichung.

Es mögen z_1, z_2 als Funktionen der Variabeln u_1, u_2 durch die Gleichungen

$$\text{(B)} \qquad \left| \begin{aligned} &\int_{\zeta_1}^{z_1} f(z)\,dz + \int_{\zeta_2}^{z_2} f(z)\,dz = u_1 \\ &\int_{\zeta_1}^{z_1} \varphi(z)\,dz + \int_{\zeta_2}^{z_2} \varphi(z)\,dz = u_2 \end{aligned} \right.$$

definirt werden.

Sind z_1, z_2 analytische Funktionen von u_1, u_2. und setzen wir

$$z_1 = F_1(u_1, u_2), \quad z_2 = F_2(u_1, u_2),$$

so ergiebt sich zunächst die folgende Eigenschaft dieser Funktionen

$$(C)\quad \begin{cases} F_1[\alpha_{11}u_1+\alpha_{12}u_2+\gamma_1 C, \alpha_{21}u_1+\alpha_{22}u_2+\gamma_2 C] \\ \qquad = F_1\,(u_1, u_2) \\ F_2[\alpha_{11}u_1+\alpha_{12}u_2+\gamma_1 C, \alpha_{21}u_1+\alpha_{22}u_2+\gamma_2 C] \\ \qquad = F_2\,(u_1, u_2), \end{cases}$$

worin C eine Constante, α_{11}, α_{12}, α_{21}, α_{22} die Elemente einer Substitution

$$\begin{pmatrix} \alpha_{11} & \alpha_{12} \\ \alpha_{21} & \alpha_{22} \end{pmatrix}$$

bedeuten, welche auf $f(z)$, $\varphi(z)$ durch einen Umlauf der Variabeln z ausgeübt wird, und γ_1, γ_2 bestimmte diesem Umlaufe zugehörige Grössen sind.

Die Funktionen F_1, F_2 nehmen außerdem im Allgemeinen für noch unzählig viele andere Werthsysteme u_1, u_2 dieselben Werthe wieder an.

2.

Ist a_i ein singulärer Punkt der Gleichung (A), sind $r_1^{(i)}$, $r_2^{(i)}$ die Wurzeln der zugehörigen determinirenden Fundamentalgleichung, sind ferner s_1, s_2 die Wurzeln der zu $z = \infty$ gehörigen determinirenden Fundamentalgleichung, so bestimme ich zunächst diese Wurzeln so, daß wenn u_1, u_2 Werthe erreichen, für welche von den Werthen a, b die resp. die Grössen z_1, z_2 annehmen, entweder einer mit einem singulären Punkte coincidirt, oder beide mit zwei von einander verschiedenen singulären Punkten, ohne daß jedoch die Gleichung

$$(D)\qquad \frac{f(z_2)}{\varphi(z_2)} - \frac{f(z_1)}{\varphi(z_1)} = 0$$

durch $z_1 = a$, $z_2 = b$ befriedigt wird, die Ableitungen $\frac{\partial z_\alpha}{\partial u_i}$ in der Umgebung von $z_1 = a$, $z_2 = b$ holomorphe Funktionen von z_1, z_2 sind.

Hierbei ist der unendlich ferne Punkt unter die singulären Punkte mit inbegriffen.

Die Bestimmung soll überdieß so getroffen werden, daß für endliche Werthsysteme u_1, u_2 die angegebenen Werthe von z_1, z_2 auch erreichbar sind.

Es ist hierzu nothwendig und hinreichend, daß

(E)
$$r_1^{(i)} = -1 + \frac{1}{n_i},\ r_2^{(i)} = -1 + \frac{k_i}{n_i},\ k_i > 1$$

k_i, n_i ganze positive Zahlen. . .

$$s_1 = 1 + \frac{1}{n},\ s_2 = 1 + \frac{k}{n},\ k > 1$$

k, n ganze positive Zahlen.

Ich zeige alsdann, daß die Größen $r_1^{(i)}, r_2^{(i)}$, s_1, s_2 weiter so bestimmt werden können, daß durch die Gleichung

(F)
$$\frac{f(z)}{\varphi(z)} = \zeta$$

z als eindeutige Funktion von ζ definirt wird, und demnach die Gleichung (D) nur für $z_2 = z_1$ befriedigt werden kann. Es ist hierzu nothwendig und hinreichend, daß entweder

$$r_2^{(i)} = r_1^{(i)} + 1$$

oder $$k_i = 2$$

und entweder $s_2 = s_1 + 1$ oder

$$s_1 = 1 + \frac{1}{n},\ s_2 = 1 + \frac{2}{n},$$

mit dem Hinzufügen, daß die Entwickelung eines Integrals der Gleichung (A) in der Umgebung eines singulären Punktes keine Logarithmen enthalte.

Ich beweise hierauf, daß wenn

$$\left.\begin{array}{l} r_1^{(i)} = -1 + \frac{1}{n_i}, \\ r_2^{(i)} = -1 + \frac{2}{n_i} \text{ oder } r_1^{(i)} = -\frac{1}{2} \\ \qquad\qquad r_2^{(i)} = +\frac{1}{2} \\ s_1 = \frac{3}{2} \text{ und } s_2 = \frac{5}{2} \\ \text{oder } s_1 = 1 + \frac{1}{n},\ s_2 = 1 + \frac{2}{n} \end{array}\right| \quad (G)$$

mit dem Hinzufügen, daß die Entwickelung eines Integrals der Gleichung (A) in der Umgebung eines singulären Punktes keine Logarithmen enthält, s_1, s_2 Wurzeln einer quadratischen Gleichung sind, deren Coëfficienten eindeutige analytische Funktionen von u_1, u_2.

3.

Es wird hierauf nachgewiesen, daß die Anzahl ϱ der endlichen singulären Punkte der Gleichung (A) nicht größer sein kann als sechs, wenn die Bedingungen (G) erfüllt sein sollen.

Ich hebe alsdann das Beispiel $\varrho = 6$, $r_1^{(i)} = -\frac{1}{2}$, $r_2^{(i)} = \frac{1}{2}$ hervor und zeige, daß in diesem Falle die Gleichung (A) durch ein Fundamentalsystem

$$y_1 = \frac{g(z)}{\sqrt{R(z)}}, \quad y_2 = \frac{h(z)}{\sqrt{R(z)}},$$

wo $R(z) = (z - a_1)(z - a_2) \ldots (z - a_6)$, $g(z)$, $h(z)$ ganze rationale Funktionen von nicht höherem als dem ersten Grade, befriedigt wird. In diesem Falle coincidiren die Funktionen $F_1(u_1, u_2)$, $F_2(u_1, u_2)$ mit den hyperelliptischen Funktionen erster Ordnung.

Hierauf weise ich nach, daß im Allgemeinen die Gleichung (A) unter den Bedingungen (G) nicht algebraisch integrirbar sei, und demgemäß im Allgemeinen unsere Funktionen $F_1(u_1, u_2)$, $F_2(u_1, u_2)$ von den Abelschen Funktionen verschieden sind.

Ich wähle hierzu das mit den Bedingungen (G) verträgliche Beispiel:

Anzahl der endlichen singulären Punkte

$$\varrho = 2, \; r_1^{(1)} = -\frac{2}{3}, \; r_2^{(1)} = -\frac{1}{3}, \; r_1^{(2)} = -\frac{5}{-},$$

$$r_2^{(2)} = -\frac{4}{6}, \; s_1 = \frac{3}{2}, \; s_2 = 2$$

und beweise, daß das allgemeine Integral der Gleichung (A) in diesem Falle nicht algebraisch ist.

Zum Schluß bemerken wir, daß die Gleichungen (B) durch die eindeutige, im Allgemeinen nicht rationale Substitution (F) unter Voraussetzung der Bedingungen (G) in ähnliche Gleichungen transformirt werden, in welchen $f(z)$ und $\varphi(z)$ durch Quadratwurzeln eindeutiger im Allgemeinen nicht rationaler Functionen von ζ ersetzt werden, während ζ an die Stelle von z als Integrationsvariable eintritt.

Heidelberg, 4. Februar 1880.

Bei der Königl. Gesellschaft der Wissenschaften eingegangene Druckschriften.

December 1877. Januar 1880.

(Fortsetzung.)

Revista Médica de Chile de 1877.
Estadística comercial de la República de Chile de 1877.
Composiciones premiadas el 20 de Setiembre de 1878.
Certámene científicos, literarios i artísticos del mes de Setiembre de 1878.
Estudios sobre las aguas de Skyring i la parte austral de Patagonia por el comandante i oficiales de la Corbeta Magallane.
C. H. Davis, Astronom. and Meteorolog. Observations made during the year 1875, at the United States Naval Observatory. 4.
Zones of Stars observed et the U. S. Naval Observatory with the meridian circle in the years 1847—49. 4.
Idem, with the mural circle in the years 1846—49. 4.
Idem with the meridian transit instrument in 1846—49. 4.
Tables of instrumental constants and corrections for the reduction of transit observations made at the U. S. Naval Observatory. 4.

(Fortsetzung folgt.)

Für d. Redaction verantwortlich: *Bezzenberger*, Director d. Gött. gel. Anz.
Commissions-Verlag der *Dieterich'schen Verlags-Buchhandlung.*
Druck der *Dieterich'schen Univ.-Buchdruckerei (W. Fr. Kaestner).*

Nachrichten

von der Königl. Gesellschaft der Wissenschaften und der G. A. Universität zu Göttingen.

25. Februar. № 4. 1880.

Universität.

Verzeichniß der Vorlesungen

auf der Georg-Augusts-Universität zu Göttingen während des Sommerhalbjahrs 1880.

Die Vorlesungen beginnen den 15. April und enden den 15. August 1880.

Theologie.

Unterricht in der christlichen Religion (nach seinem gleichnamigen Buche, Bonn 1875) für Studirende aller Facultäten: Prof. *Ritschl* dreistündig Dienstags Donnerstags Freitags 10 Uhr.

Allgemeiner Theil der Einleitung in das Alte und Neue Testament (Lehre vom Kanon und vom Texte der Bibel): Prof. *de Lagarde* viermal um 11 Uhr.

Geschichte des Volkes Israel: Prof. *Duhm* dreistündig Mont. Dienst. Donnerst. um 4 Uhr.

Geographie des alten Palaestina: *Derselbe* Freitags um 4 Uhr, öffentlich.

Das Buch des Propheten Jesaia erklärt fünfstündig Prof. *Bertheau* um 10 Uhr.

Erklärung der Psalmen: Prof. *Duhm* fünfstündig um 10 Uhr.

Neutestamentliche Theologie: Prof. *Wiesinger* vierstündig um 11 Uhr.

Leben Jesu: Prof. *Wagenmann* dreistündig, Dienst. Mittw. Donnerstags, um 7 Uhr.

Ueber die älteren und neueren hebräischen Uebersetzungen des Evangeliums Matthaei: Prof. *de Lagarde* Mittwochs um 11 Uhr, öffentlich.

Synoptische Erklärung der drei ersten Evangelien: Prof. *Lünemann* sechsmal um 9 Uhr.

Erklärung des Evangeliums Johannis: Lic. *Wendt* fünfstündig um 11 Uhr.

Erklärung der paulinischen Briefe mit Ausnahme des Römerbriefs und der Pastoralbriefe: Prof. *Wiesinger* fünfmal von 9—10 Uhr.

Erklärung des Briefs an die Hebräer: Prof. *Ritschl* fünfmal um 9 Uhr.

Allgemeine Kirchengeschichte Theil II: Prof. *Wagenmann* fünfstündig um 8 Uhr.

Kirchengeschichte der neueren Zeit seit der Reformation unter Rücksicht auf Hase's Kirchengeschichte: Prof. *Reuter* sechsmal um 8 Uhr.

Patrologie oder altchristliche Literaturgeschichte: Prof. *Wagenmann* zweistündig um 7 Uhr.

Dogmatik I. Theil: Prof. *Schultz* fünfmal um 12 Uhr.

Theologische Ethik: Prof. *Schöberlein* sechsmal um 12 Uhr.

Comparative Symbolik: Prof. *Reuter* sechsmal um 11 Uhr.

Praktische Theologie: Prof. *Schöberlein* viermal, Mont. Dienst. Donnerst. Freit., um 5 Uhr und Mittwochs um 4 Uhr.

Kirchenrecht: s. unter Rechtswissenschaft.

Die alttestamentlichen Uebungen der wissenschaftlichen Abtheilung des theologischen Seminars leitet Prof. *Schultz* Montags um 6; die neutestamentlichen Prof. *Wiesinger* Dienstags um 6; die kirchen- und dogmenhistorischen Prof. *Wagenmann* Freitags um 6; die dogmatischen Prof. *Schöberlein* Donnerstags um 6 Uhr.

Die homiletischen Uebungen der praktischen Abtheilung des theologischen Seminars leiten abwechselungsweise Prof. *Wiesinger* und Prof. *Schultz* Sonnabends 10—12 Uhr öffentlich; die katechetischen Uebungen: Prof. *Wiesinger* Mittwochs 5—6 Uhr; Prof. *Schultz* Sonnabends 2—3 Uhr öffentlich; die liturgischen Uebungen: Prof. *Schöberlein* Sonnabends 9—11 Uhr und Mittwochs 6—7 Uhr öffentlich.

Kirchenhistorische Uebungen leitet Prof. *Reuter* Donnerstags um 6 Uhr öffentlich.

Rechtswissenschaft.

Encyklopädie der Rechtswissenschaft: Prof. *John* Montag, Mittwoch und Freitag von 12—1 Uhr.

Römische Rechtsgeschichte: Prof. *v. Ihering* fünfmal von 11—12 Uhr.

Institutionen des Römischen Rechts: Prof. *Leonhard* fünfmal von 10—11 Uhr.

Pandekten mit Ausschluss des Familienrechts und Erbrechts: Prof. *Hartmann* täglich von 8—10 Uhr.

Römisches Erbrecht: Prof. *Leonhard* Dienstag und Freitag von 4—6 Uhr.

Römisches Familienrecht: Prof. *Leonhard* Mittwoch von 4—5 Uhr öffentlich.

Pandekten-Praktikum: Prof. *v. Ihering* Montag, Mittwoch und Freitag von 12—1 Uhr.

Pandekten-Exegeticum: Prof. *Leonhard* Dienstag und Donnerstag von 12—1 Uhr.

Erklärung des vierten Buches des Gajus: Prof. *Wolff* Sonnabends von 8—10 Uhr.

Deutsche Reichs- und Rechtsgeschichte: Prof. *Mejer* fünfmal von 9—10 Uhr.

Deutsche Rechtsgeschichte: Dr. *Sickel* fünfmal von 4—5 Uhr.

Geschichte des deutschen Städtewesens: Prof. *Frensdorff* zweimal wöchentlich von 12—1 Uhr.

Uebungen im Erklären deutscher Rechtsquellen: Prof. *Frensdorff* Montag Nachm. um 6 Uhr öffentlich.

Deutsches Privatrecht mit Lehn- und Handelsrecht: Prof. *Wolff* fünfmal von 8—10 Uhr.

Deutsches Privatrecht mit Lehnrecht: Dr. *Ehrenberg* täglich von 8—9 Uhr.

Handelsrecht mit Wechselrecht und Seerecht: Prof. *Thöl* fünfmal von 7—8 Uhr.

Handels-, Wechsel- und Seerecht: Dr. *Ehrenberg* täglich von 9—10 Uhr.

Landwirthschaftsrecht: Prof. *Ziebarth* Dienstag, Donnerstag, Freitag von 7—8 Uhr.

Deutsches Strafrecht: Prof. *Ziebarth* fünfmal von 10—11 Uhr.

Deutsches Strafrecht: Dr. *v. Kries* fünfmal von 10—11 Uhr.

Deutsches Staatsrecht (Reichs- und Landesstaatsrecht): Prof. *Frensdorff* fünfmal von 8—9 Uhr.

Kirchenrecht, einschliesslich des Eherechts: Prof. *Mejer* fünfmal von 10—11 Uhr.

Geschichte der Kirchenverfassung und des Verhältnisses zwischen Staat und Kirche: Prof. *Dove* Sonnabend von 11—1 Uhr öffentlich.

Kirchenrechtliche Uebungen (exegetische und praktische): Prof. *Dove* Dienstag Abend von 6 Uhr ab privatissime unentgeltlich.

Civilprocess, einschliesslich des Konkurs- und der summarischen Processe: Prof. *John* täglich von 9—10 Uhr.

Strafprocess: Prof. *v. Bar* Montag, Dienstag, Donnerstag, Freitag von 11—12 Uhr.

Civilprocess-Prakticum: Prof. *v. Bar* Montag und Donnerstag von 4—6 Uhr.

Strafrechts-Prakticum: Dr. *v. Kries* Mittwoch von 4—6 Uhr.

Medicin.

Zoologie, Botanik, Chemie s. unter Naturwissenschaften.

Knochen- und Bänderlehre: Dr. *von Brunn* Dienstag, Donnerstag und Sonnabend von 11—12 Uhr.

Systematische Anatomie II. Theil (Gefäss- und Nervenlehre): Prof. *Henle* täglich von 12—1 Uhr.

Allgemeine Anatomie: Prof. *Henle* Montag, Mittwoch, Freitag von 11—12 Uhr.

Histologie des Nervensystems trägt Prof. *Krause* Donnerstags um 2 Uhr öffentlich vor.

Mikroskopische Uebungen in der normalen Gewebelehre hält Dr. *von Brunn* vier Mal wöchentlich in zu verabredenden Stunden.

Mikroskopische Curse in normaler Histologie hält Prof. *Krause* Montag, Dinstag, Mittwoch, Freitag von 2—3 Uhr oder zu anderen passenden Stunden.

Allgemeine und besondere Physiologie mit Erläuterungen durch Experimente und mikroskopische Demonstrationen: Prof. *Herbst* sechsmal wöchentlich um 10 Uhr.

Experimentalphysiologie I. Theil (Physiologie der Ernährung): Prof. *Meissner* täglich von 10—11 Uhr.

Physiologie der Zeugung nebst allgemeiner und specieller Entwicklungsgeschichte: Prof. *Meissner* Freitag von 5—7 Uhr.

Physiologische Optik s. S. 186.

Arbeiten im physiologischen Institut leitet Prof. *Meissner* täglich in passenden Stunden.

Specielle pathologische Anatomie lehrt Prof. *Orth* täglich ausser Sonnabend von 12—1 Uhr.

Pathologische Anatomie der Knochen und Muskeln lehrt Prof. *Orth* ein Mal wöchentlich öffentlich.

Einen demonstrativen Cursus der pathologischen Anatomie hält Prof. *Orth* Montag, Mittwoch und Freitag von 2—3 Uhr verbunden mit Sectionsübungen in passenden Stunden.

Praktischen Cursus der pathologischen Histologie hält Prof. *Orth* Dienstag und Sonnabend von 2—4 Uhr.

Physikalische Diagnostik verbunden mit praktischen Uebungen lehrt Prof. *Eichhorst* Montag, Mittwoch und Donnerstag von 4—5 Uhr; Dasselbe trägt Dr. *Wiese* viermal wöchentlich in später näher zu bestimmenden Stunden vor.

Uebungen in der Handhabung des Kehlkopfspiegels hält Prof. *Eichhorst* Sonnabend von 12—1 Uhr.

Diagnostik des Harns und Sputums: Prof. *Eichhorst* Mittwoch von 3—4 Uhr.

Arzneimittellehre und Receptirkunde verbunden mit Experimenten und Demonstrationen lehrt Prof. *Marmé* drei Mal wöchentlich von 5—6 Uhr.

Die gesammte Arzneimittellehre mit Demonstrationen und praktischen Uebungen im Abfassen ärztlicher Verordnungen trägt Prof. *Husemann* fünfmal wöchentlich um 3 Uhr vor.

Die giftigen Gase demonstrirt experimentell Prof. *Marmé* ein Mal wöchentlich von 6—7 Uhr öffentlich.

Ueber essbare und giftige Pilze trägt Prof. *Husemann* Dienstag von 6—7 Uhr öffentlich vor.

Pharmakognostische und chemisch-pharmaceutische Colloquia wird Prof. *Wiggers* an bequemen Tagen und Stunden halten.

Pharmacie lehrt Prof. *Boedeker* fünf Mal wöchentlich von 9—10 Uhr; Dasselbe lehrt Prof. *von Uslar* vier Mal wöchentlich um 3 Uhr.

Organische Chemie für Mediciner: Vgl. Naturwissenschaften S. 186.

Ein pharmakognostisches Practicum, Uebungen im Bestimmen der officinellen Droguen und ihrer Verwechslungen hält Prof. *Marmé* gemeinsam mit Dr. *Wulfsberg* ein Mal wöchentlich von 5—7 Uhr.

Einen pharmakologischen Cursus, praktische Uebungen im Receptiren und Dispensiren hält Prof. *Marmé* ein Mal wöchentlich von 5—7 Uhr.

Pharmakologische und toxikologische Untersuchungen leitet Prof. *Marmé* im pharmakologischen Institut täglich von 8—2 Uhr und von 3—7 Uhr; solche Uebungen und Untersuchungen leitet auch Prof. *Husemann* in gelegenen Stunden.

Elektrotherapie verbunden mit praktischen Uebungen an Gesunden und Kranken lehrt Prof. *Marmé* zwei Mal wöchentlich in später zu bestimmenden Stunden.

Specielle Pathologie und Therapie I. Hälfte: Prof. *Ebstein* täglich, ausser Montag, von 7—8 Uhr.

Ueber Kinderkrankheiten I. Theil trägt Prof. *Eichhorst* Dienstag und Freitag von 4—5 Uhr vor.

Die medicinische Klinik und Poliklinik hält Prof. *Ebstein* täglich von 10$^3/_4$—12 Uhr (Sonnabend von 9$^1/_2$—10$^3/_4$ Uhr).

Poliklinische Referatstunde hält Prof. *Eichhorst* ein Mal wöchentlich.

Allgemeine Chirurgie lehrt Prof. *Lohmeyer* fünf Mal wöchentlich von 8—9 Uhr; Dasselbe Prof. *Rosenbach* fünf Mal wöchentlich von 8—9 Uhr oder zu anderen noch zu bestimmenden Stunden.

Die chirurgische Klinik hält Prof. *König* fünf Mal wöchentlich von 9$^1/_2$—10$^3/_4$ Uhr.

Chirurgische Poliklinik hält Prof. *König* in Verbindung mit Prof. *Rosenbach* Sonnabend von 10$^1/_2$—11$^3/_4$ Uhr öffentlich.

Einen chirurgisch-diagnostischen Cursus hält Dr. *Riedel* zwei Mal wöchentlich von 4—5 Uhr.

Uebungen in chirurgischen Operationen an der Leiche leitet Prof. *König* Abends von 5—7 Uhr.

Verbandcursus hält Dr. *Riedel* ein Mal wöchentlich von 4—5 Uhr.

Augenheilkunde lehrt Prof. *Leber* Montag, Dienstag, Donnerstag, Freitag Morgens von 7—8 Uhr.

Ueber die Anomalien der Refraction und Accommodation verbunden mit praktischen Uebungen der Functionsprüfungen des Auges trägt Dr. *Deutschmann* zwei Mal wöchentlich in näher zu bestimmenden Stunden vor.

Augenspiegelcursus hält Dr. *Deutschmann* Mittwoch und Sonnabend von 12—1 Uhr.

Die Klinik der Augenkrankheiten hält Prof. *Leber* Montag, Dienstag, Donnerstag, Freitag von 12—1 Uhr.

Ueber theoretische und praktische Ohrenheilkunde:

Dr. *Bürkner*, Dienst. u. Freit. in näher zu bezeichnenden Stunden.

Otiatrische Poliklinik: Dr. *Bürkner*, an zwei zu bestimmenden Tagen, 12 Uhr.

Ueber Frauenkrankheiten wird Prof. *Schwartz* Montag, Dinstag, Donnerstag, Freitag um 3 Uhr vortragen.

Ueber Krankheiten der Wöchnerinnen: Dr. *Hartwig* wöchentlich in 2 noch näher zu bestimmenden Stunden öffentlich.

Geburtshülflichen Operationscursus hält Dr. *Hartwig* Mittwoch und Sonnabend um 8 Uhr.

Geburtshülflich-gynaekologische Klinik leitet Prof. *Schwartz* Mont., Dienst., Donnerst., Freit. um 8 Uhr.

Psychiatrische Klinik in Verbindung mit systematischen Vorträgen über Pathologie und Therapie der Geisteskrankheiten hält Prof. *Meyer* Montag und Donnerstag von 3—5 Uhr.

Forensische Psychiatrie lehrt Prof. *Meyer* wöchentlich in zwei zu verabredenden Stunden.

Prof. *Baum* wird zu Anfang des Sommersemesters Vorlesungen ankündigen.

Die äusseren Krankheiten der Hausthiere und die Beurtheilungslehre des Pferdes und Rindes trägt Prof. *Esser* wöchentlich fünf Mal von 7—8 Uhr vor.

Klinische Demonstrationen im Thierhospitale wird *Derselbe* in zu verabredenden Stunden halten.

Philosophie.

Geschichte der alten Philosophie: Prof. *Baumann*, Montag, Dienstag, Donnerstag, Freitag, 5 Uhr.

Geschichte der neueren Philosophie seit Cartesius: Prof. *Peipers*, Mont. Dienst. Donnerst. Freit., um 11 Uhr.

Ueber Locke's Versuch über den menschlichen Verstand: Dr. *Müller*, Sonnab. 11 Uhr, unentg.

Logik und Encyclopädie der Philosophie: Prof. *Rehnisch*, Mont. Dienst. Donn. Freit., 4 Uhr (oder, falls es gewünscht wird, zu einer andern Stunde).

Logik: Prof. *Baumann*, Montag, Dienstag, Donnerstag, Freitag, 8 Uhr.

Metaphysik: Prof. *Lotze*, 4 St., 10 Uhr.

Praktische Philosophie: Prof. *Lotze*. 4 Stunden, 3 Uhr.

Geschichte und Grundbegriffe der Aesthetik: Dr. *Ueberhorst*, Dienst. u. Freit. 6 Uhr.

Psychologie: Dr. *Müller*, 4 St. 4 Uhr.

In einer philosophischen Societät wird Prof. *Baumann*, Mont. 6 Uhr, die Hauptbeweise in Platons Phädon behandeln.

In einer philosophischen Societät wird Prof. *Peipers* Spinoza's Ethik behandeln, Mittw. 12 Uhr, öffentlich.

Dr. *Ueberhorst* behandelt in einer Societät den ersten (ästhetischen) Theil von Kant's Kritik der Urtheilskraft, Donnerst. 6 Uhr, unentg.

Grundriss der Erziehungslehre: Prof. *Krüger* in geeigneten Stunden.

Die Uebungen des K. pädagogischen Seminars leitet Prof. *Sauppe*, Mont. und Dienst. 11 Uhr, öffentlich.

Mathematik und Astronomie.

Elementargeometrische Herleitung der wichtigsten Eigenschaften der Kegelschnitte: Prof. *Schwarz*, Mont. u. Donnerst. 4 Uhr, öffentlich.

Analytische Geometrie: Prof. *Schwarz*, Mont. bis Freitag, 9 Uhr.

Differential- und Integralrechnung: Prof. *Stern*, 5 St., 7 Uhr.

Integralrechnung: Prof. *Schwarz*, Mont. bis Freit. 8 Uhr.

Einleitung in die Theorie der analytischen Functionen: Prof. *Schwarz*, Mont. bis Freit. 11 Uhr.

Abelsche und riemannsche Functionen, zweiter Theil: Prof. *E. Schering*, Dienst. Mittw. Donnerst. Freit., 8 Uhr.

Theorie der elliptischen Functionen: Prof. *Enneper*, Mont. bis Freit. 10 Uhr.

Theorie der Kugelfunctionen mit Anwendungen auf die Potentialtheorie und die Gaußsche Theorie des Erdmagnetismus: Dr. *Himstedt*, Mont. u. Donnerst. 6 Uhr.

Zahlentheorie: Dr. *Hettner*, Mont. Dienst. Donn. Freit. 10 Uhr.

Analytische Mechanik: Prof. *E. Schering*, Dienst. Mittw. Donn. Freit. 7 Uhr Morgens.

Variationsrechnung und deren Anwendung auf Mechanik: Prof. *Stern*, 4 St. 8 Uhr.

Theorie der Potentialfunction und deren Anwendung auf die Lehre von der Schwerkraft und dem Magnetismus: Dr. *Schering*, Dienst. u. Freit. 6 Uhr.

Mathematische Geographie: Dr. *Schering*, Donnerst. 6 Uhr, unentg.

Theorische Astronomie: Prof. *Klinkerfues*, Montag, Dienstag, Mittwoch und Donnerstag, 12 Uhr.

Geometrische Optik, Kinetische Gastheorie und Potentialtheorie: s. Naturwiss. S. 186.

Mathematische Societät: Prof. *Schering*, in einer geeigneten Stunde.
Mathematische Colloquien wird Prof. *Schwarz* wie bisher privatissime leiten, unentgeltlich.

In dem mathematisch-physikalischen Seminar Prof. *Schering:* Mathematische Uebungen, Sonnab. 7 Uhr; Prof. *Schwarz:* Uebungen in der Differentialrechnung, Freit. 12 Uhr; Prof. *Stern:* Ueber die Anziehung eines Ellipsoides Mittwoch 8 Uhr. Prof. *Klinkerfues* giebt einmal wöchentlich zu geeigneter Stunde Anleitung zu astronomischen Beobachtungen, alles öffentlich. — Vgl. Naturwissenschaften S. 186.

Naturwissenschaften.

Allgemeine Zoologie: Prof. *Ehlers*, Mont. Dienst. Mittw. Donnerst., 8 Uhr.
Specielle Zoologie, Theil I (Protozoen, Coelenteraten, Echinodermen): Prof. *Ehlers*, Freit. und Sonnab. 8 Uhr.
Zootomischer Kurs: Prof. *Ehlers*, Dienst. u. Donnerst., 9—11 Uhr.
Naturgeschichte der Amphibien mit besonderer Berücksichtigung der europäischen Formen: Dr. *Spengel*, Dienst. und Freit., 5 Uhr.
Zoologische Uebungen: Prof. *Ehlers*, wie bisher, täglich (mit Ausnahme des Sonnabends) von 9—1 Uhr.

Grundzüge der gesammten Botanik: Prof. *Graf zu Solms*, Mont. bis Freit., 7 Uhr. — Ueber Monocotyledonen: *Derselbe*, Mittw. 5 Uhr, öffentlich. — Anleitung zu botanischen Arbeiten im Laboratorium des botanischen Gartens, ausschliesslich für Vorgeschrittenere: *Derselbe*, täglich in zu bestimmenden Stunden.
Uebungen im Bestimmen von Pflanzen: Prof. *Reinke*, Dienst. u. Freit., 8 Uhr. — Mikroskopisch-botanischer Cursus: *Derselbe*, Sonnabend, 9—1 Uhr. — Cursus in der mikroskopischen Analyse organisirter Körper: *Derselbe*, 2 Stunden. Tägliche Arbeiten im pflanzenphysiologischen Institut. — Botanische Excursionen: *Derselbe.*
Ueber Archegoniaten und Gymnospermen (Moose, Farne und Nadelhölzer): Dr. *Falkenberg*, Dienst. und Freit. 10 Uhr.
Essbare und giftige Pilze: vgl. *Medicin* S. 181.

Krystallographie: Prof. *Klein*, 5 St., 11 Uhr.

Gesteinskunde: Dr. *Lang*, Dienst. u. Freitag, 5 Uhr, verbunden mit mikroskopischen Demonstrationen in zu verabredenden Stunden.

Krystallographische Uebungen: Prof. *Klein*, Sonnabend 10—12 Uhr, privatissime, aber unentgeltlich.

Petrographische Uebungen und Excursionen: Dr. *Lang*, in zu verabredenden Stunden.

Experimentalphysik, erster Theil: Mechanik, Akustik und Optik: Prof. *Riecke*, Montag, Dienstag, Donnerstag, Freitag, 5 Uhr.

Kinetische Gastheorie: Dr. *Fromme*, Dienst. und Donnerst., 12 Uhr.

Geometrische und physische Optik, ausgewählte Capitel: Prof. *Listing*, 3 Stunden, 12 Uhr.

Ueber Auge und Mikroskop: Prof. *Listing*, privatissime in 2 zu verabredenden Stunden.

Physikalische Uebungen leitet Prof. *Riecke*, in Gemeinschaft mit den Assistenten Dr. *Fromme* und Dr. *Schering*. (I. Abtheilung Dienst., Donnerst., Freit. 2—4 Uhr und Sonnab. 9—1 Uhr. II. Abtheilung Donnerst. 2—4 Uhr und Sonnab. 9—1 Uhr).

Physikalisches Colloquium: Prof. *Listing*, Sonnabend 11—1 Uhr.

Zur Leitung eines Repetitoriums über Physik erbietet sich Dr. *Fromme*.

In dem mathematisch-physikalischen Seminar leitet physikalische Uebungen Prof. *Listing*, Mittwoch 12 Uhr, und behandelt Prof. *Riecke* ausgewählte Theile der mathematischen und Experimentalphysik, Montag 2 Uhr. — Vgl. Mathematik S. 185.

Allgemeine Chemie (s. g. unorganische Chemie): Prof. *Hübner*, 6 St. 9 Uhr.

Anorganische Chemie, I. Theil: Dr. *Brückner*, in 2 zu bestimmenden Stunden.

Allgemeine organische Chemie: Prof. *Hübner*, 5 St., 12 Uhr.

Organische Chemie, für Mediciner: Prof. *von Uslar*, 4 St., 9 Uhr.

Chemische Technologie, I. Theil: Dr. *Post*, 2 St., in Verbindung mit Excursionen.

Pharmaceutische Chemie (anorgan. Theil): Dr. *Polstorff*, Mont. Dienst. Donnerst. Freit. 5 Uhr.

Ueber die Verunreinigungen und Verfälschungen der Nahrungs- und Genussmittel und ihre Erkennung: Dr. *Polstorff*, in 2 zu verabredenden Stunden.

Anorganische Chemie: Prof. *Tollens*, Mittw. Donnerst. Freit., 9 Uhr.

Pflanzenernährungslehre (Agriculturchemie): Prof. *Tollens*, Mont. u. Dienst., 10 Uhr.

Die Vorlesungen über Pharmacie und Pharmakognosie s. unter Medicin S. 181.

Die praktisch-chemischen Uebungen und wissenschaftlichen Arbeiten im akademischen Laboratorium leiten die Professoren *Wöhler* und *Hübner*, in Gemeinschaft mit den Assistenten Dr. *Iannasch*, Dr. *Post*, Dr. *Polstorff*, Dr. *Brückner* und Dr. *Rudolf*.

Prof. *Boedeker* leitet die praktisch-chemischen Uebungen im physiologisch-chemischen Laboratorium täglich (ausser Sonnabend) 8—12 und 2—4 Uhr.

Uebungen im agriculturchemischen Laboratorium leitet Prof. *Tollens* (in Gemeinschaft mit dem Assistenten *E. Kehrer*) täglich 8—12 und 2—4 Uhr.

Historische Wissenschaften.

Geschichte der Westhellenen: Prof. *Volquardsen*, Mittw. u. Sonnab. 10 Uhr, öffentlich.

Geschichte des Mittelalters bis zum Interregnum: Dr. *Bernheim*, Dienst. Donn. Freit. 10 Uhr.

Neuere Geschichte bis zum westphälischen Frieden: Prof. *Pauli*, 4 Stunden, 8 Uhr.

Neueste Geschichte, von 1815 an: Prof. *Weizsäcker*, 4 Stunden, 4 Uhr.

Englische und Vergleichende Verfassungsgeschichte Deutschlands und Frankreichs; vgl. Staatswissenschaft und Statistik S. 188.

Aeltere französiche Geschichte: Prof. *Steindorff*, Mont. u. Dienst. 10 Uhr.

Geschichte Italiens im Mittelalter: Dr. *Th. Wüstenfeld*, Montag, Dienstag, Donnerstag und Freitag 11 Uhr, unentgeltlich.

Entwicklung der russischen Geschichte bis auf Peter d. Gr.: Dr. *Höhlbaum*, Mittw. u. Sonnab. 12 Uhr (oder in 2 andern passenden Stunden).

Historische Uebungen leitet Prof. *Volquardsen*, Dienst. 6 Uhr, öffentlich.

Historische Uebungen leitet Prof. *Pauli* Mittwoch 6 Uhr, öffentlich.

Historische Uebungen leitet Prof. *Weizsäcker* Freitag 6 Uhr, öffentlich.

Historische Uebungen leitet Prof. *Steindorff* Donnerst. 10 Uhr, öffentlich.

Historische Uebungen leitet Dr. *Höhlbaum* Mont. 6 Uhr, unentgeltlich.

Historische Uebungen leitet Dr. *Bernheim* Dienstag 5 Uhr, unentgeltlich.

Kirchengeschichte: s. unter Theologie S. 178.

Geschichte des deutschen Städtewesens: s. unter Rechtswissenschaft S. 179.

Erd- und Völkerkunde.

Völkerkunde: Dr. *Krümmel*, Mont. Dienst. Donn. Freit., 11 Uhr.

Vergleichende Physiognomik der Hochgebirge: Dr. *Krümmel*, Mittw. 11 Uhr, unentg.

Staatswissenschaft und Landwirthschaft.

Vergleichende Verfassungsgeschichte Deutschlands und Frankreichs: Prof. *Weizsäcker*, 4 Stunden, 9 Uhr.

Englische Verfassungsgeschichte: Prof. *Pauli*, 4 Stunden, 8 Uhr.

Volkswirthschaftslehre (Nationalökonomie): Prof. *Hanssen*, 5 St., 3 Uhr.

Einleitung in das Studium der Volkswirthschaft, nebst Darstellung der wichtigsten Systeme: Dr. *Eggert*, Donnerst. u. Freit. 10 Uhr, unentg.

Oeffentliche Armenpflege: Prof. *Hanssen*, 1 Stunde, öffentlich.

Volkswirthschaftliche Uebungen: Prof. *Soetbeer*, privatissime, aber unentgeltlich, in später zu bestimmenden St.

Volkswirthschaftliche Uebungen: Dr. *Eggert*, in später zu bestimmenden Stunden, unentg.

Disputationen und Uebungen über Gegenstände aus dem Bereich der Statistik: Prof. *Rehnisch*, privatissime aber unentg.

Einleitung in das landwirthschaftliche Studium: Prof. *Drechsler*, 1 Stunde.

Ackerbaulehre, specieller Theil: *Derselbe*, 4 St., 12 Uhr.

Die allgemeine und specielle Züchtungslehre (Pferde-, Rindvieh-, Schaf- und Schweine-Züchtung): Prof. *Griepenkerl*, Dienst. u. Donnerst., 8 Uhr.

Die Raçenkunde: Prof. *Griepenkerl*, Freitag 8 Uhr, öffentlich.

Die Theorie der Organisation der Landgüter: Prof. *Griepenkerl*, Mont. Mittw. u. Sonnab. 8 Uhr.

Im Anschluss an diese Vorlesungen werden Exkursionen nach benachbarten Landgütern veranstaltet werden.

Die Lehre vom Futter: Prof. *Henneberg*, Mont., Dienst. und Mittw., 11 Uhr.

Ausgewählte Capitel aus der allgemeinen und speciellen Züchtungslehre, mit besonderer Berücksichtigung der Controversen von Nathusius-Settegast: Dr. *Fesca*, 2 St. 10 Uhr.

Landwirthschaftliches Practicum (1. Uebungen im landwirthschaftlichen Laboratorium, Freit. 2—6 Uhr, Sonnab. 9—1 Uhr; 2. Uebungen in landwirthschaftlichen Berechnungen, Mont. u. Donnerst. 6 Uhr): Prof. *Drechsler*.

Landwirthschaftliche Excursionen und Demonstrationen im Versuchsfelde: Prof. *Drechsler*.

Uebungen im landwirthschaftlichen Laboratorium Dr. *Fesca*, Freit. u. Sonnabend.

Krankheiten der Hausthiere: s. Medicin S. 183.

Agriculturchemie, Agriculturchemisches Praktikum: s. Naturwiss. S. 187.

Literärgeschichte.

Geschichte der lateinischen Poesie in der Zeit des August: Prof. *von Leutsch*, Donnerst. u. Freit., 12 Uhr.

Geschichte der deutschen Nationalliteratur von Lessings Zeit bis zur Gegenwart: Prof. *Bohtz*, Montag, Dienstag, Donnerstag, 11 Uhr.

Ueber deutsche Literatur im 19. Jahrhundert: Prof. *Goedeke*, Mittw. 5 Uhr, öffentlich.

Geschichte der Philosophie: vgl. Philosophie S. 183.

Alterthumskunde.

Römische Alterthümer: Prof. *Volquardsen*, Mont. Dienst. Donnerst. Freit., 10 Uhr.

Archäologie der bildenden Künste der Griechen und Römer: Prof. *Wieseler*, 4 St., 10 Uhr.

Umriss der Geschichte der Architectur der Griechen und Römer: Prof. *Wieseler*, 1½ Stunde, Mittw. 4 Uhr.

Im K. archäologischen Seminar wird Prof. *Wieseler* ausgewählte Kunstwerke öffentlich erläutern lassen, Sonnabend 12 Uhr.

Die Abhandlungen der Mitglieder wird *Derselbe* privatissime beurtheilen, wie bisher.

Ue er die deutsche Heldensage: Dr. *Tillmann*, Mittw. 5 Uhrb

Vergleichende Sprachlehre.

Einleitung in das vergleichende Sprachstudium: Prof. *Bezzenberger*, Mont. u. Donnerst., 6 Uhr, öffentlich.

Vergleichende Grammatik der indogermanischen Sprachen: Prof. *Fick*, 4 St., 10 Uhr.

Vergleichende Grammatik der baltischen Sprachen (Litauisch, Lettisch, Altpreussisch): Prof. *Bezzenberger*, 4 Stunden.

Ueber die Bildung der Nomina und Eigennamen im Griechischen: Prof. *Fick*, 2 Stunden, 10 Uhr, öffentlich.

Zur Theilnahme an einer grammatischen Societät ladet Prof. *Fick* ein.

Orientalische Sprachen.

Die Vorlesungen über das A. Testament s. unter Theologie S. 177.

Arabische Grammatik: Prof. *Wüstenfeld*, privatissime.

Chaldäische Grammatik und Erklärung der chaldäischen Abschnitte des Buches Daniel: Prof. *Bertheau*, Dienst. und Freit., 2 Uhr, öffentlich.

Seine syrischen Uebungen setzt Prof. *de Lagarde* nach Bedarf privatissime, aber unentgeltlich fort.

Grammatik der Sanskritsprache: Prof. *Benfey*, Mont. Dienst. Mittw. 5 Uhr, oder in einer passenderen Stunde.

Interpretation der Sanskrit-Chrestomathie von Böhtlingk und vedischen Liedern: Prof. *Benfey*, Donnerst. u. Freit. 5 Uhr und Mittw. 12 Uhr, oder in drei zu verabredenden Stunden.

Griechische und lateinische Sprache.

Rhythmik und Metrik: Prof. *von Leutsch*, 4 Stunden, 10 Uhr.

Bildung der Nomina und Eigennamen im Griechischen; vgl. Vergleichende Sprachlehre S. 190.

Aeschylos Perser: Prof. *Sauppe*, Montag, Dienstag, Donnerstag, Freitag, 9 Uhr.

Erklärung von Theokrits Gedichten: Prof. *Dilthey*, Mont. Dienst. Donn. Freit. 12 Uhr.

Lateinische Grammatik: Prof. *Sauppe*, Mont. Dienst. Donnerst. Freit., 7 Uhr Morgens.

Ausgewählte Gedichte Catull's und der augusteischen Dichter: Prof. *von Leutsch*, Mont. Dienst. Mittw., 12 Uhr.

Im K. philologischen Seminar leitet die schriftlichen Arbeiten und Disputationen Prof. *Dilthey*, Mittwoch 11 Uhr, lässt griechische Iambographen nach Schneidewins Delectus erklären Prof. *von Leutsch*, Montag und Dienstag, 11 Uhr, lässt Ciceros Orator erklären Prof. *Sauppe*, Donnerstag und Freitag, 11 Uhr, alles öffentlich.

Im philologischen Proseminar leiten die schriftlichen Arbeiten und Disputationen die Proff. *von Leutsch* und *Sauppe*, Mittwoch 10 und 2 Uhr; lässt Theognis Prof. *von Leutsch*, Mittw. 9 Uhr und Ciceros Brutus Prof. *Sauppe*, Mittwoch 2 Uhr, erklären, alles öffentlich.

Deutsche Sprache.

Historische Grammatik der deutschen Sprache: Prof. *Wilh. Müller*, 5 St., 3 Uhr.

Parcival von Wolfram von Eschenbach erklärt Prof. *Wilh. Müller*, vier Stunden, 10 Uhr.

Altnordische Grammatik und Erklärung nordischer Prosadenkmäler: Dr. *Wilken*, Mittw. und Sonnab., 11 Uhr.

Angelsächsische Grammatik und Erklärung des Beóvulf: Dr. *Wilken*, Mont. Dienst. Donn., 11 Uhr.

Grammatik der gothischen Sprache: Dr. *Bechtel*, 2 St.

Die Uebungen der deutschen Gesellschaft leitet Prof. *Wilh. Müller*.

Geschichte der deutschen Literatur: vgl. Literärgeschichte S. 189.

Neuere Sprachen.

Geschichte der französischen Sprache: Prof. *Th. Müller*, Montag, Dienstag und Donnerstag, 4 Uhr.

Uebungen in der französischen und englischen Sprache veranstaltet *Derselbe*, die ersteren Montag, Dienstag und Mittwoch, 12 Uhr, die letzteren Donnerstag, Freitag und Sonnabend, 12 Uhr.

Oeffentlich wird *Derselbe* in der romanischen Societät ausgewählte provenzalische Dichtungen (nach Bartsch's Chrestomathie) erklären lassen, Freitag 4 Uhr.

Schöne Künste. — Fertigkeiten.

Unterricht im Zeichnen ertheilt Zeichenlehrer *Peters*, Dienstags 4–6 Uhr, unentgeltlich.

Unterricht im Malen *Derselbe* in zu verabredenden Stunden.

Geschichte der neueren Musik: Prof. *Krüger* in geeigneten Stunden.

Harmonie- und Kompositionslehre, verbunden mit praktischen Uebungen: Musikdirector *Hille*, in passenden Stunden.

Zur Theilnahme an den Uebungen der Singakademie und des Orchesterspielvereins ladet *Derselbe* ein.

Reitunterricht ertheilt in der K. Universitäts-Reitbahn der Univ.-Stallmeister *Schweppe*, Montag, Dienstag, Donnerstag, Freitag, Sonnabend, Morgens von 7—11 und Nachm. (ausser Sonnabend) von 4—5 Uhr.

Fechtkunst lehrt der Universitätsfechtmeister *Grüneklee*, Tanzkunst der Universitätstanzmeister *Höltzke*.

Oeffentliche Sammlungen.

Die *Universitätsbibliothek* ist geöffnet Montag, Dienstag, Donnerstag und Freitag von 2 bis 3, Mittwoch und Sonnabend von 2 bis 4 Uhr. Zur Ansicht auf der Bibliothek erhält man jedes Werk, das man in gesetzlicher Weise verlangt; verliehen werden Bücher nach Abgabe einer Semesterkarte mit der Bürgschaft eines Professors.

Die *Gemäldesammlung* ist Donnerstag von 12—1 Uhr geöffnet.

Der *botanische Garten* ist, die Sonn- und Festtage ausgenommen, täglich von 5—7 Uhr geöffnet.

Ueber den Besuch und die Benutzung der *theologischen Seminarbibliothek*, des *Theatrum anatomicum*, des *physiologischen Instituts*, der *pathologischen Sammlung*, der *Sammlung von Maschinen und Modellen*, des *zoologischen* und *ethnographischen Museums*, des *botanischen Gartens* und des *pflanzenphysiologischen Instituts*, der *Sternwarte*, des *physikalischen Cabinets* und *Laboratoriums*, der *mineralogischen* und der *geognostisch-paläontologischen Sammlung*, der *chemischen Laboratorien*, des *archäologischen Museums*, der *Gemäldesammlung*, der *Bibliothek des k. philologischen Seminars*, des *diplomatischen Apparats*, der *Sammlungen des landwirthschaftlichen Instituts* bestimmen besondere Reglements das Nähere.

Bei dem Logiscommissär, Pedell *Bartels* (Kleperweg 2), können die, welche Wohnungen suchen, sowohl über die Preise, als andere Umstände Auskunft erhalten und auch im voraus Bestellungen machen.

Für d. Redaction verantwortlich: *Bezzenberger*, Director d. Gött. gel. Anz.
Commissions-Verlag der *Dieterich'schen Verlags-Buchhandlung*.
Druck der *Dieterich'schen Univ.-Buchdruckerei (W. Fr. Kaestner)*.

Nachrichten

von der Königl. Gesellschaft der Wissenschaften und der G. A. Universität zu Göttingen.

17. März. № 5. 1880.

Königliche Gesellschaft der Wissenschaften.

Sitzung am 6. März.

Benfey: Die Quantitätsverschiedenheiten in den Saṁhitâ- und Pada-Texten der Veden. V. Abhandlung. 2. Abtheilung. (Erscheint in den Abhandlungen.)
Derselbe: *Vam*, im Rigveda X. 28, 7.
Derselbe: Ergänzung zu dem Aufsatz 'D statt N' in den Nachrichten 1877. S. 573.
de Lagarde: Ueber den Hebräer Ephraims von Edessa. (Erscheint in den Abhandlungen.)
Krankenhagen: Zur Theorie der partialen linearen Differential-Gleichungen. (Vorgelegt von Schering.)
74 Originalbriefe von Gauß an Bessel; Geschenk der K. Akademie der Wiss. in Berlin.

Vam, im Rigveda X. 28, 7.

Von

Theodor Benfey.

Was im Folgenden mitgetheilt wird, ist eigentlich so einfach, leicht und sich von selbst ergebend, daß ich fast Anstand genommen haben würde, es besonders hervorzuheben, wenn es nicht — ähnlich wie das in den Nachrichten

(1876 No. 13, S. 324 ff. = 'Vedica und Verwandtes' S. 133 ff.) erläuterte *jájhjhatîs* — ebenfalls einen schlagenden Beweis für den Einfluß der Volkssprachen auf die Ueberlieferer des Veda, vielleicht selbst auf die Verfasser von einigen Hymnen, darböte.

Der Halbvers, in welchem das *ἅπαξ λεγόμενον vam* vorkömmt, lautet:

vádhîṃ vṛitrámं vájreṇa mandasânó
'pa [1]) vrajám mahinâ' dâçúshe vam |

in Ludwig's Uebersetzung:

'ich auch [2]) tötete frohlockend mit dem keile den Vritra, mit Macht öffnete ich dem spender die hürde'.

Hier, wie schon von Sâyaṇa, ist *vam* als eine Form des Verbum 1. *var* und zwar als eine erste Person gefaßt. Sâyaṇa glossirt es durch *vṛiṇomi*, 1. Sing. Präs., ohne sich auf eine Erklärung der Form einzulassen. Das St. Petersb. Wtbch. (VI. 696) zieht es zu demselben Verbum und daraus, daß es den Aoristformen angeschlossen ist und als 1. Sing. ausdrücklich bezeichnet wird, ist zu entnehmen, daß es daselbst als 1. Sing. des Aorists gefaßt ist; wie die Form zu erklären sei, wird aber nicht angedeutet. Graßmann nimmt es ebenso und erklärt es zugleich durch die hinzugefügten Worte '*vam* aus *varam*'; allein diese Erklärung ist ungenügend; denn wir erfahren dadurch nicht, welches von beiden *a* ausgefallen sei, ob das erste oder das zweite, und eben so wenig, was noch wichtiger, wieso das *r* eingebüßt sei. Alfred Ludwig hat das Wort in seinem sehr werthvollen Werke 'Der Infinitiv im Veda' (S. 129—130) besprochen

1) Zu lesen: *ápa*.
2) Dies 'auch' würde ich weggelassen haben.

und sich das Verdienst erworben, das, was die Vorgänger für selbstverständlich annahmen, zu beweisen, nämlich daß *ápa...vam* einzig zu *ápa var* gehören könne. Allein die Art, wie er *vam* aus *var* erklärt, nämlich vermittelst einer fingirten Form *varm*, stützt sich auf absolut keine Analogie, und möchte schwerlich bei irgend einem Sprachforscher, außer Delbrück ('Das altindische Verbum', S. 24), Beistimmung gefunden haben. Ludwig meint, daß das *m* der ersten Person Sing. Aoristi hier ohne vorangehendes *a* angetreten sei. Dafür giebt es nun aber in der uns bekannten Phase der indogermanischen Sprachen, in Bezug auf consonantisch auslautende Verbalthemen, absolut keine Analogie und selbst in Bezug auf die vocalisch auslautenden könnte man sich höchstens — aber sicherlich mit Unrecht — auf die auf ursprüngliches *â* und vielleicht die griechischen auf *υ* berufen. Aber selbst, wenn *varm* zu Grunde zu legen wäre — wieso wäre dann das *r* eingebüßt? A. Ludwig hat sogar versäumt, sich diese, hier fast wichtigste, Frage auch nur vorzulegen. Er thut überhaupt — abgesehen von dem schon hervorgehobenen Verdienst — die Sache ziemlich cavalièrement ab: »bedenkt man«, heißt es bei ihm, »wie unzälige male in demselben sinne die wurzel *vṛ* gebraucht erscheint, so wird man nicht zweifeln, daß *vam* für *varm* steht; denn ausz gewöhnlichem *varam* würde nie ein *varm* geworden sein«. Bezüglich dieses letzten Trumpfes 'denn ausz u. s. w.' gebe ich Ludwig ganz Recht; ja ich möchte noch hinzusetzten: aus ungewöhnlichem eben so wenig.

Allein ist denn *varam* die einzige Form, welche in der vedischen Sprache, nach Verdammung von *varm*, als 1. Sing. Aor. von *var* noch erscheinen könnte? Wenn wir sehen, daß das Verbum *kar*, ja beide Verba *var*, sowohl das hier für *vam* in Betracht kommende, mit der Bedeutung: 'umringen u. s. w.', als das mit der Bed. 'wählen' vor vocalisch anlautenden Endungen ihr wurzelhaftes *a* überaus häufig einbüßen — *kr-ánta* (Rv. I. 141, 3), *á-kr-an* (z. B. I. 92, 2 u. sonst oft), *á-kr-ata*, *kr-ántas* (Ptcp.); von 1. *var: a-vr-an*, *vr-an*; von 2. *var: á-vr-ḭ* — wo jedoch der Dichter nicht bloß den Stamm-Vocal *a* sprach, wie schon Graßmann bemerkt, sondern auch das auslautende *i*, da es nun die achte Silbe eines elfsilbigen Stollens auslautet, dehnte — so dürfen wir wohl die Vermuthung wagen, daß — vielleicht unter dem Druck des Metrums, von dessen Macht in den Veden schon manche Beweise geliefert sind [1]) — an unsrer Stelle (es ist ein Stollen von 11 Silben und *vam* gerade die elfte) der Dichter sich erlaubt habe, statt *varam*, nach jenen Analogien, *vram* zu sprechen, und dies glaube ich ist in einen Versuch, den ursprünglichen Text herzustellen, unbedenklich aufzunehmen.

Im Munde des Recitirer wurde dann die anlautende Doppelconsonanz *vr* durch Einfluß des Pâli selbst, oder einer, demselben phonetischen Gesetze (vgl. E. Kuhn Beitr. zur Pâli-Grammatik S. 50: Pâli *vajati* für sskr. *vrajati*) folgenden, Volkssprache zu *vam*.

Durch denselben Einfluß einer Volkssprache erscheint in der Vulgata des Atharvaveda I. 24, 4 *çâmấ* für *çyâmấ*, welches die Paippalâda-Recension

1) Vgl. insbesondere 'Quantitätsverschiedenheiten in den Samhitâ- und Pada-Texten der Veden' Abhandlung I. in den Abhandlungen der K. Ges. d. Wissenschaften XIX, S. 283 ff.

(s. 'Grill, Hundert Lieder des Atharva-Veda übersetzt u. s. w.' im Programm des evangelisch-theologischen Seminars Maulbronn zum Schlusse des zweijährigen Kurses 1877—79, Tübingen, 1879. S. 49, Z. 3) bewahrt hat. *çy* in Mitten eines Wortes würde im Pâli und in der Çaurasenî, so wie andren prakritischen Sprachen bekanntlich *ss*, im Anlaut bloßes *s* geworden sein; in der Mâgadhî aber würde, statt *s* zu werden, der ursprüngliche palatale Zischlaut *ç* bewahrt sein; so auch hier in *çâmấ* statt *çyâmấ*. Natürlich ist, bei einem Versuch die ursprüngliche Gestalt des Atharva-Veda herzustellen, die in der Paippalâda-Recension bewahrte ächte Form *çyâmấ* aufzunehmen.

Zur Theorie der partialen linearen Differential-Gleichungen.

Von

Krankenhagen, Dr. ph., in Malchin.

Aus einem Schreiben an E. Schering.

Von den beiden Systemen gewöhnlicher Differentialgleichungen:

$$(1)\qquad \begin{aligned} \frac{dq_k}{dt} &= \frac{\partial F}{\partial p_k}, \quad \frac{dp_k}{dt} = -\frac{\partial F}{\partial q_k} - p_k\frac{\partial F}{dw}, \\ \frac{dw}{dt} &= \sum_k p_k \frac{\partial F}{\partial p_k} - F \end{aligned}$$

$(k = 1, 2, \ldots n, \quad F = F\,(t\, w\, q_1 \ldots q_n\, p_1 \ldots p_n))$

und

$$\text{(2)} \qquad \frac{dq_k}{dt} = \frac{\partial H}{\partial p_k}, \quad \frac{dp_k}{dt} = -\frac{\partial H}{\partial q_k}$$

$$(k = 1, 2, \ldots n, \quad H = (t q_1 \ldots q_n p_1 \ldots p_n))$$

kann man das zweite, welches ja die Differentialgleichungen der Dynamik in der Hamilton'schen Form respräsentirt, als einen speciellen Fall des ersten ansehen. Dem entspricht auch die Thatsache, daß beide Systeme zwar je einer partiellen Differentialgleichung erster Ordnung äquivalent sind, nämlich resp.

$$\frac{\partial w}{dt} + F\left(t w q_1 \ldots q_n \frac{\partial w}{\partial q_1} \ldots \frac{\partial w}{\partial q_n}\right) = 0 \text{ und}$$

$$\frac{\partial v}{\partial t} + H\left(t q_1 \ldots q_n \frac{\partial v}{\partial q_1} \ldots \frac{\partial v}{\partial q_n}\right) = 0,$$

daß deren erstere aber auch die unbekannte Function selbst enthält, während dies bei der letzteren nicht der Fall ist. In Ihrer Abbandlung »*Hamilton-Jacobische Theorie* etc.« haben Sie (im IV. Abschnitte) diejenigen Substitutionen behandelt, bei deren Einführung an Stelle der ursprünglichen Variabeln die Form der Gleichungen (2) sich nicht ändert; auch haben Sie (im IX. Abschnitte derselben Abhandlung) gezeigt, daß das Bestehen der verallgemeinerten Jacobischen Gleichungen zwischen Substitutionen und Variabeln eine nothwendige und hinreichende Bedingung dafür bildet, daß bei Einführung der ersteren das System (2) in ein andres von derselben Gestalt transformirt wird. Ich stellte mir die Aufgabe, zu untersuchen, ob man nicht solche Functionen von $t w q_1 .. q_n p_1 .. p_n$ finden könnte, bei deren Benutzung sich auch das allgemeinere System (1) invariant transformiren ließe, und ob nicht etwa für derartige Functionen und die $t w q_1 .. q_n p_1 .. p_n$ Beziehungen beständen, welche den Jacobischen Gleichungen ähnlich wären. Das Resultat der hierüber angestellten Untersuchungen kann in folgender Weise angegeben werden:

Satz I.: Es sei φ eine solche Function der Größen $t \alpha q_1 .. q_n a_1 .. a_n$, daß sich die $2n+1$ Gleichungen

$$w = \varphi(t \alpha q_1 .. q_n a_1 .. a_n) \tag{3}$$

$$\frac{\partial \varphi}{\partial q_k} = p_k \tag{4}$$

$$\frac{\partial \varphi}{\partial a_k} + b_k \frac{\partial \varphi}{\partial \alpha} = 0 \tag{5}$$

nach $\alpha a_1 .. a_n b_1 .. b_n$ auflösen lassen. Gebraucht man dann als Differentiationszeichen ∂, wenn die $\alpha a_1 .. a_n b_1 .. b_n$ vermittelst der Gleichungen (3) (4) *und* (5) *ausgedrückt sind durch $t w q_1 .. q_n p_1 .. p_n$, dagegen das Differentiationszeichen d, wenn $w q_1 .. q_n p_1 .. p_n$ als Functionen von $t \alpha a_1 .. a_n b_1 .. b_n$ betrachtet werden, setzt man ferner*

$$\frac{\partial \varphi}{\partial t} = -E, \quad \frac{\partial \varphi}{\partial \alpha} = \beta,$$

so bestehen die Gleichungen:

$$
(6)\quad
\left|
\begin{array}{ll}
\dfrac{dq_k}{da_i} = \dfrac{\partial(\beta\,.\,b_i)}{\partial p_k}, & \dfrac{d\dfrac{p_k}{\beta}}{da_i} = -\dfrac{1}{\beta}\,\dfrac{\partial(\beta\,.\,b_i)}{\partial q_k} \\[3ex]
\dfrac{dq_k}{db_i} = -\beta\,\dfrac{\partial a_i}{\partial p_k}, & \dfrac{d\dfrac{p_k}{\beta}}{db_i} = \dfrac{\partial a_i}{\partial q_k} \\[3ex]
\dfrac{dq_k}{d\alpha} = -\dfrac{\partial\beta}{\partial p_k}, & \dfrac{d\dfrac{p_k}{\beta}}{d\alpha} = \dfrac{1}{\beta}\,\dfrac{\partial\beta}{\partial q_k} \\[3ex]
\dfrac{dq_k}{dt} = \dfrac{\partial E}{\partial p_k}, & \dfrac{d\dfrac{p_k}{\beta}}{dt} = -\dfrac{1}{\beta}\,\dfrac{\partial E}{\partial q_k} \\[3ex]
\dfrac{d\dfrac{1}{\beta}}{da_i} = \dfrac{\partial(\beta\,.\,b_i)}{\partial w}, & \dfrac{d\dfrac{E}{\beta}}{da_i} = \dfrac{1}{\beta}\,\dfrac{\partial(\beta\,.\,b_i)}{\partial t} \\[3ex]
\dfrac{d\dfrac{1}{\beta}}{db_i} = -\dfrac{\partial a_i}{\partial w}, & \dfrac{d\dfrac{E}{\beta}}{db_i} = -\dfrac{\partial a_i}{\partial t} \\[3ex]
\dfrac{d\dfrac{1}{\beta}}{d\alpha} = -\dfrac{1}{\beta}\,\dfrac{\partial\beta}{\partial w}, & \dfrac{d\dfrac{E}{\beta}}{d\alpha} = -\dfrac{1}{\beta}\,\dfrac{\partial\beta}{\partial t} \\[3ex]
\dfrac{d\dfrac{1}{\beta}}{dt} = \dfrac{1}{\beta}\,\dfrac{\partial E}{\partial w}, & \dfrac{d\dfrac{E}{\beta}}{dt} = \dfrac{1}{\beta}\,\dfrac{\partial E}{\partial t},
\end{array}
\right.
$$

wo jeder Index eine beliebige der Zahlen $1, 2, \ldots n$ *bedeutet.*

Ich unterlasse es, an dieser Stelle einen Beweis des eben angeführten Satzes zu geben, bemerke aber, daß letzterer in mehrfacher Beziehung einer Erweiterung fähig ist. Man kann ihn nämlich leicht auf den Fall ausdehnen, daß die $t\alpha q_1 .. q_n a_1 .. a_n$ an μ $(<n)$ Gleichungen

$$\varphi_1 = 0 \quad \varphi_2 = 0 \, .. \, \varphi_\mu = 0$$

gebunden sind; und wenn in den Functionen $\varphi \ \varphi_1 \ .. \ \varphi_\mu$ statt t etwa m Größen $t_1, t_2 \ .. \ t_m$ vorkommen, so verändern sich in den Gleichungen (6) die letzte Vertical- und die letzte Horizontalreihe, und zwar nur durch Hinzufügung von Indices. Ferner kann man bemerken, daß, wenn man an Stelle von (3) (4) und (5) andere Substitutionen

$$\psi(t w \alpha q_1 \ .. \ q_n a_1 \ .. \ a_n) = 0$$

$$\frac{\delta\psi}{\delta q_k} + p_k \frac{\delta\psi}{\delta w} = 0$$

$$\frac{\delta\psi}{\delta a_k} + b_k \frac{\delta\psi}{\delta\alpha} = 0$$

wählt, die diesen entsprechenden Gleichungen den unter (6) angeführten sehr ähnlich sind, sich von denselben aber zum Theil durch größere Symmetrie auszeichnen.

Die Jacobi'schen Gleichungen ergeben sich als specieller Fall der Gleichungen (6), wenn man für φ eine Function von der Form $\alpha + \chi(t q_1 \ .. \ q_n a_1 \ .. \ a_n)$ wählt. —

Satz II.: Wenn sich aus den Gleichungen

$$w = \varphi(t \alpha q_1 \ .. \ q_n a_1 \ .. \ a_n) \tag{3}$$

$$(4) \qquad \frac{\partial \varphi}{\partial q_k} = p_k$$

$$(5) \qquad \frac{\partial \varphi}{\partial a_k} + b_k \frac{\partial \varphi}{\partial \alpha} = 0$$

($k = 1, 2, .. n$) *durch Auflösung ergiebt*

$$(7) \qquad \begin{aligned} w &= w(t\,\alpha\,a_1\;..\;a_n\,b_1\;..\;b_n) \\ q_k &= q_k(t\,\alpha\,a_1\;..\;a_n\,b_1\;..\;b_n) \\ p_k &= p_k(t\,\alpha\,a_1\;..\;a_n\,b_1\;..\;b_n) \end{aligned}$$

und man

$$\frac{\partial \varphi}{\partial t} = -E, \quad \frac{\partial \varphi}{\partial \alpha} = \beta$$

setzt, so können durch die Gleichungen (7) *die Größen* $\alpha\,a_1\;..\;a_n\,b_1\;..\;b_n$ *als neue Variable eingeführt werden in das System gewöhnlicher Differentialgleichungen*

$$(1) \qquad \begin{aligned} &\frac{dq_k}{dt} = \frac{\partial F}{\partial p_k}, \quad \frac{dp_k}{dt} = -\frac{\partial F}{\partial q_k} - p_k \frac{\partial F}{\partial w}, \\ &\frac{dw}{dt} = \sum_k p_k \frac{\partial F}{\partial p_k} - F, \end{aligned}$$

wo F *eine gegebene Function der* $t\,w\,q_1\,..\,q_n\,p_1\,..\,p_n$ *bedeutet. Wenn man nämlich* F, E *und* β *vermittelst* (7) *ausdrückt durch* $t\,\alpha\,a_1\;..\;a_n\,b_1\;..\;b_n$, *so haben die transformirten Gleichungen*

$$\frac{da_k}{dt} = \frac{\partial \dfrac{F-E}{\beta}}{\partial b_k},$$

$$\frac{db_k}{dt} = -\frac{\partial \frac{F-E}{\beta}}{\partial a_k} - b_k \frac{\partial \frac{F-E}{\beta}}{\partial \alpha}$$

$$\frac{d\alpha}{dt} = \sum_k b_k \frac{\partial \frac{F-E}{\beta}}{\partial b_k} - \frac{F-E}{\beta}$$

dieselbe Form, wie die ursprünglichen. Ihre Integrale gehen durch die Substitutionen (3) bis (5) *über in die Integrale von* (1), *und umgekehrt.*

Da der zuerst aufgestellte Satz die Grundlage des Beweises des zweiten bildet, so ist auch der letztere derjenigen Erweiterungen fähig, welche den oben angegebenen entsprechen.

Universität.

Dem Lehrkörper der Universität sind im vergangenen Semester drei der philosophischen Facultät angehörige Mitglieder durch den Tod entrissen: die ordentlichen Professoren Dr. phil. Wappäus und Dr. phil. von Seebach und der außerordentliche Professor Medicinalrath Dr. phil. Wiggers.

Johann Eduard Wappäus, geboren am 17. Mai 1812 in Hamburg und hier erzogen, widmete sich zunächst (auf der Akademie zu Möglin) landwirthschaftlichen Studien, welche er jedoch mit Rücksicht auf seine schwache Gesundheit i. J. 1831 abbrechen muste. Er wante sich alsdann der Geographie zu und studierte nach mancherlei Reisen im nördlichen Deutschland und in den Rheingegenden sowie einem längeren Aufenthalt in Brasilien, als einer der eifrigsten Anhänger Ritters in Berlin, Bonn und Paris; zum Doctor promoviert habilitierte er sich i. J. 1838 an unserer Universität als Privatdocent für Geographie und Statistik und wurde hier i. J. 1845 zum außerordentlichen, i. J. 1854 zum ordentlichen Professor befördert. Als solcher hat er 25 Jahre lang gewirkt, mit einer Hingebung, die mit Rücksicht auf seine zarte Gesundheit und sein vielfaches Kranksein ganz außerordentlich erscheint, wie er denn überhaupt jede Stelle, die ihm angewiesen wurde, ganz und voll ausgefüllt hat und wie er stets bemüht war, alles was er unternahm, mit jener Liebe zur Sache auszuführen, die nicht das eigene sucht, sondern nur das gute und wahre. Groß und allgemein anerkannt sind die Verdienste, die er sich außer als Lehrer als einer der gelehrtesten geographischen und statistischen Schriftsteller, als Mitglied der hiesigen Kgl. Gesellschaft der Wissenschaften, als Theilnehmer an den Versammlungen des internationalen statistischen Congresses in Paris, Wien, London und Berlin sowie an den Sitzungen des internationalen geographischen Congresses in Paris und als Director der Gött. gel. Anzeigen erwarb, welche letzteren er zweimal (von Juni 1848 bis April 1863 und von Mitte des J. 1874 bis zu seinem Tode) mit der allergrößten Umsicht und mit peinlichem Gerechtigkeitsgefühl in einer Weise redigierte, welche diesen Blättern hoffentlich auf lange Zeit zum Segen gereichen wird. Daß er trotz und neben so vielseitiger wissenschaftlicher Thätigkeit lange Zeit als Consul der argentinischen Republik und von Chile fungierte, sei hier mindestens auch erwähnt. — Wappäus erkrankte am 12. December v. J. an einer Lungenentzündung und starb vier Tage später (am 16. Dec. 1879).

Karl Albert Ludwig von Seebach, geboren in Weimar am 13. August 1839, starb in Göttingen am 21. Januar 1880. Da sein Leben demnächst in den Nachrichten von der Königl. Gesellschaft der Wissenschaften von berufenerer Seite geschildert werden wird, so sei er hier nur genannt als ein Mann, welcher in der Blüthe der Jahre, mitten aus reichem Schaffen und glücklichem Familienleben abberufen wurde, an dessen Geschick und Persönlichkeit wir allezeit mit Trauer und Theilnahme gedenken werden.

Heinrich August Ludwig Wiggers, geboren am 12. Juni 1803 in Altenhagen (Amt Springe), studierte in Göttingen vom Herbst 1827 ab zwei Semester, nachdem er (von Ostern 1817 bis Ostern 1822) in Copenbrügge Pharmacie erlernt hatte und alsdann 5½ Jahre in verschiedenen Apotheken als Gehilfe thätig gewesen war. Im September 1828 wurde er Assistent an dem hiesigen chemischen Laboratorium, welches bis zum J. 1835 von Stromeyer, dann von Wöhler geleitet wurde; in dieser Stellung, welche er 22½ Jahr versehen hat, löste er im J. 1831 eine von der medicinischen Facultät gestellte Preisfrage und erwarb im October 1835 den philosophischen Doctorgrad und im Herbst 1837 die venia legendi. Im Jahre 1848 wurde er zum außerordentlichen Professor und zwei Jahre später zum Generalinspector der Apotheken des Königreichs Hannover ernannt, nachdem er bei der Generalinspection derselben bereits 22 Jahre als Privatgehilfe, bez. Stellvertreter der früheren Generalinspectoren (Stromeyers und Wöhlers) thätig gewesen war. Daß er dieses Amt in vorzüglicher Weise ausgeübt hat, lehrt schon der Umstand, daß ihm im J. 1860 auch die Visitation der Bückeburgischen Apotheken übertragen wurde, sowie seine im J. 1864 erfolgte Ernennung zum Medicinalrath, ganz besonders aber wird dieß durch die warmen und großartigen Anerkennungen bewiesen, welche ihm gelegentlich seines im J. 1868 erfolgten Rücktrittes von jenem Amte von den Apothekern der Provinz Hannover bereitet wurden. Den Rest seines Lebens widmete er ausschließlich seiner literarischen und seiner Lehrtätigkeit. Auch hier hat er das beste gewollt und ausgezeichnetes erreicht. Sprechendes Zeugniß dafür legte u. a. die Feier ab, welche gelegentlich seines fünfzigjährigen Jubiläums (i. J. 1878) seine Schüler veranstalteten. — Er starb am 23. Februar dieses Jahres an Altersschwäche.

An die hiesige Universität wurden berufen: der ordentliche Professor an der Universität zu Königsberg Dr. phil. Hermann Wagner als ordentlicher Professor der Geographie und Statistik und der Privatdocent in der juristischen Facultät der Universität zu Berlin Dr. jur. Rudolph Leonhard als außerordentlicher Professor des römischen Rechts.

Der Privatdocent in der philosophischen Facultät Dr. phil. F. von Duhn ist einem Rufe als ordentlicher Professor der classischen Archäologie nach Heidelberg gefolgt.

In der philosophischen Facultät hat sich Dr. Udo Eggert aus Alsleben in der Provinz Sachsen für das Fach der Nationalökonomie habilitiert.

In den Verwaltungsausschuß, aus welchem am 1. März der Professor Dr. König ausschied, traten an demselben Tage ein die Professoren Dr. L. Meyer und Dr. Ehlers.

In den Rechtspflegeausschuß, aus welchem am 1. März der Professor Dr. Marmé ausschied, traten an demselben Tage ein die Professoren Geh. Justizrath Dr. von Bar und Dr. Graf Solms-Laubach.

Das Decanat der juristischen Facultät übernimmt am 18. März Professor Dr. Ziebarth.

Das Decanat der medicinischen Facultät übernahm am 1. Januar der Obermedicinalrath Professor Dr. Henle.

Sitzung der philosophischen Facultät am 16. Februar 1880.

Gutachten.

Benekische Stiftung.

Am 11. März, dem Geburtstage des Stifters, wurde in öffentlicher Sitzung der philosophischen Facultät unter dankbarer Erneuerung des Andenkens an den Stifter folgendes Urtheil über die beiden für die Preisbewerbung dieses Jahres eingegangenen Abhandlungen verkündet:

Die von der philosophischen Facultät im Jahre 1871 gestellte und im Jahre 1877 wiederholte Preisaufgabe der Beneki'schen Stiftung lautet:

»Obgleich den Alterthumsforschern die große Bedeutung, welche Hippokrates Schriften für die griechische Philosophie haben, nicht entgangen ist, so werden doch eingehende Untersuchungen gerade in dieser Hinsicht bis jetzt ganz vermißt, ohne Zweifel wegen der vielen mit dieser Forschung verbundenen Schwierigkeiten. Zu diesen dürfte vor Allem der Umstand gehören, daß unter dem Namen des Hippokrates Werke der verschiedensten Verfasser allmählich vereinigt worden sind, von denen ein Theil neben, ein anderer lange nach diesem, ein dritter vielleicht vor ihm gelebt hat. Da nun ohne eine gründliche Erörterung der Frage, welche philosophische Systeme auf die Werke der Hippokratischen Sammlung irgend Einfluß geübt haben, ein sicheres Urtheil über die Abfassungszeit dieser Schriften nicht möglich ist, da ferner diese Schriften nur nach solchem Urtheil für die Darstellung der philosophischen Systeme zugänglich gemacht und der unbedenklichen Benutzung gewonnen werden, so stellt die Facultät als Aufgabe einen eingehenden und umfassenden Nachweis der philosophischen Systeme, denen die Verfasser der dem Hippokrates zugeschriebenen Schriften folgten, verbunden mit einer Untersuchung über den Gewinn, den die sorgfältige Beachtung jener Systeme sowol für die Abfassungszeit der Hippokratischen Schriften als auch für die Geschichte der griechischen Philosophie ergiebt«.

Der Facultät sind zwei Bewerbungsschriften eingereicht.

Die eine, die das Motto führt: »imprimis philosophi sunt consulendi', behandelt den Stoff in vier Abschnitten. In einer historisch-kritischen Einleitung giebt der Verfasser eine gedrängte Uebersicht über die antiken und modernen Vorgänger in der Kritik der Hippokratischen Schriften, in welcher er die letzteren nach ihrer theils einseitig formalen, theils mehr sachlichen Richtung einsichtig beurtheilt. Es wäre aber zu wünschen gewesen, daß er genauer dargethan hätte, was sich aus der antiken Literatur, namentlich den Anführungen und Aeußerungen Galens und aus Erotian als kritische Grundlage für die Untersuchung ergiebt.

Im zweiten Abschnitte werden die sämmtlichen Schriften nach der von Haeser in seiner Geschichte der Medicin aufgestellten systematischen Reihenfolge ausführlicher oder, wie durchweg in der zweiten Hälfte, kürzer besprochen. Wenn schon diese äußerlich herübergenommene und für den Zweck der Aufgabe hinderliche Anordnung befürchten läßt, daß der Verfasser die Hauptabsicht derselben nicht erkannt habe, so bestätigt das die Ausführung. Nicht allein die Fassung der Aufgabe fordert als Hauptsache die Darlegung, in welcher Art die philosophischen Theorien in die Hippokratischen Schriften übergegangen und in welchem Umfange diese demnach als Quelle für die Geschichte der griechischen Philosophie zu benutzen sind, sondern auch das Urtheil der Facultät und das Gutachten des Referenten (Philolog. Anzeiger 1878 p. 389) über die im Jahre 1874 eingereichte Abhandlung stellen diese literarhistorische Untersuchung in den Vordergrund. Dem Verfasser ist es dagegen vorzugsweise um die Abfassungszeit der Schriften zu thun, und er sucht in den Theorien der Philosophen und Aerzte in der Hauptsache nur Anhaltspunkte für die Datirung, die er sich bemüht, so weit es eben möglich ist, in die Grenzen weniger Decennien zu legen. Der Wunsch in dieser Beziehung zu greifbaren Resultaten zu kommen hat ihn verhindert sich eine lebendige Vorstellung zu bilden, wie wissenschaftliche Anschauungen sich in jener frühen Zeit und auf dem besonderen Boden, dem diese Literatur entstammt, verbreiteten, erhielten und vermengten, und das in der Sammlung enthaltene Material für die Auffassung und Umbildung der verschiedenen Philosopheme, gestützt auf eine scharfe und erschöpfende Analyse, zusammenhängend zu verarbeiten. Daß auf diese Gesichtspunkte viel zu wenig eingegangen und in Folge dieser Einseitigkeit viel zu wenig subtil in der Untersuchung verfahren ist, macht den Hauptmangel der Abhandlung aus. Der zweite ist die principielle Vernachlässigung der sprachlichen und stilistischen Fragen, ohne deren angemessene Verwerthung eine förderliche Lösung der Aufgabe, wie in den angeführten Beurtheilungen ausgesprochen wurde, gar nicht denkbar ist. — Hinsichtlich des Vergleichungsmaterials hält der Verfasser sich, wenn auch seine Belesenheit in den Hippokratischen Schriften nicht zu verkennen ist, mehr als wünschenswerth und richtig war, an seine Vorgänger, namentlich Ermerins, und sucht vorsichtige Hinweisungen auf analoge Aussprüche zu sicheren Belegen der Uebereinstimmung zu machen; z. B. wenn er den *νόμος, περὶ τέχνης* und *π. ἀρχαίης ἰητρικῆς* auf Grund wenig plausibler Entlehnungen aus Platons Sophist und Republik, auf welche Schriften Ermerins II p. XXII hingewiesen hatte, später als diese ansetzt oder wenn er die von Littré II p. 5 und Andern bemerkte Aehnlichkeit einiger Stellen in *π. ἀέρων ὑδάτων τόπων* mit Angaben Herodots zu der Annahme zuspitzt, daß Hippokrates sie dem Herodot entnommen habe, wobei ihm selbst nicht entgeht, wie vielfach abweichend die Nachrichten Beider sind. Wo er selbständige Vermuthungen aufstellt, entbehren dieselben leicht einer ausreichenden Begründung, wie die Beziehungen von π. εὐσχημοσύνης zu des Panätios Schrift π. καθήκοντος, oder werden von ihm überschätzt, wie in der Briefliteratur, wo das bei ihm über ten Brinks Ermittelungen hinausgehende von untergeordneter Bedeutung ist.

In den beiden letzten Abschnitten stellt der Verfasser, gesondert für die Hippokratischen Schriften und für die Philosophie, die Ergebnisse seiner Arbeit zusammen, welche in dem, was als richtig und als sicher nachgewiesen angesehen werden kann, nicht erheblich über die bisherigen Leistungen hinausgehen. Echte Schriften des Hippokrates sind ihm dieselben, wie Ermerins, nur daß der Verfasser mehr geneigt ist, in den Aphorismen Hippokratisches Gut zu erkennen, Ermerins in den Κωακαὶ προγνώσεις. Dem Demokrit schreibt er mit Triller Opusc. med. II p. 257 das Fragment π. ἀνατομῆς und mit ten Brink Philolog. VIII p. 414 den wesentlichen Inhalt von Demokrits angeblichem Briefe π. φύσιος ἀνθρώπου zu, einem italischen Pythagoräer mit Ermerins II p. LXXVIII π. τόπων τῶν κατ᾽ ἄνθρωπον in seinen Grundzügen, wenig überzeugend »vielleicht« dem Philolaos. Die sämmtlichen übrigen Schriften mit Ausnahme von elf, die ihm alexandrinischen oder späteren Ursprungs zu sein scheinen, vertheilt er theils auf die Knidische Schule und auf die Vertreter der dogmatischen Richtung, die er mit der etwas zweifelhaften Klasse der Iatrosophisten, Sophisten und Rhetoren identificirt, theils begnügt er sich die Abfassung zweier oder mehrerer Schriften einem weiter nicht bestimmbaren Verfasser zuzuweisen, worüber in der vorhergehenden Ausführung manche treffende Bemerkungen gemacht sind. Sie sollen zwischen 380 und 322 entstanden sein, Grenzen, die auch in dieser, im Vergleiche mit den Ansätzen bei den einzelnen Schriften allgemeineren Fassung, zahlreichen Bedenken unterliegen, wie denn z. B. das Jahr 360 in einer Reihe von Fällen darauf hinweist, daß Spuren der Benutzung von π. ἀρχαίης ἰητρικῆς vorzuliegen scheinen, deren platonische Entlehnungen bereits als sehr problematisch bezeichnet wurden.

Hinsichtlich der Philosophen, bei denen die ihnen sicher zuzuweisenden Stellen ausgeschrieben sind, erklärt der Verfasser, daß die Sammlung als Quelle für Alkmäon, obgleich dessen Spuren in einem Theile derselben erkennbar seien, nicht benutzt werden könne, daß sie für die Kenntniß des Empedokles nichts Neues ergebe, daß dagegen die Reconstruction von Philolaos drei Büchern π. φύσεως, die aber nicht versucht ist, nicht unmöglich sei. Abgesehen von kleinen Stücken, die dem Anaxagoras und dem Stoiker Diogenes zufallen, — Demokrit ist schon erwähnt, für Heraklit sind mit Recht Bernays Untersuchungen maßgebend — ist der Hauptgewinn eine nicht geringe Anzahl zum Theil längerer Bruchstücke, die unverkennbar auf Diogenes von Apollonia hinweisen und für die Kenntniß von dessen kosmologischen, physiologischen und psychologischen Anschauungen werthvoll sind.

Fassen wir das Gesagte zusammen, so gelangt die Abhandlung, deren Darstellung knapp, klar und der Sache angemessen ist, zwar zu einzelnen brauchbaren Resultaten und bringt im Verlaufe der Darstellung eine Anzahl von Combinationen, die von richtigem Blick zeugen, allein die einseitige Auffassung der Aufgabe und der Umstand, daß nur ein Theil der überhaupt in Betracht kommenden Fragen in den Kreis der Untersuchung gezogen ist, während andererseits manches Bedenkliche und ungenügend Bewiesene vorgetragen wird, kann die Facultät in derselben eine Lösung der Aufgabe in ihrem Sinne nicht erkennen lassen. Sie bedauert daher ihr den Preis nicht ertheilen zu können.

Die zweite Abhandlung trägt als Motto die Worte des Celsus: »Hippocrates primus quidem ex omnibus memoria dignis ab studio sapientiae disciplinam hanc separavit, vir et arte et facundia insignis«. Einleitende Bemerkungen über die Grundlagen, welche die antike oder neuere Kritik gewähren, über die zu befolgende Methode der Untersuchung und die Anordnung des Stoffes verschmäht der Verfasser und wendet sich sogleich zur Besprechung der einzelnen Schriften, die er in einer Reihenfolge durchgeht, für die weder ein Grund angegeben noch sonst erkennbar ist. Nach Andeutungen am Schluße ist er mit der Arbeit nicht ganz fertig geworden und das ist wohl die Ursache, daß er, abgesehen vom *ὅρκος* und den Briefen sammt Anhang, drei keineswegs unwichtige Schriften: *π. ἀνατομῆς*, *π. τῶν ἐν κεφαλῇ τρωμάτων* und *π. ἐγκατατομῆς ἐμβρύου* unbesprochen läßt.

Was in dem Urtheil über die erste Abhandlung von der ungenügenden Bearbeitung des literarhistorischen Theiles der Aufgabe gesagt werden mußte, findet in höherem Maaße Anwendung auf diese zweite. Der Verfasser giebt meistens ziemlich ausführlich den Inhalt der einzelnen Schriften an und füllt damit und mit dem Ausschreiben langer Stellen, wo Citate vollständig ausgereicht hätten, einen Raum, der in keinem Verhältniß zum Umfange der Abhandlung steht. Bei Zurückführung der medicinischen und philosophischen Lehren auf ihre Quellen hat er sich weder die pathologisch-therapeutischen noch die speculativen Voraussetzungen hinreichend klar gemacht, um sie für die Gruppirung, Zutheilung und chronologische Fixirung mit wirklichem Erfolge zu verwenden. Er läßt sich in eine durchgeführte Zergliederung der Schriften überhaupt nicht ein. Die Folge davon ist ein vielfach unsicheres und deßhalb auch schwankend ausgedrücktes Urtheil, eine gewisse Schwerfälligkeit in der Auffindung bestimmter Entscheidungsgründe, die ihn mit aneinandergereihten Anklängen an verschiedene philosophische oder medicinische Schriften zufrieden sein, aber zu einer Erklärung der eigenthümlichen Verbindungen und damit zu rechten Resultaten nicht kommen läßt; so bei den wichtigen Büchern *π. τροφῆς*, *π. διαίτης ά*, *π. φύσιος παιδίου*. Nicht selten begnügt er sich mit allgemeinen Zuweisungen, wie Uebereinstimmung »mit anderen Büchern der Sammlung«, »mit den Büchern die man als zusammengehörig betrachtet«, ja, es ist aus der Abhandlung nicht mit Bestimmtheit zu ersehen, welche Schriften er dem Hippokrates selbst beilegt, noch weniger, welche nach seiner Meinung früher, gleichzeitig oder später verfaßt sind. Das Ganze zerfällt in eine Anzahl von mitunter ganz treffenden Beobachtungen, wie sie sich bei dem Lesen der einzelnen Schriften ergaben, aber es kommt nicht zu einer Verarbeitung derselben nach einem festen Plane und einheitlichen Gesichtspunkten. Wie gering der Ertrag seiner Arbeit ist, zeigt das am Schluß gezogene Resultat, daß aus der Sammlung namentlich für Alkmäon und Diogenes von Apollonia Gewinn zu ziehen sei, aber er hat Nichts gethan diesen Gewinn im Zusammenhange zu erörtern oder auch nur das an zerstreuten Stellen von ihm selbst Beigebrachte übersichtlich zusammen zu ordnen. Unbedeutend ist, was er über Empedokles, wenig überzeugend, was er gegen ten Brink über Demokrit vorbringt. Auf Datirungsversuche hat er sich nur selten eingelassen; unter diesen findet sich der wenig gelungene, daß die Schrift *π. ἱρῆς νούσου,* in welcher einerseits Anklänge an Diogenes von Apollonia vorliegen, andererseits die Platonische Dreitheilung der Seele nicht hätte unerwähnt bleiben können, wenn sie schon aufgestellt worden, zwischen 420 und 387 geschrieben sei, weil nach Zeller Diogenes kurz vor 420 aufgetreten sei und Plato 387 die Akademie gegründet habe.

Die sprachliche Seite der Untersuchung ist in zerstreuten Observationen über den Sprachschatz und charakteristische Satzverbindungen vertreten, aber consequent durchgeführt und für allgemeinere Ergebnisse verwerthet ist auch sie nicht. Vereinzelt kommen Urtheile über Lesarten, Vorschläge zur Verbesserung des Textes und, was hervorgehoben zu werden verdient, Mittheilungen aus Handschriften vor, die aus den Ausgaben nicht zu entnehmen waren und Zeugnisse eines eingehenden philologischen Studiums der Sammlung sind. Daß der Verfasser weitergehende Vorarbeiten für einzelne Punkte nicht gescheut hat, zeigen seine Anführungen aus der Literatur. Die Darstellung ist viel zu breit gerathen.

So gern der Arbeit in den zuletzt genannten Beziehungen das Lob einer leider nicht gleichmäßig zur Anwendung gekommenen Sorgsamkeit ertheilt wird, ist sie als Ganzes zu wenig fertig und in sich abgeschlossen, zu wenig fruchtbar in den sachlichen Darlegungen, als daß die Facultät in der Lage wäre ihr den Preis zuzuerkennen.

Bei der großen Bedeutung, welche diese Fragen für die Geschichte der griechischen Literatur, der Philosophie und Medicin anerkanntermaßen haben, behält sich die Facultät ausdrücklich vor ihre Aufgabe, vielleicht mit einiger Beschränkung, in den nächsten Jahren zu wiederholen.

Die philosophische Facultät.

Verzeichniß der während des Decanats des Professors Dr. Wieseler (1878/9) bewilligten und vollzogenen Promotionen der philosophischen Facultät.

10. Juli 1878. Hermann Hunnius aus Hildesheim. Diss.: Beiträge zur Kenntnis des Acetophenons.

12. Juli. Albert Hösch aus Mettmann am Rhein. Diss.: Untersuchungen über die π-Function von Gauß und verwandte Functionen.

16. Juli. Erich Dieck aus Lindau. Diss.: Ueher Kohlenhydrate der Topinamburknollen (Helianthus tuberosus L.) in chemischer und landwirthschaftlicher Beziehung.

18. Juli. Hugo Pratsch aus Bromberg. Diss.: Biographie des Troubadours Folquet von Marseille.

21. Juli. Georg Kriegsmann aus Stedesdorf. Diss.: Die Rechts- und Staatstheorie des Benedict von Spinoza.

27. Juli. Georg Meyer aus Tostedt. Diss.: Zur Theorie der quadratischen und kubischen Reste.

1. August. Adolf Kannengiesser aus Holsta. Diss.: De Lucretii versibus transponendis.

3. August. Carl Heinen aus Hastenrath. Diss.: Mit welchen Krankheiten kann die Rinderpest leicht verwechselt werden und welches sind die wesentlichsten Momente für die Differential-Diagnose?

6. August. Otto Meinardus aus Jever. Diss.: Die Succession des Hauses Hannover in England und Leibnitz.

9. August. Friedrich Niemöller aus Wersen. Diss.: Electrodynamische Versuche mit biegsamen Leitern.

9. August. Carl Meyer aus Winsen a. d. Luhe. Diss.: I. Einwirkung von Bernsteinsäurechlorid auf Acetanilid. II. Zur Kenntniß der Anhydrobasen.

9. August. Joh. Pini aus Wolfenbüttel. Diss.: Zur Kenntniß der Orthoamidobenzoesäure.

10. August. Joh. Moltmann aus Schwerin in Mecklenburg. Diss.: Theophano, die Gemahlin Ottos II., in ihrer Bedeutung für die Politik Ottos I. und Ottos II.

13. August. James Elliott aus Sydney in Australien. Diss.: Ueber einige Derivate der Styphninsäure und des Trinitroorcins.

14. August. Joseph Landsberger aus Kurnik i. Posen. Diss: Graf Odo I. von der Champagne (Odo II. v. Blois, Tours und Chartres), 995—1037.

16. August. Albert Knoll aus Braunschweig. Diss.: Zur Kenntniß der β-Nitrosalicylsäure und der β-Nitrobenzamidobenzoesäure und Abkömmlinge.

16. August. Moritz Ulrich aus Hannover. I. Ueber die Natur der Parabrommetabromnitrobenzoesäure. II. Ueber die Nitrirung der Metachlorbenzoesäure. III. Brom- und Benzyläthyläther. IV. Tribenzylamin und Salpetersäure.

16. August. Hermann Claassen aus Tiegenhof. Diss.: Ueber die Pentahalogenverbindungen des Resorcins und Orcins.

22. August. Heinrich Hirschberg aus Wreschen. Diss.: Auslassung und Stellvertretung im Altfranzösischen. I.

5. October. Georg Fiedeler aus Langenholzen. Diss.: Beiträge zu den physiologischen und pathologisch-anatomischen Unterlagen der Adenitis equorum und ihrer Complicationen und über die häufigste Todesursache jener Krankheit.

18. October. Wilhelm Kind aus Soest. Diss.: Zur Potentialfunction der electromagnetischen Kräfte mit Anwendung auf Multiplicatoren, deren Stromwindungen rechteckig geformt sind.

4. November. Maximilian Kienitz aus Münden. Diss.: Vergleichende Keimversuche mit Waldbaumsaamen aus klimatisch verschieden gelegenen Orten Mitteleuropas.

10. November. Pericles Gregoriades aus Gortys im Peloponnes. Diss.: *Περὶ τῶν μύθων παρὰ Πλάτωνι.*

17. November. Ludwig Gurlitt aus Holstein, geb. in Wien. Diss.: De M. Tulli Ciceronis epistolis earumque pristina collectione.

24. November. Hermann Collitz aus Bleckede. Diss.: Ueber die Entstehung der indoiranischen Palatalreihe.

30. November. Conrad Edzardi aus Anclam. Diss.: I. Ueberführung der bei 215—216° schmelzenden Bromnitrosalicylsäure in Bromnitramidobenzoesäure. II. Ueber eine neue Bromnitrosalicylsäure. III. Ueber eine benzoylirte Nitramidobenzoesäure.

30. November. Friedrich Müller aus Göttingen. Diss.: Ein neuer Weg zur Darstellung der drei Toluolsulfisäuren.

30. November. Emil Fanger aus Braunschweig. Diss.: Zur Kenntniß der Metajodmetanitrobenzoesäure und Abkömmlinge.

30. November. Paul Seidler aus Egelsdorf. Diss.: Ueber Chrysarobin und die angebliche Chrysophansäure im Goapulver.

8. December. Henry Bungener aus Genf. Diss.: Recherches en vue de la préparation de nitriles basiques.

9. December. Adolf Schmidt-Mülheim aus Kettwig. Diss.: Untersuchungen über die Verdauung der Eiweißkörper.

11. December. Julius Nehab aus Lissa. Diss.: Der altenglische Cato.

13. December. August Tenne aus Hildesheim. Diss.: Krystallographische Untersuchung einiger organischer Verbindungen.

20. December. Oscar Frankfurter aus Hamburg. Diss.: Ueber die Epenthese von *j* (ι) ϝ (υ) im Griechischen.

21. December. Gustav Bromig aus Düsseldorf. Diss.: De asyndeti natura et apud Aeschylum usu.

18. Januar. Arnold Sachse aus Schwerin a. d. Warthe. Diss.: Versuch einer Geschichte der Darstellung willkürlicher Functionen einer Variablen durch trigonometrische Reihen.

28. Januar. Eduard Nichols aus New York. Diss.: Ueber das von glühendem Platin ausgestrahlte Licht.

4. Februar. Ernst Berner aus Berlin. Diss.: Zur Verfassungsgeschichte der Stadt Augsburg vom Untergang der römischen Herrschaft bis zur Codification des zweiten Stadtrechts im Jahre 1276.

10. Februar. Carl Lemke aus Unruhstadt. Diss.: Ueber das Verhalten des Bacillus Anthra-

cis zum Milzbrand und über das Eindringen desselben resp. seiner Sporen von den Lungenalveolen aus in die Blutbahn.

13. Februar. Ludwigs Mills Norton aus Boston. Diss.: Ueber die Einwirkung von Chlorjod auf die Amine der Benzolreihe.

15. Februar. Carl Gerke aus Goslar. Diss.: Ueber Parajodnitro-, Parajodamido- und Bijodbenzoesäure.

15. Februar. Ewald Herzog aus Elberfeld. Diss.: I. Ueber eine Bromnitrosalicylsäure und Abkömmlinge derselben. II. Versuch zur Darstellung einer Dihydrobenzoesäure. III. Einwirkung von Phosphorsäureanhydrid auf Acetanilid.

18. Februar. Paul Cascorbi aus Greiffenberg. Diss.: Observationes Strabonianae.

20. Februar. Kurt Boeck aus Antonienhütte in Schlesien. Diss.: Ueber eine Disulfosäure des Anthracens und deren Umwandlung in Anthrarufin.

26. Februar. Ludwig Bornemann aus Lüneburg. Diss.: De Castoris chronicis Diodori Siculi fonte ac norma.

28. Februar. Moulton Babcock aus Ithaca in Nordamerika. Diss.: Darstellung von α-Dinitrophenol und von Nitroamidosalicylsäure aus Dimetanitrosalicylsäure.

4. März. Georg König aus Niddawitzhausen. Diss.: I. Ueber Nitrobenztoluidine. II. Ueber neue Phenyläther.

4. März. Hermann Ulex aus Hamburg. Diss.: Ueber die Nitrirung des Phenylbenzoats.

5. März. Oscar Gürke aus Beuthen. Diss.: Untersuchung einiger benzoyl- und aethylhaltiger Derivate des Hydroxylamins.

5. März. Otto Hörmann aus Harlingerode.

Diss.: Ueber die Farbstoffe der Gelbbeeren und den Rhamnodulcit.

15. März. William Benjamin Smith aus Lexington in Kentucky. Diss.: Zur Molekularkinematik.

16. März. Gedeon von Bytschkow aus Mosdok in Russisch-Kaukasien. Diss.: Wesen, Bedeutung und Anwendbarkeit der »freien Wirthschaft«.

24. April. Adolf Herbst aus Göttingen. Diss.: Ueber die von Sebastian Münster und Jean du Tillet herausgegebenen hebräischen Uebersetzungen des Evangelium Matthaei.

16. Mai. Eduard Simon aus Beelitz. Diss.: Ueber Diäthyl- und Diamyl-Anhydrobenzoyldiamidobenzolverbindungen.

24. Mai. Georg Mahlow aus Berlin. Diss.: Die langen Vokale ā, ī, ū in den europäischen Sprachen.

27. Mai. Bernhard Wartze aus Volkstedt. Diss.: Ueber die Einwirkung von Benzoesäure auf Baryummetanitrobenzoat.

Bewilligt aber nicht vollzogen sind außerdem 23 andere Promotionen.

Zwei Candidaten machten das Examen zum zweiten Mal, ohne dasselbe zu bestehen. Sieben Candidaten wurden nach der mündlichen Prüfung auf ein halbes oder ein ganzes Jahr oder auf unbestimmte Zeit zurückgewiesen. Achtundzwanzig Bewerbungen um die Doctorwürde, darunter je zwei von denselben Candidaten herrührende, konnten nicht zugelassen werden.

Erneuerung des Doctordiploms bei Gelegenheit ihres fünfzigjährigen Jubiläums wurde zu Theil den hiesigen Professoren A. Bohtz, Theodor Benfey, Moritz Stern und dem Director a. D. Carl Bertheau zu Hamburg. — Eine außerordentliche Ehrenbezeugung wurde dem Forstdirector Burckhardt erwiesen, indem ihm, da er nicht zum Doctor philosophiae honoris causa ernannt werden konnte, weil dieses schon anderswoher geschehen war, bei Gelegenheit der Feier seines Dienstjubiläums am 19. November 1878 durch ein motiviertes Schreiben von den Gefühlen höchster Achtung und Verehrung und den innigsten Wünschen der Facultät Ausdruck gegeben wurde.

Bei der Königl. Gesellschaft der Wissenschaften eingegangene Druckschriften.

December 1879.

(Fortsetzung).

Appendix I. A Catalogue of 1963 stars and of 290 double stars, by U. S. Naval Astronomical Expedition to the southern hemisphere during 1850–51—52. 4.

J. Newcomb, the uranian and neptunian systems, investigated with the 26 — inch equatorial of the U. S. Naval Observatory. 4.

J. R. Eastmann, report of the difference of longitude between Washington and Oyden. Utah. 4.

Idem — — between Washington and Detroit, Michigan; Carlin, Nevada; and Autin, Nevada. 4.

W. Harkness — — between Washington and St. Louis. 4.

J. Newcomb, on the right ascensions of the equatorial fundamental stars, etc. 4.

Zones of stars observed at the nation. Observatory, Washington. Vol. I. Part 1. (the zones observ. in 1846). 1860. 4.

Report of the Commission on side for Naval Observatory. 1879.

Journal of the American Geograph. Society of New York. Vol. IX.

Proceedings of the Canadian Institute. New Ser. Vol. I. P. 1.
Proceedings of the American Academy of Arts and Sciences. Vol. VI. 1879.
Proceedings of the Amer. Philosoph. Society. Vol. XVIII. Nr. 103.
Bulletin of the Essex Institute. Vol. 10. Nr. 1—9.
Annales of the New York Academy of Sciences. Vol. I. Nr. 5—8.
Proceedings of the Americ. Pharmaceutical Association. 1878.
Memoirs of the Boston Society of Natural History. Vol. III. P. I. Nr. 1—2.
Proceedings. Vol. XIX. Part 3—4. Vol. XX. P. 1.
Le Pasteur d'Hermas. Paris 1880.
L. F. v. Eberstein, Fehde Mangold's v. Eberstein zum Brandenstein gegen die Reichsstadt Nürnberg 1516—1522. 1879.
American Journal of Mathematics. Vol. II. Nr. 3. (4).
Mittheil. aus dem Jahrbuch der k. ungar. geolog. Anstalt. Bd. III. Heft 4.
Bulletin de la Société des Naturalistes de Moscou. 1879. Nr. 2.
H. Draper, On the coincidence of the bright lines of the Oxygen Spectrum with bright lines in the solar spectrum.
Mittheilungen d. deutschen Gesellschaft f. Natur- u. Völkerkunde Ostasiens Heft 19, Oktober 1879.

Von der K. Akademie der Wiss. zu Wien.

Denkschriften. Mathem.-naturwiss. Classe. Bd. 39. 4.
— — Philosoph.-historische Classe. Bd. 24 und 29. 4.
Sitzungsberichte, philosoph.-histor. Classe. Bd. 90—93.
Register zu den Bänden 81 - 90.
Sitzungsberichte, mathem.-naturwiss. Classe.
I. Abth. Bd. 77. H. 5. Bd. 78.
II. Abth. Bd. 77. H. 4—5. Bd. 78—79.
III. Abth. Bd. 77—79.
Archiv der österreich. Geschichte. Bd. 57. 2. Bd. 58. 1—2.
Fontes rerum austriacarum. Bd. 41. 1. u. 2. Hälfte.
Almanach 1879.

Januar 1880.

A. Scacchi, sulle incrostazione gialle della lava vesuviana. 4.
Leopoldina. XV. Nr. 23—24.
Monthly Notices of the R. Astronom. Society. Vol. XL. Nr. 2.
L. R. Landau, Sammlung kleiner Schriften.
Annales de la Sociedad Argentina. Dec. 1879. Tomo VIII.
Bulletin de l'Académie des Sc. de Belgique. T. 48. Nr. II.
Monatsbericht der Berliner Akad. Sept. Oct. 1879.
Archivo di Statistica. Tomo IV. Fasc. 3. Roma 1879.
Riforma della legge elletorale politicia. Roma 1879.
Zeitschrift für Meteorologie. Bd. XV. Januar 1880.
Sitzungsber. der Münchener Akad. mathem.-physik. Cl. 1879. H. 3.
Öfversigt af Finska Vet. Soc. förhandlingar. XXI. 1878—79.
Observations meteorol. de la Soc. des Sc. de Finlande. 1877.
O. Hermann, Ungarns Spinnen-Fauna. III. Bd. 4.
K. Hidegh. Analyse ungarischer Fahlerze. 4.
A. Heller, Catalog der Bibliothek der ungar. naturwiss. Gesellsch.
Jozsef Szinnyei, Bibliotheca hungariem historiae naturalis et matheseos. 1878.
I. Jahresbericht der geograph. Gesellsch. in Hannover. 1879.
18. Bericht der Oberhess. Gesellsch. für Natur- und Heilkunde.
Tromsö Museums Aarshefter. II.
Annales de l'Observatoire R. de Bruxelles. 1—14. 1879.
Mittheil. der Gesellschaft für Naturkunde etc. Ostasiens. Oct. 1879.
F. von Mueller, Atlas of the Eucalypts of Australia. 4. Decade. 4.
Idem, on new vegetable fossils of the auriferous drift.
Bulletin de la Société Mathématique. T. VII. Nr. 6.
I. Biker, Supplemento a colleccã etc. T. XXX. P. 1. 2.
Erdélyi Muzeum. Nr. 1. 1880.

(Fortsetzung folgt).

Für d. Redaction verantwortlich: *Bezzenberger*, Director d. Gött. gel. Anz.
Commissions-Verlag der *Dieterich'schen Verlags-Buchhandlung.*
Druck der *Dieterich'schen Univ.-Buchdruckerei (W. Fr. Kaestner).*

Nachrichten

von der Königl. Gesellschaft der Wissenschaften und der G. A. Universität zu Göttingen.

7. April. №. 6. 1880.

Königliche Gesellschaft der Wissenschaften.

Ueber die Bedingungen der Geysir.

Von

Heinr. Otto Lang.

(Vorgelegt von Wöhler.)

Die intermittirenden heißen Springquellen, als deren Prototyp man seit der Zeit ihres ersten Bekanntwerdens bis zu diesen Tagen den »großen Geysir« auf Island betrachtet, mußten in ihrer ungewöhnlichen und großartigen Erscheinung vor vielen anderen Dingen den Scharfsinn der Forscher reizen, ihre Bedingungen zu ermitteln. Mit der Entwicklung der Geologie zu einer Wissenschaft festigten sich denn auch ziemlich gleichzeitig die Anschauungen über die Ursachen des Geysirphänomens zu Theorien, die von den übrigen Fortschritten in der Naturerkenntniß auch ihrerseits Vortheile genossen.

Im Jahre 1847 trat nun R. Bunsen mit einer Geysirtheorie hervor, die sich im Fluge fast allgemeine[1]) Anerkennung erwarb und dieselbe auch bisher genossen hat. Die Lösung der Geysirfrage erschien damit vollkommen gegeben, jedes Dunkel aufgehellt, kein Zweifel möglich, der Beweis der Lösung mathematisch geführt; also konnten die Geologen das Geysirproblem für erledigt ansehen und ruhig ihre Arbeitskraft anderen Fragen widmen.

Bei eingehender Prüfung der Bunsenschen Theorie bin ich aber zu anderer Ansicht über dieselbe gekommen. Nachfolgende Zeilen sollen nun meine Zweifel darlegen und sollen darthun, warum ich jene Theorie als nichtbefriedigend bezeichnen muß.

Ich halte es für das Beste, in dieser Darlegung dem Beispiele R. Bunsens zu folgen, der allerdings den bedeutenden Vortheil hatte, sich auf eigene Beobachtungen stützen zu können, und die Erörterung des Phänomens intermittirender heißer Springquellen an die Schilderung des Verhaltens der bekanntesten unter solchen Eruptionsquellen, des Isländischen großen Geysirs zu knüpfen Die der directen Beobachtung gebotenen Verhältnisse des großen Geysirs sowie die daran geknüpfte Theorie werde ich dabei hauptsächlich auf Grund von R. Bunsens Angaben[2]), z. Th. sogar mit seinen eigenen Worten darzulegen versuchen und werde ich unter jenen diejenigen Einzelheiten besonders hervorheben, die meiner Meinung nach wesentlich für die Beurtheilung und Erklärung des Geysir-Phänomens sind; nur im Fall daß

1) Nur Sartorius von Waltershausen scheint abweichender Ansicht gewesen zu sein, ohne jedoch sein Urtheil eingehender zu motiviren; s. Göttinger Studien, 1847, I. 451.

2) Annalen der Chemie u. Pharmacie, 1847, LXII, S. 24, und Poggendorffs Annalen, 1847, S. 159.

Bunsen diese Verhältnisse nicht erwähnt oder wenigstens nicht ihrer Wichtigkeit entsprechend betont hat, werde ich seine Schilderung aus denen anderer Beobachter des großen Geysirs ergänzen. Betreffs vorkommender Controversen in diesen Schilderungen muß ich auf die Thatsache hinweisen, welche bereits die ältesten Beobachter und Compilatoren von Geysir-Beobachtungen [1]) constatirt haben, daß in den Kraftäußerungen des Geysirs, den Zwischenräumen und der Zeitdauer seiner Eruptionen, ja selbst in den äußeren Formen des Beckens und Trichters eine nicht unbedeutende Variabilität herrsche, daß demnach die Widersprüche der Beobachter-Berichte in einzelnen Punkten nicht nothwendig auf eine Unzuverlässigkeit der Beobachter und ihrer Berichte zurückzuführen sind.

Ueber die geographische Lage der Thermengruppe, welcher der berühmte große Geysir angehört, kann sich jeder Leser leicht auf den nach Oluf Nicolai Olsen's und Björn Gunnlaugssons Aufnahmen ausgeführten Karten orientiren, welche den neueren Isländischen Reisewerken beigegeben sind [2]). Ihre Meereshöhe beträgt etwa 110 m und die Haupterstreckung der Thermengruppe läuft »ungefähr N 17° O«, also »der allgemeinen vulcanischen Spaltenrichtung (auf Island) annähernd conform« »Die älteste Ge-

1) Olafsen und Povelsen, Reise durch Island, deutsche Ausg. 1775, S. 148 sprechen aus »daß die Ausbrüche des Geysirs nicht regelmäßig abwechseln«; desgl. Mackenzie, travels in Iceland, 2. ed. 1812, p. 226. — G. Garlieb, Island. 1819, p. 79. — Krug v. Nidda in Karstens Archiv, IX, p. 263.

2) Man wird da finden, daß die Geysir nicht südwestlich von der Heklaspitze liegen, wie bei Bunsen a. a. O. zu lesen, sondern nordwestlich davon; erstere Angabe ist wohl nur einem Druckfehler zuzuschreiben.

birgsart, welche den Quellenboden bildet, ist ein Palagonittuff, der von einem am nordwestlichen Rande der Quellen sich entlang ziehenden Klingstein- (Trachyt-)rücken [1]) durchbrochen ist. Nur hier und da dringen einzelne Koch- und Dampfquellen aus dem Klingstein selbst in einer Höhe von ungefähr 55 m über dem großen Geysir hervor. Der eigentliche Heerd der Quellenthätigkeit dagegen findet sich am Fuße jener Klingsteindurchbrechung in einem lockeren Palagonittuff«. Der große Geysir stellt nun einen mit Kieselsinter ausgefütterten Brunnenschacht von kreisförmigem Querschnitte bei etwas mehr als 3 m Durchmesser und von 23,5 m Tiefe dar, der nach oben in ein rundes flaches Becken [2]) mündet, das in einen niedrigen Kieselsinterkegel von nur 7—10° seitlicher Böschung eingetieft ist. Nach Bunsen hat dieses Bassin auch einen Abfluß, »in Gestalt einer kleinen Cascade über den Konus«, aber dieser Abfluß tritt allemal erst einige Stunden nach einer Eruption ein; nach Sartorius von Waltershausen scheint der Abfluß bedeutender: »Unter den gewöhnlichen Verhältnissen ist das Becken mit krystallklarem, seegrünem Wasser, welches eine Temperatur von 82° C. besitzt, erfüllt und läuft in drei kleinen Abflußrinnen über die nach Osten gewandte Böschung des Kegels [3])«. Dieses Wasser ist mit Kiesel-

1) Nach Sartorius von Waltershausen, Göttinger Studien, 1847, p. 444, ist dieser Hügel, der Laugafjall, aus »schiefrigem Klingstein und einem grauen Trachyt« zusammengesetzt.

2) Von etwa 17 m Durchmesser, nach Sartorius von Waltershausen, und etwa 2 m Tiefe; nach demselben besitzt der Brunnenschacht einen dreimal kleineren Durchmesser als das Becken, also 5,6 m.

3) Entsprechend berichten Preyer und Zirkel, Reise nach Island, Leipzig 1862, S. 241 und 247 (»die rieseln-

säure geschwängert, welche es beim Verdunsten als Sinter absetzt.

Nach Bunsen ist nun das Incrustationsvermögen des Geysirwassers beim Verdunsten (nicht schon beim Erkalten) die nächste Ursache der Bildung einer intermittirenden Eruptionsquelle: »Denkt man sich eine einfache incrustirende Thermalquelle, welche das Wasser von ihrem Bassin aus über eine flachgeneigte Bodenfläche ausgießt, so ist es einleuchtend, daß das Bassin, in welchem das stets erneuerte Wasser der Verdunstung nur eine höchst unbedeutende Oberfläche darbietet, von Kieselbildungen frei bleiben muß, während seine, den Wasserspiegel überragenden Ränder, an denen die durch Capillarität eingesogene Feuchtigkeit leicht und schnell eintrocknet, sich mit einer Kieselerdekruste bekleiden. Weiterhin, wo das Wasser sich auf der die Quelle umgebenden Bodenfläche ausbreitet, nehmen die Incrustationen in dem Maße zu, als seine Verdunstungsoberfläche wächst. Die dadurch bewirkte Bodenerhöhung setzt dem Abfluß des Wassers allmälig ein Hinderniß entgegen und leitet dasselbe gegen den tiefern Boden hin, wo das Spiel dieser Sinterbildungen sich von neuem wiederholt bis die veränderten Niveauverhältnisse immer wieder einen Wechsel des Wasserabflusses herbeiführen. Da das Quellenbassin an dieser Incrustation keinen Antheil nimmt, so baut es sich, indem es sich mit einem Hügel von Kieseltuff umgiebt, zu einer tiefen Röhre auf, die, wenn sie eine gewisse Höhe er-

den Bäche, welche dem Becken entfließen«); — C. W. Paykull, en Sommer in Island, Kjöbenhavn 1867, p. 309 schätzt die Menge des abfließenden Wassers, also auch des unterirdisch zufließenden (det underjordiske Tillöb) auf nicht mehr als die einer kleinen Quelle.

reicht hat, alle Bedingungen in sich vereinigt, um die Quelle in einen Geysir zu verwandeln. Ist eine solche Röhre, je nachdem es das ursprüngliche Verhalten der Quelle mit sich brachte, verhältnißmäßig eng, und wird sie von einer nicht zu langsam hervordringenden, durch vulcanische Bodenwärme von unten sehr stark erhitzten Wassersäule erfüllt, so muß eine continuirliche Springquelle entstehen, wie man deren an vielen Orten in Island beobachtet. Ist dagegen die durch den Incrustationsproceß gebildete Geysirröhre hinlänglich weit, um von der Oberfläche aus eine erhebliche Abkühlung des Wassers zu gestatten und tritt der weit über 100⁰ erhitzte Quellenstrang nur langsam in den Boden der weiten Röhre ein, so finden sich in diesen einfachen Umständen alle Erfordernisse vereinigt, um die Quelle zu einem Geysir zu machen, der periodisch durch plötzlich entwickelte Dampfkraft zum Ausbruch kommt und unmittelbar darauf wieder zu einer längeren Ruhe zurückkehrt.«

Die Thätigkeit des großen Geysirs schildert Sartorius von Waltershausen wie folgt: »Nach einiger Zeit vernimmt man unterirdisches Donnern, das, wenn auch viel weniger laut, dem durchaus ähnlich ist, welches die Vulcane während ihrer Ausbrüche von sich geben. Die Oberfläche des Geysirkegels wird dabei in eine zitternde Bewegung versetzt. Während diese Erscheinung einige Secunden fortdauert, dann zuweilen momentan nachläßt, um um so stärker zu beginnen, schwillt das Wasser im Becken, es wird nach oben convex gewölbt und zu gleicher Zeit steigen große Dampfblasen hervor, welche an der Oberfläche zerplatzen und das siedende Wasser einige Meter hoch emporschleudern. Darauf wird es still; dichter weißer Dampf, der schon von einem leichten Winde über die Ebene fortgetrieben wird, umhüllt für kurze Zeit das Bassin. In sehr regelmäßigen Zwischenräumen von einer Stunde und zwanzig bis dreißig Minuten wiederholt sich dieselbe Erscheinung einen Tag und auch wohl länger ohne Unterbrechung, bis sie plötzlich einen etwas verschiedenen Charakter annimmt. Dann wird stärkeres Donnern aus der Tiefe vernommen, das Wasser schwillt im Bassin, schlägt hohe Wellen und wirbelt umher; in der Mitte erheben sich gewaltige Dampfblasen und nach wenigen Augenblicken schießt ein Wasserstrahl in feinen, blendend weißen Staub gelöst, in die Luft; er hat kaum eine Höhe von achtzig bis hundert Fuß erreicht und seine einzelnen Perlen sind noch nicht im Zurückfallen begriffen, so folgt ein zweiter und dritter höher emporsteigender dem ersten nach. Größere und kleinere Strahlen verbreiten sich nun in allen Richtungen; einige sprühen seitwärts, kürzern Bogen folgend, andere schießen aber senkrecht empor mit sausendem Zischen, wie die Raketen bei einem Feuerwerk; ungeheuere Dampfwolken wälzen sich übereinander und verhüllen zum Theil die Wassergarbe; nun noch ein Stoß, ein dumpfer Schlag aus der Tiefe, dem ein spitziger, alle andern an Höhe überragender Strahl, auch wohl von Steinen begleitet, nachfolgt, und die ganze Erscheinung stürzt, nachdem sie nur wenige Minuten gedauert, in sich zusammen, sowie eine fantastische Traumgestalt beim Einbrechen des Morgens. Ehe noch der dichte Dampf im Winde verzogen und das siedende Wasser an den Seiten des Kegels abgelaufen ist, liegt das vorhin ganz mit Wasser erfüllte Bassin trocken, mit aschgrauen Sinterperlen überdeckt vor dem Auge des herannahenden Beobachters, der im tiefer führenden Rohre, fast zwei Meter unter dem Rande, das Wasser ruhig und still wie in jedem andern Brunnen erblickt.

Nach dem Verlauf von einer Stunde und auch wohl noch kürzeren Zeit fängt das Wasser im Rohre allmählig wieder zu steigen an, und nach einigen Stunden ist das Bassin ganz wie vor der Eruption bis zum Ueberlaufen mit fast siedendem Wasser erfüllt. Die Detonationen pflegen erst vier bis sechs Stunden nach der Ausleerung des Bassins sich wieder einzustellen und nehmen alsdann ihren regelmäßigen Verlauf bis zu der nächstfolgenden Eruption, welche mitunter mehr als einen Tag auf sich warten läßt«.

Als für die Erklärung des Geysirphänomens wichtige Momente muß ich nun folgende Thatsachen hervorheben:

a) Die von Bunsen als unumstößliche Resultate seiner und Des Cloizeaux's Beobachtungen hingestellten, nämlich:

1. »daß die Temperatur der Geysircolonne von unten nach oben abnimmt,

2. daß, kleine Störungen abgerechnet, die Temperatur an allen Punkten der Säule mit der nach der letzten Eruption verflossenen Zeit in stetem Steigen begriffen ist,

3. daß dieselbe an keinem Punkte, selbst bis einige Minuten vor der großen Eruption, in der ruhenden Wassersäule den Kochpunkt erreicht, der dem Atmosphären- und Wasserdruck am Orte der Beobachtung entspricht,

4. daß die Temperatur in der mittleren Höhe des Geysirrohrs dem daselbst der drückenden Wassersäule entsprechenden Kochpunkte am nächsten liegt, und um so näher rückt, je mehr

der Zeitpunkt einer großen Eruption herannaht«.

b) Die ebenfalls von Bunsen in dem Geysirwasser beobachteten Strömungen. Im Centrum der Geysirröhre steigt ein Strom erhitzten Wassers auf, verbreitet sich an der Oberfläche des Beckens gegen den Rand hin und fließt nach der am Wasserspiegel erlittenen Abkühlung am Boden des Bassins in die Röhre zurück. »Um diesen Strom nachzuweisen, reicht es hin, in den Mittelpunkt des Geysirbeckens einige Papierblättchen zu werfen, die sogleich auf der Oberfläche an den Rand getrieben und von da wieder am Boden der Röhre zugeführt werden«. Bunsen spricht allerdings nur von im obern Theile der Röhre auf und absteigenden Strömen, führt aber weder Beobachtungen an, welche eine Beschränkung der Strömungen auf den oberen Theil der Wassersäule erkennen lassen, noch theoretische Gründe, warum diesen Strömungen nach der Tiefe zu eine Grenze gesetzt wäre; es ist das jedoch ein Punkt, auf den ich eingehender noch zurückkommen muß.

c) Die gleichfalls von Bunsen constatirte Thatsache, daß bei den großen Eruptionen Wasserdämpfe wirken, welche nicht im Geysirrohre entstanden sind; abgesehen von den weiter unten eingehender besprochenen Dampfblasen, welche die kleineren Detonationen hervorbringen, berichtet Bunsen auch von Dampfentwickelungen in den seitlichen Wasserzuführungskanälen während den Eruptionen selbst; für Bunsen gelten dieselben allerdings nur als unwesentliche und zufällige; er sagt a. a. O. p. 35 »daß solche Dampfentwickelungen in der That bei den Eruptionen mitwirken, darauf deutet die merkwürdige Thatsache hin, daß die empordringenden Wasserstrahlen bei heftigen Ausbrüchen in einer rotirenden Bewegung begriffen sind, die sich nicht wohl anders als durch seitliche Dampfeinströmungen erklären läßt«.

d) Die Plötzlichkeit der Entwicklung desjenigen Wasserdampfes, welcher das Wasser aus dem Geysirschacht herausschleudert. Bunsen sagt selbst in oben angeführter Stelle, daß plötzlich entwickelte Wasserdämpfe den Ausbruch bewirken; solchen Wasserdampfes ist aber auch für den Ausbruch ein großes Quantum nöthig.

e) Wie der Ausbruch plötzlich beginnt, so endet er auch plötzlich, »unmittelbar« tritt die Ruhe nach der Eruption wieder ein.

f) Die Gewaltsamkeit des Ausbruchs, die sich auch, ganz abgesehen von der Höhe und Mächtigkeit, sowie Auswurfsgeschwindigkeit der Wasser- und Wasserdampf-Strahlen, in mechanischen Erschütterungen des Bodens äußert; zur Ergänzung von Sartorius' oben angeführtem Berichte nach dieser Richtung will ich nur Krug v. Nidda anführen, der »das donnerartige Geräusch in der Tiefe und die Erschütterung des Erdbodens, die einer jeden Eruption vorangeht«, hervorhebt.

g) Die Leerung des Beckens und das Zurückfließen des Wassers in das Geysirrohr unmittelbar nach der Eruption. R. Bunsen hebt allerdings diesen Umstand nicht hervor und seine Schilderung »unmittelbar nach erfolgter Eruption steigt das 1—2 m tief in der Röhre stehende Wasser allmählig während einiger Stunden bis an den Rand des Beckens, wo es ruhig in der Gestalt einer kleinen Cascade über den Konus abfließt«, kann leicht dahin mißverstanden werden, daß die Erscheinung des Zurückfließens der Wasser nicht eine auffallende und wesentliche sei; ja bei seiner Widerlegung der Mackenzie'schen Geysirtheorie beruft er sich sogar auf seine Beobachtung, daß unmittelbar nach der Eruption nicht mehr Wasser im Geysirapparate fehle, als wie über den Kegelrand geschleudert worden sei: »die bei den Eruptionen über den Rand des Bassins geschleuderten Wassermassen entsprechen vollkommen der unmittelbar darauf eintretenden Niveauerniedrigung des Wassers, und findet daher das von jener Hypothese nothwendig geforderte Zurücktreten des Wassers in den supponirten unterirdischen Dampfkessel in der Wirklichkeit gar nicht statt«. Doch berichten alle andern Beobachter übereinstimmend dieses Factum [1]) und da das Zurückfließen des Wassers

1) Olavius, de Islandiae natura, Hafniae 1749, p. 95; idem (Olafsen), Reise durch Island, deutsche Ausg. 1775, p. 147 (die Wiederfüllung des Beckens brauchte bei Olafsens Besuch »die ganze Nacht und bis zum folgenden Nachmittag 4 Uhr«); — Uno von Troil: Bref r. en resa til Island, Upsala 1777, p. 267. — Stanley, in Transact. of the R. Soc. of Edinburgh, vol. III. prt. II, p. 148. Nach der Eruption: the water then subsided through the pipe and disappeared. — After the eruption of it had been violent, the water sank into subterrancous caverns and left the pipe quite empty. If the eruption had been moderade, the subsidence of the water was proportionably less. The first time the pipe was perfectly emptied, we soundet its depth, and found the bottom very rough and irregular. The pipe remains but a short time empty. After a few seconds, the water rushes into it again with a bubling noise and during the time that it is rising in the pipe, it is frequently darted suddenly into the air to different heights, sometimes to two or three, sometimes sixty feet above the sides of the bason. — George Steuart Mackenzie, Travels in the Island of Iceland, sec. edit. Edinburgh 1812, p. 214 und 222. — Ebenezer Henderson, Iceland, ed. 2. Edinburgh 1819, p. 68; auch er berichtet von der Erscheinung des Wie-

eine Erscheinung ist, die leicht auch von weniger genialen und wissenschaftlich gebildeten Beobachtern constatirt werden kann, ist also kein Grund vorhanden, sonst verläßlichen Berichten hier zu mißtrauen. Wie augenfällig aber solches Zurücktreten des Wassers zu Zeiten ist und demnach wohl nicht allein in Bunsen's Weise erklärbar (die Menge des ausgeworfenen Wassers ist ja nie gemessen worden!) geht aus den unten mit angeführten Berichten Olafsens und Stanleys hervor.

R. Bunsen sieht nun, wie er das a. a. O. auch ausspricht, die Ursache der Geysirthätigkeit und den Hauptsitz der mechanischen Kraft, durch welche die in kochenden Schaum verwandelte Wassermasse emporgeschleudert wird, im Geysirrohre selbst und in den von ihm unter 1. 3. und 4. oben angeführten Verhältnissen. Wird für den mittleren Theil der Geysirwassersäule der auflastende Druck vermindert, so entsteht aus der betreffenden Wasserschicht »eine ungefähr gleich hohe Dampfschicht, um deren Höhe die sämmtlichen Druckkräfte abermals verringert werden [1]). Durch diese Druckverminderung wird ein neuer, namentlich auch tieferliegender Theil der Wassersäule über den Kochpunkt versetzt; es erfolgt eine neue Dampfbildung, die abermals eine Verkürzung der drückenden Flüssigkeitsschichten zur Folge hat, und so in ähnlicher

derfüllens: the water rose again immediately, to about half a foot above the orifice, where it remained stationary. — John Barrow jun., in Reisen u. Länderbeschr. d. ält. u. neuesten Zeit, Stuttgart, Liefr. 8, 1836, S. 112. — Krug v. Nidda in Karstens Archiv IX, 1836, S. 254.

1) Nur unter der Voraussetzung, daß eine eben so hohe Wasserschicht dafür am oberen Ende ausgeflossen ist.

Weise fort, bis das Kochen von der Mitte des Geysirrohrs bis nahe an den Boden desselben fortgeschritten ist, vorausgesetzt, daß nicht andere Umstände diesem Spiele schon früher ein Ziel setzen«. Die periodisch eintretenden, in Sartorius' oben gegebener Schilderung bereits vorgeführten »durch aufsteigende Dampfblasen gelieferten« Dampfdetonationen, welche beim großen Geysir »erst 4—5 Stunden nach einer großen Eruption ihren Anfang nehmen und sich dann in Zwischenzeiten von ein oder zwei Stunden bis zum nächsten Ausbruch, dem sie stets in rascher Folge und großer Heftigkeit unmittelbar vorangehen, wiederholen«, sind ihm das Agens, das aber volle Wirkung erst dann ausüben kann, wenn gewisse Partien der Geysircolonne, d. h. der Wassersäule im Geysirrohre, annähernd soweit erhitzt sind, daß sie trotz des auf ihnen lastenden Druckes in Wasserdampf übergehen können. »Die Erklärung der Periodicität dieser Detonationen«, fährt Bunsen fort, »bietet keine Schwierigkeiten dar. Sie ergiebt sich leicht aus dem Umstande, daß wenn in den Zuführungscanälen des Geysirrohrs eine Wasserschicht unter dem andauernden Einfluße der vulcanischen Bodenwärme ins Kochen geräth[1]), und der gebildete Dampf bei dem Aufsteigen in die höhern kälteren Wassermassen wieder condensirt wird, die Temperatur dieser kochenden Schicht durch die in ihr stattgehabte Dampfbildung so weit erniedrigt wird, daß sie nach der Condensation der

1) Mit diesen Worten widerspricht Bunsen selbst seiner obigen Behauptung, daß der Hauptsitz der mechanischen Kraft im Geysirrohre selbst seinen Sitz habe, indem er das treibende Agens, die Dampfblasen, außerhalb des Geysirrohrs, in dessen Zuführungscanälen entstehen läßt.

im Wasser aufsteigenden Dämpfe wieder dem ursprünglichen höheren Drucke ausgesetzt, eine längere Zeit nöthig hat, um von Neuem bis zum Siedepunkt erhitzt zu werden.« — Die durch das Empordringen der Dampfblasen den einzelnen Wasserschichten im Geysirrohre verschafften vorübergehenden Druckerleichterungen können aber, wie schon angedeutet, erst dann eine große Eruption bewirken, wenn die Temperatur der einzelnen Wasserschichten im Geysirrohre der ihnen unter obwaltenden Druckverhältnissen zukommenden Kochtemperatur angenähert ist. So lange die Erwärmung des Geysirwassers noch nicht so weit vorgeschritten ist, werden die von den Dampfblasen gegebenen Hebungen »nur im Stande sein, die untern erhitzten Wassermassen durch Stoß in den obern Theil der Geysirröhre theilweise emporzutreiben, wo diese Massen unter dem verminderten Drucke in's Kochen gerathen, und die kleinen mit geringen Eruptionen verbundenen Aufkochungen bewirken, die man zwischen den größern Ausbrüchen beobachtet. Diese kleinen Eruptionen sind daher gleichsam mißlungene Anfänge der großen, die sich von dem Ausgangspunkte der Dampfbildung, wegen der noch zu niedrigen Temperatur der Wassersäule, nur auf kurze Erstreckungen hin fortpflanzen können«.

Diese Theorie ist nun meiner Ansicht nach unbefriedigend; ja es scheint mir sogar in ihr eine Gefahr für den Fortschritt in der Naturerkenntniß zu liegen, indem sie zu für andere wichtige geologische Fragen verhängnißvollen Mißverständnissen veranlassen kann.

Dieses Urtheil muß ich über sie fällen, weil sie nicht nachweist oder beweist, auf welche Weise ein partielles Kochen in der Wassersäule, ein Aufkochen des mittleren Theiles derselben stattfinden kann, oder in concreto gefaßt, weil sie nicht angiebt, wie die bei Bunsen ganz der Betrachtung entzogenen Wasser in den Zuführungscanälen (das eigentliche Heizmaterial des Geysirrohres) eine so jähe Erhitzung eines Theiles der Wassersäule im Geysirrohre bewirken können, daß dieser Theil — und es muß eine beträchtliche Wassermasse sein, um die Gewalt und Plötzlichkeit der Eruption zu erklären — auf einmal zum Kochen kommt, während eine noch größere Partie der Wassersäule ihrem Kochpunkte noch bei Weitem nicht genähert ist.

Zur Motivirung meines Urtheils diene folgende Betrachtung: Den bedeutenden Fortschritt, welchen Bunsens Theorie gegenüber älteren von Mackenzie vorgetragenen Geysirtheorien unzweifelhaft bildet, erblicke ich darin, daß sie Rücksicht nimmt auf das im geologischen Mechanismus Gegebene und Mögliche. In jenen Theorien waren geologisch unmögliche Verhältnisse wesentliche Bedingungen; die eine[1]) derselben ließ auf eine glühende Fläche, welche also vom Wasserzufluß jedenfalls durch schlechte Wärmeleiter getrennt sein mußte, periodisch Wasser fließen, dessen jähe Dampfentwicklung die Geysireruption bewirken sollte. Die andere und von Mackenzie vorgezogene aber ließ einen Dampfkessel, dessen Manometer das Geysirrohr bildete, anheizen, bis dieser Dampf genügenden Druck gab, um das Wasser aus dem Rohre hinauszuschleudern, dann aber, als dieser Zweck erreicht war, hörte sofort

1) Die geologischen Unwahrscheinlichkeiten und Unmöglichkeiten dieser längst aufgegebenen Theorie erst näher zu beleuchten, halte ich für überflüssig.

das Heizen auf, es trat dafür schnelle Erkaltung ein, bis der Geysirmaschinist seine Zeit wieder gekommen glaubte, um den Kessel von Neuem anzuheizen. Solche Bedingungen des Geysirmechanismus, die dem Autor der letzterwähnten Theorie (Mackenzie) z. Th. selbst unerklärt und also unwahrscheinlich erschienen sind, hat Bunsen mit Recht ausgeschieden; denn gegenüber den Geysirperioden ist der Wärmeschatz, welcher den Geysir heizt, nämlich die sogenannte »vulcanische Wärme«, ein constante Größe; die Periodicität muß also nur von der Wärmemenge, resp. der Zeitdauer ihrer Zuführung abhängen, welche das in den Geysirapparat eingetretene Wasser braucht, um »zu spielen«.

Der Wärmeschatz, die sogenannte »vulcanische Wärme«, ist also constant anzunehmen, aber als ebenso constant gilt für uns der Geysirapparat; zwar habe ich im Eingange erwähnt, daß der große Geysir auch in dieser Beziehung Variabilität besitze; von dieser rühren möglicherweise auch die Unregelmäßigkeiten in der Periodicität, Kraftfülle etc. her; für eine Reihe aufeinanderfolgender Geysirperioden aber darf man gewiß die Constanz des Geysirapparates annehmen; auch hat bis jetzt noch Niemand daran gezweifelt.

Diese beiden Voraussetzungen bedingen nun aber in ihrer Verbindung die weitere Annahme, daß auch die Wärmezufuhr für jeden einzelnen Theil des Geysirapparates constant sei. Wie ein beliebiger Theil eines Hochofens in gleichen Zeiten immer dasselbe Wärmequantum unter sonstigen constanten Verhältnissen des Wärmeschatzes und des Wärmeverlustes erhalten muß, so muß auch jeder Theil des Geysirapparates in gleichen Zeiten gleiches Wärmequantum zugeführt erhalten, mag nun die Wärmezufuhr direct durch Leitung im festen Gesteine oder indirect durch Hinzuströmen erhitzten Wassers oder Wasserdampfes bewerkstelligt werden (selbstverständlich wenn auch die Art der Wärmezufuhr constant bleibt).

Betrachten wir nun daraufhin Bunsens Geysirapparat und zwar vom Beginn der Geysirperiode an; lassen wir das Rohr also mit Wasser von ca. 82° C. gefüllt sein. Hier wird das Wasser offenbar durch die Rohrwände erwärmt, welchen selbst die Wärme durch Leitung im Gesteine zugeführt wird; das Wasser kann also den Rohrwänden Wärme entziehen und zwar sind, entsprechend den Gesetzen der Geothermik, in der Tiefe die Wände wärmer als nach der Oberfläche zu. Mit dieser Wärmezufuhr durch Leitung im Gesteine combinirt sich aber auch eine solche durch erhitzte Wasserdämpfe, wie aus der Schilderung auf Seite 230 ersichtlich; diese Dampfblasen werden im Wasser des Geysirrohres condensirt und erwärmen so das Wasser, bis der nach Bunsens Theorie für die Eruption nothwendig eintretende Punkt der Kochtemperatur für diejenige Wasserpartie eintritt, welche den nächsten Vortheil von dieser Art der Wärmezufuhr hat, also sich zunächst der Einmündung des Canals befindet, durch welchen die Dampfblasen eintreten. Werfen wir einen Blick auf die von Bunsen und Des Cloizeaux gegebenen Temperaturreihen der Geysircolonne, und insbesondere auf deren graphische Darstellung [1]), so wäre diese Wasserpartie nicht die unterste im Geysirrohre [2]), sondern die mehr

1) Ann. der Chemie, 1847, S. 28 und Fig. II.

2) Daß diese Partie unterhalb der Einmündung des obengenannten Canals liegt und deßhalb von der Wärme-

als 5 m oberhalb des Bodens befindliche, denn diese und die über ihr befindlichen werden den ihnen zukommenden Kochtemperaturen am Schnellsten genähert. Sobald diese Partie zum Kochen kommen kann, tritt nach Bunsen die Eruption ein; bei der Constanz der Wärmezuführung kann es nun gar nicht lange dauern, sie allein zum Kochen zu bringen, — wenn nicht Strömungen im Wasser stattfänden.

Das ist der Punkt, den Bunsen vollständig außer Acht gelassen hat und der Bunsens Theorie, wie mir dünkt, auch gefährlich für andere geologische Theorien gemacht hat: die aus den Dichtigkeitsdifferenzen der einzelnen Wassertheilchen sich nothwendig ergebenden Strömungen im Geysirrohre.

Bunsen constatirte zwar selbst bei seinen Beobachtungen des großen Geysirs, wie ich dies S. 233 hervorgehoben habe, im Wasser stattfindende Strömungen, läßt dieselben aber nur auf den oberen Theil der Geysircolonne beschränkt sein. Beobachtungen, welche für diese Beschränkung sprechen, führt er aber nicht an, auch nicht theoretische Gründe. Solche Strömungen müssen aber im ganzen Geysirrohre statthaben, denn so lange die Theilchen einer flüssigen Masse unter sich verschiedene Dichtigkeit besitzen, ordnen sie sich nach dieser und findet diese Ordnung, bei der leichten Verschiebbarkeit ihrer Theilchen, eben in Gestalt von Strömungen statt, sobald die Aende-

zufuhr durch Wasserdampf weniger genießt als die über ihr ruhenden, dafür spricht auch die von Bunsen constatirte Thatsache, daß sich diese Wasserpartie im untersten Theile des Rohres nicht mit an der Eruption betheiligte, auch seine Temparatur dabei nicht stieg; vergl. a. a. O. S. 38.

rungen im spec. Gewicht der einzelnen Theilchen in mehr oder minder gesetzmäßiger Weise andauern. Daß aber die Vorbedingungen solcher Strömungen, also vor Allem eine Differenz im spezifischen Gewichte der einzelnen Wassertheile, für die ganze Geysircolonne vorliegen, das kann man mit Zahlen nachweisen, wie aus Anlage I zu ersehen ist.

Die Berechnung ergiebt, daß die Volumina der einzelnen Wassertheilchen im Verhältniß zu ihrer Temperatur wachsen, trotz des auf den wärmsten Wasserpartien lastenden größeren Druckes; diese wärmsten und untersten Wassertheilchen müssen also das Bestreben haben, in die Höhe zu steigen und an Stelle kälterer und deßhalb spezifisch schwererer Wassertheilchen zu treten. Da aber die durch die Erwärmung der Wassertheilchen bedingte Veränderung ihrer Volumina und Dichtigkeiten fortdauert, so müssen auch an Stelle einmaliger Ortsveränderungen in der Wassersäule Strömungen treten. Auf der Existenz solcher Strömungen beruht eben die Erscheinung der schnellen Erwärmung einer Wassersäule von Unten und der schnellen Abkühlung von Oben aus. Wie gering dagegen die eigentliche Wärmeleitung im Wasser ist, beweisen die von Bischof[1]) angeführten Versuche, eine Wassersäule von Unten aus abzukühlen oder von Oben zu erwärmen.

Die Wärmeströmungen, welche den Wärmetransport, also nicht die eigent-

1) Gustav Bischof: Die Wärmelehre des Inneren unseres Erdkörpers. 1837. S. 439 u. f. — Nach Despretz ist das Wärmeleitungsvermögen des Wassers ungefähr 95mal geringer als das des Kupfers (Joh. Müller, Lehrb. d. Physik, 6. Aufl. II, 764).

liche Wärmeleitung übernehmen, müssen im Wasser um so größere Schnelligkeit besitzen, je mehr die Dichtigkeiten der einzelnen Wasserschichten differiren[1]). Wir ersehen aus der Anlage, daß diese Differenz innerhalb des Geysirrohres bei der ersten Beobachtungsreihe am Bedeutendsten in der Mitte des Geysirrohres war, also wahrscheinlich unmittelbar oberhalb der Einmündung des Canals, welchem die Dampfblasen entströmten; die zweite Beobachtungsreihe ergiebt ein in die Höhe-Rücken der Differenzmaxima, zugleich aber auch einen größeren Ausgleich in den Differenzwerthen für die oberen Schichten; trotz dieser Annäherung der Differenzwerthe der Volumina der oberen Wasserschichten ist doch die Summe dieser beiden Werthe gegenüber derjenigen aus der ersten Beobachtungsreihe gestiegen und zwar im Verhältniß sehr bedeutend (von 0,022459 auf 0,026001). Wenn also auch der ersten Beobtungsreihe zu Folge die lebhafteste Strömung im Wasser des Geysirrohres nur zwischen dem mittelsten Beobachtungspunkte und dem nächsten über ihm folgenden stattfand, ergiebt die zweite Beobachtungsreihe eine nicht weniger intensive, sondern sogar schnellere Strömung, die sich vom erstgenannten Punkte bis zur Wasseroberfläche erstrecken muß. Nach Unten zu, von dem genannten Punkte aus, haben dagegen

1) Nach Kopp u. A. ist die Zunahme oder Abnahme des Wassers an Volumen für verschiedene Temperaturintervalle nicht gleichmäßig, also wird auch die Schnelligkeit des Wärmetransportes ein anderer sein, je nachdem eine Erwärmung einer Wassersäule von 0° auf 25° oder von 75° auf 100° eintritt. Das Volumen von Wasser von 20° beträgt z. B. nur 0,001567 gegenüber dem von 0°, während sich die Volumina bei 80° und 100° auf 1,0285 u. 1,0429 stellen!

bei fortschreitender Erwärmung der mittleren Partie der Wassersäule die Differenzwerthe sogar abgenommen.

Diese Strömungen bedingen nun aber den Wärmetransport und Wärmeausgleich: die durch die Wärmequellen zunächst mit Wärme versorgten Wassertheilchen können nicht an den für die Erwärmung günstigen Stellen bleiben, sie müssen aufsteigen und kälteren Wassertheilchen Platz machen und so kann bei stetiger Erwärmung auch die mittlere Partie der Wassersäule ihren Kochpunkt nicht erreichen zu einer Zeit, wo die über ihr befindlichen Wasserpartien noch weit von ihrer Kochtemperatur entfernt sind.

Die von Bunsen eingeführten Verhältnisse berechtigen also nicht anzunehmen, daß der mittlere Theil der Geysircolonne und zwar in einer beträchtlichen Erstreckung allein zum Kochen komme und das über ihm liegende Wasser als solches emporschleudere, und demnach erklären sie auch die Geysireruptionen nicht; die auf Seite 229 mit Bunsens eigenen Worten geschilderten Verhältnisse können nur die Wassersäule über der Einmündung des Dampfcanals zum Kochen bringen, welches Kochen eben die betreffende Säule in gleicher Weise, wie das Wasser in einem gewöhnlichen am Heerde stehenden Kochgefäße befallen wird. Das Kochen findet durch die ganze Wassersäule hindurch statt. Bunsen schildert selbst a. a. O. S. 30 den Vorgang der Dampfentwicklung als durch die Wassersäule (»und so in ähnlicher Weise fort«) fortschreitend und bezeichnet auch S. 32 die Wärme des Wassers im Geysirsteigerohre als »continuirlich wirkende Treibkraft«: für die »Eruption« fehlt es also an einem jähen Impulse. Unregelmäßigkeiten wie Aufwallungen, Ausspritzen, »unvollkommene Eruptionen«, die dabei eintreten können, werden abhängig sein einmal von der Art der Erwärmung, durch Wasserdampf (dessen Blasen sich bei ihrem Anlauf auch bis zur Wasseroberfläche hindurch winden können), und dann von der Enge oder Weite der Geysirröhre[1]). Solche Unregelmäßigkeiten des Aufkochens können jedoch nie die Intensität von wahren Geysireruptionen erreichen.

Das Product von Bunsens Geysir-Apparat wird also nur sein:

a) im Fall kein Zufluß kalten Wassers von der Erdoberfläche erfolgt, den Bunsen wenigstens nicht erwähnt: daß zuerst die Wassersäule oberhalb der Einmündung des Dampfcanals durch Kochen, welches die ganze Säule hindurch stattfindet, in Wasserdampf verwandelt wird,

1) Die Thatsache, daß Bunsens Geysircolonne in Wirklichkeit zwei Wärmeheerde hat, was Bunsen gar nicht betont, hat auch Joh. Müller erkannt, indem er darnach einen Geysir-Apparat zur Demonstration vor Auditorien hergestellt hat. Ob seine Experimente mit diesem Apparate aber wirklich gelungen sind, läßt sich nicht erkennen, denn sehr diplomatisch drückt er sich conditionell in seinem »Lehrbuche der kosmischen Physik«, 4. Aufl. 1875, S. 579 dahin aus: »Wenn Bunsens Erklärung der Geysireruptionen die wahre ist, wenn er die Bedingungen des Phänomens richtig erkannt hat, so muß man auch im Stande sein, sie nachzuahmen. Den Apparat, den ich zu diesem Zwecke construirt habe, ist in Fig 818 abgebildet«. — Ein nach denselben Prinzipien construirter Apparat des geolog. Museums zu Göttingen hat, wie ich nach den im Jahre 1875 damit angestellten Versuchen bezeugen kann, gar nicht den Erwartungen entsprochen; den Rückschluß auf Bunsens Theorie hat J. Müller schon angedeutet.

indem jede Schicht dieser Wassersäule ihren Wärmeüberschuß in Dampf umsetzt; der Wasserdampf, der diesem Canal entströmt und bis dahin das Wasser geheizt hat, kann nach dem »Abdampfen« des letzteren ungehindert ausströmen und wir erhalten einen einfachen Sprudel, eine permanente Quelle von heißem Wasser und Wasserdampf. Das Wasser in der Tiefe des Geysirrohres, welches nur durch »geleitete« (nicht transportirte) vulcanische Wärme geheizt wurde, d. h. seine Wärme nur von den durch die vulcanische Wärme geheizten Wänden des Geysirrohres empfing, wird auch sofort nach Verminderung des Druckes von Seiten der ihm aufruhenden Wassersäule mit verdampfen, also ziemlich continuirlich mit dieser, und es bleibt dann der Geysirapparat ein trockenes Rohr, durch dessen mittleren und oberen Theil die Wasserdämpfe des Canals streichen.

Bunsen läßt, wie erwähnt, die Erwärmung eigentlich nur durch von Unten eindringende heiße Wasser, also nur durch Wärmetransport resultiren. Diese Annahme nur einer Art von Wärmezuführung, also nur einer Wärmequelle vereinfacht noch die eben betrachteten Verhältnisse.

b) im Fall aber das Geysirrohr einen Wasserzufluß besitzt, so kann entweder bei vollständiger Neufüllung des Geysirapparates mit Wasser nach dessen Leerung, welche Neufüllung als eine gewaltthätige Sache der geologisch einzig annehmbaren Annahme stetiger (constanter) Verhältnisse widerstreiten würde, die Erwärmung von Neuem beginnen und in gleicher Weise enden, — oder es findet bei stetigem Hinzutritt von kaltem Wasser eben nie ein vollständiges Verdampfen statt; bei stetigem Hinzutritt größerer Mengen kalten Wassers kann es sogar nie zum Kochen kommen; diese letztgenannten Combinationen liefern also auch nur permanente, mehr oder weniger heiße Thermen.

Noch einfacher gestalten sich die Verhältnisse, wenn man annimmt, daß die größere (oder sogar die ganze) Wärmemenge nicht von den seitlich eintretenden Dampfblasen, sondern von dem durch Wärmeleitung gespeisten Wärmeheerde, nämlich durch die erwärmten Wände des Geysirrohres geliefert werde; da ist es noch deutlicher, wie dieser allmählichen Erwärmung nur eine Therme als Product entsprechen kann.

Die Geysirtheorie Bunsens erklärt also weder die Intensität noch die Periodicität der Geysireruptionen.

Die Gefahr aber, welche anderen geologischen Theorien aus der allgemeinen Anerkennung der Bunsenschen Geysirtheorie meiner Meinung nach erwachsen kann, besteht in der Vernachlässigung derselben Verhältnisse, welche Bunsen nicht in Betracht gezogen hat: nämlich der Nothwendigkeit von Strömungen und von schnellem Wärmetransport in einer von Unten erwärmten Wassersäule. Da nämlich viele Geologen, unter Anderen die unten[1]) genannten, der Meinung gewesen sind, resp. noch sind, daß von der Erdoberfläche zum flüssigen Erdinnern dringendes Wasser die vulcanischen Erscheinungen provocire, so darf man die bezeichnete Gefahr nicht unterschätzen.

1) Gustav Bischof: Wärmelehre des Innern unseres Erdkörpers, Leipzig, 1837, Cap. 22 und Lehrbuch der chem. u. physik. Geologie, 2. Aufl. I. S. 336; — Friedrich Pfaff, allgem. Geologie, 1873, S. 141; G. Tschermak in Sitzber. d. k. k. Akad. d. Wiss. zu Wien, 1877. 1. Abth. 75. Bd. S. 151; Herm. Credner: Elemente der Geologie, 4. Aufl. 1878. S. 276.

In der That hat auch G. Bischof zuerst, in seiner »Wärmelehre«, angenommen, daß das Wasser auf Klüften und Spalten, welche nicht als Capillar-Spalten bezeichnet sind, von der Erdoberfläche zum flüssigen Erdinnern hinabreiche; entgegen den Erfahrungen, welche man unter den trivialsten Verhältnissen sammeln kann, behauptet er also, daß eine continuirliche Wassersäule an ihrem oberen Ende die Oberflächentemperatur der Erde, an ihrem unteren Ende die Temperatur des flüssigen Erdinnern (also etwa 2000° C.) besitzen könne.

Die neueren Theoretiker, und auch Bischof in seinem späteren Werke, suchen mit der Annahme von Capillar-Strängen allen diesbezüglichen Einwürfen auszuweichen; daß aber auch mit dieser Aushilfe noch nicht alle Klippen vermieden sind und ihren Theorien bei Weitem noch keine Klarheit und Sicherheit gewonnen sei, darauf erlaube ich mir in Anlage II besonders hinzuweisen.

Nachdem ich im Vorstehenden Bunsen's Geysirtheorie als ungenügend hingestellt habe, tritt an mich selbst die Aufgabe heran, diese Theorie zu ergänzen oder überhaupt etwas Besseres zu bieten. Indem ich im Folgenden diese Aufgabe zu erfüllen versuche, möchte ich jedoch besonders betonen, daß wenn mir dieses Unternehmen auch nicht glücken sollte, damit doch noch nicht die Unrichtigkeit meiner im Vorstehenden ausgeübten Kritik erwiesen ist.

Versuchen wir also den Bunsenschen Geysirapparat zu ergänzen und zwar zunächst nach den am großen Geysir gelungenen Beobachtungen.

Zuvörderst müssen wir da dem Geysir einen stetigen Wasserzufluß geben, weil er nach dem auf S. 228 angeführten Beobachtungen auch einen fortwährenden Abfluß besitzt. Dieser Zufluß erfolgt nun sicher auf Canälen resp. Gesteins-Spalten, nach dem Gesetze der communicirenden Röhren, und wird der Zuführungscanal den am Geysir beobachteten Erscheinungen zu Folge wahrscheinlich oberhalb desjenigen Canals münden, welchem die Dampfblasen entströmen. Denn da der dauernde Abfluß auch in Zeiten völliger Ruhe erfolgt und nicht in Verbindung mit der Erwärmung des Geysirrohres zu stehen scheint, so ist es wahrscheinlich, daß das Wasser, welches jenen Abfluß bedingt, nicht demselben Canale wie das Wärme zuführende Wasser entströmt. Ist nun auch die Menge des solcher Weise unterirdisch dem Geysirrohre zufließenden Wassers wahrscheinlich nicht sehr bedeutend (nach Paykulls Angabe), so ist dieser Zufluß von kühlerem, jedenfalls nur die Temperatur der Oberfläche und Oberflächenschichten besitzendem Wasser wichtig für die Temperirung des Wassers im Geysirrohre während dessen Erwärmung sowohl, als auch bei der Neufüllung nach einer Eruption. Bedenken wir, daß die Wasserläufe auf und in den Oberflächenschichten der Geysir-Region zum großen Theile aus Schmelzwasser bestehen, so muß ein auch noch so bescheidener aber andauernder Zufluß solchen Wassers auf die Erwärmung des Wassers im Geysirrohre einen bedeutend mäßigenden Einfluß ausüben. Wichtig ist aber dieser Zufluß vor Allem deßhalb, weil auf seiner Existenz und der Art, in welchem er stattfindet, die Periodicität der Geysireruptionen beruhen dürfte, wie wir jedoch erst an späterer Stelle erörtern wollen.

Nöthig ist ferner die Ergänzung des Geysirapparats betreffs seiner Wärmequellen.

Die Dampfblasen oder heißen und überhitzten Wasser, von denen wir annahmen, daß sie durch einen Canal in das Geysirrohr eintreten und so dem Geysirwasser Wärme zuführen, kommen sicher nicht von einem eigentlichen »vulcanischen Heerde«, d. h. von einer Partie noch flüssiger (sogen. »gluthflüssiger« [1]) Erdmasse her, sondern haben diese vulcanische Wärme indirect, durch Leitung erhalten, indem sie dieselben erwärmten Felsmassen entzogen haben. Sie kommen also von einem oder von mehreren durch Wärmeleitung gespeisten Wärmeheerden, gewissermaßen vulcanischen Ofenwänden her. Da nun die Wärme in der Erde nach der Tiefe zu wächst, so liegt der Gedanke zunächst, dem Canale, welcher erwärmte und erhitzte Wasser zuführt, mit seitlicher Ablenkung die Richtung in die Tiefe zu geben.

Damit wäre aber im Apparate nichts Wesentliches verändert; die Wassersäule, die auch hier von Unten erwärmt wird, hätte nur eine größere Länge erhalten; die Differenzen in Wärme und spezifischem Gewichte zwischen den obersten und untersten Wassertheilchen würden bedeutendere sein; an die Stelle eines jeden wärmeren und leichteren, deßhalb in der Säule aufsteigenden Wassertheilchens müßte auch hier ein kälteres und spezifisch schwereres von Oben treten, wir hätten also auch hier den Wärmeausgleich betreibende Strömungen und, bei der Constanz der Wärmequelle, immer nur Bedingungen einer allmählichen Erhitzung, allgemeinen Kochens und Abdampfens der ganzen Wassersäule, keineswegs aber Momente einer eruptiven Thätigkeit [2]).

1) Ein unzurechtfertigender Pleonasmus.

2) Zugleich zeigt dieser Umstand, daß man die Bun-

Geben wir aber dem Zuführungscanale eine aufwärts steigende Richtung, so wird unser Geysirapparat dem schon erwähnten und auf angeschlossener Tafel in Skizze I nach der in Travels in Island enthaltenen Abbildung copirten Apparate Mackenzies im Wesentlichen entsprechend, im Detail mehr oder weniger ähnlich; dieser Umstand verlangt nun eine Prüfung der Theorien, welche an solchen Apparat anknüpfen.

Die schon erwähnte geologische Ungeheuerlichkeit, welche Mackenzies Theorie enthält und die ihrem Autor selbst nicht verborgen war[1]), hat und zwar mit Recht nicht abgeschreckt, aus letzterer das Gesunde und Lebenskräftige zu entnehmen und zu einer Theorie fortzubilden. So ist der Geysirapparat Mackenzies denn auch zu demjenigen C. Krug v. Nidda's und G. Bischofs geworden[2]), von welchen genannten Forschern letzterer im Wesentlichen nur Krug v. Nidda folgt. Krug formulirt seine Ansichten dahin: »Es ist augenscheinlich, daß die Thermen ihre erhöhte Temperatur durch die Dampfmassen erhalten, die von der in der Tiefe befindlichen Wärmequelle durch die Wassersäule

sensche Theorie nicht »einfach durch Hineinziehung eines zweiten Wärmeheerdes« ergänzen kann, daß es vielmehr auf die Art der Verknüpfung beider ankommt.

1) Vergl. a. a. O. S. 228; aus demselben Grunde, wegen geologischer Unmöglichkeit, bekämpfte Mackenzie auch S. 229 die andere Geysirtheorie, welche Sir John Herschel zugeschrieben wird; letztere Theorie, deren Verfolg hier zu weit abführen würde, gewinnt keineswegs an Wahrscheinlichkeit, wenn man etwa geneigt sein sollte, sie durch Combination ihres Mechanismus mit einer intermittirenden Quelle (nach dem Heberprinzipe) zu reactiviren.

2) Karstens Archiv Bd. 9. 1836. S. 259. — Gustav Bischof, Lehrb. d. chem. u. physik. Geologie, 1847. I. 194.

heraufströmen. Können die Dämpfe die Wassersäule immer frei durchströmen, so müssen sich ihre Wasserschichten immer gleichmäßig auf der Temperatur erhalten, welche der Siedehitze bei dem Drucke entspricht, unter welchem sich eine jede Wasserschicht befindet; auf der Oberfläche auf 80° R. Werden dagegen die Dampfmassen auf ihrem Wege durch manigfältige Kanäle gehindert bis zur Oberfläche emporzusteigen, werden sie z. B. in Höhlenräumen aufgefangen, so muß die Temperatur der oberen Wasserschichten [1]) sinken, weil durch die Verdunstung an der Atmosphäre fortwährend ein großes Quantum von Wärme verloren geht, das aus der Tiefe nicht mehr ersetzt wird. Eine Cirkulation der wärmeren und kälteren Wasserschichten nach ihrem specifischen Gewicht, scheint aber durch die Enge und durch die mannigfaltigen Windungen der Röhre sehr erschwert zu sein«.

Ich constatire hier zunächst mit Freuden die Thatsache, daß schon Krug die Nothwendigkeit von Strömungen im Geysirwasser erkannt und betont hat. Krug fährt fort:

»Solche Höhlenräume sind es auch ohne allen Zweifel, auf welchen der einfache Mechanismus der intermittirenden Thermen beruht. In ihnen werden die entwickelten Dampfmassen durch die Wassersäule, welche den Verbindungscanal nach dem aufwärtsführenden Schlunde verschließt, zurückgehalten; sie sind genöthigt sich zu größeren Massen anzuhäufen, sie drängen das Wasser in dem Höhlenraume immer tiefer herab, bis endlich ihre Expansion so hoch gestiegen ist, daß sie sich den Verbindungscanal nach dem

1) Krug meint diejenigen des senkrechten Geysirrohrs, also des Geysirsteigerohrs.

aufwärtsführenden Schlunde eröffnen, gewaltsam durch die Wassersäule nach der Atmosphäre entweichen und das Wasser aus dem Schlunde mit sich emporreißen. Das gewaltsame Hervorbrechen der Dampfmassen nach dem Schlund verursacht das donnerartige Geräusch in der Tiefe und die Erschütterung des Erdbodens, die einer jeden Eruption vorangeht. Die ersten Dampfentleerungen dringen noch nicht bis zur Oberfläche empor, sie condensiren sich in den abgekühltern Wasserschichten, die sie durchströmen müssen; dadurch erhalten die letzteren nun aber eine Temperatur, welche geeignet ist, die nachfolgenden Dampfmassen hindurchströmen zu lassen. Die Wassersäule, einmal in Unruhe gesetzt, leistet nun nicht mehr dem Aufdringen der Dämpfe den Widerstand wie früher, und dieser Widerstand wird immer geringer, je mehr von dem sperrenden Wasser durch die entweichenden Dampfmassen aus dem Schlunde geschleudert worden ist. Haben die Dampfreservoire sich soweit entleert, daß die Expansivkraft der rückständigen Dämpfe unter das Gleichgewicht mit der Wassersäule im Schlunde herabsinkt, so versperrt die letztere die Verbindungsöffnung nach dem Schlunde, und es tritt die frühere Ruhe wieder ein; so lange bis sich von neuem Dämpfe genug angesammelt haben, daß eine abermalige Entleerung erfolgen muß. Das Spiel der Quelle wiederholt sich daher in Perioden, die von dem Fassungsraum der Dampfreservoire, von dem Druck der Wassersäule und von der Wärmeentwickelung in der Tiefe bedingt sind«.

Krug nimmt auf Grund seiner Beobachtungen am Geysir die Existenz zweier verschiedener und verschieden großer Cavernen an. Die kleineren Ausbrüche, die von Sartorius oben als Detonationen bezeichnet sind, welche sich in kurzen Perioden wiederholen und für welche Krug eine kleinere Caverne beansprucht, sind diejenigen, welche ebenfalls oben von Bunsen als »mißlungene Anfänge der großen Eruption« dargestellt wurden.

Betrachten wir nun die von Krug eingeführten Verhältnisse näher, so denkt er sich also den Geysirapparat im Wesentlichen wie ein Gefäß-Manometer eines Dampfkessels. Die Dämpfe drücken auf die Oberfläche des Wassers im »Höhlenraume« (im Gefäß) bis das Niveau bis zum Punkte L der Zeichnung gesunken ist. Erst dann kann der Wasserdampf im oben offenen Manometer-Schenkel entweichen. Die ersten Dampfentleerungen dienen aber nur zur Erwärmung des in dem Manometer-Steigerohre eingeschlossenen Wassers; da der Druck sich von diesem Momente an nicht vergrößert, so würde man für eine jähe Dampfentweichung, eine Eruption und eine Explosion nur in einer jähen Verminderung des Manometer-Druckes oder in der momentanen Dampfentwicklung aus einer großen Wasserpartie bei dem ersten geringsten Nachlaß des Manometer-Druckes einen Grund finden können; von beiden Verhältnissen berichtet aber Krug Nichts: er läßt durch die entweichenden Dampfblasen nur das Wasser erwärmen, um »die nachfolgenden Dampfmassen hindurchströmen zu lassen«; diese Dämpfe nehmen von dem sperrenden Wasser auch Partien mit, aber doch wohl nur geringe, so daß sich die Manometersäule durch Abfluß am oberen Ende nur allmählich verkürzt, und die Spannkraft der Dämpfe einen allmählich sich verringernden Widerstand findet. Ich kann mir auf diese Weise wohl einen heißen Springbrunnen entstehen denken, dessen Spiel von reichlichen Dampfentwicklungen [1]) begleitet und gefördert wird, weil allmählich die überhitzten Wasser in Regionen niederen Druckes gelangen, aber nicht die gewaltigen Eruptionen eines Geysir, und finde ich also durch die Krug v. Nidda'sche Theorie das Geysir-Phänomen noch nicht genügend erklärt.

Das hat auch Bunsen zu erkennen gegeben, daß Krugs Theorie auf den Geysir deßhalb nicht anwendbar sei, weil sie die Plötzlichkeit der Eruptionen nicht erkläre, indem er diese Theorie auf Springquellen wie den kleinen Geysir beschränkt wissen will (s. zum Schluß), deren Ausleerungen allmählich beginnen, an Kraft zunehmen und auch wieder allmählich nachlassen.

Wenn Krug von Nidda nicht jähere Kraftäußerungen von einem Geysirapparate verlangte, als wie er seiner Theorie oder seiner Beschreibung des Vorganges bei der Eruption nach zu leisten erlaubt, so hätte er in der That gar nicht nöthig gehabt, den Wärmeheerd vom Boden des Steigerohres hinweg zu verlegen; ein aufwärtssteigender, kurzer, oben geschlossener Röhrenarm an die untere Partie des Steigerohres angesetzt, würde denselben Effect gegeben haben.

G. Bischof liefert a. a. O. auf Tab. III ein Bild von dem Apparate des großen Geysirs, das

1) Die Dampfentwicklungen aus den überhitzten Wassern sind ja allmähliche, wie auch Bunsen, der a. a. O. S. 30 eine Berechnung der Höhe der Dampfsäule bietet, welche die in dem Geysir-Steigerohre eingeschlossenen, über 100° erwärmten Wassermassen liefern würden, diese Dampfmassen, wie erwähnt, als »continuirlich wirkende Triebkraft« bezeichnet; die Höhe dieser Dampfsäule ist auch nur für einfachen Atmosphären-Druck berechnet.

hier in Fig. II copirt ist; sein Apparat weicht darnach von demjenigen Mackenzies und Krugs wesentlich nur darin ab, daß seine Dampf-Caverne nicht völlig »gedichtet«, sondern durch Risse und Spalten dem Oberflächen-Wasser zugänglich ist. Er verlegt die Dampf-Caverne unter den erwähnten Hügelzug, den Laugafell oder Laugafjall, dessen Gestein besonders stark zerklüftet sei, so daß das kalte Meteorwasser leicht eindringen kann. Das auf diesen Klüften befindliche Wasser soll jedoch genügenden hydraulischen Verschluß geben, so daß der Dampf den geringsten Druck in der Richtung *a*, *d*, *e* zu überwinden habe; wie das möglich ist, kann ich mir nicht vorstellen, zumal bei etwaiger Annahme von Capillarspalten in dem zerklüfteten Deckgesteine auch noch der Druck fehlt, um das Wasser zuerst in dieselben von Oben hinein zu drücken. Ja diese Gebirgswasser sollen sogar auf das Wasser in der Caverne drücken. Bischof denkt sich nämlich [1]) Wasserdämpfe von einem tiefer gelegenen Wärmeheerde durch den Canal *b c* aufsteigen in die Caverne oberhalb des Wasserspiegels *a*; durch diese Dämpfe wird das im Höhlenraume befindliche kalte Wasser erhitzt; ist dies geschehen, »so häufen sich die aus der Tiefe aufsteigenden Dämpfe in dem obern Theile der Höhle an, drücken auf das Wasser und pressen es in dem andern Canale *d e*, der von ihrem untern Theile sich bis zur Oberfläche zieht, empor«. Das würde also denselben Effect haben, den wir schon bei Krug gesehen haben: ein einfaches Hinausschieben des Wassers, aber keine Eruption. Bischof fühlt das auch selbst und um nun einen Springbrunnen zu erhalten,

1) A. a. O. S. 195.

hat er das undichte, zerklüftete Deckgestein [1]) eingeführt. »Ziehen sich von der Höhe (des Laugafjall) Canäle herab, so haben wir Druckhöhe genug, das Emporspringen einer Fontäne, selbst bis zu größerer Höhe als 300 Fuß (Höhe des Laugafjall) zu begreifen, weil die kalten Wassersäulen stärker als die heißen drücken und jene daher dem Drucke des Dampfes in dem Höhlenraume so widerstehen können, daß der Ausbruch dahin erfolgt, wo der geringste Widerstand ist, nämlich bei *e*«. Da fragt man sich unwillkürlich, warum haben die Wasser im Gesteine des Laugafjall die Höhle mit sammt dem abwärtsführenden Canale *b c* nicht eher erfüllt, als der Wasserdampf da eintreten konnte, zumal sie ja so bedeutenden Druck ausüben sollen? Wir hätten dann einen Springbrunnen von kaltem Wasser. Waren aber auf den Gesteinsklüften noch keine Wasser mit genügenden Druckkräften, bevor der Wasserdampf in die Höhle gelangte, warum hat der Wasserdampf dann

1) Für solche »Undichte« spricht allerdings ein schon S. 228 erwähnter Umstand: »man sieht am Abhange des Laugafjall, selbst auf der Spitze dieses Hügels, Wasserdämpfe ausströmen, welches wohl davon herrühren könnte, daß während des Ausbruches die Gewässer in den Zuführungscanälen durch den Dampf soweit zurückgedrängt werden, als das Gleichgewicht der sperrenden und der springenden Wassersäule fordert. Theils könnte nämlich ein Theil dieses Dampfes durch enge, nicht mit Wasser erfüllte Canäle entweichen« (wo bleibt dann die Spannkraft?), »theils könnten durch ihn feine Wasseradern bis zum Verdampfen erhitzt werden«. Es spricht nun aber kein einziger Beobachter davon, daß die Dampfstrahlen am Laugafjall nur vor und während des Geysirausbruchs hervorbrechen; es ist überhaupt viel wahrscheinlicher, daß die Entwicklung dieser Dampfstrahlen gar nicht im Connex steht mit dem Geysir-Mechanismus, wenigstens so lange der Geysirapparat in Ordnung ist und regelmäßig arbeitet.

seinen Weg zur Atmosphäre nicht durch diese Gesteinsklüfte genommen? Und dabei wäre, selbst wenn wir uns über diese physikalischen Unmöglichkeiten hinwegsetzen, das Product des ganzen Mechanismus — ein Springbrunnen; es hieße aber den Beobachtungen ins Gesicht schlagen und den Beobachtern selbst durch ein solches Mißverständniß ihrer Berichte Undank erweisen, wenn man die Geysireruptionen, die in ihrer Gewaltsamkeit, der Plötzlichkeit ihres Beginnes und ihres Erlöschens so gut charakterisirt sind, der Thätigkeit eines einfachen Springbrunnens gleichstellen wollte[1]. — Die weitere Ausführung der Bischofschen Theorie darf ich nach Zurückweisung ihres Hauptgedankens wohl übergehen; dagegen will ich nun versuchen, meine eigenen Gedanken über den Geysirmecha-

1) G. Bischof hat dies allerdings nicht nur theoretisch gethan, sondern auch demonstrativ, indem er, wie er a. a. O. S. 195 angiebt, sich zur Darstellung des Geysirphänomens in »Vorlesungen, die er 1843 vor einem gemischten Publicum in Bonn gehalten hat und die nachher unter dem Titel: Populäre Vorlesungen über naturwissenschaftliche Gegenstände etc. erschienen sind«, eines Apparates bediente, der im Wesentlichen nichts anderes als ein Heronsball war, nur daß an Stelle der comprimirten Luft der durch Erwärmung des Balls entwickelte Wasserdampf den Ausfluß des Wassers bewirkte; dieser Ballon hatte zwar kein Ventil, das erst geöffnet wurde, wenn der Dampf-Druck genügend groß war, um die Fontäne springen zu lassen, dasselbe wurde aber durch ein enges Mundstück der bis nahe zum Boden des Ballons reichenden Fontänenröhre ersetzt. Wenn Bischof, als er seinem Auditorium durch diesen mit einiger »Kunst« arbeitenden Springbrunnen Unterhaltung verschaffte, bei diesem Publicum Glauben und Beifall für seine Behauptung fand, daß solcher Springbrunnen einen »Geysir im Kleinen« darstelle, so verwundert mich das nicht, wohl aber daß er auch sonst Leute fand, nämlich W. Preyer und Ferdin. Zirkel (Reise nach Island, S. 252), die ihm zustimmen und diese Ansicht weiter verbreiten helfen.

nismus und die Bedingungen der Geysirthätigkeit darzulegen.

Meine Ansicht kann ich kurz dahin fassen: als Bedingung der Geysir-Eruptionen betrachte ich das gleichzeitige Aufkochen einer im Verhältniß zu der im Geysirsteigerohre enthaltenen Wassersäule beträchtlichen Wassermenge unter hydraulischem Verschlusse; solche gleichzeitige Annäherung einer größern Wassermenge an ihren Kochpunkt zu einer Zeit zu ermöglichen, wo das den hydraulischen Verschluß bildende Wasser diese Function noch erfüllen kann, ist die Aufgabe des Geysirapparates; die betreffende Wassermenge wird gewissermaßen isolirt mit Hilfe des geringen Wärmeleitungsvermögens des Wassers, das wohl zu unterscheiden ist von dem durch den Flüssigkeitszustand bedingten Wärmetransportvermögen. Die Wärmequelle hat da die Aufgabe, nur diese betreffende Wassermasse zu erhitzen und aus ihr den nöthigen Dampf zu entwickeln; eine zweite, unter Umständen vorhandene Wärmequelle dient dann nur zur Temperirung des hydraulischen Verschlusses.

Die Bedingung der Periodicität der Geysireruptionen erblicke ich in einer andern Vorrichtung des Geysirapparates, die erlaubt, daß sich der Apparat nach erfolgter Eruption und Entleerung allemal wieder neu fülle mit Wasser von nahezu einheitlicher Temperatur.

Ich könnte die Art und Weise, wie der erstgenannten Bedingung genügt wird, so ziemlich an Mackenzies Apparat demonstriren; der leichteren Anschauung wegen empfiehlt es sich aber, uns den Geysirapparat als ein mit Wasser von gleicher Temperatur gefülltes einfaches Heber-

Manometer vorzustellen, Fig. III. An der Figur entspricht *LA* dem (in der Zeichnung verkürzten) Steigerohre des Geysir. Von dem Wärmeheerde am Grunde dieses Rohres sei vor der Hand abgesehen und nehmen wir dagegen an, daß das Rohr in der in der Zeichnung angegebenen Weise bis *G*, fortsetze und hier einen Wärmeheerd besitze. In diesem sowie auch in dem Falle, daß das Rohr schon bei *N* geschlossen sei und dort auch erwärmt werde, profitirt die in *LA* eingeschlossene Wassersäule zunächst Nichts von der Erwärmung; findet solche nämlich bei *N* statt, so erhalten die dort liegenden Wassertheilchen die Wärme, geben einen geringen Theil davon durch Leitung an die zunächst unter ihnen, nach *A* hin liegenden Wassertheilchen ab und diese verfahren wiederum so gegen ihre nächsten Nachbarn. Die continuirliche Erwärmung der Wassertheilchen bei *N* wird also bewirken, daß sich in dem Theile *AN* der Röhre eine ganze Schichtenfolge von Wasser verschiedener Wärmegrade bildet, wobei die wärmste Wasserschicht bei *N*, die wenigst erwärmte bei *A* liegt. Die Wassertheilchen müssen sich natürlich auch immer dem Ausdehnungscoëfficienten und ihrem Compressionsmodulus entsprechend bei der Erwärmung ausdehnen, also an specifischem Gewichte verlieren, da aber die Schichten nach Oben zu an Wärme zunehmen und die Erwärmung von Oben beginnt, so liegt schon immer die spezifisch leichtere Wasserschicht über der schwereren und es findet deßhalb kein Ortswechsel und keine Strömung der Wassertheilchen in diesem Röhrenabschnitt statt. Wann die bei *A* liegenden Wassertheilchen in den Genuß der Erwärmung zu treten beginnen, hängt also von der Intensität der Wärmequelle, der Länge und dem Neigungswinkel von *NA*, sowie dem Wärmeleitungsvermögen des Wassers ab. Da aber letzteres Vermögen überaus gering ist, so kann man, selbst wenn man den Wärmeheerd nach *N* verlegt denkt, die von demselben erwärmten Partien als thermisch isolirt gegenüber der Wassersäule *LA* betrachten.

Läßt man aber die Erwärmung durch die Röhrenwände (den Ofen) bei *G* erfolgen, so muß in dem Röhrentheile *NG* die Erwärmung durch Wärmetransport, durch Strömung erfolgen, wie in jeder von Unten aus erwärmten Wassersäule. Das in diesem Röhrentheile eingeschlossene Wasser hat also annähernd dieselbe Temperatur durch die ganze Säule hindurch, also auch in der Schicht *N*; die Schicht *N* genießt aber in dieser Säule den niedrigsten Kochpunkt, als unter geringerem Drucke stehend wie die unter ihr nach *G* hin befindlichen Wasserpartien.

Erreicht nun die Wasserschicht bei *N* ihren Kochpunkt, so wird sie sich in Dampf verwandeln; der dabei stattgefundenen Volumvergrößerung (denn Temperaturen, bei denen das Volumen des gesättigten Wasserdampfes gleich dem des Wassers wird oder vielmehr das Wasser in den »Zwischenzustand« zwischen flüssigem und gasigem übergeht, kommen hier noch nicht ins Spiel), muß ein in die Höhe-Steigen und Emporpressen des Wassers bei *L* entsprechen. Da aber diese Dampfentwicklung zunächst nur eine geringe Wassermenge betrifft, und nur allmählich zunimmt, so wird ein Ueberlaufen des Wassers bei *L* nicht sehr in die Augen fallen, besonders nicht unter weiter unten geschilderten Verhältnissen des oberflächlichen Wasserzu- und abflusses.

Lassen wir also die Erwärmung Fortschritte machen, so wird aus der Wassersäule *NG* immer mehr Dampf entwickelt und unter allmählichem Steigen des Druckes das Niveau des Wassers im Röhrenabschnitte *AN* hinabgedrückt; es ist bis dahin derselbe Vorgang, den wir schon im Verfolg der Krug v. Nidda'schen Theorie betrachtet haben.

Fassen wir aber nun die Lage der Dinge in diesem Momente ins Auge, in dem Augenblicke, dessen Verhältnisse Fig. IIIa darstellen soll.

Die Wassersäule *GO* wird von *G* aus erwärmt und liefert den Dampf, welcher das Manometerrohr von *O* bis *A* erfüllt; da die Erwärmung der Säule von Unten aus geschieht, so erhält, wie schon betont, das Wasser in *GO* in seiner ganzen Höhe durch Strömungen so ziemlich dieselbe Temperatur, d. h. soweit es eben die Intensität der Wärmequelle erlaubt; bei großer Kraft der letzteren kann es ja kommen, daß trotz lebhafter Strömungen im Wasser die Temperaturen der obersten und untersten Partien der Wassersäule sehr differiren, wie z. B. die betreffenden Differenzen im 23, 5 m tiefen Steigerohre des großen Geysir nach den citirten Beobachtungen beinahe 42° C. betragen, also auf je 1 m Höhe fast 2° C.

Der Rohrabschnitt *ONA* ist mit Wasserdampf von der höchsten Spannkraft erfüllt, so daß er der Wassersäule *LA* und dem Atmosphärendrucke das Gegengewicht hält (beim »großen Geysir« würde der Dampf also noch nicht ganz 3 Atmosphären-Druck besitzen müssen); mit demselben Drucke, den der Dampf auf die Wasserfläche bei *A* ausübt, wirkt er aber auch auf die Wasserfläche bei *O*.

Die Wassertheilchen bei *A* haben von dem

auf ihnen lastenden Wasserdampfe Wärme zuertheilt erhalten und dieselbe durch Leitung in der oben angegebenen Weise den unter ihnen liegenden Schichten mitgetheilt, bei jetzigem Wasserstande im Manometer werden letztere diese geringe Erwärmung, durch Aufsteigen im Rohre, auf die ganze Wassersäule *LA* vertheilt haben, die oberflächliche Schicht bei *A* selbst aber wird (durch »Leitung«) eine so hohe Erwärmung erlitten haben, daß sie bei dem geringsten Nachlasse des auf ihr lastenden Druckes Dampf geben muß.

Lassen wir nun den noch nöthigen Dampf von der Wärmequelle bei *G* entwickeln, um den auf *A* lastenden Druck etwas zu vermindern, durch geringe Hebung der Wassersäule *LA*[1]), welche sich dabei durch Ueberlaufen bei *L* um ein Weniges verkürzt, so wird also zugleich die oberste Wasserschicht bei *A* ihrem Wärmeüberschuß entsprechend etwas Dampf entwickeln. Von dieser geringen Druckverminderung profitirt aber nicht allein diese unbedeutende Wasserschicht, sondern die ganze Wassermasse *OG*; resp. ein im Verhältniß zur Wassermasse der Schicht *A* ganz ungeheuere Partie von *OG*, die durch denselben und (im Verhältniß zur Tiefe) keinen höheren Druck bisher verhindert war, die überschüssige Wärme zur Wasserdampf-Bildung zu verwenden; sie antwortet jetzt der Druckverminderung durch ein jähes Aufkochen und zwar in ihrer ganzen Masse, und die Menge dieses entwickelten Dampfes, die allerdings von der Quantität der Was-

1) Dieser Dampfentwicklung und Hebung dürfte das die Eruption des Geysir einleitende »Schwellen des Wassers« entsprechen, vergl. die Schilderung S. 280.

sersäule *OG* bedingt ist, muß jäh und plötzlich das Wasser aus dem Steigerohre *LA* emporpressen.

Je größer die Quantität des überhitzten Wassers in *OG* ist, desto gewaltsamer muß die Eruption sein; außerdem wird ihre Kraft aber noch vermehrt:

a) durch den Umstand, daß bei dem Emportreiben der Wassersäule *LA* sich dieselbe immer mehr durch Ueberlaufen des Wassers bei *L* verkürzt, der Druck sich also continuirlich vermindert; dieser Druckverminderung muß natürlich fortgesetzte Dampfbildung durch die ganze Säule *OG* hindurch entsprechen.

b) im Falle die Wassersäule *LA* schon bedeutend vorgewärmt und also reich an über 100° erwärmtem Wasser ist; dieses überhitzte Wasser muß sich bei seiner Hebung nach *L* natürlich auch in Dampf verwandeln und den Effect des von *OG* gelieferten Dampfes verstärken. Letztere Vorbedingung wird natürlich am Besten durch eine unter dem Boden des Steigerohres bei *A* befindliche Wärmequelle erfüllt werden, wie solche der große Geysir, den Temperatur-Beobachtungen nach zu schließen, auch besitzt. Es dürfte aus diesem Grunde schon nicht überflüssig sein, die Verhältnisse der von dieser »zweiten« Wärmequelle, welche mir an und für sich für den Geysirmechanismus nicht nothwendig[1]) erscheint, ausgehenden Erwärmung zu verfolgen.

1) Die erörterten Vorgänge auch experimentell darzustellen, soweit solches überhaupt möglich ist (»Dampfkesselexplosionen« herbeizuführen ist ja nicht gerade wünschenswerth) fehlte es mir leider an genügenden Mitteln. Die aus Theilen von zu sehr verschiedenen Zwecken dienenden Apparaten zusammengestellten

Diese Wärmequelle erwärmt die Wassertheilchen bei *A*; dieselben vergrößern demnach ihr Volumen, müssen dem zu Folge in die Höhe steigen und ihren Platz kälteren und schwereren Wassertheilchen einräumen; es resultiren also Strömungen im Wasser und zwar hauptsächlich im Steigerohre *LA*. Die bei *A* erwärmten Wassertheilchen werden aber auch leichter als eine große Menge der in dem Röhrenabschnitte *AN* eingeschlossenen und müssen mit diesen ihren Platz zu vertauschen suchen, letztere ein höheres Niveau einnehmen: es resultirt also auch eine circulirende Strömung von *A* aus in der Richtung nach *N*, bis in jene Wasserschicht, welche durch Wärmeleitung von *N* aus dasselbe spezifische Gewicht zuertheilt bekommen hat, wie die bei *A* erwärmten Wassertheilchen. Durch diesen Strom im Röhrentheile *AN* werden aber zunächst die Wassertheilchen, welche ihre Wärme nur durch »Leitung« erhalten, an Zahl verringert, dann werden aber dadurch auch »Unregelmäßigkeiten« in der Wärmecirculation herbeigeführt, indem, falls die Erwärmung von *N* aus eine intensivere (wenn auch räumlich nur ganz langsam vorschreitende) ist, durch die Gewalt der Strömung am Wendepunkte (in der Nähe von *N*) auch aus den noch höher liegenden, wärmeren Wasserschichten überhitzte Wassertheilchen in der Richtung von *A* mit gerissen

vor Allem nicht solid und einfach genug construirten Apparate, mit welchen ich einige Versuche ausführte, ließen jedoch schon erkennen, daß die Hinzunahme dieser zweiten Wärmequelle für die experimentelle Darstellung von Vortheil, vielleicht sogar unentbehrlich ist, letzteres wohl deßhalb, weil ohne diese Wärmequelle Druckverhältnisse erfordert werden, die im Experiment anzuwenden sich nicht empfiehlt.

werden, die sich sogar zu Dampfblasen entwickeln und als solche entweder bis L aufsteigen können, in der Mehrzahl aber auf dem Wege dahin wegen des höheren Druckes in den tieferen Niveaus und auch durch Wärmeentziehung von Seiten des umgebenden Wassers condensirt bleiben, aber eben dabei ihre Wärme auf dieses Wasser vertheilen. Durch diese Wärmeströmungen wird die Temperatur der Wassertheilchen auf der ganzen Strecke, wo Strömungen stattfinden, annähernd dieselbe.

Eigentliche Störungen des Geysirmechanismus dürften der zweiten Wärmequelle also nicht zuzuschreiben sein, so lange sie die Wärmequelle bei G an Kraft nicht so weit übertrifft, daß der Wasserdampf bei N fast nur von ihr geliefert wird und also die Wassermasse OG ihrem Kochpunkte nicht ganz nahe ist, wann der Dampf von N aus seine Wirkung bis A ausdehnt. Ist die Wärmequelle bei A aber in so hohem Grade derjenigen bei G überlegen, so können dann die auf S. 255 beschriebenen, durch Krug v. Nidda's Geysirmechanismus gelieferten, moderirten Geysirentleerungen [1]) eintreten und abwechseln mit wirklichen Geysireruptionen, welche letztere erst dann erfolgen, wenn die Erwärmung von OG genügend vorgeschritten ist.

1) Daß solche auch von einem Geysirapparate geliefert werden können, dessen Wärmequelle unterhalb des Steigerohrs sich befindet, darauf habe ich schon S. 256 hingewiesen. Die erwärmten Wassertheilchen, die im Steigerohre bis zur Oberfläche aufsteigen müssen und dabei ihre Wärme abgeben, besitzen, wenn sie nach N hin steigen, dort eventuell noch Wärme genug, um unter dem hier geringeren Drucke Dampf zu entwickeln; der angesammelte Dampf drückt dann das Wasser nach A hin u. s. w.

Vorerwähnte Modification der Geysir-Aeußerungen veranlaßt gleich einen Blick auf die Verhältnisse zu werfen, welche durch Combination mehrerer Geysirapparate gegeben sein können; solche Combination kann entweder in der Weise vorliegen, daß zwei im Uebrigen separirte Geysirapparate ein gemeinsames Steigerohr haben, ein Verhältniß, das nach Krug v. Nidda's Angabe beim großen Geysir vorliegt, oder in der Weise, daß sich an den Punkt G des einen Geysirapparates wieder die Röhrenschenkel $A'N'$ und $N'G'$ eines zweiten Apparates ansetzen, an letzteren eventuell wieder diejenigen eines dritten u. s. w., sodaß gewissermaßen ein gewundenes Manometer resultirt. In allen diesen Fällen wird sich natürlich der Effect der Geysireruptionen summiren, sobald die Geysireruptionen gleichzeitig zum Ausbruch kommen oder wenigstens das Wasser derjenigen Geysirapparate, welche die Eruption nicht zunächst veranlassen, ihrem Kochpunkte schon ganz nahe gebracht sind. Ist das aber nicht der Fall, so wird der Effect je nach den gegebenen Verhältnissen modificirt sein. Haben zwei Geysirapparate nur das Steigerohr gemeinsam und der eine beginnt zu »spielen«, während das Wasser des anderen noch nicht einmal bis zur ersten Dampfbildung erwärmt ist, so wird letzterer sich auch nicht an der Eruption betheiligen können. Sind aber mehrere Geysirapparate in der zu zweit angegebenen Weise mit einander verbunden, so wird jeder hintere, falls er vorzeitig vor den vor ihm liegenden die nöthige Wärme für die Eruption erhalten hat, doch nicht eher zur Eruption kommen können, als bis er auch die vor ihm liegenden zur Eruption vorbereitet hat. Solche Vorbereitung wird durch seine Dampfheizung stattfinden, indem sein Dampf, der das Wasser in dem nach dem Steigerohre zuführenden Röhrenarme bis zum Mulden-Niveau der Biegung (Punkt *G*, *G'* *G"* . . .) niedergedrückt hat, das Wasser im Röhrenarme *GN* (resp. *G' N'*, *G" N"* . . .) durchströmt und sich bei *N* (resp. *N'*, *N"* . . .) wieder ansammelt; an dem Sattelpunkte *N* wird dabei ein Ueberfließen des Wassers aus *NG* nach *A* hin stattfinden. Wenn die »vorgelegten« Apparate genügend zur Eruption vorbereitet sind, wird letztere dann summarisch erfolgen können. Hat das Wasser eines oder mehrerer zurückliegenden Geysirapparate den Kochpunkt nahezu erreicht, so werden letztere nach Kräften, d. h. je nach ihrer Wasser- und Wärmemenge, den Effect eines ihnen verkoppelten, vorgelegten Geysirapparates verstärken, im andern Falle aber werden sie sich neutral verhalten müssen und durch Wasserdampf, den der zur Eruption kommende Apparat auch in dem vom Steigerohr weiter weggelegenen aufsteigenden Röhrenarme entwickeln muß, von diesem separirt sein.

Die zuletzt betrachteten Verhältnisse der Verkoppelung von Geysirapparaten dürfte in der Natur (verhältnißmäßig) nicht selten vorkommen, während ersterwähnte Combination wohl ganz außergewöhnlich ist; jene wird nämlich durch den äußerst gewöhnlichen und ganz natürlichen Umstand gegeben, daß Gesteinsspalten gern sprungweis, im Zickzack fortsetzen und in der Natur dürften eben meist nur Gesteins-Spalten den Geysirapparat aufbauen. Durch jedes solches Absetzen einer Hauptspalte im Zickzack wird aber aus einer Spalte ein kleiner Geysirapparat und wir können uns also einen großen

Geysirapparat als aus lauter solchen kleinen verkoppelt vorstellen.

Dieser Hinweis auf die Verhältnisse in der Natur veranlaßt mich, auch die wahrscheinlichen Verhältnisse der Wärmequellen zu betonen, sowie auch meine Vorstellung von dem wirklichen Bau des großen Geysir graphisch in Fig. IV zu bieten.

Die Wärme, welcher der Geysir bedarf, und in dieser Annahme stimmen alle Geologen neuer Zeit überein, wird vom Erdinnern geliefert und ist sogenannte »vulcanische Wärme«; die Erwärmung durch solche ist von der Tiefenlage abhängig; es wird also von ihr desto mehr auf Wasser übertragen, je tieferes Niveau letzteres einnimmt; die Temperaturen in gleichem Niveau gelegener Wassermassen werden demnach gleichmäßig zunehmen, falls die Mengen letzterer auch gleich sind und dieselben gleich lange Zeiten daselbst lagern. Ist die Menge der einen Wassermenge dagegen größer oder die Zeit der Erwärmung kürzer, so wird die Temperatur dieser Wassermenge weniger steigen. Der ganze Geysirapparat besitzt also in Wirklichkeit eine einheitliche Wärmequelle und hängt die Wärmemenge, welche die einzelnen Partien desselben erhalten, ab von dem Verhältniß zwischen der Menge des zu erwärmenden Wassers und der Flächen-Ausdehnung-(Erstreckung) und Tiefenlage der Gesteinswände, welche die Wärme auf jenes übertragen.

Den in Fig. IV dargestellten Geysirapparat können wir uns zusammengesetzt denken aus Wasserschächten und -Canälen, d. h. aus von Wasser erfüllten Räumen, deren Querschnitte mehr oder weniger isometrische Dimensionen besitzen; dergleichen Canäle können in der Natur (im Gestein) dadurch entstehen, daß Spalten (also Flächen oder vielmehr Parallelräume) einander schneiden, sich kreuzen. Während die Spaltflächen in ihrer weiteren Erstreckung für Wasserzutritt geschlossen (»gedichtet«) sein können, bildet sich am Kreuzungspunkt dann ein Hohlraum. Während in die eine Spaltfläche die Richtung *AN* fallen kann, kann einer zweiten die Richtung *LA* entsprechen, einer dritten aber die Fläche der Zeichnung. Parallel einer Spalte findet man in der Natur sehr gewöhnlich in kurzem Abstande weitere Spalten verlaufen; so habe ich auch in der Zeichnung dem Schachte *LA* die Räume *NG* und *OT* (in diesem Falle nur aus angegebenem Grunde), der Spalte *AN* diejenige *TM* parallel verlaufen lassen. — Ob die kleineren »Detonationen«, welche sich in kurzen Intervallen wiederholen, Producte eines wahren oder eines Pseudo-Geysirapparates (vergl. S. 267) sind, wage ich auf Grund der vorliegenden Berichte nicht zu bestimmen; die dabei eintretenden Detonationen und Erschütterungen sprechen für erstere Annahme; nur muß die Menge des von diesem Apparate gefaßten Wassers gegenüber derjenigen der Geysirsteigeröhre sehr gering sein. In welcher Weise die beiden Apparate verkoppelt sind, läßt sich natürlich noch viel schwieriger entscheiden; in der Zeichnung habe ich dem großen Apparat einen kleinen vorgelegt.

In der Figur ist dem Apparate auch gleich derjenige Annex gegeben, welcher meiner Meinung nach die Periodicität der Geysireruptionen bedingt, welcher also die Neufüllung des Geysirapparates nach erfolgter Eruption erlaubt. Nach beendeter Eruption muß ja das Wasser, noch bevor die atmosphärische Luft eindringen kann, in die Röhren zurückfließen, es muß der Apparat gewissermaßen unter hydraulischem Verschlusse bleiben. Zu diesem Behufe dient zuerst das Bassin am Ausfluß des Geysirrohrs, das die Wasser der Eruption, soweit sie nicht als Dampf in die Atmosphäre gegangen oder als seitliche Strahlen über den Bassinrand geworfen wurden, wieder wie ein Trichter aufnimmt; diese in den Apparat zurücktretenden Wasser genügen jedoch nicht zu seiner Füllung; es ist da Zufluß nöthig. Der Spalten-Canal *OTM* ist mit kaltem Tagewasser gefüllt und wird gespeist von einer Wasserschicht, die sich zwischen dem zu Thon verwitterten Palagonittuffe und dem auflagernden Kieselsinter hinzieht und in solcher Höhe an die Atmosphäre (vielleicht am Fuße des Laugafjall) tritt, daß dieser Punkt den Rand des Geysirbeckens noch um ein Weniges überragt; nach dem Gesetze des Wasserstandes in communicirenden Röhren wird also bei Geysir-Ruhe das Wasser jener Schichtfläche auf der Thon-Unterlage nach *O* fließen, daselbst in die Spalten oder den Canal *ÔT* eintreten, von *T* über *M* nach *L* drücken und einen Abfluß des Bassins bewirken. Auf der Strecke *ML* kühlt es das von unten erwärmte Wasser der Geysir-Steigeröhre ab. Findet nun durch die Erwärmung und Ausdehnung des Wassers, ja schließlich auch durch die Dampfentwicklung eine allmähliche Volumvermehrung des Wassers im eigentlichen Geysirapparate statt, so liefert das Geysirwasser selbst das Abfluß-Wasser und da der Punkt des Abflusses aus dem Geysirbassin mit dem Einflußpunkte des Wassers in die Sickerschicht (der, wie oben angegeben, wahrscheinlich am Fuße des Laugafjall liegt) so ziemlich in gleichem Niveau steht, so findet aus *M* kein Ausfluß mehr statt, das Wasser in diesen communicirenden Röhren kommt dadurch zur Ruhe. Die Stauung des Sickerwassers wird kaum, selbst an jener Einflußstelle wenig, ersichtlich werden, weil ja das Sickerwasser dort nicht auf einem engen Canal, sondern auf einer Fläche fließt und auf letzterer Niveauerhöhungen schwerer erkennbar sind. In das Rohr oder die Spalte *PM* kann aber auch kein erwärmtes Wasser aus dem Geysirrohre eintreten, weil es dann seinem spez. Gewichts-Triebe zuwider sinken müßte; nur durch das, wie angegeben äußerst geringe Wärmeleitungsvermögen des Wassers kann dasjenige in *TM* von der Wärme des Geysirwassers etwas profitiren. Bei der Geysireruption nun wird aller Dampf und alles Wasser aus dem Geysirsteigerohre ungehindert an der Spaltöffnung *M* vorüber getrieben, durch Aufhebung des Druckes *LM* sowie durch mechanisches »Mitreißen« muß aber dann das Wasser aus *M* wieder ausfließen und nach der Eruption, wo das Wasser, zunächst durch den Luftdruck getrieben, die verlassenen Geysirröhren wieder füllt, wird dieser Zufluß den Verlust des Geysirwassers bei seiner Eruption wieder decken.

Aus vorstehender Darstellung meiner Ansichten über die Bedingungen eines Geysir ist der Unterschied wohl leicht ersichtlich, der zwischen den Theorien nicht nur Bunsens sondern auch Krug v. Nidda's und der meinigen obwaltet. Während letztgenannter Forscher das Movens einfach in dem nach und nach entwickelten Wasserdampfe erblickt, lege ich das Hauptgewicht auf die Nothwendigkeit der plötzlichen Dampfentwicklung der in der »Caverne« zurückgebliebenen Wassermasse; der Geysirapparat Krugs und der meinige sind zwar wesentlich identisch, nicht aber die Art und Weise, wie wir diesen Apparat uns arbeitend vorstellen und wie wir die Wirkung des Apparates erklären.

Die Vollständigkeit in der Darstellung der Bedingungen der Geysir erfordert auch die Möglichkeiten zu betrachten, wie ein Geysir entsteht und wie er zum Erliegen kommt.

Es wird nicht überraschen, wenn ich erkläre, daß betreffs beider Beziehungen meine Ansichten von denen Bunsens differiren, da ja auch unsere Geysirtheorien verschieden sind; daß das Incrustations-Vermögen eines Thermen-Wassers mit der Zeit aus der Therme einen Geysir mache, halte ich nicht für wahrscheinlich, aber auch nicht für unmöglich; dagegen kann ich mir auf keinen Fall vorstellen, selbst bei Anerkennung der Bunsenschen Geysirtheorie, wie dieses Incrustationsvermögen im Laufe der Zeit den Geysir auch ersticke.

Daß ein Geysir zum Erliegen kommt, dafür bietet sich mir vielmehr als nächstliegende Ursache das Undichtwerden seines Apparates. Wenn seine Röhrenwände, abgesehen von denen des Steigerohrs, der Spannkraft des Dampfes nicht mehr allseitig Widerstand leisten können, dann wird der Dampf eben andere Auswege finden und der Apparat nicht mehr arbeiten. Solches Undichtwerden muß aber bei jedem Geysirapparate verhältnißmäßig sehr schnell eintreten, nämlich:

1) in Folge der mechanischen Erschütterungen bei der Eruption, welche sich selbst bei den kleinen, sogen. Detonationen des großen Geysirs, welche in Zwischenräumen von 1 Stunde und 20—30 Minuten wiederzukehren pflegen,

durch eine »zitternde Bewegung der Oberfläche des Geysirkegels« zu erkennen geben. Solche Erschütterungen, welche sich bei stärkeren Eruptionen natürlich auch verstärken müssen, müssen den Geysir-Apparat abnutzen; die Geysireruption ist ja ein Vorgang, welcher einen gewöhnlichen Dampfkessel zum Explodiren bringen würde; nun sind zwar die Wände des Geysirapparates jedenfalls dauerhafter als diejenigen eines unserer Maschinen-Dampfkessel, aber bei längerer Abnutzung werden sie den Erschütterungen auch nicht widerstehen können.

2) Der Zerstörung durch die Stöße arbeitet das überhitzte Wasser ätzend, lösend und zehrend vor. Welche Quantitäten von Kieselsäure dasselbe aus den Wänden des Apparates auslaugt, dafür geben die betreffenden Kieselsinterablagerungen und die Kieselincrustationen den Beweis und den Maßstab.

Geringere Gefahr als für die Dichte des Apparates scheint mir für die Kraft der Wärmequelle obzuwalten; doch ist es klar, daß wenn dieselbe versiegt, des Geysirs Thätigkeit erlöschen muß; auch muß, wenn der für den Apparat nöthige Wasserzufluß aufhört, eine schnelle Verzehrung der Geysir-Füllung erfolgen. Letzterer Umstand bedarf wohl keiner näheren Beleuchtung, der erstere jedoch schon aus dem Grunde, weil ich auf S. 240 die Wärmequelle, die vulcanische Wärme, als constant bezeichnet habe. Diese Wärme ist für jeden Punkt innerhalb der Erdkruste (soweit die Insolations-Wärme nicht einwirkt und für menschliche Zeit-Perioden) im Allgemeinen auch wirklich constant und darf mithin für eine Reihe von Geysirperioden (d. h. Geysir-Eruptionen) mit vollem Rechte als constante Größe gelten. Wir kennen jedoch im geologischen Mechanismus auch Bedingungen, welche diese vulcanische Erwärmung für einzelne Erdpartien dauernd oder vorübergehend beeinflussen und ändern können, so daß es also auch für die Wärmequelle des Geysirapparates kein Ding der Unmöglichkeit ist, daß sie allmählich ganz zum Versiegen komme. Gegenüber der Gefahr für die »Dichte« des Geysirapparates erscheint mir aber diese Bedingung des Ersterbens eines Geysir sehr fern zu liegen.

Wohl aber kann ich mir denken, daß vorübergehende Beeinflussungen der Wärmequelle die Unregelmäßigkeiten in der Periodicität der Geysireruptionen bedingen, welche von allen Beobachtern und Geschichtsschreibern des Geysir erwähnt werden. Solche Beeinflussungen üben aber vorzugsweise die meterologischen Verhältnisse aus, sowohl direct als auch, und zwar besonders intensiv, auf indirectem Wege, wie solche Abhängigkeit des Geysirs von meteorologischen Einflüssen auch schon die Isländer behaupten. Wir brauchen nur zu erwägen, daß wenn der Zufluß des Geysirapparates (durch *OTM*) reichlicher erfolgt oder geringere Temperatur besitzt, die Wärmequelle ein größeres Wärmequantum liefern muß, also mehr Zeit braucht. Viel wichtiger ist aber der Einfluß, den die auf den Gesteinsspalten circulirenden Wasser auf die Wärmequelle ausüben; denn diese Wasser, z. B. die in dem Canalsysteme *Y* der Zeichnung, wollen von demselben Heerde mit Wärme gespeist sein, wie das Geysirwasser; fließen sie nun zeitweise reichlicher oder sind sie kälter, so wird dem Geysirapparate weniger Wärme zu Gute kommen; dauernd kann dieses Wärmequantum dann auch dadurch beschnitten werden, daß sich dem Eindringen der circulirenden Tagewasser eine in größere Tiefe gehende Spalte öffnet.

Den mehrfachen Bedingungen, welche ein vollständiges Ersterben oder wenigstens ein Lahmlegen eines Geysirs herbeiführen können, ist nun als einzige Bedingung für die Entstehung eines solchen eine geeignete Spaltenbildung, sei es durch vulcanische Gewalt, sei es nur durch die Schwere bei ungenügender Cohärenz des Gesteins, gegenüber zu stellen und zwar auch noch mit der Einschränkung, daß diese Spaltenbildung unter hydraulischem Verschlusse stattfinde. Letzterer Umstand erlaubt dann, daß das Wasser auf die neu gebildeten Spalten gleich nachdringe.

Bei so großen Gefahren, welche einem Geysirapparate drohen, liegt die Frage nahe, ob ein leck gewordener Geysirapparat sich nicht etwa selbst, vielleicht durch das Incrustationsvermögen seines Wassers, wieder repariren könne; die Möglichkeit und Wahrscheinlichkeit nun einer Selbst-Wiederherstellung des Geysir bin ich gern bereit gelten zu lassen, aber einen Nachweis derselben als Thatsache zu führen oder eine Darstellung der Art und Weise zu geben, auf welche solche erfolgen könne, bin ich offen gestanden nicht vermögend.

Das schon betonte Mißverhältniß zwischen den Entstehungs- und den Erstickungs-Bedingungen der Geysir wird es uns nicht wunderbar erscheinen lassen, daß die Zahl der Geysir auf der bis jetzt bekannten Erdoberfläche so ungeheuer gering ist. Wenn wir nun schließlich einen Blick auf die außer dem großen Geysir bekannten Eruptionsquellen werfen, um zu untersuchen, ob die von mir vorgetragene Theorie auch auf ihre Verhältnisse passe und sich als eine allgemein giltige erweise, so ist uns der Umstand hinderlich, daß kein anderer Geysirs so genau untersucht und beobachtet worden ist wie der Isländische »große Geysir«; von der Mehrzahl wissen wir nicht viel mehr als daß sie überhaupt existiren.

Nächst denen des großen Geysirs noch am Besten bekannt sind die Verhältnisse des Strokkr, des nächsten Nachbars von jenem. Derselbe besitzt keinen Tuffkegel, das größte Interesse bietet er aber dadurch, worauf schon Krug v. Nidda hinwies, daß er »permanente und intermittirende Therme zugleich ist«. Die Erwärmung des Wassers im Steigerohr ist eben eine so intensive, daß es immer im Sieden ist. Der Zufluß von Wasser auf Gebirgsspalten (der oberflächlichen Schichten) scheint demnach ein sehr geringer zu sein, Abfluß ist auch nicht erkennbar und in diesem Falle auch nicht nöthig, denn der Zufluß genügt wohl nur, um den Verlust an Wasserdampf zu decken. Das 13, 5 m tiefe Steigerohr verengt sich sehr bald trichterförmig so, daß der Durchmesser von 2, 4 m an der Mündung auf nur 0, 26 m in einer Tiefe von 8, 3 m sinkt; unterhalb dieser Verengung herrscht eine ziemlich constante Temperatur von 114°. Durch Verstopfung dieses engeren Mundloches mit Rasen und Steinen ist es manchen Beobachtern gelungen, den Apparat zur Eruption zu reizen, anderen Beobachtern z. B. Krug v. Nidda aber wieder nicht. Im Falle es gelingt, ist jedenfalls das Wasser im inneren Geysirapparate schon auf Kochtemperatur gebracht gewesen; indem nun die Dämpfe in dem abgesperrten, verstopften Steigerohre sich sammelten und an

Spannkraft zunahmen, um die Verstopfung zu beseitigen und das Ventil zu öffnen, drückten sie auch rückwärts auf den Dampf und das Wasser im innern Theile des Apparates und es fand da auch eine verstärkte Ueberhitzung, ein Nachlaß in der Dampfentwicklung statt. Die Wiederöffnung des Canals durch den Druck der Dämpfe des Steigerohrs mußte aber auch jenen Wasser- und Dampfpartien eine jähe Entlastung von dem auf ihnen ruhenden Drucke bieten und so eine mehr oder minder vollkommene Eruption nach sich ziehen. — Der innere Apparat des Strokkr ist wahrscheinlich durch dieselbe Spaltenbildung geliefert worden, durch welche derjenige des großen Geysirs entstand. Der Umstand, daß seine Eruptionen von donnerähnlichem Geräusch und Erderschütterungen weder eingeleitet noch begleitet werden, läßt auf sehr ebene Wände des inneren Apparates schließen.

Der kleine Geysir (Litli Geysir), der Quellengruppe von Reykir angehörig, besitzt ein durch Gesteinsschutt erfülltes Becken und ist nach Bunsens Darstellung, wie schon erwähnt, nicht ein wahrer Geysir, welcher letztere durch die Plötzlichkeit der Eruption (jähen Beginn und Ende) gekennzeichnet sein muß. Bunsen meint, daß für ihn und eine große Zahl ähnlicher in Island vorhandener Springquellen die Theorie Mackenzies, wohl besser Krug v. Niddas in Geltung bleiben könne.

In Neuseeland finden sich nach Hochstetters Bericht eine große Anzahl Geysir, von denen Puia te mimi a Homaiterangi und Te Tarata namhaft gemacht werden; noch größer scheint ihre Zahl im Nationalparke der Vereinigten Staaten von Nord-Amerika, im Quellgebiete des Yellowstone- und Madison-River zu sein; über alle diese Geysir aber liegen noch zu ungenügende Berichte vor, um entscheiden zu können, ob die von mir vorgetragene Theorie für ihre Verhältnisse eine genügende Erklärung biete.

Anlage I.

Bunsen und Des Cloizeaux führten am Geysir eine Reihe thermometrographischer Messungen aus, um die Temperaturveränderungen in den verschiedenen Wasserschichten während eines Intervalls zweier Eruptionen zu ermitteln, und giebt Bunsen in den Annalen der Chemie, Band LXII S. 28, einen Theil der erhaltenen Resultate in 3 Reihen, von denen aber nur zwei vollständig sind. Diese Resultate hat Bunsen auch in seiner Fig. II graphisch dargestellt, indem der auf den Wassertheilchen lastende Wasserdruck einschließlich des Atmosphärendrucks in Metern ausgedrückt die Abscissenlinie bildet, während die bei diesen Druckkräften im Geysirrohre beobachteten Temperaturen durch die Ordinaten bezeichnet werden. Betrachten wir nun in dieser graphischen Darstellung die beiden vollständigen Temperaturcolonnen, so finden wir, daß auf dem Wasser von 82,6° Celsius ein Druck von 13,5 m gelastet habe, u. s. w. wie folgt:

1. Reihe (6. Juli 8 h. 20′ p., m.)

Höhe über dem Boden des Geysirrohrs.	Temperatur.	Druck in Metern.
19,2 m	82,6	13,5
14,4	85,8	18,2
9,6	113,0	23,0
4,8	122,7	27,8
0,3	123,6	32,7

2. Reihe (7. Juli 2 h. 55′ p. m.)

Höhe über dem Boden des Geysirrohrs.	Temperatur.	Druck in Metern.
19,55	85,2	13,15
14,75	106,4	17,85
9,85	120,0	22,75
5,0	123,0	27,60
0,3	127,5	32,70

Berechnen wir nun die Volumina des Wassers unter vorgenannten Druck- und Temperaturverhältnissen.

Die zu dieser Rechnung nothwendigen, empirisch festzustellenden Data[1], nämlich der Ausdehnungscoëfficient und der Compressionsmodulus, sind nicht mit wünschenswerther Genauigkeit ermittelt, und leidet der Werth der Rechnung natürlich unter diesem Umstande. Insbesondere ist mir der Ausdehnungscoëfficient für über 100° C. erhitztes Wasser nicht bekannt; da ich mich aushilfsweise des Koppschen Ausdehnungscoëfficienten für Wasser von 100° für die über 100° betragenden Temperaturen bedient habe, ist die Rechnung schon aus diesem Grunde ungenau; eine weitere Ungenauigkeit fließt aus dem Umstande, daß ich der Einfachheit halber die Temperatur der belastenden Wassersäulen einheitlich angenommen habe, während in Wahrheit doch in denselben nach Unten hin die Tem-

1) Für Hilfe beim Nachsuchen nach den bestermittelten Werthen dieser Coëfficienten sowie für freundliche Controle des Ganges der Berechnung bin ich den Herren Professoren Klinkerfuess und Riecke zu Dank verpflichtet; letztgenanntem Herrn danke ich ferner auch hier dafür, daß er als Physiker meinem Wunsche entsprechend die ganze Arbeit und insbesondere Anlage II eingehend geprüft hat.

peratur zunimmt; die Belastung ist also zu groß gefunden. Den Compressionsmodulus des Wassers habe ich zu 50,3 Milliontheilen angenommen; nach Grassi ist er dies bei Wasser von 0°, während er bei Wasser von 50° nur zu 44 Milliontheilen gefunden wurde; ich wählte jedoch jenen, um dem Vorwurfe vorzubeugen, als ob ich unter den mir gebotenen Werthen die zur Erzielung meiner Annahme günstiger Resultate geeignetsten ausgesucht hätte.

Nach Kopp ist das Volumen des Wassers
bei 0° = 1,000000
80° = 1,028581
90° = 1,035397
100° = 1,042986.

Die Rechnung führte ich nun so aus, daß ich allemal zuerst das Volumen des Wassers bei betr. Temperatur für einfachen Atmosphärendruck (= 10,4 m Wasserdruck) und dann für den verlangten Druck berechnete, also z. B.

Volumen des Wassers von 82,6°
bei 10,4 m Wasserdruck = 1,030353.
bei 13,5 m Wasserdruck = 1,030336.

Darnach fand ich:

1. Reihe.

Temperatur.	Wasserdruck.	Volumen.	Differenzen der Volumina.
82,6	13,5	1,030336	
			0,002164
85,8	18,2	1,032500	
			0,020295
113,0	23,0	1,052795	
			0,007333
122,7	27,8	1,060128	
			0,000657
123,6	32,7	1,060785	

2. Reihe.

Temperatur.	Wasserdruck.	Volumen.	Differenzen der Volumina.
85,2	13,15	1,032109	
			0,015701
106,4	17,85	1,047810	
			0,010300
120,0	22,75	1,058110	
			0,002245
123,0	27,60	1,060355	
			(0,003390)
(127,5)	32,70	(1,063745)	

Es ist also zu ersehen, wie die Volumina des Wassers nach der Tiefe zu und mit steigender Temperatur, trotz des zugleich mit wachsenden Druckes, zunehmen, also die Dichtigkeiten (specifischen Gewichte) nach der Tiefe zu abnehmen müssen.

Der in der 2. Reihe als Temperatur der größten Tiefe angegebene Werth von 127,5° C. mag wohl nicht richtig ermittelt worden sein (wahrscheinlich der Temperatur einer von dem Maximal-Thermometer auf dem Wege von oder nach der Tiefe begegneten oder eingeholten, gerade in die Geysirröhre eingetretenen Wasserdampfblase entsprochen haben), denn sonst erklärt sich nicht, warum die dritte am 7. Juli 7 h. 58′ p. m., also 5 Stunden später erhaltene, nicht ganz vollständige Temperaturreihe gar keinen so hohen Temperatur-Werth angiebt, sondern als Temperatur dieser Tiefenstufe 126° C. nennt, während doch die 3 obersten Glieder der Temperaturcolonne auf 84,7°, 110,0° und 121,8° gelangt sind. Es ist daher auch auf das für die Temperatur von 127,5° C. berechnete Volumen kein Werth zu legen.

Sehen wir also von diesem Werthe ganz ab, so finden wir die überhaupt geringste Differenz im spezifischen Gewichte zwischen den Wassertheilchen der tiefsten Stufen, nämlich von 0,3 m und 4,8 m über dem Boden des Geysirrohres (Differenzen der Volumina = 0,000657); die größte Differenz findet der ersten Reihe nach in der Mitte des Geysirrohres statt, indem die Volumina der Wasser in 9,6 m und 14,4 m Höhe über dem Boden den überhaupt höchst ermittelten Differenzwerth von 0,020295 erreichen; die Resultate der zweiten Reihe lassen ein in die Höhe-Rücken der spezifischen Gewichtsdifferenzen erkennen, indem die 3 obersten Beobachtungspunkte die höchsten Differenzwerthe dieser Reihe und zwar die beiden oberen unter ihnen auch wieder den höheren ergeben.

Anlage II.

Zur Frage: Kann Wasser von der Erdoberfläche auf Capillarspalten bis zum flüssigen Erdinnern dringen? und ist eventuell solches Wasser der Motor von Lava-Ergüssen?

Zunächst ist darauf hinzuweisen, daß eine bejahende Antwort der ersten Frage nicht nothwendig ist zur Erklärung der Thatsache, daß viele aus Schmelzfluß erstarrte Gesteine und Mineralien einen Gehalt an Wasser, resp. Wasserstoff besitzen. Es kann der Wasserstoff dem betreffenden Schmelzflusse schon eigenthümlich gewesen, resp. der Wasserdampf von ihm schon absorbirt worden sein, bevor eine Erdkruste existirte. Zu bedenken ist dabei auch, daß wir von der Verknüpfung des Wasserstoffs in vielen Silicaten, z. B. in Glimmern, nichts wissen, was auf eine fremde Herkunft des Wasserstoffes schließen ließe.

Dann ist auch zu erwägen, daß der Nachweis von Capillarspalten in den Gesteinen der tieferen Erdschichten thatsächlich nicht zu erbringen ist. Theoretisch ist allerdings jeder Körper porös, aber daß auch jene Gesteine durchtränkbar sind und dem Wasser Wege nach Unten zu eröffnen, muß erst noch wahrscheinlich gemacht werden. Daß viele Substanzen porös sind, ist allerdings nicht bloß theoretisch erschlossen sondern auch experimentell gezeigt worden; aber gerade bei der Mehrzahl der Gesteine dürfte es nicht gelingen, diese Eigenschaft unsern Sinnen direct erkennbar zu machen. Denn daß das Experiment Daubrées an Vogesen-Sandstein, welches als Beweis angeführt zu werden pflegt, gerade umgekehrt eine Undurchdringbarkeit für Wasser nach gewöhnlichem Maßstabe ergeben hat, habe ich schon an anderem Orte (»Bildung der Erdkruste« 1873 S. 72) dargelegt.

Viel leichter ist es, sich indirect mit Hülfe des Mikroskops Belege für die Existenz von Wasser-Capillarsträngen in den Gesteinen zu verschaffen; aber da ist immer zu bedenken, daß diese Belegstücke alle der relativ oberflächlichsten Partie der Erdkruste entstammen und die Innigkeit der Gesteins-Structur hier nothwendig gelockert sein muß durch den vielfachen Wärmewechsel, unter Umständen selbst der Wärmestrahlung, zum Mindesten durch die mechanischen Störungen von Seiten des Menschen (sei es auch nur mittels des bergmännischen Bohrers). Die jungfräulichen Gesteine der Erd-Tiefe aber können sehr wohl für Wasser undurchdringlich angenommen werden, indem ihre »Poren« selbst unter höchstem Drucke noch für Wasser verschlossen bleiben.

Aber zugegeben, es fände das Wasser Capillar-Spalten, welche sein Hinabdringen in die Tiefe erlaubten, so ist doch die Annahme nicht erlaubt, daß dieses hinabdringende Wasser bei seiner Vereinigung mit Gesteinsmagmen noch tropfbar flüssig sei, d. h. sich noch in dem Aggregatzustande befinde, in welchem wir das Wasser kennen und es Wasser nennen. Von Seiten einzelner Theoretiker wird das aber behauptet und diese Behauptung sogar mathematisch, durch Rechnung zu stützen versucht, indem aus den Voraussetzungen, daß für dieses Wasser der Druck immer schneller wachse als wie die Temperatur (etwa wie 3 : 1) der Schluß gezogen wird, daß unter solch hohem Drucke das Wasser trotz hoher Temperaturen immer tropfbar flüssig bleiben müsse (also auch bei der Lava-Erstarrungstemperatur von etwa 2000°). Es ist dabei der wohl zuerst von Cagniard de la Tour ermittelte Umstand gar nicht in Betracht gezogen, daß Wasserdampf schon bei einer Temperatur von etwa 410° nicht weiter durch Druck zu verdichten geht und sich in dem »Zwischenzustande« (vergl. Thomas Andrews in Poggendorffs Annalen, Ergänz. Bd. V. 1871, S. 64) zwischen gasigem und flüssigem befindet. Das Wasser geht also an demjenigen Tiefenpunkte, wo ihm die entsprechende Wärme zu Theil wird, in diesen Zwischenzustand über.

In höheren Temperaturen als wie 410° hängt also die Dichte des Wassers oder Wasserdampfes nicht mehr vom Druck ab und wird demzufolge eine constante sein, im Fall solches Wasser einem Schmelzflusse von 2000° beigemengt ist, ebensowohl wenn der Schmelzfluß sich 10 Meilen unterhalb der Erdoberfläche befindet, als wenn er zu letzterer empordringt.

Der Wasserdampf wird eben erst dann seine

Expansion entwickeln können, wenn der auf ihn wirkende Druck noch geringer geworden ist, als wie solcher Druck nöthig ist, um Wasser auf 410° zu erhitzen und es dabei im flüssigen Zustande zu erhalten.

Daraus geht hervor, daß die Expansion des den Laven beigemengten Wasserdampfes nicht als eigentlicher Motor der Lava-Ergüsse gelten kann.

Letzteres erscheint auch schon in Anbetracht des Menge-Verhältnisses bedenklich; denn bereits G. Bischof, der doch dieser Theorie huldigte, zeigte, eine wie verhältnißmäßig große Wassermasse nöthig wäre, um Lava aus dem Erdinnern bis an die Oberfläche zu heben. Es müßte demnach das Wasser einen der Masse nach wesentlichen Gemengtheil der Grenzschicht zwischen Erdkruste und Erdkern ausmachen. Nun ist es allerdings vollständig der subjectiven Meinung anheimgestellt, wie groß man die Menge des zum Erdkerne hinabdringenden Wassers annehme, vorausgesetzt daß solches Hinabdringen überhaupt stattfinde, aber so bedeutend, wie sie als Motor benöthigt ist, dürfte sie doch wohl auf keinen Fall sein. Wenn Wasserdampf der Motor von Lavaergüssen wäre, so erscheint auch wunderbar, daß unsere jung-vulcanischen Gesteine, welche doch wohl aus größerer Tiefe kommen als die altvulcanischen und also eines viel größeren Wasserquantums als Motor ihrer Hebung bedürftig gewesen wären als diese, sich gerade ärmer an Wassereinschlüssen zeigen als wie die altvulcanischen Porphyre.

Ueber die Erweiterung des Abel'schen Theorems auf Integrale beliebiger Differentialgleichungen.

Von

Leo Koenigsberger in Wien.

Correspondent der Societät.

Ich erlaube mir einige Sätze aus einer größeren Arbeit, welche ich zu veröffentlichen im Begriffe bin, im Folgenden zusammenzustellen; dieselben bilden die Grundlage für die Untersuchung derjenigen algebraischen Relationen, welche für die Werthe eines particulären Integrals einer Differentialgleichung für algebraisch mit einander verbundene Werthe der Variabeln stattfinden und somit die Ausdehnung des Abel'schen Theorems für Integrale algebraischer Functionen auf Integrale beliebiger algebraischer Differentialgleichungen liefern.

Eine Differentialgleichung $m$ter Ordnung

$$f\left(x, y, z, \frac{dz}{dx}, \frac{d^2 z}{dx^2}, \dots \frac{d^m z}{dx^m}\right) = 0,$$

in welcher y eine durch eine irreductible Gleichung definirte algebraische Function von x bedeutet, soll irreductibel genannt werden, wenn

1) die linke Seite derselben, als algebraisches Polynom des höchsten Differentialquotienten $\frac{d^m z}{dx^m}$ aufgefaßt, sich für kein Integral der Differentialgleichung in Factoren von einem in dieser Größe niedrigeren Grade zerlegen läßt, deren Coefficienten ebenfalls rationale Functionen der Größen

$$x, y, z, \frac{dz}{dx}, \ldots \frac{d^{m-1}z}{dx^{m-1}}$$

sind, und

2) die Differentialgleichung kein Integral mit einer Differentialgleichung von einer niedrigeren Ordnung μ als der $m$ten gemein hat, deren linke Seite rational aus

$$x, y, z, \frac{dz}{dx}, \frac{d^2z}{dx^2}, \ldots \frac{d^\mu z}{dx^\mu}$$

zusammengesetzt ist (wonach die Differentialgleichung also auch kein algebraisches Integral haben darf).

Es gilt nun der folgende Satz:

Ist die Differentialgleichung

$$f\left(x, y, z, \frac{dz}{dx}, \frac{d^2z}{dx^2}, \ldots \frac{d^m z}{dx^m}\right) = 0$$

irreductibel und hat dieselbe mit einer Differentialgleichung

$$F\left(x, y, z, \frac{dz}{dx}, \frac{d^2z}{dx^2}, \ldots \frac{d^\nu z}{dx^\nu}\right) = 0$$

irgend ein Integral gemein, so muß sie alle Integrale mit derselben gemeinsam haben.

Von diesem Hülfssatze ausgehend gelange ich zu dem nachstehenden allgemeinen Theorem:

Besteht zwischen einem Systeme particulärer Integrale der irreductiblen Differentialgleichungen

$$f_1\left(x_1, y_1, z, \frac{dz}{dx_1}, \ldots \frac{d^{m_1}z}{dx_1^{m_1}}\right) = 0$$

$$f_2\left(x_2, y_2, z, \frac{dz}{dx_2}, \ldots \frac{d^{m_2}z}{dx_2^{m_2}}\right) = 0$$

. . . .

$$f_k\left(x_k, y_k, z, \frac{dz}{dx_k}, \ldots \frac{d^{m_k}z}{dx_k^{m_k}}\right) = 0,$$

in denen $x_1, x_2, \ldots x_k$ von einander unabhängige Variable bedeuten und $y_1, y_2, \ldots y_k$ verschiedene irreductible algebraische Functionen vorstellen, und einem Systeme particulärer Integrale beliebiger Differentialgleichungen

$$F_1\left(x_{k+1}, y_{k+1}, z, \frac{dz}{dx_{k+1}}, \ldots \frac{d^{n_1}z}{dx_{k+1}^{n_1}}\right) = 0$$

$$F_2\left(x_{k+2}, y_{k+2}, z, \frac{dz}{dx_{k+2}}, \ldots \frac{d^{n_2}z}{dx_{k+2}^{n_2}}\right) = 0$$

. . . .

$$F_\lambda\left(x_{k+\lambda}, y_{k+\lambda}, z, \frac{dz}{dx_{k+\lambda}}, \ldots \frac{d^{n_\lambda}z}{dx_{k+\lambda}^{n_\lambda}}\right) = 0,$$

deren unabhängige Variable $x_{k+1}, x_{k+2}, \ldots x_{k+\lambda}$ algebraische Functionen der unabhängigen Variabeln des ersten Systems sind und in denen $y_{k+1}, y_{k+2}, \ldots y_{k+\lambda}$ wieder verschiedene irreductible algebraische Functionen bedeuten, eine algebraische Beziehung, in welche auch die Variablen und die in den Differentialgleichungen vorkommenden algebraischen Irrationalitäten eintreten dürfen, so wird diese zwischen den Integralen bestehende Beziehung erhalten bleiben, wenn man statt der Integrale der irreductiblen Differentialgleichungen beliebige andere particuläre Integrale setzt und statt der übrigen Integrale ein passendes System particulärer Integrale der zugehörigen anderen Differentialgleichungen substituirt.

Hieran schließt sich ein zweiter Satz, nach welchem, wenn man die Annahme der Irreductibilität für das erste System von Differentialgleichungen fallen läßt, dagegen festsetzt, daß das zweite System nicht nur irreductibel ist, sondern daß auch zwischen den in der algebraischen Relation vorkommenden particulären Integralen desselben und ihren resp. $n_1 - 1$, $n_2 - 1$, . . $n_\lambda - 1$ ersten Differentialquotienten keine algebraische Beziehung besteht, ebenfalls die angenommene algebraische Relation bestehen bleibt, wenn man für die Integrale des zweiten Systems beliebige particuläre Integrale der resp. Differentialgleichungen setzt, wenn man nur für irgend ein Integral des ersten Systems ein bestimmtes anderes particuläres Integral substituirt.

Läßt man die Differentialgleichungen der beiden Systeme in eine Differentialgleichung zusammenfallen, so erhält man den folgenden Satz:

Besteht zwischen $k+\lambda$ particulären Integralen einer irreductibeln Differentialgleichung $m$ter Ordnung

$$f\left(x, y, z, \frac{dz}{dx}, \ldots \frac{d^m z}{dx^m}\right) = 0,$$

in welcher y eine irreductible algebraische Function von x bedeutet, für die k unabhängigen Variabeln $x_1, x_2, \ldots x_k$ und die algebraisch davon abhängigen Variabeln $x_{k+1}, \ldots x_{k+\lambda}$ eine algebraische Beziehung

$$F(x_1, y_1, x_2, y_2, \ldots\ldots x_{k+\lambda}, y_{k+\lambda}, \\ Z_1, Z_2, \ldots Z_k, Z_{k+1}, \ldots Z_{k+\lambda}) = 0,$$

worin $y_1, \ldots y_{k+\lambda}$ die den Werthen der unabhängigen Variabeln entsprechenden Werthe der algebraischen Irrationalität y sein sollen, so wird diese algebraische Beziehung erhalten bleiben, wenn man statt der Integrale $Z_1, Z_2, \ldots Z_k$ beliebige andere particuläre Integrale derselben unabhängigen Variabeln, für die Integrale $Z_{k+1}, Z_{k+2}, \ldots Z_{k+\lambda}$ aber bestimmte andere particuläre Integrale derselben abhängigen Variabeln substituirt,

und einen andern dem zweiten oben ausgesprochenen Satze analogen Satz.

Diese Sätze dienen einerseits dazu, für eine

vorgelegte Differentialgleichung die Untersuchung der Irreductibilität anzustellen, wie an einigen Beispielen gezeigt wird, andererseits führen sie bei der Annahme, daß für die $k+\lambda$ particulären Integrale der vorgelegten Differentialgleichung stets dasselbe particuläre Integral genommen wird, zur Aufsuchung der algebraischen Relationen, welche zwischen den Werthen ein und desselben particulären Integrales für algebraisch mit einander verbundene Werthe des Argumentes bestehen, also zur Ausdehnung des Abel'schen Theorems. Die oben ausgesprochenen Sätze, welche Verallgemeinerungen eines schon früher von mir in Borchardt's Journal B. 84 bewiesenen Theoremes sind, liefern nämlich, wie auch schon dort in einem freilich viel einfacheren Falle hervorgehoben worden, ein Mittel, um für die gesuchte algebraische Beziehung Functionalgleichungen aufzustellen, deren Auflösung sowohl das erweiterte Abel'sche Theorem dieser particulären Integrale der vorgelegten Differentialgleichung liefert als auch entsprechend der Zerlegung der Abel'schen Integrale in solche verschiedener Gattungen für die Integrale von Differentialgleichungen Sätze für die Reduction derselben auf Integrale einfacherer Differentialgleichungen mit den einzelnen Discontinuitäten aufzustellen gestattet. Für alle diese Sätze und Methoden sind in der Arbeit verschiedene Beispiele durchgeführt.

No. 1, S. 18, Z. 9 l. *τετρακόσιοι* statt *τεσσαρακόσιοι*.
No. 5, S. 195, Z. 8 v. u. l. *vam* statt *varm*.
No. 5, S. 196, Z. 9 v. u. l. des Recitirers, auf welchem der Text in letzter Instanz beruht.

Bei der Königl. Gesellschaft der Wissenschaften eingegangene Druckschriften.

Januar 1880.

Bericht der Wetterauischen Gesellschaft von 1873—1879.
Proceed. of the London Mathem. Society. No. 151. 152.
Nature. No. 527—534. 535.
Sitzungsber. der Münchener Akad. der Wiss. Philos. Cl. 1879. II 1.
Atti della R. Accad. dei Lincei. Vol. IV. Fasc. 1. 4.
Flora Batava. 247. 248.
Neues Lausitzisches Magazin. Bd. 25. H. 2.
Bulletin of the Museum of Comparative Zoology. Vol. V. N. 15. 16.
Annual Report of the Curator of the Museum. 1878—1879.
G. v. Wex, über die Wasserabnahme in Quellen etc. 2. Abth.

Von der K. Akad. der Wiss. zu St. Petersburg. 4.

J. Klinge, über Graminaen u. Cyperaceen-Wurzeln.
J. Setschenow, die Kohlensäure des Blutes.
O. Chwobson, über die Dämpfung von Schwingungen.
B. Hasselberg, über das durch electrische Erregung erzeugte Leuchten der Gase bei niederer Temperatur.

Von der Ungarischen Akad. der Wiss. publicirte Werke [1]).

Litterarische Berichte aus Ungarn, herausg. v. P. Hunfalvy. Bd. II. III.
Almanach der Ungar. Akad. d. Wiss.
Sitzungsberichte der Ungar. Akad. d. Wiss. 12. Jahrg. H. 1—6. 13. Jahrg. H. 1 7.
Jahrbuch d. Ungar. Akad. d. Wiss. Bd. XVI. H. 2—5.
Abhandlungen aus dem Gebiete der Socialwissenschaften. Bd. V. H. 1—8.

1) In Ungarischer Sprache. Aus den Jahren 1877—79. Budapest.

Abhandlungen aus dem Gebiete der Sprach- und schönen Wissenschaften. Bd. VII. H. 3—10. Bd. VIII. H. 1—4.
Abhandlungen aus dem Gebiete der historischen Wissenschaften. Bd. VII. H. 5—10. Bd. VIII. H. 1—8.
Abhandlungen aus dem Gebiete der mathematischen Wissenschaften. Bd. VI. H. 3—10. Bd. VII. H. 1—5.
Abhandlungen aus dem Gebiete der Naturwissenschaften. Bd. VIII. H. 8—16. Bd. IX. H. 1—19.
Mathematische und naturwissenschaftliche Mittheilungen mit Rücksicht auf die vaterländischen Verhältnisse. Bd. XIV. 1876—77. Bd. XV. 1877—78.
Sprachwissenschaftliche Mittheilungen herausg. durch die linguistische Commission der Ungar. Akad. der Wiss. Bd. XIV. H. 2. 3. Bd. XV. H. 1—2.
Magazin der Sprachdenkmäler: Alte Ungarische Codices und Drucke.
Archäologische Zeitschrift. Bd. XII. 1878.
Archäologische Mittheilungen zur Beförderung der Kenntniss der vaterländ. Kunstdenkmäler. Bd. XII. (Neue Folge Bd. IX.) 4.
Archäologische Denkmäler in Ungarn. Bd. III. Th. II: Leutschau's Alterthümer von Emmerich Henszlmann. 4.
Monumenta Hungariae historica. Abth. I. Urkundenbücher, Bd. XVI auf Ungarn bezügliche diplomatische Correspondenzen des Papstes Paul III. und des Cardinals Alexander Farnese. 1539—49.
Desgl. Abth. I: Codex diplomaticus Hungaricus Andegavensis. Bd. I. 1301—1321.
Desgl. Abth. III: Ungarische Reichstagsdenkmäler mit historischen Einleitungen. Bd. 6. 1573—81.
Desgl. Abth. III. Monumenta comitialia regni Transsylvaniae. Bd. IV. 1597—1601. Bd. V. 1601—1607.
Desgl. Abth. IV. Ungar. diplomatische Denkmäler zu Zeiten des Königs Matthias 1458—1490. Bd. 4.
Archiv für Ungar. Geschichte. Bd. XXV oder der 2. Folge Bd. XIII.
Archivum Rákóczianum. Briefwechsel des Fürsten Franz II. Rákóczy in Kriegs- und innern Angelegenheiten. Bd. 6. 7. Nicolaus Bercsenyi Graf von Székes an d. Fürsten Rákóczy.
Des Fürsten Gabriel Bethlen unedirte politische Briefe.
Friedrich Pesty, die Geschichte des Severiner Banats und des Severiner Comitats. Bd. 1—3.

Briefe Ungarischer Frauen. 499 Stücke 1515—1709.
Joseph Budenz, Ungarisch-ugrisches vergleichendes Wörterbuch. H. 4.
Karl Szabó, alte Ungarische Bibliothek. Bibliographisches Handbuch der von 1531—1711 erschienenen Ungarischen Drucke.
Grundsätze und Regeln der Ungarischen Orthographie.

Februar.

J. Biker, Supplemento a collecção etc. T. XX. Lisboa 1879.
Nature. Extra Number. February 6. 1880. 536—539.
Zeitschrift der österreich. Gesellsch. für Meteorologie. Bd. XV. Febr. 1880.
Sitzungsber. der physik.-medic. Societät zu Erlangen. H. 11. 1879.
Monatsbericht der Berliner Akademie der Wiss. Nov. 1879.
Bilanei comunale. Anno XVI. 1878. Roma. 1879.
Annali di Statistica. Serie 2. Vol. X u. XI. 1879. Ebd.
Verhandl. der physik.-med. Gesellschaft in Würzburg. XIV. 1—2. 1880.
Leopoldina XVI. 1—2. 1880.
Bulletin de l'Acad. de Belgique. T. 48. No. 12. T. 49. No. 1.
Journal of the Microscopical Society. Vol. III. No. I.
Annali dell' Industria e del Commercio. 1878. No. 11.
Erdélyi Muzeum. VII évfolyam. 2 Sz.
Jahrbuch über die Fortschritte der Mathematik. IX. 3.
Annales de la Sociedad cientif. Argentina. Febr. 1880. T. IX.
Atti della R. Accademia dei Lincei. Vol. IV. Fasc. 2. 1880.
Atti della Società Toscana. Proc. verbali. Jan. 1880.
Th. Lyman, Ophiuridae and Astrophytidae. Part. II.
Bulletin of the Museum of comp. Zoologia. Vol. VI. No. 1.

(Fortsetzung folgt.)

Für d. Redaction verantwortlich: *Bezzenberger*, Director d. Gött. gel. Anz.
Commissions-Verlag der *Dieterich'schen Verlags-Buchhandlung.*
Druck der *Dieterich'schen Univ.-Buchdruckerei (W. Fr. Kaestner).*

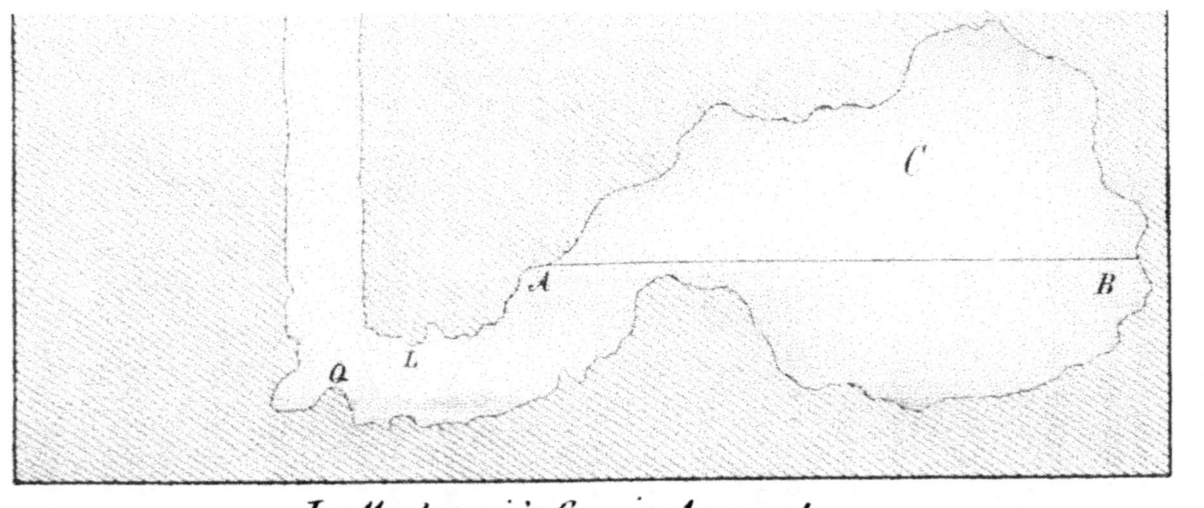

I. Mackenzie's Geysir-Apparat.

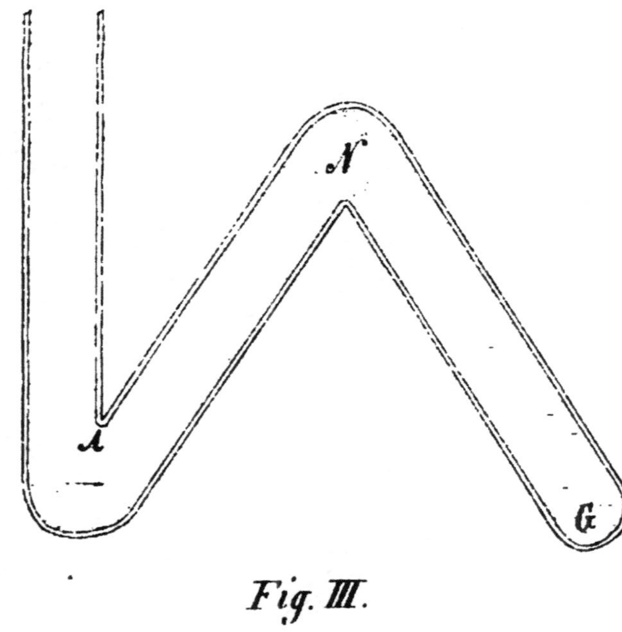

Fig. III.

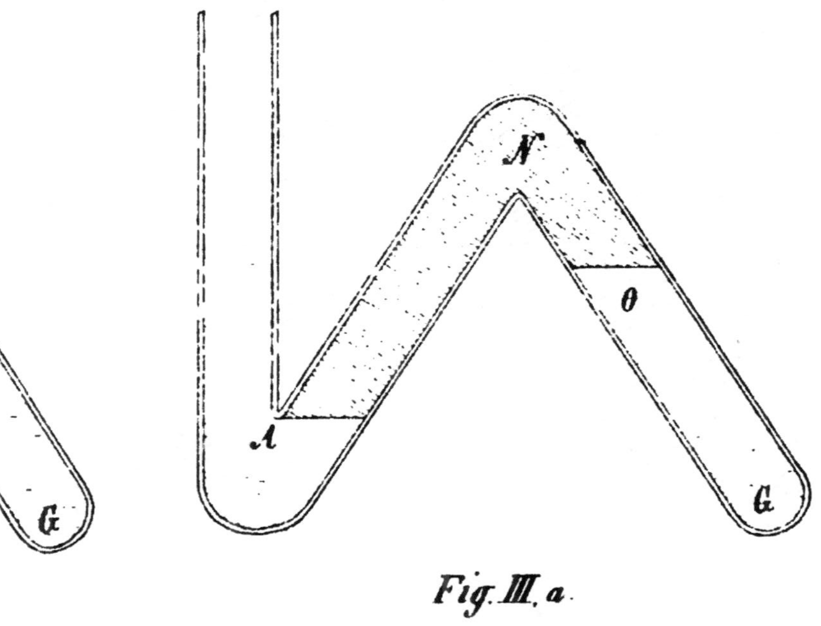

Fig. III. a.

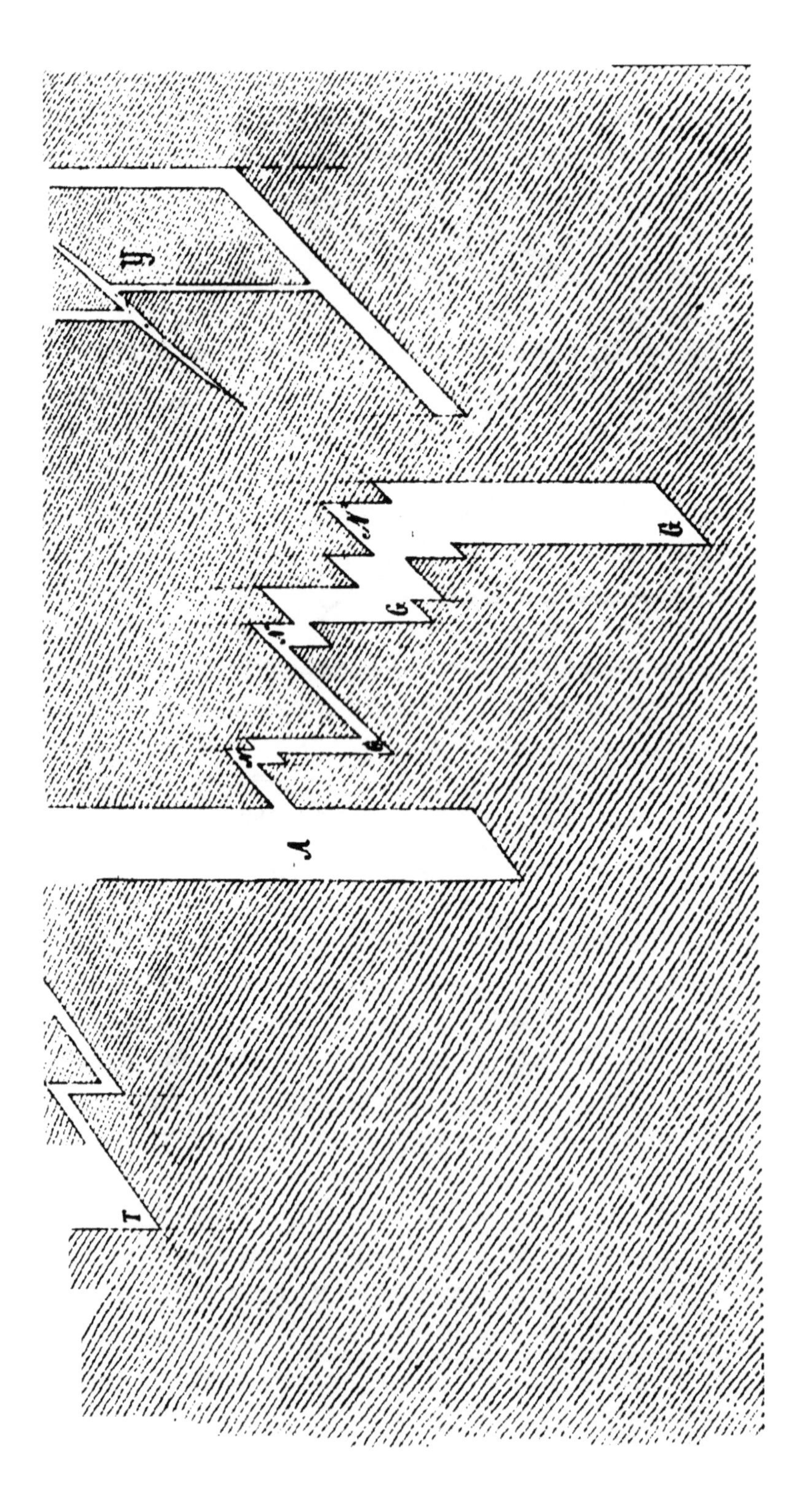

Nachrichten
von der Königl. Gesellschaft der Wissenschaften und der G. A. Universität zu Göttingen.

28. April. № 7. 1830.

Universität.

Philosophische Fakultät.

Am 7. April 1830 war hier Herr Ernst von Leutsch promoviert worden. Die Fakultät brachte dem hochverdienten Kollegen, dem treuen Göttinger, ihre besten Glückwünsche nach alter Sitte am 7. April durch Ueberreichung des erneuten Doktordiploms dar. Seine Majestät der König verlieh ihm die Würde eines Geheimen Regierungsraths.

Ebenso erneute die Fakultät am 10. April mit den freundlichsten Wünschen das Doktordiplom des Herrn Professor extraordinarius Eduard Krüger, der an diesem Tage vor 50 Jahren diese Würde hier erlangt hatte. Von Sr. Majestät dem König erhielt er den Orden des Rothen Adlers 4. Klasse.

Mit dem Schluß des Winterhalbjahrs schied aus unserer Gemeinschaft der außerordentliche Professor Herr Dr. Adalbert Bezzenberger, indem er einem ehrenvollen Rufe als Professor ordinarius für Sprachvergleichung nach Königsberg folgte. — Durch seinen Weggang wurden auch diese Blätter betroffen, deren Redaktion er seit Anfang des Jahres übernommen und mit großem Eifer und Erfolg besorgt hatte.

Benekische Preisstiftung.

Die Aufgabe der Benekischen Preisstiftung für das Jahr 1883 ist folgende:

„Das freie Sonnenlicht macht an den Schatten undurchsichtiger Körper Modificationen wahrnehmbar, welche auf Diffraction zurückzuführen sind. Die durch nicht homocentrisches Licht bewirkte Diffraction hat jedoch bisjetzt nur wenig Beachtung gefunden. Die Fakultät wünscht daher eine an der Hand der Theorie geführte und von messenden Versuchen begleitete Untersuchung der Diffractionserscheinungen für den Fall nicht homocentrischer Lichtquellen, wie insbesondere einer kreisförmigen und einer quadratischen leuchtenden Fläche von gleichförmigem Glanz des ausgesendeten einfachen oder zusammengesetzten weißen Lichtes."

Bewerbungsschriften sind in deutscher, lateinischer, französischer oder englischer Sprache mit einem versiegelten Briefe, welcher den Namen des Verfassers enthält, Schrift und Brief mit dem gleichen Spruch bezeichnet, bis zum 31. August 1882 an uns einzusenden. Die Entscheidung erfolgt am 11. März 1883, dem Geburtstage des Stifters, in öffentlicher Sitzung. Der erste Preis beträgt 1700 Mark, der zweite 680 Mark. Die gekrönten Arbeiten bleiben unbeschränktes Eigenthum des Verfassers.

Göttingen d. 9. April 1880.

Die philosophische Fakultät.
Hermann Sauppe, d. Z. Dekan.

Königliche Gesellschaft der Wissenschaften.

Ergänzung zu dem Aufsatz 'D statt N' in den Nachrichten 1877, No. 23, S. 573—588.

Von

Theodor Benfey.

§ 1.

In dem oben bezeichneten Aufsatze (S. 580—581) bemerkte ich, daß die dort besprochene Erscheinung äußerst selten und mir außer in den a. a. O. behandelten zwei letto-slavischen Fällen, nur noch einmal in der lebendigen Sprache entgegen getreten sei. Kaum war aber dieser Aufsatz in der Nummer der Nachrichten abgedruckt, welche am 14. November 1877 erschienen ist, als ich auf eine, fast in derselben Zeit (am 17. November im Athenaeum, No. 2613, S. 662) veröffentlichte Mittheilung aufmerksam gemacht wurde, in welcher dieselbe Erscheinung, und zwar, gerade wie im Letto-Slavischen, ebenfalls bei dem Zahlworte für neun in einer, auf volkssprachlichen celtischen Dialecten beruhenden, Zahlenreihe auftritt.

Diese Form des Zahlworts mit D statt N, so wie eine der Zahlenreihen, welcher sie angehört, war schon sieben Jahre vorher von Alexander J. Ellis in seinem vortrefflichen Werke 'On early English pronunciation with especial reference to Shakespere and Chaucer etc. veröffentlicht, jedoch an einer Stelle — nämlich in dem, dem dritten Bande (Part. III) vorausgeschickten, 'Glossic' unter den 'Examples of universal Glossic' p. XIX — wo sie wohl, ähnlich wie mir, auch manchem andren, wenigstens in den

Ländern, in denen Englisch nicht die herrschende Sprache ist, entgangen sein möchte.

Die betreffende Zahlenreihe wird hier bezeichnet als 'Scoring Sheep ('Schafkerben', wohl beim Zählen von Schafen angewendet) in the Yorkshire Dales'.

Schon einige Jahre vorher (1868) war andrerseits in Nord-Amerika die Aufmerksamkeit eines amerikanischen Gelehrten, des Dr. Trumbull, ebenfalls auf eine Zahlenreihe gezogen, welche ihm als eine bei einem ausgestorbenen Indianischen Stamm gebräuchlich gewesene bekannt geworden war ('Athenaeum, 1877, S. 662'). Dieser glaubte schon nach kurzer Prüfung annehmen zu dürfen, das diese — gleichwie ähnliche, wie sich bei weitrer Forschung ergab, in mehreren Gegenden Neu-Englands bekannte und von Indianern gebrauchte Zahlenreihen — celtischen, speciell kymrischen, Ursprungs seien; als ihm dann Ellis' Mittheilung zu Handen kam, hegte er kaum noch Zweifel daran: daß diese angeblich indianischen Zahlwörter durch englische Colonisten nach Amerika gekommen seien, welche sich ihrer in ihren Geschäften mit den Indianern beim Zählen von Fischen, Biberhäuten und ähnlichen Handelsgegenständen bedient hatten. 'Als das Andenken an den Ursprung dieser Zahlwörter verschwunden war', schliest er a. a. O., 'nahmen die Anglo-Amerikaner sie für indianische Zahlwörter, während die Indianer sie wahrscheinlich für echt englische hielten'.

Unterdessen hatte auch Ellis aufs neue einschlägige Sammlungen aus England, Schottland und Nord-Amerika erhalten (Athenaeum, 1877, No. 2604, S. 371) und urtheilt wie Dr. Trumbull, jedoch noch entschiedener, daß diese Zahlenreihen, trotz der vielen Differenzen, welche bei den Quellen derselben und der Art ihrer Verbreitung kaum einer speciellen Erklärung bedürfen, unzweifelhaft 'Celtic, of the Welsh branch' seien 'dreadfully disfigured in passing from mouth to mouth as mere nonsense.' Daß dieses Urtheil unbedenklich als richtig anzuerkennen sei, davon wird sich Jeder, bei critischer Durchsicht dieser Verzeichnisse und der sich darauf beziehenden Aufsätze im Athenaeum, vollständig überzeugen.

Während aber nun in den wissenschaftlich bekannten celtischen Dialekten das Zahlwort für neun mit *n* anlautet (z. B. irisch *noi*, welsch *nau*, *naw*), gleichwie in allen bisher bekannten indogermanischen Sprachen (aus grundsprachlichem *návan*) — mit Ausnahme der letto-slavischen, welche ebenfalls *d* statt des *n* zeigen, aber auch hier wieder mit höchst wahrscheinlicher Gegenausnahme des Altpreußischen, welches das *n* bewahrt hat — erscheint in dieser in Europa in volkssprachlichen Dialekten, in Amerika sporadisch auftretenden, ursprünglich vom Celtischen ausgegangenen, Zahlenreihe sowohl in Europa als in Amerika, gleichwie im Letto-Slavischen, *d* statt des anlautenden *n*; so in Yorkshire bei Ellis ('On early English pronunciation a. a. O.) *dao-vu*, welches Henry Bradley (Athenaeum 1877 No 2605 S. 403) *dova* schreibt, in Amerika bei Dr. Trumbull (Athenaeum 1877 No 2613, S. 362) *dayther*, mit auslautendem *ther* (vgl. Bradley im Athenaeum 1877, 29. September, S. 403), wie ebendaselbst in *sayther* (oder *hayther* = altkymrisch *seith*, sieben), *layther* (bei Bradley *ayta*, *ithera* = altkymr. *oith*, acht), *cother* zehn (vielleicht vorn verstümmelt aus welsch *dec* zehn).

Daß dieser Eintritt von *d* statt *n* in diesem Zahlwort völlig unabhängig von demselben Wechsel im Letto-Slavischen Statt gefunden hat und daß es ein reiner Zufall ist, daß er gerade dasselbe Wort betrifft, bedarf für Jeden, welcher das gegenseitige Verhältniß der indogermanischen Sprachen einigermaßen kennt, keines Beweises. Ist es doch auch jedem Sprachforscher, welcher sich nicht auf eine Sprache, oder einen Sprachstamm beschränkt hat, bekannt, daß der größte Theil der Lautveränderungen — bald sporadisch, bald in kleineren oder größeren Categorien — in vielen Sprachen sich geltend macht, und zwar nicht bloß in stammverwandten sondern auch in stammverschiedenen (wie z. B. *h* für *s* im Eranischen, Griechischen, Celtischen, aber auch im Finnischen; der Zutritt von *r* insbesondre zu *t*, *d* nicht bloß im Indogermanischen — vgl. Quantitätsverschiedenheiten in den Sa*m*hitâ- und Pada-Texten der Veden, 'Iste Abhdlg' in Abhdlgen d. K. Ges. d. Wiss. XIX, S. 243 ff., wo man noch italiänisch *anatra* oder *anitra* aus lat. *anatem* von *anas* Ente, französich *perdrix* aus griech. und lat. *perdix* hinzufüge — sondern auch im Madagassischen — worüber ich Nachweisungen dem Hrn Dr. Sauerwein verdanke — und andern Sprachen). Es ist dies ja auch ganz natürlich: denn der größere Theil der menschlichen Sprachlaute — wenn gleich weniger oder mehr bei den einzelnen Menschen und naturgemäß zusammengehörigen Menschencomplexen differenziirt — ist doch im Allgemeinen derselbe und wird von allen durch denselben und wesentlich gleichmäßig gebrauchten Articulationsmechanismus hervorgebracht. So darf man unbedenklich sagen, daß das *d* statt *n* sich in den hieher gehörigen celtischen Volksdialecten eben so unabhängig vom Letto-Slavischen geltend gemacht habe, wie bei dem dreijährigen Kinde, welches mir die Veranlassung zu dem Aufsatze 'D statt N' gegeben hat (s. Nachrichten 1877 S. 574 und 581).

Hier wie dort erklären wir das *d* für *n* aus der Bildung des *n*, und speciell dadurch daß das dem *n* nachklingende *d* so laut ward, daß es das *n* ganz verdrängte, also aus N_d vermittelst $_nD$.

Ehe ich diese Erscheinung von D statt N im Celtischen Sprachkreis verlasse, mögen mir noch zwei Bemerkungen verstattet sein. Zunächst ziehe ich die Aufmerksamkeit darauf, daß dies — so viel bis jetzt bekannt — der einzige Fall dieser Art im Celtischen ist, gerade wie es auch nur einen im Slavischen giebt, während das Lithauische und Lettische außerdem noch einen zweiten darbieten. Es bleibt also die Anzahl der Beispiele für diese Erscheinung — über zwei sehr fragliche im Griechischen werde ich in § 2 sprechen — eine sehr geringe und wir mögen darin einen Beleg dafür finden, daß es in der Sprache lautliche Veränderungen giebt, welche sich, trotz dem sie ziemlich nahe liegen, doch nur sehr vereinzelt geltend machen!

Daran schließt sich die zweite Bemerkung: Trotz der Seltenheit dieser Erscheinung ist es nämlich dennoch sehr auffallend, daß in dem so innig verwandten letto-slavischen Sprachkreis der eine Fall dieser Art (*d* statt *n* im Zahlwort für n e u n) sich in dessen ganzem großen Gebiet — mit Ausnahme des Altpreußischen (vgl. Fick, Vgl. Wbch der Indog. Spr. II³, 596 unter *neven* ff.) — geltend gemacht hat; der andre dagegen (*d* statt *n* in dem Reflex des indogermanischen *nabhas*) nicht im Slavischen, sondern n u r im

Lettischen und Litauischen, wobei es zugleich zweifelhaft bleibt, ob auch im Altpreußischen, da hier ein Reflex von indogerm. *nábhas*, lit-lett. *debes-i-s* nicht nachweisbar ist (s. Fick, ebdslbst S. 596 unter *nebes*). Vielleicht erklärt sich diese auffallende Sonderbarkeit durch eine Vermuthung, zu welcher die lautlich verwandte Erscheinung im Celtischen veranlassen darf.

Gesetzt die Celten, welche jene Zahlenreihe mit *d* statt *n* im Zahlwort für neun nach Nord-Amerika verpflanzt haben, wären in so großer Anzahl, wie die Engländer, nach Amerika gekommen und hätten ihren Dialekt mit eben dieser Eigenthümlichkeit in dem ganzen Umfang verbreitet, welchen jetzt die Englische Sprache in Amerika einnimmt, während von den Celtischen Dialekten, welche das indogermanische *n* bewahrt haben, sich etwa nur noch einer — sei es in Irland, Schottland oder Wales — erhalten hätte — letzteres, eine Aussicht, deren Verwirklichung in nicht sehr ferner Zeit zu liegen scheint — dann würde uns dieselbe Erscheinung entgegentreten, welche sich in der Bewahrung des indogermanischen *n* in dem Zahlwort für neun in der letzten Zeit der Existenz des schon auf engsten Raum beschränkten Altpreußischen gegenüber von *d*, statt dieses *n*, in dem übrigen über die weitesten Gebiete verbreiteten Letto-Slavischen Sprachstamm zeigt. Da bei der so innigen Verwandtschaft der lettischen und slavischen Sprachen und ihrer engsten geographischen Verbindung mit einander sich kaum annehmen läßt, daß dieser Eintritt von *d* statt *n* (auch in ihnen, wie in der celtischen Volkssprache und im Letto-Slavischen) unabhängig von einander Statt gefunden habe, so bilden diese vier Momente:

altpreußisch *n* (im Zahlwort für neun, wie im Indogermanischen überhaupt)
letto-slavisch *d* (statt dessen).

slavisch *n* (im Reflex des indogermanischen *nabhas*)
litauisch-lettisch *d* (statt dessen)

fast vier Schibolethe für die Geschichte der Verbreitung und Besonderung der Letto-Slaven.

Man möchte fast daraus entnehmen, daß die Altpreußen sich schon von den Letto-Slaven ablösten, als diese noch eng verbunden waren, und zwar zu einer Zeit, in welcher der Eintritt von *d* statt *n* noch nicht stattgefunden hatte. Dieser fand erst Statt nach Abtrennung der Altpreußen, aber noch während der Zeit der engen Verbindung der übrigen Letten mit den Slaven. Als diese Verbindung gelöst war, trat dann, nach der Besonderung, das *d* statt *n* auch in dem litauischen und lettischen *debes-i-s* (indogerm. *nábhas*) ein. Freilich würde diese ganze Rechnung in die Brüche gehen, wenn auch im Altpreuß. ein Reflex von *nabhas* mit *d* statt *n* noch aufgefunden würde.

§ 2.

Wie schon § 1 angedeutet, wird in noch zwei Fällen *d* statt *n* angenommen, und zwar im Griechischen. Den einen bildet das hesychische *δρώψ*, welches durch *ἄνθρωπος* glossirt ist und von G. Curtius auch etymologisch damit verbunden wird. Angenommen, daß die gewöhnliche Erklärung von *ἄνθρωπο* aus *ἀνθρ* (durch Einfluß des *ρ*, oder vielmehr des dem *ρ* fast ausnahmslos vorhergehenden Spiritus asper, für *ἀνδρ*, vgl. z. B. *θράσσω* für *ταράσσω*; ein Beispiel, in welchem *ρ* so auf *δ* wirkt, kenne ich jedoch nicht; *οὐθείς* spät neben *οὐδείς* für *οὐδ' εἷς* ist nicht ganz analog) und *ωπο* (vgl. z. B. Pott E. F. I^2,

1, 924) richtig sei, dann wäre es nicht unmöglich, daß in δρώψ das ursprüngliche δ bewahrt wäre; diese Bewahrung würde es natürlich dann wahrscheinlich machen, daß das Wort einem Dialect angehöre und bei dieser Voraussetzung wäre es nicht unmöglich, daß die indogermanische Form *nar* in diesem Dialekt nicht, wie sonst in dem gesammten bekannten griechischen Sprachbereich, zu ἀνερ, sondern bloß zu νερ geworden sei, dann, bei Einbuße des ε nicht zu ἀνδρ sondern bloß zu νδρ, woraus schließlich — den schon 1877 und hier besprochenen Fällen gemäß, mit Einbuße des Anlauts — δρ (wie βροτό für μβροτό aus μροτό) enstehen mußte. Allein die erwähnte Erklärung von ἄνθρωπο ruft manche Bedenken hervor — wie denn Fick (in Bezzenberger, Beiträge zur Kunde der Indog. Spr. V. 168 n.) eine sehr abweichende Etymologie vorschlägt, welche mir übrigens eben so unsicher zu sein scheint — eine irgend sichere Spur, daß ἀνερ im Griechischen ohne das anlautende α in historischer Zeit existirt habe, ist absolut nicht nachzuweisen und so viel mir bekannt, herrscht noch eine ziemliche Unsicherheit über die Quellen der hesychischen Sammlung. Es ist daher ganz gut möglich, daß δρώψ, welches sich durch den Mangel des ἀν, durch δ für θ und ψ statt πος von ἄνθρωπος unterscheidet, trotz der Identität der Bedeutung und des ρω mit ἄνθρωπο in gar keinem etymologischen Zusammenhang steht, andrerseits aber freilich auch, daß es auf einem dialektischen ἄνδρωπο statt ἄνθρωπο wirklich beruhe, aber, etwa aus einer Komödie entlehnt, zu komischen Zwecken zu dieser Gestalt verkürzt sei. Natürlich lege ich auf diese Vermuthungen kein Gewicht, glaube aber, daß schon der Umstand, daß δρώψ zu diesen und ähnlichen Vermuthungen noch veranlassen darf, es absolut verbietet mit Bestimmheit anzunehmen, daß es aus *νρώψ* entstanden sei, also in ihm einen Eintritt von *d* statt *n* zu erblicken.

Einen zweiten Fall nimmt Clemm (im Rhein. Museum XXXII. 472) an, welchem, ich kann nicht umhin hinzuzufügen: auffallender Weise J. Wackernagel (in Bezzenberger's Beitr. zur Kunde der Indogerm. Spr. IV. 279) zustimmt. Er betrifft das an drei Stellen der Ilias, nämlich XVI. 857; XXII. 363 und XXIV. 6, überlieferte *ἀνδροτῆτα*. An allen drei Stellen stört dieses das Metrum und Clemm glaubt deßwegen annehmen zu dürfen, daß hier eine alte Form von *ἀνερ*, ohne das anlautende *ἀ*, in der Gestalt *νρ-ο* zu Grunde liege, deren *ν* zu *δ* geworden sei. Dagegen läßt sich aber vornweg geltend machen, daß es absolut unwahrscheinlich sei, daß das Wort *ἀνερ*, welches so unzähligemal im Homer in Casus und Ableitungen mit dem anlautenden *ἀ* vorkömmt und dieses *ἀ*, so viel bekannt, in allen griechischen Dialekten zeigt, in dieser Ableitung ohne dasselbe erscheinen sollte. Außerdem spricht aber entschieden dagegen, daß durch diese Aenderung zwar in den beiden ersten Stellen dem Metrum geholfen wird, nicht aber in der dritten. Mir scheint kaum bezweifelt werden zu dürfen, daß die nach Analogie von *ἀβρότη* (statt *ἀ-μβρότη* Hom. Ilias XIV. 78 für ursprüngliches *ἀ-μρότη* = sskr. *a-mrita*) und *ἀβροτάξομεν* (für *ἀμβροτάξομεν*, Hom. Il. X. 65) von andern gewählte Verbesserung zu *ἀδροτῆτα* für *ἀνδροτῆτα*, mit Einbuße des Nasals, durch welche dem Metrum an allen drei Stellen geholfen ist, die einzig richtige ist. Zwar wendet Clemm dagegen ein, daß diese Analogien nicht passend seien, weil *ἀβρότη* und *ἀβροτάξομεν* Zu-

sammensetzungen seien; allein wenn dieses auch von dem ersten Wort gilt (da βροτό in der Sprache existirt), so doch nicht von dem zweiten, da ἀβροτάξομεν eben so wenig eine Zusammensetzung ist, wie ἤμβροτον; und selbst, wenn auch ἁμαρτάνω und ἀβροταζω ursprünglich zusammengesetzt gewesen wären (was mir übrigens sehr zweifelhaft erscheint), so war dies doch sicher im Sprachbewußtsein nicht mehr lebendig, da es weder ein unzusammengesetztes μαρτάνω (zu ἁμάρτανω) noch βροτάζω (zu ἀβροτάζω) in der Sprache giebt. Die Einbuße eines Nasals vor Consonanten ist im Griechischen so überaus häufig, z. B. unter dem Drucke des Accents in so vielen Bildungen auf το (wie τα-τό in ἐκ-ταιό von ταν, μα-τό in αὐτό-ματο von μαν), daß wir schon deßwegen unbedenklich annehmen dürften, daß es in diesen drei Stellen unter dem Druck des Metrums eingetreten sei, gerade wie es auch in ἀβρότη nicht dem Umstand verdankt wird, daß ein βροιός in der Sprache existirte, sondern eben diesem Drucke (in νὺξ ἀβρότη | —υ υ | — zu Anfang des Hexameter Il. XIV. 78) und eben so in ἀβροτάξομεν (in Il. X. 65
αὖθι μένειν | μήπως ἀβροτά | ξομεν ἀλλήλοιϊν
| — | — υ υ | — |),
neben welchem ein βροτάζω oder ein ähnliches Verbum, welches das Gefühl einer Zusammensetzung von ἀβροτάξομεν im Sprachbewußtsein zu erhalten vermocht hätte, in der Sprache gar nicht existirt.

Endlich tritt für die Richtigkeit von ἀδροτῆτα, man möchte fast sagen, zu den bisher erörterten Momenten entscheidend, noch der Umstand hinzu, daß im Pamphylischen Dialekte ἀδρί für ἀνδρί nachgewiesen ist (Ahrens, Dial. Dor. p. 112). Man sieht daraus, daß die Leichtigkeit der Einbuße des Nasals sich auch in der Form ἀνδρ — und zwar in Asien, dem Geburtsort des homerischen Epos — geltend gemacht hatte.

§ 3.

Da bei meinem Alter nicht wahrscheinlich ist, daß ich jemals wieder veranlaßt werde, dem Gegenstande, zu welchem ich hier eine Ergänzung gefügt habe, nochmals näher zu treten, so möge mir verstattet sein, an das, was 1877 (in den Nachrichten), 1875 (in den Gött. Gel. Anz. S. 217—219)[1]), in Bezug darauf mitgetheilt ist, noch einige Bemerkungen zu knüpfen, insbesondre in Betreff der Erklärung, welche ich von dieser Erscheinung zu geben versucht habe.

Diese Erklärung lautete in den Nachrichten 1877 S. 575, in Bezug auf *m* und *n*, mit denen ich mich dort allein beschäftigt habe, daß, bei der Pronunciation derselben, hinter jenem ein *b*, hinter diesem ein *d* angeschlagen wird, d. h. da *m* und *n* tönende Laute sind, der unaspirirte tönende Consonant ihrer Classe; analoges geschieht auch hinter dem Nasal der gutturalen (bei den Indern) oder (in den europäischen Sprachen) palatalen Classe; dieser letztere hat in den europäischen Sprachen kein besonderes Schriftzeichen, wir wollen ihn aber im folgenden durch das Zeichen *ṅ* wieder geben, mit welchem gewöhnlich der indische Gutturale Nasal transscribirt ward; hinter diesem macht sich ein *g* hörbar. Diese Laute erheben sich äußerst selten vor Vocalen zu ins Ohr fallender Lautbarkeit, häufig dagegen vor Consonanten und zwar so, daß sie im Allgemeinen vor tönenden Consonanten tönend bleiben (*b*, *d*, *g*), vor dumpfen dagegen in die entsprechenden dumpfen (*p*, *t*, *k*) übergehn.

1) vgl. Nachtrag, S. 326.

§ 4.

Ich wende mich zunächst zu *m*.

Hier ist vornweg zu bemerken, daß das hinter demselben — insbesondre vor Consonanten — heller anklingende *b* (vor dumpfen *p*) sich schwerlich schon ursprünglich zu bedeutender Lautbarkeit erhob, da es ja sonst die etymologische Verständlichkeit des Wortes gehindert oder wenigstens gemindert haben würde; in lateinisch *promtus* z. B.. mußte der dem *m* vor dem folgenden dumpfen Laut nachklingende B-Laut (hier *p*) zuerst schwach tönen und konnte sich erst im Laufe der Zeit — als die Bedeutung des Wortes, trotz der das etymologische Verständniß einigermaßen trübenden Zuthat, durch Gebrauch und Analogien gesichert war — zu seinem vollen Klang erheben, welcher durch die häufige Schreibweise *promptus* hinlänglich gesichert ist. Aber selbst wenn diese Aussprache mit vollem *p* die vorherrschende ward, mochten die Gebildeteren — welche sich der Etymologie bewußt waren — schon aus diesem Grunde das grelle Hervortreten dieses antietymologischen Lautes zu vermeiden suchen und fanden durch diesen ihren maßgebenden Vorgang auch bei minder gebildeten Nachahmung; diese Aussprache findet in der etymologischen Schreibweise *promtus* ihren Ausdruck. Doch war dies schwerlich die einzige Veranlassung des Wiederhervortretens der ursprünglichen milderen Aussprache des dem *m* anklebenden B-Lautes; es scheint vielmehr überhaupt die Verbindung *mpt* zu grob ins Ohr gefallen zu sein und in Folge davon die mildere sich neben ihr — vielleicht erhalten, vielleicht auch von neuem geltend gemacht zu haben. Dafür, und zwar für die letztere Auffassung —

daß z. B. aus *prom-tus* zuerst nach und nach *promp-tus* und erst später wieder aus diesem *prom-tus* (gewissermaßen für *promp-tus*) ward — scheint die Analogie des deutschen zu sprechen, in welchem ursprüngliches d. h. etymologisches *mpt* und gleicher Weise aus *md* entstandenes *mbd* bei Milderung des B-Lautes, später in der Schrift ihren B-Laut einbüßen, jenes nur *mt* dieses *md* geschrieben wird. So ist bekanntlich das gothische *andbaht*, ahd. *ambaht* und *ampaht*, mhd. *ambet*, mit Einbuße des *e* und in Folge des Einflußes des dumpfen *t*, zu nhd. *Ampt* geworden, wie man allgemein noch bis Anfangs unseres Jahrhunderts schrieb und sicher auch sprach, während jetzt schon lange das *p* in der Orthographie eingebüßt ist; andrerseits hat sich das althochdeutsche *framadi*, *fremidi* u. s. w., externus, durch Einbuße des Auslauts und des Vocals vor *d* eigentlich zu nhd. *fremd* verändert, ward aber noch bis gegen Ende des vorigen Jahrhundert mit vollem Klang des aus *m* hell hervorgetretenen *b frembd* sicherlich gesprochen und auch geschrieben; jetzt aber ist allgemein herrschend die Orthographie *fremd*, also der B-Laut in diesen beiden Fällen graphisch eingebüßt, obgleich er in ihnen ursprünglich zwei wesentlich verschiedenen Categorien angehörte, in *Ampt* nämlich etymologischen, in *frembd* aber phonetischen Ursprungs war. Der Grund der heutigen Orthographie ist, weil er in beiden sehr gemildert ist, wenigstens nicht mehr voll genug ins Ohr fällt, um zur schriftlichen Bezeichnung zu nöthigen. Man würde sich aber sehr irren, wenn man glaubt, er sei ganz geschwunden. Er entgeht keinem aufmerksamen Ohre, welches geübt ist, die Wörter nicht so nur zu hören, wie sie geschrieben werden (orthographisch), sondern so wie sie wirklich ausgesprochen sind. Diese hören ein *b* — natürlich bei einigen stärker bei andern schwächer — zwischen *m* und *d* auch in Emden Hemd und deutlicher in Hemden und anderen ähnlichen Wörtern und werden es trotz aller Orthographie so lange hören, als sein Klang nicht so sehr gemildert ist, daß er für den assimilirenden Einfluß des folgenden Dentals kein Hemmniß mehr bildet und in Folge davon das *m* in *n* verwandelt ist; dieses ist z. B. mehrfach der Fall im Italiänischen gegenüber von Latein und Französisch; man vergleiche z. B. lat. *promto* und *prompto*, franz. *prompt*, aber italiänisch *pronto*, lat. *redemtus* und *redemptus*, franz. *redempteur*, aber italiänisch *redento*. Diese schließliche Entfernung des B-Lautes sammt dem *m* durch Assimilation findet sich auch in einem, ohne Zweifel latinisirten Fremdwort, nämlich in *lanterna*, welches auf griech. *λαμπτήϱ* beruht, d. h. einem Wort, in welchem wie im deutschen *Am(p)t* das *π* etymologisch war, aber dennoch im Latein spurlos eingebüßt ist. Beiläufig bemerke ich, daß auch die Schreibart *laterna* erscheint, aber jene scheint durch italiän. *lanterna* und franz. *lanterne* als die richtigere hervorzutreten.

§ 5.

An den S. 309 angeführten Orten sind nur Beispiele für *mb* statt *m* gegeben, in denen ein *r* oder *l* folgt, wie *βϱοτό* statt *μβϱοτό* für **μϱοτό*, französ. *comble* aus **comle* für lat. *cumulus*. Derartige sind so häufig, daß man auf den Gedanken kommen könnte, daß *b* eine durch das Zusammentreffen von *m* mit *r* oder *l* herbeigeführte Einschiebung sei; es wird daher dienlich sein die Aufmerksamkeit auf einige Fälle zu zu ziehen, in denen das dem *m* anklebende *b* auch vor andern Lauten sich zu vollem Klang erhoben hat. Nur in Bezug auf *l* will ich noch hinzufügen, daß vor ihm im Latein stets, wie vor dumpfen Consonanten, *p* statt des *b* eintritt, z. B. von *eximere* (ursprünglich *ex-emere*): *exemp-lum*, von *tem* = τεμ 'schneiden, abstechen': *tem-p-lum*. Im Griechischen finden wir sowohl *β* als *π* in ἀμβλακεῖν und ἀμπλακεῖν (das Verbum ist, wie mir kaum zweifelhaft, Reflex von sskr. *marc* grdspl. *mark*; doch würde der Versuch diese Annahme zur Wahrscheinlichkeit zu erheben, hier zu viel Raum in Anspruch nehmen; ich bemerke nur noch daß auch ἁμαρτ, ohne Spiritus asper in ἤμβροτον, dazu gehört).

Von Fällen, wo *p* vor *s* erscheint erwähne ich von *sumere*: *sumpsi*, *demere*: *dempsi*, *promere*: *prompsi*, *contemnere*: *contempsi*, *comere*: *compsi*, alt *hiemps* (Vorro) für *hiems*, neben dem Stadtnamen *Temesa*, mit Einbuße des zweiten *e*: *Tempsa*.

Häufig wird der B-Laut vor *t*, da dieses dumpf, natürlich als *p* laut und dies hat sicherlich noch viel häufiger Statt gefunden, als die Orthographie kund giebt, wie denn die Handschriften bekanntlich in dieser Beziehung stark variiren; in *comptus* u. aa. von *comere*, *promptus* von *promere*, *sumptus* von *sumere*, *contemptus* von *contemnere* war das *p* so laut geworden, daß es sich auch in der Orthographie erhalten hat.

§ 6.

Am seltensten sind sichere Fälle nachweisbar, in denen sich der B-Laut unmittelbar vor Vocalen zu voller Geltung erhoben hat.

Ich erwähne zunächst lat. *hibernus*, dessen Identität mit dem gleichbedeutenden griech. χειμερινός schon von Pott, Et. Forsch. I. 113 (im Jahre 1833) hervorgehoben ist (vgl. II[2], 2, 1030), aber, vielleicht weil das lautliche Verhältniß beider Wörter nicht richtig erörtert ward, von Fick (Vgl. Wtbch d. Indog. Spr. II[3], 81) nicht angenommen ist, während Ascoli (Fonologia comparata. 1870, § 35, S. 178 n.) eine, wie mir scheint, ganz irrige Etymologie vorschlägt; die wahrhaft antediluvianische, welche Littré in seinem französischen Lexicon unter *hiver* vorträgt, würde nicht der Erwähnung werth sein, wenn sie nicht von einem sonst so bedeutenden Mann herrührte.

Das Verhältniß des lateinischen Wortes zum Griechischen ist nach dem Bisherigen mit Leichtigkeit erklärt und wird uns zugleich ein fast entscheidendes Moment für die Richtigkeit unsrer Auffassung darbieten. Dem griechischen *χειμερινό* hätte — *î* für *ει*, wie oft, und ohne das *ι* vor *ν* wie in *nocturnus* = *νυκτερινός*, *vernus* (für *verer-nus*) = *ἐαρινός* (für ursprüngliches *ϝεσαρινός*) — *himernus* im Latein entsprechen müssen; indem aber das dem *m* anklebende *b* sich geltend machte, entstand *himbernus* und daß dies die, oder eine volkssprachliche Form war, zeigen die Reflexe im Italiänischen *inverno* und im Spanischen *invierno*, in denen, nach Uebergang des *b* in *v* (vgl. z. B. italiän. *bevere* für lat. *bibere*) — wie im Latein, selbst in wirklichen Zusammensetzungen, vor den Spiranten *v*[1]) sowohl als *f* — *m* zu *n* werden mußte (vgl. *con-venio con-fero*, aber da die Verbindung mit *circum* keine ächte Zusammensetzung ist, sondern *circum* noch als Adverb gefühlt ward, *circum-*

1) Beiläufig bemerke ich, daß die feinohrigen Inder das *v* als einen Laut auffassen, welcher dental und labial zugleich ist, s. Pâṇini I, 1 zwischen 9 und 10.

venio, circum-fero, vgl. auch *colloqui* für *com-loqui*, aber *circum-loqui*). Im classischen Latein dagegen hat das aus *m* hervorgetretene *b* den Nasal verdrängt, gerade wie das, ebenfalls vor einem Vocal aus *n* hervorgetretene, *d* dieses *n* in den letto-slavischen und den volkssprachlich-celtischen Reflexen von indogerm. *navan*. Es war dies im Latein um so leichter, da *m* hier bekanntlich größtentheils sehr schwach tönte (vgl. Priscian bei Konrad L. Schneider, Formenlehre der Lat. Spr. I. 300) und sehr oft eingebüßt ward.

Wie das *b* in *hibernus* sich zu dem *μ* in *χειμερινός* verhält, ganz so verhält sich das *b* in *tû-ber*, n. zu dem *m* in *tŭ-mor*, m.; *tû-ber* steht für *tŭ-mber* und diese Grundlage erklärt zugleich die Länge des *û* in *tûber*; sie ist durch die frühere Positionsbeschwerung herbeigeführt, welche im Latein bekanntlich selbst bei Bewahrung der Position den Vocal mehrfach dehnt, z. B. von *măg* (= indog. *măgh*) mit *nus mâgnus*. Die Endung des ntr. *mer* verhält sich zu der des msc. *môr*, wie die der Ntr. auf *men* zu der masculinaren *môn* (z. B. *car-men* ntr., *ser-môn* msc.).

Sehen wir in diesen beiden Fällen den Nasal durch das daraus hervorgetretene *b* verdrängt, so bietet das griechische *τύμβος* die Bewahrung beider Laute. Daß *τύμβος* zu latein. *tu-mu-lus* zu stellen sei, zeigt die gewissermaßen technische Verbindung *τύμβον χεῖν* 'einen Grabhügel aufwerfen' (Hom. Od. IV. 485; XII. 14; XXIV. 81). Es gehört, gleichwie *tŭ-mŏr*, zu indog. *tu* 'anschwellen'; lat. *tŭ-mu-lus* Deminutiv von **tu-mo* (vgl. Fick Vgl. Wtbch II.[3], 106), 'eine kleine Anschwellung = ein kleiner Grabhügel' findet seine Grundlage in eben diesem *τύμβο*, für *τύ-μο*, mit hinter *μ* laut gewordenem *β*.

Die wenigen hier mitgetheilten Fälle, in denen der B-Laut sich auch vor Vocalen zur Selbstständigkeit erhebt, ließen sich wohl noch vermehren; allein die welche mir in Betracht zu kommen scheinen, würden vielleicht eine umfassendere Discussion in Anspruch nehmen, als sie verdienen und dennoch nicht zu der nöthigen Wahrscheinlichkeit erhoben werden können. Ich beschränke mich daher darauf, nur noch einen zu erwähnen. welcher zwar auch eine etwas bedenkliche Eigenthümlichkeit darbietet, aber schon der Wichtigkeit des Wortes wegen erwähnt zu werden verdient. Es ist dies das Wort *tempus*, von welchem schon Pott (Et. Forsch. II.[1] 54 und II.[2] 4, 86) bemerkt hat, daß es zu *tem*, 'schneiden', gehöre (anders, aber schwerlich zu billigen, Fick II.[3], 109). Man dachte sich die Zeit als eine Linie, welche durch das darin Vorgehende, indem dieses einem Theil derselben entspricht — diesen Theil gewissermaßen von der früher verlaufenen und zukünftigen abtrennt, abschneidet — in große oder kleinere Zeiträume gespalten — in *ἐποχή* 'Haltpunkt', wo man die Thaten, welche in einem größeren Zeitraum verlaufen sind, zusammenfaßt, in 'kleine Glieder, Fugen' (*articulus* von *artus* Glied, vom indog. Verbum *ar* 'fügen'), endlich bloße 'Einschnitte', wo die That einen ganz kleinen Theil der Zeit einnimmt, '*tempus*', wie man aus der Bed. von *ex tempore* sieht 'im Augenblick': in einer Zeit, welche die Möglichkeit des Sich-besinnens, der geringsten Ueberlegung ausschließt 'aus dem Stegreif'; einen noch kleineren Zeitraum drückt *templo* in *ex-templo* oder *ex-tempu-lo* 'augenblicklich' aus, welches den Eindruck des Ablativs eines Deminutivs macht, mit der Bedeutung 'ein Schnittchen'. Für hohe

Wahrscheinlichkeit dieser Auffassung spricht die Analogie der von Bezzenberger (bei Fick, IV[3], 114) gegebnen Etymologie des deutschen *tîdi* = Zeit von dem indogermanischen Verbum *dâ* 'theilen' (oder vielmehr, wie wohl kaum zweifelhaft, eigentlich 'schneiden')[1]. Ist aber *tempus* von *tem* abzuleiten, so erklärt sich das *p*, da ein Affix *pus* nicht existirt, am Wahrscheinlichsten nach Analogie der bisher besprochenen Fälle als der selbstständig gewordene Nachklang des *m*. Freilich würde eher *b* zu erwarten sein, da kein dumpfer Laut folgt auch ist mir bis jetzt kein Fall begegnet, in welchem dieser ursprüngliche Nachklang von *m* vor Vocalen *p* geworden wäre. Auffallend war uns freilich das *p* auch vor dem tönenden *l*, aber hier erscheint es im Latein immer. Ich gestehe gern keine Erklärung dieses *p* gehen zu können; daß aber dadurch die Deutung desselben aus dem *m* zweifelhaft wird, ist mir kaum wahrscheinlich; bei derartigen so vereinzelt auftretenden phonetischen Erscheinungen — die sich bald geltend machen, bald nicht — konnten sich durchgreifende Lautgesetze nicht so bestimmt festsetzen, wie dies der Fall ist, wenn sie ganze Categorien umfassen.

1) Beiläufig bemerke ich, daß sskr. *diti* allein und auch in *á-diti* lautlich sehr gut der Reflex von deutsch *tîdi* sein kann (das erste *i* im sskrit. Worte durch Einfluß der ursprünglichen Oxytonirung der Themen auf *ti* für *î*). *á-diti*, welches wohl sicher die Ewigkeit bezeichnet, würde dann etymologisch die 'keinen Einschnitt habende' = 'unbegrenzte' heißen; sie ist die Mutter guter göttlicher Wesen; *diti*, ihr Gegensatz, ist die Mutter der *Daityas*, böser Daemonen; aber diese letztere kömmt nicht im Rigveda vor und *Daitya* in keinem einzigen der Vedas. Ich wage deßwegen auch nicht die Folgerungen auszusprechen, welche sich aus dieser Etymologie ziehen liessen.

§ 7.

Zu den Beispielen des Hervortretens von T-Lauten hinter *n*, welche a. d. aa. Orten gegeben sind, ließen sich zwar noch viele mit *d* zwischen *nr* fügen, wie z. B. franz. *cendre* = lat. *ciner-* (nach Einbuße des *e*), deutsch Fähn-d-rich neben Fähnrich, gesprochen Fähnĕrich (aus ahd *fanari*) u. s. w., allein diese noch zu häufen, lohnt nicht der Mühe, da die Thatsache — *ndr* für *nr* — bekannt und anerkannt ist. Ich beschränke mich daher auf die Anführung einiger wenigen Vorgänge andrer Art, welcher mir die Entwicklung des D-Lautes aus *n* mit Bestimmtheit zu erweisen scheinen.

Dahin glaube ich zunächst das Eintreten von *t* hinter auslautendem *n* vor nachfolgendem *s* im Sanskrit rechnen zu müssen, z. B. in *çármant syâma* Rv. I. 51, 15 für *çárman* | *syâma*, (vgl. Vollst. Sskr. Gramm. § 53; von dem daselbst zwischen *n* und *s* auch in mitten eines Wortes, im Locativ Plur., hinter *n* eintreten sollenden *t* giebt es im Veda kein Beispiel). In *çárman* ist *n* der wirkliche Auslaut des vedischen Locativs (für und neben dem gewöhnlichen *çármani*). Das *t* aus dem folgenden *s* zu erklären, ist absolut unmöglich; wir haben vielmehr in dem *t* hinter dem auslautendem *n* des Locativs von Themen auf an den Vertreter desselben *d* zu erkennen welches, dem *n* anklebend, im deutschen Jemand, Niemand, im französischen *Normand* (*Normandie*) *Armand* (s. Nachrichten 1877 S. 576) hinter auslautendem *n* sich zu vollem Klang erhoben hat, vor *s* aber, als einem dumpfen Laut, als *t* auftreten mußte.

In ähnlicher Weise ist auslautendes *t* aus *n* hervorgetreten in englisch *pageant* (aus mittelalterlichlatein. *pagina* 'eine Bühne zu Miracel-Aufführungen), *tyrant* (französ. *tyran*), *ancient* (französ. *ancien*) s. nach Skeat in Academy 1879, 27 Decemb. p. 463; eigentlich war *d* zu erwarten. Ganz ebenso erklärt sich das *t* in unserm e n t-z w e i, einer Zusammenrückung aus i n z w e i (vgl. ahd. i n z u e i); auch hier ist der D-Laut aus dem *n* hevorgetreten.

Aus demselben sporadisch mächtigen Hervortreten dieses *d* erklärt sich auch die auf den ersten Anblick so auffallende Erscheinung, daß im Griechischen das auslautende *ν* von Verbalthemen vor antretendem *μ* durch *σ* vertreten wird, z. B. von *φααν*, *φαεν* (wohl für *φαϝεν*, vgl. sskr. *vi-bhâ-van*) in der Form *φαν*, von *μιαν*, in 1 Sing Pfcti Med. *πέφασμαι*, *μεμίασμαι*, von *λυμαν* Ptcip *λελυμασμένο*, in den Nominibus mit Aff. *ματ*: *φάσμα*, *μίασμα*, von *ὑφαίνω*: *ὕφασμα*, von *ἡδύνω*: *ἥδυσμα* u. s. w.

In diesen und den analogen Fällen hat sich das dem *ν* anhängende *δ* zu solcher Macht erhoben, daß zunächst gewissermaßen *πέφανδ-μαι* u. s. w. aus organischem *πέφαν-μαι* u. s. w. entstand; da aber *δ* im Griechischen vor *μ* fast stets zu *σ* wird (vgl. z. B. von *ᾄδω* (für *ἀείδω*) *ᾆσ-μα* statt *ᾆδ-μα*), so ward *πέφανδ-μαι* u. s. w. zu *πέφανσ-μαι* u. s. w., woraus dann durch die fast durchgreifende Einbuße von *ν* vor *σ* *πέφασμαι* werden mußte. Eben so erklärt sich *φάσ-μα* aus *φάν-μα* (vermittelst *φάνδ-μα*: *φάνσ-μα*), *ὕφασμα* aus *ὕφαν-μα* (vermittelst *ὕφανδ-μα*: *ὕφανσ-μα*) u. s. w.

Auch aus dem Latein ist wenigstens ein Fall nachzuweisen, welcher mir jetzt auf wesentlich gleiche Weise erklärt werden zu müssen scheint. Es ist dies das Thema *monstro*, welches in GWL II. 36 mit sskr. *man-tra* zusammengestellt ward (vgl. Fick I³, 213). Im Latein geht *d* vor *t* bekanntlich in *s* über, worauf dann gewöhnlich das folgende *t* sich diesem *s* assimilirt und mehrfach dann ein *s* eingebüßt wird, z. B. von *tond* (*tondeo*) mit Suff. *tor*: *tonsor* für *tond-tor* vermittelst *tons-tor*: *tons-sor*. Bisweilen wird aber auch das *t* unversehrt bewahrt z. B. von demselben *tond* mit Affix *trix* (Fem. von *tor*) *tonstrix*, ebenso mit *trîno* (d. i. Suff. *tor* und *îno*) *tons-trîno*. Aus dem Verbum *mon* ward durch Hervortreten des dem *n* anhängenden *d* vor dem Affix *tro* *mond-tro*, welches, nach Analogie von *tonstrix* sein *d* vor *t* in *s* umwandelnd, sich zu *monstro* umgestaltete.

§ 8.

Wenden wir uns schließlich zu dem nach indischer Weise als gutturaler, nach europäischer als palataler bezeichneten Nasal, *ṅ*. Nach Analogie von *m*, bestehend aus *m* mit nachklingendem *b*, von *n*, bestehend aus *n* mit nachklingendem *d*, besteht er aus einem *ṅ* mit nachklingendem *g*.

Ein besonderes Schriftzeichen hat er in den mir bekannten Sprachen nur im Sanskrit erhalten und es wird sich weiterhin zeigen, daß er hier wesentlich diese Aussprache hatte, so jedoch daß, wie *b* bei *m* und *d* bei *n* vor dumpfen Consonanten sich in die entsprechenden dumpfen *p*, *t* verwandelten, so das nachklingende *g* auch hier vor dumpfen Consonanten zu nachklingendem *k* ward.

Unter den lebenden Sprachen tritt er uns sehr häufig im Französischen als Auslaut entgegen, gewöhnlich durch *n*, bisweilen mit folgendem *t*, mehrfach auch durch *m* bezeichnet z. B. *on*, *logement*, *faim*. Als Aussprache wird in den deutschen Grammatiken — in Uebereinstimmung mit unsrer Ausführung — *ng* angegeben, mit der Bemerkung, daß das *g* kaum hörbar sein dürfe.

Beachten wir nun, wie wir im Deutschen ein *n* vor *g* sprechen, z. B. in Enge, so wird Niemanden, der ein etwas scharfes Ohr hat, und seine Aufmerksamkeit auf die Art, wie die Laute gebildet werden, gerichtet hat, entgangen sein, daß wir in diesem Fall das *n* nicht wie das dentale bilden und aussprechen, sondern vielmehr ohne Anschluß der Zunge an den untern Gaumen, in Folge dessen ihm ein mehr oder weniger stark tönendes *g* nachfolgt, so daß jenes Wort gewissermaßen En^{g}ge tönt.

Diese Aussprache war auch sicherlich im Latein die eines Nasals vor *g* und wesentlich gleich (jedoch nur wesentlich, s. weiterhin) war auch die eines *n* vor *c*, *ch*, *q*, *x*. Denn schon Nigidius Figulus (bei Gellius Noct. Att. XIX. 14, 7) macht gerade darauf aufmerksam, daß das *n* vor *g* in *anguis*, vor *c* in *ancora* u. s. w. ein *adulterinum* sei, was man eben daraus erkenne, daß bei Bildung desselben der Gaumen nicht berührt werde (in omnibus enim his non verum N sed adulterinum ponitur. Nam N non esse, lingua indicio est; nam si ea litera esset, lingua palatum tangeret). Ich sagte nur wesentlich; denn wer ein scharfes Ohr hat, dem wird es, bei gesteigerter Aufmerksamkeit nicht entgehen, daß wir das *n* in Enkel nicht genau so sprechen, wie das in Enge; es ist vielmehr, wie bei *mb* und *nd* vor einem folgenden dumpfen *mp*, *nt* eintrat, so auch hier vor dem *k*, statt des nachklingenden *g* in En^{g}ge, ein nachklingendes *k* eingetreten, also gewissermaßen En^{k}kel gesprochen; dürfen wir aber die Aussprache des lat. *n* in *anguis* mit der unsres *n* in Enge im Allgemeinen gleichsetzen, dann sind wir wohl unzweifelhaft auch zu der Annahme berechtigt, daß ihre Aussprache des *n* vor *c* (eigentlich *k*) ebenso im Allgemeinen der unsrigen vor *k* gleich war. Derartige feine Lautdifferenziirungen machen sich von selbst geltend, fallen nur bei besonders darauf gerichteter Aufmerksamkeit ins Ohr und scheinen auch wohl viel zu unbedeutend um besonders hervorgehoben zu werden.

Daß die Aussprache dieses lateinischen adulterinen *n* ($\dot{n}_g$, $\dot{n}_k$) auch die desjenigen griechischen *γ* war, welches an der Stelle von *ν* vor *γ*, *κ*, *χ*, *ξ* erscheint (z. B. in *συγ-γενής*, *σύγ-κειμαι*, *συγ-χέω*, *συγ-ξαίνω* für *συν-γενής* u. s. w.), ergiebt sich daraus, daß die Römer in älterer Zeit, dem Beispiel der Griechen folgend, dieses *n* adulterinum vor *g*, *c* u. s. w. ebenfalls durch *g* bezeichneten, also *agguis* statt *anguis*, *agcora* statt *ancora* schrieben (s. Konrad L. Schneider, Formenlehre der Lat. Spr. I. 316).

Wenden wir uns jetzt zum Sanskrit! Hier hat dieser Nasal, wie schon bemerkt, ein besondres Schriftzeichen: ङ *ṅ*. Er erscheint, wie im Französischen, im Auslaut — jedoch nur in verhältnißmäßig wenigen Wörtern: nämlich einer ziemlich armen Categorie, den Nominativen Sing. Msc. von Themen auf *añc* und dem Thema *krúñc*, vedisch auch im Nom. Sing. von Themen auf *dṛç* (Pân. VII. 1, 83, nur in Zusammensetzungen belegbar, z. B. im Rv. *sa-dṛṅ*, aber auch regelmäßig *svar-dṛk* Rv. VII. 58, 2), endlich im Nom. Sing. des Thema's *yúñj* (welches in den sogenannten schwachen Casus, d. h. in den zweisilbigen oxytonirten, den Nasal einbüßt [1]), also Nom. Sing. *yúṅ* in der Vâjasan-Saṃh. X. 25, aber z. B. Instr. Sing. *yujâ'*, und durchweg ohne Nasal, wenn es das hintere Glied von Zusammensetzungen ist, Pâṅ. III. 2, 59 und 61 [2]). Natürlich erscheint er auch inmitten eines Wortes und zwar, mit einer Ausnahme, nur vor Consonanten; diese eine Ausnahme findet in einem Verbum Statt, welches *ṅ* sogar im Anlaut darbieten soll, aber bis jetzt literarisch noch nicht belegt ist, nämlich in *ṅu*, von dessen Desiderativ *ṅu-ṅû-shate* (so zu corrigiren) im Sch. zu Pâṅ. VII. 4, 62 und vom primären Verbum *ṅavate* in Westergaard, Radices ling. Sanscr. p. 43, angeführt werden.

Natürlich könnten wir eigentlich von der Aussprache dieses Nasals in einer so fremden und alten Sprache, zumal wie sie in der alten Zeit war, so gut wie gar nichts wissen; allein eine eigenthümliche unregelmäßige Schreibweise, welche sich in sehr vielen, insbesondre gerade vedischen, Manuscripten neben der herrschenden regelmäßigen vorfindet, macht es so ziemlich unzweifelhaft, daß sie, gerade wie wir bisher für Deutsch Lateinisch und Griechisch annehmen zu dürfen geglaubt haben, auch im Sanskrit vor tönenden Consonanten *ng*, vor dumpfen *nk* lautete.

Bekanntlich tritt im Sanskrit der Einfluß

1) Einmal, Rv. II. 24, 13 auch im Nom. Dual. *yúṅjâ* vielleicht, ja wohl gewiß, durch Einfluß des Metrums, um im ersten Fuß nicht |— — — —|, sondern |— —⏑—| zu erlangen, da jenes dem vorherrschenden iambischen Character desselben widerspricht.

2) Lateinisch *conjunx* neben *conjux* läßt sich schwerlich durch sskr. *yúṅj* vertheidigen, aber auch eben so wenig wegen des sskr. Nom. Sing. *sa-yúg* Rv. X. 168, 2 verwerfen. Eher spricht dagegen das dem lat. *-jug* entsprechende griech. *-ζυγ* z. B. in *ὁ-ζυγ σύ-ζυγ*, vgl. aber auch G. F. Grotefend, Größere Latein. Gr. II, § 205.

eines Consonanten auf einen unmittelbar vorhergehenden mit großer Macht hervor; so wird der dentale Nasal, welcher in *yunák-ti* (3. Sing. Präs. Parasmaip. des Verbums, welches bei den Indern *yuj* genannt wird und den Reflex des grundsprachlichen und lateinischen *jug* in lat. *jungere* bildet) erscheint, zum palatalen (dem der Quetschlaute *c* (*tsch* gesprochen) u. s. w.), sobald ihm ein Palatal folgt, z. B. 1. Dual. *yuñj-vás*, zum *gutturalen ṅ* dagegen vor einem Guttural (*k* u. s. w.) z. B. 2. Sing. Imptivi Parasm. *yuṅg-dhí*, 3. Sing. Präs. Atmanep. *yuṅk-té*.

Nun hat die angedeutete Schreibweise, welche ich in der Einleitung zum Sâma-Veda XLVIII besprochen habe, die Eigenthümlichkeit, daß sie z. B. in den Formen *aṅg-dhí* und *aṅk-té* das *g* und *k* ausläßt und nur *aṅ-dhí*, *aṅ-té* schreibt. Daß die durch die volle Schreibart *aṅg-dhí*, *aṅk-té* genau bestimmte Aussprache beim Vortrag der Veden einzuhalten war, kann — bei der Sorgfalt mit der gerade über die richtige Aussprache des Veda gewacht wird — auch nicht im Geringsten bezweifelt werden; dann ist aber eben so sicher — und zwar aus eben demselben Grunde — daß diejenigen, welche diese verkürzte Schreibweise statt der vollen im Veda anwendeten, überzeugt waren diese vorgeschriebene Aussprache auch in dieser verkürzten Schreibweise hinlänglich richtig bezeichnet zu haben; mit andern Worten: daß für sie *ṅ*, vor dem tönenden *dh*, *ṅg* lautete, vor dem dumpfen *t* dagegen *ṅk*.

An der angeführten Stelle der Einleitung habe ich darauf aufmerksam gemacht, daß diese verkürzte Schreibweise eine Berechtigung in den Nominativen Singular. der Themen auf *ṅc* findet, welche, wie oben erwähnt, auf *ṅ* auslauten. Es wird nämlich der Nomin. Sing. der Themen auf *c*, *j* bekanntlich nur dadurch kenntlich, daß *k* statt dieses auslautenden *c* und *j* erscheint, z. B. von Thema *vā́c* Nom. Sing. *vā́k*, von *ū́rj* Nom. Sing. *ū́rk*. Demgemäß lautete der Nom. Sing. msc. der Themen auf *añc* eigentlich auf *aṅk* aus, z. B. von *prā́ñc*, **prā́ṅk*; der von *krúñc* lautete eigentlich **krúṅk*, der von *yúñj*, **yúṅk*; eben so wird das auslautende *ç* des Verbums *dṛç* zu *k*, so daß, mit dem noch nicht erklärten Nasal davor, die eigentliche Form des Nom. Sing. **dṛ́ṅk* war. In allen diesen trat nun statt *ṅk* der bloße Nasal *ṅ* ganz aus demselben Grund ein, wie in der abgekürzten Schreibweise vor dumpfen Lauten, nämlich weil er im unbedingten Auslaut dieser Wörter *ṅk* ebenso vollständig repräsentirte, wie im Inlaut vor dumpfen, z. B. in *aṅté* für *aṅkté*. Folgt aber hinter einem auf *k* auslautenden Worte eines, welches mit einem Vocal oder tönenden Consonanten anlautet, vor welchen ein dumpfer Auslaut tönend werden muß — d. h. *ṅk* zu *ṅg* hätte werden müssen — dann repräsentirte der Nasal *ṅ* ganz ebensogut *ṅg*, wie er es in der verkürzten Schreibweise vor tönenden repräsentirt, z. B. in *aṅdhí* für *aṅgdhí*. Wir sehen also, daß die Nominative Sing. auf °*āṅ*, wie *prā́ṅ*, sowie die Nominative *krúṅ*, *yúṅ*, *-dṛ́ṅ* eigentlich nichts weiter sind, als die ursprünglichen Formen auf °*āṅk*, *krúṅk*, *yúṅk*, *dṛ́ṅk* in der abgekürzten Schreibweise; in dieser repräsentirt aber der Nasal *ṅ* ebensowohl *ṅk* — nämlich vor dumpfen Lauten und im unbedingten Auslaut — als *ṅg* vor tönenden Lauten. Wir erkennen also, daß der gutturale Nasal im Sanskrit ebenfalls von einem nachklingendem *g* begleitet war, welches vor dumpfen — und im Sanskrit auch im unbedingten Auslaut, weil dieser nicht durch einen der tönenden Consonanten, denen dumpfe entsprechen, gebildet werden durfte, sondern in diesen dumpfen übergeht — zu *k* wurde.

Nachtrag zu S. 309.

An dem angeführten Orte der Göttinger Gelehrten Anzeigen (1875, S. 208 fg.) war ich in in Bezug auf das Verhältniß des deutschen Wortes für 'Hopfen' zu dem französischen zu einer Alternative gelangt, deren Entscheidung nach der einen oder der anderen Seite ich, weil mir die angelsächsische Bezeichnung der Pflanze unbekannt war, nicht im Stande war mit voller Sicherheit zu geben. Doch läßt sich leicht erkennen, daß ich mich schon nach der Seite neigte, welche ich S. 218—219 in die Worte gefaßt habe: 'Vielleicht läßt sich diese Frage dadurch lösen, daß wir annehmen, was mit so manchen Wörtern geschehen ist, daß ein deutsches Wort nach Frankreich gelangt ist, hier sich modificirte und in dieser modificirten Gestalt, zugleich mit etwaiger Verbesserung dessen was es bezeichnete ['mit einer verbesserten Benutzung des Hopfens', wie es S. 219 Z. 9 heißt), zurückkehrte und, gewissermaßen als civilisirt betrachtet, in dieser Modification seine Aufnahme fand'.

Eben als ich den hier abgedruckten Aufsatz zum Druck gab, erhielt ich durch die Güte des Herrn Verfassers, Dr. W. G. Piper, einen in der Englischen Zeitschrift 'The Chemist and Druggist' Vol. XXII No 4 (April 15, 1880), p. 154—155 veröffentlichten Aufsatz, welcher theils auszugsweise, theils übersetzt, die in den Gött. Anz. geführte Untersuchung mittheilt und daran p. 155 eine Note knüpft, welche das angelsächsische Wort hervorhebt und damit die Frage zu Gunsten der erwähnten Auffassung höchst wahrscheinlich — denn ganz unbedenklich wird sie auch hierdurch noch nicht — endgiltig entscheidet. Aus diesem Grunde — und, weil diese Zeitschrift wohl nicht leicht Linguisten zu Gesicht kommen möchte, — erlaube ich mir diese, auch in andren Beziehungen werthvolle, Note hier aufzunehmen; sie lautet:

»This theory (nämlich die in den Gött. Gel. Anzeigen a. a. O. vorgeschlagene Lösung) »is supported by the Anglo-Saxon or Early English name of the plant, which is mentioned as hymele in the version of the Herbarium of Apuleius published in Anglo-Saxon Leechdoms. Here its good properties are said to be such that men put it in their usual drinks. No trace of the word has been found in existing English dialects. This form of the name and use of the plant seem to show that the Anglo-Saxons left the Continent after the name and use had reached them on their journey westward, and before the French influence had been felt. As a matter of fact the Anglo-Saxons conquered England about the end of the fifth and beginning of the sixth century. Charlemagne founded his empire in the ninth and tenth centuries, and as early as the latter century the word 'hoppe' is found in a Latin-Germany glossar quoted by Beckmann.«

Bei der Königl. Gesellschaft der Wissenschaften eingegangene Druckschriften.

Februar 1880.

(Fortsetzung).

Monthly Notices of the R. Astronom. Society. XL. No. 3.
XII. Jahresber. des Lese-Vereines in Graz.
Abhandlungen der K. Leopold. Carol. Akad. der Naturforscher. Bd. 40. 4.
Verhandelingen rakende den natuurlisken en geobenbaarden Godsdienst. Utgegeven door Teylers Genootschap. 7te u. 8te deel. Harlem. 1860.
Mémoires de la Société de Physique de Genève T. XXVI. II. 4.
Actas de la Academia nacional de Ciencias exactas. T. III. 1—2. Buenos—Aires. 4.
Natuurkundig Tijdschrift van Nederlandsch Indië. D. XXXVIII. Batavia.
Handelingen en Mededeelingen van de Maatschappij der Nederlandsche Letterkunde te Leiden. Over 1879.
Levensberichten der afgestorvene Medeleden van de Maatschappij.
Archives Néerlandaises. T. XIV 3—5. Livr.
B. A. Gould, Resultados del Observatorio nacional Argentino en Córdoba. Vol. I. Uranometria argentina. 1879. 4.
Uranometria Argentina. Mappas publicando por el Observ. Fol.
De l'assistance publique et des établissements de charité en Norwége. Rome. 1880.
A. Conze, Pergamon. 1880.
F. Noll, der zoologische Garten. XX. Jahrg. No. 7—12.
Revista Euskara. Anno terzero. N. 23. Pamplona. 1880.
H. Gyldén, Ueber die Bahn eines materiellen Punktes der sich unter dem Einflusse einer Centralkraft von der Form $\frac{\mu_1}{r^2} + \mu_2 r$ bewegt.

Für die Redaction verantwortlich: *E. Rehnisch*, Director d. Gött. gel. Anz.
Commissions-Verlag der *Dieterich'schen Verlags-Buchhandlung.*
Druck der *Dieterich'schen Univ.-Buchdruckerei (W. Fr. Kaestner).*

Nachrichten

von der Königl. Gesellschaft der Wissenschaften und der G. A. Universität zu Göttingen.

12. Mai. №. 8. 1880.

Königliche Gesellschaft der Wissenschaften.

Sitzung am 1. Mai.

Klein: Zur Erinnerung an C. von Seebach. (S. Abhandl. XXVI.)

Stern: Beiträge zur Theorie der Bernoullischen und Eulerschen Zahlen. (S. Abhandl. XXVI.)

Pauli: Ueber ein Rechnungsbuch zur zweiten Kreuzfahrt des Grafen Heinrich von Derby, nachmaligen Königs Heinrich IV. von England, aus den Jahren 1392/93.

de Lagarde: Erklärung hebräischer Wörter. (S. Abhandl. XXVI.)

von Mueller, Corresp.: Notizen über einige australische flüchtige Oele.

Schering: Geschenk für die Gaussbibliothek von Boncompagni.

Ueber ein Rechnungsbuch zur zweiten Kreuzfahrt des Grafen Heinrich von Derby, nachmaligen Königs Heinrich IV. von England, aus den Jahren 1392/93.

Von

R. Pauli.

Einst vor Jahren hatte mich ein Rechnungsbuch angezogen und beschäftigt, welches für

Graf Heinrich von Derby, späteren König Heinrich IV. von England, während seiner in den Jahren 1390/91 an der Seite der Deutschritter nach Preußen und Lithauen unternommenen Kreuzfahrt geführt worden war. Ich durfte dieses auch für preußisch-deutsche Geschichte wichtige Document in dem damals noch bestehenden Archiv des Ducats von Lancaster benutzen und sandte meine Zusammenstellung dem verstorbenen Geh. Rath Pertz ein, der dieselbe am 6. August 1857 in einer Sitzung der kgl. Akademie der Wissenschaften in Berlin mittheilte. Die bei jener Gelegenheit angefertigten, leider doch recht unvollständigen Excerpte wurden in den SS. rerum Prussicarum II, 788—792 abgedruckt. Während meines letzten Besuchs in England habe ich nicht nur dies Rechnungsbuch noch einmal zur Hand genommen, sondern es ist mir geglückt in dem gleich allem anderen öffentlichen Urkundenschatz jetzt dem Allgemeinen Staatsarchiv (Public Record Office) einverleibten Separatarchiv von Lancaster das Rechnungsbuch zu einer zweiten, für den Geschichtsforscher wohl noch wichtigeren Kreuzfahrt desselben Fürsten, welches mir ehedem entgangen war, in einem der ältesten das Herzogthum Lancaster betreffenden Convolute aufzufinden und näher kennen zu lernen, worüber ich mir der kgl. Gesellschaft zu berichten erlaube.

Zuerst sei daran erinnert, daß Heinrich, der im Jahre 1399 durch Thronsturz seines Vetters Richard II. die Dynastie Lancaster begründete und nach der auch in Shakspere's Dichtung übergegangenen Ueberlieferung auf seinem Sterbelager in der Jerusalem-Kammer zu Westminster am 20. März das schmerzliche Bedauern ausgesprochen haben soll, daß er das Unrecht, durch welches er sich auf den Thron geschwungen, nicht auf einem Kreuzzuge in das gelobte Land habe sühnen können, in früheren Jahren, als er bereits in die politischen Kämpfe verwickelt worden, welche den Untergang seines unglücklichen Vorgängers herbeiführen sollten, zwei Mal, wie es scheint, in einer halb freiwilligen Verbannung das Land verlassen hatte. Als Graf von Derby unternahm er nach Preußen die eben erwähnte »Reise«, wie auch bei den Engländern mit deutscher Bezeichnung eine solche Expedition hieß. Zwei Jahre später, vom 16. Juli 1392 bis 16. Juli 1393 wurden noch einmal bis ins Einzelne die Ausgaben für eine Fahrt verzeichnet, die den Fürstensohn zunächst abermals nach Preußen, von dort aber auf dem Landwege nach Venedig, zu Wasser nach Rhodos und darauf über Norditalien und Frankreich in die Heimath zurückbrachte. Sind die gleichzeitigen Berichterstatter schon über die erste Fahrt sehr wenig unterrichtet, so ist das vollends mit der zweiten der Fall, so daß eine so eigenthümlich urkundliche Quelle wie die nunmehr wieder vorliegende ganz besonderen Werth gewinnt.

Rechnungsbücher über den Haushalt der Könige und anderer Mitglieder des Herrscherhauses, in der Regel *Libri*, auch *Rotuli Garderobae*, *Wardrobe account books*, genannt, erscheinen seit der zweiten Hälfte des dreizehnten Jahrhunderts in der großartigen Urkundenmasse des englischen Mittelalters. Sie sind von Forschern und Geschichtschreibern zwar öfter benutzt, einige wenige auch in meist nicht leicht zugänglichen Publicationen abgedruckt worden. Diese wegen genauer Datierung, Beobachtung des Itinerars, sicherer Preis- und Werthbezeichnung aller möglichen Gegenstände für wirthschaftliche wie für allgemeine Geschichte geradezu unschätzbare Quellengattung verdient aber längst ganz anders als bisher verwerthet zu werden. Aeußerlich, auf Pergament geschrieben, sind sie, so weit nicht Feuchtigkeit zerstörend eingewirkt hat, gut erhalten. Die endlosen Zahlenreihen, die beständige Wiederkehr fast gleichlautender Einträge, der entsetzliche Jargon, in welchem sie abgefaßt sind, wirken bei oberflächlicher Beschäftigung allerdings in hohem Grade ermüdend und abschreckend. Wohl ist die Sprache Latein, die Orthographie kanzleimäßig bis aufs Aeußerste abgekürzt, aber da viele Ausdrücke des gewöhnlichen Lebens aus dem Anglo-Französischen, dem Englischen, in Preußen aus dem Niederdeutschen und auf der weiteren Reise aus anderen fremden Idiomen einfließen, lassen sich manche Einträge schlechterdings nicht nach den festen Regeln classischer Latinität ausschreiben. Allein gerade in dieser polyglotten Diction wie in den mannigfachen Gegenständen, für welche die Ausgaben verzeichnet werden, steckt ein ungewöhnlicher Reiz, der für die stereotype Wiederkehr im Einzelnen sehr wohl entschädigt. Ein reisiger fürstlicher Haushalt, in eine bestimmte Anzahl von Aemtern (officinae) gegliedert, deren Vorsteher mit dem Schatzmeister abzurechnen haben, bei häufigem Wechsel des Aufenthalts, wo in verschiedener Herren Länder verschiedener Münzfuß herrscht, kommt für die Sitten und Bräuche, für die Berührung mit namhaften politischen Gewalten der Zeit zu höchst lebendiger Anschauung. Eine Fülle historischer Momente wird bei Gelegenheit nach Raum und Zeit fixiert.

Das Buch trägt den Titel: Compotus Ricardi Kyngeston clerici thesaurarii guerre excellentissimi domini, domini Henrici Lancastrie comitis

Derbie pro viagio suo versus partes Prucie et sancti sepulcri a 16 die mensis Julii anno regis Ricardi secundi sextodecimo usque 16 in diem eiusdem mensis anno eiusdem regis decimo septimo per unum annum integrum per commissionem domini datam apud Petreburgh 15 die Julii anno regis Ricardi secundi 16° et per aliam litteram domini de warranto auditorum directorum pro isto compotu capiendo datam apud Leycestriam quarto die Januarii anno regis Ricardi secundi 17°, que quidem commissio cum littera domini de warranto predicta huic compotui sunt annexe. Das Buch wurde also von Richard Kingston, demselben Schatzmeister, geführt, der in diesem Amte schon die erste Kreuzfahrt begleitet hatte und beide Mal dazu durch eine besondere Commission seines Herrn ermächtigt wurde. Zwei Instrumente darüber sind dem behufs Rechnungsabnahme in Reinschrift aufgesetzten und revidierten, daher als urkundliches Document beglaubigten Buche von 42 eng beschriebenen Blättern in groß Fol. angeheftet.

Auf dem ersten Blatt sind die Summen aufgeführt, die dem Schatzmeister im Gesammtbetrage von L. 4915. 5. 4 zur Verfügung standen, deren Herkunft und Aufnahme im Einzelnen merkwürdig genug erscheint. Es werden nach einander verzeichnet noch ein Ueberschuß von der ersten Reise im Betrage von L. 8. 3, ein Vorschuß von 3000 Mark Sterling, welche Johann von Gent, der alte Herzog von Lancaster, seinem Sohn auszahlen ließ, als dieser sich im Sommer 1392 abermals im Hafen von Lynne in Norfolk nach Danzig einschiffte, 100 L. Sterl. aus den eigenen Einkünften des Grafen, 400 L. Sterl., welche ihm der Hochmeister von Preußen durch seinen Marschall, 1700 Ducaten, welche in Venedig der Prior der Johanniter anweisen ließ, je 8888 Ducaten, 2095 Ducaten und 2000 Franken, die er bei lombardischen Wechselhäusern in Venedig, Lucca und in Frankreich aufnahm, ein Geschenk des Herzogs Albrecht III. von Oesterreich von 123 Gulden, ein desgleichen vom Patriarchen von Aquileja zu 7 Gulden, mehrere kleinere Summen, die ein günstiger Wechselcours oder der Wiederverkauf von Utensilien, von überflüssigem Proviant und Nahrungsmitteln am Ende der Reise abwarf.

Drei Blätter enthalten alsdann die Ausgaben für die vor der Einschiffung *in partibus Anglie* besorgte Ausrüstung, die mit L. 331. 3. 9 und 19. 5 in preußischem Gelde berechnet wird. Hierauf folgt, nachdem man in der zweiten Woche August in Danzig gelandet war, unter der Rubrik *Dansk* während eines zwischen den 11. und 23. des Monats daselbst fallenden Aufenthalts die Verzeichnung der allermannigfaltigsten Ausgaben. Während Rüstungen und schweres Gepäck auf Leichterfahrzeugen (*prames*, Prahmen) durch das Haff nach Königsberg verschifft wurden, schlug der Graf mit seiner Begleitung und Bedienung und mit zahlreichen Pferden, die er sowohl mitbrachte als ankaufte, den Landweg ein. Aus Speise und Trank, welche in großer Fülle lecker und alltäglich besorgt werden mußte, wird ihre Lebensweise ersichtlich. Die Thiere erforderten große Quantitäten Futter und wiederholten Beschlag. Für die Wäsche des Tischzeugs wurde regelmäßig Sorge getragen. Dem Rector der Marienkirche zu Danzig wurde eine beträchtliche Summe ausgezahlt für die Bestattung eines deutschen Dieners Hans und seines Knechts, die irgend wie Schaden genommen und gestorben waren. Transport und Weiterreise verlangten die Abfertigung von Boten an die Großwürdenträger und Beamten des Ordens, von Quartiermachern für die Nachtlager. Als Stationen auf der Weiterreise ergeben sich Dirschau (Darsove) am 26., wo über die Weichsel gesetzt wurde, Elbing (Melwyn) 28., Braunsberg (Brounesburgh) 31. August. Am 1. September wurde in Heiligenbeil (Helebell) gerastet, das letzte Nachtlager in Brandenburg (Brandeburgh) genommen, bis man am 2. in Königsberg (Conyngburgh, Congsburgh) einritt.

Dort wurde mehrere Tage Aufenthalt genommen von dem Fürsten im Schloß, von seinen Leuten in einer Anzahl Häuser, besonders im Stadthaus des Bischofs von Ermeland (? infra mansionem episcopi), wo eine stattliche Küche errichtet, für Feuerung Sorge getragen und bedeutende Vorräthe für Speisekammer und Keller angeschafft werden mußten, die auf große Gastereien deuten. Graf Heinrich ließ nicht nur seine Wappenschilder, sondern selbst gewisse Schaugerichte malen: per manus Thome peyntour pro pictura diversorum ciborum . . . pro pictura diversorum armorum. Manche dieser Ausgaben finden sich noch unter der Rubrik: *in partibus Prucie.*

Es scheint, daß der englische Herr in diesen Tagen den Plan seiner Unternehmung änderte, daß vielleicht eine abermalige Kreuzfahrt gegen die Lithauer wegen der vorgeschrittenen Jahreszeit nicht mehr ausführbar war oder daß die ganze Fahrt von Danzig nach Königsberg und zurück etwa nur einem Besuch bei dem Hochmeister Konrad von Wallenrod galt. Sein reisiger Zug gieng über dieselben Rastorte wieder nach Danzig, von wo ein Theil der Pferde nach England eingeschifft wurde. Auf den Schiffen mußte für Stallung, für Fütterung der Thiere, für Verpflegung der begleitenden Mannschaft Vorsorge getroffen werden. Der Graf selber ist, nachdem hinreichende Vorräthe, namentlich viel Bier und Rheinwein eingekauft worden, mit vermindertem Gefolge von Danzig über Ost-Pommern zunächst durch die Neumark weiter gezogen. Als Stationen lassen sich in den Rubriken *in partibus Prucie* und *in partibus de la Marke* während der zweiten Hälfte September unterscheiden: Schöneck (Sconec), Polysene (?), Hammerstein (Hamerstede), Schivelbein (Schevelbene), Dramburg (Drawyngburgh), Arnswalde (Arneswold), Landsberg (Landesburgh) und Frankfurt a/O.

Aus dem Nachfolgenden kann ich einstweilen nur die Rubriken: *Frankeforth, in partibus Boemie, in Ostricia, Portgruer in Friola, Venys, Rodes, eundo, per mare redeundo versus Venys, in partibus de Venys, in partibus Pymond, Soboldia, Burgundia, in partibus Francie et Anglie* hervorheben, da ich sie im Einzelnen noch nicht untersucht habe. Doch helfen gelegentliche Notizen und eine besondere Rubrik: *Belchere in diversis locis*, d. h. Geschenke, Trinkgelder, wenigstens das Itinerar für die weitere Fahrt einigermaßen zu verfolgen. Die Reise gieng durch die Lausitz nach Böhmen über Neubrück (Pruck), Guben (Gobin), Görlitz (Gorlech), Tribel (Tribull), Zittau (Zitaw), Niemes (Nemance), Weißwasser (Whitewater), Berne (?) Oct. 6, Alt-Bunzlau (Bronslowe) Oct. 23 bis Prag (Prada) Oct. 26, doch wird am selben Tage auch Kosteletz (Chastelet) berührt. Ob hinter Berne Bezno steckt, wage ich nicht zu entscheiden. Die lange Rast zwischen dem 6. und 23. October deutet auf einen Besuch am Hofe des mit Richard II. verschwägerten König Wenzel.

Dann gieng es weiter über Deutsch-Brod (Douchebrod) Oct. 27, Groß Meseritsch (Misserik) 28, Brünn (Bronne) 29, Drösing (Drising) Nov. 2, Schönbrunn (? Sconekirke) 3 nach Wien 4. Am 8. übernachtete man in Drossekirke (?), am 9. in Neukirchen (Neukirke), am 10. in Semering (? Stamrestowe), am 11. in Kindberg (Kimburgh), am 12. in Leoben (Lauban), am 13. in Knittelfeld (Knotilsfell), am 14. in Judenburg (? Rowdingburgh), am 16. in Frisach (Husak), am 17. in Feldkirch (Fellekirke), am 18. in Villach (Fillawk), am 19. in Malborgeth (Malberget), am 20. in Pontafel (? Pocilthorpe), am 20. an der Grenzmark von Oesterreich und Friaul (apud civitatem Hostrie). am 22. in San Daniele (apud S. Danielem). Zwei weitere Stationen, Chichan und Gisill, vermag ich nicht zu enträthseln. Doch wird am 24. auch aus Portogruaro (Portgruer), am 25. aus Treviso (Trevis) einige Tage vor und nach dem 1. December aus Venedig datiert.

Während der Seefahrt, zu der sich der Graf hier einschiffte, verstummen fast die tagebuchartigen Eintragungen, doch ergibt sich aus vereinzelten Andeutungen, daß man Lissa, Corfu, Candia anlief und endlich Rhodos erreichte. Spuren eines mit den Johannitern unternommenen Auszugs und gar eines Besuchs des heiligen Grabes habe ich nicht gefunden.

Erst im Frühling 1393 erfolgte die Rückfahrt nach Venedig. Im April beginnt von Treviso an wieder regelmäßige Datierung von Ausgaben und Geschenken. Am 28. und 29. weilte man in Novara (Nowall), am 18. Mai in Vercelli (Vercell), so daß in Lombardei und Piemont ein längerer Aufenthalt genommen wurde; am 21. wurde Turin (Turry) erreicht, am 22. Anylan

(?) und Rivarolo (Rywells), am 23. Susa (Sehusa), von wo der Mont Cenis überstiegen wurde, am 26. Lans le Bourg (Launcebrugge), am 27. Furneworthe (?), am 28. St. Michel (S. Michaelis), am 29. Chambéry (Chanbery), am 30. Aix les bains (Egebelle), Yenne (Jan) am 1. Juni, Rossillon (Russebonne) am 2., St. Rambert (Syrombert) am 3., Pont d'Ain (? Pompinet) am 4., Fontenai (Fownteney) am 5., Bourg (Bagg) am 6., Macon am 7., Tournus (Tournay) am 8., Chalon sur Soane (Chalons) am 9., Chause (?) am 11., Melvile Lambar (?) am 12., Châtillon sur Seine (Chastelan) am 13, Bar sur Seine (Berce) am 14., Troyes (Troys) am 15, Nogent am 16., Provins (Province) am 18., Grauntpuisse (?) am 19., Brie Comte Robert (Vicount Robert) am 20., Charenton (Pount Chareton) am 21., Paris endlich am 22., Dank dem jahrelangen Waffenstillstand zwischen Frankreich und England. Nach kurzer Rast erfolgte die Heimkehr über den Canal. Am 2. Juli wurde aus Rochester datiert.

Das Rechnungsbuch enthält außerdem noch folgende gleichfalls noch nicht von mir untersuchte Rubriken: *Empcio equorum*, *Lusus domini*, *Vadia (Wages. Gehälter)*, *Oblaciones et elemosyne*, *Garderoba*, *Dona data per totum tempus.*

Zu Ende einer jeden Seite werden die auf derselben notierten Ausgaben zusammengerechnet, zu Ende jeder Rubrik eine Gesammtsumme angegeben, gleichzeitig die fremde Münze stets auf Sterling Geld reduciert. Ich habe angemerkt, daß in Preußen nach Mark, Schilling und Scot preußisch. in der Mark nach Gulden, in Böhmen nach Gulden und Groschen, in Friaul und Venedig nach Ducaten und Schilling (Ducatus et solidi), in Rhodos nach Ducaten und

Aspern, in Piemont und Savoyen nach Ducaten und Groschen, in Frankreich nach Franken und Ducaten gerechnet wird. Die Gesammtausgabe stellt sich schließlich auf L. 4849. 5. 3, also um 66 L. niederer als die vereinnahmten Gelder.

Der historische Werth dieser urkundlichen Quelle über die zweite Kreuzfahrt des Grafen Heinrich ist um so bedeutender, als sie zwar den einzigen Autor, welcher darüber berichtet, im Allgemeinen bestätigt, in Einzelheiten dagegen beträchtlich widerlegt. Bei dem Augustiner John Capgrave nämlich, der um die Mitte des funfzehnten Jahrhunderts unter König Heinrich VI. den Liber de illustribus Henricis verfaßte, wird Ed. SS. rer. Brit. medii aevi p. 99—101 erzählt, wie der Graf von Derby sich am 25. Juli 1292 apud Hetham prope Lennam wiederum nach Preußen einschiffte und von dort über Venedig nach Jerusalem wallfahrtete. Ibi quoque loca sancta cum magna devotione veneratus est, pauperes Christi cum magna clementia recreabat et quosdam captivos multo dato pretio ad terras fidelium secum reduxit. Diese Angabe wird dadurch verdächtig und findet in dem Rechnungsbuche keine Bestätigung, daß Capgrave den Grafen von Preußen durch Ungarn und Polen reisen, den Ungarnkönig, womit allerdings nur der Luxenburger Sigismund gemeint sein kann, darauf erst den Herzog von Oesterreich und den Dogen von Venedig besuchen, ihn dann über Kreta und Rhodos nach Jerusalem fahren und über Cypern nach Venedig zurückkehren läßt. Nachdem er Pavia und Mailand berührt, heißt es eben so irrig: per regem Boemiae et duces Almaniae in Franciam devectus est.

Hoffentlich gelingt es mir vollständige Abschriften beider Haushaltsbücher, die sich wegen des Umfangs nicht in wenigen Tagen herstellen ließen, zu erhalten und die Herausgabe dieser für festländische, insonderheit auch deutsche Geschichte wichtigen urkundlichen Aufzeichnungen an geeignetem Orte zu veranstalten.

Notizen über einige australische flüchtige Oele.

Von

Baron Ferd. von Mueller, Dr. Med.

Auf meinen Wunsch hatte Herr C. Staiger, der analytische Chemiker der Regierung von Queensland, die Gewogenheit, eine Probe von dem Oele der Eucalyptus microcorys (F. v. M.) herzustellen, da das Laub dieser Art fast ebenso ölreich wie das der E. amygdalina ist, und das Oel leicht ein Handels-Artikel werden könnte. Die Blätter für die Destillation waren freundlichst von Mr. F. Bailry am Brisbane-Flusse besorgt. Der Baum erreicht eine riesige Größe, so daß Mr. C. Fawcett ihn für den mächtigsten der zahlreichen Arten von Waldbäumen unter denen am Richmond-Flusse erklärt, und uns außerdem belehrt, daß das sehr geschätzte Bauholz dieser Species so fettig-schlüpfrig sei, um das Hinschreiten längs einer frischgesägten Planke zur Unmöglichkeit zu machen. Es ist meine Absicht, Holzproben chemisch zu untersuchen, um die Natur der Substanz, welche dieses Holz fettig erscheinen läßt (was bei keinem andern Eucalypten-Holz, soweit ich weiß, der Fall ist) genauer zu ermitteln.

Das Oel von E. microcorys ist hellbraun, dünnflüssig, von eigenthümlichem und weniger cajugutähnlichen Geruch als das der meisten Eucalypten-Oele; es ist von heißem, etwas camphorigen Geschmack; sein spec. Gewicht ist 0,908 bei einer Temperatur von 19° Cels.; der Siedepunkt ist 164° C.; Kochhitze trübt das Oel. Caoutchonc wird in dem kalten Oele langsam aufgelöst, im Wasserbade fast vollständig.

Ein zweites von Herrn Staiger bereitetes neues, höchst wohlriechendes Eucalypten-Oel ist das einer Art, welche am Lynd-River (südöstlich vom Golf von Carpentaria) vorkommt, wo solche von Mr. F. Bailry entdeckt wurde. Es sind bisher von dieser Species nur fruchttragende Exemplare zu mir gelangt, so daß eine genaue Begrenzung der Art noch nicht statthaft war; inzwischen habe ich selbige Eucalyptus citrata genannt und Aehnlichkeit mit E. crebra gefunden. Das Oel der Blätter dieser Eucalypte ist von ebenso herrlichem Duft wie das der E. citriodora, aber das Laub ist bedeutend reicher an Oel, als das der letztgenannten Art. Das Oel ist gelblich, dünnflüssig, von mildem Geschmack und an Bergamottöl erinnerndem Geruch; das spec. Gewicht ist 0,880; es siedet bei 178° Cels.; es ist kein so gutes Auflösungsmittel für Caonticheuc als das Oel von Euc. microcorys. Herr Rummel fand in meinem Laboratorium, daß es das polarisirte Licht nach der Rate von $11^1/_2$° für den Zoll links wendet, während das Oel von E. microcorys zur Rechten rotirt und zwar 3° pr. Zoll.

Herr Staiger hat ein drittes Oel hinzugefügt, von den Blättern der Zieria Smithii (Andr.); dies ist ausgezeichnet durch seine Schwere = 1.077 (bei 19° C.); es ist hellbraun, von öliger Consistenz, von sassafrasartigem Geruch, süßlichem gewürzhaften Geschmack, inactiv für polarisirtes Licht, aber stark strahlenbrechend; es siedet erst bei 207° C.

Vermuthlich werden diese Oele in der Medicin und Technik Anwendung finden.

Melbourne, März 1880.

Geschenk für die Gauss-Bibliothek.

Mittheilung von **Ernst Schering.**

Der Königlichen Gesellschaft der Wissenschaften, habe ich die Ehre, ein großartiges Geschenk vorzulegen, welches der Principe Baldassare Boncompagni ihr mit der Bestimmung zur Aufstellung in der Gaussischen Bibliothek gewidmet hat. Es besteht dieses in den seit 1868 bis jetzt erschienenen 11 Bänden und 8 Heften des Bullettino di Bibliografia e di Storia delle Scienze Matematiche e Fisiche publicato da B. Boncompagni, Socio ordinario dell' accademia Pontificia de' nuovi Lincei, socio correspondente dell' accademia delle scienze dell' istituto di Bologna e delle R. accademie delle scienze di Torino, e di scienze, lettere ed arti di Modena, e socio onorario della R. accademia delle scienze di Berlino. Diese Zeitschrift ist anerkannter Weise, besonders durch die große Zahl der sorgfältig ausgearbeiteten Lebensbeschreibungen der Wissenschafts-Männer der neuern Zeit und durch die Herausgabe der zuvor nicht veröffentlichten wissenschaftlichen und biographischen Schriften und Briefe der hervorragenden Mathematiker und Physiker früherer Zeit, so außerordentlich werthvoll für die Wissenschaft. Die großen Opfer, welche der Herausgeber noch über seine Thätigkeit als Redactor und als Autor hinaus darbringt, erwerben ihm den ganz besonderen Dank der vielen Verehrer der mathematischen und physikalischen Wissenschaften.

Das geschenkte Exemplar habe ich in der Gaussischen Bibliothek aufgestellt und in den Catalog unter Nr. 5008 A bis M eingetragen.

Die Königliche Gesellschaft der Wissenschaften beauftragt ihr Mitglied E. Schering, ihren Dank für dies so werthvolle Geschenk dem Pr. B. Boncompagni auszusprechen.

Bei der Königl. Gesellschaft der Wissenschaften eingegangene Druckschriften.

März und April 1880.

Zeitschrift für Meteorologie. Bd. XV. März. April 1880.
Nature. 540. 541. 542. 544. 545. 546.
Jahrbuch der K. K. Geolog. Reichsanstalt. Bd. XXIX. 1879.
Verhandlungen derselben. Jahrg. 1879. No. 14—17.
Annalen des physik. Central-Observatoriums. Jahrg. 1878. I. II. 4.
Leopoldina. XVI. No. 3—4. 5—6.
Proceedings of the London Mathem. Society. No. 153—155.
Monthly Notices of the R. Astron. Society. Annual Report. Vol. XL. No. 4—5.
Sitzungsber. der mathem.-physik. Cl. der Akademie München. 1879. IV. 1880. I.
— der philos., philol. und histor. Cl. Bd. II. H. 2.
Anzeiger für Kunde der deutschen Vorzeit. 1879. No. 1—12.
Mittheil. des Vereins für Geschichte der Deutschen in Böhmen. Jahrg. XVI. No. 3—4. XVII. No. 1—4. XVIII. No. 1—2.

Dessen Jahresbericht. 1878—79.
L. Schlesinger, die Chronik der Stadt Elbogen. 1471—1504.
Monatsbericht der Berliner Akad. der Wiss. December 1879.
Bulletin de l'Acad. R. des Sciences de Belgique. T. No.
Erdélyi Muzeum. Sz. VII evtolyam. 1880.
Verhandelingen der K. Akademie van Wetensch. Letterkunde. XII.
Idem: Natuurkunde. XIX. 1879.
Jaarboek voor 1878.
Verslagen en Mededeelingen. Letterkunde. Achtste Deel.
Proces-Verbaal. 1878—79. No.
Elegia Petri Esseiva. Amsteladami. 1879.
Annales de la Sociedad cientif. Argentina. Febrero. 1880.
Atti della R. Accademia dei Lincei Transunti. Vol. IV. Fasc. 3—4.
Johns Hopkins University Circulars. Baltimore. Febr. 1880.
J. Biker, Supplemento a Collecçâo etc. T. XXI.
Revista Euskara. Marzo. 1880.
Annuaire de l'Acad. R. des Sciences de Belgique. 1880.
Bulletin de la Société math. T. VIII. No.
Verslagen en Mededeelingen der K. Akad. Afd. Natuurkunde. IV. No. 1—3.
Upsala Universitatis fyrahundraårs Jubelfest. Sept. 1877. Stockholm. 1879.
Bulletin of the Museum of comparative Zoölogie. Vol. VI. No. 3—4.
Atti della R. Accad. dei Lincei. Classe de Fisiche etc. Vol. III. IV.
Atti della R. Accad. dei Lincei. Cl. di Scienze morali. Vol. III.
Jahresbericht des naturhistor. Vereins zu Wisconsin. 1879—1880.
L. Ulrici, Ansiedlung der Normanen in Island etc. im 9—11. Jahrh.

(Fortsetzung folgt).

Für die Redaction verantwortlich: *E. Rehnisch*, Director d. Gött. gel. Anz.
Commissions-Verlag der *Dieterich'schen Verlags-Buchhandlung.*
Druck der *Dieterich'schen Univ.-Buchdruckerei (W. Fr. Kaestner).*

Nachrichten

von der Königl. Gesellschaft der Wissenschaften und der G. A. Universität zu Göttingen.

19. Mai. №. 9. 1880.

Königliche Gesellschaft der Wissenschaften.

Zur Analyse elektrischer Entladungen.

Von

W. Holtz, Corresp.

Ich beschrieb vor einigen Jahren in Poggendorff's Annalen einen Apparat, welcher so organisirt war, daß ich eine Funkenstrecke in sehr schnelle Rotation versetzen konnte, und theilte zugleich einige Erscheinungen mit, welche sich hierbei an den Entladungen eines Inductionsapparates und an verzögerten Fläschenentladungen manifestirten [1]). Ich habe in letzterer Zeit dieselben Versuche mit etwas veränderten Mitteln wiederholt und möchte im Folgenden die mehr oder weniger abweichenden Ergebnisse in Kürze besprechen.

Der Rotationsapparat, welchen ich benutzte, war im Wesentlichen dem früheren gleich. Ich stehe daher hier von einer Beschreibung desselben ab. Es mag nur daran erinnert werden, daß die Entladungen ihren Weg durch einen Stanniolstreifen nehmen mußten, welcher in radialer Richtung an einer 12 Centimeter großen Ebonitscheibe befestigt war, und daß eine Unter-

1) Poggendorff's Annalen, Bd. 157.

brechung dieses Streifens ganz nahe dem Rande der Scheibe die fragliche Funkenstrecke repräsentirte.

Ich hatte früher unter Benutzung eines kleineren Inductionsapparates bei einer Geschwindigkeit von 200 Umdrehungen per Sekunde nur ein Funkenbild von 20° Ausdehnung gewinnen können. Ganz anders in meinen letzten Versuchen, wo mir ein wesentlich größerer Inductionsapparat zu Gebote stand; hier konnte ich schon bei der halben Geschwindigkeit ein Funkenbild darstellen, welches an Ausdehnung dem ganzen Kreisumfange nahe kam. Der Grund war, daß dieser Apparat mit einer besonders langen und dünnen Nebenspirale ausgerüstet war, welche noch dazu eine eiserne war, weil der Apparat früher einem speciellen anderweitigen Versuche gedient. Der große Widerstand gedachter Länge und gedachten Stoffes mußte nothwendig die Dauer der Entladungen in sonst ungewohnter Weise verlängern. Die größere Ausdehnung des Bildes aber bot natürlich den Vortheil, daß sich die characteristischen Eigenschaften desselben um so besser erkennen ließen. Und aus diesem Grunde namentlich schien es mir geboten, meine früheren Versuche noch einmal mit gewissen Abänderungen zu wiederholen.

War die Funkenstelle sehr klein d. h. der Abstand der Stanniolspitzen nur etwa $^1/_2$ mm groß, so war die Ausdehnung des Bildes unter sonst gleichen Bedingungen am größten. Bei Anwendung von drei Grove'schen Elementen und bei einer Rotationsgeschwindigkeit von 100 Umdrehungen nahm es, wie hervorgehoben, fast die ganze Kreislinie ein. Wurde die Zahl der Elemente verringert, so verkürzte es sich bedeutend, desgleichen, wenn man mehr und mehr Eisenstäbe der Hauptspirale entnahm.

Besonders aber verkürzte es sich, wenn man den Luftwiderstand vergrößerte, sei es den der rotirenden Funkenstrecke selbst, sei es den einer andern, welche gleichzeitig eingeschaltet werden konnte. Damit Ersteres nicht unwillkürlich durch allmählige Schmelzung der Spitzen geschehe, war eine besonders dicke Stanniolsorte genommen, und der Interruptor so gestellt, daß die Entladungen nur von Sekunde zu Sekunde einander folgten. Gedachte Einstellung war übrigens schon aus dem Grunde geboten, damit nicht auf einanderfolgende Funkenbilder mit einander collidirten. Eine willkührliche Variirung dieser Funkenstrecke ließ sich am besten so bewirken, daß man die ganze Ebonitscheibe durch eine neue anders eingerichtete vertreten ließ. Am einfachsten aber war die Variirung des Luftwiderstandes in der zweiten ruhenden Funkenstrecke, welche so eingerichtet war, daß man sie durch Verschiebung leicht verkleinern oder vergrößern konnte.

In keinem Falle war das Funkenbild ein zusammenhängendes, sondern es bestand allemal aus einer kleineren oder größeren Zahl kürzerer oder längerer durch dunkle Zwischenräume gesonderter Theile. In jedem Theile aber waren wiederum nach Licht und Farbe zwei besondere Stücke, nämlich ein helles Kopfende und ein lichtärmerer Schweif von violetter Farbe zu unterscheiden. Das Kopfende war bei allen Theilen ohne namhafte Ausdehnung, nur heller bei jenen, welche der Zeit nach die früheren waren. Der Schweif war an Ausdehnung sehr ungleich, er nahm successive an Länge ab, je später die einzelnen Theile auf einander folgten. Die Zahl der Theile war in erster Linie durch die Größe des eingeschalteten Luftwiderstandes bedingt. War die gesammte Funkenstrecke nur $^1/_2$ mm groß, so konnte ich schätzungsweise gegen 50—70 einzelne Theile unterscheiden. Durch Vergrößerung desselben nahm mit der Gesammtausdehnung des Bildes zugleich die Zahl der Theile ab. Bei einer gewissen Größe fand nur noch eine einzige Partialentladung statt. Eine ähnliche Wirkung brachte denn auch die Verringerung der Zahl der Elemente oder der Zahl der Eisenstäbe in der Hauptspirale hervor. Ob in allen diesen Fällen die Zahl der Theile in gleichem Verhältniß mit der Ausdehnung des Gesammtbildes abnahm, habe ich bisher nicht feststellen können. Zu Alledem tritt jedoch noch eine eigenthümliche Erscheinung, deren ich bereits in meiner früheren Mittheilung gedachte, die aber bei meinen neueren Versuchen noch weit entschiedener in die Augen fiel. Es ist die mehr oder weniger gabelförmige Form der Schweife, in Sonderheit jener Schweife, welche den der Zeit nach früheren Entladungen angehören. Die Neigung zu dieser Form wächst vorzugsweise mit der Vergrößerung des Luftwiderstandes, namentlich desjenigen, welcher zwischen den rotirenden Elektroden eingeschaltet ist. Dies bestärkt mich auch in dem Glauben, daß die Ursache der Erscheinung in erster Linie in der Fortschleuderung glühender Lufttheile in Folge einer gewissen elektrischen Einwirkung zu suchen ist. Daß die Rotation der Scheibe höchstens einen sekundären Einfluß auf die Gestaltung der Erscheinung ausübt, folgt schon daraus, daß jene Gabelschwänze eben soweit außerhalb als innerhalb der Funkenbildlinie fallen.

Ganz anders indessen stellte sich das Funkenbild dar, als ich die Pole des Inductionsapparates mit den Belegungen von Leydner Flaschen verband. Einmal wurde hierdurch die gesammte Ausdehnung des Bildes etwas verkürzt, und zwar in dem Maaße mehr, als die Flaschen größere waren. Dann nahm auch, und zwar ebenfalls nach Maaßgabe der Flaschengröße, die Zahl der einzelnen Theile mehr und mehr ab. Das am meisten hervortretende aber war, daß die violetten Schweife vollständig verschwanden, während die Kopfstücke heller wurden und durch entsprechend größere dunkle Zwischenräume gesondert waren.

Nach alledem kann es wohl keinem Zweifel unterliegen, daß die Elektricitäten der Nebenspirale nicht etwa in einzelnen Stößen nach den Polen des Apparates getrieben werden, daß die stoßweise Entladungsform vielmehr ausschließlich nur diese Pole selbst und die zwischen denselben eingeschalteten größeren oder geringeren Widerstände tangirt. Die stetig zufließende Elektricität kann sich nicht in stetiger Weise entladen, weil sich zunächst die Oberfläche der Pole bis zu einer gewissen Dichtigkeit laden muß, und weil die Entladung dieser Fläche dann in kürzerer Zeit vor sich geht, als diejenige ist, innerhalb deren wieder eine genügende neue Ansammlung stattfinden kann. Deshalb werden die Intermittenzen (die dunklen Räume) um so größer, je mehr die Oberfläche der Pole vergrößert wird. Und in gleicher Weise wird die Anzahl der Entladungen um so kleiner, je größer man den eingeschalteten Widerstand wählt. Mit der Größe des Widestandes aber nimmt die Gesammtausdehnung der Erscheinung auch schon um deswillen ab, weil der Antrieb der Elektricität successive erlahmt und gegen das Ende der Entladung hin, wie bei jeder andern Entladung, nur noch geringere Widerstände überwinden kann.

Ist die Eigenthümlichkeit der Erscheinung aber in Nichts durch die innere Organisirung des Inductionsapparates bedingt, so muß eine genaue Nachbildung derselben auch bei anderweitigen Entladungen möglich sein. Eine theilweise Nachbildung war mir auch früher schon bei der Entladung von Leydner Flaschen gelungen, als ich dieselbe derjenigen des Inductionsapparates dadurch ähnlich machte, daß ich sie durch Einschaltung feuchter Widerstände verzögerte. Neuerdings gelang mir dies aber noch besser, als ich besonders große Widerstände in Anwendung brachte d. h. die Schnüre besonders lang nahm, oder besonders trocken werden ließ. Ich konnte nun das Funkenbild genau in allen seinen Einzelheiten wiedergewinnen, wie ich es oben als dem Inductionsapparate entsprechend beschrieben habe. Für die Ueberführung des gefärbten Bildes in einzelne leuchtende Punkte bedurfte es freilich noch eines kleinen Kunstgriffes, der aber doch nach Früheren ziemlich nahe gelegt war. Die Enden der feuchten Schnüre, welche den Rotationsapparat berührten, waren gewissermaßen den Polen des Inductionsapparates zu vergleichen, und um jene violetten Schweife verschwinden zu lassen, mußten diese mit den Belegungen von Leydner Flaschen verbunden werden. Die Erscheinung wechselte denn auch genau so, wie sie früher gewechselt hatte, und ließ sich im Uebrigen auch genau in derselben Weise variiren.

Noch ein Ergebniß möchte ich anführen, welches sich bei den letzteren Versuchen herausstellte. Die Ausdehnung des Gesammtbildes wuchs, wie zu erwarten stand, wenn ich mehrere Leydner Flaschen summarisch combinirte; sie wuchs aber nicht, wenn ich eine größere

Elektricitätsmenge dadurch zu gewinnen suchte, daß ich eine bestimmte Flaschenzahl sich ein größerer Schlagweite entladen ließ. Nach Letzterem scheint es fast, als ob eine höhere Intensität für sich allein betrachtet die Dauer der Entladung in demselben Maaße abkürzt, als die mit ihr gleichzeitig ansteigende Quantität dieselbe Entladung verlängert.

Daß im Uebrigen eine Unterscheidung der Partialentladungen überhaupt erst von einer gewissen Ausdehnung des Gesammtbildes d. h. von einer gewissen Rotationsgeschwindigkeit an möglich war, bedarf wohl kaum der Erwähnung.

Eine verbesserte Centrifugalmaschine für Schulen[1]).

Von

W. Holtz, Corresp.

Die nachstehende Maschine hat vor anderen Apparaten, welche einem gleichen Zwecke zu dienen pflegen, den Vortheil voraus, daß sich das Kurbelrad oder die Kurbel, wie es eine bequeme Handhabung fordert, ein für alle Mal in vertikaler Ebene bewegt, während die schnell laufende Axe — bei ein und derselben Schnurlänge, und gleichviel, ob bei einfacher oder doppelter Uebertragung — nach Belieben sowohl in vertikaler als horizontaler Ebene, auch höher oder niedriger, auch mehr oder weniger weit vom Gestell der Maschine entfernt, endlich auch so rotiren kann, daß sich an diese Axe ein Gegenstand, welcher mit rotiren soll, anhängen läßt. Die Maschine bietet zugleich den Vortheil, daß die Schnur nicht leicht schleift, weil

1) Für das deutsche Reich patentirt.

das kleinere Schnurrad oder die kleineren Schnurräder verhältnißmäßig weit von derselben umspannt sind.

Die Möglichkeit der Idee beruht im Wesentlichen auf die Anwendung zweier größeren Schnurräder von gleichen Dimensionen, welche nahe einander, aber unabhängig von einander um dieselbe horizontale Axe beweglich sind, sowie auf die gleichzeitige Anwendung zweier kleineren Schnurräder von gleichen Dimensionen, deren eines jener Axe angehört, welche schnell rotiren soll. Wesentlich ist noch, daß die beiden größeren Räder einander grade so nahe stehn, daß die gegenseitige Entfernung ihrer Nuten gleich den Durchmesser der kleineren Räder ist.

Die nachstehende Figur zeigt die Maschine vollständig in einer der verschiedenen Lagen, welche die schnell laufende Axe *c* annehmen kann. Es ist ein Holzgestell vorausgesetzt mit Speichenrädern aus Eisen; doch könnte ein eisernes Gestell, oder könnten hölzerne Schnurscheiben natürlich eben so gut verwendet werden. Desgleichen müssen die Verbindungsstücke der verschiedenen Axen ihrer Form nach im Ganzen als unwesentlich bezeichnet werden. In der Figur wird das hintere der beiden großen Räder fast ganz durch ein Brett verdeckt, in welchem zugleich ihre gemeinsame Axe befestigt ist. Nur an zwei Stellen nahe der Unterlage ist dieselbe Wand, links in geringerem, rechts in größerem Umfange durchbrochen. Fest verbunden mit derselben und gleichzeitig mit der Unterlage erheben sich zwei seitliche Bretter, welche ebenfalls mehr oder weniger durchbrochen sind, und zwar so durchbrochen, daß die betreffenden Oeffnungen derselben mit jenen Oeffnungen der Mittel-

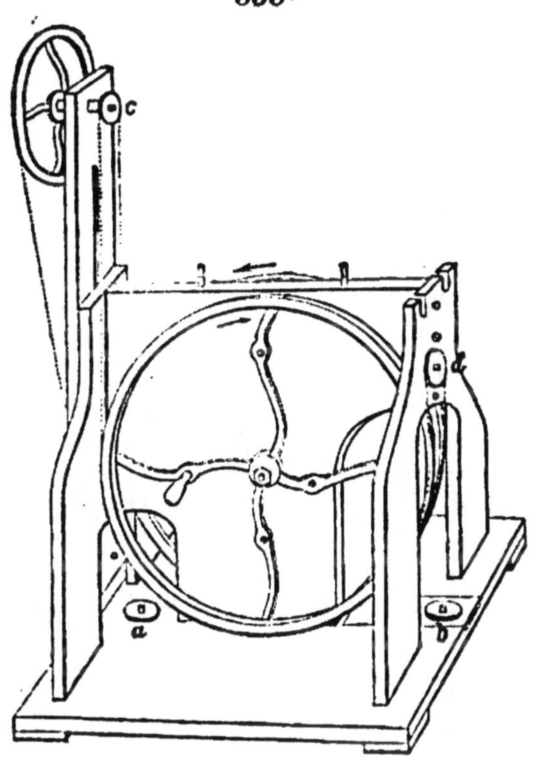

wand harmoniren. Die linke Seitenwand dient ferner zur Haltung eines längeren schmalen Brettes, an dessen oberem Ende die Axe *c* mit ihrem Schnurrade befindlich ist. Dieses Brett aber sitzt nicht absolut fest; man kann es vielmehr abnehmen und das obere Ende nach unten kehren, aber auch in horizontaler Lage oberhalb der drei Bretterwände befestigen. Zudem besitzt es einen Schlitz, welcher gestattet, daß es sich in seiner jedesmaligen Lage auch mehr oder weniger verschieben läßt. Zur Befestigung aber dienen je zwei Stifte, welche unabänderlich fest sitzen, und zwei größere Muttern, welche auf diesen verschraubbar sind. Die Axe *c* läuft in einer längeren Hülse und ist so vorgerichtet, daß sich an der Außenseite des schmalen Brettes

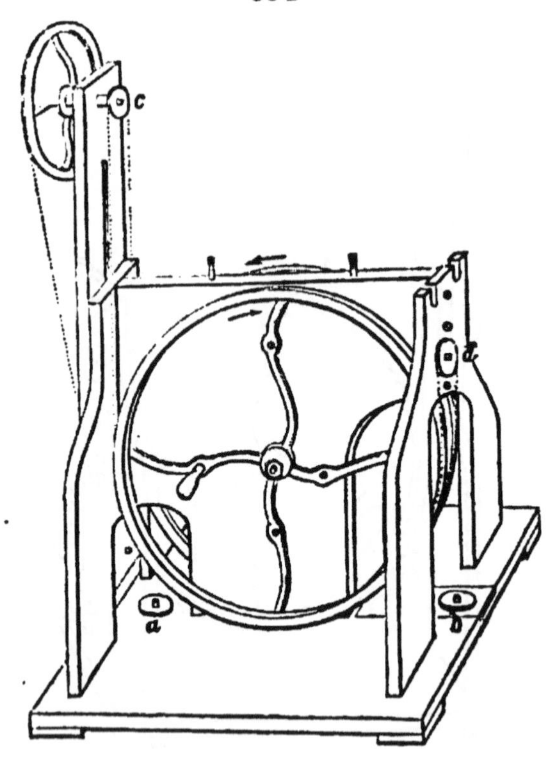

verschiedene Gegenstände aufschrauben lassen, während sie an der Innenseite, noch diesseit des kleinen Rades, ein seitliches Loch hat, damit man bei horizontaler Lage des Brettes an dieselbe etwaige Gegenstände anhängen kann. Zum Rotationssysteme gehört, wie oben angegeben, aber noch ein zweites kleines Rad, welches, jenachdem die Axe *c* ihre Lage ändert, verschiedene Stellungen einnehmen muß. Befindet sich jene dort, wo die Figur sie zeigt, so sitzt dieses außen an der rechten Seitenwand, oberhalb jener Oeffnung, durch welche man die beiden größeren Räder treten sieht. Befindet sich jene unten, so steckt man dieses auf einen Zapfen links unterhalb der Mittelwand, und eben so verfährt man, wenn jene vertikal stehn und zugleich dem Gestell der Maschine nicht zu nahe treten soll. Ist endlich bei vertikaler Stellung eine größere Annäherung an die Maschine erwünscht, so steckt man es auf einen Zapfen, welcher für gewöhnlich unterhalb der rechten Seitenwand befindlich ist, für den Gebrauch aber ein wenig nach der rechten Seite verschoben werden kann. Diese verschiedene Lage des kleinen Rades ist freilich nur in soweit geboten, als man mit ein und derselben Schnur operiren will. Hat man mehrere Schnüre zur Verfügung und selbstredend solche, welche sich öffnen und schließen lassen, so kann das Rad auch ein für alle Mal in seiner zuerst genannten Lage verbleiben. Der Schnurlauf im Uebrigen erhellt wohl am besten aus der nebenstehenden Skizze, welche die Axe *c* in ihren verschiedenen Lagen repräsentirt.

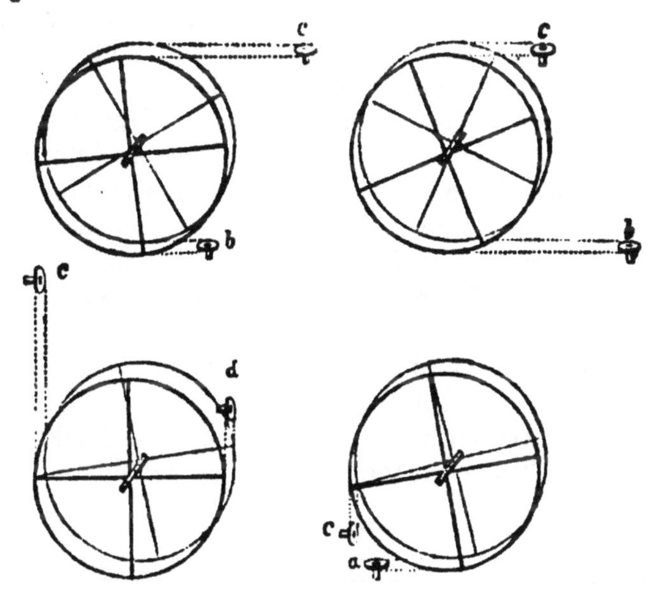

Zu gleicher Zeit ist ersichtlich, daß es keinen Unterschied macht, ob man die Axe *c* selbst für irgend ein Experiment benutzen, oder die Bewegung zunächst noch auf eine andre Axe übertragen will. Man braucht für letzteren Zweck auf jene Axe nur ein größeres Schnurrad zu schrauben, welches durch eine zweite Schnur mit einem kleinen Schnurrade der neuen Axe communicirt. Man kann dieser im Uebrigen genau dieselben Stellungen geben, wie jener, und sie experimentell in derselben Weise benutzen. Natürlich muß die neue, weil sie verhältnißmäßig schneller laufen soll, entsprechend feiner gearbeitet sein; auch würde man sie ein wenig verstellbar machen müssen. Vielleicht möchte es sich auch empfehlen, die Röhre, in welcher sie läuft, zunächst in einer Ebonithülse zu befestigen, damit man sie für gewisse elektrische Versuche benutzen könne.

Die Dimensionen der ganzen Maschine hängen in erster Linie von den Dimensionen der großen Räder ab. Wie groß man diese wählt, ist an und für sich gleichgültig, wenn man nicht bestimmte Zwecke vor Augen hat. Für den gewöhnlichen Schulgebrauch aber möchte wohl ein Durchmesser von 25—30 Centimeter der entsprechendste sein, da die Maschine sonst weniger transportabel erscheint. Uebrigens dürfte ein Durchmesser von 30 Centimeter auch bereits weitergehenden Ansprüchen genügen, da sich bei doppelter Uebertragung wohl leicht eine Rotationsgeschwindigkeit von 100—200 Umdrehungen per Sekunde gewinnen läßt. Ob man die letztere wirklich erreiche, darüber dürfte vor Allem die Dicke der am schnellsten laufenden Axe entscheiden.

Für die Redaction verantwortlich: *K. Rehnisch*, Director d. Gött. gel. Anz.
Commissions-Verlag der *Dieterich'schen Verlags-Buchhandlung.*
Druck der *Dieterich'schen Univ.-Buchdruckerei (W. Fr. Kaestner).*

Nachrichten

von der Königl. Gesellschaft der Wissenschaften und der G. A. Universität zu Göttingen.

9. Juni. №. 10. 1880.

Universität.

In der Nacht vom 7. auf den 8. Mai verschied der ordentliche Professor der philos. Fak. August Wilhelm Bohtz, geboren zu Stettin am 17. Juli 1799. Er studierte in Halle, Berlin und Göttingen bis 1825. Nach zweijährigem Aufenthalt in Dresden, wo er sich namentlich des ihm unvergeßlichen Verkehrs mit Ludwig Tieck erfreute, kehrte er nach Göttingen zurück, promovierte am 26. Juli 1828, habilitierte sich im Herbst desselben Jahres und wurde am 20. Mai 1837 zum außerordentlichen Professor ernannt, an demselben Tage mit dem schon am 10. Januar 1856 gestorbenen Schneidewin und den Herren GJR. Thöl und GRR. von Leutsch. 1842 erhielt er die ordentliche Professur und las seitdem abwechselnd vorzüglich über Aesthetik, Religionsphilosophie, Ethik und Geschichte der deutschen Poesie seit Lessing. Begeisterung für alles Hohe und Edle, Treue in seinen Ueberzeugungen und Neigungen, schlichte Geradheit und Wahrheit des Charakters zeichneten ihn im Leben aus und werden sein Andenken in Ehren erhalten.

Oeffentliche Preisvertheilung.

Die öffentliche Preisvertheilung der Universität fand ordnungsmäßig am 4. Juni statt.

Die Festrede hielt Prof. Wieseler. Sie behandelte nach Voraufsendung allgemeiner Bemerkungen über das Wesen und die bildlichen Darstellungen des Hermes den zu Olympia aufgefundenen Hermes des Praxiteles.

Bei der theologischen Fakultät waren drei Predigten und zwei Abhandlungen eingegangen. Von den Predigten wurde der des Studiosus der Theologie

Albert König aus Weende

die Hälfte des Preises zuerkannt. Von den Abhandlungen konnte die eine mit dem Motto *Νόμον οὖν καταργοῦμεν*, weil bis zum festgesetzten Termin bloß der einleitende Theil eingeliefert und das Uebrige erst nachgebracht war, für die Preiserwerbung nicht berücksichtigt werden. Doch wird in Anbetracht des aus ihr ersichtlichen Fleißes und wissenschaftlichen Sinnes der Verfasser, im Falle er seinen Namen beim Dekan angeben wird, eine Gratification erhalten.

Auf die Preisaufgabe der juristischen Fakultät waren zwei Bewerbungsschriften eingegangen. Beide erhielten den vollen Preis. Die Verfasser sind:

Julius Waldthausen, stud. jur., aus Essen

und

G. Böcker, stud. jur., Göttingen, Hainholzweg 15 B.

Der medicinischen Fakultät war keine Beantwortung der Preisfrage eingeliefert.

Für die Lösung der zweiten von der philosophischen Fakultät gestellten Aufgabe war eine Bewerbungsschrift eingegangen, rücksichtlich welcher die Fakultät freilich von der Ertheilung des Preises oder eines Accessits absehen mußte, aber doch dem Verfasser, wenn er seinen Namen dem Dekan angezeigt haben wird, die Auszahlung eines Theiles der Preissumme in Aussicht stellen konnte.

Als Preisaufgaben für das nächste Jahr wurden folgende verkündet.

Die theologische Facultät stellte als wissenschaftliche Aufgabe das Thema:

Quam rationem Lucas in disponenda narrationum serie, diversa a Marci et Matthaei evangeliis, secutus sit, exponatur;

als Predigt-Text gab sie die Stelle: Jes. 41, 10.

Die Preisaufgabe, welche für das nächste Jahr von der juristischen Fakultät gestellt wurde, lautet:

Aus Urkundenbüchern und Statutensammlungen der deutschen Städte, vorzugsweise der großen norddeutschen Städte, sollen die Grundsätze ermittelt werden, nach welchen sich das mittelalterliche Konkursverfahren regelte.

Die medicinische Fakultät wiederholte die für das vergangene Jahr gestellte Aufgabe:

Es soll durch anatomische Untersuchung und durch das Leichenexperiment festgestellt wer-

den, welchen Einfluß auf Entstehung und Bestand der Schulterverrenkungen die einzelnen Theile der Gelenkkapseln und ihre Verstärkungsbänder ausüben.

Die philosophische Fakultät stellte folgende zwei Aufgaben:

1) *Geschichte des Deutschen Königs Wilhelm von Holland;*

2) *Es ist die vortheilhafteste Gestalt des Multiplicators eines solchen Galvanometers zu bestimmen, dessen Magnete rostförmig angeordnet sind.*

(Die Hülfssätze finden sich in Gauß' Werken Band V; bei Weber über das Inductions-Inklinatorium (Göttinger Abhandlungen, 1853), zur Galvanometrie (Göttinger Abhandlungen, 1862); Riecke, Pole der Stabmagnete (Wiedemann's Annalen, 1879); Kind, zur Potentialfunction, Göttingen, 1878.)

Die Bearbeitungen sind in derselben Sprache abzufassen, in welcher die Aufgabe gestellt ist. Sie müssen, mit einem Motto versehen und begleitet von einem versiegelten Zettel, der außen das gleiche Motto trägt und innen den Namen des Verfassers enthält, vor dem 15. April 1881 dem Dekan der betreffenden Fakultät übergeben werden.

Preisstiftung der Wittwe Petsche geb. Labarre.

I. Juristische Fakultät.

In Gemäßheit der Statuten dieser unter dem 10. März 1873 genehmigten Stiftung schreibt die juristische Fakultät folgende Preisaufgabe aus:

Ueber Beschädigung durch Thiere und die daraus entspringenden Civilansprüche nach gemeinem Recht und den im deutschen Reiche geltenden Codificationen in vergleichender Darstellung.

Der Preis (Dreihundert Mark) kann nur einer solchen Arbeit zuerkannt werden, deren Verfasser in diesem oder dem folgenden Semester als Studirender unserer Universität angehört. Die Preisarbeiten müssen spätestens bis zum ersten Januar 1881 dem Dekan der juristischen Fakultät übergeben werden, zugleich mit einem versiegelten den Namen des Verfassers enthaltenden Zettel. Die Arbeit und der Zettel müssen ein gleichlautendes Motto haben.

Göttingen, den 6. Juni 1880.

Ziebarth, d. Z. Dekan.

II. Medicinische Fakultät.

Die Ertheilung des Preises der Petsche-Stiftung steht für diesmal der medicinischen Fakultät im Betrage von 315 Mark zu. Sie fordert die Studirenden der Medicin, welche unsere Universität in diesem oder dem nächsten Semester besuchen, zur Bewerbung auf, indem sie eine Arbeit nach freier Wahl aus den Gebieten der Anatomie oder Physiologie verlangt.

Die Preisarbeiten müssen bis spätestens zum 1. Januar 1881, mit einem gleichlautend auf einen versiegelten inwendig den Namen des Verfassers enthaltenden Zettel zu setzenden Motto versehen, dem Dekan der Fakultät übergeben werden.

Der Erfolg der Preisbewerbung wird in der 1. Woche des März durch Anschlag am schwarzen Brette und durch die »Nachrichten von der Königl. Gesellschaft der Wissenschaften und der Georg-Augusts-Universität« bekannt gemacht werden.

Göttingen, 8. Juni 1880.

Für die medicinische Fakultät
d. z. Dekan
Henle.

III. Philosophische Fakultät.

Für zwei in der ersten Woche des März 1881 zu ertheilende Preise von 150, sage Einhundertundfünfzig Rmk., stellt die philosophische Fakultät folgende Aufgaben:

1) *Quaeratur, num de codicum rationibus, quibus Livii libri 26—30 continentur, A. Luchs recte nuper iudicaverit et quid eis rationibus recte intellectis etiam in libris decadis tertiae prioribus recensendis proficiamus.*

2) *Zusammenstellung der im Sommer und Herbst 1880 in der Umgegend Göttingens häufiger vorkommenden Blattläuse (Aphidinae Burm.), mit Angabe der Pflanzen und Orte, an welchen dieselben getroffen, so wie der Zeit, in welcher die verschiedenen Generationen derselben, ganz besonders die geschlecht-*

liche und geflügelte, gefunden wurden. — Der Arbeit sind als Beweisstücke conservirte Exemplare der beobachteten Formen beizulegen.

Die Preisarbeiten müssen bis zum 1. Januar 1881 mit einem gleichlautend auf einen versiegelten Zettel, der den Namen des Verfassers enthält, zu setzenden Motto versehen dem Dekan übergeben werden.

Göttingen, den 5. Juni 1880.

Hermann Sauppe, d. z. Dekan.

Bei der Königl. Gesellschaft der Wissenschaften eingegangene Druckschriften.

März und April 1880.

(Fortsetzung.)

Mémoires de la Soc. des Sciences phys. de Bordeaux. T. III. 3. Cah.
O. Stone, on the extra meridian determination of time by means of a portable transit-instrument. Cincinnati.
L. Boss, declination of fixed stars. Dudley Observatory. 4.
Annual Report on the Comptrolls of the Currency. December. 1879.
American Geographical Society. Officers and Councilors. 1878.
Journal of the Amer. Geogr. Soc. Vol. X.
Journal of the R. microscopical Society. Vol. III. No. 2.
W. Blasius die Neuaufstellung des naturhistor. Museums zu Braunschweig.
Ders. Reiseskizze. 1880.
F. v. Müller, a descriptive Atlas of the Eucalyptis of Australia. Melbourne. 1880. 4.
Bulletin de l'Acad. Imp. des Sciences de St. Petersbourg. T. XXVI. No. 1.
Atti della Soc. Toscana. Proc. Verb. Marzo. 1880.

Mittheil. der deutschen Gesellsch. für Natur- u. Völkerkunde Ostasiens. Febr. 1880.
G. Giebel, Zeitschrift für die gesammt. Naturwiss. 1879. Bd. IV.
Monumenta medii aevi historica res gastas Poloniae illustrantia. T. V. Pars 1. Krakau. 1879.
Acta historica res gastas Poloniae illustrantia. Vol. III—IV. 1879.
J. L. Milton, a history of Syphilis. London. 1880.
Annali di Statistica. Ser. 2. Vol. 12. Roma. 1880.
Bulletin de la Soc. Imp. de Moscau. 1879. No. 3.
L. v. Pebal, das chemische Institut der Universität Prag. 4. 1880.
Mittheil. des naturwiss. Vereines in Steiermark. Jahrg. 1879.
J. C. Adams, 10 Brochüren mathem. u. astron. Inhalts.
L. Glaisher, Various papers and notes. 1879.
Ders. 7 Brochüren mathem. Inhalts. 1879.
O. Uhlworm, Botanisches Centralblatt. No. 1. 1880.
R. Wolf, Astronomische Mittheilungen. Febr. 1880.
*) Abhandlungen u. Sitzungsber. der Akad. der Wiss. zu Krakau.
— der historisch-politischen Abtheilung. Bd. XI. 1879.
— der mathematisch-naturwissensch. Abth. Bd. XI. 1880.
Berichte der Commission zur Erforschung der Kunstgeschichte in Polen. H. IV. Krakau. 1879.
Berichte der physiographischen Commission d. Akad. d. Wiss. z. Krakau. Bd. XIII.
Prähistorische Denkmäler d. polnischen Länder, herausg. v. d. archäologischen Commission der Akad. d. Wiss. zu Krakau. Serie I. H. 1. 1879.

*) d. Krakauer Schriften in polnischer Sprache.

Für die Redaction verantwortlich: *E. Rehnisch*, Director d. Gött. gel. Anz.
Commissions-Verlag der *Dieterich'schen Verlags-Buchhandlung.*
Druck der *Dieterich'schen Univ.-Buchdruckerei (W. Fr. Kaestner).*

Nachrichten

von der Königl. Gesellschaft der Wissenschaften und der G. A. Universität zu Göttingen.

23. Juni. **№ 11.** 1880.

Königliche Gesellschaft der Wissenschaften.

Sitzung am 5. Juni.

Bollensen: Die Recensionen der Sakuntala. (Vorgelegt von Benfey.)
Erman: Bruchstücke der ober-ägyptischen Uebersetzung des alten Testaments. (Vorgelegt von de Lagarde.)
Schering: Photographien von Briefen der Sophie Germain an Gauss. (Geschenk von Boncompagni.)
Schubert: Ueber dreipunktige Berührung von Curven. (Vorgelegt von Stern.)
Hettner: Ueber diejenigen algebraischen Gleichungen zwischen zwei veränderlichen Größen, welche eine Schaar rationaler eindeutig umkehrbarer Transformationen in sich selbst zulassen. (Vorgelegt von Schwarz.)

Die Recensionen der Sakuntala.

Von

Friedrich Bollensen.

Auf dem bisher beschrittenen Wege hat es nicht gelingen wollen, die Streitfrage über die Ursprünglichkeit der einen oder der andern Recension der Sakuntala zu entscheiden. Wir schlagen daher einen andern Weg ein. Um zu einem Resultate zu gelangen, stellen wir die beiden Dramen Malavika und Urwasi einander gegenüber und erkennen sofort, daß zwischen diesen beiden Dramen ein ähnliches Verhältniß obwaltet wie zwischen den beiden Recens. der Sakuntala.

Das zähe Festhalten an der Ueberlieferung ist ein charakteristischer Zug der Inder im Leben wie in der Literatur. Dessen ungeachtet sehen wir den Dichter gleich in seinem Erstlingsdrama die überlieferte Form verlassen, was ohne äußere zwingende Gründe gewiß nicht geschehen wäre. Er beschränkt nämlich die Çauras. als altmodisches und gelehrtes Prakrit auf Männer mit Schulbildung, läßt aber die weiblichen Hauptpersonen nebst ihren Begleiterinnen ein jüngeres Prakrit reden, wie es wahrscheinlich zu seiner Zeit in höfischen Kreisen gesprochen ward.

Kalidasa ist sich wohl bewußt, daß dieser Bruch der Ueberlieferung der Entschuldigung bedarf und er beruft sich darum im Prologe auf ältere Dichter, die ihm allem Anschein nach in dieser Neuerung voraufgegangen waren. Der äußere Zwang lag jedoch in der Forderung der Theaterintendanz: denn nur die wirklich aufgeführten Stücke wie Mal. und Sakunt. in der Dewanagari-Recension huldigen dieser Neuerung. Die Prologe der Malavika und der Sak. besagen, daß die Stücke zu einer bestimmten Jahreszeit aufgeführt sind: in der Urwasi fehlt dieser Nachweis und das Stück ist somit aus irgend welchem Grunde nicht zur Darstellung auf der Bühne gelangt.

Darum herrscht in demselben die strenge Observanz der Çauraseni. Eben so verhält es sich mit den beiden Recensionen der Sakuntala. Ursprünglich wird der Dichter das Drama verfaßt haben ohne specielle Berechnung für die

Bühne und diese Form überliefert die Beng. Recension. Die Lektüre des Stücks muß aber die höfischen Kreise so entzückt haben, daß die Theaterintendanz den Befehl erhielt den Dichter zu veranlassen das Stück bühnengerecht einzurichten und den Wünschen des Hofes gemäß die Sprache der Frauen zu modernisiren nach dem Muster der Malawika. Diesem Umstande schreiben wir auch die Kürzungen zu und das so gekürzte und in der Sprache theilweise umgemodelte Stück liegt in der andern Recens. der Devan. vor. Beide Recens. rühren demnach vom Dichter selbst her: die eine Recens. ist das Lesedrama, die andere das bühnengerechte Spieldrama. Dem scheint der Prolog im Lesedrama der Beng. Rec. zu widersprechen; denn auch im Prologe dieser Rec. wird die Zeit der Aufführung bestimmt. Aber gerade diese Bestimmung kann nicht echt sein, sondern muß aus der Recens. des Spieldramas entlehnt sein, da namentlich das Lied gänzlich verunstaltet und gegen die Regel verstößt, daß eine Singstrophe nie in eine Gahaform gekleidet wird. Somit scheide ich von den streitenden Parteien mit dem Glückwunsch: Jeder hat Recht, keiner Unrecht.

Briefe der Sophie Germain an Gauss, in Photographie veröffentlicht von B. Boncompagni.

Mitgetheilt von **Ernst Schering**.

Der Principe Baldassare Boncompagni hat der königlichen Gesellschaft der Wissenschaften wiederum ein sehr werthvolles Geschenk gemacht, welches ich die Ehre habe hier vorzulegen, nemlich die durch seine für die Wissenschaft allzeit bereite großartige Opferwilligkeit photographisch veröffentlichten fünf ersten Briefe von Sophie Germain an Gauss. Diese Briefe haben ein hervorragend biographisches Interesse nicht nur für die mit so hoher mathematischer Befähigung begabte Dame, sondern auch für Gauss, weil jetzt die von ihm geschriebenen Antworten aufgefunden und veröffentlicht sind.

Von den beiden ersten Briefen der Sophie Germain an Gauss besitzt man auch die Concepte, nemlich, wie Mr. de Courcel dem Principe B. Boncompagni mitgetheilt hat, auf der Bibliothèque Nationale de Paris, Fonds français Nr. 9118. Gedruckt sind diese beiden Brouillons in dem Werke: Oeuvres philosopbiques de Sophie Germain, par Hte Stupuy, Paris 1879 pag. 298—302, pag. 308—311. Im Anschluß hieran sind in demselben Werke auch drei Briefe von Gauss an Sophie Germain abgedruckt. Die Originale dieser drei Briefe finden sich in der Bibliothèque nationale de Paris Fonds français Nr. 9118, welche Mr. Aristide Marre im Jahre 1879 auf Wunsch des Pr. B. Boncompagni zum Zweck der Berichtigung eines Irrthums in dem Buche von Hte Stupuy durchgesehen hat. Der durch den wissenschaftlichen Inhalt, und durch seine Bedeutung für die Geschichte der Mathematik wichtigste Brief von Gauss an Sophie Germain ist im Besitze des Pr. B. Boncompagni. Dieser hat den Brief photographisch veröffentlicht und der königlichen Gesellschaft der Wiss. ein Exemplar geschenkt, welches ich im vorigen Jahre die Ehre hatte zu überreichen. Das Original gehörte früher der Autographen-Sammlung des Guillaume Libri an, kam von dort an Mr. Tommaso Montanari, Ingénieur zu Mailand, von welchem es im Jahre 1878 durch Kauf an den Pr. B. Boncompagni gelangte und Dank der Opferwilligkeit dieses um die Wissenschaft so hoch verdienten Mannes gerettet und den Mathematikern zugänglich gemacht ist. Dieser Brief von Gauss ist ein solches Zeugniß für Sophie Germain, daß es allein schon eine genügende Veranlassung zu der Absicht der Stadt Paris hätte bieten können, nemlich, wie Mr. Aristide Marre mir mitzutheilen so gütig war, an der Façade des neu zu erbauenden Hôtel de Ville die Statue der Sophie Germain neben anderen um die Wissenschaft verdienten Persönlichkeiten Frankreichs zu errichten.

Die königliche Gesellschaft der Wissenschaften beauftragt ihr Mitglied E. Schering dem Pr. B. Boncompagni ihren verbindlichen Dank auszusprechen.

Ueber dreipunktige Berührung von Curven.

Von

Dr. H. Schubert in Hamburg.

In einer nächstens in den Math. Ann. erscheinenden Abhandlung habe ich für das Dreieck in fester Ebene diejenigen Formeln aufgestellt, welche den der Göttinger Societät am 7. Juli 1877 vorgelegten Formeln für den Strahlbüschel, das Punktepaar u. s. w. analog sind.

Zu diesen Dreiecksformeln gelangt man durch die Methode, welche ich schon in den §§. 39 bis 41 meines »Kalküls der abzählenden Geometrie« (Teubner 1879) angewandt habe. Während die auf das allgemeine Dreieck bezüglichen Formeln ziemlich lang sind, haben diejenigen, welche sich auf das unendlich kleine Dreieck beziehen, eine äußerst einfache Gestalt. Zugleich liefern dieselben gewisse Anzahl-Resultate über die dreipunktige Berührung von Curven und Curvensystemen, welche größtentheils neu, und den bekannten von Chasles, Fouret und dem Verfasser gefundenen Resultaten über zweipunktige Berührung analog sind. Die Auseinandersetzung der Formeln für das unendlich kleine Dreieck und der daraus resultirenden Formeln über dreipunktige Berührung ist der Zweck dieser Mittheilung.

»Unendlich kleines Dreieck« nenne ich jedes Gebilde, welches aus drei unendlich nahen Punkten besteht, deren drei Verbindungslinien auch unendlich nahe sind. Dieses Gebilde besteht also aus einem Punkte, der immer s heißen soll, und einem Strahle, den wir mit g bezeichnen wollen, ist aber durch die gegebene Lage von s und g noch nicht hinreichend bestimmt. Es fehlt zu seiner Bestimmung noch eine Bedingung, welche angiebt, mit welcher Krümmung die drei Punkte unendlich nahe liegen sollen. Das unendlich kleine Dreieck in fester Ebene hat also die Constantenzahl 4. Faßt man auf einer Plancurve je drei aufeinanderfolgende Punkte oder Tangenten zu einem unendlich kleinen Dreieck zusammen, so erhält man ein spezielles einstufiges System von solchen Gebilden, welches in den Wendepunkten und in den Spitzen der Curve, unendlich kleine Dreiecke besitzt, die als ausgeartet zu bezeichnen sind. Man kann nämlich kurz sagen, daß in einem Wendepunkt die drei das unendlich kleine Dreieck constituirenden Punkte nicht bloß unendlich nahe, sondern auch in gerader Linie liegen, und daß, dual entsprechend, in einem Rückkehrpunkte die drei Seiten nicht bloß unendlich nahe liegen, sondern auch sich in einem und demselben Punkte schneiden. Jedes unendlich kleine Dreieck, dessen drei Ecken so liegen, wie die drei in einem Wendepunkte unendlich nahen Punkte, bezeichnen wir mit η, und jedes unendlich kleine Dreieck, dessen Seiten so liegen, wie die drei in einem Rückkehrspunkte unendlich nahen Tangenten, bezeichnen wir mit ζ. Die 4 eingeführten Buchstaben

$$s,\ g,\ \eta,\ \zeta$$

sollen zugleich einfache Bedingungen bedeuten, und zwar, immer unter Voraussetzung einer festen Ebene:

s die Bedingung, daß der Punkt s auf einer gegebenen Geraden liege,

g die Bedingung, daß der Strahl g durch einen gegebenen Punkt gehe,

η die Bedingung, daß das unendlich kleine Dreieck zu einer Ausartung η werde,

ζ die Bedingung, das es zu einer Ausartung ζ werde.

Ferner sollen, gemäß den Grundregeln meines Abzählungskalküls (cf. Gött. Nachr. 1874 und 1875, oder Math. Ann. Bd. 10 oder mein schon citirtes Buch) die Symbole

$$s^2,\ sg,\ g^2,\ s^2 g$$

die entsprechenden zusammengesetzten Bedingungen bezeichnen, also z. B. s^2 die zweifache Bedingung, daß der Punkt s auf zwei gegebenen Geraden liegen, d. h. gegeben sein soll.

Die Zusammenstellung einer dieser Symbole mit η oder ζ bedeutet die Bedingung, daß das unendlich kleine Dreieck zu einem Dreieck η oder ζ spezialisirt sei, und dabei die durch das Symbol dargestellte Bedingung erfülle. Z. B. bezeichnet ηg^2 die dreifache Bedingung, daß ein unendlich kleines Dreieck seine drei Ecken in gerader Linie und zwar auf einer gegebenen Geraden besitze.

Endlich definiren wir noch die einfache Bedingung d, welche bedeuten möge, daß die 3 Ecken des unendlich kleinen Dreiecks consecutive Punkte eines der ∞^2 Kegelschnitte sein sollen, die durch drei gegebene Punkte gehen, ferner die beiden zweifachen Bedingungen e und f, von denen e bedeuten möge, daß die Ecken drei consecutive Punkte eines der ∞^1 Kegelschnitte eines Kegelschnittbüschels sein sollen, und f die zu e duale Bedingung bezeichnen möge.

In Bezug auf ein zu Grunde gelegtes, i-stufiges System bedeutet jedes der eingeführten i-fachen Bedingungssymbole zugleich die endliche Anzahl derjenigen unendlich kleinen Dreiecke, welche, dem Systeme angehörig, die durch das Symbol dargestellte i-fache Bedingung erfüllen. Ein gegebenes System bezeichnen wir immer durch Σ mit einem angefügten Index und die auf ein solches System bezüglichen Bedingungen durch die oben eingeführten Buchstaben, aber versehen mit demselben Index, wie Σ.

Für jedes einstufige System von unendlich kleinen Dreiecken sind in der anfänglich erwähnten Abhandlung die folgenden beiden Formeln abgeleitet:

1) $$d = 3.s + \eta \text{ und}$$

2) $$d = 3.g + \zeta,$$

woraus folgt:

3) $$3.s + \eta = 3.g + \zeta.$$

Ist das einstufige System speziell durch je drei consecutive Punkte einer Curve $n$ter Ordnung n'ten Ranges mit $\varkappa$ Spitzen und $\varkappa'$ Wendepunkten erzeugt, so liefert Formel 3) die bekannte Plückersche Formel:

4) $$3.n + \varkappa' = 3.n' + \varkappa.$$

Man beachte jedoch, daß Formel 3) auch gilt, wenn der Ort der Punkte s des Systems und der Ort der Strahlen g nicht eine und dieselbe Curve geben. Aus Formel 3) folgt durch symbolische Multiplication mit s:

$$3.s^2 + \eta.s = 3.sg + \zeta s,$$

und, da nach den Incidenzformeln (Math. Ann. Bd. 10, p. 27)

$$sg = s^2 + g^2$$

ist, auch:

5) $$\eta s = 3.g^2 + \zeta s.$$

Durch Multiplication von 3) mit g folgt:

6) $$\zeta g = 3.s^2 + \eta g.$$

Diese Formeln gelten für Systeme zweiter Stufe. Für Systeme dritter Stufe erhält man durch nochmalige Multiplication mit s resp. g:

7) $\eta s^2 = 3.s^2 g + \zeta s^2,$

8) $\zeta g^2 = 3.s^2 g + \eta g^2.$

Für die Bedingungen e und f gelten die beiden folgenden, auf zweistufige Systeme bezüglichen Formeln:

9) $e = 6.g^2 + 3.s^2 + \eta g + 2.\zeta s,$

10) $f = 6.s^2 + 3.g^2 + \zeta s + 2.\eta g.$

Wir gelangen nun zu den Formeln, welche sich auf die gemeinsamen Elemente zweier von einander unabhängiger Systeme Σ_1 und Σ_2 von unendlich kleinen Dreiecken beziehen. Ist Σ_1 einstufig, Σ_2 dreistufig, so ergiebt sich die Zahl x_{13} der Σ_1 und Σ_2 gemeinsamen Dreiecke aus:

11) $x_{13} = s_1 . \eta_2 g_2^2 + g_1 . \zeta_2 s_2^2 + d_1 . s_2^2 g_2,$

oder, mit Benutzung von Formel 1) und 2):

12) $x_{13} = s_1 . \eta_2 g_2^2 + g_1 . \zeta_2 s_2^2 + (3.s_1 + \eta_1) . s_2^2 g_2,$

13) $x_{13} = s_1 . \eta_2 g_2^2 + g_1 . \zeta_2 s_2^2 + (3 g_1 + \zeta_1) . s_2^2 g_2.$

Sind die gegebenen Systeme Σ_1 und Σ_2 beide zweistufig, so erhält man die Zahl x_{22} der ihnen gemeinsamen unendlich kleinen Dreiecke aus:

14) $x_{22} = s_1^2 . \eta_2 g_2 + g_1^2 . \zeta_2 s_2 + e_1 . (\tfrac{2}{3} g_2^2 - \tfrac{1}{3} s_2^2)$
$+ f_1 . (\tfrac{2}{3} s_2^2 - \tfrac{1}{3} g_2^2),$

oder mit Benutzung von 9) und 10):

15) $x_{22} = s_1^2 . \eta_2 g_2 + g_1^2 . \zeta_2 s_2 + \eta_1 g_1 . s_2^2 + \zeta_1 s_1 . g_2^2$
$+ 3.s_1^2 . s_2^2 + 3.g_1^2 . g_2^2$

Sind zwei Systeme gegeben, von denen das eine, Σ_1 zweistufig, das andere Σ_2 aber dreistufig ist, so giebt es ∞^1 gemeinsame unendlich kleine Dreiecke, und man kann nach der Ordnung sx_{23} der von ihren Punkten s gebildeten Curve fragen, ferner nach der Zahl ηx_{23} derjenigen unter ihnen, welche die Definition von η erfüllen, endlich nach den sx_{23} und ηx_{23} dual entsprechenden Zahlen gx_{23} und ζx_{23}. Zu diesen 4 Zahlen kann man durch Multiplication von 11) mit s_1; η_1, g_1, ζ_1 gelangen. Dabei hat man zu beachten, daß $\eta d = 3.\eta g$ zu setzen ist, weil ηd nur von einem Dreieck erfüllt werden kann, welches auf einem in ein Geradenpaar ausgearteten Kegelschnitte liegt, und weil ein drei Punkte enthaltendes Geradenpaar auf dreifache Weise dadurch entstehen kann, daß man durch zwei Punkte die eine Gerade bestimmt, und die andere Gerade durch den dritten Punkt gehen läßt. Man erhält so bei hinreichender Benutzung der Formeln 5) und 6):

$$16)\quad sx_{23} = s_1^2.\eta_2 g_2^2 + s_1^2.\zeta_2 s_2^2 + g_1^2.\zeta_2 s_2^2 + 3.s_1^2.s_2^2 g_2 + 3.g_1^2.s_2^2 g_2 + \zeta_1 s_1.s_2^2 g_2,$$

$$17)\quad \eta x_{23} = \zeta_1 s_1.\eta_2 g_2^2 + 3.g_1^2.\eta_2 g_2^2 + \eta_1 g_1.\zeta_2 s_2^2 + 3.\eta_1 g_1.s_2^2 g_2,$$

$$18)\quad gx_{23} = s_1^2.(\eta_2 g_2^2 + 3.s_2^2 g_2) + g_1^2.(\eta_2 g_2^2 + \zeta_2 s_2^2 + 3.s_2^2 g_2) + \eta_1 g_1.s_2^2 g_2,$$

$$19)\quad \zeta x_{23} = 3.s_1^2.\zeta_2 s_2^2 + \eta_1 g_1.\zeta_2 s_2^2 + \zeta_1 s_1.(\eta_2 g_2^2 + 3.s_2^2 g_2).$$

Die Formeln 16) und 18) kann man auf einem zweiten Wege dadurch erhalten, daß man Formel 15) mit s_2 und mit g_2 multiplicirt.

Sind zwei dreistufige Systeme Σ_1 und Σ_2 gegeben, so kann man nach der Zahl $s^2 x_{33}$ derjenigen gemeinsamen unendlich kleinen Dreiecke fragen, welche einen gegebenen Punkt s haben, sowie nach der dual entsprechenden Zahl $g^2 x_{33}$, außerdem aber auch nach der Zahl $\eta g s_{33}$ derjenigen unendlich kleinen Dreiecke, welche die Ausartungs-Bedingung η erfüllen, und dabei den Strahl g durch einen gegebenen Punkt schicken, endlich auch nach der $\eta g x_{33}$ dual entsprechenden Zahl $\zeta s x_{33}$. Man erhält diese 4 Zahlen sehr leicht durch Multiplication der Formeln 16) bis 19) bei Benutzung von 7) und 8):

$$20)\ s^2 x_{33} = s_1^2 g_1 . \zeta_2 s_2^2 + \zeta_1 s_1^2 . s_2^2 g_2 + 3 . s_1^2 g_1 . s_2^2 g_2,$$

$$21)\ g^2 x_{33} = s_1^2 g_1 . \eta_2 g_2^2 + \eta_1 g_1^2 . s_2^2 g_2 + 3 . s_1^2 g_1 . s_2^2 g_2,$$

$$22)\ \eta g x_{33} = \eta_1 g_1^2 . \eta_2 g_2^2 + \eta_1 g_1^2 . \zeta_2 s_2^2 + \zeta_1 s_1^2 . \eta_2 g_2^2 + 3 . s_1^2 g_1 . \eta_2 g_2^2 + 3 . \eta_1 g_1^2 . s_2^2 g_2,$$

$$23)\ \zeta s x_{33} = \zeta_1 s_1^2 . \zeta_2 s_2^2 + \zeta_1 s_1^2 . \eta_2 g_2^2 + \eta_1 g_1^2 . \zeta_2 s_2^2 + 3 . s_1^2 g_1 . \zeta_2 s_2^2 + 3 . \zeta_1 s_1^2 . s_2^2 g_2.$$

Der Umstand, daß jede dieser Formeln durch Vertauschung der Indices 1 und 2 in sich selbst übergeht, giebt eine Controle der Rechnung.

Nimmt man mehr als 2 Systeme als gegeben an, so entstehen die Fragen nach der endlichen Anzahl derjenigen unendlich kleinen Dreiecke, welche zwei zweistufigen und einem dreistufigen Systeme gemeinsam sind, ferner nach den Zahlen s, η, g, ζ des Systems derjenigen ∞^1 unendlich kleinen Dreiecke, welche drei zweistufigen Systemen gemeinsam sind, und endlich nach der endlichen Anzahl der vier dreistufigen Systemen gemeinsamen unendlich kleinen Dreiecke. Diese Zahlen, welche sich leicht aus den vorangehenden Formeln durch Substitutionen und durch Ausführung von Multiplicationen ergeben, schreibe ich hier, der Kürze wegen, nur für die speziellen Fälle, wo die Systeme durch Curvensysteme erzeugt sind (cf. Sätze 24 bis 27).

Wir kommen jetzt zu der Anwendung der aufgestellten Formeln auf die Anzahl-Probleme der stationären, d. h. dreipunktigen Berührung von Curven. Wie schon oben bemerkt ist, erhalten wir auf einer Plancurve ein einstufiges System von unendlich kleinen Dreiecken, wenn wir immer je 3 consecutive Punkte oder Tangenten zusammenfassen. Dabei beschreiben die ∞^1 Punkte s die Curve selbst, und die ∞^1 Strahlen g hüllen dieselbe ein. Die Ausartungen η des Systems werden ferner durch die Wendetangenten, und die Ausartungen ζ durch die Spitzen der Curve erzeugt. Wenn also n die Ordnung der Curve, n' ihren Rang, $\varkappa$ die Zahl ihrer Spitzen, $\varkappa'$ die Zahl ihrer Wendetangenten bezeichnet, so ist zu setzen:

$$s = n, \; g = n', \; \eta = \varkappa', \; \zeta = \varkappa.$$

Hat man nun ein einstufiges Curvensystem, so erhält man ein zweistufiges System von unendlich kleinen Dreiecken, wenn man in derselben Weise auf jeder der ∞^1 Curven je drei consecutive Punkte zu einem unendlich kleinen Dreieck zusammenfaßt. Für ein so definirtes, zweistufiges System bekommen die oben eingeführten Symbole s^2, g^2, ηg, ζs die folgenden Werthe:

$$s^2 = \mu, \; g^2 = \mu', \; \eta g = k', \; \zeta s = k,$$

wo μ angiebt, wie viel Curven des Curvensystems durch einen gegebenen Punkt gehen, μ', wieviel eine gegebene Gerade berühren, wo ferner ηg den Rang der von den Wendetangenten eingehüllten Curve, ζs die Ordnung der von den Spitzen beschriebenen Curve bezeichnen.

In derselben Weise erhält man aus einem zweistufigen Curvensysteme ein dreistufiges System von unendlich kleinen Dreiecken, für welches man zu setzen hat:

$$s^2 g = M,\ \eta g^2 = K',\ \zeta s^2 = K,$$

wo M angiebt, wieviel Curven des zweistufigen Systems eine gegebene Gerade in einem gegebenen Punkte berühren, wo K' angiebt, wieviel Curven des Systems eine gegebene Wendetangente haben, und wo endlich K angiebt, wieviel Curven des Systems eine gegebene Spitze haben.

Man beachte, daß andere auf η und ζ bezügliche Symbole, als die angeführten:

$$\eta g,\ \zeta s,\ \eta g^2,\ \zeta s^2$$

auch von ausgearteten Curven erfüllt werden können. Beispielsweise würde die dreifache Bedingung ηs^2 erstens von jeder Curve erfüllt werden, von welcher ein Wendepunkt in den durch die Bedingung s^2 gegebenen Punkt fällt, zweitens aber auch von jeder ausgearteten Curve, welche eine einfache oder mehrfache Ordnungsgerade durch den gegebenen Punkt der Bedingung s^2 schickt. Deßhalb sind bei der Ableitung der Formeln 11) bis 23) die Symbole

$$\eta s,\ \zeta g,\ \eta s^2,\ \zeta g^2$$

stets ferngehalten, was durch die Formeln 5) bis 8) ermöglicht war.

Wenn nun die von zwei Curven in der erörterten Weise erzeugten Systeme von unendlich kleinen Dreiecken ein unendlich kleines Dreieck gemeinsam haben, so heißt dies nichts anderes, als daß die beiden Curven sich dreipunktig berühren. Demnach erhält man aus den Formeln 12), 15), 16) bis 23) unmittelbar die auf dreipunktige Berührung bezüglichen Anzahlen, sobald man nur für die Symbole:

$$s, g, \eta, \zeta, s^2, g^2, \eta g, \zeta s, s^2 g, \eta g^2, \zeta s^2$$

die eben erkannten Werthe:

$$n, n', \varkappa', \varkappa, \mu, \mu', k', k, M, K', K$$

einsetzt. Die letztgenannten Buchstaben sollen dabei immer den Index i bekommen, wenn sie sich auf eine Curve oder ein Curvensystem beziehen, welches mit S_i bezeichnet ist. Von zwei sich dual entsprechenden Anzahl-Sätzen schreiben wir immer nur den einen. Die aus 12), 15), 16), 17), 20), 22) resultirenden Sätze erhalten bezüglich die Nummern: 12a), 15a), 16a), 17a), 20a), 22a).

Anzahl-Sätze über die dreipunktige Berührung zwischen zwei Curven.

12a) Ein gegebenes zweistufiges Curvensystem S_2 enthält immer:

$$n_1 . K'_2 + n'_1 . K_2 + (3 . n_1 + \varkappa'_1) . M_2$$

Curven, welche eine gegebene Curve S_1 dreipunktig berühren[1]).

1) Diese Zahl fand zuerst Halphen in dem Bull. de

15a) Wenn zwei einstufige Curvensysteme S_1 und S_2 gegeben sind, so kommt es

$$\mu_1.k'_2 + \mu'_1.k_2 + k'_1.\mu_2 + k_1.\mu'_2 + 3.\mu_1.\mu_2 + 3.\mu'_1.\mu'_2$$

Male vor, daß eine Curve des einen Systems eine Curve des anderen Systems dreipunktig berührt[1]).

16a) und 17a) Wenn ein einstufiges Curvensystem S_1 und ein zweistufiges S_2 gegeben sind, so kommt es ∞^1 mal vor, daß eine Curve des einen Systems eine Curve des anderen Systems dreipunktig berührt. Dabei bilden die ∞^1 Berührungspunkte eine Curve von der Ordnung

$$\mu_1.(K'_2 + K_2 + 3.M_2) + \mu'_1.(K_2 + 3.M_2) + k_1.M_2$$ [2])

Es kommt ferner eine endliche Anzahl mal vor, daß die drei in einer Berührungsstelle unendlich nahen Schnittpunkte in gerader Linie liegen. Diese Anzahl ist gleich:

la Soc. math., tome V, p. 14 durch die von ihm erweiterte Zeuthen'sche Geschlechtsformel. Dann erkannte sie auch Zeuthen in den Comptes rendus, tome 89, p. 901 mit Hülfe des Princips von der Erhaltung der Anzahl.

1) Diese Zahl bestimmte zuerst Zeuthen in den Comptes rendus, tome 89, p. 947 durch geschickte Benutzung des Princips von der Erhaltung der Anzahl (Form III des Princips, cf. meinen »Kalkül« §. 4.).

2) Dieses Resultat, sowie alle folgenden, dürften neu sein. Als ich Herrn Zeuthen die Zahlen 16a) und 20a) mitgetheilt hatte, fand er dieselben auch durch seine Methode.

$$3.\mu'_1.K'_2 + k_1.K'_2 + k'_1(K_2 + 3M_2).$$

20a) und 22a) Wenn zwei zweistufige Curvensysteme S_1 und S_2 gegeben sind, so kommt es ∞^2 mal vor, daß eine Curve aus S_1 eine Curve aus S_2 dreipunktig berührt, und zwar geschieht dies in jedem Punkte der Ebene so oft, wie die folgende Zahl angiebt:

$$M_1.K_2 + K_1.M_2 + 3.M_1.M_2.$$

Dabei kommt es ∞^1 mal vor, daß die drei in einer Berührungsstelle unendlich nahen Schnittpunkte in gerader Linie liegen. Die so entstehenden ∞^1 geraden Linien hüllen eine Curve ein vom Range:

$$K'_1.K'_2 + K'_1.K_2 + K_1.K'_2 + 3.M_1.K'_2 + 3.K'_1.M_2$$

Die Sätze, welche sich auf die dreipunktige Berührung zwischen Curven aus 3 oder 4 gegebenen Systemen beziehen, ergeben sich aus den obigen Formeln meist auf mehrfache Weise. Es seien z. B. ein einstufiges System S_1 und zwei zweistufige Systeme S_2 und S_3 gegeben. Dann kann man aus den Formeln 20) bis 23) die Anzahlen für die ∞^2 Berührungen zwischen S_2 und S_3 entnehmen, und dann die Formel 15) derartig benutzen, daß man die so gefundenen Anzahlen für die mit dem Index 2 versehenen Symbole setzt, dagegen für die mit dem Index 1 versehenen Symbole die auf S_1 bezüglichen Zahlen μ_1, μ'_1, k_1, k'_1 einsetzt. Man kann aber auch aus den Formeln 16) bis 19) die Anzahlen für die ∞^1 Berührungen zwischen

S_1 und S_2 entnehmen, diese Anzahlen in Formel 12) oder 13) für die mit dem Index 1 versehenen Symbole setzen, und die Werthe der mit dem Index 2 versehenen Symbole aus S_3 bestimmen. Ebenso gelangt man in den übrigen Fällen auf mehreren Wegen zu den gesuchten Anzahlen, und erhält sowohl dadurch, wie auch durch die Forderung der Symmetrie Controlen der Rechnung.

Anzahl-Sätze über die dreipunktige Berührung zwischen drei Curven.

24) Aus einem gegebenen einstufigen Systeme S_1 und zwei gegebenen dreistufigen Systemen S_2 und S_3 ergeben sich so oft mal drei den drei Systemen angehörige Curven, welche sich an derselben Stelle gegenseitig dreipunktig berühren, wie die folgende Zahl angiebt:

$$\begin{aligned}
&\mu_1 \cdot (K_2.K'_3 + K'_2.K_3 + K'_2.K'_3 + 3M_2.K_3 \\
&\qquad + 3.M_2.K'_3 + 3.K_2M_3 + 3.K'_2.M_3 \\
&\qquad + 9.M_2 M_3) \\
&+ \mu'_1 \cdot (K'_2.K_3 + K_2.K'_3 + K_2.K_3 + 3.M_2.K'_3 \\
&\qquad + 3.M_2.K_3 + 3.K'_2.M_3 + 3.K_2.M_3 \\
&\qquad + 9.M_2 M_3) \\
&+ k_1 \cdot (M_2.K'_3 + K'_2.M_3 + 3.M_2 M_3) \\
&+ k'_1 \cdot (M_2.K_3 + K_2.M_3 + 3.M_2 M_3)
\end{aligned}$$

25) und 26) Wenn drei zweistufige Systeme S_1, S_2, S_3 gegeben sind, so kommt es ∞^1 mal vor, daß sich drei

den drei Systemen angehörige Curven in denselben drei unendlich nahen Punkten dreipunktig berühren. Die dadurch hervorgerufenen ∞^1 Berührungspunkte bilden eine Curve von der Ordnung:

$$\begin{aligned}
& M_1.(K_2K_3+K_2K'_3+K'_2K_3) \\
& +M_2.(K_3K_1+K_3K'_1+K'_3K_1) \\
& +M_3.(K_1K_2+K_1K'_2+K'_1K_2) \\
& +3.M_2M_3.(2.K_1+K'_1) \\
& +3.M_3M_1.(2.K_2+K'_2) \\
& +3.M_1M_2.(2K_3+K'_3) \\
& +18.M_1M_2M_3.
\end{aligned}$$

Dabei kommt es eine endliche Anzahl mal vor, daß die drei unendlich nahen Schnittpunkte der drei Curven in gerader Linie liegen. Diese Zahl ist gleich:

$$\begin{aligned}
& K'_1K_2K_3+K_1K'_2K_3+K_1K_2K'_3 \\
& +K_1K'_2K'_3+K'_1K_2K'_3+K'_1K'_2K_3 \\
& +3M_1.(K_2K'_3+K'_2K_3+K'_2K'_3) \\
& +3M_2.(K_3K'_1+K'_3K_1+K'_3K'_1) \\
& +3M_3.(K_1K'_2+K'_1K_2+K'_1K'_2) \\
& +9M_2M_3K'_1+9M_3M_1K'_2+9M_1M_2K'_3.
\end{aligned}$$

Anzahl-Satz über die dreipunktige Berührung zwischen vier Curven.

27) Wenn vier zweistufige Systeme von Curven, S_1, S_2, S_3, S_4 gegeben sind, so kommt es eine endliche Anzahl mal

vor, daß sich vier den vier Systeme angehörige Curven in denselben drei unendlich nahen Punkten dreipunktig berühren. Diese endliche Anzahl ist gleich

$$M_1(K'_2 K_3 K_4 + K_2 K'_3 K_4 + K_2 K_3 K'_4$$
$$+ K_2 K'_3 K'_4 + K'_2 K_3 K'_4 + K'_2 K'_3 K_4)$$
$$+ M_2.(\ldots\ldots) + M_3.(\ldots\ldots) + M_4.(\ldots\ldots)$$
$$+ 3.M_1 M_2.(K_3 K_4 + K'_3 K'_4$$
$$+ 2.K_3.K'_4 + 2.K'_3 K_4)$$
$$+ 3.M_1 M_3.(\ldots\ldots) + 3 M_1 M_4.(\ldots\ldots)$$
$$+ 3 M_2 M_3.(\ldots\ldots) + 3 M_2 M_4.(\ldots\ldots) + 3 M_3 M_4(\ldots\ldots)$$
$$+ 18 M_2 M_3 M_4.(K_1 + K'_1)$$
$$+ 18 M_3 M_4 M_1.(K_2 + K'_2)$$
$$+ 18 M_4 M_1 M_2.(K_3 + K'_3)$$
$$+ 18 M_1 M_2 M_3.(K_4 + K'_4) + 54 M_1 M_2 M_3 M_4,$$

wo in die durch Punkte ausgefüllten Klammern immer diejenigen Ausdrücke gehören, welche dem in der vorangehenden Klammer stehenden Ausdrucke analog sind.

Sind die gegebenen Systeme Kegelschnitt-Systeme, so reducirt sich jeder der obigen Ausdrücke auf 1 oder 2 Glieder, weil ein Kegelschnitt weder eine Spitze noch eine Wendetangente hat. Z. B. erhält man aus 27) für Kegelschnitte das Resultat, daß es bei 4 gegebenen Kegelschnitt-Netzen 54 mal vorkommt, daß 4 den 4 Netzen angehörige Kegelschnitte sich in denselben drei unendlich nahen Punkten dreipunktig berühren. Zahlen-Beispiele für höhere Curven kann man in großer Mannichfaltigkeit aus meinen Zahlen-Tabellen für Curven dritter

Ordnung entnehmen (Kalkül d. abzähl. Geom. p. 140 bis 142 und 158). Z. B. ist für eine cubische Curve mit Spitze:

$$n = 3, \; n' = 3, \; \varkappa' = 1,$$

für das System aller solcher durch 6 gegebene Punkte gehender Curven:

$$\mu = 24, \; \mu' = 60, \; k = 12, \; k' = 72,$$

und für das System aller solcher durch 5 gegebene Punkte gehender Curven:

$$M = 18, \; K = 2, \; K' = 32.$$

Durch Einsetzung dieser Werthe in die Formeln 12a) bis 27) bekommt man Anzahlen, von denen wir beispielsweise hervorheben.

Es giebt unter den durch 5 gegebene Punkte gehenden cubischen Curven mit Spitze

$$3.32 + 3.2 + 10.18 = 282,$$

welche eine gegebene cubische Curve mit Spitze dreipunktig berühren.

Gegeben sind 3 Gruppen von je 5 Punkten, und für jede Gruppe das System aller durch die fünf Punkte gehenden cubischen Curven mit Spitze. Es kommt ∞^1 mal vor, daß drei den drei Systemen angehörige Curven sich in denselben drei unendlich nahen Punkten dreipunktig berühren. Die Berührungsstellen bilden eine Curve von der Ordnung

$$3.18.(2^2 + 2.2.32) + 3.3.18^2.(2.2 + 32) + 18.18^3.$$

Die Resultate dieser Mittheilung lassen sich leicht auf unendlich kleine Dreiecke übertragen, deren Ebenen im Raume beweglich sind. Dann erhält man z. B. Anzahlen für die dreipunktige Berührung zwischen Raumcurven und Flächen.

Ueber diejenigen algebraischen Gleichungen zwischen zwei veränderlichen Größen, welche eine Schaar rationaler eindeutig umkehrbarer Transformationen in sich selbst zulassen.

Von

G. Hettner.

Im 87. Bande des Borchardt'schen Journals für Mathematik hat Herr Schwarz ein Theorem bewiesen, welches sich folgendermaßen aussprechen läßt: Wenn eine irreducible algebraische Gleichung zwischen zwei veränderlichen Größen die Eigenschaft hat, durch eine Schaar rationaler eindeutig umkehrbarer Transformationen in sich selbst überzugehen, so ist der Rang[1]) der algebraischen Gleichung gleich Null oder gleich Eins.

Der Beweis, welchen Herr Schwarz für diesen Satz mitgetheilt hat, gründet sich auf die Betrachtung der Riemann'schen Fläche, der Eigenschaften der Integralfunctionen algebraischer Differentiale und auf das Additionstheorem der elliptischen Functionen. Im Folgenden wird ein Beweis für jenen rein algebraischen Satz, dessen Hülfsmittel allein der Theorie der algebraischen Functionen entnommen sind, gegeben werden[2]).

1) Als »Rang« wird hier diejenige mit der Gleichung zusammenhängende Zahl bezeichnet, für welche Riemann den Buchstaben p gebraucht hat. Diese, sowie die in der Nummer (1) auseinandergesetzten Bezeichnungen und Sätze sind den Vorlesungen des Herrn Weierstrass über Abel'sche Functionen entnommen und mußten wegen der Anwendung im Folgenden vorausgeschickt werden.

2) Wie ich erfahren habe, ist Herr Weierstrass schon seit einigen Jahren im Besitze eines algebraischen Be-

1.

Unter dem durch die irreducible algebraische Gleichung $f(x, y) = 0$ definirten algebraischen Gebilde wird die Gesammtheit der Werthepaare (x, y) verstanden, welche die Gleichung $f(x, y) = 0$ befriedigen. Jedes einzelne Werthepaar (x, y) heißt eine Stelle dieses Gebildes. Ist (a, b) irgend eine bestimmte Stelle des Gebildes, so giebt es stets zwei Potenzreihen $\mathfrak{P}_1(t)$ und $\mathfrak{P}_2(t)$ einer unabhängigen Veränderlichen t, welche nur Potenzen mit positiven ganzzahligen Exponenten enthalten [1], von der Beschaffenheit daß, so lange t dem absoluten Betrage nach unter einer gewissen Grenze liegt, die gegebene Gleichung $f(x, y) = 0$ durch

$$x - a = \mathfrak{P}_1(t), \quad y - b = \mathfrak{P}_2(t)$$

identisch erfüllt wird, daß x den Werth a und y den Werth b für $t = 0$ erhält, und daß zu verschiedenen Werthen von t verschiedene Stellen (x, y) des Gebildes gehören. Ist a oder b unendlich groß, (a, b) also eine unendlich ferne Stelle des Gebildes, so ist $x - a$ oder $y - b$ resp. durch $\frac{1}{x}$ oder $\frac{1}{y}$ zu ersetzen. Ein solches zusammengehöriges Paar von Potenzreihen heiße ein Functionenpaar für die Umgebung der Stelle (a, b) und werde mit (x_t, y_t) bezeichnet, so daß

$$x_t = a + \mathfrak{P}_1(t), \quad y_t = b + \mathfrak{P}_2(t)$$

weises für das oben angeführte Theorem und zwar beruht derselbe auf der Transformation der gegebenen Gleichung in eine canonische Form, d. i. eine Gleichung, welche ein Minimum von Constanten enthält.

1) Das Functionszeichen $\mathfrak{P}$ soll stets Potenzreihen dieser Eigenschaft darstellen.

ist. Die Gesammtheit der durch ein solches Functionenpaar gegebenen Werthepaare (x, y) bildet ein Element des betrachteten Gebildes. Im Allgemeinen gehören die sämmtlichen Stellen (x, y), welche in der Umgebung einer Stelle (a, b) liegen, einem einzigen Elemente an. Nur für einzelne singuläre Stellen ist dies nicht der Fall; aber auch für jene reicht stets eine endliche Anzahl von Elementen zur Darstellung aller Stellen in ihrer Umgebung aus. Wird von einer bestimmten Stelle des algebraischen Gebildes gesprochen, so muß daher für diese singulären Stellen gleichzeitig das Element bezeichnet werden, welchem die Stelle angehören soll.

Unter einer rationalen Function $F(x, y)$ des Paares (x, y) versteht man eine rationale Function der durch die Gleichung $f(x, y) = 0$ verbundenen Veränderlichen x und y. Stellt (x_t, y_t) das Functionenpaar für die Umgebung der Stelle (a, b) des Gebildes dar, und ist

$$F(x_t, y_t) = Ct^r \{1 + t\mathfrak{P}(t)\},$$

so hat $F(x, y)$ für die Stelle (a, b) einen endlichen von Null verschiedenen Werth, wenn $r = 0$ ist; ist aber die ganze Zahl $r > 0$ oder $r < 0$, so wird $F(x, y)$ für (a, b) von der $r$ten Ordnung resp. Null oder unendlich groß.

Bezeichnet man den Rang der Gleichung $f(x, y) = 0$ mit ϱ, so läßt sich stets eine rationale Function des Paares (x, y) bilden, welche für $\varrho + 1$ beliebig gewählte Stellen (a_1, b_1), (a_2, b_2), ... (a_ϱ, b_ϱ) und (x', y') von der ersten Ordnung unendlich wird, während es keine solche Function giebt, welche nur für ϱ beliebig gewählte Stellen von der ersten Ordnung unendlich wird. Werden noch die weiteren Bedingungen hinzugefügt, daß jene Function für die Stelle (a_0, b_0) verschwinden und daß in ihrer Entwickelung nach Potenzen von $x-x'$ der Coefficient von $(x-x')^{-1}$ gleich -1 sein soll, so wird hierdurch eine rationale Function des Paares (x, y)

$$H(x, y;\, x', y')$$

eindeutig bestimmt.

Stellt nun $(\overset{\alpha}{x}_t, \overset{\alpha}{y}_t)$ das Functionenpaar für die Umgebung der Stelle (a_α, b_α) dar, so ist

$$H(\overset{\alpha}{x}_t, \overset{\alpha}{y}_t;\, x', y') = t^{-1} H(x', y')_\alpha + H^{(0)}(x', y')_\alpha$$
$$-t\, H^{(1)}(x', y')_\alpha + \ldots\ldots, \quad (\alpha = 1, 2, \ldots \varrho).$$

Die durch diese Entwickelungen definirten ϱ rationalen Functionen $H(x, y)_\alpha$ des Paares (x, y), welche sich als Quotienten einer ganzen Function $G(x, y)_\alpha$ und der Ableitung $\dfrac{\partial f(x, y)}{\partial y} = f(x, y)_2$ darstellen lassen, sind von einander linear unabhängig und besitzen die charakteristische Eigenschaft, daß für j e d e s beliebige Functionenpaar (x_t, y_t) stets

$$H(x_t, y_t)_\alpha \frac{dx_t}{dt} = \mathfrak{P}(t), \quad (\alpha = 1, 2, \ldots \varrho)$$

ist. Umgekehrt läßt sich zeigen, daß eine rationale Function $R(x, y)$ des Paares (x, y), welche für j e d e s Functionenpaar der Gleichung

$$R(x_t, y_t) \frac{dx_t}{dt} = \mathfrak{P}(t)$$

genügt, eine ganze lineare homogene Function der ϱ Functionen $H(x,y)_\alpha$

$$R(x,y) = \sum_{\beta=1}^{\beta=\varrho} \left[R(\overset{\beta}{x}_t, \overset{\beta}{y}_t) \frac{d\overset{\beta}{x}_t}{dt} \right]_{t^0} H(x,y)_\beta$$

ist.

Die Integrale der ϱ Functionen $H(x,y)_\alpha$ bilden die ϱ Abel'schen Normalintegrale erster Gattung, während die Integrale der ϱ in der obigen Entwickelung als Coefficienten von t definirten Functionen $H^{(1)}(x,y)_\alpha$ die ϱ Normalintegrale zweiter Gattung liefern.

Bezeichnet (x'_t, y'_t) das Functionenpaar für die Umgebung der Stelle (x', y') und (x_t, y_t) dasjenige für die Umgebung einer beliebigen von (a_α, b_α) und (x', y') verschiedenen Stelle (a, b), so werden durch die Entwickelung

$$H(x, y; x'_t, y'_t) \frac{dx'_t}{dt} = -\sum_{(\mu)} H(x, y; x', y')_\mu t^\mu$$

rationale Functionen $H(x, y; x', y')_\mu$ des Paares (x, y) definirt, deren Eigenschaften sich durch die Gleichungen

$$H(x'_t, y'_t; x', y')_\mu = t^{-\mu-1} + \mathfrak{P}(t),$$

$$H(\overset{\alpha}{x}_t, \overset{\alpha}{y}_t; x', y')_\mu = -t^{-1} \left[H(x'_\tau, y'_\tau)_\alpha \frac{dx'_\tau}{d\tau} \right]_{\tau^\mu} + \mathfrak{P}(t),$$

$$H(x_t, y_t; x', y')_\mu = \mathfrak{P}(t)$$

darstellen lassen. Die Function $H(x, y; x', y')_{\mu}$ wird demnach für die Stelle (x', y') von der $(\mu + 1)$ten Ordnung und für jede der ϱ Stellen (a_{α}, b_{α}) von der ersten Ordnung unendlich, während sie im Uebrigen endlich bleibt.

Setzt man zur Abkürzung

$$H(x'_{\tau}, y'_{\tau})_{\alpha} \frac{dx'_{\tau}}{d\tau} = h(x', y')_{\alpha 1} + h(x', y')_{\alpha 2}\tau$$

$$+ \ldots + h(x', y')_{\alpha\mu}\tau^{\mu-1} + \ldots .$$

wobei die Functionen $h(x', y')_{\alpha\mu}$ rationale Functionen des Paares (x', y') darstellen, so wird

$$H(\overset{\alpha}{x}_{t}, \overset{\alpha}{y}_{t}; x', y')_{\mu} = -h(x', y')_{\alpha, \mu+1} t^{-1} + \mathfrak{P}(t).$$

Jede rationale Function $F(x, y)$ des Paares (x, y), welche für ein einziges Werthepaar (x', y') von der ϱten oder von niederer Ordnung unendlich wird, läßt sich auf die Form

$$F(x, y) = C_0 + C_1 H(x, y; x', y')_0 + C_2 H(x, y; x', y')_1$$

$$+ \ldots + C_{\varrho} H(x, y; x', y')_{\varrho-1}$$

bringen, wobei die Coefficienten $C_1, C_2, \ldots C_{\varrho}$ das System der ϱ linearen homogenen Gleichungen

$$C_1 h(x', y')_{\alpha 1} + C_2 h(x', y')_{\alpha 2} + \ldots\ldots$$

$$+ C_{\varrho} h(x', y')_{\alpha\varrho} = 0, (\alpha = 1, 2, \ldots \varrho)$$

befriedigen müssen. Umgekehrt, wenn man aus diesen Gleichungen endliche und wenigstens theilweise von Null verschiedene Werthe für $C_1, C_2, \ldots C_\varrho$ erhält, so ist

$$F(x'_t, y'_t) = C_1 t^{-1} + C_2 t^{-2} + \ldots + C_\varrho t^{-\varrho} + \mathfrak{P}(t),$$

$$F(\overset{\alpha}{x}_t, \overset{\alpha}{y}_t) = \mathfrak{P}(t),$$

$$F(x_t, y_t) = \mathfrak{P}(t),$$

es hat also $F(x, y)$ die verlangte Eigenschaft.

Ist der Rang ϱ der Gleichung größer als Eins, so existirt stets eine endliche Anzahl Stellen (x', y') von der Beschaffenheit, daß es eine rationale Function $F(x, y)$ des Paares (x, y) giebt, welche für eine einzige solche Stelle (x', y') von der ϱten oder niederer Ordnung unendlich wird, während sie im Uebrigen endlich bleibt. Ist aber der Rang der Gleichung gleich Eins, so giebt es keine rationale Function des Paares (x, y), welche nur an einer einzigen Stelle von der ersten Ordnung unendlich wird; denn eine solche Function kann nur vorhanden sein, wenn der Rang der Gleichung gleich Null ist.

2.

Die hinreichende und nothwendige Bedingung dafür, daß sich aus dem System von linearen Gleichungen endliche und wenigstens theilweise von Null verschiedene Werthe für $C_1, C_2, \ldots C_\varrho$ ergeben, ist das Verschwinden der Determinante

$$|h(x', y')_{\alpha\beta}|, \quad (\alpha, \beta = 1, 2, \ldots \varrho).$$

Wenn der Rang der algebraischen Gleichung $f(x, y) = 0$ größer als Eins ist, so ist diese Determinante weder identisch Null, noch eine von Null verschiedene Constante. Denn im ersteren Falle könnte man für jedes beliebige Werthepaar (x', y') die Coefficienten $C_1, C_2, \ldots C_\varrho$ in der Function $F(x, y)$ so bestimmen, daß $F(x, y)$ nur für jenes Werthepaar von der ϱten oder niederer Ordnung unendlich würde, und im zweiten Falle ließen sich die linearen Gleichungen nur durch $C_1 = 0$, $C_2 = 0, \ldots C_\varrho = 0$ befriedigen, eine Function jener Beschaffenheit wäre also für kein einziges Werthepaar (x', y') vorhanden; beides widerspricht aber dem am Ende der vorigen Nummer Bemerkten. Jeder Gleichung $f(x, y) = 0$, deren Rang größer als Eins ist, genügt vielmehr eine endliche Anzahl Werthepaare (x', y'), für welche die Determinante $|h(x', y')_{\alpha\beta}|$ verschwindet.

3.

Es werde nun angenommen, die irreducible algebraische Gleichung $f(x, y) = 0$ gehe durch eine Schaar rationaler Substitutionen

$$(1) \qquad x = P(\xi, \eta; \varepsilon), \quad y = Q(\xi, \eta; \varepsilon),$$

aus welchen umgekehrt

$$(2) \qquad \xi = P_1(x, y; \varepsilon), \quad \eta = Q_1(x, y; \varepsilon)$$

folgt, in sich selbst, d. h. in die Gleichung $f(\xi, \eta) = 0$ über. Die Functionen P, Q resp. P_1, Q_1 sind hierbei der Voraussetzung nach rationale Functionen ihrer beiden ersten Argumente

(ξ, η) resp. (x, y) und analytische Functionen der Größe ε, des **Parameters der Schaar.** Die Gleichungen (2) liefern zu einem gegebenen Werthepaar (x, y) für verschiedene Werthe ε im Allgemeinen verschiedene Werthepaare (ξ, η).

Aus der Gleichung (1) folgt

$$\frac{dx}{f(x,y)_2} = \frac{\frac{\partial x}{\partial \xi} f(\xi,\eta)_2 - \frac{\partial x}{\partial \eta} f(\xi,\eta)_1}{f(x,y)_2} \frac{d\xi}{f(\xi,\eta)_2}$$

$$= \Gamma(\xi,\eta;\varepsilon) \frac{d\xi}{f(\xi,\eta)_2},$$

wo $f(\xi,\eta)_1 = \frac{\partial f(\xi,\eta)}{\partial \xi}$ und $f(\xi,\eta)_2 = \frac{\partial f(\xi,\eta)}{\partial \eta}$

gesetzt ist und $\Gamma(\xi,\eta;\varepsilon)$ eine rationale Function von (ξ,η) und eine analytische Function von ε bedeutet.

Sind (x'_t, y'_t) und (ξ'_t, η'_t) die zwei zu Folge der Identitäten (1) und (2) sich entsprechenden Functionenpaare für die Umgebung der beliebigen Stellen (x', y') resp. (ξ', η'), wobei

$$(3) \quad \xi' = P_1(x', y'; \varepsilon), \quad \eta' = Q_1(x', y'; \varepsilon)$$

sein muß, so ergiebt sich

$$H(x'_t, y'_t)_\alpha \frac{dx'_t}{dt} = \frac{G(x'_t, y'_t)_\alpha}{f(x'_t, y'_t)_2} \frac{dx'_t}{dt}$$

$$= G(P(\xi'_t, \eta'_t; \varepsilon), Q(\xi'_t, \eta'_t; \varepsilon))_\alpha$$

$$. \Gamma(\xi'_t, \eta'_t; \varepsilon) \frac{\frac{d\xi'_t}{dt}}{f(\xi'_t, \eta'_t)_2},$$

und da die linke Seite dieser Gleichung für jedes Functionenpaar (x'_t, y'_t) eine Potenzreihe $\mathfrak{P}(t)$ ist, so folgt auch, wenn

$$R(\xi, \eta; \varepsilon)_\alpha = \frac{G(P(\xi, \eta; \varepsilon), Q(\xi, \eta; \varepsilon))_\alpha \Gamma(\xi, \eta; \varepsilon)}{f(\xi, \eta)_2}$$

gesetzt wird, für jedes beliebige Functionenpaar (ξ'_t, η'_t)

$$R(\xi'_t, \eta'_t; \varepsilon)_\alpha \frac{d\xi'_t}{dt} = \mathfrak{P}(t).$$

Es hat mithin die Function $R(\xi, \eta; \varepsilon)_\alpha$ für alle Functionenpaare die charakteristische Eigenschaft einer Function $H(\xi, \eta)_\beta$, sie ist also ein lineares homogenes Aggregat der ϱ linear unabhängigen Functionen $H(\xi, \eta)_\beta$:

$$R(\xi, \eta; \varepsilon)_\alpha = \varphi(\varepsilon)_{\alpha 1} H(\xi, \eta)_1 + \varphi(\varepsilon)_{\alpha 2} H(\xi, \eta)_2 + \dots + \varphi(\varepsilon)_{\alpha\varrho} H(\xi, \eta)_\varrho,$$

wo nach Nummer (1) der Coefficient

$$\varphi(\varepsilon)_{\alpha\beta} = \left[R(\overset{\beta}{\xi_t}, \overset{\beta}{\eta_t}; \varepsilon)_\alpha \frac{d\overset{\beta}{\xi_t}}{dt}\right]_{t^0},$$

also unabhängig von (ξ, η) und nur eine analytische Function von ε ist. Demnach besteht die Identität

$$H(x'_t, y'_t)_\alpha \frac{dx'_t}{dt} = \varphi(\varepsilon)_{\alpha 1} H(\xi'_t, \eta'_t)_1 \frac{d\xi'_t}{dt} + \dots\dots + \varphi(\varepsilon)_{\alpha\varrho} H(\xi'_t, \eta'_t)_\varrho \frac{d\xi'_t}{dt}.$$

Die Entwickelung beider Seiten derselben nach Potenzen von t ergiebt

$$\sum_{\nu=1}^{\nu=\infty} h(x', y')_{\alpha\nu}\, t^{\nu-1} =$$

$$\sum_{\nu=1}^{\nu=\infty} \left\{ \varphi(\varepsilon)_{\alpha 1}\, h(\xi', \eta')_{1\nu} + \ldots\ldots + \varphi(\varepsilon)_{\alpha\varrho}\, h(\xi', \eta')_{\varrho\nu} \right\} t^{\nu-1},$$

und hieraus folgt durch Vergleichung der entsprechenden Potenzen von t auf beiden Seiten

$$h(x', y')_{\alpha\beta} = \varphi(\varepsilon)_{\alpha 1}\, h(\xi', \eta')_{1\beta}$$

$$+ \varphi(\varepsilon)_{\alpha 2}\, h(\xi', \eta')_{2\beta} + \ldots + \varphi(\varepsilon)_{\alpha\varrho}\, h(\xi', \eta')_{\varrho\beta},$$

$$(\alpha, \beta = 1, 2, \ldots \varrho).$$

Nach dem Multiplicationstheorem der Determinanten ist daher

$$| h(x', y')_{\alpha\beta} | = | \varphi(\varepsilon)_{\alpha\beta} | \cdot | h(\xi', \eta')_{\alpha\beta} |,$$

$$(\alpha, \beta = 1, 2 \ldots \varrho).$$

Die Determinante $| \varphi(\varepsilon)_{\alpha\beta} |$ ist eine analytische Function von ε; beschränkt man daher ε auf einen hinreichend kleinen Bereich, so wird sie nur für eine endliche Anzahl Werthe von ε gleich Null, und nach Ausschluß dieser singulären Werthe des Parameters ε verschwinden für jeden anderen zulässigen Werth von ε die beiden Determinanten $| h(x', y')_{\alpha\beta} |$ und $| h(\xi', \eta')_{\alpha\beta} |$ gleichzeitig.

4.

Der Rang der Gleichung $f(x, y) = 0$ sei nun größer als Eins, so ist nach Nummer (2) eine endliche Anzahl Werthepaare (x', y') vorhanden, für welche die Determinante $|h(x', y')_{\alpha\beta}|$ verschwindet. Wird zu einem bestimmten dieser Werthepaare (x', y') das Werthepaar (ξ', η') aus der Gleichung (3) berechnet, so ist die Determinante $|h(\xi', \eta')_{\alpha\beta}|$ ebenfalls gleich Null, welcher nicht-singuläre Werth auch dem Parameter ε gegeben werden möge; d. h. aber: es existirt eine rationale Function des Paares (ξ, η), welche nur für die Stelle (ξ', η') und zwar von der ϱten oder niederer Ordnung unendlich wird. Da dies für jeden der unendlich vielen nicht ausgeschlossenen Werthe des Parameters gilt, so müßte es also für unendlich viele verschiedene Stellen (ξ', η') rationale Functionen des Paares (ξ, η) geben, welche nur an jener einen Stelle (ξ', η') unendlich von der ϱten oder niederer Ordnung würden, was nach Nummer (1) unmöglich ist. Die Annahme, der Rang der Gleichung $f(x, y) = 0$ sei größer als Eins, führt demnach, wenn die Gleichung eine Schaar rationaler eindeutig umkehrbarer Transformationen in sich selbst zuläßt, auf einen Widerspruch.

Ist der Rang ϱ gleich Eins, so verlieren die vorhergehenden Schlüsse ihre Gültigkeit, weil dann überhaupt keine rationale Function des Paares (x, y) existirt, die nur an einer einzigen Stelle von der ϱten, d. i. von der ersten Ordnung, unendlich wird. Jede Gleichung, deren Rang gleich Eins ist, läßt sich aber durch eine rationale eindeutig umkehrbare Substitution in die Normalform

$$t^2 = 4s^3 - g_2 s - g_3$$

transformiren, welche bekanntlich die mit dem Additionstheorem der elliptischen Functionen zusammenhängende Eigenschaft besitzt, sich durch eine Schaar rationaler eindeutig umkehrbarer Substitutionen in sich selbst überführen zu lassen. Daraus folgt, daß die in dem obigen Theorem ausgesprochene Eigenschaft jeder Gleichung des Ranges Eins zukommt und, wie unmittelbar klar ist, auch jeder Gleichung des Ranges Null, während gezeigt wurde, daß keine Gleichung höheren Ranges dieselbe besitzt.

Universität.

Philosophische Fakultät.

Mit dem 1. Juli übernimmt das Dekanat der philosophischen Fakultät Herr Professor Dr. *Ehlers*.

Am 19. Juni hat die philosophische Fakultät Herrn Dr. *Gustav Körte* von Berlin die venia legendi für Archäologie ertheilt.

Bei der Königl. Gesellschaft der Wissenschaften eingegangene Druckschriften.

Mai 1880.

Verhandlungen der zoolog. botan. Gesellsch. in Wien. Bd. XXIX. 1879.

Verhandlungen des naturf. Vereins in Brünn. Bd. XVII. 1878.
Revista Euskara. No. 25. April 1880.
Nature 548. 550. 551. 552.
Americ. Journal of Mathematics. Vol. II. No. 4.
Erdélyi Muzeum. 4. és 5. 1880 (Bogen 7—10).
Bulletin de l'Acad. Roy. de Belgique. T. 49. No. 3.
26. u. 27. Bericht des Vereins für Naturkunde zu Cassel.
Zeitschrift für Meteorologie. XV, Mai 1880.
Leopoldina XVI. 7—8.
Jahresbericht der Lese- u. Redehalle der deutschen Studenten in Prag. 1878—80.
Jahrbuch der k. k. Geolog. Reichsanstalt. Bd. XXX. 1880.
Verhandlungen derselben. 1880. No. 1—5.
Grammaire Arabe de C. P. Caspari, traduite par Uricoechea. Examen critique par L. Gautier. Gand. 1880.
Zeitschrift der deutschen morgenländ. Gesellschaft. Bd. 34. H. 1.
E. Kuhn und A. Socin, wissenschaftl. Jahresbericht über die morgenländischen Studien. H. 1—2.
C. Bruhns, Neue Bestimmung der Längendifferenz zwischen den Sternwarten zu Leipzig und Wien. 1880. (Abhandlungen der Sächs. Gesellsch. d. Wissenschaften math.-phys. Classe XII, 4).
Berichte der Verhandl. der Gesellsch. der Wiss. zu Leipzig.
— Mathem. phys. Classe. 1875. Bd. 31.
— Philos. histor. Classe. 1875. I. II.
Transactions of the Zoolog. Soc. of London. Vol. X. P. 13. Vol. XI. P. 1. 40.
Proceedings for 1879. P. IV.
Polybiblion. Revue bibliographique universelle. 5ièm livraison. Mai. Partie technique. P. literaire.
Dr. E. Lucius, Die Therapeuten. Strassb. 1880.
C. Struckmann, die Wealden-Bildungen in d. Umgegend v. Hannover. 1880.
H. Hildebrandsson, Bulletin mensuel de l'Observat. météor. d'Upsal. Vol. XI. 40.
List of the vertebrated animals in the gardens of the Zoolog. Soc. first supplement.
Publicationen der astrophysikal. Gesellsch. zu Potsdam. Bd. I. 4°. Potsdam 1879.
Annales de l'Observatoire R. de Bruxelles. 5—7. 10.

Monthly Notices of the R. Astron. Soc. Vol. XL. No. 6.
Bulletin de la Société Mathématique. P. VIII. No. 3.
Atti della R. Accad. dei Lincei. Vol. IV. Fasc. 5.
Monatsber. der Berliner Akad. der Wiss. Januar 1880.
Statistica della Morbosità ossia frequenza e durata delle Malattie. Roma 1875.
Astron. magn. u. meteorol. Beobacht. der Sternwarte zu Prag. 1879. 4°.
Memoirs of the R. Astronomical Society. Vol. XLI. 1879. 4.
Proced. of the London mathem. Society. No. 156—158.
Bulletin of the Museum of Comparative Zoölogy. VI. 5—7.
Transactions of the Connecticut Academy. Vol. V. P. 1.
Vierteljahrsschrift der Astron. Gesellsch. 14. Jahrg. 4. Hft.
C. Bruhns, Catalog der Bibliothek derselben.
L. R. Landau, Religion u. Politik. Budapest. 1880.
Abhandl. des naturwiss. Vereins. zu Bremen. Bd. 6. H. 2-3 u. Beilage 7.
Anales de la Soc. scientif. Argentina. April. 1880.
C. Marignac, sur les terres de la Samarskite. 1880.
Popolazione. Movemento dello stato civile. Anno 1878. Introduzione. Id. Anno XVII. 1878. Roma 1880.
A. v. Miller-Hauenfels, die Dual-Functionen. Graz 1880.
J. B. Télfy, Opuscula graeca. Budapest. 1880.
H. Scheffler, die Naturgesetze. Th. III. 6—8. Lief. 1880.
Statistica della Emigrazione italiana all' estero nel 1878. Roma. 1880.
Sitzungsberichte der naturwiss. Gesellsch. Isis in Dresden. Jahrg. 1879 Juli bis Dec.
B. Boncompagni. Cinq lettres de Sophie Germain à Ch. Fr. Gauss, publiées par B. B. Berlin. 1880.

Für die Redaction verantwortlich: *K. Rehnisch*, Director d. Gött. gel. Anz.
Commissions-Verlag der *Dieterich'schen Verlags-Buchhandlung.*
Druck der *Dieterich'schen Univ.-Buchdruckerei (W. Fr. Kaestner).*

Nachrichten

von der Königl. Gesellschaft der Wissenschaften und der G. A. Universität zu Göttingen.

30. Juni. № 12. 1880.

Königliche Gesellschaft der Wissenschaften.

Bruchstücke der oberaegyptischen Uebersetzung des alten Testamentes.

Von

Adolf Erman.

Vorgelegt von P. de Lagarde.

Die hier veröffentlichten Fragmente der oberaegyptischen Uebersetzung des A. T. sind Copien entnommen, welche Moritz Schwartze 1848 in England von dortigen Handschriften angefertigt hat. Bei der übermäßigen Sorgfalt, mit der dieser Gelehrte jedes Pünktchen auch des schlechtesten koptischen Textes in seinen Arbeiten zu registriren pflegte, darf man wohl annehmen, daß er auch auf seine Abschriften gleichen Fleiß verwendet hat. Ich gebe dieselben im Folgenden wortgetreu wieder; die kleinen Schäden des Textes habe ich ungeändert gelassen. Was die Worttrennung anbelangt, so ist dabei eine gewisse Willkür nicht zu vermeiden; das einzige, was sich hier bis jetzt erstreben läßt, ist leichte Verständlichkeit des Textes.

Sehen wir von einigen unbedeutenden Bruchstücken noch unpublicirter Psalmen ab, so bieten die Schwartze'schen Abschriften folgende Fragmente des A. T.:

Genesis 48, 1—19
Exodus 16, 6—19, 11
Numeri 21, 1—9
Deuteron. 8, 19—9, 24
Regn. I 28, 16—30, 5
Regn. II 17, 19—29
Iob 29, 21—30, 8
Isaias 1, 2—9 3, 9—15 12, 2—6 13, 2—10
28, 6—15 50, 4—9 53, 7—12 63, 1—7.
Ieremias 9, 7—11 22, 29—30 23, 1—6
32, 42—36, 7. Apokryphe Stelle.
Ezechiel 21, 14—17 28, 1—19 36, 16—23.
Amos 3, 1—6 8, 9—12.
Michaeas 7, 1—20.
Sap. Salom. 2, 12—22.

Vier Handschriften sind es, denen diese Fragmente entnommen sind:

A. — „Sahidic Fragment of the book of Exodus, copied from an ancient Fragment on Vellum. Cairo Jan. 29th. 1839“. In Tattams Sammlung. Abschrift eines guten Manuscripts, mit sparsamer, aber correcter Bezeichnung des Halbvokals; zu bemerken ist, daß ⲛ denselben auch vor Vocalen behält: ⲛ̄ⲁⲅⲁⲑⲟⲛ, ⲛ̄ⲟⲩⲑⲩⲥⲓⲁⲥⲧⲏⲣⲓⲟⲛ usw; ⲉ steht anstatt seiner stets in ⲉⲛ̇ⲧⲁ. Beeinflussung durch unteraegyptischen Dialekt mag man in ϭⲓ für ϫⲓ erkennen. Interessant ist die häufige Worttrennung durch den Apostroph; ⲙⲁⲁ' ⲛ̄ⲟⲩⲱϩ und ⲛ̄ (resp. ⲧⲟⲩϫⲟ) ⲉⲃⲟⲗ' ϩⲛ̄ sind bemerkenswerthe Zerlegungen.

B. — 3 Pergamentblätter der Tattam'schen Sammlung, Fragmente einer mehrbändigen Handschrift der Königsbücher (pp. 101—104 des ersten und pp. 63—64 des zweiten Bandes). Zu demselben großen Manuscript gehörten, wie aus der Gleichheit der Schrift und der eigenthümlichen Orthographie beider hervorgeht, auch die von

Zoega als Cod. Sahid. XV bezeichneten Bruchstücke der beiden ersten Bücher der Könige.

Charakteristisch für diese Handschrift ist die ausgedehnte Ersetzung des Halbvocals durch ⲉ; wir haben hier die Schreibungen ⲉϫⲉⲙ, ϩⲓϫⲉⲙ, ⲛⲉⲙⲙⲁⲛ, ⲉⲧⲉⲙ̇ⲙⲁⲩ, ⲥⲱⲧⲉⲙ, ⲧⲏⲩⲧⲉⲛ, ϣⲉⲣⲉⲛ, ⲁϥϣⲟⲣⲉⲡϥ̇, ⲏⲣⲉⲡ, ⲡϣⲏⲣⲉ, ⲉⲛⲟⲩⲣⲱⲙⲉ usw. Zuweilen verfällt der Schreiber auch in den entgegengesetzten Fehler, und schreibt ⲙⲁⲣϥ̇, ⲙϩ für ⲙⲉϩ und ⲙⲁⲣⲉϥ. Auch die Verwechselung von ⲃ und ϥ ist ihm nicht fremd: ϩⲱϥ steht für ϩⲱⲃ und ⲡⲉⲃⲉⲣⲱⲧⲉ gar für ⲡⲉϥⲉⲣⲱⲧⲉ. Eigennamen und Fremdworte misshandelt er; der ⲥⲁⲛⲧⲣⲁⲡⲏⲥ verdankt sein ⲛ wohl der Analogie von ⲥⲁⲛϩⲟⲙⲛⲧ, ⲥⲁⲛϣⲁϫⲉ usw.

C. — 4 Pergamentblätter in Tattams Besitz: pp. 129—136, Bruchstück des Ieremias. Späte Schrift, etwa wie Zoega Cl. VIII 33. Für Setzung des Halbvocalzeichens gilt, daß von zwei anlautenden Consonanten der erste (ⲛ̇ⲕⲁϩ, ⲛ̇ⲗⲁⲥⲥⲉ, ⲙ̇ⲙⲟⲩ), von zwei auslautenden der letzte (ⲟⲩⲱⲛϩ̇, ⲏⲣⲡ̇, ϣⲟⲣⲡ̇) punctirt wird. Die Praefixen des Subjunctivs erhalten zwei Puncte: ⲛ̈ϥ, ⲛ̈ⲧ; ein auslautender Consonant, dem ⲟⲩ vorhergeht, wird ebenfalls mit dem Punkt versehen (ⲉ̇ⲛⲟⲩϥ̇, ⲉ̇ϩⲟⲩⲛ̇, ⲉϥⲙⲟⲟⲩⲧ̇). Alles, wie mir scheint, Zeichen, daß der Schreiber bei der Setzung des Punktes schon nach conventionellen Regeln verfuhr. — Auf unteraegyptischen Einfluß deutet das Vorkommen der Abkürzung ⲡϭ̅ⲥ̅ für ⲡϫⲟⲉⲓⲥ.

D. — „Codex Biblioth. Bodleianae Coptico-Sahidicus bombycinus in folio (Hunt. 5)".

Acht Fragmente einer Liturgie der Osterwoche, deren unteraegyptische Recension in Paris (vgl. Quatremère, Rech. p. 116) und in Tattam's Sammlung (vgl. Proph. major. ed. Tattam Praef.) vorhanden ist. Die Schrift gleicht etwa Zoega

32*

Cl. VII 27. Die Setzung des Halbvocals ist im Allgemeinen correct; ⲛ vor Vocalen bleibt unpunctirt, ebenso meist auch der Artikel. Auch hier steht einige mal ⲡϭ̅ⲥ̅ für ⲡϫⲟⲉⲓⲥ. Folgendes ist der Inhalt der einzelnen Bruchstücke:

1. p. 239—240.
 ϫⲡ. ⲉ̅ ⲛ̇ⲧⲉⲩϣⲏ ⲛ̇ⲧⲡⲁⲣⲁⲥⲕⲉⲩⲏ̇
  Ezech. 36, 16—23
  Psalm 108, 1—3
2. p. 246.
 ϫⲡ ⲥⲟ ⲛ̇ⲧⲉⲩϣⲏ ⲛ̅ⲧⲡⲁⲣⲁⲥⲕⲉⲩⲏ
  Amos 3, 1—6
  Psalm 58, 2 und ?
3. p. 251—252.
 ϫⲡ. ⲯⲓⲧⲉ ⲛ̇ⲧⲉⲩϣⲏ ⲛ̇ⲧⲡⲁⲣⲁⲥⲕⲉⲩⲏ̇
  Ierem. 9, 7—11
  Ezech. 21, 14—17
4. p. 259—260.
  Iesa. 28, 6—15
  Psalm 2, 1—5.
5. p. 266—281.
 ⲡⲛⲁⲩ ⲛ̇ϣⲱⲣⲡ ⲛ̇ⲧⲡⲁⲣⲁⲥⲕⲉⲩⲏ̇ ⲙ̇ⲡⲡⲁⲥⲭⲁ ⲉⲧⲟⲩⲁⲁⲃ
  Deuter. 8, 19—9, 24
  Isai. 1, 2—9
  Ierem. 22, 29—30. 23, 1—6.
  Ieremias (apokryphe Stelle)
  Sap. Sal. 2, 12—22.
  Michaeas 7, 9—20
  Ezech. 28, 1—19.
  Psalm 34, 11—12. 16.
6. p. 287—291.
  ⲟⲩⲕⲁⲑⲏⲅⲏⲥⲓⲥ ⲙ̇ⲡⲉⲛⲉⲓⲱⲧ ⲁⲡⲁ ⲓⲱϩⲁⲛⲛⲏⲥ ⲡⲉ-
  ⲭⲣⲏⲥⲟⲥⲧⲟⲙⲟⲥ.

ϫⲡ ϣⲟⲙⲧⲉ ⲙ̇ⲡⲉϩⲟⲟⲩ ⲛ̇ⲧⲡⲁⲣⲁⲥⲕⲉⲩⲏ ⲙ̇ⲡⲡⲁⲥⲭⲁ ⲉⲧⲟⲩⲁⲁⲃ. ϣⲁⲣⲉ ⲡⲗⲁⲟⲥ. ⲥⲱⲟⲩϩ ⲉϩⲟⲩⲛ ⲉ̇ⲧⲉⲕⲕⲗⲏ-ⲥⲓⲁ̇. ⲛ̇ⲥⲉⲧⲁϩⲟ ⲉ̇ⲣⲁⲧϥ̇ ⲙ̇ⲡⲗⲓⲙⲏⲛ ⲛ̇ⲧⲉⲥⲧⲁⲩⲣⲟⲥ ⲓ̅ⲥ̅. ϩⲛ̇ ⲧⲙⲏⲧⲉ ⲛ̇ⲧⲉⲕⲕⲗⲏⲥⲓⲁ. ⲉϥϣⲱⲡⲉ ⲙ̅ⲙⲛ̇ ⲗⲓⲙⲏⲛ

ϣⲟⲟⲡ. ⲙⲁⲣⲟⲩⲧⲁϩⲟ ⲉ̀ⲣⲁⲧϥ ⲛⲟⲩⲛⲟϭ ⲡ̄ⲥ̄ⲧⲣⲟⲥ̄ ⲛ̄ⲧⲉⲥ-
ϣⲃⲉⲓⲱ. ⲡ̄ⲥⲉⲥⲧⲟⲗⲓⲍⲉ ⲙ̄ⲙⲟϥ. ⲛ̄ⲥⲉⲕⲟⲥⲙⲉⲓ ⲙ̄ⲙⲟϥ
ϩⲙ̄ ⲙⲛ̄ⲧⲥⲁⲉ ⲛⲓⲙ ϩⲛ ⲡⲉϩⲃⲱⲱⲥ ⲉⲛⲁϣⲉ ⲥⲟⲩⲛ̄ⲧⲟⲩ
ⲁⲩⲱ ⲙⲁⲣⲟⲩⲉⲓϣⲉ ⲛ̄ϩⲉⲛϣⲟⲩⲣⲏ ⲙ̄ⲡⲉϥⲙ̄ⲧⲟ ⲉ̀ⲃⲟⲗ ⲉ̀ⲣⲉ
ⲛ̄ⲟⲩⲏⲏⲃ ⲧⲁⲗⲉ ⲥⲧⲟⲓⲛⲟⲩϥⲉ ⲉϩⲣⲁⲓ. ⲛⲟⲩⲁ ⲛⲟⲩⲁ
ⲕⲁⲧⲁ ⲧⲉϥⲧⲁⲝⲓⲥ. ϫⲉ ⲁϥϫⲟⲟⲥ ⲛ̄ϭⲓ ⲙⲁⲣⲕⲟⲥ ⲡⲉⲩ-
ⲁⲅⲅⲉⲗⲓⲥⲧⲏⲥ ϫⲉ ⲁⲩⲥⲧⲣⲟⲩ̄ ⲙ̄ⲙⲟϥ ϩⲛ̄ ϫⲡ ϣⲟⲙⲧⲉ.
ⲁⲩⲱ ⲙⲁⲣⲟⲩⲱϣ ⲛ̄ⲛⲉⲓ ⲁⲛⲟⲅⲛⲱⲥⲓⲥ ⲉⲧⲥⲏϩ.

Genes. 48, 1—19.
Isai. 50, 4—9.
Isai. 3, 9—15.
Isai. 63, 1—7.
Iob 29, 21—30, 8.

7. p. 297.
1 Cor. 1, 31—2, 1
Psalm 37, 18 und ?

8. p. 304—312.
[ⲟⲩⲕⲁ]ⲑⲏⲅⲏⲥⲓⲥ ⲙ̄[ⲡⲉⲛⲉⲓ]ⲱⲧ ⲁⲡⲁ ⲁ̀[ⲑⲁⲛⲁ]ⲥⲓⲟⲥ ⲡⲁⲣⲭⲏ[ⲉⲡⲓⲥ]ⲕⲟⲡⲟⲥ.

ϫⲡ ⲥⲟ ⲙ̄ⲡⲉϩⲟⲟⲩ ⲛ̄ⲧⲡⲁⲣⲁⲥⲕⲉⲩⲏ.
Numeri 21, 1—9.
Isai. 53, 7—12.
Isai. 12, 2—6. 13, 2—10.
Amos 8, 9—12.

Genesis 48, 1—19.

ⲧⲅⲉⲛⲏⲥⲓⲥ ⲙ̄ⲙⲱⲩⲥⲏⲥ ⲟ ⲡⲣⲟⲫⲏⲧⲏⲥ.

48 [1]ⲁⲥϣⲱⲡⲉ ⲇⲉ ⲙⲛ̄ⲛ̄ⲥⲁ ⲛⲉⲓϣⲁϫⲉ. ⲁⲩϫⲓ ⲛⲟⲩⲱ ⲛ̄ⲓⲱⲥⲏⲫ ϫⲉ ⲡⲉⲕⲉⲓⲱⲧ ⲙⲟⲕϩ· ⲁϥϫⲓ ⲙ̄ⲡⲉϥϣⲏⲣⲉ ⲥⲛⲁⲩ. ⲙⲁⲛⲁⲥⲥⲏ. ⲙⲛ̄ ⲉϥⲣⲁⲓⲙ. ⲁϥⲉⲓ ϣⲁ ⲡⲉϥⲉⲓⲱⲧ. [2]ⲁⲩϫⲓ ⲛⲟⲩⲱ ⲇⲉ ⲛ̄ⲓⲁⲕⲱⲃ ⲉⲩϫⲱ ⲙ̄ⲙⲟⲥ. ϫⲉ ⲉⲓⲥ ⲡⲉⲕϣⲏⲣⲉ ⲓⲱⲥⲏⲫ ⲛⲏⲩ ϣⲁⲣⲟⲕ. ⲁϥϭⲙ̄ϭⲟⲙ ⲛ̄ϭⲓ ⲡⲓⲏ̄ⲗ ⲁϥϩⲙⲟⲟⲥ ϩⲓϫⲙ̄ ⲡⲉϥϭⲗⲟϭ. [3]ⲡⲉϫⲉ ⲓⲁⲕⲱⲃ ⲛ̄ⲓⲱⲥⲏⲫ. ϫⲉ ⲡⲁⲛⲟⲩⲧⲉ ⲁϥⲟⲩⲱⲛ̄ϩ ⲛⲁⲓ ⲉⲃⲟⲗ ϩⲣⲁⲓ ϩⲛ̄ ⲗⲟⲩⲍⲁ. ϩⲙ̄ ⲡⲕⲁϩ ⲛ̄ⲭⲁⲛⲁⲁⲛ. ⲁϥⲥⲙⲟⲩ ⲉⲣⲟⲓ [4]ⲉϥϫⲱ ⲙ̄ⲙⲟⲥ. ϫⲉ ϯⲛⲁⲁⲩⲝⲁⲛⲉ ⲙ̄ⲙⲟⲕ. ⲧⲁⲧⲁϣⲟⲕ. ⲧⲁⲁⲁⲕ ⲛ̄ϩⲉⲛⲥⲩⲛⲁⲅⲱⲅⲏ ⲛ̄ⲛ̄ϩⲉⲑ-

ⲛⲟⲥ. ⲧⲁϯ ⲛⲁⲕ ⲙ̄ⲡⲉⲓⲕⲁϩ. ⲙⲛ̄ ⲡⲉⲕⲥⲡⲉⲣⲙⲁ. ⲙⲛ̄-
ⲛ̄ⲥⲱⲕ ⲉ̀ⲟⲩⲙⲁ ⲛⲁⲙⲁϩⲧⲉ ϣⲁ ⲉⲛⲉϩ. [5]ⲧⲉⲛⲟⲩ ϭⲉ
ⲡⲉⲕϣⲏⲣⲉ ⲥⲛⲁⲩ. ⲛ̄ⲧⲁⲩϣⲱⲡⲉ ⲛⲁⲕ ϩⲛ̄ ⲕⲏⲙⲉ. ⲙ̄-
ⲡⲁϯⲉⲓ ϣⲁⲣⲟⲕ ⲉⲕⲏⲙⲉ ⲛⲟⲩⲓ ⲛⲉ. ⲉϥⲣⲁⲓⲙ ⲙⲛ̄
ⲙⲁⲛⲁⲥⲥⲏ. ⲉⲩⲛⲁϣⲱⲡⲉ ⲛⲁⲓ ⲛ̄ⲑⲉ ⲛ̄ϩⲣⲟⲩⲃⲏⲛ. ⲙⲛ̄
ⲥⲉⲙⲉⲱⲛ. [6]ⲛ̄ϣⲏⲣⲉ ⲉ̀ⲧⲉⲕⲛⲁϫⲡⲟⲟⲩ. ϫⲓⲛ ⲧⲉⲛⲟⲩ
ⲉⲩⲛⲁϣⲱⲡⲉ ⲛⲁⲕ. ⲛ̄ⲥⲉⲙⲟⲩⲧⲉ ⲉⲣⲟⲟⲩ ⲉ̀ⲡⲣⲁⲛ ⲛ̄ⲛⲉⲩ-
ⲥⲛⲏⲩ. ϩⲛ ⲡⲉⲕⲗⲏⲣⲟⲛⲟⲙⲓⲁ. ⲛ̄ⲛⲉⲧⲙ̄ⲙⲁⲩ. [7]ⲉⲓⲛⲏⲩ
ⲇⲉ ⲉⲃⲟⲗ ϩⲛ̄ ⲧⲙⲉⲥⲟⲡⲟⲇⲁⲙⲓⲁ ⲛ̄ⲧⲥⲩⲣⲓⲁ. ⲁⲥⲙⲟⲩ
ⲛ̄ϭⲓ ϩⲣⲁⲭⲏⲗ ⲧⲉⲕⲙⲁⲁⲩ. ϩⲣⲁⲓ ϩⲙ̄ ⲡⲕⲁϩ ⲛ̄ⲭⲁ-
ⲛⲁⲁⲛ. ⲛ̄ⲧⲉⲣⲉⲓϩⲱⲛ ⲉ̀ϩⲟⲩⲛ ⲕⲁⲧⲁ ⲫⲓⲡⲡⲟⲇⲣⲟⲙⲟⲥ.
ϩⲙ̄ ⲡⲕⲁϩ ⲛ̄ⲭⲁⲃⲣⲁⲑⲁ. ⲉⲓⲉⲓ ⲉϩⲣⲁⲓ ⲉϥⲣⲁⲑⲁ. ⲁⲓ-
ⲧⲱⲙⲥ̄ ⲇⲉ ⲙ̄ⲙⲟⲥ ϩⲛ̄ ⲧⲉϩⲓⲏ ⲙ̄ⲫⲓⲡⲡⲟⲇⲣⲟⲙⲟⲥ. ⲉ̀ⲧⲉ
ⲧⲁⲓ ⲧⲉ ⲃⲏⲑⲗⲉⲉⲙ. [8]ⲁ ⲡⲓⲏ̄ⲗ ⲇⲉ ⲛⲁⲩ ⲛ̄ϣⲏⲣⲉ
ⲛ̄ⲓⲱⲥⲏⲫ ⲡⲉϫⲁϥ ⲛⲁϥ. ϫⲉ ⲟⲩ ⲉⲣⲟⲕ ⲛⲉ ⲛⲁⲓ. [9]ⲡⲉϫⲁϥ
ⲇⲉ ⲛⲁϥ ⲛ̄ϭⲓ ⲓⲱⲥⲏⲫ. ϫⲉ ⲛⲁϣⲏⲣⲉ ⲛⲉ ⲛⲁⲓ. ⲛ̄ⲧⲁ
ⲡⲛⲟⲩⲧⲉ ⲧⲁⲁⲩ ⲛⲁⲓ ϩⲙ̄ ⲡⲉⲓⲙⲁ. ⲡⲉϫⲁϥ ⲇⲉ ⲛ̄ϭⲓ
ⲓⲁⲕⲱⲃ ϫⲉ ⲉⲛⲧⲟⲩ ⲉ̀ⲣⲟⲓ. ϫⲉⲕⲁⲥ ⲉⲓⲉⲥⲙⲟⲩ ⲉⲣⲟⲟⲩ.
[10]ⲁ ⲛⲃⲁⲗ ⲇⲉ ⲙ̄ⲡⲓⲏ̄ⲗ ϩ̀ⲧⲟⲙⲧⲙ̄ ⲉⲃⲟⲗ ϩⲛ̄ ⲧⲙⲛ̄ⲧ-
ϩ̀ⲗⲗⲟ. ⲉ̀ⲙⲛ̄ ϭⲟⲙ ⲙ̄ⲙⲟϥ ⲉ̀ⲛⲁⲩ ⲉ̀ⲃⲟⲗ. ⲁϥⲛ̄ⲧⲟⲩ
ⲇⲉ ⲉϩⲟⲩⲛ ⲉ̀ⲣⲟϥ. ⲁϥϯⲡⲓ ⲉⲣⲟⲟⲩ. ⲛ̄ⲧⲉⲣⲉϥϩⲟⲗϭ̄
ⲇⲉ ⲉⲣⲟⲟⲩ. [11]ⲡⲉϫⲁϥ ⲛ̄ϭⲓ ⲡⲓⲏ̄ⲗ ⲛ̄ⲓⲱⲥⲏⲫ. ϫⲉ ⲉⲓⲥϩⲏⲏⲧⲉ ⲙ̄ⲡⲟⲩϩⲟⲩⲣⲟⲧ ⲙ̄ⲡⲉⲕϩⲟ. ⲁⲩⲱ ⲉⲓⲥϩⲏⲏⲧⲉ
ⲁ ⲡⲛⲟⲩⲧⲉ ⲧⲟⲩⲟⲓ ⲉⲡⲉⲕⲥⲡⲉⲣⲙⲁ. [12]ⲁ ⲓⲱⲥⲏⲫ ⲇⲉ
ⲛ̄ⲧⲟⲩ ⲉⲃⲟⲗ *ⲟⲩⲧⲉ ⲛⲉϥⲡⲁⲧ. ⲁⲩⲟⲩⲱϣⲧ̄ ⲛⲁϥ.
ⲉ̀ϫⲙ̄ ⲡⲉⲩϩⲟ ⲉϩⲣⲁⲓ ⲉϫⲙ̄ ⲡⲕⲁϩ. [13]ⲁϥϫⲓ ⲇⲉ ⲙ̄-
ⲡⲉϥϣⲏⲣⲉ ⲥⲛⲁⲩ ⲛ̄ϭⲓ ⲓⲱⲥⲏⲫ. ⲉϥⲣⲁⲓⲙ ϩⲛ̄ ⲧⲉϥϭⲓϫ
ⲛ̄ⲟⲩⲛⲁⲙ. ⲙⲁⲛⲁⲥⲥⲏ ⲛ̄ⲥⲁ ϩⲃⲟⲩⲣ ⲙ̄ⲡⲓⲏ̄ⲗ. ⲁϥⲛ̄ⲧⲟⲩ
ⲉϩⲟⲩⲛ ⲉⲣⲟϥ. [14]ⲁ ⲡⲓⲏ̄ⲗ ⲇⲉ ⲥⲟⲟⲩⲧⲛ̄ ⲉⲃⲟⲗ ⲛ̄ⲧⲉϥϭⲓϫ
ⲛⲟⲩⲛⲁⲙ. ⲁϥⲧⲁⲗⲟⲥ ⲉϫⲛ̄ ⲧⲁⲡⲉ ⲛⲉϥⲣⲁⲓⲙ. ⲡⲉ
ⲡⲕⲟⲩⲓ ⲇⲉ ⲡⲉ ⲡⲁⲓ. ⲁⲩⲱ ⲧⲉϥϩⲃⲟⲩⲣ ⲉ̀ϫⲛ̄ ⲧⲁⲡⲉ
ⲙ̄ⲙⲁⲛⲁⲥⲥⲏ. ⲉ̀ⲁϥⲡⲱⲱⲛⲉ ⲛ̄ⲛⲉϥϭⲓϫ. [15]ⲁϥⲥⲙⲟⲩ
ⲉⲣⲟⲟⲩ. ϫⲉ ⲡⲛⲟⲩⲧⲉ ⲡⲁⲓ ⲛ̄ⲧⲁ ⲛⲁⲉⲓⲟⲧⲉ ⲣ̀ⲁⲛⲁϥ ⲙ̄-
ⲡⲉϥⲙ̄ⲧⲟ ⲉⲃⲟⲗ. ⲁⲃⲣⲁϩⲁⲙ ⲙⲛ̄ ⲓⲥⲁⲁⲕ. ⲡⲛⲟⲩⲧⲉ
ⲉⲧⲥⲁⲁⲛϣ ⲙ̄ⲙⲟⲓ. ϫⲓⲛ ⲧⲁⲙⲛ̄ⲧⲕⲟⲩⲓ. ϣⲁϩⲣⲁⲓ
ⲉⲡⲟⲟⲩ ⲛ̄ϩⲟⲟⲩ. [16]ⲡⲁⲅⲅⲉⲗⲟⲥ ⲉⲧⲛⲟⲩϩⲙ̄ ⲙ̄ⲙⲟⲓ ⲉⲃⲟⲗ
ϩⲙ̄ ⲡⲉⲑⲟⲟⲩ ⲛⲓⲙ. ⲉϥⲉⲥⲙⲟⲩ ⲉ̀ⲡⲉⲓϣⲏⲣⲉϣⲏⲙ. ⲁⲩⲱ

ⲉⲩⲉⲙⲟⲩⲧⲉ ⲉⲡⲁⲣⲁⲛ ϩⲣⲁⲓ ⲛ̇ϩⲏⲧⲟⲩ. ⲙⲛ̇ ⲡⲣⲁⲛ ⲛ̇-
ⲛⲁⲉⲓⲟⲧⲉ. ⲁⲃⲣⲁϩⲁⲙ. ⲙⲛ̇ ⲓⲥⲁⲁⲕ. ⲛ̇ⲥⲉⲁϣⲁⲓ. ⲁⲩⲱ
ⲛ̇ⲥⲉϣⲱⲡⲉ ⲉⲟⲩⲛⲟϭ ⲙ̇ⲙⲏⲏϣⲉ ϩⲣⲁⲓ ⲉ̇ϫⲙ̇ ⲡⲕⲁϩ.
[17] ⲛ̇ⲧⲉⲣⲉϥⲛⲁⲩ ⲇⲉ ⲛ̇ϭⲓ ⲓⲱⲥⲏⲫ. ϫⲉ ⲁ̇ ⲡⲉϥⲉⲓⲱⲧ ⲧⲁⲗⲉ
ⲧⲉϥϭⲓϫ ⲛⲟⲩⲛⲁⲙ ⲉ̇ϫⲛ̇ ⲉⲫⲣⲁⲓⲙ. ⲁ ⲡϩⲱⲃ̇ ϣⲱⲡⲉ
ⲉϥϩⲟⲣϣ̇ ⲙ̇ⲡⲉϥⲙ̇ⲧⲟ ⲉⲃⲟⲗ. ⲁϥⲁ̇ⲙⲁϩⲧⲉ ⲛ̇ϭⲓ ⲓⲱⲥⲏⲫ
ⲉⲧϭⲓϫ ⲙ̇ⲡⲉϥⲉⲓⲱⲧ ⲉ̇ϥⲩⲧⲥ̇ ϩⲓϫⲛ̇ ⲧⲁⲡⲉ ⲛ̇ⲉⲫⲣⲁⲓⲙ.
ⲉ̇ⲧⲁⲗⲟⲥ ⲉϩⲣⲁⲓ ⲉ̇ϫⲛ̇ ⲧⲁⲡⲉ ⲙ̇ⲙⲁⲛⲁⲥⲥⲏ. [18] ⲡⲉϫⲁϥ
ⲇⲉ ⲛ̇ϭⲓ ⲓⲱⲥⲏⲫ *ⲡⲉϥⲉⲓⲱⲧ· ϫⲉ ⲛ̇ⲧⲉⲓϩⲉ ⲁⲛ ⲧⲉ
ⲡⲁⲉⲓⲱⲧ. ⲡⲁⲓ ⲅⲁⲣ ⲡⲉ ⲡϣⲣ̅ⲡ ⲙ̇ⲙⲓⲥⲉ. ⲙⲁⲧⲁⲗⲟ ⲛ̇-
ⲧⲉⲕϭⲓϫ ⲛⲟⲩⲛⲁⲙ ⲉ̇ϫⲛ̇ ⲧⲉϥⲁⲡⲉ. [19] ⲛ̇ⲧⲟϥ ⲇⲉ ⲙ̇-
ⲡⲉϥⲟⲩⲱϣ. ⲁⲗⲗⲁ ⲡⲉϫⲁϥ. ϫⲉ ϯⲥⲟⲟⲩⲛ ⲡⲁϣⲏⲣⲉ
ϯⲥⲟⲟⲩⲛ.

Exodus 16, 6—19, 11 (Cod. A.)

[6] ϫⲉ ⲙ̅ⲡⲛⲁⲩ ⲛ̅ⲣⲟⲩϩⲉ ⲧⲉⲧⲛⲁⲉⲓⲙⲉ ϫⲉ ⲡϫⲟⲉⲓⲥ
ⲡⲉⲛⲧⲁϥⲛ̅ *ⲧⲏⲩⲧⲛ̅ ⲉⲃⲟⲗ ϩⲙ̅ ⲡⲕⲁϩ ⲛ̅ⲕⲏⲙⲉ [7] ⲙ̅-
ⲡⲛⲁⲩ ⲇⲉ ⲛ̅ϩⲧⲟⲟⲩⲉ ⲧⲉⲧⲛⲁⲛⲁⲩ ⲉⲡⲉⲟⲟⲩ ⲙ̅-
ⲡϫⲟⲉⲓⲥ’ ϩⲙ̅ ⲡⲧⲣⲉϥⲥⲱⲧⲙ̅ ⲉⲡⲉⲧⲛ̅ⲕⲣⲙ̅ⲣⲙ̅ ⲉⲡⲛⲟⲩⲧⲉ
ⲁⲛⲟⲛ ⲇⲉ ⲁⲛⲟⲛ ⲛⲓⲙ ϫⲉ ⲧⲉⲧⲛ̅ⲕⲣⲙ̅ⲣⲙ̅ ⲉⲣⲟⲛ [8] ⲡⲉϫⲁϥ ⲟⲛ ⲛ̅ϭⲓ ⲙⲱϋⲥⲏⲥ ϫⲉ ϩⲙ̅ ⲡⲧⲣⲉ ⲡϫⲟⲉⲓⲥ ϯ
ⲛⲏⲧⲛ̅ ⲛ̅ϩⲉⲛⲁϥ ⲙ̅ⲡⲛⲁⲩ ⲛ̅ⲣⲟⲩϩⲉ ⲉⲟⲩⲱⲙ ⲁⲩⲱ ϩⲉⲛ-
’ⲟⲉⲓⲕ ⲙ̅ⲡⲛⲁⲩ ⲛ̅ϩⲧⲟⲟⲩⲉ ⲉⲩⲥⲉⲓ ⲁⲡϫⲟⲉⲓⲥ ⲅⲁⲣ ⲥⲱⲧⲙ̅
ⲉⲡⲉⲧⲛ̅ⲕⲣⲙ̅ⲣⲙ̅ ⲡⲁⲓ ⲛ̅ⲧⲱⲧⲛ̅ ⲉⲧⲉⲧⲛ̅ⲕⲣⲙ̅ⲣⲙ̅ ⲙ̅ⲙⲟϥ
ⲉϩⲟⲩⲛ ⲉⲣⲟⲛ ⲁⲛⲟⲛ ϭⲉ ⲁⲛⲟⲛ ⲛⲓⲙ ⲉⲣⲉ ⲡⲉⲧⲛ̅ⲕⲣⲙ̅ⲣⲙ̅
ⲅⲁⲣ ϣⲟⲟⲡ ⲁⲛ ⲉϩⲟⲩⲛ ⲉⲣⲟⲛ’ ⲁⲗⲗⲁ ⲉϩⲟⲩⲛ ⲉⲡⲛⲟⲩⲧⲉ
[9] ⲡⲉϫⲁϥ ⲇⲉ ⲛ̅ϭⲓ ⲙⲱϋⲥⲏⲥ ⲛ̅ⲛⲁϩⲣⲛ̅ ⲁⲁⲣⲱⲛ ϫⲉ ⲁϫⲓⲥ
ⲛ̅ⲧⲥⲩⲛⲁⲅⲱⲅⲏ ⲧⲏⲣⲥ̅ ⲛ̅ⲛ̅ϣⲏⲣⲉ ⲙ̅ⲡⲓ̅ⲏ̅ⲗ ϫⲉ ϯ ⲡⲉⲧⲛ̅-
ⲟⲩⲟⲉⲓⲛ ⲉϩⲟⲩⲛ ⲙ̅ⲡⲉⲙⲧⲟ ⲉⲃⲟⲗ ⲙ̅ⲡϫⲟⲉⲓⲥ ⲁϥⲥⲱⲧⲙ̅
ⲅⲁⲣ ⲉⲡⲉⲧⲛ̅ⲕⲣⲙ̅ⲣⲙ̅ [10] ⲁϥϣⲁϫⲉ ⲇⲉ ⲛ̅ϭⲓ ⲁⲁⲣⲱⲛ ⲛ̅-
ⲛⲁϩⲣⲛ̅ ⲧⲥⲩⲛⲁⲅⲱⲅⲏ ⲧⲏⲣⲥ̅ ⲛ̅ⲛ̅ϣⲏⲣⲉ ⲙ̅ⲡⲓ̅ⲏ̅ⲗ ⲁⲩ-
ⲕⲟⲧⲟⲩ ⲉϩⲣⲁⲓ ⲉⲧⲉⲣⲏⲙⲟⲥ ⲁϥⲟⲩⲱⲛϩ̅ ⲉⲃⲟⲗ ⲛ̅ϭⲓ
ⲡⲉⲟⲟⲩ ⲙ̅ⲡϫⲟⲉⲓⲥ ϩⲣⲁⲓ ϩⲛ̅ ⲟⲩⲕⲗⲟⲟⲗⲉ [11] ⲁϥϣⲁϫⲉ ⲛ̅ϭⲓ
ⲡϫⲟⲉⲓⲥ ⲛ̅ⲛⲁϩⲣⲙ̅ ⲙⲱϋⲥⲏⲥ’ ⲉϥϫⲱ ⲙ̅ⲙⲟⲥ [12] ϫⲉ ⲁⲓ-
ⲥⲱⲧⲙ̅ ⲉⲡⲉⲕⲣⲙ̅ⲣⲙ̅ ⲛ̅ⲛ̅ϣⲏⲣⲉ ⲙ̅ⲡⲓ̅ⲏ̅ⲗ ϣⲁϫⲉ ⲛⲙ̅ⲙⲁⲩ
ⲉⲕϫⲱ ⲙ̅ⲙⲟⲥ’ ϫⲉ ⲙ̅ⲡⲛⲁⲩ ⲛ̅ⲣⲟⲩϩⲉ ⲧⲉⲧⲛⲁⲟⲩⲱⲙ
ⲛ̅ϩⲉⲛⲁϥ ⲁⲩⲱ ⲙ̅ⲡⲛⲁⲩ ⲛ̅ϩⲧⲟⲟⲩⲉ *ⲉⲧⲉⲧⲛⲁⲥⲉⲓ ⲛ̅ⲟⲉⲓⲕ
ⲛ̅ⲧⲉⲧⲛ̅ⲉⲓⲙⲉ ϫⲉ ⲁⲛⲟⲕ ⲡⲉ ⲡϫⲟⲉⲓⲥ ⲡⲉⲧⲛ̅ⲛⲟⲩⲧⲉ

[13] ⲣⲟⲩϩⲉ ⲇⲉ ⲁϥϣⲱⲡⲉ ⲁⲥⲉⲓ' ⲉϩⲣⲁⲓ ⲛ̄ϭⲓ ⲟⲩϩⲏ ⲙ̄ⲡⲓⲣⲉ'
ⲁⲥϩⲱⲃⲥ̄ ⲛ̄ⲧⲡⲁⲣⲉⲙⲃⲟⲗⲏ ϩⲧⲟⲟⲩⲉ ⲇⲉ ⲁϥϣⲱⲡⲉ' ⲉⲣⲉ
ϯⲱⲧⲉ ⲛⲏⲩ ⲉⲡⲉⲥⲏⲧ ⲙ̄ⲡⲕⲱⲧⲉ ⲛ̄ⲧⲡⲁⲣⲉⲙⲃⲟⲗⲏ
[14] ⲁⲩⲱ ⲉⲓⲥϩⲏⲛⲧⲉ ⲉⲓⲥ ⲟⲩⲛ̄ⲕⲁ' ⲉϥⲛⲟⲕ ϩⲓⲣⲙ̄ ⲛ̄ϩⲟ
ⲙ̄ⲡϫⲁⲓⲉ' ⲛ̄ⲑⲉ ⲛ̄ⲟⲩⲃⲣ̄ϣⲏⲩ ⲉϥⲟⲩⲟⲃϣ̄ ⲛ̄ⲑⲉ ⲛ̄ⲟⲩϫⲁϥ
ϩⲣⲁⲓ ϩⲓϫⲙ̄ ⲡⲕⲁϩ [15] ⲁⲩⲛⲁⲩ ⲇⲉ ⲉⲣⲟϥ ⲛ̄ϭⲓ ⲛ̄ϣⲏⲣⲉ
ⲙ̄ⲡⲓⲏ̄ⲗ ⲡⲉϫⲉ ⲡⲟⲩⲁ ⲡⲟⲩⲁ ⲙ̄ⲡⲉⲧϩⲓⲧⲟⲩⲱϥ ϫⲉ ⲟⲩ
ⲡⲉ ⲡⲁⲓ ⲛⲉⲩⲥⲟⲟⲩⲛ ⲅⲁⲣ ⲁⲛ ϫⲉ ⲟⲩ ⲡⲉ ⲡⲉϫⲁϥ ⲛⲁⲩ
ⲛ̄ϭⲓ ⲙⲱⲩ̈ⲥⲏⲥ ϫⲉ ⲡⲁⲓ ⲡⲉ ⲡⲟⲉⲓⲕ ⲉⲛⲧⲁ ⲡϫⲟⲉⲓⲥ ⲧⲁⲁϥ
ⲛⲏⲧⲛ̄ ⲉⲟⲩⲟⲙϥ̄ [16] ⲡⲁⲓ ⲡⲉ ⲡϣⲁϫⲉ ⲉⲛⲧⲁ ⲡϫⲟⲉⲓⲥ
ϩⲟⲛϥ̄ ⲉⲧⲟⲟⲧⲛ̄ ϫⲉ ⲥⲱⲟⲩϩ ⲉϩⲟⲩⲛ ⲛ̄ϩⲏⲧϥ ⲡⲉⲧⲛⲏⲛ
ⲉⲡⲟⲩⲁ' ⲡⲟⲩⲁ' ⲟⲩⲱⲓ (lies ⲟⲩϣⲓ) ⲉⲧⲁⲡⲉ' ⲕⲁⲧⲁ
ⲧⲏⲡⲉ ⲛ̄ⲛⲉⲧⲙ̄ⲯⲩⲭⲏ ⲡⲟⲩⲁ' ⲡⲟⲩⲁ' ⲙⲁⲣⲉϥⲥⲱⲟⲩϩ
ⲉϩⲟⲩⲛ ⲛ̄ⲛⲉⲧⲟⲩⲛ̄ϩ ⲛ̄ⲙⲙⲁϥ [17] ⲁⲩⲉⲓⲣⲉ ⲇⲉ ϩⲓ ⲛⲁⲓ
ⲛ̄ϭⲓ ⲛ̄ϣⲏⲣⲉ ⲙⲡⲓⲏ̄ⲗ ⲁⲩⲥⲱⲟⲩϩ ⲉϩⲟⲩⲛ ⲙ̄ⲡⲁⲡⲉϩⲟⲩⲟ
ⲙⲛ̄ ⲡⲁⲡⲕⲟⲩⲓ [18] ⲁⲩⲱ ⲛ̄ⲧⲉⲣⲟⲩⲱⲓⲧϥ̄ (lies ⲁϣⲓⲧϥ)
ⲙ̄ⲡϣⲓ ⲙ̄ⲡⲉ ⲡⲁⲡⲉϩⲟⲩⲟ ⲣ̄ϩⲟⲩⲟ ⲁⲩⲱ ⲡⲁⲡⲕⲟⲩⲓ ⲙ̄-
ⲡϥ̄ϣⲱⲱⲧ ⲡⲟⲩⲁ' ⲡⲟⲩⲁ' ⲁϥⲥⲱⲟⲩϩ ⲉϩⲟⲩⲛ ⲛ̄ⲛⲉⲧⲛⲏⲛ
ⲉⲣⲟϥ [19] ⲡⲉϫⲁϥ ⲇⲉ ⲛⲁⲩ ⲛ̄ϭⲓ ⲙⲱⲩ̈ⲥⲏⲥ ϫⲉ ⲙ̄ⲡⲣ̄ⲧⲣⲉ
ⲗⲁⲁⲩ ⲕⲱ' ⲉⲡⲁϩⲟⲩ ⲛ̄ϩⲏⲧϥ̄ ϣⲁ ϩⲧⲟⲟⲩⲉ [20] ⲁⲩⲱ ⲙ̄-
ⲡⲟⲩⲥⲱⲧⲙ̄ ⲛ̄ⲥⲁ ⲙⲱⲩ̈ⲥⲏⲥ ⲁⲗⲗⲁ ⲁ ϩⲟⲉⲓⲛⲉ ⲕⲱ'
ⲉⲡⲁϩⲟⲩ ⲛ̄ϩⲏⲧϥ̄ ϣⲁ ϩⲧⲟⲟⲩⲉ' ⲁϥⲣ̄ⲃⲛ̄ⲧ ⲁⲩⲱ ⲁϥⲕⲛⲟⲥ
ⲁϥⲛⲟⲩϭⲥ̄ ⲉϩⲣⲁⲓ ⲉϫⲱⲟⲩ ⲛ̄ϭⲓ ⲙⲱⲩ̈ⲥⲏⲥ [21] ⲁⲩⲱ ⲁⲩⲥⲱⲟⲩϩ ⲙ̄ⲙⲟϥ ⲉϩⲟⲩⲛ ⲉϩⲧⲟⲟⲩⲉ' ⲡⲟⲩⲁ' ⲡⲟⲩⲁ' ⲡⲉⲧⲛⲏⲛ
ⲉⲣⲟϥ ⲉϥϣⲁⲛϩⲙⲟⲙ ⲇⲉ ⲛ̄ϭⲓ ⲡⲣⲏ' ⲡⲉϣⲁϥⲃⲱⲗ' ⲉⲃⲟⲗ'
[22] ⲁⲥϣⲱⲡⲉ ⲇⲉ ϩⲙ̄ ⲡⲙⲉϩⲥⲟⲟⲩ ⲛ̄ϩⲟⲟⲩ' ⲁⲩⲥⲱⲟⲩϩ
ⲉϩⲟⲩⲛ ⲛ̄ⲛⲉⲧⲛⲏⲛ ⲧⲏⲣⲟⲩ ⲉⲣⲟⲟⲩ ⲉⲩⲕⲏⲃ ϣⲓ ⲥⲛⲁⲩ
ⲉⲡⲟⲩⲁ' ⲡⲟⲩⲁ' ⲁⲩⲃⲱⲕ ⲇⲉ ⲉϩⲟⲩⲛ ⲧⲏⲣⲟⲩ ⲛ̄ϭⲓ ⲛ̄-
ⲁⲣⲭⲱⲛ ⲛ̄ⲧⲥⲩⲛⲁⲅⲱⲅⲏ ⲁⲩϫⲟⲟⲥ ⲙⲙⲱⲩ̈ⲥⲏⲥ [23] ⲡⲉϫⲁϥ
ⲇⲉ ⲛⲁⲩ ⲛ̄ϭⲓ ⲙⲱⲩ̈ⲥⲏⲥ' ϫⲉ ⲡⲁⲓ ⲡⲉ ⲡϣⲁϫⲉ ⲉⲛⲧⲁ
ⲡϫⲟⲉⲓⲥ ϫⲟⲟϥ ϫⲉ ⲣⲁⲥⲧⲉ *ⲥⲁⲃⲃⲁⲧⲟⲛ ⲡⲉ ⲡⲉⲙⲧⲟⲛ
ⲉⲧⲟⲩⲁⲁⲃ ⲙ̄ⲡϫⲟⲉⲓⲥ ⲡⲉⲧⲉⲧⲛⲁⲧⲟⲃϥ̄ ⲧⲟⲃϥ̄ ⲡⲉⲧⲉⲧ-
ⲛⲁⲡⲁⲥⲧϥ̄ ⲡⲁⲥⲧϥ̄ ⲁⲩⲱ ⲡⲉⲧⲛⲁⲣ̄ϩⲟⲩⲟ' ⲉⲣⲱⲧⲛ̄
ⲧⲏⲣϥ̄ ⲁⲗⲱⲧⲛ̄ ϩⲁⲣⲟϥ ϣⲁ ϩⲧⲟⲟⲩⲉ [24] ⲁⲩⲕⲁⲁϥ ⲇⲉ
ϣⲁ ϩⲧⲟⲟⲩⲉ ⲕⲁⲧⲁ ⲑⲉ ⲉⲛⲧⲁϥϩⲱⲛ ⲉⲧⲟⲟⲧⲟⲩ ⲛ̄ϭⲓ
ⲙⲱⲩ̈ⲥⲏⲥ ⲁⲩⲱ ⲙ̄ⲡϥ̄ⲕⲛⲟⲥ' ⲟⲩⲇⲉ ⲙ̄ⲡⲉ ϥⲛ̄ⲧ ϣⲱⲡⲉ
ϩⲣⲁⲓ ⲛ̄ϩⲏⲧϥ̄ [25] ⲡⲉϫⲁϥ ⲇⲉ ⲛⲁⲩ ⲛ̄ϭⲓ ⲙⲱⲩ̈ⲥⲏⲥ ϫⲉ

ⲟⲩⲱⲙ ⲛⲏⲧⲛ̄ ⲙ̄ⲡⲟⲟⲩ ⲡⲥⲁⲃⲃⲁⲧⲟⲛ ⲅⲁⲣ ⲙ̄ⲡϫⲟⲉⲓⲥ
ⲡⲉ ⲡⲟⲟⲩ ⲛ̄ⲧⲉⲧⲛⲁϩⲉ ⲇⲉ ⲉⲟⲩⲟⲛ ⲁⲛ ϩⲛ̄ ⲧⲥⲱϣⲉ
[26] ⲥⲟⲟⲩ ⲛ̄ϩⲟⲟⲩ ⲉⲧⲉⲧⲛⲁⲥⲱⲟⲩϩ ⲛⲏⲧⲛ̄ ⲉϩⲟⲩⲛ ⲛ̄ⲧⲉ-
ⲧⲛⲁϩⲉ ⲇⲉ ⲉⲟⲩⲟⲛ ⲁⲛ ϩⲙ̄ ⲡⲙⲉϩⲥⲁϣϥ̄ ⲛ̄ϩⲟⲟⲩ ϫⲉ
ⲡⲥⲁⲃⲃⲁⲧⲟⲛ ⲡⲉ ϫⲉ ⲙ̄ⲡⲟⲩⲥⲱⲛⲧ̄ ϩⲣⲁⲓ ⲛ̄ϩⲏⲧϥ [27]ⲁⲥ-
ϣⲱⲡⲉ ⲇⲉ ϩⲙ̄ ⲡⲙⲉϩⲥⲁϣϥ̄ ⲛ̄ϩⲟⲟⲩ ⲁ ϩⲟⲉⲓⲛⲉ ϩⲙ̄ ⲡⲗⲁⲟⲥ
ⲉⲓ' ⲉⲃⲟⲗ ⲉⲥⲱⲟⲩϩ ⲛⲁⲩ ⲉϩⲟⲩⲛ ⲁⲩⲱ ⲙ̄ⲡⲟⲩϩⲉ ⲉⲟⲩⲟⲛ
[28]ⲡⲉϫⲁϥ ⲇⲉ ⲛ̄ϭⲓ ⲡϫⲟⲉⲓⲥ ⲛ̄ⲛⲁϩⲣⲙ̄ ⲙⲱⲩ̈ⲥⲏⲥ ϫⲉ
ϣⲁ ⲧⲛⲁⲩ ⲛ̄ⲧⲉⲧⲛ̄ⲟⲩⲱϣ ⲁⲛ ⲉⲥⲱⲧⲙ̄ ⲉⲛⲁⲉⲛⲧⲟⲗⲏ'
ⲁⲩⲱ ⲛⲁⲛⲟⲙⲟⲥ [29]ⲁⲧⲉⲧⲛ̄ⲛⲁⲩ ⲉⲣⲟϥ ⲡϫⲟⲉⲓⲥ ⲅⲁⲣ
ⲁϥϯ ⲛⲏⲧⲛ̄ ⲙ̄ⲡⲉⲓϩⲟⲟⲩ ⲛ̄ⲥⲁⲃⲃⲁⲧⲟⲛ ⲉⲧⲃⲉ ⲡⲁⲓ
ⲁϥϯ ⲛⲏⲧⲛ̄ ⲙ̄ⲡⲟⲉⲓⲕ' ⲛ̄ϩⲟⲟⲩ ⲥⲛⲁⲩ ϩⲙ̄ ⲡⲙⲉϩⲥⲟⲟⲩ
ⲛ̄ϩⲟⲟⲩ ⲡⲟⲩⲁ' ⲡⲟⲩⲁ' ⲙ̄ⲙⲱⲧⲛ̄ ⲙⲁⲣⲉϥϩⲙⲟⲟⲥ ϩⲙ̄
ⲡⲉϥⲏⲓ ⲙ̄ⲡⲣⲧⲣⲉ ⲗⲁⲁⲩ ⲙ̄ⲙⲱⲧⲛ̄ ⲣ̄ ⲡⲃⲟⲗ ⲙ̄ⲡⲉϥⲙⲁ
ϩⲙ̄ ⲡⲙⲉϩⲥⲁϣϥ̄ ⲛ̄ϩⲟⲟⲩ [30]ⲁⲩⲱ ⲁϥⲥⲁⲃⲃⲁⲧⲓⲍⲉ ⲛ̄ϭⲓ
*ⲡⲗⲁⲟⲥ ϩⲙ̄ ⲡⲙⲉϩⲥⲁϣϥ̄ ⲛ̄ϩⲟⲟⲩ [31]ⲁⲩⲱ ⲁⲩⲙⲟⲩⲧⲉ
ⲉⲡⲉϥⲣⲁⲛ ⲛ̄ϭⲓ ⲛ̄ϣⲏⲣⲉ *ⲙ̄ⲡⲓⲏ̄ⲗ̄ ϫⲉ ⲙⲙⲁⲛⲛⲁ ⲡⲉϥⲟ'
ⲇⲉ ⲛ̄ⲑⲉ *ⲛ̄ⲟⲩⲃⲣⲉϣⲏⲩ ⲉϥⲟⲩⲟⲃϣ̄ ⲉⲣⲉ ⲧⲉϥϯⲡⲉ ⲟ'
ⲛ̄ⲑⲉ ⲛⲟⲩⲁⲅⲕⲣⲓⲥ ϩⲛ̄ ⲟⲩⲉⲃⲓⲱ' [32]ⲡⲉϫⲁϥ ⲇⲉ ⲛ̄ϭⲓ
ⲙⲱⲩ̈ⲥⲏⲥ ϫⲉ ⲡⲁⲓ ⲡⲉ ⲡϣⲁϫⲉ ⲉⲛⲧⲁ ⲡϫⲟⲉⲓⲥ ϩⲟⲛϥ̄
ⲉⲧⲟⲟⲧⲛ̄ ϫⲉ ⲙⲟⲩϩ ⲙ̄ⲡϣⲓ ⲙ̄ⲙⲁⲛⲛⲁ ⲛ̄ⲧⲉⲧⲛ̄ϩⲁⲣⲉϩ
ⲉⲣⲟϥ ⲉⲛⲉⲧⲛ̄ϫⲱⲙ ϫⲉⲕⲁⲥ ⲉⲩⲉⲛⲁⲩ ⲉⲡⲟⲉⲓⲕ ⲉⲛⲧⲁⲧⲉ-
ⲧⲛ̄ⲟⲩⲟⲙϥ ϩⲣⲁⲓ ϩⲙ̄ ⲡϫⲁⲓⲉ' ⲛ̄ⲧⲉⲣⲉ ⲡϫⲟⲉⲓⲥ ⲛ̄ ⲧⲏⲩⲧⲛ̄
ⲉⲃⲟⲗ ϩⲙ̄ ⲡⲕⲁϩ ⲛ̄ⲕⲏⲙⲉ [33]ⲡⲉϫⲁϥ ⲇⲉ ⲛ̄ϭⲓ ⲙⲱⲩ̈ⲥⲏⲥ
ⲛ̄ⲛⲁϩⲣⲛ̄ ⲁⲁⲣⲱⲛ ⲡⲉϥⲥⲟⲛ' ϫⲉ ϫⲓ ⲛ̄ⲟⲩϭⲗⲙⲁⲓ ⲛ̄ⲛⲟⲩⲃ̄
ⲛ̄ⲅⲛⲟⲩϫⲉ ⲉⲣⲟϥ ⲛ̄ⲟⲩϣⲓ ⲙ̄ⲙⲁⲛⲛⲁ ⲉϥⲙⲉϩ ⲛ̄ⲅⲕⲱ' ⲙ̄-
ⲙⲟϥ ⲉϩⲣⲁⲓ ⲙ̄ⲡⲉⲙⲧⲟ ⲉⲃⲟⲗ ⲙ̄ⲡⲛⲟⲩⲧⲉ ⲉϩⲁⲣⲉϩ ⲉⲣⲟϥ
ϣⲁ ⲛⲉⲧⲛ̄ⲅⲉⲛⲉⲁ' [34]ⲛ̄ⲑⲉ ⲉⲛⲧⲁ ⲡϫⲟⲉⲓⲥ ϩⲱⲛ ⲉⲧⲟⲟⲧϥ̄
ⲙ̄ⲙⲱⲩ̈ⲥⲏⲥ ⲁ ⲁⲁⲣⲱⲛ ⲇⲉ ⲕⲁⲁϥ ⲙ̄ⲡⲉⲙⲧⲟ ⲉⲃⲟⲗ ⲙ̄-
ⲡⲙⲛ̄ⲧⲣⲉ ⲉϩⲁⲣⲉϩ ⲉⲣⲟϥ [35]ⲛ̄ϣⲏⲣⲉ ⲇⲉ ⲙ̄ⲡⲓⲏ̄ⲗ̄ ⲁⲩⲟⲩⲱⲙ ⲙ̄ⲡⲙⲁⲛⲛⲁ ⲛ̄ϩⲙⲉ ⲛ̄ⲣⲟⲙⲡⲉ ϣⲁⲛⲧⲟⲩⲉⲓ' ⲉϩⲣⲁⲓ
ⲉⲡⲙⲁ' ⲛ̄ⲟⲩⲱϩ ⲁⲩⲟⲩⲱⲙ ⲙ̄ⲡⲙⲁⲛⲛⲁ ϣⲁⲛⲧⲟⲩⲉⲓ'
ⲉϩⲣⲁⲓ ⲉⲩⲥⲁ ⲛ̄ⲧⲉ ⲫⲟⲓⲛⲓⲕⲏ [36]ⲡϣⲓ ⲇⲉ ⲡⲉ ⲡⲟⲩⲛ̄ ⲙ̄ⲙⲏⲧ
ⲡⲉ ⲙ̄ⲡϣⲟⲙⲧ̄ ⲛ̄ϣⲓ.

17 [1]ⲁⲥⲧⲱⲟⲩⲛ ⲇⲉ ⲛ̄ϭⲓ ⲧⲥⲩⲛⲁⲅⲱⲅⲏ ⲧⲏⲣⲥ̄
ⲛ̄ⲛ̄ϣⲏⲣⲉ ⲙ̄ⲡⲓⲏ̄ⲗ̄ ⲉⲃⲟⲗϩⲙ̄ ⲡϫⲁⲓⲉ ⲛ̄ⲥⲓⲛ ⲕⲁⲧⲁ ⲛⲉⲩ-
ⲡⲁⲣⲉⲙⲃⲟⲗⲏ ϩⲓⲧⲙ̄ ⲡϣⲁϫⲉ ⲙ̄ⲡϫⲟⲉⲓⲥ ⲁⲩⲉⲓ ⲉϩⲣⲁⲓ

ⲉϩⲣⲁⲫⲓⲇⲉⲓⲛ ⲡⲗⲁⲟⲥ ⲇⲉ ⲙ̅ⲡⲉϥϩⲉ ⲉⲙⲟⲟⲩ ⲉⲥⲱ [2] ⲁⲩⲱ
ⲁⲩⲥⲁϩⲟⲩ ⲛ̅ϭⲓ ⲡⲗⲁⲟⲥ ⲙ̅ⲙⲱⲩ̈ⲥⲏⲥ ⲉⲩϫⲱ ⲙ̅ⲙⲟⲥ ϫⲉ
ⲙⲁ ⲛⲁⲛ ⲛ̅ⲟⲩⲙⲟⲟⲩ ϫⲉⲕⲁⲥ ⲉⲛⲉⲥⲱ ⲡⲉϫⲁϥ ⲇⲉ ⲛⲁⲩ
ⲛ̅ϭⲓ ⲙⲱⲩ̈ⲥⲏⲥ ϫⲉ ⲁϩⲣⲱⲧⲛ̅ ⲧⲉⲧⲛ̅ⲥⲁϩⲟⲩ ⲙ̅ⲙⲟⲓ ⲁⲩⲱ
ⲉⲧⲃⲉ ⲟⲩ' ⲧⲉⲧⲛ̅ⲡⲉⲓⲣⲁⲍⲉ ⲙ̅ⲡϫⲟⲉⲓⲥ ⲡⲉⲧⲛ̅ⲛⲟⲩⲧⲉ [3] ⲁ
ⲡⲗⲁⲟⲥ ⲇⲉ ⲉⲓⲃⲉ ⲙ̅ⲡⲙⲟⲟⲩ ϩⲙ̅ ⲡⲙⲁ ⲉⲧⲙ̅ⲙⲁⲩ
ⲁⲩⲱ ⲁϥⲕⲣ̅ⲙⲣ̅ⲙ̅ ⲛ̅ϭⲓ ⲡⲗⲁⲟⲥ ϩⲙ̅ ⲡⲙⲁ' ⲉⲧⲙ̅ⲙⲁⲩ
ⲉⲙⲱⲩ̈ⲥⲏⲥ' ⲉⲩϫⲱ ⲙ̅ⲙⲟⲥ ϫⲉ ⲟⲩ ⲡⲉ ⲡⲁⲓ ⲉⲧⲣⲉⲕⲛ̅ⲧⲛ̅
ⲉⲃⲟⲗ' ϩⲛ̅ ⲕⲏⲙⲉ ⲉⲙⲟⲩⲟⲩⲧ ⲙ̅ⲙⲟⲛ ⲙⲛ̅ ⲛⲉⲛϣⲏⲣⲉ
ⲙⲛ̅ ⲛⲉⲛⲧⲃ̅ⲛⲟⲟⲩⲉ ϩⲁ ⲡⲉⲓⲃⲉ [4] ⲙⲱⲩ̈ⲥⲏⲥ ⲇⲉ ⲁϥⲱϣⲕⲁⲕ
ⲉϩⲣⲁⲓ ⲉⲡϫⲟⲉⲓⲥ ⲉϥϫⲱ ⲙ̅ⲙⲟⲥ ϫⲉ ⲟⲩ ⲡⲉ ϯⲛⲁⲁⲁϥ
ⲙ̅ⲡⲉⲓⲗⲁⲟⲥ ⲉⲧⲓ ⲕⲉ ⲕⲟⲩⲓ ⲡⲉ ⲛ̅ⲥⲉϩⲓⲱⲛⲉ ⲉⲣⲟⲓ [5] ⲡⲉϫⲁϥ
ⲇⲉ ⲛ̅ϭⲓ ⲡϫⲟⲉⲓⲥ ⲛ̅ⲛⲁϩⲣⲙ̅ ⲙⲱⲩ̈ⲥⲏⲥ ϫⲉ ⲙⲟⲟϣⲉ ϩⲁⲑⲏ'
ⲙⲡⲉⲓⲗⲁⲟⲥ' ⲛ̅ⲅϫⲓ ⲇⲉ ⲛ̅ⲙ̅ⲙⲁⲕ ⲉⲃⲟⲗ ϩⲛ̅ ⲛⲉⲡⲣⲉⲥⲃⲩⲧⲉⲣⲟⲥ ⲙ̅ⲡⲗⲁⲟⲥ ⲁⲩⲱ ⲡϭⲉⲣⲱⲃ ⲡⲁⲓ ⲉⲛⲧⲁⲕⲣⲉϩⲧ
ⲡⲉⲓⲉⲣⲟ' ⲛ̅ϩⲏⲧϥ̅ ⲉⲕⲉϫⲓ ⲙ̅ⲙⲟϥ ϩⲣⲁⲓ ϩⲛ̅ ⲧⲉⲕϭⲓϫ
ⲛ̅ⲅⲃⲱⲕ' [6] ⲉⲓⲥϩⲏⲏⲧⲉ ⲇⲉ ⲁⲛⲟⲕ' ϯⲁϩⲉⲣⲁⲧ ϩⲁ ⲧⲉⲕϩⲏ
ϩⲣⲁⲓ ϩⲓϫⲛ̅ ⲧⲡⲉⲧⲣⲁ ⲛ̅ⲭⲱⲣⲏⲃ ⲁⲩⲱ ⲉⲕⲉⲣⲱϩⲧ̅ ⲛ̅-
ⲧⲡⲉⲧⲣⲁ ⲛ̅ⲧⲉ ⲟⲩⲙⲟⲟⲩ ϣⲟⲩⲟ ⲉⲃⲟⲗ ⲛ̅ϩⲏⲧⲥ̅ ⲛ̅ϥ̅ⲥⲱ
ⲛ̅ϭⲓ ⲡⲗⲁⲟⲥ ⲁϥⲉⲓⲣⲉ ⲇⲉ ϩⲓⲛⲁⲓ ⲛ̅ϭⲓ ⲙⲱⲩ̈ⲥⲏⲥ ⲙ̅ⲡⲉⲙⲧⲟ
ⲉⲃⲟⲗ ⲛ̅ⲛ̅ϣⲏⲣⲉ ⲙ̅ⲡⲓ̅ⲏ̅ⲗ ⲁⲩⲱ ⲧⲏⲣⲟⲩ [7] ⲁⲩⲱ ⲁϥⲙⲟⲩⲧⲉ
ⲉⲡⲣⲁⲛ ⲙ̅ⲡⲙⲁ ⲉⲧⲙ̅ⲙⲁⲩ ϫⲉ ⲡⲡⲉⲓⲣⲁⲥⲙⲟⲥ ⲁⲩⲱ
ⲡⲥⲁϩⲟⲩ ϫⲉ ⲁⲩⲡⲉⲓⲣⲁⲍⲉ ⲙ̅ⲡϫⲟⲉⲓⲥ ⲉⲩϫⲱ ⲙ̅ⲙⲟⲥ ϫⲉ
ⲙ̅ⲡϫⲟⲉⲓⲥ ϣⲟⲟⲡ ⲛ̅ϩⲏⲧⲛ̅ ϫⲛ̅ ⲙ̅ⲙⲟⲛ` [8] ⲁϥⲉⲓ ⲇⲉ ⲛ̅ϭⲓ
ⲡⲁⲙⲁⲗⲏⲕ ⲁϥⲙⲓϣⲉ' ⲙⲛ̅ ⲡⲓ̅ⲏ̅ⲗ ϩⲣⲁⲓ ϩⲛ̅ ϩⲣⲁⲫⲓⲇⲉⲓⲛ
[9] ⲡⲉϫⲁϥ ⲇⲉ ⲛ̅ϭⲓ ⲙⲱⲩ̈ⲥⲏⲥ ⲛ̅ⲛⲁϩⲣⲛ̅ ⲓⲏⲥⲟⲩⲥ ϫⲉ ⲥⲱⲧⲛ̅
ⲛⲁⲕ ⲛ̅ϩⲉⲛⲣⲱⲙⲉ ⲛ̅ϫⲱⲱⲣⲉ ⲛ̅ⲅⲃⲱⲕ ⲉⲃⲟⲗ ⲛ̅ⲅⲣ̅ ⲙ̅ⲗⲁϩ
ⲉⲃⲟⲗ *ϩⲙ̅ⲛ̅ ⲡⲁⲙⲁⲗⲏⲕ ⲛ̅ⲣⲁⲥⲧⲉ ⲁⲩⲱ ⲉⲓⲥϩⲏⲏⲧⲉ
ⲁⲛⲟⲕ ϯⲁϩⲉⲣⲁⲧ ϩⲓϫⲛ̅ *ⲁⲡⲉ ⲙ̅ⲡⲙⲁ' ⲉⲧϫⲟⲥⲉ ⲉⲣⲉ
ⲡϭⲉⲣⲱⲃ ⲙ̅ⲡⲛⲟⲩⲧⲉ ϩⲛ̅ ⲧⲁϭⲓϫ [10] ⲁϥⲉⲓⲣⲉ ⲇⲉ ⲛ̅ϭⲓ
ⲓⲏⲥⲟⲩⲥ ⲕⲁⲧⲁ ⲑⲉ ⲉⲛⲧⲁϥϫⲟⲟⲥ ⲛⲁϥ ⲛ̅ϭⲓ ⲙⲱⲩⲥⲏⲥ
ⲁϥⲃⲱⲕ ⲉⲃⲟⲗ ⲁϥⲣ̅ ⲙ̅ⲗⲁϩ ⲉⲃⲟⲗ ⲙⲛ̅ ⲡⲁⲙⲁⲗⲏⲕ
ⲙⲱⲩ̈ⲥⲏⲥ ⲇⲉ ⲁⲩⲱ ⲁⲁⲣⲱⲛ ⲙⲛ̅ ⲱⲣ ⲁⲩⲁϩⲉⲣⲁⲧⲟⲩ
ⲉϫⲛ̅ ⲧⲁⲡⲉ ⲙ̅ⲡⲧⲁⲗ [11] ⲁⲩⲱ ϣⲁⲥϣⲱⲡⲉ ⲉⲣϣⲁⲛ ⲙⲱⲩⲥⲏⲥ
ϥⲓ ⲛ̅ⲛⲉϥϭⲓϫ ⲉϩⲣⲁⲓ ϣⲁϥϭⲙ̅ϭⲟⲙ ⲛ̅ϭⲓ ⲡⲓ̅ⲏ̅ⲗ ⲉⲣϣⲁⲛ
ⲙⲱⲩ̈ⲥⲏⲥ ⲇⲉ ⲕⲁ ⲛⲉϥϭⲓϫ ⲉⲡⲉⲥⲏⲧ' ϣⲁϥϭⲙ̅ϭⲟⲙ ⲛ̅ϭⲓ
ⲡⲁⲙⲁⲗⲏⲕ [12] ⲛ̅ϭⲓϫ ⲇⲉ ⲙ̅ⲙⲱⲩ̈ⲥⲏⲥ ⲁⲩϩⲣⲟϣ ⲁⲩⲱ

ⲇⲉ ⲛ̄ⲟⲩⲱⲛⲉ ⲁⲩⲕⲁⲁϥ ϩⲁⲣⲟϥ ⲁϥϩⲙⲟⲟⲥ ⲉϩⲣⲁⲓ ⲉϫⲱϥ ⲁⲁⲣⲱⲛ ⲇⲉ ⲙⲛ̄ ⲱⲣ ⲡⲉⲩϥⲓ ϩⲁ ⲛⲉϥϭⲓϫ ⲟⲩⲁ' *ϩⲛ ⲡⲓⲥⲁ' ⲙ̄ⲙⲟϥ ⲁⲩⲱ ⲕⲉⲟⲩⲁ' ϩⲓ ⲡⲁⲓ ⲙ̄ⲙⲟϥ ⲁⲩϣⲱⲡⲉ ⲛ̄ϭⲓ ⲛ̄ϭⲓϫ ⲙ̄ⲙⲱⲩ̈ⲥⲏⲥ ⲉⲩⲧⲁϫⲣⲏⲩ ϣⲁ ⲡⲛⲁⲩ ⲙ̄ⲡⲣⲏ ⲉϥⲛⲁϩⲱⲧⲡ [13]ⲓⲏⲥⲟⲩⲥ ⲇⲉ ⲁϥϭⲉⲧⲡ̄ ⲡⲁⲙⲁⲗⲏⲕ ⲙⲛ̄ ⲡⲉϥⲗⲁⲟⲥ ⲧⲏⲣϥ̄ ϩⲛ̄ ⲟⲩϩⲱⲧⲃ̄·ⲛ̄ⲥⲏϥⲉ [14]ⲡⲉϫⲁϥ ⲇⲉ ⲛ̄ϭⲓ ⲡϫⲟⲉⲓⲥ ⲛ̄ⲛⲁϩⲣⲙ̄ ⲙⲱⲩ̈ⲥⲏⲥ ϫⲉ ⲥϩⲁⲓ ⲙ̄ⲛⲁⲓ ⲉⲩⲣ̄ⲡⲙⲉⲉⲩⲉ ϩⲛ̄ ⲟⲩϫⲱⲱⲙⲉ ⲛ̄ⲅϫⲟⲟⲥ ⲉⲛⲙⲁⲁϫⲉ ⲛ̄ⲓⲏⲥⲟⲩⲥ ϫⲉ ϩⲛ̄ ⲟⲩϥⲱⲧⲉ ⲉⲃⲟⲗ' ϯⲛⲁϥⲱⲧⲉ ⲉⲃⲟⲗ' ⲙ̄ⲡⲣ̄ⲙⲉⲉⲩⲉ ⲙ̄ⲡⲁⲙⲁⲗⲏⲕ' ϩⲁ ⲧⲡⲉ [15]ⲁⲩⲱ ⲁϥⲕⲱⲧ ⲛ̄ϭⲓ ⲙⲱⲩ̈ⲥⲏⲥ ⲛ̄ⲟⲩⲑⲩⲥⲓⲁⲥⲧⲏⲣⲓⲟⲛ' ⲙ̄ⲡϫⲟⲉⲓⲥ' ⲁϥⲙⲟⲩⲧⲉ ⲉⲡⲉϥⲣⲁⲛ ⲇⲉ ⲡϫⲟⲉⲓⲥ' ⲡⲉ ⲡⲁⲙⲁ' ⲙ̄ⲡⲱⲧ [16]ϫⲉ ϩⲣⲁⲓ ϩⲛ̄ ⲟⲩϭⲓϫ ⲉⲥϩⲏⲡ' ⲡϫⲟⲉⲓⲥ ϣϣⲉ (lies ⲙⲓϣⲉ) ⲙⲛ̄ ⲡⲁⲙⲁⲗⲏⲕ ϫⲓⲛ ϫⲱⲙ ϣⲁ ϫⲱⲙ

18 [1]ⲁϥⲥⲱⲧⲙ̄ ⲇⲉ ⲛ̄ϭⲓ ⲓⲟⲑⲟⲣ ⲡⲟⲩⲏⲏⲃ ⲙ̄ⲙⲁⲇⲓⲁⲙ ⲡϣⲟⲙ ⲙ̄ⲙⲱⲩ̈ⲥⲏⲥ ⲉϩⲱⲃ ⲛⲓⲙ ⲉⲛⲧⲁ ⲡϫⲟⲉⲓⲥ ⲁⲁⲩ ⲙ̄ⲡⲉϥⲗⲁⲟⲥ ⲡⲓⲏⲗ ⲁ ⲡϫⲟⲉⲓⲥ ⲅⲁⲣ ⲛ̄ ⲡⲓⲏⲗ ⲉⲃⲟⲗ ϩⲛ̄ ⲕⲏⲙⲉ [2]ⲁϥϫⲓ ⲇⲉ ⲛ̄ϭⲓ ⲓⲟⲑⲟⲣ ⲡϣⲟⲙ ⲙ̄ⲙⲱⲩ̈ⲥⲏⲥ ⲛ̄ⲥⲉⲫⲱⲣⲁ ⲑⲓⲙⲉ ⲙ̄ⲙⲱⲩ̈ⲥⲏⲥ ⲙⲛ̄ⲛ̄ⲥⲁ ⲧⲣⲉϥⲕⲁⲁⲥ [3]ⲙⲛ̄ ⲡⲉϥϣⲏⲣⲉ ⲥⲛⲁⲩ ⲡⲣⲁⲛ ⲙ̄ⲡⲟⲩⲁ' ⲙ̄ⲙⲟⲟⲩ ⲡⲉ ⲅⲏⲣⲥⲁⲙ ⲉϥϫⲱ ⲙ̄ⲙⲟⲥ ϫⲉ ⲉⲓⲟ' ⲛ̄ⲣⲙ̄ⲛ̄ϭⲟⲓⲗⲉ ϩⲛ̄ ⲟⲩⲕⲁϩ ⲙ̄ⲡⲱⲓ ⲁⲛ ⲡⲉ [4]ⲁⲩⲱ ⲡⲣⲁⲛ ⲙ̄ⲡⲙⲉϩⲥⲛⲁⲩ' ⲡⲉ ⲉⲗⲓⲉⲍⲉⲣ ⲉϥϫⲱ ⲙ̄ⲙⲟⲥ ϫⲉ ⲡⲛⲟⲩⲧⲉ ⲙ̄ⲡⲁⲉⲓⲱⲧ ⲡⲉ ⲡⲁⲃⲟⲏⲑⲟⲥ ⲁⲩⲱ ⲁϥⲧⲟⲩϫⲟⲉⲓ ⲉⲃⲟⲗ ϩⲛ̄ ⲧϭⲓϫ ⲙ̄ⲫⲁⲣⲁⲱ' [5]*ⲁϥϭⲓ ⲇⲉ ⲛ̄ϭⲓ ⲓⲟⲑⲟⲣ ⲡϣⲟⲙ ⲙ̄ⲙⲱⲩ̈ⲥⲏⲥ ⲛ̄ⲛⲉϥϣⲏⲣⲉ ⲙⲛ̄ ⲧⲉϥⲥϩⲓⲙⲉ ⲉϩⲣⲁⲓ ⲉⲧⲉⲣⲏⲙⲟⲥ ϣⲁ ⲙⲱⲩ̈ⲥⲏⲥ' ⲉⲡⲙⲁ' ⲉⲛⲧⲁϥϣⲱⲡⲉ ϩⲣⲁⲓ ⲛ̄ϩⲏⲧϥ ⲉϩⲣⲁⲓ ⲉⲡⲧⲟⲟⲩ ⲙ̄ⲡⲛⲟⲩⲧⲉ [6]ⲁⲩϫⲓ ⲡⲟⲩⲱ' ⲇⲉ ⲙ̄ⲙⲱⲩ̈ⲥⲏⲥ ⲉⲩϫⲱ ⲙ̄ⲙⲟⲥ ϫⲉ ⲉⲓⲥ ⲡⲉⲕϣⲟⲙ ⲛⲏⲩ ⲉⲧⲱⲙⲧ̄ ⲉⲣⲟⲕ' ⲙⲛ̄ ⲧⲉⲕⲥϩⲓⲙⲉ' ⲙⲛ̄ ⲡⲉⲕϣⲏⲣⲉ ⲥⲛⲁⲩ ⲛ̄ⲙⲙⲁϥ [7]ⲁϥⲉ̇ⲓ' ⲇⲉ ⲉⲃⲟⲗ ⲛ̄ϭⲓ ⲙⲱⲩ̈ⲥⲏⲥ ⲉⲧⲱⲙⲧ̄ ⲉⲡⲉϥϣⲟⲙ ⲁϥⲟⲩⲱϣⲧ̄ ⲛⲁϥ ⲁⲩⲱ ⲁϥϯⲡⲓ *ⲉⲣⲱϥ' ⲁⲩⲁⲥⲡⲁⲍⲉ ⲛ̄ⲛⲉⲩⲉⲣⲏⲩ ⲁϥϫⲓⲧⲟⲩ ⲉϩⲟⲩⲛ ⲉⲧⲉⲥⲕⲏⲛⲏ [8]ⲙⲱⲩ̈ⲥⲏⲥ ⲇⲉ ⲁϥϫⲱ' ⲉⲡⲉϥϣⲟⲙ ⲛ̄ϩⲱⲃ ⲛⲓⲙ ⲉⲛⲧⲁ ⲡϫⲟⲉⲓⲥ ⲁⲁⲩ ⲙ̄ⲫⲁⲣⲁⲱ' ⲙⲛ̄ ⲛ̄ⲣⲙ̄ⲛ̄ⲕⲏⲙⲉ ⲉⲧⲃⲉ ⲡⲓⲏⲗ ⲙⲛ̄ ⲛ̄ϩⲓⲥⲉ ⲧⲏⲣϥ̄ ⲉⲛⲧⲁⲩϣⲱⲡⲉ ⲙ̄ⲙⲟⲟⲩ ϩⲓ ⲧⲉϩⲓⲏ ⲁⲩⲱ ϫⲉ ⲁ ⲡϫⲟⲉⲓⲥ ⲧⲟⲩϫⲟⲟⲩ ⲉⲃⲟⲗ ϩⲛ̄ ⲧϭⲓϫ ⲙ̄ⲫⲁⲣⲁⲱ' ⲙⲛ̄ ⲧϭⲓϫ ⲛ̄ⲛ̄ⲣⲙ̄ⲛ̄ⲕⲏⲙⲉ [9]ⲁϥⲣ̄ϣⲡⲏⲣⲉ ⲇⲉ ⲛ̄ϭⲓ ⲓⲟⲑⲟⲣ

ⲉϩⲣⲁⲓ ⲉϫⲛ̅ ⲛ̅ⲁⲅⲁⲑⲟⲛ ⲧⲏⲣⲟⲩ ⲉⲛⲧⲁ ⲡϫⲟⲉⲓⲥ ⲁⲁⲩ
ⲛⲁⲩ ϫⲉ ⲁϥⲧⲟⲩϫⲟⲟⲩ ⲉⲃⲟⲗ ϩⲛ̅ ⲧϭⲓϫ *ⲡⲣ̅ⲙ̅ⲛ̅ⲕⲏⲙⲉ
ⲙⲛ̅ ⲧϭⲓϫ ⲙ̅ⲫⲁⲣⲁⲱ' ⲡ̅ⲣⲣⲟ ⲛ̅ⲕⲏⲙⲉ [10]ⲡⲉϫⲁϥ ⲇⲉ
ⲛ̅ϭⲓ ⲓⲟⲑⲟⲣ ϫⲉ ϥⲥⲙⲁⲙⲁⲁⲧ ⲛ̅ϭⲓ ⲡϫⲟⲉⲓⲥ' ϫⲉ ⲁϥ-
ⲧⲟⲩϫⲟ' ⲙ̅ⲡⲉϥⲗⲁⲟⲥ ⲉⲃⲟⲗ' ϩⲛ̅ ⲧϭⲓϫ ⲛ̅ⲛ̅ⲣ̅ⲙ̅ⲛ̅ⲕⲏⲙⲉ
ⲁⲩⲱ ⲉⲃⲟⲗ ϩⲛ̅ ⲧϭⲓϫ ⲙ̅ⲫⲁⲣⲁⲱ' [11]ⲧⲉⲛⲟⲩ ⲁⲓⲉⲓⲙⲉ
ϫⲉ ⲟⲩⲛⲟϭ ⲡⲉ ⲡⲛⲟⲩⲧⲉ ⲡⲁⲣⲁ ⲛ̅ⲛⲟⲩⲧⲉ ⲧⲏⲣⲟⲩ ⲉⲧⲃⲉ
ⲡⲁⲓ ⲁϥⲧⲱⲟⲩⲛ ⲉϩⲣⲁⲓ ⲉϫⲱⲟⲩ [12]ⲁϥϫⲓ ⲇⲉ ⲛ̅ϭⲓ ⲓⲟⲑⲟⲣ
ⲛ̅ϩⲉⲛϭⲗⲓⲗ' ⲙⲛ̅ ϩⲉⲛⲑⲩⲥⲓⲁ ⲉⲧⲁⲗⲟⲟⲩ ⲉϩⲣⲁⲓ ⲙ̅ⲡⲛⲟⲩ-
ⲧⲉ ⲁϥⲉⲓ ⲇⲉ ⲛ̅ϭⲓ ⲁⲁⲣⲱⲛ ⲙⲛ̅ ⲛⲉⲡⲣⲉⲥⲃⲩⲧⲉⲣⲟⲥ ⲧⲏⲣⲟⲩ
ⲙ̅ⲡⲓ̅ⲏ̅ⲗ̅ ⲉⲟⲩⲱⲙ ⲛ̅ⲟⲩⲟⲉⲓⲕ ⲙⲛ̅ ⲡϣⲟⲙ ⲙ̅ⲙⲱⲩ̅ⲥⲏⲥ ⲙ̅-
ⲡⲉⲙⲧⲟ ⲉⲃⲟⲗ ⲙ̅ⲡⲛⲟⲩⲧⲉ [13]ⲁⲩⲱ ⲁⲥϣⲱⲡⲉ ⲙⲛ̅ⲛ̅ⲥⲁ
ⲡⲉϥⲣⲁⲥⲧⲉ' ⲁϥϩⲙⲟⲟⲥ ⲛ̅ϭⲓ ⲙⲱⲩ̅ⲥⲏⲥ ⲉⲕⲣⲓⲛⲉ ⲙ̅ⲡⲗⲁⲟⲥ
ⲁⲩⲱ ⲛⲉϥⲁϩⲉⲣⲁⲧϥ̅ ⲛ̅ϭⲓ ⲡⲗⲁⲟⲥ ⲧⲏⲣϥ ⲉⲙⲱⲩ̅ⲥⲏⲥ ϫⲓⲛ
ϩⲧⲟⲟⲩⲉ ϣⲁ ⲣⲟⲩϩⲉ [14]ⲁϥⲛⲁⲩ ⲇⲉ ⲛ̅ϭⲓ ⲓⲟⲑⲟⲣ ⲉϩⲱⲃ̅
ⲛⲓⲙ ⲉⲧϥ̅ⲉⲓⲣⲉ ⲙ̅ⲙⲟⲟⲩ ⲙ̅ⲡⲗⲁⲟⲥ ⲡⲉϫⲁϥ ⲇⲉ ⲛⲁϥ ϫⲉ
ⲟⲩ' ⲡⲉ ⲡⲁⲓ ⲛ̅ⲧⲟⲕ ⲉⲧⲕ̅ⲉⲓⲣⲉ ⲙ̅ⲙⲟϥ ⲙ̅ⲡⲗⲁⲟⲥ ⲉⲧⲃⲉ
ⲟⲩ' ⲕϩⲙⲟⲟⲥ ⲛ̅ⲧⲟⲕ ⲡⲗⲁⲟⲥ ⲇⲉ ⲁϩⲉⲣⲁⲧϥ̅ ⲉⲣⲟⲕ ϫⲓⲛ
ϩⲧⲟⲟⲩⲉ ϣⲁ ⲣⲟⲩϩⲉ [15]ⲡⲉϫⲁϥ ⲇⲉ ⲛ̅ϭⲓ ⲙⲱⲩ̅ⲥⲏⲥ ⲙ̅-
ⲡⲉϥϣⲟⲙ ϫⲉ ⲉϣⲁⲣⲉ ⲡⲗⲁⲟⲥ ⲉⲓ ⲉⲣⲁⲧ ⲉϣⲓⲛⲉ ⲛ̅ⲥⲁ
ⲡϩⲁⲡ ⲉⲃⲟⲗ ϩⲓⲧⲙ̅ ⲡⲛⲟⲩⲧⲉ [16]ⲉⲣϣⲁⲛ ⲟⲩⲁⲛⲧⲓⲗⲟⲅⲓⲁ
ⲅⲁⲣ ϣⲱⲡⲉ ⲛⲁⲩ ⲛ̅ⲥⲉⲉⲓ' ϣⲁⲣⲟⲓ ϣⲁⲓ(?)ϯϩⲁⲡ ⲉⲛⲟⲩⲁ'
ⲛⲟⲩⲁ' ⲧⲁⲧⲥⲁⲃⲟⲟⲩ ⲉⲛⲟⲩⲉϩⲥⲁϩⲛⲉ ⲙ̅ⲡⲛⲟⲩⲧⲉ' ⲙⲛ̅
ⲡⲉϥⲛⲟⲙⲟⲥ [17]ⲡⲉϫⲁϥ ⲇⲉ ⲛⲁϥ ⲛ̅ϭⲓ ⲡϣⲟⲙ ⲙ̅ⲙⲱⲩ̅ⲥⲏⲥ
ϫⲉ ⲛ̅ⲅⲉⲓⲣⲉ ⲁⲛ ⲙ̅ⲡⲓϣⲁϫⲉ ϩⲛ̅ ⲟⲩⲥⲟⲟⲩⲧⲛ̅ [18]ϩⲛ̅ ⲟⲩⲧⲁⲕⲟ' ⲕⲛⲁⲧⲁⲕⲟ' ⲛ̅ⲅ̅ ⲧⲙ̅ ⲉϣϥⲓ ⲛ̅ⲧⲟⲕ ⲙⲛ̅ ⲡⲉⲓⲗⲁⲟⲥ
ⲧⲏⲣϥ̅ ⲉⲧⲛ̅ⲙ̅ⲙⲁⲕ' ⲡⲉⲓϣⲁϫⲉ ϩⲟⲣϣ̅ ⲛⲁⲕ ⲛ̅ⲅ̅ⲛⲁϣϭⲙ̅-
ϭⲟⲙ ⲁⲛ ⲉⲁⲁϥ ⲙⲁⲩⲁⲁⲕ [19]ⲧⲉⲛⲟⲩ ϭⲉ ⲥⲱⲧⲙ̅ ⲉⲣⲟⲓ
ⲧⲁϫⲓϣⲟϫⲛⲉ ⲛⲁⲕ' ⲛ̅ⲧⲉ ⲡⲛⲟⲩⲧⲉ ϣⲱⲡⲉ *ⲛ̅ⲙ̅ⲙⲁⲕ'
ϣⲱⲡⲉ ⲛ̅ⲧⲟⲕ ⲙ̅ⲡⲉⲓⲗⲁⲟⲥ ⲛ̅ⲛⲁϩⲣⲙ̅ ⲡⲛⲟⲩⲧⲉ ⲛ̅ⲅ̅ϫⲓ
ⲉϩⲣⲁⲓ ⲛ̅ⲛⲉⲩϣⲁϫⲉ ⲛ̅ⲛⲁϩⲣⲙ̅ ⲡⲛⲟⲩⲧⲉ [20]ⲛ̅ⲅ̅ⲣ̅ⲙⲛ̅ⲧⲣⲉ
ⲛⲁⲩ ⲛ̅ⲛⲟⲩⲉϩⲥⲁϩⲛⲉ ⲙ̅ⲡⲛⲟⲩⲧⲉ ⲙⲛ̅ ⲡⲉϥⲛⲟⲙⲟⲥ ⲛ̅ⲅ̅-
ⲧⲁⲙⲟⲟⲩ ⲉⲛⲉϩⲓⲟⲟⲩⲉ ⲉⲧⲟⲩⲛⲁⲙⲟⲟϣⲉ ϩⲣⲁⲓ ⲛ̅ϩⲏⲧⲟⲩ
ⲙⲛ̅ ⲛⲉϩⲃⲏⲩⲉ ⲉⲧⲟⲩⲛⲁⲁⲩ [21]ⲛ̅ⲧⲟⲕ ⲇⲉ ⲛ̅ⲅ̅ⲥⲱⲧⲛ̅
ⲛⲁⲕ' ⲉⲃⲟⲗ ϩⲙ̅ ⲡⲗⲁⲟⲥ ⲛ̅ϩⲉⲛⲣⲱⲙⲉ ⲛ̅ϫⲱⲱⲣⲉ ⲛ̅-
ⲣⲉϥϣⲙ̅ϣⲉ ⲙ̅ⲡⲛⲟⲩⲧⲉ ϩⲉⲛⲣⲱⲙⲉ ⲛ̅ⲇⲓⲕⲁⲓⲟⲥ ⲉⲩⲙⲟⲥⲧⲉ
ⲛ̅ⲧⲙⲛ̅ⲧϫⲁⲥⲓϩⲏⲧ ⲛ̅ⲅ̅ⲧⲁϩⲟⲟⲩ ⲉⲣⲁⲧⲟⲩ ⲉϩⲣⲁⲓ ⲉϫⲱⲟⲩ

ⲛ̄ⲁⲛϣⲟ' ⲁⲩⲱ ⲛ̄ⲁⲛϣⲉ' ⲁⲩⲱ ⲛ̄ⲁⲛⲧⲁⲓⲟⲩ ⲁⲩⲱ ⲛ̄ⲁⲛ-
ⲙⲏⲧ [22]ⲛ̄ⲥⲉⲕⲣⲓⲛⲉ ⲙ̄ⲡⲗⲁⲟⲥ ⲛ̄ⲛⲁⲩ ⲛⲓⲙ ⲛ̄ϣⲁϫⲉ ⲇⲉ
ⲛ̄ⲧⲟϥ ⲉⲧϫⲟⲥⲉ ⲛ̄ⲥⲉⲛ̄ⲧϥ̄ ⲉⲣⲁⲧⲕ̄ ⲛ̄ⲕⲟⲩⲓ ⲇⲉ ⲛ̄ϩⲁⲡ'
ⲛ̄ⲥⲉⲕⲣⲓⲛⲉ ⲙ̄ⲙⲟⲟⲩ ⲁⲩⲱ ⲥⲉⲛⲁϯⲙ̄ⲧⲟⲛ ⲛⲁⲕ ⲛ̄ⲥⲉϥⲓ
ⲛ̄ⲙ̄ⲙⲁⲕ [23]ⲉϣⲱⲡⲉ ⲇⲉ ⲉⲕϣⲁⲛⲉⲓⲣⲉ ⲙ̄ⲡⲉⲓϣⲁϫⲉ ⲡⲛⲟⲩⲧⲉ
ⲛⲁϯⲙ̄ⲧⲟⲛ ⲛⲁⲕ ⲛ̄ⲅϭⲙ̄ϭⲟⲙ ⲉⲁϩⲉⲣⲁⲧⲕ̄ ⲁⲩⲱ ⲡⲉⲓⲗⲁⲟⲥ ⲧⲏⲣϥ̄ ⲛⲏⲩ ⲉϩⲣⲁⲓ ⲉⲡⲉϥⲙⲁ ϩⲛ̄ ⲟⲩⲉⲓⲣⲏⲛⲏ
[24]ⲁⲩⲱ ⲁϥⲥⲱⲧⲙ̄ ⲛ̄ϭⲓ ⲙⲱⲩ̈ⲥⲏⲥ ⲛ̄ⲥⲁ ⲛ̄ϣⲁϫⲉ ⲙ̄ⲡⲉϥ-
ϣⲟⲙ ⲁϥⲉⲓⲣⲉ ⲛ̄ⲛⲉⲛⲧⲁϥϫⲟⲟⲩ ⲛⲁϥ [25]ⲁⲩⲱ ⲁϥⲥⲱⲧⲡ̄
ⲛ̄ϩⲉⲛⲣⲱⲙⲉ ⲛ̄ⲇⲩⲛⲁⲧⲟⲥ' ⲉⲃⲟⲗ ϩⲙ̄ ⲡⲓⲥ̄ⲗ̄ ⲧⲏⲣϥ̄ ⲁϥⲕⲁⲑⲓⲥⲧⲁ ⲙ̄ⲙⲟⲟⲩ ⲉϩⲣⲁⲓ ⲉϫⲱⲟⲩ ⲛ̄ⲁⲛϣⲟ' ⲁⲩⲱ
ⲛ̄ⲁⲛϣⲉ' ⲁⲩⲱ ⲛ̄ⲁⲛⲧⲁⲓⲟⲩ ⲁⲩⲱ ⲛ̄ⲁⲛⲙⲏⲧ' [26]ⲁⲩⲕⲣⲓⲛⲉ
ⲙ̄ⲡⲗⲁⲟⲥ ⲛ̄ⲛⲁⲩ ⲛⲓⲙ ϣⲁϫⲉ ⲇⲉ ⲛⲓⲙ ⲉⲧϫⲟⲥⲉ ⲛⲉⲩⲓⲛⲉ
ⲙ̄ⲙⲟⲟⲩ ⲛ̄ⲛⲁϩⲣⲙ̄ ⲙⲱⲩ̈ⲥⲏⲥ' ⲛⲉⲧⲥⲟⲃⲕ̄ ⲇⲉ ⲛⲉⲩⲕⲣⲓⲛⲉ
ⲙ̄ⲙⲟⲟⲩ [27]ⲁϥϫⲟⲟⲩ ⲇⲉ ⲛ̄ϭⲓ ⲙⲱⲩ̈ⲥⲏⲥ ⲙ̄ⲡⲉϥϣⲟⲙ'
ⲁϥⲃⲱⲕ ⲉϩⲣⲁⲓ ⲉⲡⲉϥⲕⲁϩ

19 [1]ϩⲣⲁⲓ ⲇⲉ ϩⲙ̄ ⲡⲙⲉϩϣⲟⲙⲧ̄ ⲛ̄ⲉⲃⲟⲧ' ⲙ̄ⲡⲉⲓ
ⲉⲃⲟⲗ ⲛ̄ⲛ̄ϣⲏⲣⲉ ⲙ̄ⲡⲓⲥ̄ⲗ̄ ϩⲙ̄ ⲡⲕⲁϩ ⲛ̄ⲕⲏⲙⲉ ϩⲣⲁⲓ ϩⲙ̄
ⲡⲉⲓ ϩⲟⲟⲩ ⲁⲩⲉⲓ' ⲉϩⲣⲁⲓ ⲉⲡϫⲁⲉⲓⲉ ⲛ̄ⲥⲓⲛⲉ ϩⲣⲁⲓ ⲉϩⲣⲁⲫⲓⲇⲉⲓⲛ [2]ⲁⲩⲧⲱⲟⲩⲛ ⲇⲉ ⲉⲃⲟⲗ ϩⲛ̄ ϩⲣⲁⲫⲓⲇⲉⲓⲛ ⲁⲩⲉⲓ'
ⲉϩⲣⲁⲓ ⲉⲡϫⲁⲓⲉ ⲛ̄ⲥⲓⲛⲁ ⲁ ⲡⲓⲥ̄ⲗ̄ ⲟⲩⲉϩⲛⲁϥ ⲙ̄ⲡⲙⲁ'
ⲉⲧⲙ̄ⲙⲁⲩ ⲙ̄ⲡⲉⲙⲧⲟ ⲉⲃⲟⲗ ⲙ̄ⲡⲧⲟⲟⲩ [3]ⲁϥⲃⲱⲕ ⲉϩⲣⲁⲓ
ⲛ̄ϭⲓ ⲙⲱⲩ̈ⲥⲏⲥ ⲉϫⲙ̄ ⲡⲧⲟⲟⲩ ⲙ̄ⲡⲛⲟⲩⲧⲉ ⲁϥⲙⲟⲩⲧⲉ
ⲉⲣⲟϥ ⲛ̄ϭⲓ ⲡⲛⲟⲩⲧⲉ ⲉⲃⲟⲗ ϩⲙ̄ ⲡⲧⲟⲟⲩ ⲉϥϫⲱ ⲙ̄ⲙⲟⲥ
ϫⲉ ⲛⲁⲓ ⲡⲉⲧⲕ̄ⲛⲁϫⲟⲟⲩ ⲙ̄ⲡⲏⲓ ⲛ̄ⲓⲁⲕⲱⲃ' ⲛ̄ⲅⲟⲩⲟⲛ'ϩⲟⲩ'
ⲉⲃⲟⲗ ⲛ̄ⲛ̄ϣⲏⲣⲉ ⲙ̄ⲡⲓⲥ̄ⲗ̄ [4]ϫⲉ ⲛ̄ⲧⲱⲧⲛ̄ ⲁⲧⲉⲧⲛ̄ⲛⲁⲩ
ⲉⲛⲉⲛⲧⲁⲓⲁⲁⲩ ⲛ̄ⲣⲙ̄ⲛ̄ⲕⲏⲙⲉ ⲁⲩⲱ ⲁⲓϫⲓ ⲙ̄ⲙⲱⲧⲛ̄ ⲛ̄ⲑⲉ
ⲉϩⲣⲁⲓ ⲉϫⲛ̄ ϩⲉⲛⲧⲛ̄ϩ ⲛ̄ⲁⲉⲧⲟⲥ ⲁⲉⲓⲥⲁϩⲛ̄ ⲧⲏⲩⲧⲛ̄ ⲉϩⲟⲩⲛ
ⲉⲣⲟⲓ [5]ⲧⲉⲛⲟⲩ ϭⲉ ϩⲛ̄ ⲟⲩⲥⲱⲧⲙ̄ ⲉⲧⲉⲧⲛ̄ϣⲁⲛⲥⲱⲧⲙ̄
ⲉⲡⲁϩⲣⲟⲟⲩ ⲛ̄ⲧⲉⲧⲛ̄ϩⲁⲣⲉϩ ⲉⲧⲁⲇⲓⲁⲑⲏⲕⲏ ⲧⲉⲧⲛⲁϣⲱⲡⲉ
ⲛⲁⲓ ⲛ̄ⲟⲩⲗⲁⲟⲥ ⲉϥⲧⲟⲩⲏⲧ ⲉⲃⲟⲗ ϩⲛ̄ ⲛ̄ϩⲉⲑⲛⲟⲥ ⲧⲏⲣⲟⲩ
ⲡⲱⲓ ⲅⲁⲣ ⲡⲉ ⲡⲕⲁϩ ⲧⲏⲣϥ̄ [6]*ⲧⲛ̄ⲱⲧⲛ̄ ⲇⲉ ⲛ̄ⲧⲉⲧⲛ̄-
ϣⲱⲡⲉ ⲛⲁⲓ ⲛ̄ⲟⲩⲙⲛ̄ⲧⲉⲣⲟ' ⲙ̄ⲡⲟⲩⲙⲛ̄ⲧⲟⲩⲏⲏⲃ (lies ⲙⲛ̄
ⲟⲩ?) ⲁⲩⲱ ⲟⲩϩⲉⲑⲛⲟⲥ ⲉϥⲟⲩⲁⲁⲃ ⲛⲁⲓ ⲛⲉ ⲛ̄ϣⲁϫⲉ
ⲉⲧⲕ̄ⲛⲁϫⲟⲟⲩ ⲛ̄ⲛ̄ϣⲏⲣⲉ ⲙ̄ⲡⲓⲥ̄ⲗ̄ [7]ⲁϥⲉⲓ' ⲇⲉ. ⲛ̄ϭⲓ ⲙⲱⲩ̈-
ⲥⲏⲥ' ⲁϥⲙⲟⲩⲧⲉ ⲉⲛⲉⲡⲣⲉⲥⲃⲩⲧⲉⲣⲟⲥ ⲙ̄ⲡⲗⲁⲟⲥ ⲁϥⲕⲱ
ⲛ̄ⲛⲉⲓϣⲁϫⲉ ⲛ̄ⲛⲁϩⲣⲁⲩ ⲛⲁⲓ ⲉⲛⲧⲁ ⲡⲛⲟⲩⲧⲉ ϩⲟⲛⲟⲩ

ⲉⲧⲟⲟⲧϥ [8]ⲁϥⲟⲩⲱϣⲃ̄ ⲇⲉ ⲡⲗⲁⲟⲥ ⲧⲏⲣϥ̄ ϩⲓ ⲟⲩⲥⲟⲡ'
ⲉϥϫⲱ ⲙ̄ⲙⲟⲥ ϫⲉ ϩⲱⲃ ⲛⲓⲙ ⲉⲛⲧⲁ ⲡⲛⲟⲩⲧⲉ ϫⲟⲟⲩ
ⲧⲛ̄ⲛⲁⲁⲁⲩ ⲛ̄ⲧⲛ̄ⲥⲱⲧⲙ̄ ⲉⲣⲟⲟⲩ ⲙⲱⲩⲥⲏⲥ ⲇⲉ ⲁϥϫⲱ
ⲛ̄ⲛ̄ϣⲁϫⲉ ⲧⲏⲣⲟⲩ ⲙ̄ⲡⲗⲁⲟⲥ ⲛ̄ⲛⲁϩⲣⲙ̄ ⲡⲛⲟⲩⲧⲉ [9]ⲡⲉϫⲁϥ
ⲇⲉ ⲛ̄ϭⲓ ⲡϫⲟⲉⲓⲥ ⲛ̄ⲛⲁϩⲣⲙ̄ ⲙⲱⲩⲥⲏⲥ ϫⲉ ⲉⲓⲥϩⲏⲏⲧⲉ'
ⲁⲛⲟⲕ ϯⲛⲏⲩ ϣⲁⲣⲟⲕ ϩⲙ̄ ⲟⲩⲥⲧⲩⲗⲟⲥ ⲛ̄ⲕⲗⲟⲟⲗⲉ ϫⲉⲕⲁⲥ
ⲉⲣⲉ ⲡⲗⲁⲟⲥ ⲥⲱⲧⲙ̄ ⲉⲣⲟⲓ ⲉⲓϣⲁϫⲉ ⲛ̄ⲙⲙⲁⲕ ⲛ̄ⲥⲉⲧⲁⲛ-
ϩⲟⲩⲧⲕ̄ ϣⲁ ⲉⲛⲉϩ ⲁϥϫⲱ ⲇⲉ ⲛ̄ϭⲓ ⲙⲱⲩⲥⲏⲥ ⲛ̄ⲛ̄ϣⲁϫⲉ
ⲙ̄ⲡⲗⲁⲟⲥ ⲛ̄ⲛⲁϩⲣⲙ̄ ⲡϫⲟⲉⲓⲥ [10]ⲡⲉϫⲁϥ ⲇⲉ ⲛ̄ϭⲓ ⲡϫⲟⲉⲓⲥ
ⲙ̄ⲙⲱⲩⲥⲏⲥ ϫⲉ ⲃⲱⲕ ⲉⲡⲉⲥⲏⲧ' ⲛ̄ⲅⲣ̄ⲙⲛ̄ⲧⲣⲉ ⲙ̄ⲡⲓ-
ⲗⲁⲟⲥ ⲁⲩⲱ ⲛ̄ⲅⲧⲃ̄ⲃⲟⲟⲩ ⲙ̄ⲡⲟⲟⲩ ⲙⲛ̄ ⲣⲁⲥⲧⲉ ⲛ̄ⲥⲉ-
ⲣⲱϩⲉ ⲛ̄ⲛⲉⲩϩⲟⲉⲓⲧⲉ' [11]ⲛ̄ⲥⲉϣⲱⲡⲉ ⲉⲩⲥⲃ̄ⲧⲱⲧ ⲉⲡⲙⲉϩ-
ϣⲟⲙⲧ ⲛ̄ϩⲟⲟⲩ

Numeri 21, 1—9.

ⲡⲁⲣⲓⲑⲙⲟⲥ ⲙ̄ⲙⲱⲩⲥⲏⲥ ⲟ ⲡⲣⲟⲫⲏⲧⲏⲥ.

21 [1]ⲁⲩⲱ ⲁϥⲥⲱⲧⲙ̄ ⲛ̄ϭⲓ ⲡⲉⲭⲁⲛⲉⲛⲁⲓⲟⲥ ⲡ̄ⲣⲣⲟ
ⲛⲁⲣⲁⲇ. ⲡⲉⲧⲟⲩⲏϩ ϩⲙ̄ ⲧⲉⲣⲏⲙⲟⲥ. ϫⲉ ⲁϥⲉⲓ ⲛ̄ϭⲓ
ⲡⲓ̅ⲏ̅ⲗ̅ ⲉ̀ⲧⲉϩⲓⲏ ⲛ̄ⲑⲁⲣⲓⲛ. ⲁⲩⲱ ⲁϥⲙⲓϣⲉ ⲙⲛ̄ ⲡⲓ̅ⲏ̅ⲗ̅.
ⲁⲩⲱ ⲁϥϥⲓ ⲉⲃⲟⲗ ⲛ̄ϩⲏⲧⲟⲩ ⲛⲟⲩⲁⲓⲭⲙⲁⲗⲱⲥⲓⲁ. [2]ⲁⲩⲱ
ⲁ ⲡⲓ̅ⲏ̅ⲗ̅ ⲉ̀ⲣⲏⲧ ⲛⲟⲩⲉⲣⲏⲧ ⲙ̄ⲡϫⲟⲉⲓⲥ ⲁⲩⲱ ⲡⲉϫⲁϥ ϫⲉ
ⲉϣⲱⲡⲉ ⲉⲕϣⲁⲛϯ ⲛⲁⲓ ⲙ̄ⲡⲉⲓⲗⲁⲟⲥ. ϩⲁ ⲧⲁϭⲓϫ. ϯⲛⲁⲁⲁϥ
ⲛⲁⲛⲁⲑⲩⲙⲁ. ⲙⲛ̄ ⲛⲉϥⲡⲟⲗⲓⲥ. [3]ⲁⲩⲱ ⲁⲡϫⲟⲉⲓⲥ ⲥⲱⲧⲙ̄
ⲉⲧⲉⲥⲙⲏ ⲙ̄ⲡⲓ̅ⲏ̅ⲗ̅. ⲁⲩⲱ ⲁϥϯ ⲛⲁϥ ⲙ̄ⲡⲉⲭⲁⲛⲉⲛⲁⲓⲟⲥ·
ϩⲁ ⲧⲉϥϭⲓϫ. ⲁⲩⲱ ⲁϥⲁⲁϥ ⲛⲁⲛⲉⲑⲩⲙⲁ. ⲙⲛ̄ ⲛⲉϥⲡⲟⲗⲓⲥ. ⲁⲩⲱ ⲁϥⲙⲟⲩⲧⲉ ⲉⲡⲣⲁⲛ ⲙ̄ⲡⲙⲁ ⲉ̀ⲧⲙ̄ⲙⲁⲩ
ϫⲉ ⲡⲙⲁ *ⲛⲁⲑⲩⲙⲁ. [4]ⲁⲩⲱ ⲁⲩⲧⲱⲟⲩⲛ ⲉ̀ⲃⲟⲗ ϩⲙ̄
ⲱⲣ. ⲡⲧⲟⲟⲩ ⲉ̀ⲧⲉϩⲓⲏ ⲛ̄ⲧⲉⲣⲩⲑⲣⲁ ⲑⲁⲗⲁⲥⲥⲁ. ⲁⲩⲕⲱⲧⲉ
ⲉⲡⲕⲁϩ ⲛ̄ⲉ̀ⲇⲱⲙ. ⲁⲩⲱ ⲁϥⲣ̄ϩⲏⲧϣⲏⲙ. ⲛ̄ϭⲓ ⲡⲗⲁⲟⲥ
ϩⲙ̄ ⲧⲉϩⲓⲏ. [5]ⲁⲩⲱ ⲁϥⲕⲁⲧⲁⲗⲁⲗⲉⲓ ⲛ̄ⲥⲁ ⲡⲛⲟⲩⲧⲉ.
ⲙⲛ̄ ⲙⲱⲩⲥⲏⲥ. ⲉⲩϫⲱ ⲙ̄ⲙⲟⲥ. ϫⲉ ⲉⲧⲃⲉ ⲟⲩ ⲁⲕⲛ̄ⲧⲛ̄
ⲉ̀ⲃⲟⲗ ϩⲙ̄ ⲡⲕⲁϩ ⲛ̄ⲕⲏⲙⲉ. ⲉⲙⲟⲩⲟⲩⲧⲛ̄ ϩⲙ̄ ⲧⲉⲣⲏⲙⲟⲥ.
ϫⲉ ⲙⲛ̄ ⲟⲉⲓⲕ ⲟⲩⲇⲉ ⲙⲟⲟⲩ. ⲧⲛ̄ⲯⲩⲭⲏ ⲇⲉ ⲁⲥⲙⲉⲥⲧⲉ
ⲡⲟⲉⲓⲕ ⲉⲧϣⲟⲟⲩⲉ. [6]ⲁⲩⲱ ⲁ ⲡϫⲟⲉⲓⲥ ϫⲟⲟⲩ ⲉϩⲟⲩⲛ
ⲉⲡⲗⲁⲟⲥ. ⲛ̄ϩⲟϥ ⲛ̄ⲣⲉϥⲙⲟⲩⲟⲩⲧ. ⲁⲩⲱ ⲁϥⲗⲟⲩϫ ⲙ̄-
ⲡⲗⲁⲟⲥ. ⲁⲩⲱ ⲁϥⲙⲟⲩ ⲛ̄ϭⲓ ⲟⲩⲛⲟϭ ⲙ̄ⲙⲏⲏϣⲉ ⲛ̄ⲛ̄-
ϣⲏⲣⲉ ⲙ̄ⲡⲓ̅ⲏ̅ⲗ̅. [7]ⲁⲩⲱ ⲁϥⲃⲱⲕ ⲛ̄ϭⲓ ⲡⲗⲁⲟⲥ ϣⲁ ⲙⲱⲩⲥⲏⲥ. ⲡⲉϫⲁⲩ. ϫⲉ ⲁⲛⲣ̄ⲛⲟⲃⲉ. ⲁⲛⲕⲁⲧⲁⲗⲁⲗⲉⲓ ⲛ̄ⲥⲁ

ⲡϫⲟⲓⲥ. ⲙⲛ̄ⲛ̄ⲥⲱⲕ. ϣⲗⲏⲗ ϭⲉ ⲉϩⲣⲁⲓ ⲉⲡϫⲟⲉⲓⲥ.
ⲙⲁⲣⲉϥϥⲓ ⲛ̄ⲡⲉⲓϩⲟϥ ⲉ̀ⲃⲟⲗ ϩⲁⲣⲟⲛ. ⲁⲩⲱ ⲁ ⲙⲱⲩⲥⲏⲥ
ϣⲗⲏⲗ ⲉϩⲣⲁⲓ ⲉⲡϫⲟⲉⲓⲥ ϩⲁ ⲡⲗⲁⲟⲥ. [8]ⲁⲩⲱ ⲡⲉϫⲉ
ⲡϫⲟⲉⲓⲥ ⲛⲁϥ. ϫⲉ ⲙⲁⲧⲁⲙⲓⲟ ⲛⲁⲕ ⲛⲟⲩϩⲟϥ ⲛ̄ϩⲟⲙⲧ̄.
ⲁⲩⲱ ⲛ̄ⲅ̄ⲕⲁⲁϥ ⲉ̀ϫⲛ̄ ⲟⲩⲙⲁⲉⲓⲛ. ⲁⲩⲱ ⲉⲥⲛⲁϣⲱⲡⲉ
ⲉⲣϣⲁⲛ ⲡϩⲟϥ ⲗⲟⲩϫ̄ ⲛⲟⲩⲣⲱⲙⲉ. ϣⲁϥⲛⲁⲩ ⲉⲡϩⲟϥ
ⲛ̄ϩⲟⲙⲧ. ⲁⲩⲱ ϣⲁϥⲱ̀ⲛϩ̄. [9]ⲁⲩⲱ ⲁϥⲧⲁⲙⲓⲟ ⲛ̄ϭⲓ
ⲙⲱⲩⲥⲏⲥ ⲉⲛϩⲟϥ ⲛ̄ϩⲟⲙⲧ̄. ⲁϥⲧⲁϩⲟϥ ⲉⲣⲁⲧϥ̄ ⲉ̀ϫⲛ̄
ⲟⲩⲙⲁⲉⲓⲛ. ⲁⲩⲱ ϣⲁⲥϣⲱⲡⲉ ⲉⲣϣⲁⲛ ⲟⲩϩⲟϥ ⲗⲟⲩϫ̄
ⲛⲟⲩⲣⲱⲙⲉ. ⲁⲩⲱ ⲛⲉϥϭⲱϣⲧ̄ ⲉⲡϩⲟϥ ⲛ̄ϩⲟⲙⲧ̄. ϣⲁϥⲱ̀ⲛϩ̄.

Deuteronomium 8, 19—9, 24.

ⲡⲇⲉⲩⲧⲉⲣⲟⲛⲟⲙⲓⲟⲛ ⲙ̄ⲙⲱⲩⲥⲏⲥ ⲟ ⲡⲣⲟⲫⲏⲧⲏⲥ.

8 [19]. . . . ϯⲣⲙⲛ̄ⲧⲣⲉ ⲛⲏⲧⲛ̄ ⲙ̄ⲡⲟⲟⲩ ⲧⲡⲉ ⲙⲛ̄
ⲡⲕⲁϩ· ϫⲉ ϩⲛ ⲟⲩⲧⲁⲕⲟ ⲧⲉⲧⲛⲁⲧⲁⲕⲟ. [20]ⲛ̄ⲑⲉ ⲙ̄-
ⲡϣⲱϫⲡ̄ ⲛ̄ⲛ̄ϩⲉⲑⲛⲟⲥ. ⲛⲁⲓ ⲉⲧⲉⲣⲉ ⲡϫⲟⲉⲓⲥ ⲡⲉⲕⲛⲟⲩⲧⲉ.
ⲛⲁⲧⲁⲕⲟⲟⲩ ϩⲓϩⲏ ⲙ̄ⲙⲱⲧⲛ̄. ⲧⲁⲓ ⲧⲉ ⲑⲉ ⲉⲧⲉⲧⲛⲁ-
ⲧⲁⲕⲟ ϩⲱⲧⲧⲏⲩⲧⲛ̄. ⲉⲡⲙⲁ ϫⲉ ⲙ̄ⲡⲉⲧⲛ̄ⲥⲱⲧⲙ̄ ⲛ̄ⲥⲁ
ⲡⲉϩⲣⲟⲟⲩ ⲙ̄ⲡϫⲟⲉⲓⲥ ⲡⲉⲧⲛ̄ⲛⲟⲩⲧⲉ.

9 [1]ⲥⲱⲧⲙ̄ ⲡⲓⲏⲗ. ⲉⲕⲛⲁϫⲓⲟⲟⲣ ⲙ̄ⲡⲟⲟⲩ ⲉ̀ⲡⲓⲟⲣ-
ⲇⲁⲛⲏⲥ. ⲉⲧⲣⲉⲕⲃⲱⲕ ⲉϩⲟⲩⲛ ⲉⲕⲗⲏⲣⲟⲛⲟⲙⲉⲓ ⲛ̄ϩⲉⲛⲛⲟϭ
ⲛ̄ϩⲉⲑⲛⲟⲥ. ⲉⲩϫⲟⲟⲣ ⲉ̀ⲙⲁⲧⲉ ⲉ̀ⲣⲱⲧⲛ̄. ϩⲉⲛⲛⲟϭ ⲙ̄-
ⲡⲟⲗⲓⲥ ⲉⲩⲕⲧⲏⲩ ⲛ̄ⲥⲟⲃⲧ̄· ϣⲁϩⲣⲁⲓ ⲉⲧⲡⲉ. [2]ⲟⲩⲛⲟϭ
ⲙ̄ⲙⲏⲏϣⲉ ⲉⲡⲁϣⲱϥ. ⲁⲩⲱ ⲉϥϫⲟⲥⲉ ⲛ̄ϣⲏⲣⲉ ⲛⲉⲛⲁⲕ.
ⲛⲁⲓ ⲛ̄ⲧⲟⲕ ⲉ̀ⲧⲉⲕⲥⲟⲟⲩⲛ ⲙ̄ⲙⲟⲟⲩ. ⲁⲩⲱ ⲛ̄ⲧⲟⲕ ⲁⲕ-
ⲥⲱⲧⲙ̄ ⲉⲧⲃⲏⲏⲧⲟⲩ. ⲛⲓⲙ ⲡⲉⲧⲛⲁϣⲁ̀ϩⲉⲣⲁⲧϥ̄. ⲟⲩⲃⲉ
ⲛ̄ϣⲏⲣⲉ ⲛⲉⲛⲁⲕ. [3]ⲁⲩⲱ ⲉ̀ⲕⲉⲉⲓⲙⲉ ⲙ̄ⲡⲟⲟⲩ. ϫⲉ ⲡϫⲟⲉⲓⲥ
ⲡⲉⲕⲛⲟⲩⲧⲉ. ⲛⲁⲓ ⲡⲉⲧⲙⲟⲟϣⲉ ϩⲓϩⲏ ⲙ̄ⲙⲟⲕ. ⲟⲩⲕⲱϩⲧ̄
ⲉϥⲟⲩⲱϣⲉ̀ ⲡⲉ. ⲉϥⲉϥⲟⲧⲟⲩ ⲉ̀ⲃⲟⲗ ⲛϥⲧⲁⲕⲟⲟⲩ ϩⲛ
ⲟⲩϭⲉⲡⲏ. ⲕⲁⲧⲁ ⲑⲉ ⲉⲛⲧⲁ ⲡϫⲟⲉⲓⲥ ϫⲟⲟⲥ ⲛⲁⲕ. [4]ⲁⲩⲱ
ⲙ̄ⲡⲣ̄ϫⲟⲟⲥ ϩⲙ̄ ⲡⲉⲕϩⲏⲧ. ϩⲙ *ⲡⲣⲉ ⲡϫⲟⲉⲓⲥ ⲡⲉⲕⲛⲟⲩⲧⲉ
ϥⲓⲧⲉ ⲉⲃⲟⲗ ⲛ̄ⲛⲉⲓϩⲉⲑⲛⲟⲥ ⲧⲏⲣⲟⲩ ϩⲓϩⲏ ⲙ̄ⲙⲟⲕ. ⲉⲕϫⲱ
ⲙ̄ⲙⲟⲥ. ϫⲉ ⲉⲧⲃⲉ ⲧⲁⲇⲓⲕⲁⲓⲟⲥⲩⲛⲏ. ⲛ̄ⲧⲁⲡϫⲟⲉⲓⲥ ϫⲓⲧ
ⲉϩⲟⲩⲛ ⲉⲧⲣⲁⲕⲗⲏⲣⲟⲛⲟⲙⲉⲓ ⲙ̄ⲡⲕⲁϩ ⲉⲧⲛⲁⲛⲟⲩϥ. ⲁⲗⲗⲁ
[roth eingefügt ⲉⲧⲃⲉ] ⲧ̄ⲙⲛ̄ⲧϣⲁϥⲧⲉ ⲇⲉ ⲛ̄ⲛ̄ϩⲉⲑⲛⲟⲥ.
ⲡϫⲟⲉⲓⲥ ⲛⲁϥⲟⲧⲟⲩ ⲉⲃⲟⲗ ϩⲓϩⲏ ⲙ̄ⲙⲟⲕ. [5]ⲉⲧⲃⲉ ⲧⲇⲓ-
ⲕⲁⲓⲟⲥⲩⲛⲏ ⲁⲛ. ⲟⲩⲇⲉ ⲛ̄ⲧⲃ̄ⲃⲟ ⲁⲛ ⲙ̄ⲡⲉⲕϩⲏⲧ. ⲛ̄ⲧⲟⲕ
ⲉⲕⲛⲁⲃⲱⲕ ⲉϩⲟⲩⲛ ⲉⲡⲉⲩⲕⲁϩ ⲉⲕⲗⲏⲣⲟⲛⲟⲙⲉⲓ ⲙ̄ⲙⲟϥ.

ⲁⲗⲗⲁ ϫⲉⲕⲁⲥ ⲡⲉϥⲧⲁϩⲟ ⲉⲣⲁⲧⲥ̅ ⲛ̅ⲧⲇⲓⲁⲑⲏⲕⲏ ⲛ̅ⲧⲁϥ-
ⲱⲣⲕ̅ ⲙ̅ⲙⲟⲥ ⲛ̅ⲛⲉⲕⲉⲓⲟⲧⲉ. ⲁⲃⲣⲁϩⲁⲙ ⲙⲛ̅ ⲓⲥⲁⲁⲕ·
ⲙⲛ̅ ⲓⲁⲕⲱⲃ. [6] ⲉ̀ⲕⲉⲉⲓⲙⲉ ⲙ̅ⲡⲟⲟⲩ. ϫⲉ ⲉⲧⲃⲉ ⲧⲉⲕⲇⲓ-
ⲕⲁⲓⲟⲥⲩⲛⲏ ⲁⲛ. ⲡϫⲟⲉⲓⲥ ⲁϥϯ ⲛⲁⲕ ⲙ̅ⲡⲉⲓⲕⲁϩ. ⲉⲕⲗⲏⲣⲟⲛⲟⲙⲉⲓ ⲙ̅ⲙⲟϥ. ϫⲉ ⲛ̅ⲧⲟⲕ ⲟⲩⲗⲁⲟⲥ ⲛ̅ⲛⲁϣⲧ̅ⲙⲁⲕϩ̅.
[7] ⲁⲣⲓ ⲡⲙⲉⲉⲩⲉ ⲁⲩⲱ ⲙ̅ⲡⲣ̅ⲣ̅ ⲡⲱⲃϣ̅ *ⲉ̀ⲛⲉⲣϩⲃⲏⲟⲩⲉ ⲛ̅ⲧⲁⲕ-
ϯⲛⲟⲩϭⲥ̅ ⲙ̅ⲡϫⲟⲉⲓⲥ ⲡⲉⲕⲛⲟⲩⲧⲉ ⲛ̅ϩⲏⲧⲟⲩ· ϩⲛ̅ ⲧⲉⲣⲏⲙⲟⲥ. ϫⲓⲛ ⲡⲉϩⲟⲟⲩ ⲛ̅ⲧⲁⲧⲉⲧⲛ̅ⲉⲓ ⲉⲃⲟⲗ ϩⲛ̅ ⲕⲏⲙⲉ.
ϣⲁⲛⲧⲉⲧⲛ̅ⲉⲓ ⲉϩⲣⲁⲓ ⲉⲡⲉⲓⲙⲁ. ⲁ̀ⲧⲉⲧⲛ̅ϭⲱ ⲉ̅ⲧⲉⲧⲛ̅ⲟ̅
ⲛⲁⲧⲥⲱⲧⲙ ⲛ̅ⲥⲁ ⲡϫⲟⲉⲓⲥ [8] ⲁⲩⲱ ϩⲛ̅ ⲭⲱⲣⲏⲃ ⲟⲛ ⲁ̀ⲧⲉ-
ⲧⲛ̅ϯⲛⲟⲩϭⲥ̅ ⲙ̅ⲡϫⲟⲉⲓⲥ ⲁⲩⲱ ⲡϫⲟⲉⲓⲥ ⲁϥϭⲱⲛⲧ̅ ⲉ̅ϫⲛ̅
ⲧⲏⲩⲧⲛ̅· ⲉ̀ϥⲉⲧ ⲧⲏⲩⲧⲛ̅ ⲉⲃⲟⲗ ⲙ̅ⲡⲥⲟⲡ. [9] ⲉ̀ϯⲛⲁⲃⲱⲕ
ⲉϩⲣⲁⲓ ⲉⲡⲧⲟⲟⲩ. ⲉⲧⲣⲁϫⲓ ⲛ̅ⲛⲉⲡⲗⲁⲝ ⲥⲛ̅ⲧⲉ ⲛ̅ⲱⲛⲉ ⲛ̅-
ⲧⲇⲓⲁⲑⲏⲕⲏ. ⲛⲁⲓ ⲛ̅ⲧⲁ ⲡϫⲟⲉⲓⲥ. ⲥ̀ⲙⲛ̅ⲧⲟⲩ ⲛ̅ⲙ̅ⲙⲏⲧⲛ̅.
ⲁⲩⲱ ⲁⲓϭⲱ ϩⲙ̅ ⲡⲧⲟⲟⲩ ⲛ̅ϩⲙⲉ ⲛ̅ϩⲟⲟⲩ ⲙⲛ̅ ϩⲙⲉ ⲛ̅ⲟⲩϣⲏ.
ⲙ̅ⲡⲓⲟⲩⲱⲙ ⲛ̅ⲟⲉⲓⲕ ⲟⲩⲇⲉ ⲙ̅ⲡⲓⲥⲉ ⲙⲟⲟⲩ [10] ⲁⲩⲱ ⲡϫⲟⲉⲓⲥ
ⲁϥϯ ⲛⲁⲓ ⲛ̅ⲧⲉⲡⲗⲁⲝ ⲥⲛ̅ⲧⲉ ⲛ̅ⲱⲛⲉ ⲉⲩⲥⲏϩ. ϩⲙ̅ ⲡⲧⲏ-
ⲏⲃⲉ ⲙ̅ⲡⲛⲟⲩⲧⲉ. ⲁⲩⲱ ⲛⲉⲩⲥⲏϩ ⲉⲣⲟⲟⲩ. ⲛ̅ϭⲓ ⲛ̅ϣⲁϫⲉ
ⲧⲏⲣⲟⲩ ⲛ̅ⲧⲁ ⲡϫⲟⲉⲓⲥ. ϫⲟⲟⲩ ⲉⲣⲱⲧⲛ̅ ϩⲙ̅ ⲡⲧⲟⲟⲩ.
ϩⲙ̅ ⲡⲉϩⲟⲟⲩ ⲛ̅ⲧⲁⲧⲉⲧⲛ̅ⲥⲱⲟⲩϩ ⲉϩⲟⲩⲛ. [11] ⲁⲩⲱ ⲁⲥϣⲱⲡⲉ ⲙⲛ̅ⲛ̅ⲥⲁ ϩⲙⲉ ⲛ̅ϩⲟⲟⲩ ⲙⲛ̅ ϩⲙⲉ ⲛ̅ⲟⲩϣⲏ. ⲡϫⲟⲉⲓⲥ
ⲁϥϯ ⲛⲁⲓ ⲛ̅ⲧⲉⲡⲗⲁⲝ ⲥⲛ̅ⲧⲉ ⲛ̅ⲧⲇⲓⲁⲑⲏⲕⲏ. [12] ⲁⲩⲱ
ⲡⲉϫⲉ ⲡϫⲟⲉⲓⲥ ⲛⲁⲓ ϫⲉ ⲧⲱⲟⲩⲛ. ⲛ̅ⲅ̅ⲙⲟⲟϣⲉ ⲉⲡⲉⲥⲏⲧ. ϩⲛ̅ ⲟⲩ ϭⲉⲡⲏ ⲉⲃⲟⲗ ϩⲙ̅ ⲡⲉⲓ ⲙⲁ. ϫⲉ
ⲁϥⲁⲛⲟⲙⲉⲓ ⲛ̅ϭⲓ ⲡⲉⲕⲗⲁⲟⲥ. ⲛⲁⲓ ⲛ̅ⲧⲁⲕⲛ̅ⲧϥ̅ ⲉ̀ⲃⲟⲗ
ϩⲙ̅ ⲡⲕⲁϩ ⲛ̅ⲕⲏⲙⲉ. ⲁⲩⲡⲁⲣⲁⲃⲁ ⲛ̅ⲧⲉⲩⲛⲟⲩ ⲉⲃⲟⲗ
ϩⲛ̅ ⲧⲉϩⲓⲏ ⲛ̅ⲧⲁⲕϩⲱⲛ ⲙ̅ⲙⲟⲥ ⲛ̅ⲧⲟⲟⲧⲟⲩ. ⲁⲩⲧⲁ-
ⲙⲓⲟ̀ ⲛⲁⲩ ⲛⲟⲩⲛⲟⲩⲧⲉ ⲛ̅ⲟⲩⲱⲧϩ̀ [13] ⲁⲩⲱ ⲡⲉϫⲉ
ⲡϫⲟⲉⲓⲥ ⲛⲁⲓ. ϫⲉ ⲁⲓϣⲁϫⲉ ⲛ̅ⲙ̅ⲙⲁⲕ ⲛⲟⲩⲥⲟⲡ. ⲁⲩⲱ
ⲥⲛⲁⲩ. ⲉⲓϫⲱ ⲙ̅ⲙⲟⲥ ⲛⲁⲕ. ϫⲉ ⲁⲓⲛⲁⲩ ⲉ̀ⲡⲉⲓⲗⲁⲟⲥ
ⲁⲩⲱ ⲉⲓⲥϩⲏⲏⲧⲉ. ⲟⲩⲗⲁⲟⲥ ⲛ̅ⲛⲁϣⲧ̅ⲙⲁⲕϩ̅. [14] ⲕⲁⲁⲧ
ⲛ̅ⲧⲁⲧⲁⲕⲟⲟⲩ. ⲛ̅ⲧⲁϥⲱⲧⲉ ⲉⲃⲟⲗ ⲙ̅ⲡⲉⲩⲣ̅ ⲡⲙⲉⲉⲩⲉ
ⲉⲃⲟⲗ ϩⲁⲣⲟⲥ ⲛ̅ⲧⲡⲉ. ⲛ̅ⲧⲁⲕⲁⲁⲕ ⲉ̀ⲟⲩⲛⲟϭ ⲛ̅ϩⲉⲑⲛⲟⲥ.
*ⲉⲩϫⲟⲟⲣ ⲉ̀ⲛⲁϣⲱϥ ⲉ̀ⲙⲁⲧⲉ. ⲉϩⲟⲩ ⲉⲡⲁⲓ. [15] ⲁⲩⲱ
ⲛ̅ⲧⲉⲣⲓⲕⲧⲟⲓ ⲁⲓⲉⲓ ⲉⲡⲉⲥⲏⲧ ϩⲓ ⲡⲧⲟⲟⲩ. ⲁⲩⲱ ⲡⲧⲟⲟⲩ
ⲛⲉϥⲙⲟⲩϩ ϩⲛ̅ ⲟⲩⲥⲁⲧⲉ. ⲉⲣⲉ ⲧⲉⲡⲗⲁⲝ ⲥⲛ̅ⲧⲉ ⲛ̅ⲱⲛⲉ.
ⲉⲩⲕⲏ ϩⲛ̅ ⲧⲁϭⲓϫ ⲥⲛ̅ⲧⲉ [16] ⲁⲩⲱ ⲛ̅ⲧⲉⲣⲉⲓⲛⲁⲩ ϫⲉ

ⲁⲧⲉⲧⲛ̄ⲣ̄ ⲛⲟⲃⲉ ⲙ̄ⲡⲉⲙ̄ⲧⲟ ⲉⲃⲟⲗ ⲙ̄ⲡϫⲟⲉⲓⲥ ⲉⲁⲧⲉⲧⲛ̄-
ⲧⲁⲙⲓⲟ ⲛ̄ⲟⲩⲙⲁⲥⲉ ⲛ̄ⲟⲩⲱⲧϩ̄. ⲁⲧⲉⲧⲛ̄ⲕⲱ ⲛ̄ⲥⲱⲧⲛ̄
ⲛ̄ⲧⲉϩⲓⲏ ⲛ̄ⲧⲁ ⲡϫⲟⲉⲓⲥ ϩⲱⲛ ⲙ̄ⲙⲟⲥ *ⲉⲧⲉⲧⲛⲩⲧⲛ̄.
[17] ⲁⲓϩⲓ ⲧⲟⲟⲧ ⲉⲧⲉⲡⲗⲁⲝ ⲥⲛ̄ⲧⲉ ⲛ̄ⲱⲛⲉ. ⲁⲓⲛⲟϫⲟⲩ
ⲉⲃⲟⲗ ϩⲛ̄ ⲛⲁϭⲓϫ. ⲁⲓⲟⲩⲟϭⲡⲟⲩ ⲙ̄ⲡⲉⲧⲛ̄ⲙ̄ⲧⲟ ⲉⲃⲟⲗ.
[18] ⲁⲩⲱ ⲁⲓⲧⲱⲃϩ̄ ⲙ̄ⲡⲉⲙ̄ⲧⲟ ⲉⲃⲟⲗ ⲙ̄ⲡϫⲟⲉⲓⲥ ⲛ̄ⲕⲉⲥⲛⲁⲩ.
ⲛ̄ⲑⲉ ⲙ̄ⲡϣⲟⲣⲡ̄. ⲛ̄ϩⲙⲉ ⲛ̄ϩⲟⲟⲩ. ⲙⲛ̄ ϩⲙⲉ ⲛ̄ⲟⲩϣⲏ.
ⲙ̄ⲡⲓⲟⲩⲉⲙ ⲟⲉⲓⲕ. ⲙ̄ⲡⲓⲥⲉ ⲙⲟⲟⲩ. ⲉⲧⲃⲉ ⲛⲉⲧⲛ̄ⲛⲟⲃⲉ
ⲧⲏⲣⲟⲩ. ⲛ̄ⲧⲁⲧⲉⲧⲛ̄ⲁⲁⲩ. ⲉⲁⲧⲉⲧⲛ̄ⲉⲓⲣⲉ ⲙ̄ⲡⲉⲧⲡⲟ-
ⲛⲏⲣⲟⲛ. ⲙ̄ⲡⲉⲙ̄ⲧⲟ ⲉⲃⲟⲗ ⲙ̄ⲡϫⲟⲉⲓⲥ ⲡⲉⲧⲛ̄ⲛⲟⲩⲧⲉ.
ⲉⲧⲉⲓϭⲱⲛⲧ̄ ⲛⲁϥ. [19] ⲁⲩⲱ ϯⲟ̄ ⲛ̄ϩⲟⲧⲉ ⲉⲧⲃⲉ ⲡϭⲱⲛⲧ̄
ⲙⲛ̄ ⲧⲟⲣⲅⲏ. ϫⲉ ⲁⲡⲛⲟⲩⲧⲉ ⲛⲟⲩϭⲥ̄ ⲉϫⲛ̄ ⲧⲏⲩⲧⲛ̄.
ⲉϥⲉⲧ ⲧⲏⲩⲧⲛ̄ ⲉⲃⲟⲗ. ⲁⲩⲱ ⲟⲛ ⲡϫⲟⲉⲓⲥ ⲁϥⲥⲱⲧⲙ̄ ⲉⲣⲟⲓ
ϩⲙ̄ ⲡⲉⲓⲟⲩⲟⲉⲓϣ. [20] ⲁⲡϫⲟⲉⲓⲥ ϭⲱⲛⲧ̄ ⲉϫⲛ̄ ⲁⲁⲣⲱⲛ ⲉⲙⲁⲧⲉ
ⲉϥⲟⲧϥ̄ ⲉⲃⲟⲗ. ⲁⲓⲥⲟⲡⲉ̄ ⲉϫⲙ̄ ⲡⲕⲉ ⲁⲁⲣⲱⲛ. ϩⲙ̄
*ⲡⲉⲟⲩⲟⲉⲓϣ ⲉ̄ⲧⲙ̄ⲙⲁⲩ. [21] ⲁⲩⲱ ⲡⲉⲧⲛ̄ⲛⲟⲃⲉ ⲛ̄-
ⲧⲁⲧⲉⲧⲛⲁⲁⲩ ⲉⲧⲉ ⲡⲙⲁⲥⲉ ⲡⲉ. ⲁⲓϫⲓⲧϥ̄ ⲁⲓⲣⲟⲕϩϥ̄
ϩⲛ̄ ⲟⲩⲥⲁⲧⲉ. ⲁⲓϭⲟϫϩϥ̄. ⲁⲓⲁⲁϥ ⲛ̄ϣⲏⲙϣⲏⲙ. ϣⲁⲛ-
ⲧⲉϥϣⲙⲁ ⲉⲙⲁⲧⲉ. ⲡⲉϥⲣ ⲑⲉ *ⲛ̄ⲟⲩϣⲟⲩⲉⲓϣ. ⲁⲓ-
ⲛⲟⲩϫⲉ ⲙ̄ⲡϣⲟⲉⲓϣ ⲉϩⲣⲁⲓ ⲉⲡⲉⲭⲓⲙⲁⲣⲣⲟⲥ. ⲡⲉⲧⲛⲏⲩ
ⲉⲡⲉⲥⲏⲧ ⲉⲃⲟⲗ ϩⲙ̄ ⲡ·ⲧⲟⲟⲩ. [22] ⲁⲩⲱ ϩⲙ̄ ⲡⲕⲱϩⲧ̄ ϩⲙ̄
ⲡⲡⲓⲣⲁⲥⲙⲟⲥ. ϩⲛ̄ ⲡⲉⲙϩⲁⲁⲩ ⲛ̄ⲧⲉⲡⲉⲓⲑⲩⲙⲓⲁ· ⲛ̄ⲧⲉ-
ⲧⲛ̄ϯⲛⲟⲩϭⲥ̄ ⲙ̄ⲡϫⲟⲉⲓⲥ ⲡⲉⲧⲛ̄ⲛⲟⲩⲧⲉ. [23] ⲁⲩⲱ ⲛ̄ⲧⲉⲣⲉ
ⲡϫⲟⲉⲓⲥ ϫⲉⲩ ⲧⲏⲩⲧⲛ̄ ⲉⲃⲟⲗ ϩⲛ̄ ⲕⲁⲇⲏⲥ. ⲃⲁⲣⲛⲏ. ⲉϥϫⲱ
ⲙ̄ⲙⲟⲥ. ⲛⲏⲧⲛ̄. ϫⲉ ⲃⲱⲕ ⲉϩⲣⲁⲓ ⲛ̄ⲧⲉⲧⲛ̄ⲕⲗⲏⲣⲟⲛⲟⲙⲉⲓ
ⲙ̄ⲡⲕⲁϩ ⲡⲁⲓ ⲉϯⲛⲁⲧⲁⲁϥ ⲛⲏⲧⲛ̄. ⲙ̄ⲡⲉⲧⲛ̄ⲥⲱⲧⲙ̄ ⲛ̄ⲥⲁ
ⲡϣⲁϫⲉ ⲙ̄ⲡϫⲟⲉⲓⲥ ⲡⲉⲧⲛ̄ⲛⲟⲩⲧⲉ ⲁⲩⲱ ⲙ̄ⲡⲉⲧⲛ̄ⲡⲓⲥⲧⲉⲩⲉ
ⲉⲣⲟϥ ⲁⲩⲱ ⲙ̄ⲡⲉⲧⲛ̄ⲥⲱⲧⲙ̄ ⲛ̄ⲥⲁ ⲡⲉϥϩⲣⲟⲟⲩ. [24] ⲛ̄ⲧⲉⲧⲛ̄ⲟ̄
ⲛⲁⲧⲛⲁϩⲧⲉ ⲡⲉ ⲉⲡϫⲟⲉⲓⲥ. ϫⲓⲛ ⲡⲉϩⲟⲟⲩ ⲉⲛⲧⲁϥⲟⲩⲟⲛϩϥ̄
ⲉⲣⲱⲧⲛ̄.

Regn. I 28, 16—30, 5. (Cod. B.)

28 [16] ⲡⲉϫⲉ ⲥⲁⲙⲟⲩⲏⲗ ⲛⲁϥ ϫⲉ ⲁϩⲣⲟⲕ ⲉⲕϫⲛⲟⲩ
ⲙ̄ⲙⲟⲓ. ⲁⲡϫⲟⲉⲓⲥ ⲥⲁϩⲱⲱϥ ⲉⲃⲟⲗ ⲙ̄ⲙⲟⲕ ⲁϥϣⲱⲡⲉ
ⲙⲛ̄ ⲡⲉⲧϩⲓⲧⲟⲩⲱⲕ. [17] ⲁⲡϫⲟⲉⲓⲥ ⲉⲓⲣⲉ ⲛⲁⲕ ⲕⲁⲧⲁ ⲑⲉ
ⲛ̄ⲧⲁϥϫⲟⲟⲥ. ⲁⲩⲱ ⲁϥϣⲁϫⲉ ϩⲓⲧⲟⲟⲧ ⲁⲩⲱ ⲡϫⲟⲉⲓⲥ
ⲛⲁⲡⲱϣ ⲛ̄ⲧⲉⲕⲙⲛ̄ⲧⲣ̄ⲣⲟ ⲉⲃⲟⲗ ⲙ̄ⲙⲟⲕ ⲛ̄ϥⲧⲁⲁⲥ ⲙ̄-
ⲡⲉⲑⲓⲧⲟⲩⲱⲕ ⲇ̄ⲁ̄ⲇ̄. [18] ⲉⲃⲟⲗ ϫⲉ ⲙ̄ⲡⲉⲕⲥⲱⲧⲙ̄ ⲛ̄ⲥⲁ

ⲡⲉϩⲣⲟⲟⲩ ⲙ̄ⲡϫⲟⲉⲓⲥ. ⲁⲩⲱ ⲙ̄ⲡⲉⲕⲓⲣⲉ ⲙ̄ⲡϭⲱⲛⲧ ⲛ̄-
ⲧⲉϥⲟⲣⲅⲏ ϩⲙ̄ *ⲡⲁⲙⲁⲗⲏⲕ. ⲉⲧⲃⲉ ⲡⲉⲓ ϣⲁϫⲉ ⲁⲡϫⲟⲉⲓⲥ
ⲉⲓⲣⲉ ⲛⲁⲕ ⲙ̄ⲡⲟⲟⲩ ⲛ̄ϩⲟⲟⲩ. [19]ⲁⲩⲱ ⲡϫⲟⲉⲓⲥ ⲛⲁⲡⲁ-
ⲣⲁϯⲇⲟⲩ ⲙ̄ⲙⲟⲕ ⲉⲧⲟⲟⲧⲟⲩ ⲛ̄ⲛⲁⲗⲗⲟⲫⲩⲗⲟⲥ. ⲁⲩⲱ
ⲣⲁⲥⲧⲉ ⲛ̄ⲧⲟⲕ ⲙⲛ̄ ⲛⲉⲕϣⲏⲣⲉ ⲧⲉⲧⲛⲁϩⲉ ϩⲉⲙ ⲡⲉⲡⲟ-
ⲗⲉⲙⲟⲥ. ⲁⲩⲱ ⲧⲡⲁⲣⲙ̄ⲃⲟⲗⲏ ⲙ̄ⲡⲓ̅ⲏ̅ⲗ̅ ⲡϫⲟⲉⲓⲥ ⲛⲁⲧⲁⲁⲥ
ⲉϩⲣⲁⲓ ⲉⲧⲟⲟⲧⲟⲩ ⲛ̄ⲛⲁⲗⲗⲟⲫⲩⲗⲟⲥ. [20]ⲛ̄ⲧⲉⲩⲛⲟⲩ ⲁϥ-
ⲟⲩⲱⲗⲉⲥ ⲛ̄ϩⲏⲧ ⲛ̄ϭⲓ ⲥⲁⲟⲩⲗ ⲁⲩⲱ ⲁϥϩⲉ ⲛ̄ⲧⲉϥ̄ϣⲓⲛ ⲉϫⲉⲙ
ⲡⲕⲁϩ· ⲁϥⲣ̄ϩⲟⲧⲉ ⲉⲙⲁⲧⲉ ϩⲁ ⲑⲏ ⲛ̄ⲛ̄ϣⲁϫⲉ ⲛ̄ⲥⲁⲙⲟⲩⲏⲗ
ⲁⲩⲱ ⲁϥⲗⲟ ⲉϥϭⲉⲙϭⲟⲙ. ⲉⲙⲛ̄ϥ̄ⲟⲩⲉⲙ ⲟⲉⲓⲕ ⲙ̄ⲡⲉϩⲟⲟⲩ
ⲉⲧⲉⲙ̄ⲙⲁⲩ. [21]ⲧⲉⲥϩⲓⲙⲉ ⲇⲉ ⲛ̄ⲣϥ̄ϣⲓⲛⲉ ⲁⲥⲃⲱⲕ ⲉϩⲟⲩⲛ
ϣⲁ ⲥⲁⲟⲩⲗ. ⲁⲩⲱ ⲛ̄ⲧⲉⲣⲉⲥⲛⲁⲩ ⲉⲣⲟϥ. ⲁⲥϣⲧⲟⲣⲧⲣ̄
ⲉⲙⲁⲧⲉ ⲡⲉϫⲁⲥ ⲛⲁϥ ϫⲉ ⲁⲛⲟⲕ ⲧⲉⲕϩⲙ̄ϩⲁⲗ ⲁⲓⲥⲱⲧⲉⲙ
ⲛ̄ⲥⲁ ⲡⲉⲕϩⲣⲟⲟⲩ. ⲁⲓⲕⲱ ⲛ̄ⲧⲁⲯⲩⲭⲏ ϩⲛ̄ ⲛⲁϭⲓϫ. ⲁⲓⲥⲱⲧⲉⲙ ⲛ̄ⲥⲁ ⲛ̄ϣⲁϫⲉ ⲛ̄ⲧⲁⲕϫⲟⲟⲩ ⲛⲁⲓ [22]ⲧⲉⲛⲟⲩ ϭⲉ
ϩⲱⲱⲕ ⲥⲱⲧⲉⲙ ⲛ̄ⲥⲁ ⲡⲉϩⲣⲟⲟⲩ ⲛ̄ⲧⲉⲕϩⲙ̄ϩⲁⲗ ⲧⲁⲕⲱ
ϩⲁⲣⲱⲕ ⲛⲟⲩⲟⲉⲓⲕ ⲛ̄ⲅⲟⲩⲱⲙ ϫⲉ ⲉⲣⲉ ⲟⲩϭⲟⲙ ⲛⲁϣⲱⲡⲉ
ⲛⲁⲕ. ϫⲉ ⲕⲛⲁⲙⲟⲟϣⲉ ϩⲛ̄ ⲧⲉⲕϩⲓⲏ [23]ⲁⲩⲱ ⲙ̄ⲡϥ̄ⲟⲩⲱϣ
ⲉⲟⲩⲱⲙ. ⲡⲉϥϩⲙ̄ϩⲁⲗ ⲇⲉ ⲙⲛ̄ ⲧⲉⲥϩⲓⲙⲉ. ⲁⲩⲁⲛⲁⲅ-
ⲕⲁⲍⲉ ⲙ̄ⲙⲟϥ ⲁϥⲥⲱⲧⲉⲙ ⲛ̄ⲥⲁ ⲡⲉⲩϩⲣⲟⲟⲩ. ⲁϥⲧⲱⲟⲩⲛ
ϩⲙ̄ⲡⲉⲥⲏⲧ. ⲁϥϩⲙⲟⲟⲥ ϩⲓϫⲉⲙ ⲡⲕⲁϩ. [24]ⲧⲉⲥϩⲓⲙⲉ
ⲇⲉ ⲡⲉ ⲟⲩⲛ̄ⲧⲁⲥ ⲙ̄ⲙⲁⲩ ⲛⲟⲩⲕⲧⲏⲣ ϩⲁ ⲡⲉⲃⲉⲣⲱⲧⲉ
ϩⲙ̄ ⲡⲉⲥⲏⲓ. ⲁⲥϫⲓ ⲛⲟⲩⲛⲟⲉⲓⲧ ⲁⲥⲟⲩⲟϣⲙⲉϥ. ⲁⲥⲧⲱϭ
ⲛ̄ϩⲛ̄ⲟⲉⲓⲕ ⲛⲁⲑⲁⲃ. [25]ⲁⲥⲛ̄ⲧⲟⲩ ⲁⲥⲕⲁⲁⲩ ϩⲁⲣⲱϥ ⲙⲛ̄
ⲡⲉϥϩⲙ̄ϩⲁⲗ ⲁⲩⲟⲩⲱⲙ. ⲁⲩⲧⲱⲟⲩⲛ ⲁⲩⲙⲟⲟϣⲉ ⲉⲛ-
ⲧⲉⲩϣⲏ ⲉⲧⲙ̄ⲙⲁⲩ

29 [1]*ⲛⲁⲗⲟⲫⲩⲗⲟⲥ ⲇⲉ ⲁⲩⲥⲱⲟⲩϩ ⲉϩⲟⲩⲛ ⲙⲛ̄
ⲛⲉⲩⲡⲁⲣⲙ̄ⲃⲟⲗⲏ ⲉϩⲣⲁⲓ ⲉⲙⲁⲥⲥⲉⲫⲁⲕ ⲡⲓ̅ⲏ̅ⲗ̅ ⲇⲉ ⲁϥⲧⲁⲁϥ
ⲉϩⲣⲁⲓ ⲉⲉⲗⲧⲟⲙ ⲡⲉⲧ ϩⲙ̄ ⲡⲕⲁϩ ⲙ̄ⲡⲓ̅ⲏ̅ⲗ̅. [2]ⲛ̄ⲥⲁⲛ-
ⲧⲣⲁⲡⲏⲥ ⲇⲉ ⲛ̄ⲛⲁⲗⲗⲟⲫⲩⲗⲟⲥ ⲛⲉⲩⲙⲟⲟϣⲉ ⲉⲃⲟⲗ ϣⲉ
ϣⲉ ⲁⲩⲱ ϣⲟ ϣⲟ. ⲇ̅ⲁ̅ⲇ̅ ⲇⲉ ⲙⲛ̄ ⲛⲉϥⲣⲱⲙⲉ ⲛⲉⲩⲙⲟⲟϣⲉ ⲛ̄ϩⲁⲉ ⲙⲛ̄ ⲁⲭⲟⲩⲥ. [3]ⲁⲩⲱ ⲛ̄ⲥⲁⲛⲧⲣⲁⲡⲏⲥ
ⲛ̄ⲛⲁⲗⲗⲟⲫⲩⲗⲟⲥ ⲡⲉϫⲁⲩ ϫⲉ ⲛⲓⲙ ⲡⲉ ⲛⲁⲓ ⲉⲧⲙⲟⲟϣⲉ
ⲉⲧⲛⲏⲩ ⲛ̄ⲙ̄ⲙⲁⲛ. ⲡⲉϫⲉ ⲁⲭⲟⲩⲥ ⲛ̄ⲛⲟϭ ⲛ̄ⲛⲁⲗⲗⲟ-
ⲫⲩⲗⲟⲥ. ϫⲉ ⲡⲁⲓ ⲡⲉ ⲇ̅ⲁ̅ⲇ̅ ⲡϩⲙ̄ϩⲁⲗ ⲛ̄ⲥⲁⲟⲩⲗ ⲡ̄ⲣ̄ⲣⲟ
ⲉⲁϥϭⲱ ⲛⲉⲙⲙⲁⲛ. ⲛ̄ⲛⲉϩⲟⲟⲩ ⲧⲏⲣⲟⲩ ⲧⲙⲉϩ ⲣⲙ̄ⲡⲉ
ⲥⲛ̄ⲧⲉ ⲧⲉ ⲧⲁⲓ. ⲙ̄ⲡⲓ̄ϩⲉ ⲟⲩϩⲱⲃ ⲉϩⲟⲩⲛ ⲉⲣⲟϥ ϫⲓⲛ

ⲉⲡⲉϩⲟⲟⲩ ⲛ̄ⲧⲁϥⲓ ⲉϩⲟⲩⲛ ϩⲁⲧⲟⲟⲧ ϣⲁϩⲣⲁⲓ ⲉⲡⲟⲟⲩ ⲛ̄ϩⲟⲟⲩ. [4]ⲁⲩⲱ ⲁⲩⲙ̄ⲕⲁϩ ⲛ̄ϩⲏⲧ ⲉⲧⲃⲏⲏⲧϥ̄ ⲛ̄ϭⲓ ⲛ̄ⲛⲟϭ ⲛ̄ⲛⲁⲗⲗⲟⲫⲩⲗⲟⲥ. ⲡⲉϫⲁⲩ ⲛⲁϥ ϫⲉ ⲕⲧⲉ ⲡⲣⲱⲙⲉ ⲉⲛⲁϩⲟⲩ ⲁⲩⲱ ⲙⲁⲣⲉϥ̄ⲕⲧⲟϥ ⲛ̄ϥⲃⲱⲕ ⲉϩⲣⲁⲓ ⲉⲡⲉϥ̄ⲙⲁ ⲛ̄ⲧⲁⲕⲕⲁⲁϥ ⲛ̄ϩⲏⲧϥ̄. ⲛ̄ϥⲧⲙ̄ⲉⲓ ⲉⲃⲟⲗ ⲛⲙ̄ⲙⲁⲛ ⲉⲡⲡⲟⲗⲉⲙⲟⲥ ϫⲉⲕⲁⲥ ⲛⲛⲉϥ̄ϣⲱⲡⲉ ⲛⲉⲡⲓⲃⲟⲩⲗⲟⲥ ⲛ̄ⲧⲣⲟⲃ. ⲉⲣⲉ ⲡⲁⲓ ⲛⲁϩⲱⲧⲡ̄ ⲉⲡⲉϥϫⲟⲉⲓⲥ ϩⲛ̄ ⲟⲩ ⲉⲓⲙⲏϯ ϩⲛ̄ ⲛⲁⲡⲏⲩⲉ ⲛ̄ⲛ̄ⲣⲱⲙⲉ. [5]ⲙⲏ ⲉⲙⲡⲁⲓ ⲁⲛ ⲡⲉ ⲇⲁⲇ ⲡⲉⲛⲧⲁⲩϩⲱⲥ ϩⲓⲑⲏ ⲙ̄ⲙⲟϥ ⲛ̄ϭⲓ ⲛⲉⲧⲭⲟⲣⲉⲩⲉ ⲉⲩϫⲱ ⲙ̄ⲙⲟⲥ ϫⲉ ⲥⲁⲟⲩⲗ ⲁϥⲡⲁⲧⲁⲥⲥⲉ ϩⲛ̄ ⲛⲉϥ̄ϣⲟ ⲇⲁⲇ ϩⲱⲱϥ ϩⲛ̄ ⲛⲉϥ̄ⲧⲃⲁ. [6]ⲁⲭⲟⲩⲥ ⲇⲉ ⲁϥⲙⲟⲩⲧⲉ ⲉⲇⲁⲇ ⲡⲉϫⲁϥ ⲛⲁϥ ϫⲉ ⲡϫⲟⲉⲓⲥ ⲟⲛϩ ⲁⲩⲱ ⲕⲥⲟⲩⲧⲱⲛ ⲛ̄ⲧⲟⲕ. ⲁⲩⲱ ⲛ̄ⲧⲕ ⲟⲩⲁⲅⲁⲑⲟⲥ ⲛ̄ⲛⲁϩⲣⲁⲓ. ⲁⲩⲱ ⲧⲉⲕϩⲓⲏ ⲛⲉⲓ ⲉϩⲟⲩⲛ ⲙⲛ̄ ⲧⲉⲕϭⲓⲛⲓ ⲉⲃⲟⲗ ⲥⲙⲁⲙⲁⲁⲧ. ⲁⲩⲱ ⲙ̄ⲡⲓϩⲉ ⲉⲩϩⲱϥ ⲉϩⲟⲩⲛ ⲉⲣⲟⲕ ϫⲓⲛ ⲉⲡⲉϩⲟⲟⲩ ⲛ̄ⲧⲁⲕⲓ ⲛⲁⲓ ⲉϩⲟⲩⲛ ϣⲁ ⲡⲟⲟⲩ ⲛ̄ϩⲟⲟⲩ. ⲛⲥⲁⲛⲇⲣⲁⲡⲏⲥ ⲛ̄ⲛⲁⲗⲗⲟⲫⲩⲗⲟⲥ ⲧⲏⲧ ⲛ̄ϩⲏⲧ ⲛⲙ̄ⲙⲁⲕ ⲁⲛ. [7]ⲧⲉⲛⲟⲩ ϭⲉ ⲕⲧⲟⲕ ϩⲛ̄ ⲟⲩⲉⲓⲣⲏⲛⲏ ⲛ̄ⲅⲃⲱⲕ ⲛ̄ⲅ̄ ⲧⲙ̄ ⲉⲓⲣⲉ ⲛⲟⲩⲕⲁⲕⲓⲁ ⲙ̄ⲡⲁϩⲣⲁⲩ ⲛ̄ⲛⲥⲁⲛⲇⲣⲁⲡⲏⲥ ⲛ̄ⲛⲁⲗⲗⲟⲫⲩⲗⲟⲥ.

[8]ⲡⲉϫⲉ ⲇⲁⲇ ⲛⲁⲭⲟⲩⲥ ϫⲉ ⲟⲩ ⲡⲉ ⲡⲁⲛⲟⲃⲉ ⲛ̄ⲧⲁⲓⲁⲁϥ ⲉⲣⲟⲕ ϫⲓⲛ ⲉⲡⲉϩⲟⲟⲩ ⲛ̄ⲧⲁⲓⲉⲓ ⲉϩⲟⲩⲛ ⲉϩⲣⲁⲕ ϣⲁϩⲣⲁⲓ ⲉⲡⲟⲟⲩ ⲛ̄ϩⲟⲟⲩ. ⲉⲓⲛⲏⲩ ⲛⲙ̄ⲙⲁⲕ ⲉⲃⲟⲗ ⲉⲡⲡⲟⲗⲉⲙⲟⲥ ⲉⲙⲓϣⲉ ⲙⲛ̄ ⲛ̄ϫⲁϫⲉ ⲙ̄ⲡⲁϫⲟⲉⲓⲥ ⲡⲣ̄ⲣⲟ. [9]ⲁⲩⲱ ⲡⲉϫⲉ ⲁⲭⲟⲩⲥ ⲛ̄ⲇⲁⲇ ϫⲉ ϯⲥⲟⲟⲩⲛ ϫⲉ ⲛ̄ⲧⲕ ⲟⲩⲁⲅⲁⲑⲟⲥ ⲛ̄ⲧⲟⲕ ⲛ̄ⲛⲁϩⲣⲁⲓ. ⲁⲗⲗⲁ ⲛⲛⲟϭ ⲛ̄ⲛⲁⲗⲗⲟⲫⲩⲗⲟⲥ ⲥⲉϫⲱ ⲙ̄ⲙⲟⲥ ϫⲉ ⲛ̄ⲛⲉϥ̄ϣⲉⲓ ⲛⲙ̄ⲙⲁⲛ ⲉⲡⲡⲟⲗⲉⲙⲟⲥ. [10]ⲧⲉⲛⲟⲩ ϭⲉ ϣⲟⲣⲡⲕ̄ ⲛ̄ϩⲧⲟⲟⲩⲉ ⲛ̄ⲧⲟⲕ ⲙⲛ̄ ⲛ̄ϩⲙ̄ϩⲁⲗ ⲙ̄ⲡⲉⲕϫⲟⲉⲓⲥ ⲛ̄ⲧⲉⲧⲛ̄ϣⲉⲣⲉⲡ ⲧⲏⲩⲧⲛ̄ ⲛ̄ⲧⲉⲧⲛ̄ⲃⲱⲕ ⲉⲡⲙⲁ ⲛ̄ⲧⲁⲓⲕⲁ ⲧⲏⲩⲧⲛ̄ ⲛ̄ϩⲏⲧϥ̄ ⲁⲩⲱ ⲙ̄ⲡⲣ̄ⲕⲁ ⲡⲉⲕϩⲏⲧ ⲉⲙⲉⲉⲩⲉ ⲉⲩϣⲁϫⲉ ⲉϥϩⲟⲟⲩ. ϣⲉⲣⲉⲡ ⲧⲏⲩⲧⲛ̄ ⲛ̄ⲥⲟⲟⲩⲧⲛ̄ ⲛ̄ⲧⲉⲧⲛ̄ⲃⲱⲕ. [11]ⲇⲁⲇ ⲇⲉ ⲁϥϣⲟⲣⲡϥ̄ ⲙⲛ̄ ⲛⲉϥ̄ⲣⲱⲙⲉ. ⲉⲃⲱⲕ ⲉⲡⲕⲁϩ ⲛ̄ⲛⲁⲗⲗⲟⲫⲩⲗⲟⲥ. ⲛⲁⲗⲗⲟⲫⲩⲗⲟⲥ ⲇⲉ ⲁⲩⲃⲱⲕ ⲉϩⲣⲁⲓ ⲉⲡⲟⲗⲉⲙⲉⲓ ⲙⲛ̄ ⲡⲓⲏⲗ·

30 [1]ⲁⲥϣⲱⲡⲉ ⲇⲉ ⲙ̄ⲡⲁⲧⲉ ⲇⲁⲇ ⲙⲛ̄ ⲛⲉϥ̄ⲣⲱⲙⲉ ⲃⲱⲕ ⲉϩⲟⲩⲛ ⲉⲥⲉⲕⲉⲗⲁⲕ ϩⲙ̄ ⲡⲙⲉϩϣⲟⲙⲛ̄ⲧ ⲛ̄ϩⲟⲟⲩ ⲡⲁⲙⲁⲗⲉⲕ ⲁϥⲧⲱⲟⲩⲛ ⲉϫⲉⲙ ⲡⲥⲁⲙ̄ⲡⲣⲏⲥ. ⲁϥⲡⲁⲧⲁⲥⲥⲉ ⲛ̄ⲥⲉⲕⲉⲗⲁⲕ. ⲁϥⲣⲟⲕϩⲥ̄ ϩⲛ̄ ⲟⲩⲥⲁⲧⲉ. (Vers.

2 fehlt.) [3]ⲇⲁ̅ⲇ̅ ⲙⲛ̄ ⲛⲉϥⲣⲱⲙⲉ ⲁⲩⲉⲓ ⲉϩⲣⲁⲓ ⲉⲧⲡⲟⲗⲓⲥ
ⲁⲩⲱ ⲉⲓⲥϩⲏⲏⲧⲉ ⲥⲣⲟⲕϩ ϩⲛ̄ ⲟⲩⲥⲁⲧⲉ ⲁⲩⲱ ⲛⲉⲩϩⲓⲟⲙⲉ
ⲙⲛ̄ ⲛⲉⲩϣⲏⲣⲉ ⲁⲩⲁⲓⲭⲙⲁⲗⲱϯⲍⲉ ⲙ̄ⲙⲟⲟⲩ. [4]ⲇⲁ̅ⲇ̅
ⲇⲉ ⲙⲛ̄ ⲛⲉϥⲣⲱⲙⲉ ⲁⲩϥⲓ ϩⲣⲁⲩ ⲉⲃⲟⲗ ⲁⲩⲣⲓⲙⲉ ϣⲁⲛ-
ⲧⲟⲩⲗⲟ ⲉⲩϣϭⲙϭⲟⲙ ⲉⲣⲓⲙⲉ. [5]ⲁⲩⲱ ⲧⲉⲥϩⲓⲙⲉ ⲥⲛ̄ⲧⲉ
ⲛ̄ⲇⲁ̅ⲇ̅ ⲁⲩⲁⲓⲭⲙⲁⲗⲱϯⲍⲉ ⲙ̄ⲙⲟⲟⲩ ⲁⲭⲓⲛⲁⲁϥ ⲧⲉⲥⲣⲁⲉⲓ-
ⲗⲓⲧⲏⲥ. ⲙⲛ̄ ⲁⲃⲓⲅⲉⲁ ⲧⲉⲥϩⲓⲙⲉ ⲛ̄ⲛⲁⲃⲁⲗ.

Regn. II 17, 19—29. (Cod. B.)

[19]ⲧⲉⲥϩⲓⲙⲉ ⲇⲉ ⲙ̄ⲡⲣⲱⲙⲉ ⲁⲥⲕⲱ ⲛⲟⲩϩⲟⲃⲥ ϩⲓϫⲛ̄
ⲧⲧⲁⲡⲣⲟ ⲙ̄ⲡϣⲏⲓ. ⲁⲩⲱ ⲁⲥⲡⲱⲣϣ ⲉⲃⲟⲗ ϩⲓϫⲱϥ
ⲉⲛⲟⲩⲁⲣⲁⲫⲱⲧ ⲉⲧⲉ ϩⲛ̄ ⲛ̄ⲕⲁⲡⲟⲩⲱⲙ ⲡⲉ ⲁⲩⲱ ⲙ̄ⲡⲉ
ⲡϩⲱϥ ⲟⲩⲱⲛϩ ⲉⲃⲟⲗ. [20]ⲡϩⲙ̄ϩⲁⲗ ⲇⲉ ⲛⲁⲃⲉⲥⲁⲗⲱⲙ
ⲁⲩⲉⲓ ⲉⲣⲁⲧⲥ̄ ⲛ̄ⲧⲉⲥϩⲓⲙⲉ ⲉⲡⲉⲥⲏⲓ. ⲡⲉϫⲁⲩ ⲛⲁⲥ ϫⲉ
ϥⲧⲱⲛ ⲁⲭⲓⲙⲁⲁⲥ ⲙⲛ̄ ⲓⲱⲛⲁⲑⲁⲛ ⲧⲉⲥϩⲓⲙⲉ ⲇⲉ ⲡⲉϫⲁⲥ
ⲛⲁⲩ ϫⲉ ⲁⲩⲥⲓⲛⲉ ⲙ̄ⲙⲟⲟⲩ. ⲉⲧϩⲁ ⲧⲉⲧⲛ̄ϩⲓⲏ ⲉⲓⲥ
ⲟⲩⲕⲟⲩⲓ ⲁⲩϯⲟⲩⲟⲓ ⲇⲉ ⲛ̄ⲥⲱⲟⲩ ⲙ̄ⲡⲟⲩϩⲉ ⲉⲣⲟⲟⲩ ⲁⲩⲕⲧⲟⲟⲩ ⲉϩⲣⲁⲓ ⲉⲑⲓⲉ̅ⲗ̅ⲏ̅ⲙ̅. [21]ⲁⲥϣⲱⲡⲉ ⲇⲉ ⲙ̄ⲛ̄ⲛ̄ⲥⲁ ⲧⲣⲉ
ⲛⲏ ⲃⲱⲕ ⲛⲁⲓ ϩⲱⲟⲩ ⲁⲩⲉⲓ ⲉϩⲣⲁⲓ ϩⲙ̄ ⲡϣⲏⲓ. ⲁⲩⲃⲱⲕ
ⲡⲉϫⲁⲩ ⲉϩⲟⲩⲛ ϩⲛ̄ ⲇⲁⲩⲉⲓⲇ ϫⲉ ⲧⲱⲟⲩⲛ ⲛ̄ⲧⲛ̄ϫⲓⲟⲟⲣ
ϩⲙ̄ ⲡⲙⲟⲟⲩ ϫⲉ ⲉⲓⲥ ⲑⲉ ⲛ̄ⲧⲁϥϣⲟϫⲛⲉ ⲉⲧⲃⲉ ⲧⲏⲩⲧⲛ̄
ⲛ̄ϭⲓ ⲁⲭⲓⲧⲟⲫⲉⲗ. [22]ⲁⲩⲱ ⲇⲁⲩⲉⲓⲇ ⲁϥⲧⲱⲟⲩⲛ ⲙⲛ̄
ⲡⲗⲁⲟⲥ ⲉⲧⲛ̄ⲙ̄ⲙⲁϥ ⲁⲩϫⲓⲟⲟⲣ ⲙ̄ⲡⲓⲱⲣⲇⲁⲛⲏⲥ. ϣⲁ
ⲡⲛⲁⲩ ⲙ̄ⲡⲟⲩⲟⲉⲓⲛ ⲉϥⲛⲁⲉⲓ ⲉϩⲣⲁⲓ ⲙ̄ⲡⲉ ⲟⲩⲁ ⲛⲟⲩⲱⲧ
ϭⲱ ⲉⲡⲁϩⲟⲩ ⲛ̄ϩⲏⲧⲟⲩ. ⲙ̄ⲡⲉϥϫⲓⲟⲟⲣ ⲙ̄ⲡⲓⲱⲣⲇⲁⲛⲏⲥ.
[23]ⲁⲩⲱ ⲁⲭⲓⲧⲟⲫⲉⲗ ⲛ̄ⲧⲉⲣⲉϥⲛⲁⲩ ϫⲉ ⲙ̄ⲡⲉ ⲡϣⲁϫⲉ ⲛ̄-
ⲧⲁϥϫⲟⲟϥ ϣⲱⲡⲉ. ⲁϥϩⲉⲕ ⲧⲉϥⲉⲓⲱ ⲁϥⲧⲱⲟⲩⲛ. ⲁϥⲃⲱⲕ ⲉϩⲣⲁⲓ· ⲉⲧⲉϥⲡⲟⲗⲓⲥ ⲉⲡⲉϥⲏⲓ. ⲁⲩⲱ ⲛ̄ⲧⲉⲣⲉϥⲟⲩⲱ
ⲉϥϩⲱⲛ ⲉⲧⲟⲟⲧⲟⲩ ⲛ̄ⲛⲁⲡⲉϥⲏⲓ ⲉⲡⲉⲛⲧⲁϥϫⲟⲟⲩ ⲁϥⲟϭⲧϥ
ⲁϥⲙⲟⲩ ⲁⲩⲧⲟⲙⲉⲥϥ ϩⲙ̄ ⲡⲧⲁⲫⲟⲥ ⲙ̄ⲡⲉϥⲓⲱⲧ. [24]ⲇⲁⲩⲉⲓⲇ
ⲇⲉ ⲁϥⲓ ⲉϩⲣⲁⲓ ⲉⲙⲁⲛⲁⲉⲓⲙ. ⲁⲩⲱ ⲁⲃⲉⲥⲥⲁⲗⲱⲙ ⲁϥ-
ϫⲓⲟⲟⲣ ⲙ̄ⲡⲓⲱⲣⲇⲁⲛⲏⲥ ⲛ̄ⲧⲟϥ ⲙⲛ̄ ⲛⲉⲧⲛ̄ⲙ̄ⲙⲁϥ ⲙⲛ̄
ⲡⲉϥⲗⲁⲟⲥ ⲧⲏⲣϥ̄. [25]ⲁⲙⲉⲥⲥⲉⲓ ⲇⲉ ⲁϥⲕⲁⲑⲓⲥⲧⲁ ⲙ̄ⲙⲟϥ
ⲛ̄ϭⲓ ⲁⲃⲉⲥⲥⲁⲗⲱⲙ ⲉⲡⲙⲁ ⲛ̄ⲓⲱⲁⲃ ⲉⲧⲣⲉϥϣⲱⲡⲉ ϩⲓϫⲛ̄
ⲡⲉϥⲙⲏⲏϣⲉ. ⲁⲙⲉⲥⲥⲓ ⲇⲉ ⲡϣⲏⲣⲉ ⲉⲛⲟⲩⲣⲱⲙⲉ ⲉⲡⲉϥⲣⲁⲛ ⲡⲉ ⲓⲟⲑⲟⲣ ⲡⲓⲥⲣⲁⲏⲗⲓⲧⲏⲥ. ⲡⲁⲓ ⲁϥⲃⲱⲕ ⲉϩⲟⲩⲛ
ϣⲁ ⲁⲃⲓⲅⲉⲁ ⲧϣⲉⲉⲣⲉ ⲛ̄ⲛⲁⲁⲥ ⲧⲥⲱⲛ ⲛ̄ⲥⲁⲣⲟⲩⲓⲁⲥ ⲧⲙⲁⲁⲩ
ⲛ̄ⲓⲱⲁⲃ. [26]ⲁⲩⲱ ⲡⲓⲏⲗ ⲧⲏⲣϥ̄ ⲙⲛ̄ ⲁⲃⲉⲥⲥⲁⲗⲱⲙ ⲁⲩ-

ⲧⲁⲁⲩ ⲉϩⲣⲁⲓ ⲉⲡⲕⲁϩ ⲛⲕⲁⲗⲁⲁⲧ. [27] ⲁⲥϣⲱⲡⲉ ⲇⲉ ⲛ̄-
ⲧⲉⲣⲉ ⲇⲁⲩⲉⲓⲇ. ⲉⲓ ⲉϩⲣⲁⲓ ⲉⲙⲁⲛⲁⲉⲓⲛ. ϩⲉⲙ ⲡⲙⲁ
ⲉⲧⲉⲣⲉ ⲉⲍⲉⲃⲓⲛ ⲛ̄ϩⲏⲧϥ̄. ⲡϣⲏⲣⲉ ⲛⲉⲍⲉⲃⲱⲑ. ϩⲛ ⲃⲁⲙⲁⲑ
ⲡⲕⲁϩ ⲛ̄ⲡϣⲏⲣⲉ ⲛⲁⲙⲙⲱⲛ. ⲁⲩⲱ ⲡⲕⲁϩ ⲛⲛⲁⲭⲓⲣ
ⲡϣⲏⲣⲉ ⲛⲁⲃⲓⲏⲗ ⲡⲉ ⲉⲃⲟⲗ ϩⲛ ⲭⲟⲗⲟⲃⲁⲣ ⲁⲩⲱ ⲃⲉⲣ-
ⲥⲉⲗⲉⲉⲓ ⲡⲕⲁⲗⲁⲗⲓⲧⲏⲥ. ⲡⲉ ⲉⲃⲟⲗ ϩⲛ̄ ϩⲣⲟⲅⲟⲗⲓⲙ. [28] ⲁϥⲓⲛⲉ
ⲙⲙⲓⲛⲧⲉ ⲛ̄ⲕⲟⲓⲧⲏ ⲙⲛ̄ ϩⲛ̄ⲁⲙⲫⲓⲧⲁⲡⲟⲥ ⲁⲩⲱ ⲙⲛⲧ
ⲛ̄ⲭⲁⲗⲭⲓⲟⲛ. ⲁⲩⲱ ϩⲉⲛⲥⲕⲉⲟⲥ ⲛ̄ϣⲟϣⲟ̀ ⲛⲏⲣⲉⲛ ⲙⲛ̄
ϩⲛ̄ⲥⲟⲩⲟ ⲙⲛ̄ ϩⲛ̄ⲓⲱⲧ ⲙⲛ̄ ⲟⲩⲛⲟⲉⲓⲧ. ⲙⲛ̄ ϩⲉⲛϩⲛⲁⲁⲩ
ⲛⲉⲗⲉⲗϣⲟⲩⲱⲟⲩ. ⲙⲛ̄ ϩⲛ̄ⲕⲓⲛⲁⲙⲟⲥ. ⲁⲩⲱ ⲟⲩⲁⲣϣⲓⲛ.
[29] ⲙⲛ̄ ⲟⲩⲉ.ⲃⲓⲱ. ⲙⲛ̄ ⲟⲩⲥⲁⲓⲣⲉ ⲙⲛ̄ ϩⲛⲉⲥⲟⲟⲩ. ⲁⲩⲱ
ⲟⲩⲥⲱⲫⲱⲧ ⲛ̄ⲛⲉϩⲉ ⲉⲧⲉ ϩⲛ̄ⲙⲁⲍⲉ ⲡⲉ ⲁⲩⲱ ⲁⲩϫⲓⲧⲟⲩ
ⲉϩⲟⲩⲛ ϣⲁ ⲇⲁⲩⲉⲓⲇ. ⲙⲛ̄ ⲡⲗⲁⲟⲥ ⲉⲧⲛ̄ⲙ̄ⲙⲁϥ ⲉⲧⲣⲉⲩ-
ⲟⲩⲱⲙ ⲉⲃⲟⲗ ϫⲉ ⲁⲩϫⲟⲟⲥ ϫⲉ ⲉⲓⲥ ⲡⲗⲁⲟⲥ ϩⲕⲁⲉⲓⲧ ⲁⲩⲱ
ϥⲟϣ ⲉⲩⲥⲟϣⲙ̄ ϩⲛ ⲧⲉⲣⲩⲙⲟⲥ.

Iob 29, 21—30, 8.

29 [21] ⲛ̄ⲧⲉⲣⲟⲩⲥⲱⲧⲙ̄ ⲉⲣⲟⲓ. ⲁⲩϯϩⲧⲏⲩ. ⲁⲩⲕⲁ
ⲣⲱⲟⲩ ⲉ̀ϫⲙ̄ ⲡⲉⲩϣⲟϫⲛⲉ [22] ⲟⲩⲇⲉ *ⲙ̄ⲡⲟⲩⲱϩ ⲉ̀ϫⲛ̄
ⲡⲁϣⲁϫⲉ. ⲉ̀ϣⲱⲡⲉ ⲇⲉ ⲉⲓϣⲁⲛϣⲁϫⲉ ⲛ̄ⲙ̄ⲙⲁⲩ. ϣⲁⲩ-
ⲣⲁϣⲉ [23] ⲛ̄ⲑⲉ ⲛⲟⲩⲕⲁϩ. ⲉϥϭⲱϣⲧ̀ ⲉⲃⲟⲗ ϩⲁⲑⲏ ⲛⲟⲩ-
ⲙⲟⲩⲛϩⲱⲟⲩ. ⲛ̄ⲧⲉⲓ ϩⲉ ⲛⲁⲓ ϩⲱⲟⲩ. ⲉⲩϭⲱϣⲧ̀ ⲉⲃⲟⲗ
ϩⲁⲑⲏ ⲛ̄ⲛⲁϣⲁϫⲉ. [24] ⲉⲓϣⲁⲛⲥⲱⲃⲉ ⲛ̄ⲙ̄ⲙⲁⲩ ⲛ̄ⲛⲉⲩ-
ⲧⲁⲛϩⲟⲩⲧ. ⲁⲩⲱ ⲛ̄ⲛⲉϥϩⲉ ⲉⲃⲟⲗ ⲛ̄ϭⲓ ⲡⲟⲩⲟ̀ⲉⲓⲛ ⲙ̄-
ⲡⲁϩⲟ. [25] ⲁⲓⲥⲱⲧⲡ̄ ⲉ̀ⲧⲉⲩϩⲓⲏ̄. ⲁⲩⲱ ⲁⲓϩⲙⲟⲟⲥ ⲉⲓⲟ̀
ⲛⲁⲣⲭⲱⲛ. ⲁⲩⲱ ⲉⲓⲟ̀ ⲛ̄ⲑⲉ ⲛⲟⲩⲣ̀ⲣⲟ ϩⲛ̄ ϩⲉⲛⲙⲟⲩⲉ̀
ⲛⲁⲍⲱⲙⲉⲛⲟⲥ. ⲛ̄ⲑⲉ ⲛ̄ϩⲟⲓⲛⲉ ⲉⲩⲣ̀ϩⲏⲃⲉ. ⲉⲓⲉϯⲛⲟⲙⲧⲉ ⲛⲁⲩ.

30 [1] ⲧⲉⲛⲟⲩ ⲇⲉ ⲁⲩⲥⲱⲃⲉ ⲛ̄ⲥⲱⲓ. ⲛ̄ϭⲓ ϩⲉⲛⲉⲗⲁ-
ⲭⲓⲥⲧⲟⲛ. ⲧⲉⲛⲟⲩ ⲇⲉ ⲥⲉϯⲥⲃⲱ ⲛⲁⲓ ϩⲛ̄ ⲟⲩⲙⲉⲣⲟⲥ.
ⲛ̄ϭⲓ ⲛⲁⲓ ⲛ̄ⲧⲁⲩⲥⲱϣϥ̀ ⲛ̄ⲛⲉⲩⲉⲓⲟ̀ⲧⲉ. ⲛⲁⲓ ⲛⲉⲓⲕⲱ ⲙ̄-
ⲙⲟⲟⲩ ⲙ̄ⲡⲉⲓ ⲙⲁ. ⲛ̄ⲑⲉ ⲛⲟⲩϩⲟⲟⲣ. ⲛ̄ⲙ̄ⲙⲁⲛⲉⲥⲟⲟⲩ.
[2] ⲕⲁⲓⲅⲁⲣ ⲉⲩⲣ̀ ⲟⲩ ⲛⲁⲓ. ϩⲛ̄ ⲧϭⲟⲙ ⲛ̄ⲛⲉⲩϭⲓϫ. ⲧⲉⲩ-
ⲥⲩⲛⲧⲉⲗⲓⲁ. ⲁⲥⲧⲁⲕⲟ ⲉϩⲣⲁⲓ ⲉϫⲱⲟⲩ. [3] ϩⲛ̄ ⲟⲩⲙⲛ̄ⲧ-
ⲣⲉϥⲣ̄ϩⲁⲉ. ⲙⲛ̄ ⲟⲩϩⲉⲃⲱⲱⲛ ⲛⲁⲧϣⲏⲣⲉ. ⲛⲉⲧⲡⲏⲧ
ϩⲛ ⲟⲩⲙⲁ ⲛⲁⲧⲙⲟⲟⲩ ⲛ̄ⲥⲁϥ. ⲟⲩⲧⲁⲕⲟ. ⲙⲛ̄ ⲟⲩ-
ⲧⲁⲗⲁⲓⲡⲱⲣⲓⲁ. [4] ⲛⲉⲧⲕⲱⲧⲉ ⲛ̄ⲥⲁ ϩⲉⲛⲁⲣⲓⲙ. ϩⲛ̄
ⲟⲩⲙⲁ ⲉϥⲥⲉ.ⲛⲥⲉⲛ. ⲛⲉⲧⲉⲣⲉ ϩⲉⲛⲁⲣⲓⲙ. ⲡⲉ ⲛⲉⲩϩⲣⲉ.
ⲛⲁⲇⲓⲙⲟⲥ ⲛ̄ⲥⲁ ⲙ̄ⲡⲉⲑⲟⲟⲩ. ⲉⲩⲣ̄ϩⲁⲉ̀ ⲛⲁⲅⲁⲑⲟⲛ ⲛⲓⲙ.

ⲡⲉⲧⲉϣⲁⲩⲟⲩⲟϭⲟⲩ ⲉϭⲛ̄ ϩⲉⲛⲛⲟⲩⲛⲉ ⲛ̄ϣⲉ. ϩⲙ̄ ⲡⲁϣⲁⲓ ⲙ̄ⲡϩⲉⲃⲱⲱⲛ. ⲁⲩⲧⲱⲟⲩⲛ ⲉϩⲣⲁⲓ ⲉ̀ϫⲱⲓ ⲛ̄ϭⲓ ϩⲉⲛⲣⲉϥϫⲓⲟⲩⲉ. 7 ⲡⲉⲧⲉⲣⲉ ⲡⲉϣⲕⲱⲗ ⲙ̄ⲡⲉⲧⲣⲁ. ⲡⲉ *ⲡⲉⲩⲛⲏⲃ. 8 ⲉⲩⲱϣ ⲉ̀ⲃⲟⲗ. ϩⲛ̄ ϩⲉⲛ. . . .

Isaias 1, 2—9.

ⲏ̄ⲥⲁⲓⲁⲥ ⲟ ⲡⲣⲟⲫⲏⲧⲏⲥ.

1 2 ⲥⲱⲧⲙ̄ ⲧⲡⲉ. ϫⲓ ⲥⲙⲏ *ⲉⲡⲕⲁϩ. ϫⲉ ⲁⲡϫⲟⲉⲓⲥ ϣⲁϫⲉ. ϩⲉⲛϣⲏⲣⲉ ⲁⲓϫⲡⲟⲟⲩ. ⲁⲓϫⲁⲥⲧⲟⲩ. ⲛ̄ⲧⲟⲟⲩ ⲇⲉ ⲁⲩⲁ̀ⲑⲉⲧⲉⲓ ⲙ̄ⲙⲟⲓ. 3 ⲁⲩⲉϩⲉ ⲥⲟⲩⲛ̄ *ⲡⲉⲥϫⲟⲉⲓⲥ. ⲁⲩⲱ ⲁⲩⲉ̀ⲱ̀ ⲥⲟⲩⲛ̄ ⲡⲟⲩⲟ̀ⲙϥ ⲙ̄ⲡⲉϥϫⲟⲉⲓⲥ. ⲡⲓⲏ̄ⲗ̄ ⲇⲉ ⲙ̄ⲡⲉϥ ⲥⲟⲩⲱⲛ̄ⲧ. ⲁⲩⲱ ⲡⲁⲗⲁⲟⲥ ⲙ̄ⲡⲉϥϭⲛ̄ ⲁⲛ̄ⲧ̄ ⲛⲓⲙ. 4 ⲟⲩⲟⲓ ⲡⲟⲩϩⲉⲑⲛⲟⲥ ⲛ̄ⲣⲉϥⲣ̄ ⲛⲟⲃⲉ. ⲟⲩⲗⲁⲟⲥ ⲉϥⲙⲉϩ ⲉⲃⲟⲗ ⲛ̄ⲛⲟⲃⲉ. ⲛ̄ⲥⲡⲉⲣⲙⲁ ⲙ̄ⲡⲟⲛⲏⲣⲟⲛ. ⲛ̄ϣⲏⲣⲉ ⲛ̄ⲁⲛⲟⲙⲟⲥ. ⲁⲧⲉⲧⲛ̄ⲕⲁ ⲡϫⲟⲉⲓⲥ ⲛ̄ⲥⲱⲧⲛ̄. ⲁⲩⲱ ⲁⲧⲉⲧⲛ̄ϯⲛⲟⲩϭⲥ ⲙ̄ⲡⲡⲉⲧⲟⲩⲁⲁⲃ ⲙ̄ⲡⲓ̄ⲏ̄ⲗ. 5 ⲁϣ ϭⲉ ⲡⲉ ⲡⲕⲉ ⲥⲁϣ. ⲉⲧⲉⲧⲛ̄ⲟⲩⲱϩ ⲉ̀ϫⲛ̄ ⲡⲉⲧⲛ̄ⲁⲛⲟⲙⲓⲁ̀. ⲁⲡⲉ ⲛⲓⲙ ⲉⲟⲩⲧⲕⲁⲥ. ϩⲏⲧ ⲛⲓⲙ ⲉⲟⲩⲗⲩⲡⲏ 6 ϫⲓⲛ ⲡⲉⲩⲟⲩⲉⲣⲏⲧⲉ ϣⲁ ⲧⲉⲩⲁⲡⲉ. ⲙ̄ⲙⲛ̄ ⲙ̄ⲧⲟⲛ ϣⲟⲟⲡ ⲛ̄ϩⲏⲧϥ̀. ⲉⲡⲟⲩⲥⲁϣ ⲁⲛ ⲡⲉ. ⲉ̀ⲡⲟⲩⲉ̀ⲗⲉⲗⲕⲏⲙⲉ ⲁⲛ ⲧⲉ. ⲉⲡⲟⲩⲡⲗⲩⲅⲏ ⲁⲛ ⲧⲉ. ⲉⲥϯⲧⲕⲁⲥ. ⲙ̄ⲙⲛ̄ ⲑⲉ ⲛ̄ϯ ⲙⲁⲗⲁⲅⲙⲁ ⲉ̀ϫⲱϥ ⲟⲩⲇⲉ ⲛⲉϩ· ⲟⲩⲇⲉ̀ ⲙⲣ̄ⲣⲉ. 7 ⲉ̀ⲣⲉ ⲡⲉⲧⲛ̄ⲕⲁϩ ⲣ̄ϫⲁⲓⲉ. ⲁⲩⲱ ⲛ̄ⲧⲉ ⲡⲉⲧⲛ̄ⲡⲟⲗⲓⲥ ⲣⲱⲕϩ̀. ⲛ̄ⲧⲉ ϩⲉⲛⲕⲟⲟⲩⲉ̀ ⲟⲩⲉⲙ ⲧⲉⲧⲛ̄ⲭⲱⲣⲁ ⲙ̄ⲡⲉⲧⲛ̄ⲙ̄ⲧⲟ ⲉⲃⲟⲗ. ⲁⲩⲱ ⲁⲥⲣ̄ϫⲁⲓⲉ. ⲉ̀ⲁⲩϣⲣ̄ϣⲱⲣⲥ̄. ϩⲓⲧⲛ̄ ϩⲉⲛ ⲗⲁⲟⲥ ⲛ̄ϣⲙ̄ⲙⲟ. 8 ⲥⲉⲛⲁⲕⲁ ⲧϣⲉⲉⲣⲉ ⲛ̄ⲥⲓⲱⲛ ⲉ̀ⲃⲟⲗ. ⲛ̄ⲑⲉ ⲛⲟⲩϩⲃⲱ ϩⲛ̄ ⲟⲩⲙⲁ ⲛⲉⲗⲟⲟⲗⲉ. ⲁⲩⲱ ⲛ̄ⲑⲉ ⲛⲟⲩⲙⲁ ⲛ̄ϩⲁⲣⲉϩ ⲛ̄ⲃⲟⲛⲧⲉ. ⲁⲩⲱ ⲛ̄ⲑⲉ ⲛⲟⲩⲡⲟⲗⲓⲥ ⲉⲥϣⲏϥ. 9 ⲁⲩⲱ ⲛ̄ⲥⲁⲃⲏⲗ ϫⲉ ⲁⲡϫⲟⲉⲓⲥ ⲥⲁⲃⲁⲱⲑ ϣⲱϫⲡ̄ ⲛⲁⲛ ⲛⲟⲩⲥⲡⲉⲣⲙⲁ. ⲉϣϫⲉ ⲁⲛϣⲱⲡⲉ ⲛ̄ⲑⲉ ⲛ̄ⲥⲟⲇⲟⲙⲁ. ⲁⲩⲱ ⲁⲛⲉⲓⲛⲉ ⲛ̄ⲅⲟⲙⲟⲣⲣⲁ.

Isaias 3, 9—15.

[ⲏⲥⲁⲓⲁⲥ ⲟ ⲡⲣⲟⲫ]ⲏⲧⲏⲥ.

3 9 . . . . [ⲟⲩⲟⲓ ⲛ̄ⲧⲉⲩⲯⲩ]ⲭⲏ [ϫⲉ ⲁⲩϣⲟ]ϫⲛⲉ [ⲛⲟⲩϣⲟϫ]ⲛⲉ ⲉϥϩⲟ[ⲟⲩ] . . . [ⲉⲩ]ϫⲱ[ⲙ̄ⲙⲟⲥ] 10 [ϫⲉ] ⲙⲁⲣⲉⲛⲙⲟⲩⲣ . . . . . ⲕⲟⲥ. ϫⲉ ϥ̀ . . . . [ⲛ̄ⲁⲩⲥ]ⲭⲣⲏⲥⲧⲟⲥ . . . . . ⲧⲉⲛⲟⲩ . . . . ⲁⲩⲟⲩⲱⲙ [ⲙ̄ⲡⲟ̄]ⲣⲱϭ ⲛ̄ⲛⲉϩⲃⲏⲩⲉ [ⲛ̄]ⲛⲉⲩϭⲓϫ. 11 ⲟⲩⲟⲓ [ⲙ̄ⲡ]ⲁⲛⲟⲙⲟⲥ.

ϩⲉⲛ ⲡⲉⲑⲟⲟⲩ. ⲡⲉⲧⲛⲁⲧⲱⲙⲧ̇ ⲉ̇ⲣⲟϥ. ⲕⲁⲧⲁ ⲛⲉϩⲃⲏⲩⲉ
ⲛ̄ⲛⲉϥϭⲓϫ. [12]ⲡⲗⲁⲟⲥ ⲡⲉⲧⲙ̄ⲡⲣⲁⲕⲧⲱⲣ ⲥ̄ⲣⲓⲧ ⲙ̄ⲙⲱⲧⲛ̄.
ⲁⲩⲱ ⲛⲉⲧⲁⲡⲁⲓⲧⲉⲓ ⲟ̇ ⲛ̄ϫⲟⲉⲓⲥ ⲉⲣⲱⲧⲛ̄. ⲡⲁⲗⲁⲟⲥ
ⲛⲉⲧⲧⲙⲁⲉⲓⲟ ⲙ̄ⲙⲱⲧⲛ̄. ⲛ̄ⲗⲁⲛⲁ ⲙ̄ⲙⲱⲧⲛ̄. ⲁⲩⲱ
ⲥⲉϣⲧⲟⲣⲧⲣ ⲛ̄ⲧⲉϩⲓⲏ ⲛ̄ⲛⲉⲧⲛ̄ⲟⲩⲉⲣⲏⲧⲉ. [13]ⲁⲗⲗⲁ ⲧⲉⲛⲟⲩ ⲡ̄ϫⲟⲉⲓⲥ ⲛⲏⲩ ⲉⲩϩⲁⲡ ⲁⲩⲱ ϥ̇ⲛⲁⲧⲁϩⲉ ⲡⲉϥⲗⲁⲟⲥ
ⲉ̇ⲣⲁⲧϥ̇ ⲉⲩϩⲁⲡ. [14]ⲛ̄ⲧⲟϥ ⲡ̄ϫⲟⲉⲓⲥ ⲉϥⲛⲏⲩ ⲉⲩϩⲁⲡ.
ⲙⲛ̄ ⲛⲉⲡⲣⲉⲥⲃⲩⲧⲉⲣⲟⲥ ⲙ̄ⲡⲗⲁⲟⲥ. ⲁⲩⲱ ⲙⲛ̄ ⲛⲉϥⲁⲣⲭⲱⲛ.
ⲛ̄ⲧⲱⲧⲛ̄ ⲇⲉ ⲉⲧⲃⲉ ⲟⲩ ⲁ̇ⲧⲉⲧⲛ̄ⲣⲱⲕϩ̇. ⲙ̄ⲡⲁⲙⲁ ⲡⲉⲗⲟⲟⲗⲉ.
ⲁⲩⲱ ⲛ̄ⲧⲱⲣⲡ ⲙ̄ⲡϩⲏⲕⲉ ϩⲛ̄ ⲛⲉⲧⲛ̄ⲏⲓ. [15]ⲉⲧⲃⲉ ⲟⲩ
ⲛ̄ⲧⲱⲧⲛ̄ ⲧⲉⲧⲛ̄ϫⲓ ⲙ̄ⲡⲁⲗⲁⲟⲥ ⲛ̄ϭⲟⲛⲥ. ⲁⲩⲱ ⲧⲉⲧⲛ̄-
ϯϣⲓⲡⲉ ⲙ̄ⲡϩⲟ ⲛ̄ⲛ̄ϩⲏⲕⲉ.

Isaias 12, 2—6 13, 2—10.

ⲏ̇ⲥⲁⲓⲁⲥ ⲟ ⲡⲣⲟⲫⲏⲧⲏⲥ.

12 [2]ⲉⲓⲥϩⲏⲏⲧⲉ ⲡⲛⲟⲩⲧⲉ ⲡⲁⲥⲱⲧⲏⲣ. ⲡⲉ ⲡ̄ϫⲟⲉⲓⲥ
ϯⲛⲁϣⲱⲡⲉ ⲉⲓⲛⲁϩⲧⲉ ⲉ̇ⲣⲟϥ. ⲁⲩⲱ ϯⲛⲁⲟⲩϫⲁⲓ ⲉⲃⲟⲗ
ϩⲓⲧⲟⲟⲧϥ̇ ⲛ̄ϯⲛⲁⲣ̇ϩⲟⲧⲉ ⲁⲛ. ϫⲉ ⲡⲁⲉⲟⲟⲩ. ⲙⲛ̄ ⲡⲁⲥⲙⲟⲩ
ⲡⲉ ⲡ̄ϫⲟⲉⲓⲥ. ⲁϥϣⲱⲡⲉ ⲛⲁⲓ ⲛ̄ⲥⲱⲧⲏⲣ. [3]ⲱ̇ⲧϩ̇ ⲛⲟⲩ-
ⲙⲟⲟⲩ ϩⲛ̄ ⲟⲩⲟⲩⲛⲟϥ. ⲉⲃⲟⲗ ϩⲛ̄ ⲙ̄ⲡⲩⲅⲏ ⲙ̄ⲡⲟⲩϫⲁⲓ.
[4]ⲁⲩⲱ ⲉⲕⲛⲁϫⲟⲟⲥ ϩⲙ̄ ⲡⲉϩⲟⲟⲩ ⲉ̇ⲧⲙ̄ⲙⲁⲩ. ϫⲉ ⲥⲙⲟⲩ
ⲉⲡ̄ϫⲟⲉⲓⲥ. ⲱϣ ⲉⲃⲟⲗ ϩⲙ̄ ⲡⲉϥⲣⲁⲛ. ϫⲱ ϩⲛ̄ ⲛ̄ϩⲉⲑⲛⲟⲥ
ⲛ̄ⲛⲉϥϩⲃⲏⲩⲉ ⲉⲧⲧⲁⲉⲓⲏⲩ. ⲁⲣⲓ ⲡⲙⲉⲉⲩⲉ ϫⲉ ⲁ ⲡⲉϥⲣⲁⲛ
ϫⲓⲥⲉ. [5]ⲥⲙⲟⲩ ⲉⲡⲣⲁⲛ *ⲙ̄ⲡϭ̄ⲥ. ϫⲉ ⲁϥⲉⲓⲣⲉ ⲛ̄ϩⲉⲛ-
ϩⲃⲏⲩⲉ ⲉⲩϫⲟⲥⲉ. ϫⲱ ⲛ̄ⲛⲁⲓ ϩⲙ̄ ⲡⲕⲁϩ ⲧⲏⲣϥ̇. [6]ⲧⲉⲗⲏⲗ
ⲛ̄ⲧⲉⲧⲛ̄ⲟⲩⲛⲟϥ. ⲡⲉⲧⲟⲩⲏϩ ϩⲛ̄ ⲥⲓⲱⲛ. ϫⲉ ⲁ ⲡⲉⲧ-
ⲟⲩⲁⲁⲃ ⲛ̄ⲧⲉ ⲡⲓⲏ̄ⲗ· ϫⲓⲥⲉ ϩⲛ̄ ⲧⲉⲥⲙⲏⲧⲉ.

13 [2]ϥⲓ ⲛⲟⲩⲙⲁⲉⲓⲛ ⲉ̇ϫⲛ̄ ⲟⲩⲧⲟⲟⲩ ⲉϥⲟⲩⲟ̇ϣⲥ̇ ϫⲓⲥⲉ
ⲛ̄ⲧⲉⲧⲛ̄ⲥⲙⲏ ⲙ̄ⲡⲣ̄ⲣ̄ϩⲟⲧⲉ. ⲥⲟⲡⲥ̇ ϩⲛ̄ ⲛⲉⲧⲛ̄ϭⲓϫ. ⲁⲟⲩⲱ̇ⲛ
ⲛ̄ⲛⲁⲣⲭⲱⲛ. [3]ⲁⲛⲟⲕ ⲉⲧⲛⲁϩⲱⲛ. ⲁⲛⲟⲕ ⲉⲧⲛⲁⲛ̇ⲧⲟⲩ.
ⲥⲉⲧⲃⲃⲏⲩ. ⲁⲩⲱ ⲁⲛⲟⲕ ⲉⲧⲛⲁⲛ̇ⲧⲟⲩ. ⲟⲩⲛ̇ ϩⲉⲛⲅⲓⲅⲁⲥ
ⲛⲏⲩ ⲉϫⲱⲕ ⲉⲃⲟⲗ ϩⲙ̄ ⲡⲁϭⲱⲛⲧ̇. ⲉⲩⲣⲁϣⲉ. ⲁⲩⲱ ⲉⲩⲥⲱϣ. ϩⲓ ⲟⲩⲥⲟⲡ. [4]ⲧⲉⲥⲙⲏ ⲛ̄ⲛ̄ϩⲉⲑⲛⲟⲥ. ⲉⲧⲛⲁϣⲱⲟⲩ
ϩⲓϫⲛ̄ ⲛ̄ⲧⲟⲟⲩ. ⲛ̄ⲑⲉ ⲛ̄ϩⲉⲛ ⲙⲏⲏϣⲉ ⲛ̄ϩⲉⲑⲛⲟⲥ. ⲡⲉϩⲣⲟⲟⲩ ⲛ̄ⲛⲉⲣⲣⲱⲟⲩ. ⲙⲛ̄ ⲛ̄ϩⲉⲑⲛⲟⲥ ⲉⲧⲥⲱⲟⲩϩ. *ⲁⲡϫⲟⲓⲥ
ⲥⲁⲃⲁⲱⲑ ϩⲱⲛ ⲛⲟⲩϩⲉⲑⲛⲟⲥ ⲙ̄ⲣⲉϥⲙⲓϣⲉ. ⲙ̄ⲡϭⲗ
[5]ⲉⲉⲓ ⲉⲃⲟⲗ ϩⲛ̄ ⲟⲩⲕⲁϩ ⲉϥⲟⲩⲏⲩ. ϫⲓⲛ ⲁⲣⲏϫⲥ̇ ⲛ̄ⲧⲥⲛ̄ⲧⲉ
ⲛ̄ⲧⲡⲉ. ⲡ̄ϫⲟⲉⲓⲥ ⲙⲛ̄ ⲛ̄ⲣⲉϥⲙⲓϣⲉ. ⲙ̄ⲡϭⲗ ⲉ̇ⲧⲁⲕⲉ

ⲧⲟⲓⲕⲟⲩⲙⲉⲛⲏ. [6] ϯⲗⲟⲩⲗⲁⲓ. ⲁ ⲡⲉϩⲟⲟⲩ ⲅⲁⲣ ⲙ̄ⲡϫⲟⲉⲓⲥ ϩⲱⲛ ⲉ̀ϩⲟⲩⲛ. ⲁⲩⲱ ⲟⲩⲛ ⲟⲩⲟⲩⲱ̀ϣϥ̀ ⲛⲏⲩ ⲉ̀ⲃⲟⲗ ϩⲓⲧⲙ̄ ⲡⲛⲟⲩⲧⲉ. [7] ⲉⲧⲃⲉ ⲡⲁⲓ ϭⲓϫ ⲛⲓⲙ ⲛⲁⲃⲱⲗ ⲉⲃⲟⲗ. ⲛ̀ⲧⲉ ⲯⲩⲭⲏ ⲛⲓⲙ ⲛ̀ⲣⲱⲙⲉ ⲣ̀ϭⲱⲃ. [8] ⲛ̀ϩⲗⲗⲟ ⲛⲁϣⲧⲟⲣⲧⲣ̀. ⲛ̀ⲧⲉ ϩⲉⲛⲛⲁⲁⲕⲉ. ⲧⲁϩⲟⲟⲩ. ⲛ̀ⲑⲉ ⲛⲟⲩⲥϩⲓⲙⲉ ⲉⲥⲛⲁⲙⲓⲥⲉ. ⲁⲩⲱ ⲥⲉⲛⲁⲙ̀ⲕⲁϩ ⲛ̀ϩⲏⲧ. ⲟⲩⲁ ⲛ̀ⲛⲁϩⲣⲙ̄ ⲟⲩⲁ. ⲛ̄ⲥⲉⲛⲱϣⲥ̄. ⲛ̀ⲧⲉ ⲡⲉⲩϩⲟ ⲙⲟⲩϩ ⲛ̀ⲑⲉ ⲛⲟⲩϣⲁϩ. [9] ⲉⲓⲥ ⲡⲉϩⲟⲟⲩ ⲅⲁⲣ ⲙ̀ⲡϫⲟⲉⲓⲥ. ⲡⲛⲟⲩⲧⲉ. ⲛⲏⲩ. ⲛⲁⲧⲧⲁⲗϭⲟ. ϩⲛ̀ ⲟⲩϭⲱⲛⲧ̀. ⲙⲛ̀ ⲟⲩⲟⲣⲅⲏ. ⲉ̀ⲕⲱ ⲛ̀ⲧⲟⲓⲕⲟⲩⲙⲉⲛⲏ· ⲧⲏⲣⲥ̀ ⲛ̀ϫⲁⲓⲉ. ⲁⲩⲱ ⲉ̀ⲧⲁⲕⲟ ⲛ̄ⲛⲣⲉϥⲣ̀ⲛⲟⲃⲉ ϩⲓϫⲱⲥ. [10] ⲛ̀ⲥⲓⲟⲩ ⲅⲁⲣ ⲛ̀ⲧⲡⲉ. ⲙⲛ̀ ⲡⲥⲟⲩⲛ̀ϩⲱⲣ. ⲁⲩⲱ ⲡⲕⲟⲥⲙⲟⲥ ⲧⲏⲣϥ̀ ⲛ̀ⲧⲡⲉ. ⲛⲁϯ ⲁⲛ ⲙ̀ⲡⲉⲩⲟⲩⲟⲉⲓⲛ. ⲁⲩⲱ ⲥⲉⲛⲁⲣ̄ⲕⲁⲕⲉ. ⲉ̀ⲣⲉ ⲡⲣⲏ ⲛ̀ⲃⲟⲗ. ⲁⲩⲱ ⲡⲟⲟϩ ⲛⲁϯ ⲁⲛ ⲙ̀ⲡⲉϥⲟⲩⲟⲉⲓⲛ.

Isaias 28, 6—15.

28 [6]. . . ⲛⲁⲥⲉⲉⲡⲉ ⲉ̀ϫⲛ̀ ⲟⲩⲡ̄ⲛ̄ⲁ ⲛ̀ϩⲁⲡ ⲉ̀ϫⲓ ϩⲁⲡ. ⲁⲩⲱ ⲉϥⲕⲱⲗⲩ ⲛ̀ⲧϭⲟⲙ ⲉ̀ⲧⲁⲕⲟ. [7] ⲡⲁⲓ ⲅⲁⲣ ⲥⲩⲥⲱⲣⲙ̄ ϩⲙ̀ ⲡⲏⲣ[ⲡ] ⲁⲩⲥⲱⲣⲙ̀ ⲉⲧⲃⲉ ⲡⲥⲓⲕⲉⲣⲁ. ⲁⲡⲟⲩⲏⲏⲃ. ⲙⲛ̀ ⲡⲉⲡⲣⲟⲫⲏⲧⲏⲥ ⲡⲱϣⲥ̀ ⲉⲧⲃⲉ ⲡⲏⲣⲡ̀. ⲁⲩⲕⲓⲙ· ⲉⲃⲟⲗ ϩⲙ̀ ⲛ̀ϯϩⲉ. ⲙ̀ⲡⲥⲓⲕⲉⲣⲁ. ⲁⲩⲥⲱⲣⲙ̀. ⲉ̀ⲧⲉ ⲡⲁⲓ ⲡⲉ ⲟⲩⲣⲁⲥⲟⲩ. [8] ⲡⲥⲁϩⲟⲩ ⲡⲁⲟⲩⲱⲙ ⲙ̀ⲡⲉⲓ ϣⲟϫⲛⲉ. ⲡⲉⲓ̈ ϣⲟϫⲛⲉ ⲅⲁⲣ ⲉⲧⲃⲉ ⲟⲩϥⲱϭⲉ ⲡⲉ [9] ⲛ̀ⲧⲁⲛϫⲉ ⲡⲉⲑⲟⲟⲩ ⲛ̀ⲛⲓⲙ. ⲛ̀ⲧⲁⲛϫⲉ ⲟⲩⲱ̀ ⲛ̀ⲛⲓⲙ. ⲛⲉⲛⲧⲁⲩⲙⲟϫⲟⲩ ⲉⲧⲉⲩⲉ̀ⲣⲱⲧⲉ. ⲛⲉⲛⲧⲁⲩϥⲓⲧⲟⲩ ⲉⲃⲟⲗ ϩⲛ̀ ⲧⲉⲩⲉ̀ⲕⲓⲃⲉ. [10] ϭⲱϣⲧ̀ ⲉ̀ⲃⲟⲗϩⲏⲧⲥ̄ ⲛⲟⲩⲑⲗⲓⲯⲓⲥ ⲉ̀ϫⲛ̀ ⲟⲩⲑⲗⲓⲯⲓⲥ. ⲉⲧⲓ ⲕⲉ ⲕⲟⲩⲓ ⲡⲉ. ⲉⲧⲓ ⲕⲉ ⲕⲟⲩⲓ ⲡⲉ. ϭⲱϣⲧ̀ ⲉ̀ⲃⲟⲗϩⲏⲧⲥ̄ ⲛⲟⲩϩⲉⲗⲡⲓⲥ. ⲉϫⲛ̀ ⲟⲩϩⲉⲗⲡⲓⲥ. ⲉ̀ⲧⲓ ⲕⲉ ⲕⲟⲩⲓ ⲡⲉ. ⲉ̀ⲧⲓ ⲕⲉ ⲕⲟⲩⲓ ⲡⲉ. [11] ⲉⲧⲃⲉ ⲡⲥⲱϣ ⲛ̀ⲛⲉⲥⲡⲟⲧⲟⲩ. ⲉⲧⲉⲓ ⲥⲉⲛⲁϣⲁϫⲉ ⲙⲛ ⲡⲉⲓ ⲗⲁⲟⲥ. ϩⲓⲧⲙ̄ ⲡⲗⲁⲥ ⲛ̀ⲕⲣⲟϥ. ⲛ̀ϭⲓ ⲡⲉⲧϫⲱ ⲙ̀ⲙⲟⲥ ⲛⲁϥ. [12] ϫⲉ ⲡⲁⲓ ⲡⲉ ⲡⲉⲙⲧⲟⲛ ⲙ̀ⲡⲉⲧϩⲕⲁⲉⲓⲧ. ⲁⲩⲱ ⲡⲁⲓ ⲟⲩⲟⲩⲱϣϥ ⲡⲉ. ⲁⲩⲱ ⲙ̀ⲡⲟⲩⲟⲩⲉϣ ⲥⲱⲧⲙ̀. [13] ⲁⲩⲱ ⲡϣⲁϫⲉ ⲙ̀ⲡϫⲟⲉⲓⲥ ⲡⲛⲟⲩⲧⲉ ⲛⲁϣⲱⲡⲉ ⲛⲁⲩ ⲛⲟⲩⲑⲗⲓⲯⲓⲥ ⲉ̀ϫⲛ̀ ⲟⲩⲑⲗⲓⲯⲓⲥ. ⲁⲩⲱ ⲟⲩϩⲉⲗⲡⲓⲥ ⲉ̀ϫⲛ̀ ⲟⲩϩⲉⲗⲡⲓⲥ. ⲉⲧⲓ ⲕⲉ ⲕⲟⲩⲓ ⲡⲉ. ⲉⲧⲓ ⲕⲉ ⲕⲟⲩⲓ ⲡⲉ. ϫⲉ ⲉⲩⲉⲥⲱⲕ. ⲛ̀ⲧⲉ ⲟⲩⲙⲏⲏϣⲉ ⲛ̀ϩⲏⲧⲟⲩ ϩⲉ ⲉⲡⲁϩⲟⲩ. ⲁⲩⲱ ⲥⲉⲛⲁⲕⲓⲛⲇⲩⲛⲉⲩⲉ. ⲛ̀ⲥⲉⲟⲩⲱϣϥ̀ ⲛ̀ⲥⲉⲧⲁⲕⲟ. [14] ⲉⲧⲃⲉ ⲡⲁⲓ ⲥⲱⲧⲙ ⲉⲡϣⲁϫⲉ

ⲙ̄ⲡϫⲟⲉⲓⲥ. ⲛ̄ⲣⲱⲙⲉ ⲛ̄ⲗⲱϫϩ̄. ⲁⲩⲱ ⲛⲁⲣⲭⲱⲛ ⲙ̄-
ⲡⲗⲁⲟⲥ ⲉⲧ ϩⲛ̄ ⲑ̄ⲓ̄ⲉ̄ⲗ̄ⲏ̄ⲙ̄. [15]ϫⲉ ⲁⲧⲉⲧⲛ̄ϫⲟⲟⲥ. ϫⲉ
ⲥⲙⲓⲛⲉ ⲛⲟⲩⲇⲓⲁⲑⲏⲕⲏ ⲙⲛ̄ ⲁⲙⲛ̄ⲧⲉ. ⲁⲩⲱ ϩⲛ̄ⲟⲩⲱ̂
ⲙⲛ̄ ⲡⲙⲟⲩ. ⲁⲩⲱ ⲉⲣϣⲁⲛ ⲟⲩϩⲁⲧⲏⲩ ⲉⲥⲥⲱⲕ ⲉⲓ
ⲉⲃⲟⲗ ϩⲓⲧⲟⲟⲧⲛ̄ ⲛ̄ⲛⲉⲥⲉⲓ ⲉ̀ϫⲱⲛ. ϫⲉ ⲁⲛⲕⲱ ⲛⲁⲛ ⲙ̄-
ⲛϭⲟⲗ ⲛ̄ϩⲉⲗⲡⲓⲥ. ⲁⲩⲱ ⲧⲛ̄ⲛⲁϩⲟⲃⲥⲛ̄ ⲙ̄ⲡϭⲟⲗ.

Isaias 50, 4—9.

ⲏ̄ⲥⲁⲓⲁⲥ ⲟ ⲡⲣⲟⲫⲏⲧⲏⲥ.

50 [4]ⲡϫⲟⲉⲓⲥ ⲡⲉⲧⲛⲁϯ ⲛⲁⲓ ⲛⲟⲩⲗⲁⲥ ⲛ̄ⲥⲃⲱ. ⲉⲧⲣⲁ-
ⲉⲓⲙⲉ ϩⲙ̄ ⲡⲉⲟⲩⲟⲉⲓϣ ⲉ̀ⲧϣ̄ϣⲉ. ⲉⲧⲣⲁϫⲉ ⲟⲩϣⲁϫⲉ.
ⲡϫⲟⲉⲓⲥ ⲡⲉⲧⲛⲁⲟⲩⲱⲛ ⲛ̄ⲛⲁⲙⲁⲁϫⲉ. ⲁϥⲕⲱ ⲛⲁⲓ ⲛ̄-
ϩⲧⲟⲟⲩⲉ. ⲛ̄ⲑⲉ ⲙ̄ⲡⲉⲧϯⲥⲃⲱ. ⲁϥⲟⲩⲱϩ ⲉ̀ⲣⲟⲓ ⲛⲟⲩⲙⲁ-
ⲁϫⲉ ⲉ̀ⲥⲱⲧⲙ̀. [5]ⲁⲩⲱ ⲧⲉⲥⲃⲱ ⲙ̄ⲡϫⲟⲉⲓⲥ ⲧⲉⲧⲛⲁⲟⲩⲱⲛ
ⲛ̄ⲛⲁⲙⲁⲁϫⲉ. ⲁⲛⲟⲕ ⲇⲉ ⲛ̄ϯⲛⲁⲣⲃ̀ⲁ . . . . . ⲁⲛ [die
folgenden Zeilen bis auf wenige Buchstaben zer-
stört] [7][ⲡϫⲟ]ⲉⲓⲥ ϣⲱ[ⲡⲉ ⲛⲁⲓ ⲛⲟⲩ]ⲃⲟⲏⲑⲟⲥ . . . .
. . . ⲙ̄ⲡϣⲏ . . . . . ⲁⲓⲕⲱ ⲙ̄ⲡ[ⲁ . . . . ⲛ̄]ⲑⲉ
ⲛⲟⲩⲡⲉⲧ[ⲣⲁ ⲉⲥ]ϫⲟⲟⲣ. ⲁⲩⲱ ⲁⲓ . . . . ϫⲉ ⲛ̄ϯⲛⲁϫⲓ
ϣⲓⲡⲉ ⲁⲛ [8]ϫⲉ ϥϩⲏ[ⲛ] ⲉϩⲟⲩⲛ ⲛ̄ϭⲓ ⲡⲉⲛⲧⲁϥⲧⲙⲁⲉⲓⲟⲓ.
ⲛⲓⲙ ⲡⲉⲧⲛⲁϫⲓ ϩⲁⲡ ⲛ̄ⲙ̀ⲙⲁⲓ. ⲙⲁⲣⲉϥⲁ̀ϩⲉⲣⲁⲧϥ̀ ⲉⲣⲟⲓ
ϩⲓ ⲟⲩⲥⲟⲡ. ⲁⲩⲱ ⲛⲓⲙ ⲡⲉⲧⲛⲁⲕⲣⲓⲛⲉ ⲛ̄ⲙ̀ⲙⲁⲓ. ⲙⲁ-
ⲣⲉϥϩⲱⲛ ⲉϩⲟⲩⲛ ⲉ̀ⲣⲟⲓ. [9]ⲉⲓⲥϩⲏⲏⲧⲉ ⲡϫⲟⲉⲓⲥ ⲡⲉⲧⲛⲁ-
ⲃⲟⲏⲑⲉⲓ ⲉ̀ⲣⲟⲓ. ⲛⲓⲙ ⲡⲉⲧⲛⲁⲑⲙ̀ⲕⲟⲓ· ⲉⲓⲥϩⲏⲏⲧⲉ ⲛ̄-
ⲧⲱⲧⲛ̄ ⲧⲏⲣⲧⲛ̄ ⲧⲉⲧ[ⲛⲁ...]ϭⲉ ⲛ̄ⲑⲉ ⲛⲟⲩ . . . . .
[Schluß des Verses zerstört.]

Isaias 53, 7—12 und ? . . . .

53 [7] . . . ⲛ̄ⲑⲉ ⲛⲟⲩⲉ̀ⲥⲟⲟⲩ ⲉ̀ⲁⲩⲛ̄ⲧϥ̀ ⲉ̀ⲕⲟⲛⲥϥ̀.
ⲁⲩⲱ ⲛ̄ⲑⲉ ⲛⲟⲩϩⲓⲉⲓⲃ ⲙ̄ⲡⲉⲙⲧⲟ ⲉⲃⲟⲗ ⲙ̄ⲡⲉⲧϩⲱⲱⲕⲉ
ⲙ̄ⲙⲟϥ. ⲙ̄ⲡⲉϥϯ ⲛ̄ⲧⲉϥⲥⲙⲏ. ⲛ̄ⲧⲉⲓϩⲉ ⲡⲉϥⲛⲁⲟⲩⲱⲛ
ⲛ̄ⲣⲱϥ ⲁⲛ [8]ϩⲙ̀ ⲡⲉϥⲑ̀ⲃⲃⲓⲟ. ⲁⲩϥⲓ ⲙ̄ⲡⲉϥϩⲁⲡ. ⲛⲓⲙ
ⲡⲉⲧⲛⲁϣ ϣⲁϫⲉ ⲉ̀ⲧⲉϥⲅⲉⲛⲉⲁ. ϫⲉ ⲥⲉⲛⲁϥⲓ ⲙ̄ⲡⲉϥⲱⲛϩ̀
ⲉⲃⲟⲗ ϩⲓϫⲙ̀ ⲡⲕⲁϩ. ⲉⲃⲟⲗ ⲛ̄ⲛⲁⲛⲟⲙⲓⲁ ⲙ̄ⲡⲁⲗⲁⲟⲥ.
ⲁⲩⲛ̄ⲧϥ̀ ⲉⲡⲙⲟⲩ. [9]ϯⲛⲁϯ ⲛ̄ⲙ̀ⲡⲟⲛⲏⲣⲟⲥ. ⲉⲡⲙⲁ ⲛ̄-
ⲧⲉϥⲕⲁⲓⲥⲉ. ⲁⲩⲱ ⲛ̄ⲣⲙ̀ⲙⲁⲟ. ⲉⲡⲙⲁ ⲙ̄ⲡⲉϥⲙⲟⲩ. ϫⲉ
ⲙ̄ⲡⲉϥⲣ̄ ⲁⲛⲟⲙⲓⲁ̀. ⲟⲩⲇⲉ ⲙⲛ̄ ⲕⲣⲟϥ ϩⲛ̄ ⲧⲉϥⲧⲁⲡⲣⲟ.
[10]ⲁⲩⲱ ⲡϫⲟⲉⲓⲥ ⲟⲩⲱϣ ⲉ̀ⲧ̀ⲃⲃⲟϥ. ⲉⲃⲟⲗ ϩⲛ ⲧⲉⲡⲗⲏⲅⲏ.
ⲉ̀ⲧⲉⲧⲛ̄ϣⲁⲛϯ ϩⲁ ⲡⲉⲧⲛ̄ⲛⲟⲃⲉ. ⲧⲉⲧⲛ̄ⲯⲩⲭⲏ ⲛⲁⲛⲁⲩ.

ⲉ̀ⲟⲩⲥⲡⲉⲣⲙⲁ ⲛ̄ⲛⲟϭ ⲛⲁϩⲉ. [11] ⲁⲩⲱ ⲡϫⲟⲉⲓⲥ ⲟⲩⲱϣ ⲉ̀ϥⲓ ⲉⲃⲟⲗ ϩⲙ̄ ⲡϩⲓⲥⲉ ⲛ̄ⲧⲉϥⲯⲩⲭⲏ. ⲉⲧⲟⲩⲟϥ ⲉⲡⲟⲩⲟⲉⲓⲛ. ⲉⲡⲗⲁⲥⲥⲉ ⲙ̄ⲙⲟϥ ϩⲛ̄ ⲧⲙⲛ̄ⲧⲣⲙ̄ⲛ̄ϩⲏⲧ. ⲧⲙⲁⲉⲓⲉ̀ ⲡⲇⲓⲕⲁⲓⲟⲥ. ⲉ̀ⲧⲟ ⲛ̄ϩⲙ̄ϩⲁⲗ ⲕⲁⲗⲱⲥ ⲛⲟⲩⲙⲏⲏϣⲉ. ⲁⲩⲱ ⲛ̄ⲧⲟϥ ⲡⲉⲧⲛⲁϥⲓ ⲉϩⲣⲁⲓ ⲛ̄ⲛⲉⲩⲛⲟⲃⲉ. [12] ⲉⲧⲃⲉ ⲡⲁⲓ ⲛ̄ⲧⲟϥ ⲡⲉⲧⲛⲁⲕⲗⲏⲣⲟⲛⲟⲙⲉⲓ. ⲛⲟⲩⲙⲏⲏϣⲉ. ⲁⲩⲱ ϥ̀ⲛⲁⲡⲱϣ ⲛ̄ⲛ̄ϣⲱⲗ ⲛ̄ⲛ̄ϫⲱⲱⲣⲉ. ⲉⲃⲟⲗ ϫⲉ ⲁⲩϯ ⲛ̄ⲧⲉϥⲯⲩⲭⲏ ⲉⲡⲙⲟⲩ. ⲁⲩⲱ ⲁⲩⲟ̀ⲡϥ̄ ⲙⲛ̄ ⲛⲁⲛⲟⲙⲟⲥ. ⲁⲩⲱ ⲛ̄ⲧⲟϥ ⲡⲉⲛⲧⲁϥϥⲓ ⲉϩⲣⲁⲓ ⲛ̄ⲛ̄ⲛⲟⲃⲉ ⲛⲟⲩⲙⲏⲏϣⲉ. ⲁⲩⲱ ⲛ̄ⲧⲁⲩⲧⲁⲁϥ ⲉⲧⲃⲉ ⲛⲉⲩⲁⲛⲟⲙⲓⲁ̀. ⲁⲩⲛⲱⲧ ⲉϫⲱϥ. ⲁⲩⲱ ⲁⲩⲇⲓⲱⲕⲉⲓ ⲙ̄ⲙⲟϥ. ⲁⲩϭⲟⲡϥ̄. ⲁⲩⲱ ⲁⲡϫⲟⲉⲓⲥ ⲕⲱ ⲛⲁⲩ ⲉ̀ⲃⲟⲗ. —

Isaias 63, 1—7.

ⲉ̀ⲃⲟⲗ ϩⲛ̄ ⲏⲥⲁⲓⲁⲥ.

63 [1] ⲛⲓⲙ ⲡⲉ ⲡⲁⲓ ⲉⲧⲛⲏⲩ ⲉⲃⲟⲗ ϩⲛ̄ ⲉ̀ⲇⲱⲙ. ⲡⲉⲧⲣⲟϣⲣⲉϣ ⲛ̄ⲛⲉϥϩⲟⲓⲧⲉ ⲉⲃⲟⲗ ϩⲛ̄ ⲃⲟⲥⲟⲣ. ⲉ̀ⲛⲉⲥⲱϥ ⲛ̄ⲧⲉⲓϩⲉ ϩⲛ̄ ⲟⲩⲥⲧⲟⲗⲏ. ⲙⲛ̄ ⲟⲩϭⲟⲙ. ⲁⲛⲟⲕ ⲉⲓϣⲁϫⲉ ϩⲛ̄ ⲟⲩⲇⲓⲕⲁⲓⲟⲥⲩⲛⲏ. ⲙⲛ̄ ⲟⲩϩⲁⲡ ⲛⲟⲩϫⲁⲓ. [2] ⲉⲧⲃⲉ ⲟⲩ ⲛⲉⲕϩⲟⲓⲧⲉ ⲉⲧⲣⲉϣⲣⲱϣ. ⲁⲩⲱ ⲛⲉⲕϩⲃ̄ⲥⲱ ⲛ̄ⲑⲉ ⲉ̀ⲃⲟⲗ ϩⲛ̄ ⲟⲩⲙ̄ⲣⲓⲥ ⲛ̄ϩⲣⲱⲧ. [3] ⲉⲥⲙⲉϩ ⲉⲥϩⲏⲙ. ⲁⲩⲱ ⲛⲉ ⲙ̄ⲙⲛ̄ ⲣⲱⲙⲉ ⲛ̄ⲙ̄ⲙⲁⲓ. ⲛ̄ⲧⲉ ⲛ̄ϩⲉⲑⲛⲟⲥ. ⲁⲓϩⲟⲙⲟⲩ ϩⲙ̄ ⲡⲁϭⲱⲛⲧ. ⲁⲩⲱ ⲁⲓⲗⲟϫϩⲟⲩ ⲛ̄ⲑⲉ ⲛⲟⲩⲕⲁϩ. ⲁⲓⲉⲓⲛⲉ ⲙ̄ⲡⲉⲩⲥⲛⲟϥ ⲉ̀ⲡⲉⲥⲏⲧ ⲉⲡⲕⲁϩ. [4] ⲁ ⲡⲉϩⲟⲟⲩ ⲅⲁⲣ *ⲙ̄ⲡϭ̄ⲥ ⲛ̄ⲧⲱⲱⲃⲉ ⲉⲥⲛⲏⲩ. ⲁⲩⲱ ⲁⲧⲉⲣⲟⲙⲡⲉ ⲛ̄ⲥⲱⲧⲉ ⲉⲓ· [5] ⲁⲓϭⲱϣⲧ. ⲁⲩⲱ ⲛⲉ ⲙ̄ⲙⲛ̄ ⲗⲁⲁⲩ ⲛ̄ⲃⲟⲏⲑⲟⲥ. ⲁⲓϯϩⲧⲏⲓ. ⲁⲩⲱ ⲛⲉ *ⲙⲛ̄ ⲡⲉⲧϣⲟⲟⲡ ⲙ̄ⲙⲟⲟⲩ ⲉⲣⲟϥ. ⲁ̀ ⲡⲁϭⲃⲟⲓ ⲛⲁϩⲙⲟⲩ. ⲁⲩⲱ ⲁ̀ⲡⲁϭⲱⲛⲧ ⲁ̀ϩⲉⲣⲁⲧϥ̄. [6] *ⲁⲓⲕⲁⲧⲁⲡⲁⲧⲉⲓ ⲙ̄ⲙⲟⲟⲩ ϩⲛ̄ ⲧⲁⲟⲣⲅⲏ. ⲁⲩⲱ ⲁⲓⲉⲓⲛⲉ ⲙ̄ⲡⲉⲩⲥⲛⲟϥ. ⲉⲡⲉⲥⲏⲧ ⲉⲡⲕⲁϩ. [7] ⲁⲓⲣ̄ⲡⲙⲉⲉⲩⲉ ⲙ̄ⲡⲛⲁ ⲙ̄ⲡϫⲟⲉⲓⲥ. ⲁⲩⲱ ⲛⲉϥⲁⲣⲉⲧⲏ. ϩⲛ̄ ⲛⲉⲧⲉⲣⲉ ⲡϫⲟⲉⲓⲥ ⲛⲁⲧⲟⲟⲃⲟⲩ ⲛⲁⲛ ⲧⲏⲣⲟⲩ. ⲡϫⲟⲉⲓⲥ ⲟⲩⲕⲣⲓⲧⲏⲥ ⲛⲁⲅⲁⲑⲟⲥ ⲡⲉ ⲙ̄ⲡⲏⲓ ⲙ̄ⲡⲓⲏ̄ⲗ. ⲉϥⲛⲁⲉⲓⲛⲉ ⲉϩⲣⲁⲓ ⲉϫⲱⲛ. ⲕⲁⲧⲁ ⲡⲉϥⲛⲁ. ⲁⲩⲱ ⲕⲁⲧⲁ ⲡⲁϣⲁⲓ ⲛ̄ⲧⲉϥⲇⲓⲕⲁⲓⲟⲥⲩⲛⲏ.

Ieremias 9, 7—11.

ⲓⲉⲣⲏⲙⲓⲁⲥ ⲟ ⲡⲣⲟⲫⲏⲧⲏⲥ.

9 [7] ⲉⲧⲃⲉ ⲡⲁⲓ ⲛⲁⲓ ⲛⲉⲧⲉⲣⲉ ⲡϫⲟⲉⲓⲥ ϫⲱ ⲙ̄ⲙⲟⲟⲩ. ϫⲉ ⲥⲓⲥϩⲏⲛⲧⲉ ⲁⲛⲟⲕ. ϯⲛⲁⲡⲁⲥⲧⲟⲩ. ⲁⲩⲱ ⲛ̄ⲧⲁⲇⲟⲕⲓ-

ⲙⲁϩⲉ ⲙ̀ⲙⲟⲟⲩ. ϫⲉ ϯⲛⲁⲉⲓⲣⲉ ⲙ̀ⲡⲉⲙ̀ⲧⲟ ⲉⲃⲟⲗ ⲛ̀ⲧ-
ⲡⲟⲛⲏⲣⲓⲁ̀ ⲛ̀ⲧϣⲉⲉⲣⲉ ⲙ̄ⲡⲁⲗⲗⲟⲥ 8 ⲟⲩⲥⲟⲧⲉ ⲉϥϫⲓ ⲡⲉ
ⲡⲉⲩⲗⲁⲥ. ϩⲛⲕⲣⲟϥ ⲡⲉ ⲛ̀ϣⲁϫⲉ ⲛ̀ⲧⲉⲩⲧⲁⲡⲣⲟ. ⲉϥϣⲁϫⲉ ⲙⲛ̄ ⲡⲉⲧϩⲓⲧⲟⲩⲱϥ ϩⲛ̄ ϩⲉⲛϣⲁϫⲉ ⲛⲉⲓⲣⲏⲛⲓⲕⲟⲛ.
ⲉ̀ⲣⲉ ⲧⲙⲛ̄ⲧϫⲁϫⲉ ⲇⲉ ϩⲙ̄ ⲡⲉϥϩⲏⲧ. 9 ⲙⲏ ⲉϩⲣⲁⲓ ⲉ̀ϫⲛ̄
ⲛⲁⲓ. ⲛ̀ϯⲛⲁϭⲙ̄ ⲡϣⲓⲛⲉ ⲁⲛ ⲡⲉϫⲉ ⲡϫⲟⲉⲓⲥ. ⲏ̀ ϩⲛ̄
ⲟⲩⲗⲁⲟⲥ ⲛ̀ⲧⲉⲓⲙⲓⲛⲉ. ⲧⲁⲯⲩⲭⲏ ⲛⲁⲉⲓⲣⲉ ⲁⲛ ⲛⲟⲩⲕⲃⲁ.
10 ϫⲱ ⲛⲟⲩⲧⲟⲉⲓⲧ ⲉ̀ϫⲛ̄ ⲛ̀ⲧⲟⲟⲩⲉⲓⲏ. ⲁⲩⲱ ⲣⲓⲙⲉ ⲉ̀ϫⲛ̄
ⲛⲉϩⲓⲟⲟⲩⲉ ⲛ̀ⲧⲉ ⲡϫⲁⲓⲉ. ϫⲉ ⲁⲩⲕⲱ ⲉⲃⲟⲗ. ⲉⲧⲃⲉ ϫⲉ
ⲙ̀ⲙⲛ̄ ⲣⲱⲙⲉ ϣⲟⲟⲡ ⲛ̀ϩⲏⲧⲟⲩ. ⲙⲡⲟⲩⲥⲱⲧⲙ̄ ⲉ̀ⲧⲉⲥⲙⲏ.
ⲛ̀ⲛⲉⲧϣⲟⲟⲡ. ϫⲓⲛ ϩⲁⲗⲁⲁⲧⲉ ϣⲁϩⲣⲁⲓ ⲛ̄ⲧⲃⲛ̄ⲛⲟⲟⲩⲉ.
ⲁⲩⲡⲱϣⲥ̄. ⲁⲩⲱ ⲁⲩⲧⲁⲕⲟ. 11 ϯⲛⲁϯ ⲛ̀ⲑⲓⲉⲗⲏⲙ ⲉⲩ-
ⲡⲱⲱⲛⲉ ⲉⲃⲟⲗ. ⲁⲩⲱ ⲟⲩⲙⲁ ⲛ̀ϣⲱⲡⲉ ⲙ̄ⲡⲉⲇⲣⲁⲕⲱⲛ.
ⲁⲩⲱ ⲙ̀ⲡⲟⲗⲓⲥ ⲛ̀ⲓⲟⲩⲇⲁ ϯⲛⲁⲕⲁⲁⲩ ⲉⲟⲩⲧⲁⲕⲟ. ⲉⲧⲙ̄-
ⲧⲣⲉⲩⲟⲩⲱϩ ⲛ̀ϩⲏⲧⲟⲩ.

Ieremias 22, 29—30. 23, 1—6.

ⲓⲉⲣⲏⲙⲓⲁⲥ ⲟ ⲡⲣⲟⲫⲏⲧⲏⲥ.

22 29 ⲡⲕⲁϩ ⲡⲕⲁϩ ⲥⲱⲧⲙ̀ ⲉⲡϣⲁϫⲉ ⲙ̀ⲡϫⲟⲉⲓⲥ.
30 ⲥϩⲁⲓ ⲙ̀ⲡⲉⲓⲣⲱⲙⲉ. ϫⲉ ⲟⲩⲣⲱⲙⲉ ⲡⲉ ⲉ̀ⲁⲩⲧⲥ̀ⲧⲟϥ
ⲉ̀ⲃⲟⲗ. ϫⲉ ⲡⲉϥⲛⲁⲉⲩⲝⲁⲛⲉ ϩⲛ̄ ⲡⲉϥϩⲟⲟⲩ. ⲟⲩⲇⲉ ⲛ̀-
ⲛⲉⲣⲱⲙⲉ ⲁⲓⲁⲓ ⲉⲃⲟⲗ ϩⲙ̄ ⲡⲉϥⲥⲡⲉⲣⲙⲁ. ⲉⲧⲣⲉϥϩⲙⲟⲟⲥ
ⲉ̀ϫⲙ̄ ⲡⲉⲑⲣⲟⲛⲟⲥ ⲛ̀ⲇⲁⲩⲉⲓⲇ. ⲉϥⲟ̀ ⲛⲁⲣⲭⲱⲛ ϫⲓⲛ ⲧⲉⲛⲟⲩ. ϩⲙ̄ ⲡⲏⲓ ⲛ̀ⲓⲟⲩⲇⲁ.

23 1 ⲱ ⲛ̀ϣⲱⲥ ⲡⲉ ⲉⲧⲧⲁⲕⲟ. ⲁⲩⲱ ⲉⲧϫⲟⲟⲣ
ⲉⲃⲟⲗ ⲛ̀ⲛⲉⲥⲟⲟⲩ ⲙⲡⲉⲩⲙⲁ ⲙ̀ⲙⲟⲟⲛⲉ. 2 ⲉⲧⲃⲉ ⲛⲁⲓ
ⲛⲁⲓ ⲡⲉⲧⲉⲣⲉ ⲡϫⲟⲉⲓⲥ ϫⲱ ⲙ̀ⲙⲟⲟⲩ. ⲉ̀ϫⲛ̄ ⲛ̀ϣⲱⲥ ⲛⲉⲧ-
ⲙⲟⲟⲛⲉ ⲙ̀ⲡⲁⲗⲁⲟⲥ. ϫⲉ ⲛ̀ⲧⲱⲧⲛ̄ ⲁⲧⲉⲧⲛ̄ϫⲱⲱⲣⲉ ⲉ-
ⲃⲟⲗ ⲛ̀ⲛⲁⲉⲥⲟⲟⲩ. ⲁⲧⲉⲧⲛ̄ⲡⲟϣⲡⲟⲩ ⲉⲃⲟⲗ. ⲁⲩⲱ ⲙ̄-
ⲡⲉⲧⲛϭⲙ̄ ⲡⲉⲩϣⲓⲛⲉ. ⲉⲓⲥϩⲏⲏⲧⲉ ⲁⲛⲟⲕ ϯⲛⲁϫⲓ ⲕⲃⲁ
ⲛ̀ϩⲏⲧ ⲧⲏⲩⲧⲛ̄. ⲕⲁⲧⲁ ⲛⲉⲧⲛϩⲃⲏⲩⲉ ⲉ̀ⲑⲟⲟⲩ. ⲡⲉϫⲉ
ⲡϫⲟⲉⲓⲥ. 3 ⲁⲛⲟⲕ ϩⲱ ϯⲛⲁϣⲱⲡ ⲉⲣⲟⲓ ⲙ̀ⲡⲕⲉⲥⲉⲉⲡⲉ ⲙ̀-
ⲡⲁⲗⲁⲟⲥ· ⲉⲃⲟⲗ ϩⲙ̄ ⲡⲕⲁϩ ⲧⲏⲣϥ̄. ⲛ̄ⲧⲁⲓϫⲟⲟⲣⲟⲩ ⲉⲃⲟⲗ
ⲉⲣⲟϥ. ⲁⲩⲱ ⲛ̀ⲧⲁⲕⲧⲟⲟⲩ ⲉ̀ϩⲟⲩⲛ ⲉ̀ⲡⲉⲩⲙⲁ ⲙ̀ⲙⲟⲟⲛⲉ.
ⲛ̀ⲥⲉⲁⲓⲁⲓ ⲛ̀ⲥⲉⲁϣⲁⲓ. 4 ⲁⲩⲱ ϯⲛⲁⲧⲟⲩⲛⲟⲥ ⲛⲁⲓ ⲛ̀ϩⲉⲛ-
ϣⲱⲥ. ⲛⲁⲓ ⲉⲧⲛⲁⲙⲟⲟⲛⲉ ⲙ̀ⲙⲟⲟⲩ. ⲁⲩⲱ ⲥⲉⲛⲁⲣ̄ϩⲟⲧⲉ
ⲁⲛ. ϫⲓⲛ ⲧⲉⲛⲟⲩ. ⲟⲩⲇⲉ ⲛ̀ⲥⲉⲛⲁϣⲧⲟⲣⲧⲣ̄ ⲁⲛ ⲡⲉϫⲉ
ⲡϫⲟⲉⲓⲥ. 5 ⲉⲓⲥ ϩⲉⲛϩⲟⲟⲩ ⲛⲏⲩ ⲡⲉϫⲉ ⲡϫⲟⲉⲓⲥ ⲛ̄ⲧⲁⲓ-

ⲧⲁϩⲟ ⲉ̀ⲣⲁⲧϥ̄ ⲙ̄ⲡϣⲁϫⲉ ⲛ̄ⲧⲁⲓⲥⲙⲛ̄ⲧϥ ⲉ̀ϫⲛ̄ ⲑⲓⲉⲗ̄ⲏ̄ⲙ̄.
ⲙⲛ̄ ⲛⲏⲓ ⲛ̄ⲓⲟⲩⲇⲁ. ⲉϩⲣⲁⲓ ϩⲛ̄ ⲛⲉϩⲟⲟⲩ ⲉ̀ⲧⲙ̄ⲙⲁⲩ.
ϯⲛⲁϯⲟⲩⲱ̀ ⲛⲟⲩⲁ̀ⲛⲁⲧⲟⲗⲏ ⲙ̄ⲙⲉ ⲛ̄ⲇⲁⲩⲉⲓⲇ. ⲁⲩⲱ ⲡⲉϥ-
ⲣ̄ⲣⲟ ⲛ̄ϭⲓ ⲟⲩⲣ̄ⲣⲟ ⲛ̄ⲇⲓⲕⲁⲓⲟⲥ. ⲡⲉϥⲛⲟⲉⲓ. ⲁⲩⲱ ⲡⲉϥ-
ⲉⲓⲣⲉ ⲛⲟⲩϩⲁⲡ. ⲙⲛ̄ ⲟⲩⲇⲓⲕⲁⲓⲟⲥⲩⲛⲏ. ϩⲓϫⲙ̄ ⲡⲕⲁϩ.
[6]ϩⲣⲁⲓ ϩⲛ̄ ⲛⲉϥϩⲟⲟⲩ. ϥ̇ⲛⲁⲟⲩϫⲁⲓ ⲛ̄ϭⲓ ⲓⲟⲩⲇⲁ. ⲁⲩⲱ
ⲡⲓ̄ⲥ̄ⲗ̄ ϥⲛⲁⲟⲩⲱϩ ϩⲛ̄ ⲟⲩⲧⲁϫⲣⲟ.

Ieremias 32 [ⲗⲑ], 42—36, 7. (Cod. C.)

32 [42]. . . . ⲉ̀ϫⲙ̄ ⲡⲉⲓⲗⲁⲟⲥ ⲛⲛⲉⲓ ⲛⲟϭ ⲙ̄ⲡⲉⲑⲟⲟⲩ
ⲧⲏⲣⲟⲩ. ⲛ̄ⲧⲉⲓ ϩⲉ ⲟⲛ ⲁ̀ⲛⲟⲕ ϯⲛⲁⲉⲓⲛⲉ ⲉ̀ϫⲱⲟⲩ ⲛ̄ⲛⲁ-
ⲅⲁⲑⲟⲛ ⲧⲏⲣⲟⲩ ⲛ̄ⲧⲁⲓϫⲟⲟⲩ ⲉⲧⲣⲁⲛ̄ⲧⲟⲩ ⲉ̀ϫⲱⲟⲩ.
[43]ⲁⲩⲱ̄ ⲥⲉⲛⲁϫ̀ⲛⲟ ⲛⲁⲩ ⲟⲛ ⲛ̄ϩⲛ̄ⲥⲱϣⲉ ϩⲛ̄ ⲧ̇ⲡⲟⲗⲓⲥ
ⲧⲁⲓ ⲛ̄ⲧⲟⲕ ⲉ̀ⲧⲕ̄ϫⲱ ⲙ̄ⲙⲟⲥ ⲉⲧⲃ̄ⲏⲏⲧⲥ̄ ϫⲉ ⲥ̇ⲛⲁⲣ̄ϫⲁⲓⲉ̀
ⲙ̄ⲙⲛ̄ ⲣⲱⲙⲉ ⲛⲁϣⲱⲡⲉ ⲛ̄ϩⲏⲧⲥ̄. ϫⲉ ⲁⲩⲧⲁⲁⲥ ⲉϩⲣⲁⲓ
ⲛ̄ϭⲓϫ ⲛ̄ⲛⲉⲭⲁⲗⲇⲁⲓⲟⲥ. [44]ⲥⲉⲛⲁϣⲱⲡⲉ ⲛ̄ϩⲛ̄ⲥⲱϣⲉ ϩⲁ
ϩⲁⲧ. ⲁⲩⲱ ⲉⲕⲉⲥ̀ϩⲁⲓ ⲉⲩϫⲱ̀ⲙⲉ ⲛ̄ⲥⲉⲧⲱⲱ̄ⲃⲉ ⲙ̄ⲙⲟϥ.
ⲛ̄ⲙ̄ⲧ̀ⲣⲉ ϩⲙ̄ⲙⲛ̄ⲧⲣⲉ. ⲉⲩⲣ̄ⲙⲛ̄ⲧⲣⲉ ϩⲙ̄ ⲡⲕⲁϩ ⲛ̄ⲃⲉⲛⲓⲁⲙⲓⲛ
ⲙⲛ̄ ⲛ̄ⲕⲱⲧⲉ ⲛ̄ⲑⲓ̄ⲗ̄ⲏ̄ⲙ̄. ⲁⲩⲱ ϩⲛ̄ ⲙ̄ⲡⲟⲗⲓⲥ ⲛ̄ⲓⲟⲩⲇⲁ
ⲙⲛ ⲙ̄ⲡⲟⲗⲓⲥ ⲙ̄ⲡⲧⲟⲟⲩ ⲛ̄ⲥⲉⲫⲉⲗⲁ. ⲙⲛ̄ ⲙ̄ⲡⲟⲗⲓⲥ ⲛⲁ-
ⲅⲁⲃ. ϫⲉ ϯⲛⲁⲕ̄ⲧⲟ ⲛ̄ⲛⲉⲛⲧⲁⲩⲛⲟⲟⲛⲟⲩ ⲉ̀ⲃⲟⲗ *ⲛ̄ⲧⲁⲩ

33 [ⲙ] [1]ⲁⲩⲱ̀ ⲡ̄ϣⲁϫⲉ ⲙ̄ⲡϫⲟⲉⲓⲥ ⲁϥϣⲱⲡⲉ ϣⲁ ⲓⲉ̀-
ⲣⲏⲙⲓⲁⲥ ⲙ̄ⲙⲉϩ ⲥ̀ⲛ ⲥⲛⲁⲩ ⲉⲧⲓ ⲉϥⲙⲏⲣ ϩ̀ⲛ ⲧⲁⲩⲗⲏ
ⲙ̄ⲡⲉϣⲧⲉⲕⲟ. ⲉϥϫⲱ ⲙ̄ⲙⲟⲥ ⲛⲁϥ. [2]ϫⲉ ⲧⲁⲓ ⲧⲉ ⲑⲉ
ⲛ̄ⲧⲁ ⲡ̄ϫⲟⲉⲓⲥ ϫⲟⲟⲥ ⲡⲉⲧⲧⲁⲙⲓⲟ̀ ⲙ̄ⲡⲕⲁϩ. ⲁⲩⲱ̀ ⲉⲧ-
ⲡ̄ⲗⲁⲥⲥⲉ ⲙ̄ⲙⲟϥ ⲉⲧⲣⲉϥⲧⲁϩⲟϥ ⲉ̀ⲣⲁⲧϥ̄. ⲡϫⲟⲉⲓⲥ ⲡⲉ
ⲡⲉϥⲣⲁⲛ. [3]ⲱϣ ⲉϩⲣⲁⲓ ⲉ̀ⲣⲟⲓ. ⲁⲩⲱ̀ ϯⲛⲁⲟⲩⲱϣⲃ̀ ⲛⲁⲕ
ⲛ̄ⲧⲁⲧⲁⲙⲟⲕ ⲉ̀ϩⲉⲛⲙⲛ̄ⲧⲛⲟϭ. ⲙⲛ̄ ϩⲛ̄ϩⲃ̄ⲏⲩⲉ̀ ⲉⲩϫⲟⲟⲣ
ⲛⲁⲓ ⲉ̀ⲧⲙ̄ⲡⲉⲕⲥⲟⲩⲱ̀ⲛⲟⲩ. [4]ϫⲉ ⲧⲁⲓ ⲧⲉ ⲑⲉ ⲛ̄ⲧⲁ ⲡϫⲟⲉⲓⲥ
ϫⲟⲟⲥ ⲉⲧⲃⲉ ⲛⲏⲓ ⲛ̄ⲧⲉⲓ ⲡⲟⲗⲓⲥ. ⲁⲩⲱ ⲉⲧⲃⲉ ⲛⲏⲓ ⲙ̄-
ⲡⲣ̄ⲣⲟ. ⲛ̄ⲓⲟⲩⲇⲁ ⲛⲁⲓ ⲛ̄ⲧⲁⲩϣⲉⲣϣⲱⲣⲟⲩ ⲉ̀ϩⲛ̄ⲙⲁ ⲙ̄-
ⲙⲓϣⲉ. ⲙⲛ̄ ϩⲛ̄ⲡⲣⲟⲙⲁⲭⲱⲛ ⲛ̄ⲥⲟⲃ̄ⲧ̄ [5]ⲉⲧⲣⲉⲩⲙⲓϣⲉ.
ⲙⲛ̄ ⲛⲉⲭⲁⲗⲇⲁⲓⲟⲥ. ⲁⲩⲱ ⲛ̄ⲥⲉⲙⲁϩⲥ̀ ⲛ̄ⲣⲱⲙⲉ ⲉϥⲙⲟⲟⲩⲧ̀
ⲛⲁⲓ ⲛ̄ⲧⲁⲓⲡⲁⲧⲁⲥⲥⲉ ⲙ̄ⲙⲟⲟⲩ ϩⲙ̄ ⲡⲁϭⲱⲛⲧ̀. ⲙⲛ̄
ⲧⲁⲟⲣⲅⲏ. ⲁⲩⲱ̀ ⲁⲓⲕ̄ⲧⲉ ⲡⲁϩⲟ ⲉ̀ⲃⲟⲗ ⲙ̄ⲙⲟⲟⲩ ⲉⲧⲃⲉ
ⲛⲉⲩⲡⲟⲛⲏⲣⲓⲁ ⲧⲏⲣⲟⲩ. [6]ⲉⲓⲥϩⲏⲏ̄ⲧⲉ ⲁ̀ⲛⲟⲕ ϯⲛⲁⲉⲓⲛⲉ
ⲉϫⲱⲥ ⲛⲟⲩⲧⲁⲗϭⲟ. ⲛ̄ⲧⲁⲟⲩⲟⲛϩ̀ⲥ ⲉⲃⲟⲗ ⲛ̄ⲧⲁⲣⲡⲁϩⲣⲉ
ⲉ̀ⲣⲟⲥ. ϩⲛ̄ ⲟⲩⲉⲓⲣⲏⲛⲏ ⲙⲛ̄ ⲟⲩⲡⲓⲥⲧⲓⲥ. [7]ⲁⲩⲱ ϯⲛⲁⲕ̄ⲧⲟ

ⲛ̄ⲛⲉⲛⲧⲁⲩⲛⲟⲟ̀ⲛⲟⲩ ⲉ̀ⲃⲟⲗ ⲛ̄ⲧⲉ ⲓⲟⲩⲇⲁ. ⲙⲛ̄ ⲛⲉⲛⲧⲁⲩ-
ⲛⲟⲟ̀ⲛⲟⲩ ⲉ̀ⲃⲟⲗ ⲛ̄ⲧⲉ ⲡⲓⲏⲗ ⲛ̄ⲧⲁⲕⲟⲧⲟⲩ ⲛ̄ⲑⲉ ⲛ̄ϣⲟⲣⲡ.
[8] ⲁⲩⲱ̀ ⲛ̄ⲧⲁⲧ̀ⲃⲃⲟⲟⲩ ⲉ̀ⲃⲟⲗ ϩⲛ̄ ⲛⲉⲩϫⲓⲛ̄ϭⲟⲛⲥ̀ ⲧⲏⲣⲟⲩ
ⲛⲁⲓ ⲛ̄ⲧⲁⲩⲣ̄ⲛⲟⲃⲉ ⲉ̀ⲣⲟⲓ ⲛ̄ϩⲏⲧⲟⲩ. ⲛ̄ⲧⲁⲧⲙ̄ⲣ̄ ⲡ̄ⲙⲉⲉⲩⲉ̀
ⲛ̄ⲛⲉⲩⲛⲟⲃⲉ ⲛ̄ⲧⲁⲩⲁⲁⲩ ⲉ̀ⲣⲟⲓ ⲁⲩⲱ̀ ⲁⲩⲥⲁϩⲱⲟⲩ ⲉ̀ⲃⲟⲗ
ⲙ̄ⲙⲟⲓ. [9] ⲛ̄ⲥϣⲱⲡⲉ ⲉⲩⲟⲩⲛⲟϥ. ⲙⲛ̄ ⲟⲩⲥ̀ⲙⲟⲩ. ⲙⲛ̄
ⲟⲩⲙ̄ⲛ̄ⲧ̀ⲛⲟϭ ⲙ̄ⲡⲗⲁⲟⲥ ⲧⲏⲣϥ̀ ⲙ̄ⲡⲕⲁϩ. ⲛⲁⲓ ⲉⲧⲛⲁ-
ⲥⲱⲧⲙ̄ ⲉⲛⲁⲅⲁⲑⲟⲛ ⲧⲏⲣⲟⲩ ⲉ̀ϯⲛⲁⲁⲁⲩ. ⲁⲩⲱ̀ ⲛ̄-
ⲥⲉⲣϩⲟⲧⲉ ⲛ̄ⲥⲉϭⲱⲛ̀ⲧ ⲉⲧⲃⲉ ⲛⲁⲅⲁⲑⲟⲛ ⲧⲏⲣⲟⲩ. ⲙⲛ̄
ϯⲣⲏⲛⲏ ⲧⲏⲣⲥ̀ ⲧⲁⲓ ⲉ̀ϯⲛⲁⲁⲥ ⲛⲁⲩ. [10] ⲧⲁⲓ ⲧⲉ ⲑⲉ
ⲛ̄ⲧⲁ ⲡ̄ϫⲟⲉⲓⲥ ϫⲟⲟⲥ ϫⲉ ⲁⲓⲧ[ⲓ] ⲥⲉⲛⲁⲥⲱⲧⲙ̄ ϩⲙ̄ ⲡⲉⲓⲙⲁ
ⲛⲁⲓ ⲛ̄ⲧⲱⲧⲛ̄ ⲉⲧⲉⲧⲛ̄ϫⲱ ⲙ̄ⲙⲟⲥ ⲉ̀ⲣⲟϥ ϫⲉ ⲟⲩϫⲁⲓⲉ̀
ⲡⲉ ⲉ̀ⲙⲛ̄ ⲣⲱⲙⲉ ⲛ̄ϩⲏⲧϥ̀ ⲟⲩⲇⲉ ⲧ̀ⲃⲛⲏ. ϩⲛ̄ ⲙ̄ⲡⲟⲗⲓⲥ
ⲛ̄ⲓⲟⲩⲇⲁ. ⲙⲛ̄ ⲡ̄ⲃⲟⲗ ⲛ̄ⲑⲓ̄ⲗ̄ⲏ̄ⲙ̄ [11] ⲟⲩϩ̄ⲣⲟⲟⲩ ⲛⲟⲩⲛⲟϥ.
ⲙⲛ̄ ⲟⲩϩ̀ⲣⲟⲟⲩ ⲛ̄ⲣⲁϣⲉ. ⲟⲩϩ̀ⲣⲟⲟⲩ ⲙ̄ⲡⲁⲧϣⲉⲗⲉⲉⲧ.
ⲙⲛ̄ ⲡⲉϩⲣⲟⲟⲩ ⲛⲟⲩϣⲉⲗⲉⲉⲧ. ⲡⲉϩ̀ⲣⲟⲟⲩ ⲛ̄ⲛⲉⲧϫⲱ ⲙ̄-
ⲙⲟⲥ. ϫⲉ ⲟⲩⲱ̀ⲛ̄ϩ ⲉ̀ⲃⲟⲗ ⲙ̄ⲡϫⲟⲉⲓⲥ ⲡ̄ⲡⲁⲛⲧⲟⲕⲣⲁⲧⲱⲣ.
ϫⲉ ⲟⲩⲭ̄ⲣⲏⲥⲧⲟⲥ ⲡⲉ ⲡϫⲟⲉⲓⲥ. ⲁⲩⲱ̀ ⲡⲉϥⲛⲁϣⲟⲟⲡ ϣⲁ
ⲉ̀ⲛⲉϩ. ⲥⲉⲛⲁⲉⲓⲛⲉ ⲛ̄ϩⲛ̄ⲇⲱⲣⲟⲛ ⲉ̀ϩⲟⲩⲛ̄ ⲉⲡⲏⲓ ⲙ̄ⲡϫⲟⲉⲓⲥ.
ϫⲉ ϯⲛⲁⲕⲧⲟ ⲛ̄ⲛ̄ⲧⲁⲩⲛⲟⲟ̀ⲛⲟⲩ ⲉ̀ⲃⲟⲗ ⲧⲏⲣⲟⲩ ϩⲙ̄ ⲡ̄ⲕⲁϩ
ⲉ̀ⲧⲙ̄ⲙⲁⲩ ⲡⲉϫⲉ ⲡ̄ϫⲟⲉⲓⲥ. [12] ⲧⲁⲓ ⲧⲉ ⲑⲉ ⲛ̄ⲧⲁϥϫⲟⲟⲥ
ⲛ̄ϭⲓ ⲡ̄ϫⲟⲉⲓⲥ ⲛ̄ⲛ̄ϭⲟⲙ. ϫⲉ ⲁⲓⲧⲓ ⲥⲉⲛⲁⲥⲱⲧⲙ̄ ϩⲙ̄
ⲡⲉⲓⲙⲁ ⲉⲧϣⲏϥ. ⲁⲩⲱ̀ ϩⲛ̄ ⲛⲉϥⲡⲟⲗⲓⲥ ⲧⲏⲣⲟⲩ ⲉϩⲛ̄-
ϣⲁⲓⲣⲉ ⲙ̄ⲙⲁⲛⲉⲥⲟⲟⲩ. ⲉⲩϫⲧⲟ ⲛ̄ⲛⲉⲩⲟϩⲉ ⲛⲉⲥⲟⲟⲩ. [13] ϩⲛ̄
ⲙ̄ⲡⲟⲗⲓⲥ ⲛ̄ⲧⲟⲣⲓⲛⲏ. ⲙⲛ̄ ⲙ̄ⲡⲟⲗⲓⲥ ⲛ̄ⲧⲉ ⲥⲫⲉⲗⲁ.
ⲁⲩⲱ̀ ϩⲛ̄ ⲙ̄ⲡⲟⲗⲓⲥ ⲛⲁⲅⲉⲃ. ⲙⲛ̄ ⲡ̄ⲕⲁϩ ⲛ̄ⲃⲉⲛⲓⲁⲙⲓⲛ.
ⲁⲩⲱ̀ ϩⲛ̄ ⲙ̄ⲡⲟⲗⲓⲥ ⲉⲧⲙ̄ⲡⲕⲱⲧⲉ ⲛ̄ⲑⲓ̄ⲗ̄ⲏ̄ⲙ̄. ⲁⲩⲱ̀ ϩⲣⲁⲓ
ϩⲛ̄ ⲙ̄ⲡⲟⲗⲓⲥ ⲛ̄ⲓⲟⲩⲇⲁ. ⲁⲓⲧⲓ ⲥⲉⲛⲁⲉⲓ ⲛ̄ϭⲓ ϩⲛ̄ ⲉ̀ⲥⲟⲟⲩ
ⲉ̀ⲃⲟⲗ ϩⲓⲧⲟⲟⲧϥ̀ ⲙ̄ⲡⲉⲧⲱⲡ ⲙ̄ⲙⲟⲟⲩ ⲡⲉϫⲉ ⲡ̄ϫⲟⲉⲓⲥ.

34 [μα] [1] ⲡ̄ϣⲁϫⲉ ⲡ̄ⲧⲁϥϣⲱⲡⲉ ϣⲁ ⲓⲉⲣⲏⲙⲓⲁⲥ ⲉ̀ⲃⲟⲗ
ϩⲓⲧⲙ̄ ⲡ̄ϫⲟⲉⲓⲥ· ⲉ̀ⲣⲉ ⲛⲁⲃⲟⲩⲭⲟⲇⲟⲛⲟⲥⲟⲣ ⲡ̄ⲣ̄ⲣⲟ ⲛ̄ⲧ-
ⲃⲁⲃⲩⲗⲱⲛ ⲙⲛ̄ ⲡⲉϥⲥ̀ⲧⲣⲁⲧⲉⲩⲙⲁ ⲧⲏⲣϥ̀. ⲙⲛ̄ ⲡ̄ⲕⲁϩ
ⲧⲏⲣϥ ⲛ̄ⲧⲉϥⲁⲣⲭⲏ ⲙⲛ̄ ⲛ̄ⲗⲁⲟⲥ ⲧⲏⲣⲟⲩ ⲉⲩⲙⲓϣⲉ ⲙⲛ̄
ⲑⲓ̄ⲗ̄ⲏ̄ⲙ̄. ⲙⲛ̄ ⲙ̄ⲡⲟⲗⲓⲥ ⲛ̄ⲓⲟⲩⲇⲁ ⲉϥϫⲱⲙ̄ⲙⲟⲥ [2] ⲧⲁⲓ
ⲧⲉ ⲑⲉ ⲛ̄ⲧⲁ ⲡ̄ϫⲟⲉⲓⲥ ϫⲟⲟⲥ. ϫⲉ ⲃⲱⲕ ϣⲁ ⲥⲉⲇⲉⲕⲓⲁⲥ
ⲡ̄ⲣ̄ⲣⲟ ⲛ̄ⲓⲟⲩⲇⲁ. ⲛ̄ⲅ̀ϫⲟⲟⲥ ⲛⲁϥ. ϫⲉ ⲧⲁⲓ ⲧⲉ ⲑⲉ ⲛ̄ⲧⲁ
ⲡϫⲟⲉⲓⲥ ϫⲟⲟⲥ ϫⲉ ϩⲛ̄ ⲟⲩϯ ⲥⲉⲛⲁϯ ⲛ̄ⲧⲉⲓⲡⲟⲗⲓⲥ ⲉϩⲣⲁⲓ

ⲛ̄ϭⲓϫ ⲙ̄ⲡⲣ̄ⲣⲟ ⲛ̄ⲧⲃⲁⲃⲩⲗⲱⲛ. ⲛ̄ϥϫⲓ ⲙ̄ⲙⲟⲥ. ⲁⲩⲱ ⲛ̄ϥⲣⲟⲕϩ̄ⲥ ϩⲛ̄ ⲟⲩⲕⲱϩⲧ̄. [3]ⲁⲩⲱ ⲛ̄ⲧⲟⲕ *ⲛ̄ⲅⲛ̄ⲛⲁⲣⲃⲟⲗ ⲁⲛ ⲉⲛⲉϥϭⲓϫ. ϩⲛ̄ ⲟⲩⲧⲁϩⲟ ⲥⲉⲛⲁⲧⲁϩⲟⲕ. ⲁⲩⲱ ⲥⲉⲛⲁⲧⲁⲁⲕ ⲉϩⲣⲁⲓ ⲉ̀ⲛⲉϥϭⲓϫ. ⲛⲉⲕⲃⲁⲗ ⲛⲁⲛⲁⲩ ⲉ̀ⲛⲟⲩϥ. ⲁⲩⲱ ⲧⲉⲕⲧⲁⲡⲣⲟ ⲛⲁϣⲁϫⲉ. ⲙⲛ̄ ⲧⲉϥⲧⲁⲡⲣⲟ. ⲁⲩⲱ ⲕ̀ⲛⲁⲃⲱⲕ ⲉ̀ϩⲟⲩⲛ̄ ⲉⲧⲃⲁⲃⲩⲗⲱⲛ. [4]ⲁⲗⲗⲁ ⲥⲱⲧⲙ̄ ⲉⲡϣⲁϫⲉ ⲙ̄ⲡϫⲟⲉⲓⲥ. ⲥⲉⲇⲉⲕⲓⲁⲥ ⲡⲣ̄ⲣⲟ ⲛ̄ⲓⲟⲩⲇⲁ ⲧⲁⲓ ⲧⲉ ⲑⲉ ⲛ̄ⲧⲁ ⲡ̄ϫⲟⲉⲓⲥ ϫⲟⲟⲥ. [5]ϫⲉ ⲕⲛⲁⲙⲟⲩ ϩⲛ̄ ⲟⲩⲉⲓⲣⲏⲛⲏ. ⲁⲩⲱ ⲛ̄ⲑⲉ ⲛ̄ⲧⲁⲩⲣⲓⲙⲉ ⲉ̀ⲛⲉⲕⲉⲓⲟⲧⲉ ⲛⲁⲓ ⲛ̄ⲧⲁⲩⲣ̄ⲣⲟ ϩⲁ ⲧⲉⲕϩⲏ. ⲧⲁⲓ ⲧⲉ ⲑⲉ ⲉ̀ⲧⲟⲩⲛⲁⲣⲓⲙⲉ ⲉ̀ⲣⲟⲕ ϩⲱⲱⲕ ⲛ̄ⲥⲉⲛⲉϩⲡⲉ ⲛⲁⲕ ϣⲁϩⲣⲁⲓ ⲉ̀ⲁⲙⲛ̄ⲧⲉ. ϫⲉ ⲟⲩϣⲁϫⲉ ⲁ̀ⲛⲟⲕ ⲡⲛ̄ⲧⲁⲓϫⲟⲟϥ ⲡⲉϫⲉ ⲡ̄ϫⲟⲉⲓⲥ. [6]ⲁⲩⲱ ⲁϥϣⲁϫⲉ ⲛ̄ϭⲓ ⲓⲉⲣⲏⲙⲓⲁⲥ ⲙⲛ̄ ⲡⲣ̄ⲣⲟ ⲥⲉⲇⲉⲕⲓⲁⲥ ⲛ̄ⲛⲉⲓϣⲁϫⲉ ⲧⲏⲣⲟⲩ ϩⲛ̄ ⲑⲓⲗ̅ⲏ̅ⲙ̅. [7]ⲁⲩⲱ ⲧ̀ϭⲟⲙ ⲙ̄ⲡⲣ̄ⲣⲟ ⲛ̄ⲧⲃⲁⲃⲩⲗⲱⲛ ⲛⲉⲥⲙⲓϣⲉ ⲟⲩⲃⲉ ⲑⲓⲗ̅ⲏ̅ⲙ̅. ⲁⲩⲱ ⲟⲩⲃⲉ ⲙ̄ⲡⲟⲗⲓⲥ ⲛ̄ⲓⲟⲩⲇⲁ ⲗⲁⲭⲓⲥ ⲙⲛ̄ ⲁⲍⲏⲕⲁ. ϫⲉ ⲛⲁⲓ ⲡⲉ ⲛⲛⲟϭ ⲙ̄ⲡⲟⲗⲓⲥ ⲛ̄ⲧⲁⲩϣⲱϫⲡ̄ ϩⲛ̄ ⲙ̄ⲡⲟⲗⲓⲥ ⲛ̄ⲓⲟⲩⲇⲁ. [8]ⲡϣⲁϫⲉ ⲛ̄ⲧⲁϥϣⲱⲡⲉ ϣⲁ ⲓⲉⲣⲏⲙⲓⲁⲥ ⲉ̀ⲃⲟⲗ ϩⲓⲧⲙ̄ ⲡ̄ϫⲟⲉⲓⲥ ⲙⲛ̄ⲛ̄ⲥⲁ ⲧ̀ⲣⲉ ⲡⲣ̄ⲣⲟ ⲥⲉⲇⲉⲕⲓⲁⲥ ϫⲱⲕ ⲛⲟⲩⲇⲓⲁⲑⲏⲕⲏ ϣⲁ ⲡⲗⲁⲟⲥ ⲉⲧ ϩⲛ̄ ⲑⲓⲗ̅ⲏ̅ⲙ̅ ⲉ̀ⲧⲁϣⲉⲟⲉⲓϣ ⲛⲟⲩⲕⲱ ⲉ̀ⲃⲟⲗ [9]ⲉⲧⲣⲉ ⲡⲟⲩⲁ̀ ⲡⲟⲩⲁ̀ ⲕⲱ ⲉ̀ⲃⲟⲗ ⲙ̄ⲡⲉϥϩⲙ̄ϩⲁⲗ. ⲁⲩⲱ ⲡⲟⲩⲁ̀ ⲡⲟⲩⲁ̀ ⲛ̄ⲧⲉϥϩⲙ̄ϩⲁⲗ. ⲛ̄ϩⲉⲃⲣⲁⲓⲟⲥ ⲛ̄ⲧϩⲉⲃⲣⲁⲓⲁ̀ ⲉ̀ⲁⲁⲩ ⲛ̄ⲣⲙ̄ϩⲉ. ⲉ̀ⲧⲙ̄ⲧⲣⲉⲣⲱⲙⲉ ⲣ̄ϩⲙ̄ϩⲁⲗ ⲉ̀ⲃⲟⲗ ϩⲛ̄ ⲓⲟⲩⲇⲁ. [10]ⲁⲩⲱ ⲁⲩⲕⲧⲟⲟⲩ ⲛ̄ϭⲓ ⲙ̄ⲙⲉⲅⲓⲥⲧⲁⲛⲟⲥ ⲧⲏⲣⲟⲩ. ⲙⲛ̄ ⲡⲗⲁⲟⲥ ⲧⲏⲣϥ̄. ⲛⲉⲛⲧⲁⲩⲉⲓ ⲉ̀ϩⲟⲩⲛ̄ ϩⲛ̄ ⲧ̀ⲇⲓⲁ̀ⲑⲏⲕⲏ ⲉⲧⲣⲉ ⲡⲟⲩⲁ ⲡⲟⲩⲁ̀ ⲕⲱ ⲉ̀ⲃⲟⲗ ⲙ̄ⲡⲉϥϩⲙ̄ϩⲁⲗ. [11]ⲁⲩⲱ ⲡⲟⲩⲁ̀ ⲡⲟⲩⲁ̀ ⲛ̄ⲧⲉϥϩⲙ̄ϩⲁⲗ. ⲁⲩⲱ ⲡⲉⲩⲕⲱ ⲙ̄ⲙⲟⲟⲩ ⲡⲉ ⲛ̄ϩⲙ̄ϩⲁⲗ. [12]ⲡϣⲁϫⲉ ⲙ̄ⲡϭ̅ⲥ̅ ⲁϥϣⲱⲡⲉ ϣⲁ ⲓⲉⲣⲏⲙⲓⲁⲥ ⲉϥϫⲱ ⲙ̄ⲙⲟⲥ [13]ϫⲉ ⲧⲁⲓ ⲧⲉ ⲑⲉ ⲛ̄ⲧⲁ ⲡ̄ϫⲟⲉⲓⲥ ϫⲟⲟⲥ ϫⲉ ⲁ̀ⲛⲟⲕ ⲁⲓⲥⲙⲓⲛⲉ ⲛⲟⲩⲇⲓⲁ̀ⲑⲏⲕⲏ ⲛ̄ⲛⲁϩⲣⲛ̄ ⲛⲉⲧⲛ̄ⲉⲓⲟⲧⲉ. ϩⲙ̄ ⲡⲉϩⲟⲟⲩ ⲛ̄ⲧⲁⲓⲛⲁϩⲙⲟⲩ ⲉ̀ⲃⲟⲗ ϩⲙ̄ ⲡ̄ⲕⲁϩ ⲛ̄ⲕⲏⲙⲉ ⲉ̀ⲃⲟⲗ ϩⲙ̄ ⲡⲏⲓ ⲛ̄ⲧⲉⲩⲙⲛ̄ⲧϩⲙ̄ϩⲁⲗ ⲉⲓϫⲱ ⲙ̄ⲙⲟⲥ ⲛⲁⲩ. [14]ϫⲉ ϩⲟⲧⲁⲛ ⲉⲣϣⲁⲛ ⲥⲟ ⲛ̄ⲣⲟⲙⲡⲉ ϫⲱⲕ ⲉ̀ⲃⲟⲗ ⲉ̀ⲕⲉⲕⲱ ⲉ̀ⲃⲟⲗ ⲙ̄ⲡⲉⲕⲥⲟⲛ ⲛ̄ϩⲉⲃⲣⲁⲓⲟⲥ ⲉⲧⲟⲩⲛⲁⲧⲁⲁϥ ⲛⲁⲕ ⲉ̀ⲃⲟⲗ ⲉϥⲉⲣϩⲙ̄ϩⲁⲗ ⲛⲁⲕ ⲛ̄ⲥⲟ ⲛ̄ⲣⲟⲙⲡⲉ. ⲁⲩⲱ ⲛ̄ⲅⲕⲁⲁϥ ⲉ̀ⲃⲟⲗ ⲉϥⲟ ⲛ̄ⲣⲙ̄ϩⲉ. ⲁⲩⲱ ⲙ̄ⲡⲟⲩⲥⲱⲧⲙ̄ ⲛ̄ⲥⲱⲓ ⲛ̄ϭⲓ ⲛⲉⲧⲉⲛⲉⲓⲟⲧⲉ

ⲟⲩϫⲉ ⲙ̄ⲡⲟⲩⲣⲓⲕⲉ ⲛ̄ⲛⲉⲩⲙⲁⲁϫⲉ ⲉ̀ⲣⲟⲓ. [15]ⲁⲩⲕ̀ⲧⲟⲟⲩ
ⲙ̄ⲙⲟⲟⲩ ⲉⲧⲣⲉⲩⲉⲓⲣⲉ ⲙ̄ⲡⲉⲧⲥⲟⲩⲧⲱⲛ ⲙ̄ⲡⲁⲙ̄ⲧⲟ ⲉ̀ⲃⲟⲗ·
ⲉⲧⲣⲉ ⲡⲟⲩⲁ̀ ⲡⲟⲩⲁ̀ ⲉⲓⲣⲉ ⲛⲟⲩⲕⲱ ⲉ̀ⲃⲟⲗ ⲙ̄ⲡⲉⲧϩⲓⲧⲟⲩⲱϥ.
ⲁⲩϫⲱⲕ ⲉ̀ⲃⲟⲗ ⲛⲟⲩⲇⲓⲁ̀ⲑⲏⲕⲏ. ⲙ̄ⲡⲁⲙ̄ⲧⲟ ⲉ̀ⲃⲟⲗ ϩⲙ̄
ⲡⲏⲓ ⲛ̄ⲧⲁⲩⲧⲁⲩⲉ̀ ⲡⲁⲣⲁⲛ ⲉϩⲣⲁⲓ ⲉ̀ϫⲱϥ. [16]ⲁⲩⲱ̀ ⲁⲧⲉⲧⲛ̄-
ⲕ̄ⲧⲉ ⲧⲏⲩⲧⲛ̄ ⲁ̀ⲧⲉⲧⲛ̄ϫⲱϩⲙ̄ ⲙ̄ⲡⲁⲣⲁⲛ ⲉⲧⲣⲉ ⲡⲟⲩⲁ̀
ⲡⲟⲩⲁ̀ ⲙ̄ⲙⲱⲧⲛ̄ ⲛ̄ⲧⲟ ⲙ̄ⲡⲉϥϩⲙ̄ϩⲁⲗ ⲙⲛ̄ ⲧⲉϥϩⲙ̄ϩⲁⲗ.
ⲛⲁⲓ ⲛⲧⲁⲧⲉⲧⲛ̄ⲕⲁⲁⲩ ⲉ̀ⲃⲟⲗ ⲉⲩⲟ ⲛ̄ⲣⲙ̄ϩⲉ ϩⲛ̄ ⲧⲉⲩ-
ⲯⲩⲭⲏ. ⲁⲩⲱ̀ ⲁⲧⲉⲧⲛ̄ⲁⲁⲩ ⲟⲛ ⲛ̄ϩⲙ̄ϩⲁⲗ ⲛⲏⲧⲛ̄.
[17]ⲉⲧⲃⲉ ⲡⲁⲓ ⲧⲁⲓ ⲧⲉ ⲑⲉ ⲛ̄ⲧⲁ ⲡ̄ϫⲟⲉⲓⲥ ϫⲟⲟⲥ. ϫⲉ
ⲛ̄ⲧⲱⲧⲛ̄ ⲙ̄ⲡⲉⲧⲛ̄ⲥⲱⲧⲙ̄ ⲛ̄ⲥⲱⲓ ⲉⲧⲣⲉⲧⲉⲧⲛ̄ⲉⲓⲣⲉ ⲛⲟⲩⲕⲱ
ⲉ̀ⲃⲟⲗ ⲡⲟⲩⲁ̀ ⲡⲟⲩⲁ̀ ⲙ̄ⲡⲉⲧϩⲓⲧⲟⲩⲱϥ. ⲉⲓⲥϩⲏⲏ̄ⲧⲉ ⲁ̀ⲛⲟⲕ
ϯⲛⲁⲧⲛ̄ⲛⲟⲟⲩ ⲛⲏⲧⲛ̄ ⲛⲟⲩⲕⲱ ⲉ̀ⲃⲟⲗ ⲡⲉϫⲉ ⲡ̄ϫⲟⲉⲓⲥ.
ⲟⲩⲥⲏϥⲉ. ⲙⲛ̄ ⲟⲩⲙⲟⲩ. ⲙⲛ̄ ⲟⲩϩⲕⲟ. ⲁⲩⲱ̀ ϯⲛⲁϯ
ⲧⲏⲩⲧⲛ̄ ⲉⲩϫⲱⲱ̀ⲣⲉ ⲉ̀ⲃⲟⲗ ϩⲛ̄ ⲙ̄ⲙⲛ̄ⲧⲉⲣⲱⲟⲩ ⲧⲏⲣⲟⲩ
ⲙ̄ⲡⲕⲁϩ. [18]ⲁⲩⲱ ϯⲛⲁϯ ⲛ̄ⲣⲱⲙⲉ ⲛ̄ⲧⲁⲩⲕⲱ ⲛ̄ⲥⲱⲟⲩ
ⲛ̄ⲧⲁⲇⲓⲁ̀ⲑⲩⲕⲏ ⲛⲉⲧⲙ̄ⲡⲟⲩⲧⲁϩⲟ ⲉ̀ⲣⲁⲧⲥ̀ ⲛ̄ⲧⲁⲇⲓⲁ̀ⲑⲩⲕⲏ.
ⲁⲗⲗⲁ ⲁⲩⲧⲁⲙⲓⲟ̀ ⲙ̄ⲡⲁⲙ̄ⲧⲟ ⲉ̀ⲃⲟⲗ ⲙ̄ⲙⲁⲥⲉ ⲡⲁⲓ ⲛ̄-
ⲧⲁⲩⲧⲁⲙⲓⲟϥ ⲉ̀ⲣϩⲱⲃ ⲛ̄ϩⲏⲧϥ̀ [19]ⲛ̄ϭⲓ ⲛⲁⲣⲭⲱⲛ ⲛⲓⲟⲩⲇⲁ
ⲙⲛ̄ ⲛ̄ϫⲱⲱⲣⲉ ⲙⲛ̄ ⲛⲟⲩⲏⲏⲃ. ⲙⲛ̄ ⲡ̄ⲗⲁⲟⲥ. [20]ϯⲛⲁ-
ⲧⲁⲁⲩ ⲛ̄ⲛⲉⲩϫⲁϫⲉ. ⲛ̄ⲧⲉ ⲛⲉⲩⲣⲉϥⲙⲟⲟⲩⲧ̀ ϣⲱⲡⲉ ⲛ̄-
ϩⲣⲉ ⲛ̄ⲛ̄ϩⲁⲗⲁⲧⲉ ⲛ̄ⲧⲡⲉ. ⲙⲛ̄ ⲛⲉⲑⲏⲣⲓⲟⲛ ⲙ̄ⲡⲕⲁϩ.
[21]ⲁⲩⲱ ⲥⲉⲇⲉⲕⲓⲁⲥ ⲡ̄ⲣⲣⲟ ⲛⲓⲟⲩⲇⲁ. ⲙⲛ̄ ⲛⲉⲩⲁⲣⲭⲱⲛ
ϯⲛⲁⲧⲁⲁⲩ ⲉⲛϭⲓϫ ⲛ̄ⲛⲉⲩϫⲁϫⲉ. ⲁⲩⲱ ⲉ̀ⲧⲟⲟⲧⲥ̀ ⲛ̄ⲧ-
ϭⲟⲙ ⲙ̄ⲡⲣ̄ⲣⲟ ⲛ̄ⲧⲃⲁⲃⲩⲗⲱⲛ ⲡⲁⲓ ⲉ̀ⲧⲟⲩⲡⲏⲧ ⲉ̀ⲃⲟⲗ ⲙ̄-
ⲙⲟⲟⲩ. [22]ⲉⲓⲥϩⲏⲏⲧⲉ ⲁⲛⲟⲕ ⲉ̀ⲧⲟⲩⲉϩⲥⲁϩⲛⲉ ⲡⲉϫⲉ ⲡ̄-
ϫⲟⲉⲓⲥ ϯⲛⲁⲕ̀ⲧⲟⲟⲩ ⲉϩⲣⲁⲓ ⲉ̀ⲧⲉⲓⲡⲟⲗⲓⲥ ⲛ̄ⲥⲉⲙⲓϣⲉ ⲛⲙ̄-
ⲙⲁⲥ. ⲛ̄ⲥⲉϫⲓ ⲙ̄ⲙⲟⲥ. ⲛ̄ⲥⲉⲣⲟⲕϩⲥ̀ ϩⲛ̄ ⲟⲩⲥⲁⲧⲉ. ⲙⲛ̄
ⲙ̄ⲡⲟⲗⲓⲥ ⲛⲓⲟⲩⲇⲁ. ⲁⲩⲱ̀ ϯⲛⲁⲧⲁⲁⲩ ⲛ̄ϫⲁⲓⲉ̀ ⲉ̀ⲙⲛ̄ ⲡⲉⲧⲟⲩⲏϩ ⲛ̄ϩⲏⲧⲟⲩ.

8ⲃ [μβ] [1]ⲡϣⲁϫⲉ ⲛ̄ⲧⲁϥϣⲱⲡⲉ ϣⲁ ⲓⲉ̀ⲣⲏⲙⲓⲁⲥ ⲉ̀ⲃⲟⲗ
ϩⲓⲧⲙ̄ ⲡ̄ϫⲟⲉⲓⲥ ϩⲛ̄ ⲛⲉϩⲟⲟⲩ ⲛⲓⲱ̀ⲁⲕⲓⲙ ⲡ̄ϣⲏⲣⲉ ⲛⲓⲱⲥⲓⲁⲥ
ⲡ̄ⲣⲣⲟ ⲛⲓⲟⲩⲇⲁ. ⲉϥϫⲱ ⲙ̄ⲙⲟⲥ ϫⲉ [2]ⲃⲱⲕ ⲉ̀ϩⲟⲩⲛ̄ ⲉ̀ⲡⲏⲓ
ⲛⲁⲣⲭⲁⲃⲓⲛ *ⲛ̄ⲅ̄ⲙⲟⲩⲧⲉ ⲉⲣⲟⲟⲩ ⲛ̄ⲅ̄ϫⲓⲧⲟⲩ ⲉ̀ϩⲟⲩⲛ̄
ⲉ̀ⲡⲏⲓ ⲙ̄ⲡ̄ϫⲟⲉⲓⲥ ⲉ̀ⲟⲩⲉⲓ ⲛ̄ⲛⲁⲩⲗⲏ ⲛ̄ⲅ̄ⲧⲥⲟⲟⲩ ⲛⲟⲩⲏⲣⲡ̄
ϩⲙ̄ ⲡⲙⲁ ⲉ̀ⲧⲙ̄ⲙⲁⲩ. [3]ⲁⲩⲱ̀ ⲁⲓⲉⲓⲛⲉ ⲉ̀ⲃⲟⲗ ⲛⲓⲉⲭⲟⲛⲓⲁⲥ
ⲡ̄ϣⲏⲣⲉ ⲛ̄ⲓⲉⲣⲏⲙⲓⲁⲥ. ⲡϣⲏⲣⲉ ⲛ̄ⲭⲁⲃⲥⲓⲛ. ⲙⲛ̄ ⲛⲉϥⲥⲛⲏⲩ

ⲙⲛ̄ ⲡⲉϥϣⲏⲣⲉ. ⲙⲛ̄ ⲡⲏⲓ ⲧⲏⲣϥ̄ ⲛ̄ⲁⲣⲭⲁⲃⲓⲛ. [4] ⲁⲓϫⲓⲧⲟⲩ
ⲉ̀ϩⲟⲩⲛ̄ ⲉ̀ⲡⲏⲓ ⲙ̄ⲡϫⲟⲉⲓⲥ ⲁⲩⲱ ⲉⲡⲡⲁⲥⲧⲟⲫⲟⲣⲓⲟⲛ ⲛ̄ⲛ̄ϣⲁ-
ⲛⲁⲛ. ⲡ̄ϣⲏⲣⲉ ⲛ̄ⲁⲛⲁⲛⲓⲁⲥ ⲡ̄ⲣⲱⲙⲉ ⲙ̄ⲡⲛⲟⲩⲧⲉ. ⲡⲁⲓ
ⲉ̀ⲧϩⲓⲧⲟⲩ ⲉ̀ⲡⲏⲓ ⲛ̄ⲛⲁⲣⲭⲱⲛ ⲛ̄ⲧⲡⲉ. ⲙ̄ⲡⲏⲓ ⲙ̄ⲙⲁⲁⲥ-
ⲥⲁⲓⲁⲥ. ⲡ̄ϣⲏⲣⲉ ⲛ̄ⲥⲁⲗⲱⲙ. ⲡⲁⲓ ⲉⲧϩⲁⲣⲉϩ ⲉ̀ⲧⲁⲩⲗⲏ.
[5] ⲁⲩⲱ̀ ⲁⲓⲧⲁϩⲟ ⲉ̀ⲣⲁⲧϥ̄ ⲙ̄ⲡⲉⲩⲙ̄ⲧⲟ ⲉ̀ⲃⲟⲗ ⲛⲟⲩϣⲟϣⲟⲩ
ⲛⲏⲣⲡ̄ ⲙⲛ̄ ϩⲛ̄ⲁ̀ⲡⲟⲧ. ⲡⲉϫⲁⲓ ⲛⲁⲩ ϫⲉ ⲥⲉ ⲏⲣⲡ̄. [6] ⲡⲉϫⲁⲩ ϫⲉ ⲛ̄ⲧⲛ̄ⲛⲁⲥⲉ ⲏⲣⲡ̄ ⲁⲛ. ϫⲉ ⲓⲱⲛⲁⲇⲁⲃ ⲡ̄ϣⲏⲣⲉ
ⲛ̄ⲣⲏⲭⲁⲃ ⲡⲉⲛⲉⲓⲱⲧ ⲁϥϩⲱⲛ ⲉ̀ⲧⲟⲟ̀ⲧⲛ̄ ⲉϥϫⲱ ⲙ̄ⲙⲟⲥ
ϫⲉ ⲛ̄ⲛⲉⲧⲛ̄ⲥⲉ ⲏⲣⲡ̄ ⲛ̄ⲧⲱⲧⲛ̄ ⲙⲛ̄ ⲛⲉⲧⲛ̄ϣⲏⲣⲉ ϣⲁ ⲉ̀ⲛⲉϩ.
[7] ⲁⲩⲱ̀ ⲛ̄ⲛⲉⲧⲛ̄ⲕⲱⲧ ⲛⲟⲩⲏⲓ. ⲟⲩⲇⲉ ⲛ̄ⲛⲉⲧⲛ̄ϫⲟ ⲛⲟⲩ-
ⲥ̀ⲡⲣ̄ⲙⲁ· ⲁⲩⲱ̀ ⲛ̄ⲛⲉ ⲙⲁⲛⲉⲗⲟⲟⲗⲉ ϣⲱⲡⲉ ⲛⲏⲧⲛ̄ ϫⲉ
ⲉ̀ⲧⲉⲧⲛⲁⲟⲩⲱϩ ϩⲛ̄ ϩⲉⲛⲥ̀ⲕⲩⲛⲏ ⲛ̄ⲛⲉⲧⲛ̄ϩⲟⲟⲩ ⲧⲏⲣⲟⲩ.
ϫⲉⲕⲁⲥ ⲉ̀ⲧⲉⲧⲛⲁⲱ̀ⲛ̄ϩ ⲛⲟⲩⲙⲏⲏ̀ϣⲉ ⲛ̄ϩⲟⲟⲩ ϩⲓϫⲙ̄ ⲡⲕⲁϩ.
ⲡⲁⲓ ⲛ̄ⲧⲱⲧⲛ̄ ⲉ̀ⲧⲉⲧⲛ̄ⲟⲩⲏϩ ϩⲓϫⲱϥ. [8] ⲁⲩⲱ ⲁⲛⲥⲱⲧⲙ̄
ⲛ̄ⲥⲁ ⲡⲉϩⲣⲟⲟⲩ ⲛ̄ⲓⲱⲛⲁⲇⲁⲃ ⲡⲉⲛⲉⲓⲱⲧ ⲕⲁⲧⲁ ϩⲱⲃ ⲛⲓⲙ
ⲛ̄ⲧⲁϥϩⲟⲛⲟⲩ ⲉ̀ⲧⲟⲟ̀ⲧⲛ̄ ⲉⲧⲙ̄ⲧⲣⲉⲛ̄ⲥⲉ ⲏⲣⲡ̄ ⲛ̄ⲛⲉⲛϩⲟⲟⲩ
ⲧⲏⲣⲟⲩ. ⲁⲩⲱ̀ ⲁⲛⲟⲛ ⲙⲛ̄ ⲛⲉⲛϩⲓⲟ̀ⲙⲉ ⲙⲛ̄ ⲛⲉⲛϣⲏⲣⲉ.
ⲙⲛ̄ ⲛⲉⲛϣⲉⲉ̀ⲣⲉ [9] ⲉⲧⲙ̄ⲧⲣⲉⲛⲕⲱⲧ ⲛⲟⲩⲏⲓ ⲉ̀ϣⲱⲡⲉ
ⲛ̄ϩⲏⲧϥ̄. ⲁⲩⲱ ⲟⲩⲙⲁⲛⲉⲗⲟⲟⲗⲉ ⲙⲉⲛ ⲟⲩⲥⲱϣⲉ. ⲙⲛ̄
ⲟⲩϭ̀ⲣⲟϭ ⲙ̄ⲡⲟⲩϣⲱⲡⲉ ⲛⲁⲛ. [10] ⲁⲗⲗⲁ ⲁⲛϣⲱⲡⲉ ϩⲛ̄
ϩⲉⲛⲥ̀ⲕⲩⲛⲏ. ⲁⲩⲱ ⲁⲛⲥⲱⲧⲙ̄ ⲁ̀ⲛⲉⲓⲣⲉ ⲕⲁⲧⲁ ⲛⲉ̄ⲛ̄ⲧⲁϥ-
ϩⲟⲛⲟⲩ ⲛ̄ⲧⲟⲟⲧⲛ̄ ⲛ̄ϭⲓ ⲓⲱⲛⲁⲇⲁⲃ ⲡⲉⲛⲉⲓⲱⲧ. [11] ⲁⲥϣⲱⲡⲉ ⲇⲉ ⲛ̄ⲧⲉⲣⲉϥⲉⲓ ⲛ̄ϭⲓ ⲛⲁⲃⲟⲩⲭⲟⲇⲟⲛⲟⲥⲟⲣ ⲡ̄ⲣⲣⲟ
ⲛ̄ⲧⲃⲁⲃⲩⲗⲱⲛ. ⲉ̀ϫⲙ̄ ⲡⲕⲁϩ ⲡⲉϫⲁⲩ ϫⲉ ⲁⲙⲏⲉⲓⲛ ⲉ̀-
ϩⲟⲩⲛ̄ ⲉⲧⲡⲟⲗⲓⲥ. ⲁⲩⲱ ⲁⲛⲃⲱⲕ ⲉ̀ϩⲟⲩⲛ̄ ⲉ̀ⲑⲓⲗ̄ⲏ̄ⲙ̄ ⲙ̄-
ⲡⲙ̄ⲧⲟ ⲉ̀ⲃⲟⲗ ⲛ̄ⲧϭⲟⲙ ⲛ̄ⲛⲉⲭⲁⲗⲇⲁⲓⲟⲥ. ⲁⲩⲱ ⲙ̄ⲡⲙ̄ⲧⲟ
ⲉ̀ⲃⲟⲗ ⲛ̄ⲧϭⲟⲙ ⲛ̄ⲛⲁⲥⲥⲩⲣⲓⲟⲥ. *ⲁⲛⲟⲩⲱ̀ϩⲙ̄ ⲙ̄ⲙⲁ ⲉ̀ⲧⲙ̄-
ⲙⲁⲩ. [12] ⲡϣⲁϫⲉ ⲙ̄ⲡϫⲟⲉⲓⲥ ⲁϥϣⲱⲡⲉ ϣⲁⲣⲟⲓ ⲉϥϫⲱ
ⲙ̄ⲙⲟⲥ [13] ϫⲉ ⲧⲁⲓ ⲧⲉ ⲑⲉ ⲉ̀ⲧⲉⲣⲉ ⲡ̄ϫⲟⲉⲓⲥ ϫⲱ ⲙ̄ⲙⲟⲥ
ϫⲉ ⲃⲱⲕ ⲛ̄ⲅ̄ϫⲟⲟⲥ ⲛ̄ⲛⲣⲱⲙⲉ ⲛⲓⲟⲩⲇⲁ. ⲙⲛ̄ ⲛⲉⲧⲟⲩⲏϩ
ϩⲛ̄ ⲑⲓⲗ̄ⲏ̄ⲙ̄ ϫⲉ ⲛ̄ⲛⲉⲧⲉⲛϫⲓ ⲛⲟⲩⲥ̀ⲃⲱ ⲉ̀ⲥⲱⲧⲙ̄ ⲛ̄ⲥⲁ
ⲛⲁϣⲁϫⲉ. [14] ⲉⲛϣⲏⲣⲉ ⲇⲉ ⲛ̄ⲓⲱⲛⲁⲇⲁⲃ ⲡ̄ϣⲏⲣⲉ ⲛ̄-
ⲣⲏⲭⲁⲃ. ⲁⲩⲧⲁϩⲟ ⲉ̀ⲣⲁⲧϥ̄ ⲙ̄ⲡϣⲁϫⲉ ⲛ̄ⲧⲁ ⲡⲉⲩⲉⲓⲱⲧ
ϩⲟⲛϥ̄ ⲉ̀ⲧⲟⲟⲧⲟⲩ. ⲉⲧⲙ̄ⲧⲣⲉⲩⲥⲱ ⲛⲟⲩⲏⲣⲡ. ⲁⲩⲱ̀ ⲙ̄-
ⲡⲟⲩⲥⲱ. ⲁ̀ⲛⲟⲕ ϫⲉ ⲁⲓϣⲁϫⲉ ⲛⲙ̄ⲙⲏⲧⲛ̄ ⲛ̄ϣⲱⲣⲡ̄.
ⲁⲓϣⲁϫⲉ ⲁⲩⲱ̀ ⲙ̄ⲡⲉⲧⲛ̄ⲥⲱⲧⲙ̄. [15] ⲁⲓⲧⲛ̄ⲛⲟⲟⲩ ϣⲁⲣⲱⲧⲛ̄

ⲙ̄ⲡⲁϩⲙ̄ϩⲁⲗ ⲛⲉⲡⲣⲟⲫⲏⲧⲏⲥ. ⲉⲓϫⲱ ⲙ̄ⲙⲟⲥ ϫⲉ ⲙⲁⲣⲉ ⲡⲟⲩⲁ ⲡⲟⲩⲁ ⲕ̀ⲧⲟϥ ⲉ̀ⲃⲟⲗ ϩⲛ̄ ⲧⲉϥϩⲓⲏ ⲉⲑⲟⲟⲩ. ⲁⲩⲱ ⲙⲁⲣⲉ ⲡⲉⲧⲛ̄ϩⲃⲏⲩⲉ ⲁ̀ⲛⲁⲓ ⲛ̄ⲧⲉⲧⲛ̄ⲧⲙ̄ ⲙⲟⲟϣⲉ ϩⲓ ⲡⲁϩⲟⲩ ⲛ̄ϩⲛ̄ⲕⲉ ⲛⲟⲩⲧⲉ ⲉ̀ⲣϩⲙ̄ϩⲁⲗ ⲛⲁⲩ. ⲛ̄ⲧⲉⲧⲛ̄ⲟⲩⲱϩ ϩⲓϫⲙ̄ ⲡⲉⲓⲕⲁϩ. ⲛ̄ⲧⲁⲓⲧⲁⲁϥ ⲛⲏⲧⲛ̄ ⲙⲛ̄ ⲛⲉⲧⲛ̄ⲉⲓⲟⲧⲉ. ⲁⲩⲱ ⲙ̄ⲡⲉⲧⲛ̄ⲣⲓⲕⲉ ⲙ̄ⲡⲉⲧⲛ̄ⲙⲁⲁϫⲉ ⲟⲩⲇⲉ ⲙ̄ⲡⲉⲧⲛ̄ⲥⲱⲧⲙ̄ ⲛⲁⲓ. [16]ⲛ̄ϣⲏⲣⲉ ⲛ̄ⲧⲟϥ ⲛ̄ⲓⲱⲛⲁⲇⲁⲃ ⲛ̄ϣⲏⲣⲉ ⲛ̄ⲣⲏⲭⲁⲃ. ⲁⲩⲧⲁϩⲟ ⲉⲣⲁⲧⲥ̄ ⲛ̄ⲧⲉⲛ̄ⲧⲟⲗⲏ ⲙ̄ⲡⲉⲩⲉⲓⲱⲧ. ⲧⲉⲛⲧⲁϥϩⲱⲛ ⲙ̄ⲙⲟⲥ ⲉ̀ⲧⲟⲟⲧⲟⲩ. ⲡⲉⲓⲗⲁⲟⲥ ⲇⲉ ⲛ̄ⲧⲟϥ ⲙ̄ⲡⲉϥⲥⲱⲧⲙ̄ ⲛ̄ⲥⲱⲓ. [17]ⲉⲧⲃⲉ ⲡⲁⲓ ⲧⲁⲓ ⲧⲉ ⲑⲉ ⲛ̄ⲧⲁ ⲡ̄ϫⲟⲉⲓⲥ ϫⲟⲟⲥ. ϫⲉ ⲉⲓⲥϩⲏⲏⲧⲉ ⲁ̀ⲛⲟⲕ ϯⲛⲁⲉⲓⲛⲉ ⲉ̀ϫⲛ̄ ⲓⲟⲩⲇⲁ. ⲙⲛ̄ ⲛⲉⲧϣⲟⲟⲡ ϩⲛ̄ ⲑⲓⲗⲏ̅ⲙ̅ ⲛⲙ̄ ⲡⲉⲑⲟⲟⲩ ⲛ̄ⲧⲁⲓϫⲟⲟⲩ ⲉ̀ⲉ̀ⲛ̄ⲧⲟⲩ ⲉ̀ϫⲱⲟⲩ. [18]ⲉⲧⲃⲉ ⲡⲁⲓ ⲧⲁⲓ ⲧⲉ ⲑⲉ ⲛ̄ⲧⲁ ⲡ̄ϫⲟⲉⲓⲥ ϫⲟⲟⲥ. ϫⲉ ⲉ̀ⲡⲓⲇⲏ ⲁⲩⲥⲱⲧⲙ̄ ⲛ̄ϭⲓ ⲛ̄ϣⲏⲣⲉ ⲛ̄ⲓⲱⲛⲁⲇⲁⲃ ⲛ̄ϣⲏⲣⲉ ⲛ̄ⲣⲏⲭⲁⲃ ⲛ̄ⲥⲁ ⲧⲉⲛ̄ⲧⲟⲗⲏ ⲙ̄ⲡⲉⲩⲉⲓⲱⲧ ⲉⲧⲣⲉⲩⲉⲓⲣⲉ ⲕⲁⲧⲁ ⲑⲉ ⲛ̄ⲧⲁϥϩⲱⲛ ⲉ̀ⲧⲟⲟⲧⲟⲩ ⲛ̄ϭⲓ ⲡⲉⲩⲉⲓⲱⲧ. [19]ⲙ̄ⲛⲉ ⲣⲱⲙⲉ ⲱ̀ϫⲛ̄ ⲛ̄ⲧⲉ ⲛ̄ϣⲏⲣⲉ ⲛ̄ⲓⲱⲛⲁⲇⲁⲃ. ⲁϥⲁ̀ϩⲉⲣⲁⲧϥ̄ ⲙ̄ⲡⲁⲙ̄ⲧⲟ ⲉ̀ⲃⲟⲗ ⲛ̄ⲛⲉϩⲟⲟⲩ ⲧⲏⲣⲟⲩ ⲙ̄ⲡⲕⲁϩ.

36 [μγ] [1]ϩⲣⲁⲓ ϩⲛ̄ ⲧⲙⲉϩϥ̄ⲧⲟ ⲛ̄ⲣⲟⲙⲡⲉ ⲛ̄ⲓⲱⲁⲕⲉⲓⲙ. ⲛ̄ϣⲏⲣⲉ ⲛ̄ⲓⲱⲥⲓⲁⲥ ⲡ̄ⲣ̄ⲣⲟ ⲛ̄ⲓⲟⲩⲇⲁ. ⲡϣⲁϫⲉ ⲙ̄ⲡϫⲟⲉⲓⲥ ⲁϥϣⲱⲡⲉ ϣⲁⲣⲟⲓ ⲉϥϫⲱ ⲙ̄ⲙⲟⲥ. [2]ϫⲉ ϫⲓ ⲛⲁⲕ ⲛⲟⲩϫⲱⲱⲙⲉ ⲛ̄ⲭⲁⲣⲧⲏⲥ. ⲛ̄ⲅ̄ⲥϩⲁⲓ ⲉ̀ⲣⲟϥ ⲛ̄ⲛⲉⲓϣⲁϫⲉ ⲧⲏⲣⲟⲩ ⲛ̄ⲧⲁⲓϫⲟⲟⲩ ⲛⲁⲕ ⲉ̀ϫⲛ̄ ⲑⲓⲗⲏ̅ⲙ̅ ⲙⲛ̄ ⲓⲟⲩⲇⲁ. ⲁⲩⲱ ⲉ̀ϫⲛ̄ ⲛ̄ϩⲉⲑⲛⲟⲥ ⲧⲏⲣⲟⲩ ϫⲓⲛ ⲡⲉϩⲟⲟⲩ ⲛ̄ⲧⲁⲓϣⲁϫⲉ ⲛⲙ̄ⲙⲁⲕ ϫⲓⲛ ⲡⲉϩⲟⲟⲩ ⲛ̄ⲓⲱⲥⲓⲁⲥ ⲡ̄ⲣ̄ⲣⲟ ⲛ̄ⲓⲟⲩⲇⲁ ϣⲁ ⲉ̀ϩⲟⲩⲛ ⲉ̀ⲡⲟⲟⲩ ⲛ̄ϩⲟⲟⲩ [3]ⲙⲉϣⲁⲕ ⲛ̄ⲥⲉⲥⲱⲧⲙ̄ ⲛ̄ϭⲓ ⲡⲏⲓ ⲛ̄ⲓⲟⲩⲇⲁ. ⲉ̀ⲛⲉⲓ ⲡⲉⲑⲟⲟⲩ ⲧⲏⲣⲟⲩ ⲉ̀ϯϣⲟϫⲛⲉ ⲉ̀ⲣⲟⲟⲩ ⲉ̀ⲁⲁⲩ ⲛⲁⲩ. ϫⲉⲕⲁⲥ ⲉⲩⲉ̀ⲕⲧⲟⲟⲩ ⲉ̀ⲃⲟⲗ ϩⲛ̄ ⲧⲉⲩϩⲓⲏ ⲙ̄ⲡⲟⲛⲏⲣⲟⲛ ⲁⲩⲱ ϯⲛⲁⲕⲱ ⲉ̀ⲃⲟⲗ ⲡⲉ ⲛ̄ⲛⲉⲩϫⲓⲛϭⲟⲛⲥ̄ ⲙⲛ̄ ⲛⲉⲩⲛⲟⲃⲉ. [4]ⲁⲩⲱ ⲁϥⲙⲟⲩⲧⲉ ⲛ̄ϭⲓ ⲓⲉⲣⲏⲙⲓⲁⲥ ⲉⲃⲁⲣⲟⲩⲭ ⲛ̄ϣⲏⲣⲉ ⲛ̄ⲛⲏⲣⲓⲁⲥ. ⲁⲩⲱ ⲁϥⲥ̀ϩⲁⲓ ⲛ̄ϭⲓ ⲃⲁⲣⲟⲩⲭ. ⲉ̀ⲃⲟⲗ ϩⲛ̄ ⲧⲧⲁⲡⲣⲟ ⲛ̄ⲓⲉⲣⲏⲙⲓⲁⲥ ⲛ̄ⲛ̄ϣⲁϫⲉ ⲧⲏⲣⲟⲩ ⲙ̄ⲡϫⲟⲉⲓⲥ. ⲛ̄ⲧⲁϥϫⲟⲟⲩ ⲛⲁϥ ⲉⲩϫⲱⲱ̀ⲙⲉ ⲛ̄ⲭⲁⲣⲧⲏⲥ. [5]ⲁⲩⲱ ⲁ ⲓⲉⲣⲏⲙⲓⲁⲥ ϩⲱⲛ ⲉ̀ⲧⲟⲟⲧϥ̄ ⲙ̄ⲃⲁⲣⲟⲩⲭ ⲉϥϫⲱ ⲙ̄ⲙⲟⲥ. ϫⲉ ⲁ̀ⲛⲟⲕ ⲥⲉϩⲁⲣⲉϥ ⲉ̀ⲣⲟⲓ. ⲛ̄ϯⲛⲁϣⲃⲱⲕ ⲁⲛ ⲉ̀ϩⲟⲩⲛ ⲉ̀ⲡⲏⲓ ⲙ̄ⲡϫⲟⲉⲓⲥ. [6]ⲉⲛⲧⲟⲕ ⲃⲱⲕ ⲉ̀ϩⲟⲩⲛ ⲉ̀ⲡⲏⲓ

ⲙ̀ⲡϫⲟⲉⲓⲥ ⲛ̄ⲧⲱϣ ⲙ̀ⲡⲉⲓϫⲱⲱ̀ⲙⲉ ⲙ̀ⲙⲁⲁ̀ϫⲉ ⲙ̀ⲡⲗⲁⲟⲥ ϩⲙ̀ ⲡⲏⲓ ⲙ̀ⲡϫⲟⲉⲓⲥ ⲙ̀ⲡⲉϩⲟⲟⲩ ⲛ̀ⲧⲛⲏⲥⲧⲓⲁ̀. ⲁⲩⲱ ⲉ̀ⲕⲉϣⲱϣ ⲙ̀ⲙⲟϥ ⲙ̀ⲙⲁⲁϫⲉ ⲙ̀ⲡⲙⲏⲏϣⲉ ⲧⲏⲣϥ̄ ⲛ̄ⲓⲟⲩⲇⲁ. ⲛⲁⲓ ⲉⲧⲛⲏⲩ ⲉ̀ⲃⲟⲗ ϩⲛ̄ ⲛⲉⲩⲡⲟⲗⲓⲥ. [7]ⲙⲉϣⲁⲕ ⲛ̄ⲧⲉ ⲟⲩⲡⲁ ⲉⲓ ⲉ̀ϫⲱⲟⲩ ⲙ̀ⲡⲙ̀ⲧⲟ ⲉ̀ⲃⲟⲗ ⲙ̀ⲡ[ϫⲟⲉⲓⲥ] . . . .

Ieremias. Apokryphe Stelle. vgl. Tattam, Proph. maj. Vol. I. p. V. ff.

ⲓⲉⲣⲏⲙⲓⲁⲥ ⲟ ⲡⲣⲟⲫⲏⲧⲏⲥ.

ⲡⲁⲗⲓⲛ ⲟⲛ ⲁϥϫⲟⲟⲥ ⲛ̀ϭⲓ ⲓⲉⲣⲏⲙⲓⲁⲥ ⲙ̀ⲡⲁⲥχⲱⲣ. ϫⲉ ⲉ̀ⲧⲉⲧⲛⲉϣⲱⲡⲉ ϩⲛ̄ ⲟⲩⲟⲉⲓϣ ⲙⲛ̄ ⲛⲉⲧⲛ̄ⲉⲓⲟⲧⲉ. ⲧⲉⲧⲛ̄ⲛ̄ϯⲟⲩⲃⲉ ⲡ̄ⲧⲙⲛ̄ⲧⲙⲉ. ⲙⲛ̄ ⲛⲉⲧⲛ̄ϣⲏⲣⲉ ⲉⲧⲛⲏⲩ ⲙⲛ̄ⲛ̄ⲥⲱⲧⲛ̄. ⲛⲁⲓ ⲉⲧⲛⲁⲉⲓⲣⲉ ⲛⲟⲩⲁⲛⲟⲙⲓⲁ̀ ⲉⲥⲟⲩⲟ̀ⲧ'ⲃ̀. ⲉϩⲟⲩⲉ ⲧⲏⲩⲧⲛ̄. ϫⲉ ⲛ̀ⲧⲟⲟⲩ ⲉⲧⲛⲁϯⲧⲓⲙⲏ. ⲛ̀ⲛⲉⲧⲉⲙⲛ̀ⲧⲁϥⲧⲓⲙⲏ. ⲁⲩⲱ ⲧⲉⲧⲛ̄'ⲃⲗⲁⲡⲧⲉⲓ ⲙ̀ⲡⲉⲧⲧⲁⲗϭⲟ ⲛ̀ⲛ̄ϣⲱⲛⲉ. ⲁⲩⲱ ⲉⲕⲁ ⲛⲟⲃⲉ ⲉ̀ⲃⲟⲗ ⲁⲩⲱ ⲉⲩⲉϫⲓ ⲙ̀ⲙⲁⲁⲃ ⲛ̀ϩⲁⲧ. ⲉⲧⲧⲓⲙⲏ ⲙ̀ⲡⲉⲧⲟⲩⲛⲁⲧⲁⲁϥ ⲛ̀ϭⲓ ⲛ̀ϣⲏⲣⲉ ⲙ̀ⲡⲓⲏ̄ⲗ̄. ⲁⲩϯ ⲙ̀ⲙⲟⲟⲩ ϩⲁ ⲧⲥⲱϣⲉ ⲙ̀ⲡⲕⲉⲣⲁⲙⲉⲩⲥ. ⲛ̀ⲑⲉ ⲛ̀ⲧⲁϥⲟⲩⲉϩ ⲥⲁϩⲛⲉ ⲛ̀ϭⲓ ⲡϫⲟⲉⲓⲥ. ⲁⲩⲱ ⲛ̀ⲧⲉⲓϩⲉ ⲥⲉⲛⲁϣⲁϫⲉ. ⲥⲉⲛⲁⲉⲓ ⲉϩⲣⲁⲓ ⲉϫⲱⲟⲩ ⲛ̀ϭⲓ ⲟⲩϩⲁⲡ ⲛ̀ⲧⲉ ⲡⲧⲁⲕⲟ ϣⲁ ⲉⲛⲉϩ. ⲙⲛ̄ ⲉ̀ϫⲛ̄ ⲛⲉⲩϣⲏⲣⲉ. ⲉⲧⲃⲉ ϫⲉ ⲁⲩϩⲓⲟⲩⲉ ⲛⲟⲩⲥⲛⲟϥ ⲛⲁⲧⲛⲟⲃⲉ ⲉⲛϩⲁⲡ.

Ezechiel 21, 14—17.

ⲉⲍⲉⲕⲓⲏⲗ ⲟ ⲡⲣⲟⲫⲏⲧⲏⲥ.

21 [14]ⲛ̀ⲧⲟⲕ ⲇⲉ ϩⲱⲱⲕ ⲡϣⲏⲣⲉ ⲙ̀ⲡⲣⲱⲙⲉ. ⲡⲣⲟⲫⲏⲧⲉⲩⲉ. ⲛ̄ⲅ̄ϫⲁϩϫϩ ϩⲛ̄ ⲛⲉⲕϭⲓϫ. ⲛ̄ⲅ̄ⲟⲩⲉϩ ⲡ̄ⲕⲉ ⲥⲏϥⲉ. ⲉⲧⲙⲉϩϣⲟⲙⲧⲉ ⲛ̀ⲥⲏϥⲉ. ⲧⲁⲡ̄ϩⲁⲧⲃⲉⲥ. ⲧⲁⲧⲛⲟϭ ⲛ̀ⲥⲏϥⲉ. ⲡ̄ⲡ̄ϩⲁⲧⲃⲉⲥ ⲁⲩⲱ ⲉⲕⲉϣⲧⲣ̄ⲧⲱⲣⲟⲩ [15]ϫⲉⲕⲁⲥ ⲉⲣⲉ ⲡⲉⲩϩⲏⲧ ⲟⲩⲱϣϥ̄. ⲛ̀ⲥⲉⲁϣⲁⲓ ⲛ̀ϭⲓ ⲛⲉⲧϣⲱⲡⲉ. ⲁⲩⲡⲁⲣⲁⲇⲓⲇⲟⲩ ⲙ̀ⲙⲟⲟⲩ ⲉϩⲣⲁⲓ ⲉⲧⲟⲟⲧⲥ̄ ⲛ̀ⲧⲥⲏϥⲉ ⲉ̀ⲕⲟⲛⲥⲟⲩ. ϩⲓⲣⲙ̄ ⲡⲩⲗⲏ ⲛⲓⲙ. ⲁⲥⲥⲟⲃⲧⲉ ⲕⲁⲗⲱⲥ ⲉⲧⲣⲉⲥⲕⲱⲛⲥ̄. ⲁⲥϣⲱⲡⲉ ⲕⲁⲗⲱⲥ ⲉⲧⲣⲉⲥⲧⲁⲁⲧⲉ. [16]ⲧⲥⲏϥⲉ ⲙⲟⲟϣⲉ. ⲛ̀ⲧⲉⲧⲱⲙ ⲡ̄ⲥⲁ ⲟⲩⲛⲁⲙ. ⲁⲩⲱ ⲛ̀ⲥⲁ ϩⲃⲟⲩⲣ. ⲡⲙⲁ ⲉ̀ⲧⲉⲣⲉ ⲡⲉⲩϩⲟ ⲛⲁϭⲱϣⲧ̄ ⲉ̀ⲣⲟϥ. [17]ⲁⲛⲟⲕ ϩⲱ ϯⲛⲁⲣⲁϩⲧ̄. ⲧⲟⲟⲧ. ⲉ̀ϫⲛ̄ ⲧⲟⲟⲧ. ⲁⲩⲱ ⲡ̄ⲧⲁϫⲟⲟⲩ ⲙ̄ⲡⲁϭⲱⲛⲧ. ⲁⲛⲟⲕ ⲡϫⲟⲉⲓⲥ ⲁⲓϣⲁϫⲉ.

Ezechiel 28, 1—19.

ⲉ̀ⲍⲉⲕⲓⲏⲗ ⲟ ⲡⲣⲟⲫⲏⲧⲏⲥ.

28 [1]ⲡϣⲁϫⲉ ⲙ̄ⲡϫⲟⲉⲓⲥ ⲁϥϣⲱⲡⲉ ϣⲁⲣⲟⲓ. ⲉϥϫⲱ ⲙ̄ⲙⲟⲥ. [2]ϫⲉ ⲛ̄ⲧⲟⲕ ϩⲱⲱⲕ ⲡϣⲏⲣⲉ ⲙ̄ⲡⲣⲱⲙⲉ. ⲁϫⲓⲥ ⲙ̄ⲡⲁⲣⲭⲱⲛ ⲛ̄ⲧⲩⲣⲟⲥ. ϫⲉ ⲛⲁⲓ ⲛⲉⲧⲉⲣⲉ ⲡϫⲟⲉⲓⲥ ϫⲱ ⲙ̄ⲙⲟⲟⲩ. ϫⲉ ⲉⲃⲟⲗ ϫⲉ ⲁ ⲡⲉⲕϩⲏⲧ ϫⲓⲥⲉ. ⲁⲩⲱ ⲁⲕϫⲟⲟⲥ ϫⲉ ⲁⲛⲅ̄ ⲟⲩⲛⲟⲩⲧⲉ ⲁ̀ⲛⲟⲕ. ⲁⲓⲟⲩⲱϩ ϩⲛ̄ ⲟⲩⲙⲁ ⲛ̄ϣⲱⲡⲉ ⲛ̄ⲛⲟⲩⲧⲉ· ϩⲙ̄ ⲡϩⲏⲧ ⲛ̄ⲑⲁⲗⲁⲥⲥⲁ. ⲛ̄ⲧⲟⲕ (eine jüngere Hand fügt ⲇⲉ hinzu) ⲛ̄ⲧⲕ̄ ⲟⲩⲣⲱⲙⲉ. ⲁⲩⲱ ⲛ̄ⲧⲕ̄ ⲟⲩⲛⲟⲩⲧⲉ ⲁⲛ. ⲁⲩⲱ ⲁⲕϯ ⲙ̄ⲡⲉⲕϩⲏⲧ. ⲛ̄ⲑⲉ ⲙ̄ⲡϩⲏⲧ ⲛⲟⲩⲛⲟⲩⲧⲉ. [3]ⲙⲏ ⲉ̀ⲛⲉⲥⲱⲕ ⲛ̄ⲧⲟⲕ ⲉ̀ⲇⲁⲛⲓⲏⲗ. ⲛ̄ϩⲉⲛⲡⲣⲟⲫⲏⲧⲏⲥ. ⲁⲛ ⲡⲉ. ⲛⲉⲛⲧⲁⲩⲡⲁⲓⲇⲉⲩⲉ ⲙ̄ⲙⲟⲕ ϩⲛ̄ ⲧⲉⲩⲥⲃⲱ. [4]ⲙⲏ ϩⲛ̄ ⲧⲉⲕⲥⲃⲱ ϭⲉ. ⲏ ϩⲛ̄ ⲧⲉⲕⲙⲛ̄ⲧⲥⲁⲃⲉ. ⲁⲕⲕⲱ ⲛⲁⲕ ⲛⲟⲩϭⲟⲙ. ⲁⲩⲱ ⲟⲩⲛⲟⲩⲃ̄. ⲙⲛ̄ ⲟⲩϩⲁⲧ. ⲙⲛ ϩⲉⲛⲁ̀ϩⲱⲱⲣ. [5]ϩⲛ̄ ⲧⲉⲕⲥⲃⲱ ϭⲉ. ⲁⲩⲱ ϩⲛ̄ ⲧⲉⲕⲙⲛ̄ⲧⲥⲁⲃⲉ. ⲁⲕⲕⲱ ⲛⲁⲕ ⲛ̄ⲟⲩϭⲟⲙ. ⲁⲩⲱ ⲟⲩϩⲁⲧ. ⲙⲛ̄ ⲟⲩⲛⲟⲩⲃ̄. ϩⲛ̄ ⲛⲉⲕⲁ̀ϩⲱⲱⲣ. ϩⲛ ⲧⲉⲕⲥⲃⲱ ϭⲉ ⲉⲧⲛⲁϣⲟⲥ. ⲙⲛ̄ ⲧⲉⲕⲉⲓⲉⲛϣⲱⲧ. ⲛ̄ⲧⲁⲕⲧⲁϣⲟ ⲛ̄ⲧⲉⲕϭⲟⲙ. [6]ⲉⲧⲃⲉ ⲡⲁⲓ ⲛⲁⲓ ⲛⲉⲧⲉⲣⲉ ⲡϫⲟⲉⲓⲥ ϫⲱ ⲙ̄ⲙⲟⲟⲩ ϫⲉ ⲉⲃⲟⲗ ϫⲉ ⲁⲕϯ ⲙ̄ⲡⲉⲕϩⲏⲧ. ⲛ̄ⲑⲉ ⲙ̄ⲡϩⲏⲧ ⲛⲟⲩⲛⲟⲩⲧⲉ. [7]ⲉⲧⲃⲉ ⲡⲁⲓ ⲉⲓⲥϩⲏⲏⲧⲉ ϯⲛⲁⲉⲓⲛⲉ ⲉϩⲣⲁⲓ ⲉϫⲱⲕ. ⲛ̄ϩⲉⲛϣⲙ̄ⲙⲟ. ⲛ̄ⲗⲟⲓⲙⲟⲥ ⲉⲃⲟⲗ ϩⲛ̄ ⲛ̄ϩⲉⲑⲛⲟⲥ. ⲁⲩⲱ ⲥⲉⲛⲁⲧⲱⲕⲙ̄ ⲛ̄ⲧⲉⲩⲥⲏϥⲉ ⲉϩⲣⲁⲓ ⲉ̀ϫⲱⲕ. ⲁⲩⲱ ⲉ̀ϫⲙ̄ ⲡⲥⲁ ⲛ̄ⲧⲉⲕⲥⲃⲱ. ⲛ̄ⲥⲉⲕⲱⲛⲥ̄ ⲙ̄ⲡⲥⲁ ⲙ̄ⲡⲉⲕⲧⲁⲕⲟ. [8]ⲁⲩⲱ ⲥⲉⲛⲁⲑⲃ̄ⲃⲓⲟⲕ. ⲛ̄ⲅ̄ⲙⲟⲩ ϩⲙ̄ ⲡⲙⲟⲩ ⲛ̄ⲛⲉⲛⲧⲁⲩϣⲟⲟϭⲟⲩ. ϩⲙ̄ ⲡϩⲏⲧ ⲛ̄ⲛⲉⲑⲁⲗⲁⲥⲥⲁ. [9]ⲙⲏ ⲛ̄ⲅ̄ⲛⲁϣϫⲟⲟⲥ ⲁⲛ ⲙ̄ⲡⲉⲙ̄ⲧⲟ ⲉⲃⲟⲗ ⲛ̄ⲛⲉⲧⲙⲟⲟⲩⲧ ⲙ̄ⲙⲟⲕ. ϫⲉ ⲁⲛⲅ̄ ⲟⲩⲛⲟⲩⲧⲉ. ⲛ̄ⲧⲟⲕ ⲇⲉ ⲛ̄ⲧⲕ̄ ⲟⲩⲣⲱⲙⲉ. [10]ⲁⲩⲱ ⲉⲕⲛⲁⲧⲁⲕⲟ ⲛⲟⲩⲙⲏⲏϣⲉ ⲉ̀ⲧⲟ ⲛⲁⲧⲥ̄ⲃ̄ⲃⲉ. ϩⲛ̄ ⲛ̄ϭⲓϫ ⲛ̄ⲛ̄ϣⲙ̄ⲙⲟ. ϫⲉ ⲁⲛⲟⲕ ⲁⲓϣⲁϫⲉ ⲡⲉϫⲉ ⲡϫⲟⲉⲓⲥ. [11]ⲡϣⲁϫⲉ ⲙ̄ⲡϫⲟⲉⲓⲥ ⲁϥϣⲱⲡⲉ ϣⲁⲣⲟⲓ ⲉϥϫⲱ ⲙ̄ⲙⲟⲥ. [12]ϫⲉ ⲡϣⲏⲣⲉ ⲙ̄ⲡⲣⲱⲙⲉ. ϫⲓ ⲛⲟⲩⲧⲟⲉⲓⲧ ⲉ̀ϫⲙ̄ ⲡⲁⲣⲭⲱⲛ ⲛ̄ⲧⲩⲣⲟⲥ. ⲛ̄ⲅ̄ϫⲟⲟⲥ ⲛⲁϥ. ϫⲉ ⲛ̄ⲧⲕ̄ ⲟⲩⲥⲫⲣⲁⲅ[ⲓⲥ] ⲛ̄ⲧⲟⲛⲧⲛ̄. ⲁⲩⲱ ⲟⲩⲕⲗⲟⲙ ⲛ̄ⲥⲁ. [13]ⲁⲕϣⲱⲡⲉ ϩⲙ̄ ⲡⲡⲁⲣⲁⲇⲓⲥⲟⲥ ⲛ̄ⲧⲉⲧⲣⲩⲫⲏ ⲙ̄ⲡⲛⲟⲩⲧⲉ. ⲱ̀ⲛⲉ ⲛⲓⲙ ⲉⲧⲛⲁⲛⲟⲩⲟⲩ. ⲁⲕⲧⲁⲁⲩ ϩⲓⲱⲱⲧⲕ. ⲟⲩⲥⲁⲣⲇⲓⲟⲛ. ⲙⲛ̄ ⲟⲩⲧⲟⲡⲁⲇⲓⲟⲛ. ⲁⲩⲱ ⲟⲩⲥⲙⲁⲣⲁⲕⲧⲟⲥ. ⲙⲛ̄ ⲟⲩⲁⲛⲑⲣⲁⲝ. ⲁⲩⲱ ⲟⲩⲥⲁⲡⲡⲓⲣⲟⲛ. ⲙⲛ̄ ⲟⲩⲉⲓⲁⲥⲡⲓⲥ. ⲁⲩⲱ ⲟⲩϩⲁⲧ. ⲙⲛ̄ ⲟⲩⲗⲉⲕⲉⲣⲓⲟⲛ. ⲙⲛ̄ ⲟⲩⲁ̀ⲭⲁⲧⲏⲥ. ⲁⲩⲱ

ⲟⲩⲁⲙⲏⲑⲏⲥⲧⲟⲥ. ⲙⲛ̄ ⲟⲩⲭⲣⲏⲥⲟⲗⲓⲑⲟⲥ. ⲁⲩⲱ ⲟⲩⲃⲉ-
ⲣⲓⲗⲗⲟⲥ. ⲙⲛ̄ ⲟⲩⲟ̀ⲛⲏⲭⲓⲟⲛ. ⲁⲩⲱ ⲡⲉⲕⲕⲉ ⲁϩⲱⲱⲣ.
ⲁⲕⲙⲁϩⲟⲩ ⲛ̄ⲛⲟⲩⲃ. ⲙⲛ̄ ⲡⲉⲕⲁⲡⲟⲑⲩⲕⲏ ⲉⲧⲛ̄ⲙ̄ⲙⲁⲕ.
[14]ϫⲓⲛ ⲡⲉϩⲟⲟⲩ ⲛ̄ⲧⲁⲩⲥⲟⲛⲧⲕ. ⲁⲓⲕⲁⲁⲕ ⲙⲛ̄ ⲡⲉⲭⲉⲣⲟⲩⲃⲓⲛ. ϩⲙ̄ ⲡⲧⲟⲟⲩ ⲉⲧⲟⲩⲁⲁⲃ ⲛ̄ⲧⲉ ⲡⲛⲟⲩⲧⲉ. ⲁⲩⲱ
ⲁⲕϣⲱⲡⲉ ϩⲛ̄ ⲧⲙⲏⲧⲉ ⲛ̄ϩⲉⲛⲱⲛⲉ ⲛ̄ⲕⲱϩⲧ̄. [15]ⲁⲕϣⲱⲡⲉ
ⲛ̄ⲧⲟⲕ ⲉⲕⲟⲩⲁⲁⲃ. ϩⲛ̄ ⲛⲉⲕϩⲟⲟⲩ. ϫⲓⲛ ⲡⲉϩⲟⲟⲩ ⲛ̄-
ⲧⲁⲩⲥⲟⲛⲧⲕ ⲛ̄ⲧⲟⲕ. ϣⲁ ⲡⲉϩⲟⲟⲩ ⲛ̄ⲧⲁⲩϩⲉ ⲉ̀ⲡⲉⲕϫⲓⲛ-
ϭⲟⲛⲥ ⲛ̄ϩⲏⲧⲕ. [16]ⲉⲃⲟⲗ ϩⲙ̄ ⲡⲁϣⲁⲓ ⲛ̄ⲛⲉⲕⲉⲓⲉⲛϣⲱⲧ.
ⲁⲕⲙⲉϩ ⲛⲉⲕⲧⲁⲙⲓⲟ ⲛ̄ⲁⲛⲟⲙⲓⲁ̀. ⲁⲩⲱ ⲁⲕⲣ̄ⲛⲟⲃⲉ.
ⲁⲩϣⲟⲟϭⲉⲕ. ⲁⲩⲛⲟϫⲕ ⲉⲃⲟⲗ ϩⲙ̄ ⲡⲧⲟⲟⲩ ⲙ̄ⲡⲛⲟⲩⲧⲉ.
ⲁⲩⲱ ⲡⲉⲭⲉⲣⲟⲩⲃⲓⲛ ⲁϥⲥⲱⲕ ϩⲛ̄ ⲧⲙⲏⲧⲉ ⲛ̄ⲱⲛⲉ ⲛ̄-
ⲕⲱϩⲧ̄. [17]ⲡⲉⲕϩⲏⲧ ⲁϥϫⲓⲥⲉ ϩⲙ̄ ⲡⲉⲕⲥⲁ. ⲧⲉⲕⲥⲃⲱ
ⲁⲥⲧⲁⲕⲟ. ⲙⲛ̄ ⲡⲉⲕⲥⲁ. ⲉⲧⲃⲉ ⲡⲁϣⲁⲓ ⲛ̄ⲛⲉⲕⲛⲟⲃⲉ.
ⲁⲓⲛⲟϫⲕ ⲉϫⲙ̄ ⲡⲕⲁϩ. ⲁⲓⲧⲁⲁⲕ ⲟⲛ. ⲉ̀ⲟⲩⲡⲁⲣⲁⲇⲓⲅⲙⲁ.
ⲙⲛ̄ ⲟⲩϩⲉ. ⲙ̄ⲡⲉⲙⲧⲟ ⲉⲃⲟⲗ ⲛ̄ⲅⲉⲛⲟⲥ· ⲛⲓⲙ ⲛ̄ⲣⲱⲙⲉ.
[18]ⲉⲧⲃⲉ ⲡⲁϣⲁⲓ ⲛ̄ⲛⲉⲕⲛⲟⲃⲉ. ⲙⲛ̄ ⲛⲉⲕⲁⲛⲟⲙⲓⲁ̀. ⲙⲛ̄
ⲛ̄ⲛⲟϭ ⲛ̄ϫⲓⲛ̄ϭⲟⲛⲥ. ⲉ̀ⲧⲉⲙⲛ̄ⲧⲟⲩ ⲏ̄ⲡⲉ. ⲛ̄ⲧⲉⲕⲉⲓⲉⲛϣⲱⲧ.
ⲁⲕϫⲱϩⲙ̄ ⲛ̄ⲛⲉⲕⲙⲁ ⲉⲧⲟⲩⲁⲁⲃ. ⲁⲩⲱ ϯⲛⲁⲉⲓⲛⲉ ⲛⲟⲩ-
ⲕⲱϩⲧ̄ ⲉⲃⲟⲗ ϩⲛ̄ ⲧⲉⲕⲙⲏⲧⲉ. ⲡⲁⲓ ⲧⲉⲛⲟⲩ ⲉϥⲛⲁⲟⲩⲱⲙ
ⲛ̄ⲥⲱⲕ ⲉ̀ⲡⲉϩⲟⲩⲟ̀. ⲁⲩⲱ ϯⲛⲁⲕⲁⲁⲕ ⲉⲕⲟ̀ ⲛ̄ⲕⲣ̄ⲙⲉⲥ ϩⲓϫⲙ̄
ⲡⲕⲁϩ. ⲙ̄ⲡⲉⲙⲧⲟ ⲉⲃⲟⲗ ⲛ̄ⲟⲩⲟⲛ ⲛⲓⲙ. ⲙⲛ̄ ⲛ̄ⲕⲟⲟⲩⲉ
ⲉⲧⲛⲁⲩ ⲉ̀ⲣⲟⲕ ⲧⲏⲣⲟⲩ. [19]ⲁⲩⲱ ⲟⲩⲟⲛ ⲛⲓⲙ ⲉⲧⲥⲟⲟⲩⲛ
ⲙ̄ⲙⲟⲕ. ϩⲛ̄ ⲛ̄ϩⲉⲑⲛⲟⲥ ⲧⲏⲣⲟⲩ. ⲡⲁⲓ ⲉⲧϣⲟⲟⲡ ϩⲓϫⲙ̄
ⲡⲕⲁϩ. ⲥⲉⲛⲁϣⲱⲡⲉ ⲅⲁⲣ ⲉⲩⲣⲓⲙⲉ. ⲁⲩⲱ ⲉⲩⲁϣⲁϩⲟⲙ.
ⲧⲏⲣⲟⲩ ⲉϩⲣⲁⲓ ⲉϫⲱⲕ. ⲁⲕϣⲱⲡⲉ ⲅⲁⲣ ⲛⲟⲩⲧⲁⲕⲟ. ⲁⲩⲱ
ⲁⲕϣⲱⲡⲉ ⲛⲟⲩⲥⲧⲟ ⲉⲃⲟⲗ. ⲙⲛ̄ ⲟⲩⲧⲁⲕⲟ. ⲁⲩⲱ ⲛ̄ⲥⲉϩⲉ
ⲉ̀ⲣⲟⲕ ⲁⲛ. ⲛ̄ⲅⲛⲁϣⲱⲡⲉ ⲁⲛ. ϫⲓⲛ ⲡⲓⲛⲁⲩ ϣⲁ ⲉⲛⲉϩ.

Ezechiel 36, 16—23.

ⲉⲍⲉⲕⲓⲏⲗ ⲟ ⲡⲣⲟⲫⲏⲧⲏⲥ.

36 [16]ⲁⲩⲱ ⲟⲩϣⲁϫⲉ ⲙ̄ⲡϫⲟⲉⲓⲥ. ⲁϥϣⲱⲡⲉ ϣⲁⲣⲟⲓ
ⲉϥϫⲱ ⲙ̄ⲙⲟⲥ. [17]ϫⲉ ⲡϣⲏⲣⲉ ⲙ̄ⲡⲣⲱⲙⲉ. ⲡⲏⲓ ⲙ̄-
ⲡⲓ̄ⲏ̄ⲗ. ⲁⲩⲟⲩⲱϩ ϩⲓϫⲛ̄ ⲟⲩⲕⲁϩ. ⲁⲩⲱ ⲁⲩϫⲁϩⲙⲉϥ
ϩⲓⲧⲛ̄ ⲧⲉⲩϩⲓⲏ̄. ⲙⲛ̄ ⲛⲉⲩⲉⲓⲇⲱⲗⲟⲛ. ⲙⲛ̄ ⲛⲉⲩϫⲱϩⲙ̄.
ⲁ ⲛⲉⲩϩⲓⲟⲟⲩⲉ ⲅⲁⲣ ϣⲱⲡⲉ ⲛ̄ⲑⲉ ⲙ̄ⲡϫⲱϩⲙ̄ ⲛ̄ⲥϯⲃⲱⲱⲛ.
ⲙ̄ⲡⲁⲙ̄ⲧⲟ ⲉ̀ⲃⲟⲗ. [18]ⲁⲩⲱ ⲁⲓⲡⲱϩⲧ̄ ⲛ̄ⲧⲁⲟⲣⲅⲏ ⲉϩⲣⲁⲓ
ⲉϫⲱⲟⲩ. ⲉⲧⲃⲉ ⲡⲉⲥⲛⲟϥ ⲉⲃⲟⲗ. ⲛ̄ⲧⲁⲩⲡⲟⲟⲛⲉϥ ⲉⲃⲟⲗ

ϩⲓϫⲙ̄ ⲡⲕⲁϩ. ⲁⲩⲱ *ⲁⲩϫⲁϩⲙ̄ ⲉⲡⲕⲁϩ ϩⲛ̄ ⲛⲉⲩⲉⲓⲇⲱⲗⲟⲛ. [19]ⲁⲛⲟⲕ ⲇⲉ ⲁⲓϫⲟⲟⲣⲟⲩ ⲉⲃⲟⲗ ϩⲛ̄ ⲛ̄ϩⲉⲑⲛⲟⲥ.
ⲁⲩⲱ ⲁⲓⲥⲟⲟⲣⲟⲩ ⲉⲃⲟⲗ ϩⲛ̄ ⲛⲉⲭⲱⲣⲁ. ⲕⲁⲧⲁ ⲛⲉⲩ-
ϩⲃⲏⲩⲉ. ⲁⲩⲱ ⲕⲁⲧⲁ ⲛⲉⲩⲛⲟⲃⲉ. ⲁⲓⲕⲣⲓⲛⲉ ⲙ̄ⲙⲟⲟⲩ.
[20]ϫⲉ ⲁⲓⲃⲱⲕ ⲉϩⲟⲩⲛ ⲙⲛ̄ ⲛ̄ϩⲉⲑⲛⲟⲥ. ϣⲁ ⲟⲩⲙⲁ
ⲛ̄ⲟⲩⲱⲧ. ⲁⲩⲱ ⲁⲩⲥⲱϣϥ ⲙ̄ⲡⲁⲣⲁⲛ *ⲉⲧⲟⲩⲁⲃ. ϩⲙ̄
ⲡⲧⲣⲉⲩϫⲟⲟⲥ. ϫⲉ ⲛⲁⲓ ⲡⲉ ⲡⲗⲁⲟⲥ ⲙ̄ⲡϫⲟⲉⲓⲥ. ⲁⲩⲱ
ⲁⲓⲉⲓ ⲉⲃⲟⲗ ϩⲙ̄ ⲡⲉϥⲕⲁϩ. [21]ⲁⲛⲟⲕ ⲇⲉ ⲁⲓϯⲥⲟ ⲉⲣⲟⲟⲩ
ⲉⲧⲃⲉ ⲡⲁⲣⲁⲛ ⲉⲧⲟⲩⲁⲁⲃ. ⲡⲉⲛⲧⲁⲩⲥⲱϣϥ ⲙ̄ⲙⲟϥ ⲛ̄ϭⲓ
ⲡⲏⲓ ⲙ̄ⲡⲓⲥ̄ⲗ̄ ϩⲣⲁⲓ ϩⲛ̄ ⲛ̄ϩⲉⲑⲛⲟⲥ. [22]ⲉⲧⲃⲉ ⲡⲁⲓ ⲁϫⲓⲥ
*ⲛ̄ϣⲏⲣⲉ ⲙ̄ⲡⲓⲥ̄ⲗ̄. ϫⲉ ⲛⲁⲓ ⲡⲉ ⲉ̀ⲧⲉϥϫⲱ ⲙ̄ⲙⲟⲟⲩ ⲛ̄ϭⲓ
ⲡϫⲟⲉⲓⲥ *ⲡϫⲟⲉⲓⲥ. ϫⲉ ⲛⲉ ⲁⲉⲓⲉⲓⲣⲉ ⲛⲏⲧⲛ̄ ⲡⲏⲓ ⲙ̄-
ⲡⲓⲥ̄ⲗ̄. ⲁⲗⲗⲁ ⲉⲧⲃⲉ ⲡⲁⲣⲁⲛ ⲉ̀ⲧⲟⲩⲁⲁⲃ. ⲡⲉⲛⲧⲁ-
ⲧⲉⲧⲛ̄ⲥⲱϣϥ ⲙ̄ⲙⲟϥ ϩⲛ̄ ⲛ̄ϩⲉⲑⲛⲟⲥ. ϩⲙ̄ ⲡⲙⲁ ⲛ̄ⲧⲁ-
ⲧⲉⲧⲛ̄ⲃⲱⲕ ⲉϩⲟⲩⲛ ⲉⲣⲟϥ. [23]ⲁⲩⲱ ⲡⲁⲛⲟϭ ⲛ̄ⲣⲁⲛ ⲙ̄-
ⲡⲉⲧⲛ̄ⲧ̀ⲃⲃⲟϥ. ⲁⲩⲱ ⲁⲛϩⲉⲑⲛⲟⲥ ⲥⲱϣϥ. ⲁⲩⲱ ⲛ̄ⲧⲱⲧⲛ̄
ⲁ̀ⲧⲉⲧⲛ̄ⲥⲱϣϥ ϩⲛ̄ ⲧⲉⲩⲙⲏⲧⲉ. ϯⲛⲁϫⲟⲟⲣ ⲙ̄ⲙⲱⲧⲛ̄
ⲉⲃⲟⲗ. ⲁⲩⲱ ⲧⲉⲧⲛⲛⲁⲣ̄ⲕⲟⲩⲓ. ϩⲙ̄ ⲡⲧⲣⲁⲉⲓⲣⲉ ⲛ̄ⲧⲁ-
ϭⲟⲙ. ⲁⲩⲱ ⲥⲉⲛⲁⲉⲓⲙⲉ ⲛ̄ϭⲓ ⲛ̄ϩⲉⲑⲛⲟⲥ ⲧⲏⲣⲟⲩ. ϫⲉ
ⲁⲛⲟⲕ ⲡⲉ ⲡϫⲟⲉⲓⲥ. ⲡⲉϫⲉ ⲁ̀ⲇⲱⲛⲁⲓ ⲡϫⲟⲉⲓⲥ.

Amos 3, 1—6.

ϩⲁⲙⲱⲥ ⲟ ⲡⲣⲟⲫⲏⲧⲏⲥ.

3 [1]ⲥⲱⲧⲙ̄ ⲉ̀ⲡⲉⲓϣⲁϫⲉ. ⲉⲛⲧⲁ ⲡϫⲟⲉⲓⲥ ϫⲟⲟϥ ⲉ̀ϫⲛ̄
ⲧⲏⲩⲧⲛ̄ ⲡⲏⲓ ⲙ̄ⲡⲓⲥ̄ⲗ̄. ⲁⲩⲱ ⲉϫⲛ̄ ⲫⲩⲗⲏ ⲛⲓⲙ. ⲧⲁⲓ
ⲛ̄ⲧⲁⲓⲛ̄ⲧⲥ̄ ⲉⲃⲟⲗ ϩⲙ̄ ⲡⲕⲁϩ ⲛ̄ⲕⲏⲙⲉ ⲉⲓϫⲱ ⲙ̄ⲙⲟⲥ. [2]ϫⲉ
ⲡⲗⲏⲛ ⲛ̄ⲧⲱⲧⲛ̄. ⲁⲓⲥⲟⲩⲛ̄ ⲧⲏⲩⲧⲛ̄. ⲟⲩⲧⲱⲟⲩ ⲛ̄ⲛⲉ-
ⲫⲩⲗⲟⲟⲩⲉ ⲧⲏⲣⲟⲩ ⲙ̄ⲡⲕⲁϩ· ⲉⲧⲃⲉ ⲡⲁⲓ ϯⲛⲁϭⲙ̄ ⲡϣⲓⲛⲉ
ⲛ̄ⲛⲉⲧⲛ̄ϫⲓⲛϭⲟⲛⲥ̄. ⲉ̀ϫⲛ̄ ⲧⲏⲩⲧⲛ̄. [3]ⲙⲏ ⲟⲩⲛ ⲥⲛⲁⲩ
ⲛⲁⲙⲟⲟϣⲉ ϩⲓ ⲟⲩⲥⲟⲡ. ⲛ̄ⲥⲉ ⲧⲙ̄ ⲥⲟⲩⲛ̄ ⲛⲉⲩⲉⲣⲏⲩ ⲉⲛ-
ⲧⲏⲣϥ̄. [4]ⲏ̄ ⲉϥⲛⲁⲱϣ ⲉ̀ⲃⲟⲗ ⲛ̄ϭⲓ ⲟⲩⲙⲟⲩⲓ ⲉⲃⲟⲗ ϩⲙ̄
ⲡⲉϥⲙⲁ ⲛ̄ϣⲏⲛ. ⲉ̀ⲙⲛ̄ⲧϥ̄ ⲡⲁϩⲥ̄ ⲙ̄ⲙⲁⲩ. ⲙⲏ ⲟⲩⲛ
ⲟⲩⲙⲁⲥ ⲙ̄ⲙⲟⲩⲓ ⲛⲁϯ ⲙ̄ⲡⲉϥϩⲣⲟⲟⲩ ⲉⲛⲧⲏⲣϥ̄. ⲉⲃⲟⲗ
ϩⲙ̄ ⲡⲉϥⲃⲏⲃ ⲛⲉϥ ⲧⲙ̄ ϭⲱⲡⲉ ⲛ̄ⲟⲩⲗⲁⲁⲩ. [5]ⲙⲏ ⲟⲩⲛ
ⲟⲩϩⲁⲗⲏⲧ ⲛⲁϩⲉ ⲉ̄ϫⲙ̄ ⲡⲕⲁϩ. ⲁ̀ϫⲛ̄ ⲡⲉⲧϭⲱϭ (lies
ϭⲱⲣϭ) ⲉⲣⲟϥ. ⲙⲏ ⲟⲩⲛ ⲟⲩⲛⲁϣ ⲛⲁⲟⲩⲱⲛ ϩⲓϫⲙ̄ ⲡ-
ⲕⲁϩ ⲁ̀ϫⲛ̄ ϭⲉⲛ ⲗⲁⲁⲩ. [6]ⲙⲏ ⲟⲩⲛ ⲟⲩⲥⲁⲗⲡⲓⲅⲝ ⲛⲁϣϣ
ⲉⲃⲟⲗ ϩⲛ̄ ⲟⲩⲡⲟⲗⲓⲥ. ⲛ̄ⲧⲉ ⲧⲙ̄ ⲡⲗⲁⲏⲛϣⲉ ϣ̄ⲧⲟⲣⲧⲣ̄.

Amos 8, 9—12.

ϩⲁⲙⲱⲥ ⲟ ⲡⲣⲟⲫⲏⲧⲏⲥ.

8 9 ⲁⲩⲱ ⲥ̓ⲛⲁϣⲱⲡⲉ ϩⲙ̀ ⲡⲉϩⲟⲟⲩ ⲉⲧⲙ̀ⲙⲁⲩ. ⲡⲉϫⲉ ⲡϫⲟⲉⲓⲥ. ⲡⲣⲏ ⲛⲁϩⲱⲧⲡ̄ ⲙ̀ⲡⲛⲁⲩ ⲙ̀ⲙⲉⲉⲣⲉ. ⲁⲩⲱ ⲛⲟⲩⲟ̀ⲉⲓⲛ ⲉϥⲛⲁⲣ̄ⲕⲁⲕⲉ ϩⲓϫⲙ̄ ⲡⲕⲁϩ. ϩⲙ̀ [ⲡⲉϩⲟⲟⲩ] 10 ϯⲛⲁⲡⲱ[ⲛϩ̄ ⲛ̀]ⲛⲉⲧⲛ̄ϣⲁ [ⲉⲩϩⲏ]ⲃⲉ. ⲁⲩⲱ ⲛⲉ[ⲧⲛ̄ϩⲱ]ⲇⲏ ⲧⲏⲣⲟⲩ. ⲉ̀...[ⲧⲟ]ⲉⲓⲧ. ⲛ̀ⲧⲁⲧ... ...ⲛⲓⲙ ⲕⲁ ϭⲟ....[ⲉ̀]ϫⲛ̀ ⲧⲉⲩϯⲡ[ⲉ...ⲛ̀]ⲧⲁⲧⲣⲉ ⲟⲩⲟⲛ ⲛ[ⲓⲙ].. *ϩⲉⲕ ⲉ̀ϫⲱⲟⲩ (lies ϩⲉⲕⲉ ϫⲱⲟⲩ). ⲁⲩⲱ ϯⲛⲁⲕⲁⲁⲩ ⲛ̀ⲑⲉ ⲙ̀ⲡϩⲏⲃⲉ ⲛⲟⲩⲙⲉⲣⲓⲧ. ⲁⲩⲱ ⲛⲉⲧ ⲛ̄ⲙ̄ⲙⲁϥ. ⲉⲩϩⲟⲟⲩ ⲛ̀ⲙⲕⲁϩ ⲛ̀ϩⲏⲧ. 11 ⲉⲓⲥ ϩⲉⲛϩⲟⲟⲩ ⲛⲏⲩ ⲡⲉϫⲉ *ⲡⲟ̄ⲥ ⲛ̀ⲧⲁϫⲟⲟⲩ ⲛⲟⲩϩⲉⲃⲱⲱⲛ ⲉ̀ϫⲙ̀ ⲡⲕⲁϩ· ⲛⲟⲩϩⲉⲃⲱⲱⲛ ⲁⲛ ⲛⲟⲉⲓⲕ ⲟⲩⲇⲉ ⲛⲟⲩⲉⲓⲃⲉ ⲁⲛ ⲙ̀ⲙⲟⲟⲩ. ⲁⲗⲗⲁ ⲟⲩϩⲉⲃⲱⲱⲛ. ⲉ̀ⲥⲱⲧⲙ̀ ⲉⲛϣⲁϫⲉ ⲙ̀ⲡϫⲟⲉⲓⲥ. 12 ⲁⲩⲱ ⲙ̀ⲙⲟⲟⲩ *ⲥⲉⲛⲁⲛⲟⲉⲓⲛ. ϫⲓⲛ ⲑⲁⲗⲁⲥⲥⲁ ϣⲁ ⲑⲁⲗⲁⲥⲥⲁ. ⲁⲩⲱ ϫⲓⲛ ⲡⲉⲙϩⲓⲧ. ϣⲁ ⲙ̀ⲙⲁ ⲛϣⲁ. ⲥⲉⲛⲁⲡⲱⲧ. ⲉⲩϣⲓⲛⲉ. ⲛ̀ⲥⲁ ⲡϣⲁϫⲉ ⲙ̀ⲡϫⲟⲉⲓⲥ ⲛ̄ⲥⲉⲧⲙ̀..

Michaeas 7, 1—9 und 9—20.

ⲙⲉⲭⲓⲁⲥ ⲟ ⲡⲣⲟⲫ̄ⲏ̄.

7 1 .....ⲟⲩⲟⲓ ⲛ̀ⲧⲁⲯⲩⲭⲏ. 2 ϫⲉ ⲁ *ⲡⲣⲉϥⲣ̄ⲛⲟⲃⲉ ⲧⲁⲕⲟ ϩⲓϫⲙ̄ ⲡⲕⲁϩ ⲁⲩⲱ ⲡⲉⲧⲥⲟⲩⲧⲱⲛ ϩⲛ̄ ⲛ̄ⲣⲱⲙⲉ. ⲛⲉϥϣⲟⲟⲡ ⲁⲛ. ⲥⲉⲛⲁϭⲱⲣϭ ⲧⲏⲣⲟⲩ ⲉ̀ϩⲉⲛⲥⲛⲟϥ. ⲡⲟⲩⲁ ⲡⲟⲩⲁ ϩⲟϫϩⲉϫ ⲙ̀ⲡⲉⲧϩⲓⲧⲟⲩⲱϥ ϩⲛ̀ ⲟⲩϩⲟϫϩⲉϫ. 3 ⲥⲉⲥⲟⲃⲧⲉ ⲛ̀ⲛⲉⲩϭⲓϫ ⲉⲛⲡⲉⲑⲟⲟⲩ. ⲡⲁⲣⲭⲱⲛ ⲉϥⲁⲓⲧⲉⲓ. ⲁⲩⲱ ⲡⲉⲕⲣⲓⲧⲏⲥ ⲉϥϫⲓ ϩⲛ̄ ... ⲧⲟⲩⲉⲓⲟ̀. ⲉϥϫⲱ ⲁⲩⲱ ⲉϥⲧⲁⲩⲟ̀ ⲛ̀ϩⲉⲛϣⲁϫⲉ ⲛⲉⲓⲣⲏⲛⲓⲕⲟⲛ. ⲁⲩⲱ ⲡϫⲱⲱⲣⲉ. ⲉϥϣⲁϫⲉ ⲉⲛⲟⲩⲱϣ ⲡⲉ ⲛ̀ⲧⲉϥⲯⲩⲭⲏ. ⲁⲩⲱ ϯⲛⲁϥⲓ ⲛ̀ⲛⲉⲩⲁⲅⲁⲑⲟⲛ. 4 ⲛ̀ⲑⲉ ⲛⲟⲩϩⲟⲟⲗⲉ ⲉⲥⲟⲩⲱⲙ. ⲁⲩⲱ ⲉⲥⲙⲟⲟϣⲉ ϩⲓϫⲛ ⲟⲩⲕⲁⲛϣⲱⲛ· ϩⲙ̄ ⲡⲉϩⲟⲟⲩ ⲙ̀ⲡϭⲱϣⲧ̀ ⲉⲃⲟⲗ. ⲟⲩⲟⲓ ⲟⲩⲟⲓ ⲛⲉⲕⲃⲁ ⲁⲩⲉⲓ. ⲧⲉⲛⲟⲩ ⲥⲉⲛⲁϣⲱⲡⲉ ⲛ̀ϭⲓ ⲛⲉⲩⲣⲓⲙⲉ. 5 ⲙ̄ⲡⲣ̄ⲧⲁⲛϩⲉⲧ ⲧⲏⲩⲧⲛ̄· ⲙⲛ̄ ⲡⲉⲧⲛ̄ϣⲃⲉⲉⲣ. ⲟⲩⲇⲉ ⲙ̄ⲡⲣ̄ⲕⲁ ϩⲧⲏⲧⲛ̄ ⲉⲛⲉⲧ ϩⲓϫⲱⲧⲛ̄. ϩⲁⲣⲉϩ ⲉ̀ⲣⲟⲕ ⲉ̀ⲧⲉⲕⲥϩ[ⲓⲙⲉ] ⲉ̀ⲧⲙ̀ⲧⲁⲙ...ⲁⲩ. 6 ⲉⲃⲟⲗ......ϣⲏⲣⲉ.......ⲉⲓⲱⲧ. ⲁ......ϣⲉⲉⲣⲉ ⲛⲁ....... ⲉ̀ϫⲛ̀ ⲧⲉⲥⲙ[ⲁⲁⲩ] ⲁⲩⲱ ⲟⲩϣⲉⲗⲉ[ⲉⲧ] ⲉ̀ϫⲛ̀ ⲧⲉⲥϣ[ⲱⲙⲉ] *ⲛ̀ϫⲓⲛ̀ϫⲉⲉⲩⲉ.... ⲣⲱⲙⲉ ⲛⲉ ⲛ... [ⲣⲱ]ⲙⲉ ⲧⲏⲣⲟⲩ ⲉ[ⲧ ϩⲙ̄] ⲡⲉϥⲏⲓ. 7 ⲁⲛⲟⲕ ⲇⲉ ϯⲛⲁ-

ϭⲱϣⲧ̅ ⲉϩⲣⲁⲓ ⲉⲡϫⲟⲉⲓⲥ. ϯⲛⲁϩⲩⲡⲟⲙⲓⲛⲉ ⲉⲡⲛⲟⲩⲧⲉ ⲡⲁⲥⲱⲧⲏⲣ. ⲡⲁⲛⲟⲩⲧⲉ ϥⲛⲁⲥⲱⲧⲙ̅ ⲉⲣⲟⲓ. [8]ⲧⲁⲙⲛ̅ⲧϫⲁϫⲉ ⲙ̅ⲡⲣ̅ⲣⲁϣⲉ ⲉϩⲣⲁⲓ ⲉϫⲱⲓ ϫⲉ ⲁⲓϩⲉ. ϯⲛⲁⲧⲱⲟⲩⲛ ⲟⲛ. ϫⲉ ⲉⲓϣⲁⲛϩⲙⲟⲟⲥ ϩⲙ̅ ⲡⲕⲁⲕⲉ. ⲡϫⲟⲉⲓⲥ ⲡⲁⲣ̅ⲟⲩⲟⲉⲓⲛ ⲉⲣⲟⲓ. [9]ⲧⲟⲣⲅⲏ ⲙ̅ⲡϫⲟⲉⲓⲥ. ϯⲛⲁϥⲓ ϩⲁⲣⲟⲥ. ϫⲉ ⲁⲓⲣ̅ⲛⲟⲃⲉ ⲉⲣⲟϥ. ϣⲁⲛⲧⲉϥⲧⲙⲁⲉⲓⲉ ⲡⲁ . . . ⲧ. ϥⲛⲁⲉⲓⲣⲉ . . . . . . ⲕⲃⲁ. ϥⲛⲁ . . . ⲗ ⲉⲡⲟⲩⲟ-

[ⲙⲉⲭⲓⲁⲥ] ⲟ ⲡⲣⲟⲫⲏ̅.

[ⲉⲓⲛ] . . . ⲛⲁⲩ ⲉ̇ⲧⲉϥⲇⲓ[ⲕⲁⲓ]ⲟⲥⲩⲛⲏ. [10]ⲁⲩⲱ . . . ⲁⲛⲁⲩ ⲉⲣⲟⲓ ⲛ̇ϭⲓ [ⲧⲁ]ⲙⲛ̅ⲧϫⲁϫⲉ· . . . . ϭⲟⲟⲗⲉⲥ ⲙ̅ⲡ[ϣⲓ]ⲡⲉ. ⲧⲉⲧϫⲱ [ⲙ̅ⲙ]ⲟⲥ ⲛⲁⲓ. ϫⲉ ⲉϥ ⲧⲱⲛ ⲡϫⲟⲉⲓⲥ ⲡⲉⲕⲛⲟⲩⲧⲉ. ⲁⲩⲱ ⲛⲁⲃⲁⲗ ⲥⲉⲛⲁⲙⲉϩ ⲉⲓⲁⲧⲟⲩ ⲙ̅ⲙⲟⲥ. ⲧⲉⲛⲟⲩ ⲥⲉⲛⲁϩⲱⲙ ⲉ̇ϫⲱⲥ *ⲛ̇ⲑⲉ ⲛⲟⲩⲟ̇ⲙⲉ ϩⲛ̅ ⲛⲉϩⲓⲟⲟⲩⲉ. [11]ⲟⲩϩⲟⲟⲩ ⲛ̇ⲕⲱϩⲧ ⲉⲧⲟⲩϫⲟ ⲡⲉ ⲡⲉϩⲟⲟⲩ ⲉⲧⲙ̇ⲙⲁⲩ. ϥⲛⲁⲧⲁⲕⲟ ⲛ̇ⲛⲟⲙⲓⲙⲟⲛ ⲙ̅ⲡⲗⲁⲟⲥ. [12]ⲁⲩⲱ ⲛⲉⲕⲡⲟⲗⲓⲥ. ⲥⲉⲛⲁϣⲁϣⲟⲩ ⲙⲛ̅ ⲡⲕⲁϩ. ⲛ̇ⲧⲉ ⲛⲁⲥⲥⲩⲣⲓⲟⲥ ⲡⲱϣⲟⲩ ⲉϩⲣⲁⲩ. ⲁⲩⲱ ⲛⲉⲕⲡⲟⲗⲓⲥ ⲥⲉⲛⲁⲡⲱϣⲟⲩ. ϫⲓⲛ ⲧⲩⲣⲟⲥ ϣⲁ ⲡⲉⲓⲉ̇ⲣⲟ ⲛ̇ⲧⲥⲩⲣⲓⲁ. ⲁⲩⲱ ϫⲓⲛ ⲑⲁⲗⲁⲥⲥⲁ ϣⲁ ⲑⲁⲗⲁⲥⲥⲁ. ⲁⲩⲱ ϫⲓⲛ ⲡⲧⲟⲟⲩ ϣⲁ ⲡⲧⲟⲟⲩ. [13]ⲁⲩⲱ ⲡⲕⲁϩ ϥⲛⲁϣⲱⲡⲉ ⲉⲩⲧⲁⲕⲟ. ⲙⲛ̅ ⲛⲉⲧⲟⲩⲏϩ ⲛ̇ϩⲏⲧϥ̇. ⲉⲃⲟⲗ ϩⲙ̅ ⲡⲕⲁⲣⲡⲟⲥ ⲛ̇ⲛⲉϩⲃⲏⲩⲉ ⲛ̇ⲧⲉⲩⲡⲟⲛⲏⲣⲓⲁ. [14]ⲙⲟⲟⲛⲉ ⲙ̅ⲡⲉⲕⲗⲁⲟⲥ ϩⲙ̅ ⲡⲉⲕϭⲉⲣⲱⲃ. ⲧⲉⲕⲫⲩⲗⲏ ⲛⲉⲥⲟⲟⲩ ⲛ̇ⲧⲉⲕⲕⲗⲏⲣⲟⲛⲟⲙⲓⲁ. ⲉⲩⲟⲩⲏϩ ϩⲁⲣⲓϩⲁⲣⲟⲟⲩ ϩⲙ̅ ⲡⲉⲇⲣⲩⲙⲟⲥ. ϩⲛ̅ ⲧⲙⲏⲧⲉ ⲙ̅ⲡⲕⲁⲣⲙⲉⲗⲟⲥ. ⲥⲉⲛⲁⲙⲟⲟⲛⲉ ⲙ̅ⲙⲟⲟⲩ ϩⲛ̅ ⲧⲃⲁⲥⲁⲛ. ⲙⲛ̅ ⲅⲁⲗⲁⲁⲇ. ⲛ̇ⲑⲉ ⲛ̇ⲛⲉϩⲟⲟⲩ ⲙ̅ⲡⲁⲓⲱⲛ. [15]ⲁⲩⲱ ⲕⲁⲧⲁ ⲛⲉϩⲟⲟⲩ ⲙ̅ⲡⲉⲕⲉⲓ ⲉⲃⲟⲗ ϩⲙ̅ ⲡⲕⲁϩ ⲛ̇ⲕⲏⲙⲉ. ϯⲛⲁⲧⲁⲩⲟⲟⲩ ⲉ̇ϩⲉⲛϣⲡⲏⲣⲉ. [16]ⲥⲉⲛⲁⲛⲁⲩ ⲛ̇ϭⲓ ⲛ̅ϩⲉⲑⲛⲟⲥ. ⲛ̇ⲥⲉϫⲓ ϣⲓⲡⲉ ⲉⲃⲟⲗ ϩⲛ̇ ⲧⲉⲩϭⲟⲙ ⲧⲏⲣⲥ̅. ⲥⲉⲛⲁⲕⲁ ⲧⲟⲟⲧⲟⲩ ϩⲓⲣⲛ̅ ⲣⲱⲟⲩ. ⲛ̇ⲥⲉϩⲱϫⲛ ⲛ̇ⲛⲉⲩⲙⲁⲁϫⲉ. [17]ⲥⲉⲛⲁⲗⲱϫϩ̇ ⲙⲡⲕⲁϩ ⲛ̇ⲑⲉ ⲛ̇ϩⲟϥ. ⲉⲩⲥⲱϣ ϩⲙⲡⲉⲥⲏⲧ. ⲥⲉⲛⲁⲥⲱⲟⲩϩ ⲉ̇ϩⲟⲩⲛ ⲉⲟⲣⲃⲟⲩ ⲉϩⲟⲩⲛ. ⲥⲉⲛⲁⲣ̅ϣⲡⲏⲣⲉ ⲇⲉ ⲟⲛ. ⲉϫⲙ ⲡϫⲟⲉⲓⲥ ⲡⲉⲛⲛⲟⲩⲧⲉ. ⲛ̅ⲥⲉⲣ̅ϩⲟⲧⲉ ϩⲁ ⲧⲉϥϩⲏ. [18]ⲛⲓⲙ ⲡⲉ ⲡⲕⲉ ⲛⲟⲩⲧⲉ ⲛ̇ⲃ̅ⲗⲗⲁⲕ. ⲉⲕϥⲓ ⲙⲙⲁⲩ ⲛ̇ⲁⲛⲟⲙⲓⲁ. ⲁⲩⲱ ⲉϥϣⲃ̄ϣ̄ ⲙ̅ⲙⲟϥ. ⲙ̅ⲙⲛ̅ⲧϣⲁϥⲧⲉ ⲛⲛⲥⲉⲉⲡⲉ ⲛ̇ⲧⲉϥⲕⲗⲏⲣⲟⲛⲟⲙⲓⲁ̇. ⲁⲩⲱ ⲙⲡⲉϥⲁⲙⲁϩⲧⲉ ⲛ̇ⲧⲉϥⲟⲣⲅⲏ. ⲉⲕⲁⲁⲥ ⲉⲩⲙⲛ̅ⲧⲙⲛ̄ⲧⲣⲉ ⲉⲃⲟⲗ. ϫⲉ ⲉ̀ⲣⲉ ⲡⲉϥⲟⲩⲱϣ ϣⲟⲟⲡ ϩⲙ̄ ⲡⲛⲁ. 19 ⲛ̄ⲧⲟϥ ⲉϥⲛⲁⲕⲧⲟϥ. ⲡⲉϥϣⲛ̄ϩⲧⲏϥ. ⲉ̀ϫⲱⲛ. ⲁⲩⲱ ϥⲛⲁϩⲱⲡ ⲛ̄ⲛⲉⲛⲛⲟⲃⲉ. ⲛⲉⲛⲕⲉ ⲁⲛⲟⲙⲓⲁ ⲧⲏⲣⲟⲩ. ⲉϥⲛⲁ-ⲛⲟϫⲟⲩ ⲉϩⲣⲁⲓ ⲛ̄ϣⲓⲕ ⲛ̄ⲧⲉⲑⲁⲗⲁⲥⲥⲁ. 20 ⲉⲕⲛⲁϯ ⲛ̄ⲧⲙⲉ ⲛ̄ⲓⲁⲕⲱⲃ. ⲁⲩⲱ ⲡⲛⲁ ⲛ̄ⲁⲃⲣⲁϩⲁⲙ ⲙ̄ⲡⲉⲥⲙⲟⲩ. ⲛ̄ⲧⲁⲕ-ⲱⲣⲕ ⲛ̄ⲛⲉⲕⲉⲓⲟⲧⲉ. ϫⲓⲛ ⲛⲉϩⲟⲟⲩ ⲛ̄ϣⲟⲣⲡ. —

Sap. Salom. 2, 12—22.

2 12 ⲙⲁⲣⲉⲛϭⲱⲣϭ̄ ⲉⲡⲇⲓⲕⲁⲓⲟⲥ. ϫⲉ ⲙ̄ⲡⲉϥϯⲗⲟϭ ⲉⲡⲉⲛϩⲏⲧ. ⲁⲩⲱ ⲉϥϯⲟⲩⲃⲉ ⲉ̀ⲡⲉⲛϩⲃⲏⲩⲉ. ⲉ̀ⲁϥⲛⲟϭ-ⲛⲉϭ ⲙ̄ⲙⲟⲛ ϩⲛ̄ ⲛ̄ϣⲟⲃ̄ⲧ ⲉ̀ϫⲛ̄ ⲡⲉⲛⲛⲟⲙⲟⲥ. ⲉϥⲟⲩⲱⲛϩ ⲉⲃⲟⲗ ⲉϩⲣⲁⲓ ⲉϫⲛ̄ ⲛⲉⲛⲛⲟⲃⲉ. ⲛ̄ⲧⲉ ⲧⲙⲛ̄ⲧⲁⲧⲥⲃⲱ. 13 ⲁⲩⲱ ⲟⲩⲛ ⲟⲩⲥⲟⲟⲩⲛ ⲛ̄ⲙ̄ⲙⲁϥ ⲉⲃⲟⲗ ϩⲓⲧⲙ̄ ⲡⲛⲟⲩⲧⲉ. ⲉⲩⲉⲙⲟⲩⲧⲉ ⲉⲣⲟϥ. ϫⲉ ⲡϣⲏⲣⲉ ⲙ̄ⲡⲛⲟⲩⲧⲉ. 14 ⲉϥⲉ-ϣⲱⲡⲉ ⲛⲁⲛ ⲛ̄ϫⲡⲓⲟ ϩⲛ̄ ⲛⲉⲛⲟⲩⲱϣ. ⲉϥϩⲟⲣϣ ⲉϩⲣⲁⲓ ⲉ̀ϫⲱⲛ ⲉ̀ⲛⲁⲩ ⲉⲣⲟϥ. 15 ⲉⲧⲃⲉ ϫⲉ . . ⲡⲉϥⲗⲁⲟⲥ ⲉⲓⲛⲉ ⲙ̄ⲡⲁ ⲟⲩⲟⲛ ⲛⲓⲙ ⲁⲛ. ⲁⲩⲱ ⲛⲉϥϩⲓⲟⲟⲩⲉ ⲥⲉϣⲟⲃⲉ ⲛ̄-ⲧⲟⲟⲧⲛ̄. 16 ⲁⲩⲱ ⲉⲛⲏⲡ ⲛ̄ⲧⲟⲟⲧϥ̄ ϫⲉ ϩⲁⲉ. ⲁⲩⲱ ⲉϥ-ⲥⲁϩⲏⲩ ⲉⲃⲟⲗ ⲉ̀ⲛⲉⲛϩⲓⲟⲟⲩⲉ ⲛ̄ⲑⲉ ⲉ̀ⲧⲉϥⲟⲩⲉ ⲛ̄ⲛⲉⲑⲏⲣⲓⲟⲛ. ⲉ̀ϥⲉϭⲱⲛ̄ⲧ ⲉ̀ϫⲛ̄ ϩⲟⲓⲛⲉ ⲛⲉⲗⲉⲩⲑⲉⲣⲟⲥ. ⲁⲩⲱ ⲉϥϣⲟⲩ-ϣⲟⲩ ⲙ̄ⲙⲟϥ. ϫⲉ ⲡⲛⲟⲩⲧⲉ ⲡⲉ ⲡⲉϥⲉⲓⲱⲧ. 17 ⲙⲁⲣⲉⲛ-ⲛⲁⲩ ϫⲉ ϩⲉⲛⲙⲉ ⲛⲉ ⲛⲉϥϣⲁϫⲉ. ⲁⲩⲱ ⲛ̄ⲧⲛ̄ⲡⲓⲣⲁⲍⲉ ⲛ̄ⲧⲉϥϩⲁⲉ̀. 18 ϫⲉ ⲡⲉ ⲟⲩϣⲏⲣⲉ ⲙ̄ⲡⲛⲟⲩⲧⲉ ⲡⲉ. ⲉ̀ϥ-ⲉⲛⲟⲩϩⲙ̄ ⲛ̄ⲧⲉϥⲯⲩⲭⲏ. ⲉϥⲉⲥⲟⲧⲥ̄ ϩⲛ̄ ⲛ̄ϭⲓϫ ⲛ̄ⲛⲁⲛ-ⲧⲓⲕⲓⲙⲉⲛⲟⲥ. 19 ⲙⲁⲣⲉⲛϩⲩⲃⲣⲁⲍⲉ ⲙ̄ⲙⲟϥ. ϩⲛ̄ ϩⲉⲛⲥⲱϣ. ⲙⲛ̄ ϩⲉⲛⲃⲁⲥⲁⲛⲟⲥ. ϫⲉ ⲉⲛⲉⲉⲓⲙⲉ ϩⲙ̄ ⲡⲁⲓ ⲉ̀ⲡⲉϥⲑ̀ⲃⲉⲓⲟ. ⲉ̀ⲉⲓⲙⲉ ⲉ̀ⲧⲉϥⲙⲛ̄ⲧⲣⲙ̄ⲣⲁϣ. ⲙⲛ̄ ⲧⲉϥϩⲩⲡⲟⲙⲟⲛⲏ. 20 ⲉ̀ⲛⲉϯϩⲁⲡ ⲉ̀ⲣⲟϥ ϩⲛ̄ ⲟⲩⲙⲟⲩ ⲉϥⲥⲏϣ. ϫⲉⲕⲁⲥ ⲛ̄ⲧⲉ ⲧⲗⲟⲓϭⲉ ϣⲱⲡⲉ . . . ϣϥ ⲉⲃⲟⲗ ϩⲛ̄ ⲛⲉϥϣⲁϫⲉ. 21 ⲉⲩϥⲓ-ⲣⲟⲟⲩϣ ϩⲙ̄ ⲡⲁⲓ. ⲁⲩⲱ ⲁⲩⲥⲱⲣⲙ̄. ⲁⲩⲧⲱⲙ ⲙ̄ⲡⲉⲩ-ϣⲟⲩϣⲟⲩ. 22 ⲁⲩⲱ ⲙ̄ⲡⲟⲩⲥⲟⲩⲛ̄ *ⲙⲩⲥⲧⲏⲣⲓⲟⲛ ⲙ̄ⲡ-ⲛⲟⲩⲧⲉ. ⲟⲩⲇⲉ ⲙ̄ⲡⲟⲩⲕⲁϩⲧⲏⲩ ⲉⲛⲃⲉⲕⲉ ⲛ̄ⲧⲇⲓⲕⲁⲓⲟ-ⲥⲩⲛⲏ. ⲁⲩⲱ ⲙ̄ⲡⲉⲩⲣ̄ⲡⲙⲉⲉⲩⲉ ⲛ̄ⲛⲓⲕⲟⲧⲕ ⲛ̄ⲡⲉⲯⲩⲭⲏ. ⲉ̀ⲧⲉ ⲙ̄ⲛ ϫⲃⲓⲛ ⲛ̄ϩⲏⲧⲟⲩ.

Für die Redaction verantwortlich: *E. Rehnisch*, Director d. Gött. gel. Anz.
Commissions-Verlag der *Dieterich'schen Verlags-Buchhandlung.*
Druck der *Dieterich'schen Univ.-Buchdruckerei (W. Fr. Kaestner).*

Nachrichten

von der Königl. Gesellschaft der Wissenschaften und der G. A. Universität zu Göttingen.

14. Juli. №. 13. 1880.

Königliche Gesellschaft der Wissenschaften.

Sitzung am 3. Juli.

Wöhler: Voltaisches Element aus Aluminium.
Wüstenfeld: Geschichte der Fatimiden Chalifen.
Enneper: Ueber die Flächen mit planen und sphärischen Krümmungslinien. II. Abhandl. (S. Abhandl.)
Fuchs, auswärt. Mitgl.: Ueber die Funktionen, welche durch Umkehrung der Integrale von Lösungen der linearen Differentialgleichungen entstehen.
Königsberger, Corresp.: Ueber algebraisch-logarithmische Integrale nicht homogener linearer Differentialgleichungen.
K. Schering: Ueber eine neue Anordnung der Magnete eines Galvanometers. (Vorgel. von E. Schering).

Voltaisches Element aus Aluminium.

Von

F. Wöhler.

Das Aluminium hat, gleich dem Eisen, die merkwürdige Eigenschaft, durch Berührung mit concentrirter Salpetersäure in einen Zustand versetzt zu werden, in dem es die Fähigkeit erlangt, im Contact mit gewöhnlichem Aluminium einen galvanischen Strom zu erregen. Man kann daher mit Aluminium allein, mit nur wenigen Elementen, eine galvanische Batterie construiren von einer Stromstärke, daß die Magnetnadel stark abgelenkt, Wasser zersetzt und ein dünner Platindraht zum Glühen gebracht wird.

Am einfachsten läßt sich diese Eigenschaft mittelst eines einzelnen Elementes, von der Einrichtung der ungefähr in halber Größe abgebildeten Figur, zeigen.

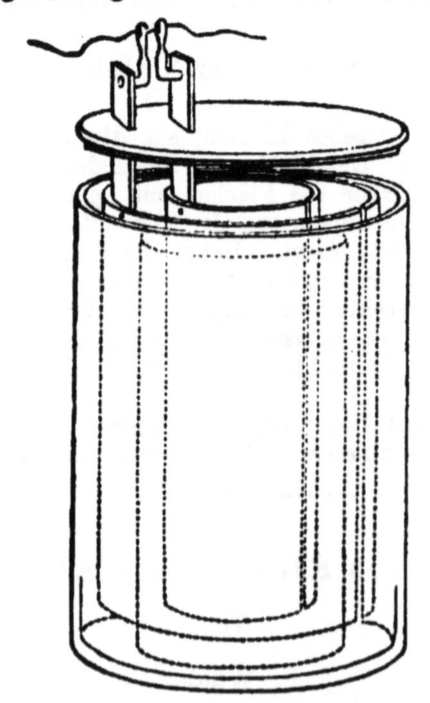

In einem Glase steht ein fast eben so großes, zu einer Rolle gebogenes Aluminiumblech, das in sehr verdünnte Salzsäure oder verdünnte Natronlauge, womit das Glas gefüllt ist, taucht. In letzterer steht eine Thonzelle, gefüllt mit concentrirter Salpetersäure, in welche eine zweite, engere Aluminiumrolle taucht. Auf jede Rolle ist ein Stück Aluminiumblech genietet, das durch den Deckel (aus sogen. Hartgummi) gesteckt ist. An jedes ist ein kurzer dicker Kupferdraht genietet mit einem Spalt, durch den ein feiner Platindraht gesteckt ist. In der Zeichnung ist der Deckel nicht auf dem Rande des Glases aufliegend, sondern etwas darüber gehoben gedacht.

Sowie die Aluminiumrollen in die Säuren tauchen, wird der Platindraht anhaltend weiß glühend.

Das Aluminium in der Salzsäure oder der Natronlauge wird natürlicherweise allmälig aufgelöst. Bei der Construction einer Batterie aus mehreren Elementen könnte man es vielleicht durch Zink ersetzen.

Geschichte der Fatimiden Chalifen nach den Arabischen Quellen.

Von

F. Wüstenfeld.

Veränderungen und Umgestaltungen großer Reiche vollziehen sich selten so rasch, als wir es in unsrer Zeit erlebt haben, die Geschichte hat dafür oft lange Kämpfe und vieljährige Kriege zu verzeichnen gehabt und ein solcher war auch derjenige, durch welchen in den ersten sieben Jahren des 10. Jahrhunderts unsrer Zeitrechnung der Herrschaft der Aglabiten an der Nordküste von Africa ein Ende gemacht wurde und die Dynastie der 'Obeiditen zur Regierung kam, welche dann 60 Jahre später unter dem

Namen der Faṭimiden Chalifen auf den Aegyptischen Thron gelangten, nachdem sie ihn den Statthaltern der Chalifen von Bagdad entrissen hatten, deren Nebenbuhler und gefährlichste Gegner sie durch zwei Jahrhunderte gewesen sind.

Eine Geschichte dieser Dynastie im Zusammenhange ist bis jetzt noch nicht vorhanden, wiewohl die Quellen dafür ziemlich reichlich fließen, die Werke von *Ibn el-Athîr*, *Ibn 'Adhârî*, *el-Makîn*, *Ibn Challikân*, *Abul-Fidâ*, *Ibn Chaldûn*, *Macrîzí*, *Abul-Maḥâsin*, *el-Sujûti* sind im Original, das von *el-Keirawânî* in Uebersetzung gedruckt. Die meisten derselben sind auch schon besonders von zwei Gelehrten zu einzelnen Partien benutzt, von *Quatremère* zu dem Leben des Chalifen el-Mu'izz und von *de Sacy* zu dem Leben des Chalifen el-Ḥâkim; der erstere hat außerdem aus einem noch ungedruckten Werke des *Macrîzí* die Vorgeschichte der Dynastie übersetzt, jedoch nicht zu Ende geführt. Wenn ich in der Geschichte dieser beiden Chalifen denselben Quellen nachgehend mich nur selten von der Auffassung jener Gelehrten entfernt habe, so konnte ich doch aus eben diesen Quellen noch manches zur Erläuterung und Ergänzung hinzufügen.

Zu den genannten kommt dann noch die bis jetzt ungedruckte Geschichte des *'Gamâl ed-dîn* in einer Handschrift zu Gotha, welche vor den übrigen die Vorzüge hat, daß sie die älteste ist und aus Werken, zu denen noch unmittelbar die Staatsarchive zu Câhira benutzt waren, geflossen zu sein scheint, und daß sie die einzige ist, welche das Ganze in einer fortlaufenden Darstellung enthält. Ich habe aus ihr die kurze Einleitung übersetzt und werde einen längeren Abschnitt über das Ende des Chalifen Ḥâkim auch im Original geben, bin aber bei der Zusammenstellung des Ganzen in der Uebertragung so verfahren, daß sich bei weitem das meiste mit den Arabischen Worten würde belegen lassen.

Die Geschichte erscheint in den Abhandlungen.

Ueber die Funktionen, welche durch Umkehrung der Integrale von Lösungen der linearen Differenzialgleichungen entstehen.

Von

L. **Fuchs** in Heidelberg.

In einer Mittheilung, enthalten in den „Nachrichten der Königl. Gesellschaft der Wissenschaften" Februar d. J. p. 170 sqq. habe ich Funktionen mehrerer Variabeln definirt, welche der Umkehrung von Integralen der Lösungen linearer Differenzialgleichungen ihre Entstehung verdanken.

Ich habe daselbst, und ausführlicher in Borchardt's Journal B. 89 p. 151 sqq., ein Beispiel derartiger Funktionen geliefert, indem ich für den Fall von Differenzialgleichungen zweiter Ordnung folgende Einschränkungen einführte:

Die Funktionen z_1, z_2 von u_1, u_2 sollen die singulären Stellen der Differenzialgleichung für endliche Werthe von u_1, u_2 erreichen, und die Darstellung der Lösungen dieser Differenzialgleichung in der Umgebung der singulären Punkte keine Logarithmen enthalten. Außerdem sollen diese singulären Stellen sämmtlich so beschaffen sein, daß die Lösungen in ihnen unendlich werden oder sich verzweigen.

Es ist selbstverständlich, daß diese Einschränkungen nicht sämmtlich nothwendig sind. Die nothwendigen Einschränkungen habe ich vielmehr in einer Arbeit, welche nächstens erscheinen wird, für Differenzialgleichungen beliebiger Ordnung entwickelt.

Die gegenwärtige Notiz bezweckt nur die Tabelle derjenigen Differenzialgleichungen aufzustellen, welche den im obengenannten Beispiele gemachten Einschränkungen entsprechen, indem ich in den Bezeichnungen auf die oben erwähnte in den Nachrichten der königl. Societät enthaltene Notiz unter dem Zeichen N Bezug nehme.

In dieser Tabelle, welche ich hier folgen lasse, bezeichnen p, q die Coefficienten der Differenzialgleichung

$$\frac{d^2\omega}{dz^2}+p\frac{d\omega}{dz}+q\omega=0,$$

und A die Anzahl der singulären Punkte der Differenzialgleichung (A) in N.

Bei jeder Differenzialgleichung, welche algebraïsche Integrale besitzt, ist der Kürze halber nur die Bemerkung „algebraïsche Integrale" angeführt, während für die übrigen ein Fundamentalsystem von Integralen ω_1, ω_2 der Differenzialgleichung für ω angegeben ist.

I. $A=6;\ R=(z-a_1)(z-a_2)\ldots(z-a_6)$

$$y=R^{-\frac{1}{4}}.\omega;\ p=0,\ q=0,$$

algebraïsche Integrale.

II. $A = 5$

1) $R = (z-a_1) \dots (z-a_5), \quad y = R^{-\frac{1}{2}} . \omega,$

$$p = \tfrac{1}{2}\left(\frac{1}{z-a_4} + \frac{1}{z-a_5}\right), \quad q = -\tfrac{1}{4} \cdot \frac{1}{(z-a_4)(z-a_5)}$$

algebraïsche Integrale.

2) $R = (z-a_1) \dots (z-a_5), \quad y = R^{-\frac{1}{3}} \omega,$

$p = 0, \; q = 0,$ algebraïsche Integrale.

III. $A = 4$

1) $R = (z-a_1)(z-a_2)(z-a_3)(z-a_4), \; y = R^{-\frac{1}{2}} . \omega,$

$$p = \tfrac{1}{2} \frac{d \log R}{dz}, \quad q = \frac{\pi^2}{\Omega^2} \cdot \frac{1}{R},$$

wo Ω ein Periodicitätsmodul des elliptischen Integrals $\int R^{-\frac{1}{2}} dz$ bezeichnet.

$$\omega_1 = e^{\frac{\pi i}{\Omega} \int R^{-\frac{1}{2}} dz}, \quad \omega_2 = e^{-\frac{\pi i}{\Omega} \int R^{-\frac{1}{2}} dz}$$

2) $y = [(z-a_1)(z-a_2)(z-a_3)]^{-\frac{1}{3}} (z-a_4)^{-\frac{2}{3}} \omega$

$$p = \tfrac{1}{2} \cdot \frac{1}{z-a_2} + \tfrac{1}{2} \cdot \frac{1}{z-a_3} + \tfrac{2}{3} \cdot \frac{1}{z-a_4}$$

$$q =$$

$$[\tfrac{1}{36}(2a_2 + 2a_3 + a_4) - \tfrac{5}{36} z] . \frac{1}{(z-a_2)(z-a_3)(z-a_4)}$$

algebraïsche Integrale.

3) $y = [(z-a_1) \dots (z-a_4)]^{-\frac{1}{2}} . \omega$

$$p = \tfrac{1}{2}\frac{d\log R}{dz}, \quad q = -\tfrac{1}{4}\cdot\frac{1}{R},$$

$$R = (z-a_3)(z-a_4)$$

algebraïsche Integrale.

4) $y = [(z-a_1)(z-a_2)]^{-\frac{1}{3}}\,.\,R^{-\frac{2}{3}}\,.\,\omega,$

$$R = (z-a_3)(z-a_4)$$

$$p = \tfrac{2}{3}\frac{d\log R}{dz}, \quad q = -\frac{2}{9}\cdot\frac{1}{R}$$

algebraïsche Integrale.

5) $\quad y = [(z-a_1)(z-a_2)(z-a_3)]^{-\frac{1}{2}}\,.\,\omega$

$$p = \tfrac{3}{2}(z-a_4)^{-1}, \quad q = 0$$

algebraïsche Integrale.

IV. $A = 3$

1) $\quad R = (z-a_1)(z-a_2)(z-a_3), \; y = R^{-\frac{1}{2}}\,.\,\omega$

$$p = \tfrac{1}{2}\frac{d\log R}{dz}, \quad q = \frac{\pi^2}{\Omega^2}\cdot\frac{1}{R},$$

wo Ω ein Periodicitätsmodul des elliptischen Integrals

$$\int R^{-\frac{1}{2}}\,dz.$$

$$\omega_1 = e^{\frac{\pi i}{\Omega}\int R^{-\frac{1}{2}}dz}, \quad \omega_2 = e^{-\frac{\pi i}{\Omega}\int R^{-\frac{1}{2}}dz}$$

2) $\quad y = [(z-a_1)(z-a_2)]^{-\frac{1}{2}}(z-a_3)^{-\frac{2}{3}}\,.\,\omega$

$$p = \tfrac{1}{2} \cdot \frac{1}{z-a_1} + \tfrac{1}{2} \cdot \frac{1}{z-a_2} + \tfrac{2}{3} \cdot \frac{1}{z-a_3}$$

$$q =$$

$$\left[\tfrac{1}{36}(2a_1+2a_2+a_3)-\tfrac{5}{36}z\right] \cdot \frac{1}{(z-a_1)(z-a_2)(z-a_3)}$$

algebraïsche Integrale.

3) $y = R^{-\frac{2}{3}}.\omega$, $R = (z-a_1)(z-a_2)(z-a_3)$

$$p = \tfrac{2}{3}\frac{d\log R}{dz}, \quad q = 0$$

$$\omega_1 = \text{Const}, \quad \omega_2 = \int R^{-\frac{2}{3}}.\, dz$$

4) $(z-a_1)^{-\frac{1}{2}}(z-a_2)^{-\frac{2}{3}}(z-a_3)^{-\frac{5}{6}} = R$, $y = R\omega$

$$p = \tfrac{1}{2}\frac{1}{z-a_1} + \tfrac{2}{3} \cdot \frac{1}{z-a_2} + \tfrac{5}{6} \cdot \frac{1}{z-a_3},$$

$$q = 0$$

$$\omega_1 = \text{Const.}, \quad \omega_2 = \int R\, dz$$

5) $y = (z-a_1)^{-\frac{1}{2}} R^{-\frac{5}{6}}\omega$, $R = (z-a_2)(z-a_3)$

$$p = \tfrac{5}{6}\frac{d\log R}{dz}, \quad q = -\tfrac{5}{36} \cdot \frac{1}{R}$$

algebraïsche Integrale.

6) $y = (z-a_1)^{-\frac{1}{2}} R^{-\frac{2}{3}}.\omega$, $R = (z-a_2)(z-a_3)$

$$p = \tfrac{2}{3}\frac{d\log R}{dz}, \quad q = -\frac{2}{9} \cdot \frac{1}{R}$$

algebraïsche Integrale.

7) $y = (z-a_1)^{-\frac{1}{2}}.R^{-\frac{1}{2}}.\omega,\ R = (z-a_2)(z-a_3)$

$$p = \tfrac{1}{2}\frac{d\log R}{dz},\ q = -\tfrac{1}{36}\cdot\frac{1}{R}$$

algebraïsche Integrale.

8) $y = (z-a_1)^{-\frac{1}{2}}(z-a_2)^{-\frac{1}{2}}(z-a_3)^{-\frac{2}{3}}.\omega$

$$p = \tfrac{1}{2}\cdot\frac{1}{z-a_2} + \tfrac{2}{3}\cdot\frac{1}{z-a_3},\ q = -\tfrac{1}{18}\cdot\frac{1}{(z-a_2)(z-a_3)}$$

algebraïsche Integrale.

9) $y = [(z-a_1)(z-a_2)]^{-\frac{1}{2}}(z-a_3)^{-\frac{2}{3}}.\omega$

$$p = \tfrac{2}{3}(z-a_3)^{-1},\ q = 0$$

algebraïsche Integrale.

V. $A = 2$

1) $(z-a_1)^{-\frac{2}{3}}(z-a_2)^{-\frac{5}{6}} = R,\ y = R\omega$

$$p = \tfrac{2}{3}\cdot\frac{1}{z-a_1} + \tfrac{5}{6}\cdot\frac{1}{z-a_2},\ q = 0$$

$$\omega_1 = \text{Const.},\ w_2 = \int R\,dz$$

2) $R = (z-a_1)(z-a_2),\ y = R^{-\frac{3}{4}}\omega$

$$p = \tfrac{3}{4}\frac{d\log R}{dz},\ q = 0$$

$$\omega_1 = \text{Const.},\ \omega_2 = \int R^{-\frac{3}{4}}\,dz$$

3) $R = (z-a_1)^{-\frac{1}{3}}(z-a_2)^{-\frac{5}{6}},\ y = R\omega$

$$p = \tfrac{1}{2} \cdot \frac{1}{z-a_1} + \tfrac{5}{6} \cdot \frac{1}{z-a_2}, \quad q = 0$$

$$\omega_1 = \text{Const.}, \quad \omega_2 = \int R\, dz$$

4) $$R = (z-a_1)(z-a_2), \quad y = R^{-\frac{2}{3}}\omega$$

$$p = \tfrac{2}{3} \frac{d \log R}{dz}, \quad q = 0$$

$$\omega_1 = \text{Const.}, \quad \omega_2 = \int R^{-\frac{2}{3}} dz$$

5) $$R = (z-a_1)^{-\frac{1}{2}} (z-a_2)^{-\frac{3}{4}}, \quad y = R\omega$$

$$p = \tfrac{1}{2} \cdot \frac{1}{z-a_1} + \tfrac{3}{4} \cdot \frac{1}{z-a_2}, \quad q = 0$$

$$\omega_1 = \text{Const.}, \quad \omega_2 = \int R\, dz$$

6) $$R = (z-a_1)^{-\frac{1}{2}} (z-a_2)^{-\frac{2}{3}}, \quad y = R\omega$$

$$p = \tfrac{1}{2} \cdot \frac{1}{z-a_1} + \tfrac{2}{3} \cdot \frac{1}{z-a_2}, \quad q = 0$$

$$\omega_1 = \text{Const.}, \quad \omega_2 = \int R\, dz$$

7) $$R = (z-a_1)(z-a_2), \quad y = R^{-\frac{5}{6}}\omega$$

$$p = \tfrac{5}{6} \frac{d \log R}{dz}, \quad q = -\tfrac{5}{36} \cdot \frac{1}{R}$$

algebraïsche Integrale.

8) $$y = (z-a_1)^{-\frac{1}{2}} (z-a_2)^{-\frac{5}{6}} . \omega$$

$$p = 0, \quad q = 0,$$

algebraïsche Integrale.

Für diejenigen Differenzialgleichungen, denen algebraïsche Integrale zugehören, ist z eine rationale Funktion $\chi(\zeta)$ von ζ. Substituirt man in Gleichung (B) in N

$$z_1 = \chi(\zeta_1) \qquad z_2 = \chi(\zeta_2),$$

so erhält man zur Bestimmung von ζ_1, ζ_2 als Funktionen von u_1, u_2 die Gleichungen, welche für die hyperelliptischen Funktionen erster Ordnung bestehen.

Für die Fälle IV 3, 4, V 1, 2, 3, 4, 5, 6 ergiebt sich aus der Abhandlung der Herren Briot et Bouquet, im Journal de l'école polytechnique t. XXI p. 222, daß z eine eindeutige doppeltperiodische Funktion $\chi(\zeta)$ von ζ ist.

Ebenso stellt für die Fälle III 1, IV 1, z eine eindeutige Funktion $\chi(\zeta)$ von ζ dar, von der Beschaffenheit

$$\chi(2\pi i \zeta) = \chi(\zeta)$$

$$\chi\left(\frac{\Omega^1}{\Omega} \cdot 2\pi i \zeta\right) = \chi(\zeta)$$

wo Ω^1 einen zweiten von Ω verschiedenen Periodicitätsmodul des Integrals $\int R^{-\frac{1}{2}}\, dz$ bedeutet. Substituirt man in die Gleichungen (B) in N

$$z_1 = \chi(\zeta_1), \qquad z_2 = \chi(\zeta_2)$$

so gehen diese Gleichungen für III 1, IV 1, über in

$$\zeta_1^{\frac{1}{2}} + \zeta_2^{\frac{1}{2}} = \frac{\pi i}{\Omega} u_1$$

$$\zeta_1^{-\frac{1}{2}} + \zeta_2^{-\frac{1}{2}} = \frac{-\pi i}{\Omega} u_2$$

dagegen für IV 3, 4 und V 1 bis 6 in

$$\zeta_1 + \zeta_2 = u_1$$
$$\zeta_1^2 + \zeta_2^2 = u_2,$$

so daß in allen diesen Fällen die Coefficienten der quadratischen Gleichung für z_1, z_2 (N. p. 174) sich mit Hülfe der elliptischen Funktionen darstellen lassen.

Heidelberg Juni 1880.

Ueber algebraisch-logarithmische Integrale nicht homogener linearer Differentialgleichungen.

Von

Leo Koenigsberger in Wien,
Correspondent.

Abel hat bekanntlich den für die Entwicklung der Integralrechnung so wichtig gewordenen Satz bewiesen, daß, wenn das Integral

$$\int y\,dx,$$

worin y eine algebraische Function von x bedeutet, eine *algebraische* oder *algebraisch-logarithmische* Function ist, diese letztere oder ihr Logarithmand sich als eine *rationale* Function von x und y darstellen lassen muß; dieser Satz gestattet eine Erweiterung auf nicht homogene lineare Differentialgleichungen beliebiger Ordnung, welche den Gegenstand einer demnächst erscheinenden Arbeit bilden wird, von der ich einige Resultate an dieser Stelle kurz anführen will:

Wenn eine Differentialgleichung m^{ter} Ordnung

$$\frac{d^m z}{dx^m} + Y_1 \frac{d^{m-1} z}{dx^{m-1}} + \dots + Y_{m-1} \frac{dz}{dx} + Y_m z = y_1,$$

in welcher $Y_1, Y_2, \dots Y_m, y_1$ *algebraische Functionen von* x *bedeuten, ein algebraisches Integral* z_1 *besitzt, und die reducirte homogene Differentialgleichung hat entweder gar kein algebraisches Integral oder nur solche, welche rational aus* $x, Y_1, Y_2 \dots Y_m$ *zusammengesetzt sind, dann wird sich das Integral* z_1 *als rationale Function von* $x, Y_1, Y_2, \dots Y_m$ *und* y_1 *darstellen lassen.*

Ferner:

Wenn eine Differentialgleichung der obigen Form ein logarithmisches Integral von der Form $z = \log v$ *besitzt, worin* v *eine algebraische Function von* x *bedeutet, und die reducirte Differentialgleichung hat entweder gar kein logarithmisches Integral derselben Form oder nur solche, deren Logarithmand rational aus* $x, Y_1, Y_2, \dots Y_m$ *zusammengesetzt ist, so wird sich der Logarithmand* v *jenes Integrales* z *als rationale Function von* $x, Y_1, Y_2, \dots Y_m$ *und* y_1 *ausdrücken lassen.*

Es schließen sich hieran Untersuchungen über die Form der allgemeinen algebraisch-logarithmischen Integrale linearer Differentialgleichungen

$$z = f(x, u_1, u_2, \ldots u_\sigma, \log v_1, \ldots \log v_\varrho),$$

welche wiederum für die rationale Ausdrückbarkeit der Größen $v_1, \ldots v_\varrho$ Bedingungen für die reducirte Differentialgleichung liefern, zu deren Integralen die algebraischen Theile von z: $u_1\, u_2, \ldots u_\sigma$ gehören — alle diese Folgerungen werden aus einem früher von mir veröffentlichten Satze über algebraische Beziehungen von Integralen verschiedener Differentialgleichungen hergeleitet.

Ueber eine neue Anordnung der Magnete eines Galvanometers.

Von

K. Schering.

(Vorgelegt von Ernst Schering).

In manchen Fällen ist es erwünscht für einen schon vorhandenen aus Drahtwindungen gebildeten Multiplicator einen Magnet oder ein System von Magneten so einzurichten, daß der Ausschlagswinkel, um welchen der Magnet sich dreht, wenn ein Inductionsstrom die Drahtwindungen durchfließt, möglich groß wird. Bei dem im Folgenden beschriebenen Apparate des hiesigen Gauß'schen magnetischen Observatoriums ist dieser Winkel durch Aenderung in der Anordnung der Magnete auf seinen vierfachen Betrag vermehrt. Hierdurch ist es möglich geworden, bei der Bestimmung der erdmagnetischen Inclination den Erdinductor in zwei Lagen zu benutzen, in welchen seine Drehungsachse nur ungefähr $\frac{1}{2}^0$ gegen die resultirende Richtung der erdmagnetischen Kraft geneigt ist (s. Tagebl. d. Naturf. Vers. Cassel 1878. Nro 3.)

Die Drahtwindungen des betreffenden Multiplicators sind auf einen Messingrahmen aufgewickelt, der für den Magnet einen parallelepipedischen Hohlraum von 532^{mm} Länge 55^{mm} Höhe und unbegrenzter Breite freiläßt. Die Gesammtbreite der 28 neben einander liegenden Drahtwindungen beträgt 72^{mm}. Dieser Multiplicator wurde nach der ursprünglichen Einrichtung so auf ein Stativ gelegt, daß seine Längsachse horizontal war und in ihm ein horizontal schwebender cylindrischer Magnet von 473^{mm} Länge und 25^{mm} Durchmesser um eine verticale Achse sich drehte (Anordnung I). Stellt man dagegen den Apparat so auf, daß seine Längsachse vertical steht, so kann man im Innnern desselben eine Anzahl gleichgerichteter Magnete von je 50^{mm} Länge über einander an geeignetem Rahmen so befestigen, daß sie wieder um eine verticale Achse frei beweglich sind (Anordnung II). Durch Vermehrung der Anzahl der Magnete wird in Folge der Zunahme des Gewichts die Bewegung regelmäßiger, ohne daß die Empfindlichkeit für Inductionsströme abnimmt, da das Verhältniß des magnetischen Moments zum Trägheitsmoment mit der Anzahl der Magnete sich nicht ändert, und die Galvanometerconstante äußerst wenig.

Bei dem erwähnten Multiplicator wurden 33 cylindrische Magnete (50^{mm} lang, 10^{mm} Durchmesser) an einem Holzrahmen befestigt, und es erreichte dann der größte mit Benutzung der Multiplicationsmethode erhaltene Ausschlagswinkel in der Anordnung II einen 10,7mal so großen Werth, als in der Anordnung I; der erste Ausschlag einen 3,7 mal so großen Werth. (Es war ferner in der Lage I die Schwingungsdauer

$t = 20^s,86$, das logarithmische Decrement $\lambda = 0,242$, bei der Lage II war $t = 13,52$ $\lambda = 0,033$).

Die Anordnung II hat außerdem den Vorzug, daß die Dämpfung mit wachsendem Ausschlagswinkel weit weniger rasch abnimmt als in der Anordnung I, da bei II die Magnete auch nach einer Drehung um 90^0 noch ganz innerhalb der Ebenen der Windungen des Multiplicators bleiben, bei I dagegen die Endpuncte der Mittellinie des Magnets schon nach einer Drehung von $8^0,5$ aus dem Multiplicator heraustreten. Bei der Anordnung II fällt also die Classe der Correctionen ganz fort, welche ich in Wied. Annal. IX. 1880. p. 471 abgeleitet habe.

Bei der Königl. Gesellschaft der Wissenschaften eingegangene Druckschriften.

Juni 1880.

Nature, 553, 554, 556—557.

J. Hann, Zeitschrift für Meteorologie. Bd. XV. Juni. 1880.

Bulletin of the American Geographical Society. 1879. No. 3. 1880. No. 1.

Revista Euskara. Año III. No. 26 u. 27. Mayo und Junio 1880.

Leopoldina. XVI. No. 9—10.

W. Sorgius, über die Lymphgefäße der weibl. Brustdrüse. Strassb. 1880.

Monatsbericht der Berliner Akademie. Februar. 1880.

Compte rendu de la Commission Imp. Archéolog. pour l'année 1877. Avec Atlas. St. Petersbourg. 1880.

Erdélyi Muzeum. 6 SZ. 1880.

Monthly Notices of the R. Astronom. Society. Vol. XL. No. 7.

Revista de Ciencias historicas. Mayo 1880. Barcelona.

Nachrichten*) von der Universität Kasan. 6. Bände. 1879. Jahrg. 46.
Atti della Società Toscana. Proc. verbali. 9. Mai 1880.
Annali di Statistica. Serie 2. Vol. 14. 15. 1880.
Journal of the R. Microscopical Society. Vol. III. No. 3.
Report of the Council of Education upon the condition of the Public Schools and of the certified denominational Schools for the year 1878. Sidney. 1879.
Journal and Proceedings of the R. Society of New South Wales. 1878. Vol. XII.
Schriften der naturf. Gesellschaft in Danzig. Bd. IV. H. 4.
A. Postolacca, Synopsis numorum veterum in Museo Athenis. 1880. 4°.
Th. de Heldreich, Catalogus syst. Herbarii Th. G. Orphanidis. Florentiae.
Θ. Ἀφεντούλης, Κρίσις ἐπὶ τοῦ Οἰκονομείου διαγωνίσματος τοῦ κατὰ τὸ 1879. Ἀθήνησι 1879.
Ἀναγραφὴ τῶν ἐπὶ τὸ ἀκαδημαϊκὸν ἔτος 1879—80 ἀρχῶν τοῦ ἐθνικοῦ πανεπιστημίου κ. τ. λ. Ἐν Ἀθήναις 1879.
F. V. Hayden, Eleventh Report of the United States Geological and Geographical Survey of the Territories for the year 1877.
Bulletin de l'Acad. R. des Sciences de Belgique. T. 49. No. 4.
Statistique graphique. Rome. 1880.
Oeuvres complètes de Laplace. T. I. II. III. 1878. 4°.
Proceed. of the London mathem. Society. No. 159. 160.
Annales de la Sociedad cientif. Argentina. Mayo. 1880. T. IX.
Atti della R. Accademia dei Lincei. Transunti. Vol. IV. Fasc. 6.
T. N. Thiele, om anvendelse af mindste Kvadraters methode etc. Kjöbenhavn. 1880. 4°.
A. Hannover, Primordialbrusken etc. Kjöbenhavn. 1880. 4°.
S. Kleinschmidt, den Grönlandske Ordbog. Utgiven ved Jörgensen. Ebd. 1871.
Oversigt over det K. Danske Videnskabernes Selskabs Forhandlingar. Kjöbenhavn i aaret 1879. No. 3. 1880. No. 1.
Verhandl. der physik. med. Gesellschaft in Würzburg. Bd. XIV. H. 3. 4.

*) in russischer Sprache.

Neues Lausitzisches Magazin. Bd. 56. H. 1.
C. K. Hoffmann, Bau und Entwickelungsgeschichte der Herudineen. Harlem. 1880. 4°.
Archives du Musée Teyler. Vol. V. 2ième partie.
Archives Néerlandaises des Sciences exactes et nat. T. XV. 1. 2.
Sitzungsber. der mathem.-physik. Cl. der Akad. zu München. 1880. H. 2.
— der philos.-philolog. u. hist. Classe. 1879. Bd. II. H. 3.
Bulletin de la Société Mathématique. T. VIII. No. 4.
Proceedings of the Zoological Society of London. For 1880. P. 1.
Catalogue of the Library of the Zoologic. Society of London. 1880.
Annales de l'Observatoire de Moscou. Vol. VI. 2 Livr. 4°.
Bulletin de la Soc. Imp. des Naturalistes de Moscou. 1879. No. 4.
Annuaire statistique de la Belgique. Dixième année. 1879.
Statistique générale de la Belgique. Exposé de la situation du Royaume de 1861 à 1875. 6. Fasc.
Pubblicazioni del R. Istituto di studi superiori pratici e di perfezionamento in Firenze. — 13 Fasc. Firenze. 1877–79.
Jahrbücher der k. k. Central-Anstalt für Meteorologie und Erdmagnetismus. Officielle Publication. Jahrg. 1877. Wien. 1880. 4°.
Memoirs of the R. Astronomical Society. Vol. XLIV. 1877—79. London. 4°.
Lavori in opera di scienze naturali del già professore M. Poggioli; ora pubblicati da suo figlio. Roma 1880.

Lamey-Preis-Stiftung an der Universität Strassburg.

Von Seiten der Kaiser-Wilhelms-Universität zu Strassburg sind wir ersucht worden das Nachstehende mit zum Abdruck zu bringen:

„Für die **Lamey-Preis-Stiftung an der Universität Strassburg** ist am 1. Mai 1880 die folgende Preisaufgabe gestellt worden:

»Geschichte der Städtebaukunst bei den Griechen.«

Zu verwerthen sind nicht blos die antiken litterarischen und epigraphischen Zeugnisse, sondern auch die Ergebnisse von Ausgrabungen und Untersuchungen an Ort und Stelle.

Diejenigen Theile der Untersuchung, welche bereits genügend erforscht und erörtert zu sein scheinen, können unter Hinweis auf die bezüglichen Arbeiten von der Darstellung ausgeschlossen oder kürzer behandelt werden.

Bei der Darstellung ist darauf zu achten, dass sie nicht einen ausschliesslich gelehrten Charakter trage, sondern wenigstens die Hauptresultate in einer allgemein fasslichen und lesbaren Form vorgetragen werden.

Der Preis beträgt 2400 Mark.

Die Arbeiten müssen vor dem 1. Januar 1884 eingeliefert sein. Die Vertheilung des Preises findet statt am 1. Mai 1885. Die Bewerbung um den Preis steht Jedem offen, ohne Rücksicht auf Alter oder Nationalität. Die Einreichung der Concurrenzarbeiten erfolgt an den Senatssecretär. Die Concurrenzarbeiten sind mit einem Motto zu versehen, der Name des Verfassers darf nicht ersichtlich sein. Neben der Arbeit ist ein verschlossenes Couvert einzureichen, welches den Namen und die Adresse des Verfassers enthält und mit dem Motto der Arbeit äusserlich gekennzeichnet ist. Die Versäumung dieser Vorschriften hat den Ausschluss der Arbeit von der Concurrenz zur Folge. Geöffnet wird nur das Couvert des Verfassers der gekrönten Schrift. Eine Zurückgabe der nicht gekrönten oder wegen Formfehler von der Concurrenz ausgeschlossenen Arbeiten findet nicht statt. Die Concurrenzarbeiten können in deutscher, französischer oder lateinischer Sprache abgefasst sein.“

Für die Redaction verantwortlich: *E. Rehnisch*, Director d. Gött. gel. Anz.
Commissions-Verlag der *Dieterich'schen Verlags-Buchhandlung.*
Druck der *Dieterich'schen Univ.-Buchdruckerei (W. Fr. Kaestner).*

Nachrichten

von der Königl. Gesellschaft der Wissenschaften und der G. A. Universität zu Göttingen.

21. Juli. № 14. 1880.

Universität.

Verzeichniß der Vorlesungen

auf der Georg-Augusts-Universität zu Göttingen während des Winterhalbjahrs 18⁸⁰/₈₁.

= *Die Vorlesungen beginnen den 15. October und enden den 15. März.* =

Theologie.

Einleitung in das Alte Testament: Prof. *Duhm* vierstündig um 4 Uhr.

Biblische Theologie des Neuen Testaments: Prof. *Ritschl* fünfmal um 11 Uhr.

Erklärung der Genesis: Prof. *Schultz* fünfstündig um 10 Uhr; Prof. *Bertheau* fünfstündig um 10 Uhr.

Erklärung des Buches des Propheten Jesaia: Prof. *Duhm* fünfstündig um 10 Uhr.

Synoptische Erklärung der drei ersten Evangelien: Lic. *Wendt* fünfmal um 9 Uhr.

Erklärung des Evang. u. der Briefe Johannis: Prof. *Wiesinger* fünfmal um 9 Uhr.

Erklärung der Briefe des Paulus an die Römer und Galater: Prof. *Lünemann* fünfmal um 9 Uhr.

Erklärung des ersten Briefs des Clemens von Rom: Prof. *de Lagarde* Mittwochs um 3 Uhr oder öfter, öffentlich.

Kirchengeschichte der acht ersten Jahrhunderte unter Berücksichtigung der Kirchengeschichte von Carl Hase: Prof. *Reuter* fünfmal von 8—9 Uhr, Sonnabends von 9—10 Uhr.

Kirchengeschichte der Neuzeit von der Reformation

bis zur Gegenwart: Prof. *Wagenmann* fünf bis sechsstündig um 8 Uhr.

Christliche Dogmengeschichte bis zum elften Jahrhundert: Prof. *Reuter* fünfmal von 11—12, Sonnabends von 8—9 Uhr.

Dogmengeschichte des Mittelalters und der Neuzeit: Prof. *Wagenmann* fünfstündig um 5 Uhr.

Comparative Symbolik: Prof. *Ritschl* fünfmal um 4 Uhr.

Dogmatik Th. I: Prof. *Schöberlein* fünfstündig um 12 Uhr.

Dogmatik Th. II: Prof. *Schultz* fünfstündig um 12 Uhr.

Praktische Theologie: Prof. *Wiesinger* vier- bis fünfmal um 3 Uhr.

Christliche Paedagogik: Prof. *Schöberlein* Donnerstags und Freitags um 5 Uhr.

Kirchenrecht s. unter Rechtswissenschaft S. 463.

Die alttestamentlichen Uebungen der wissenschaftlichen Abtheilung des theologischen Seminars leitet Prof. *Bertheau* Freitags um 6 Uhr (Erklärung ausgewählter Abschnitte des Alten Testaments); die neutestamentlichen Prof. *Wiesinger* Dienstags um 6 Uhr; die kirchen- und dogmenhistorischen Prof. *Reuter* Montags um 5 Uhr; die dogmatischen Prof. *Ritschl* Donnerstags um 6 Uhr.

Die Uebungen des königl. homiletischen Seminars leiten Prof. *Wiesinger* und Prof. *Schultz* abwechselnd Sonnabends von 9—10 und 11—12 Uhr öffentlich.

Katechetische Uebungen: Prof. *Wiesinger* Mittwochs von 5—6 Uhr, Prof. *Schultz* Sonnabends von 2—3 Uhr öffentlich.

Die liturgischen Uebungen des praktisch-theologischen Seminars leitet Prof. *Schöberlein* Mittwochs um 6 Uhr und Sonnabends von 9—11 Uhr öffentlich.

Eine dogmatische Societät leitet Montags um 6 Uhr Prof. *Schöberlein;* eine historisch-theologische Freitags um 6 Uhr Prof. *Wagenmann.*

Rechtswissenschaft.

Geschichte des Römischen Rechts: Prof. *Hartmann* fünfmal von 10—11 Uhr.

Ueber den juristischen Inhalt der Reden Ciceros pro Quinctio, pro Roscio Comoedo, pro Caecina und pro Murena: Prof. *Leonhard* Sonnabends von 12—1 Uhr öffentlich.

Institutionen des Römischen Rechts: Prof. *Hartmann* viermal von 11—12 Uhr.

Theorie des Römischen Civilprocesses: Prof. *Hartmann* Montags und Donnerstags von 4—5 Uhr.

Pandekten mit Ausschluss des Familien- und Erbrechts: Prof. *v. Ihering* fünfmal von 11—1 Uhr.

Pandekten, allgemeiner Theil: Prof. *Leonhard* fünfmal von 10—11 Uhr.

Familienrecht: Prof. *Leonhard* Sonnabends von 11—12 Uhr öffentlich.

Römisches Erbrecht: Prof. *Wolff* fünfmal von 3—4 Uhr.

Pandekten-Prakticum und Pandekten-Exegeticum: Prof. *Leonhard* Mittwochs und Freitags von 4—6 Uhr.

Deutsche Rechtsgeschichte: Prof. *Frensdorff* viermal von 3—4 Uhr.

Uebungen im Erklären deutscher Rechtsquellen: Prof. *Frensdorff* Montag um 6 Uhr öffentlich.

Deutsches Privatrecht mit Lehnrecht: Prof. *Frensdorff* fünfmal von 11—12 Uhr.

Deutsches Privatrecht mit Lehnrecht: Dr. *Sickel* fünfmal von 9—10 Uhr.

Handelsrecht mit Wechselrecht und Seerecht: Prof. *Thöl* fünfmal von 9—10 Uhr.

Die schwierigeren Lehren des Handels- und Wechsel- und Seerechts wird repetitorisch und dialogisch behandeln Dr. *Ehrenberg* Dienstags, Mittwochs und Donnerstags von 10—11 Uhr.

Preussisches Privatrecht: Prof. *Ziebarth*, fünfmal von 10—11 Uhr.

Strafrecht: Prof. *v. Bar* fünfmal von 9—10 Uhr.

Deutsches Strafrecht: Dr. *v. Kries* fünfmal von 11—12 Uhr.

Deutsches Reichs- und Landesstaatsrecht: Prof. *Mejer* fünfmal von 12—1 Uhr.

Geschichtliche Einleitung in das preussische Verwaltungsrecht: Prof. *Mejer* Dienstags um 6 Uhr öffentlich.

Völkerrecht: Prof. *Frensdorff* Mittwochs und Sonnabends von 12—1 Uhr.

Kirchenrecht einschliesslich des Eherechts: Prof. *Dove* täglich von 8—9 Uhr.

Civilprocess: Prof. *v. Bar* fünfmal von 10—11 Uhr.
Strafprocess: Prof. *John* viermal von 11—12 Uhr.

Civilprocess-Praktikum: Prof. *John* Dienstags von 4—6 Uhr.
Criminalistische Uebungen: Prof. *Ziebarth* Donnerstags von 4—6 Uhr.

Rechtsphilosophie siehe S. 467.

Medicin.

Zoologie vergleichende Anatomie Botanik Chemie siehe unter Naturwissenschaften.

Knochen- und Bänderlehre: Prof. *Henle* Montags, Mittwochs, Sonnabends von 11—12 Uhr.
Systematische Anatomie I. Theil: Prof. *Henle* täglich von 12-1 Uhr.
Topographische Anatomie: Prof. *Henle* Dienstags, Donnerstags, Freitags von 2—3 Uhr.
Ueber anatomische Varietäten trägt Prof. *Krause* Dienstags von 11—12 Uhr oder zu anderer passender Stunde öffentlich vor.
Präparirübungen: Prof *Henle* in Verbindung mit Prosector Dr. *v. Brunn* täglich von 9-4 Uhr.
Gewebelehre des Menschen (mit Ausnahme des Nervensystems) trägt Prof. *Krause* Donnerstags und Freitags von 11—12 Uhr vor.
Mikroskopische Uebungen hält Dr. *v. Brunn* für Anfänger (allgemeine Anatomie) Dienstags, Donnerstags, Freitags um 11 Uhr, Mittwochs um 5 Uhr, für Geübtere (specielle mikroskopische Anatomie) Montags u. Sonnabends um 9 Uhr,, Sonnabends von 2—4 Uhr.
Mikroskopischen Cursus in der normalen Histologie hält Prof. *Krause* dreimal wöchentlich um 12 Uhr oder um 2 Uhr.
Allgemeine und besondere Physiologie mit Erläuterungen durch Experimente und mikroskopische Demonstrationen: Prof. *Herbst* in sechs Stunden wöchentlich um 10 Uhr.
Experimentalphysiologie II. Theil (Physiologie des Nervensystems und der Sinnesorgane): Prof. *Meissner* täglich von 10—11 Uhr.
Arbeiten im physiologischen Institute leitet Prof. *Meissner* täglich in passenden Stunden.

Allgemeine Aetiologie mit besonderer Berücksichtigung der Infectionskrankheiten trägt Prof. *Orth* Freitags von 12-1 Uhr vor.

Allgemeine pathologische Anatomie und Physiologie lehrt Prof. *Orth* Montags, Dienstags, Mittwochs, Donnerstags von 12—1 Uhr.

Demonstrativen Cursus der pathologischen Anatomie hält Prof. *Orth* privatissime Mittwochs und Sonnabends von 2—4 Uhr, verbunden mit Sectionsübungen an der Leiche zu passenden Stunden.

Praktischen Cursus der pathologischen Histologie hält Prof. *Orth* Montags und Donnerstags von 6—8 Uhr.

Physikalische Diagnostik mit praktischen Uebungen lehrt Prof. *Eichhorst* Montags, Mittwochs, Donnerstags von 5—6 Uhr. Dasselbe trägt Dr. *Wiese* viermal wöchentlich in später näher zu bezeichnenden Stunden vor.

Laryngoskopische Uebungen hält Prof. *Eichhorst* Sonnabends von 12—1 Uhr.

Ueber Diagnostik des Harns und Sputums verbunden mit praktischen Uebungen trägt Prof. *Eichhorst* Mittwochs von 6—7 Uhr vor.

Anleitung in der Untersuchung von Nervenkranken mit Einschluss der Elektrotherapie: Prof. *Ebstein* in Verbindung mit Dr. *Damsch* zweimal wöchentlich in zu verabredenden Stunden.

Arzneimittellehre und Receptirkunde verbunden mit Experimenten und Demonstrationen lehrt Prof. *Marmé* dreimal wöchentlich von 6—7 Uhr.

Die gesammte Arzneimittellehre, mit Demonstrationen und Versuchen verbunden, trägt Prof. *Husemann* an den vier ersten Wochentagen von 3—4 Uhr vor.

Arzneiverordnungslehre trägt Prof. *Husemann* Freitags um 3 Uhr öffentlich vor.

Die wichtigsten organischen Gifte demonstrirt experimentell Prof. *Marmé* ein Mal wöchentlich von 6—7 Uhr öffentlich.

Arbeiten im pharmakologischen Institut leitet privatissime und gratis Prof. *Marmé.*

Ein pharmakologisches Practicum, Uebungen im Receptiren und Dispensiren, hält Prof. *Marmé* einmal wöchentlich von 6—8 Uhr.

Einen pharmakologischen und toxikologischen Cursus veranstaltet Prof. *Husemann* in passenden Stunden.

Pharmakognosie lehrt Prof. *Marmé* viermal wöchentlich von 8—9 Uhr.

Pharmacie lehrt Prof. *von Uslar* viermal wöchentlich um 3 Uhr. Den letzten Theil der Pharmacie trägt Prof. *Boedeker* um 9 Uhr unentgeltlich vor.

Specielle Pathologie u. Therapie 2. Hälfte: Prof. *Ebstein* Montags, Dienstags, Donnerstags, Freitags von 4—5 Uhr.

Ueber Kinderkrankheiten 2. Theil liest Prof. *Eichhorst* Dienstags und Freitags von 5—6 Uhr.

Die medicinische Klinik und Poliklinik leitet Prof. *Ebstein* fünfmal wöchentlich von $10^1/_2$—12 Uhr, Sonnabends von $9^1/_2$—$10^3/_4$ Uhr.

Poliklinische Referatstunde hält Prof. *Eichhorst* ein Mal wöchentlich in noch zu bestimmender Stunde.

Specielle Chirurgie: Prof. *Lohmeyer* fünfmal wöchentlich von 8—9 Uhr.

Specielle Chirurgie I. Theil liest Prof. *König* von 5—6 Uhr.

Ueber die Heilung der Verletzungen im Kriege trägt Dr. *Riedel* ein Mal wöchentlich vor.

Die Lehre von den chirurgischen Operationen trägt Prof. *Rosenbach* vier Mal wöchentlich Abends von 7—8 Uhr oder zu anderen passenden Stunden vor.

Einen chirurgisch-diagnostischen Cursus hält Dr. *Riedel* zwei Mal wöchentlich von 4—5 Uhr.

Einen Verband-Cursus hält Dr. *Riedel* ein Mal wöchentlich.

Die chirurgische Klinik leitet Prof. *König* von $9^1/_2$—$10^3/_4$ Uhr täglich ausser Sonnabends.

. Chirurgische Poliklinik wird Sonnabends von $10^3/_4$—12 Uhr von Prof. *König* und Prof. *Rosenbach* gemeinschaftlich gehalten.

Klinik der Augenkrankheiten hält Prof. *Leber* Montags, Dienstags, Donnerstags, Freitags von 12—1 Uhr.

Augenoperationscursus hält Prof. *Leber* Mittwochs und Sonnabends von 3—4 Uhr.

Augenspiegelcursus hält Dr. *Deutschmann* Mittwochs und Sonnabends von 12—1 Uhr.

Ueber theoretische und praktische Ohrenheilkunde trägt Dr. *Bürkner* Dienstags und Freitags in näher zu bezeichnenden Stunden vor.

Poliklinik für Ohrenkranke hält Dr. *Bürkner* (für Geübtere) an zwei noch zu bestimmenden Tagen von 12—1 Uhr.

Geburtskunde trägt Prof. *Schwartz* Montags, Dienstags, Donnerstags, Freitags um 3 Uhr vor.

Geburtshülflichen Operationscursus am Phantom hält Dr. *Hartwig* Mittwochs und Sonnabends um 8 Uhr.

Geburtshülfliche und gynaekologische Klinik leitet Prof. *Schwartz* Montags, Dienstags, Donnerstags und Freitags um 8 Uhr.

Psychiatrische Klinik in Verbindung mit der Lehre von den Geisteskrankheiten hält Prof. *Meyer* Montags und Donnerstags von 4—6 Uhr.

Gerichtliche Medicin trägt Prof *Krause* Dienstags und Freitags von 4—5 Uhr vor.

Ueber öffentliche Gesundheitspflege trägt Prof. *Meissner* Dienstags, Mittwochs, Freitags von 5—6 Uhr vor.

Anatomie, Physiologie und specielle Pathologie der Hausthiere lehrt Prof. *Esser* fünf Mal wöchentlich von 8—9 Uhr.

Klinische Demonstrationen im Thierhospitale hält Prof. *Esser* in zu verabredenden Stunden.

Philosophie.

Allgemeine Geschichte der Philosophie: Dr. *Ueberhorst*, 4 St., 12 Uhr.

Geschichte der alten Philosophie: Prof. *Peipers*, Mont., Dienst., Donn., Freit., 5 Uhr. — Geschichte der neueren Philosophie, mit Ueberblick über Patristik u. Scholastik: Prof. *Baumann*, Mont., Dienst., Donnerst., Freit., 5 Uhr. — Ueber die cartesianische Philosophie: Dr. *Müller*, Sonnabends 11 Uhr, unentgeltlich.

Logik: Prof. *Lotze*, vier Stunden, 10 Uhr.

Encyclopädie der Philosophie: Prof. *Rehnisch*, öffentlich.

Psychologie: Prof. *Lotze*, vier Stunden, 3 Uhr.

Psychologie der Sprache: Dr. *Müller*, Mont. und Donnerst. 8 Uhr.

Geschichte und System der Rechtsphilosophie: Prof. *Baumann*, Mont., Dienst., Donnerst., Freit. 4 Uhr.

Ueber die Tragödie: Dr. *Ueberhorst*, Mittw. 12 Uhr, unentgeltlich.

Prof. *Baumann* wird in einer Societät Hobbes Schrift de cive behandeln, Mittw. 6 Uhr.

Prof. *Peipers* wird in einer philos. Societät Abschnitte aus Kants Kritik der reinen Vernunft, Mittw. 4 Uhr, behandeln, öffentlich.

Dr. *Müller* wird in einer philosophischen Soc. logische Fragen behandeln, Sonnabends 6 Uhr.

Grundriss der Erziehungslehre: Prof. *Krüger*, Stunden nach Verabredung.

Die Uebungen des K. pädagogischen Seminars leitet Prof. *Sauppe*, Donn. und Freit., 11 Uhr, öffentlich.

Mathematik und Astronomie.

Anwendung der Infinitesimalrechnung auf die Theorie der Zahlen: Prof. *E. Schering*, Dienst., Mittw., Donn., Freit. 9 Uhr.

Algebraische Analysis, mit einer Einleitung über die Grundbegriffe der Arithmetik: Prof. *Stern*, fünf Stunden, 11 Uhr.

Differential- und Integralrechnung nebst Einleitung in die analytische Geometrie der Ebene: Prof. *Enneper*, Mont. bis Freit., 10 Uhr.

Ueber Flächen zweiten Grades in analytischer Behandlungsweise: Prof. *Schwarz*, Mont. u. Donn. 4 Uhr, öffentlich.

Theorie der bestimmten Integrale: Prof. *Stern*, 4 St., 10 Uhr.

Theorie und Anwendung der Determinanten: Dr. *Hettner*, Mont., Dienst. u. Donn. 12 Uhr.

Ueber krumme Flächen und Curven doppelter Krümmung: Prof *Schwarz*, Mont. bis Freitags, 9 Uhr.

Theorie der elliptischen Functionen: Prof. *Schwarz*, Mont. bis Freitags, 11 Uhr.

Ausgewählte Kapitel der Functionentheorie: Dr. *Hettner*, Dienst. 4 Uhr, unentgeltlich.

Hydrodynamik: Prof. *E. Schering*, Dienst., Mittw., Donn., Freit., 8 Uhr.

Mechanische Wärmetheorie mit Einschluss der neueren Gastheorie: Dr. *Fromme*, Mont., Dienst. und Donnerst. 12 Uhr.

Analytische Mechanik: Dr. *Himstedt*, Dienst., Donn., Freit. 4—5 Uhr.

Theorie der Elektrodynamik, der Volta- und Magnetinduktion: Dr. *K. Schering*, Donn., Freit. 6 Uhr.

Sphärische Astronomie: Prof. *Klinkerfues*, Mont., Dienst., Mittw. und Donnerst. 12 Uhr.

In dem mathematisch-physikalischen Seminar leitet mathematische Uebungen Prof. *Stern*, Mittwochs 10 Uhr, geodätische Uebungen Prof. *Schering*, Sonnabends 8 Uhr; behandelt einige Aufgaben betreffend conforme Abbildung Prof. *Schwarz*, Freit. 12 Uhr; giebt Anleitung zur Anstellung astronomischer Beobachtungen Prof. *Klinkerfues*, in einer passenden Stunde. Vgl. *Naturwissenschaften* S. 470.

Eine mathematische Societät leitet Prof. *E. Schering*.

Mathematische Colloquien wird Prof. *Schwarz*, privatissime, unentgeltlich, wie bisher leiten, einmal wöchentlich.

Naturwissenschaften.

Specielle Zoologie, 2. Theil (Würmer, Arthropoden, Mollusken und Wirbelthiere): Prof. *Ehlers*, Mont. bis Freit. 10 Uhr.

Anthropologie: Prof. *Ehlers*, Mont., Dienst. Mittw. 4 Uhr.

Zootomischer Kurs: Prof. *Ehlers*, Dienst. u. Mittw. 11—1 Uhr.

Zoologische Uebungen wird Prof. *Ehlers* täglich mit Ausnahme des Sonnabends von 10—1 Uhr anstellen.

Ausgewählte Kapitel aus der Entwicklungsgeschichte der wirbellosen Thiere: Dr. *Spengel*, Dienst., Donn., Freit. 12 Uhr.

Vergleichende Anatomie und Entwicklungsgeschichte der Pflanzen: Prof. *Graf zu Solms*, Mont., Dienst., Donn., Freit. 4 Uhr.

Anatomie und Physiologie der Pflanzen: Prof. *Reinke*, Mont., Dienst., Donn., Freit. 12 Uhr.

Ueber einige, zumal exotische technisch und medicinisch wichtige Pflanzen: Prof. *Graf zu Solms*, Mittw. 4 Uhr, öffentlich.

Ueber Thallophyten (Algen und Pilze): Dr. *Falkenberg*, Mittw. u. Sonnabends, 12 Uhr.

Mikroskopisch-botanischer Kursus: Prof. *Reinke*, Sonnabends von 9—1 Uhr.

Mikroskopisch-pharmaceutischer Kursus: Prof. *Reinke*, zwei Stunden.

Anleitung zu botanischen Arbeiten im Laboratorium des botanischen Gartens, ausschliesslich für Vorgeschrittenere leitet Prof. *Graf zu Solms* täglich in zu bestimmenden Stunden.

Tägliche Arbeiten im pflanzenphysiologischen Institut leitet Prof. *Reinke*.

Uebungen einer botanischen Societät leitet Prof. *Reinke* Freitags 6 Uhr.

Mineralogie: Prof. *Klein*, fünf Stunden, 11 Uhr.

Elemente der Mineralogie, verbunden mit Demonstrationen und Uebungen: Dr. *Lang*, Mont., Dienst., Donn., Freit., 2 Uhr.

Geologie: Dr. *Lang*, Mont., Dienst., Donn., Freit. 10 Uhr.

Ueber das dritte Krystallsystem (nach Miller) Prof. *Listing*, privatissime, in zwei zu verabredenden Stunden.

Mineralogische Uebungen: Prof. *Klein*, Sonnabends 10—12 Uhr, öffentlich.

Krystallographische Uebungen: Prof. *Klein*, privatissime, aber unentgeltlich, in zu bestimmenden Stunden.

Mikroskopisch-petrographische Uebungen (Fortsetzung) leitet Dr. *Lang* privatissime, aber unentgeltlich, in zu bestimmenden Stunden.

Geologische Societät: Dr. *Lang*, privatissime, unentg.

Experimentalphysik, zweiter Theil: Magnetismus, Elektricität und Wärme: Prof. *Riecke*, Mont., Dienstags, Donnerstags, Freitags, 5 Uhr.

Geometrische und physische Optik, ausgewählte Kapitel: Prof. *Listing*. Mont., Dienst., Donnerst. 12 Uhr.

Die praktischen Uebungen im physikalischen Laboratorium leitet Prof. *Riecke*, in Gemeinschaft mit Dr. *Fromme* und Dr. *Schering* (erste Abtheilung: Dienst., Donnerst., Freit. 2—4 Uhr u. Sonnab. 9—1 Uhr; zweite Abtheilung: Donnerst. 2-4 Uhr, Sonnab. 9-1 Uhr).

Physikalisches Colloquium: Prof. *Listing*, Sonnabends 11—1 Uhr.

Zur Leitung eines Repetitoriums über Physik erbietet sich Dr. *Fromme*, privatissime.

Hydrodynamik, Theorie der Wärme, Elektrodynamik: vgl. *Mathematik* S. 468.

In dem mathematisch-physikalischen Seminar leitet physikalische Uebungen Prof. *Listing*, Mittwochs, um 12 Uhr. Ausgewählte Kapitel der mathematischen und Experimentalphysik: Prof. *Riecke*, Mont. 2 Uhr. Vgl. *Mathematik und Astronomie* S. 468.

Allgemeine Chemie (s. g. unorganische Chemie): Prof. *Hübner*, sechs Stunden, 9 Uhr.

Chemie der Benzoeverbindungen: Prof. *Hübner*, Freit. 12 Uhr.

Uebersicht der wichtigsten organischen Verbindungen: Dr. *Post*, 3 Stunden.

Organische Chemie für Mediciner: Prof. *v. Uslar*, 4 St., 9 Uhr.

Pharmaceutische Chemie (organischer Theil): Dr. *Polstorff*, Mont., Dienst., Donnerst., Freit., 5 Uhr.

Gerichtlich chemische Analyse: Dr. *Polstorff*, Dienst. und Freit. 8 Uhr.

Technische Chemie für Landwirthe: Prof. *Tollens*, Mont., Dienst., Mittw., 10 Uhr.

Chemische Technologie, in Verbindung mit Excursionen: Dr. *Post*, zwei Stunden.

Uebungen in chemischen Rechnungen (Stoechiometrie): Prof. *Tollens*, Dienst. 6 Uhr, öffentlich.

Die Vorlesungen über Pharmacie s. unter *Medicin* S.465.

Die praktisch-chemischen Uebungen und wissenschaftlichen Arbeiten im akademischen Laboratorium leiten die Professoren *Wöhler* und *Hübner*, in Gemeinschaft mit den Assistenten Dr. *Jannasch*, Dr. *Post*, Dr. *Polstorff*, Dr. *Stünkel* und Dr. *Lellmann*.

Prof. *Boedeker* leitet die praktisch-chemischen Uebungen im physiologisch-chemischen Laboratorium unter Assistenz von Herrn *Körner*, täglich (mit Ausschluss des Sonnab.) 8—12 und 2—4 Uhr.

Prof. *Tollens* leitet die Uebungen im agriculturchemischen Laboratorium in Gemeinschaft mit dem Assistenten Dr. *Kehrer*, Mont. bis Freit. von 8—12 und von 2—4 Uhr.

Historische Wissenschaften.

Lehre von den Urkunden der älteren deutschen Könige und Kaiser: Prof. *Steindorff*, Dienst. u. Donn. 10—12 Uhr.

Historische Propaedeutik: Dr. *Bernheim*, Dienst., Donnerst., Freit. 10 Uhr.

Griechische Geschichte seit den Perserkriegen: Prof. *Volquardsen*, Mont., Dienst., Donnerst., Freit., 8 Uhr.

Ueber Kämpfe und friedliche Beziehungen zwischen Römern und Germanen bis in das 4. Jahrh. nach Chr.: Prof. *Volquardsen*, Mittw. u. Sonnab., 8 Uhr, öffentlich.

Allgemeine Geschichte des Mittelalters: Prof. *Pauli*, 4 St., 8 Uhr.

Entwicklung der deutschen Verfassung im 14. und 15. Jahrh.: Dr. *Höhlbaum*, Dienst. u. Donnerst., 12 Uhr (oder zu andern passenden Stunden).

Zeitalter Ludwigs XIV. und Friedrichs des Grossen: Prof. *Pauli*, 4 St., 5 Uhr.

Das Zeitalter der Revolution von 1789: Prof. *Weizsäcker*. 4 St., 4 Uhr.

Geschichte Deutschlands vom Interregnum bis zur Reformation: Prof. *Weizsäcker*, 4 St., 9 Uhr.

Geschichte Italiens seit dem Beginn des Mittelalters: Assessor Dr. *Wüstenfeld*, Mont., Dienst., Donn., Freit., 10 Uhr, unentgeltlich.

Historische Uebungen leitet Prof. *Pauli*, Mittwochs, 6 Uhr, öffentlich.

Historische Uebungen leitet Prof. *Weizsäcker*, Freitags, 6 Uhr, öffentlich.

Historische Uebungen leitet Prof. *Volquardsen*, Dienst., 6 Uhr, öffentlich.

Historische Uebungen leitet Prof. *Steindorff*, in später zu bestimmenden Stunden.

Historische Uebungen: Dr. *Bernheim*, Dienst., 6 Uhr, unentgeltlich.

Historische Uebungen: Dr. *Höhlbaum*, Montags, 6 Uhr, unentgeltlich.

Kirchengeschichte: s. unter *Theologie* S. 461. 62.

Deutsche Rechtsgeschichte vgl. unter *Rechtswissenschaft* S. 463.

Erd- und Völkerkunde.

Allgemeine Erdkunde: Prof. *Wagner*, Mont., Dienst., Donn., Freit., 11 Uhr.

Geographie von Afrika: Dr. *Krümmel*, Mittw. und Sonnabends, 11 Uhr.

Ueber die Alpen: Prof. *Wagner*, Mittw., 3 Uhr, öffentlich.

Kartographische Uebungen für Anfänger: Prof. *Wagner*, Mittw., 9 – 12 Uhr, privatissime.

Staatswissenschaft und Landwirthschaft.

Einleitung in das Studium der Statistik: Prof. *Rehnisch*, 4 St., 5 Uhr.

Volkswirthschaftspolitik (praktische Nationalökonomie): Prof. *Hanssen*, vier Stunden, 4 Uhr.

Volkswirthschaftslehre: Dr. *Eggert*, Dienst., Mittw., Donn., Freit., 5 Uhr.

Finanzwissenschaft, insbesondere die Lehre von den Steuern: Prof. *Hanssen*, vier Stunden, 12 Uhr.

Staats- u. Wirthschaftstheorien der Neuzeit: Dr. *Eggert*, Donn. 6 Uhr, unentgeltlich.

Volkswirthschaftliche Uebungen: Prof. *Soetbeer*, privatissime, aber unentgeltlich, in später zu bestimmenden Stunden.

Volkswirthschaftliche Uebungen: Dr. *Sartorius von Waltershausen*, in passender Stunde, unentgeltlich.

Verfassungsgesch. v. Deutschland vgl. *Geschichte* S. 471.

Einleitung in das landwirthschaftliche Studium: Prof. *Drechsler*, 1 Stunde, öffentlich.

Allgemeine Ackerbaulehre: Dr. *Fesca*, 2 St., 10 Uhr.

Die Ackerbausysteme (Felderwirthschaft, Feldgraswirthschaft, Fruchtwechselwirthschaft u.s.w.): Prof. *Griepenkerl*, in zwei passenden Stunden.

Die allgemeine und specielle landwirthschaftliche Thierproductionslehre (Lehre von den Nutzungen, der Züchtung, Ernährung und Pflege des Pferdes, Rindes, Schafes und Schweines): Prof. *Griepenkerl*, Mont., Dienst., Donnerst., Freit., 5 Uhr.

Die Raçenkunde: Prof. *Griepenkerl*, 2 St., öffentlich.

Im Anschluss an diese Vorlesungen werden Excursionen nach benachbarten Landgütern und Fabriken veranstaltet werden.

Landwirthschaftliche Betriebslehre: Prof. *Drechsler*, fünf Stunden, 4 Uhr.

Die Lehre von der Futterverwerthung: Prof. *Henneberg*. Mont. und Dienst. 11 Uhr.

Uebungen in Futterberechnungen: Prof. *Henneberg*, Mittw. 11 Uhr, öffentlich.

Landwirthschaftliches Praktikum: Prof. *Drechsler* und Dr. *Fesca* (Uebungen im landw. Laboratorium, Freit. und Sonnab. 9—1 Uhr; Uebungen in landw. Berechnungen, Dienst. und Donnerst., 12 Uhr).

Exkursionen und Demonstrationen: Prof. *Drechsler*, Mittwochs Nachmittags.

Organ. u. techn. Chemie u. praktisch-chemische Uebungen f. Landwirthe vgl. *Naturwissenschaften* S. 470. 71.

Anatomie, Physiologie u. Pathologie der Hausthiere vgl. *Medicin* S. 467.

Literärgeschichte.

Geschichte der dramatischen Poesie bei den Griechen: Prof. *Dilthey*, Mont., Dienst., Donnerst., Freit., 12 Uhr.

Geschichte der deutschen Nationalliteratur bis zum Anfang des 16. Jahrh.: Prof. *W. Müller*, 4 St., 3 Uhr.

Geschichte der deutschen Dichtung im 17. Jahrhundert: Assessor Dr. *Tittmann*, 5 St., 9 Uhr.

Ueber Goethes Leben und Schriften: Prof. *Goedeke*, Mittw. 5 Uhr, öffentlich.

Alterthumskunde.

Religionsgeschichte des Alterthums: Dr. *Gilbert*, vier Stunden, 4 Uhr.

Die bauliche Einrichtung des griechischen Theaters, scenische Alterthümer und das gesammte Theaterwesen der Griechen, Erklärung von Euripides Kyklops: Prof. *Wieseler*, 4 oder 5 St., 4 Uhr.

Geschichte der bildenden Künste bei den Griechen: Dr. *Körte*, 4 St., Mittw. u. Sonnab. 9—11 Uhr.

Im k. archäologischen Seminar wird Prof. *Wieseler* ausgewählte Kunstwerke erklären lassen, Sonnabends 12 Uhr, öffentlich. — Die schriftlichen Arbeiten der Mitglieder wird er privatissime beurtheilen.

Archäologische Uebungen: Dr. *Körte*, 1 St., privatissime, unentgeltlich.

Uebersicht der germanischen Mythologie: Dr. *Wilken*, Mittw. 4 Uhr.

Vergleichende Sprachlehre.

Vergleichende Grammatik der indogermanischen Sprachen: Prof. *Fick*, 4 Stunden, 10 Uhr.

Darstellung des Baus des griechischen Verbs: Prof. *Fick*, 2 St., 10 Uhr.

Ueber die oskischen und umbrischen Sprachdenkmäler: Dr. *Bechtel*, Mittw. u. Sonnab. 11—12 Uhr, unentgeltl.

Grammatik der litauischen Sprache: Dr. *Bechtel*, 2 St.

Orientalische Sprachen.

Die Vorlesungen über das A. und N. Testament siehe unter *Theologie* S. 461.

Unterricht in der arabischen Sprache: Prof. *Bertheau*, Dienst. und Freit., 2 Uhr.

Ausgewählte Stücke aus Arabischen Schriftstellern erklärt Prof. *Wüstenfeld*, privatissime.

Anfangsgründe der syrischen Sprache: Prof. *de Lagarde*, 4 St., 11 Uhr.

Anfangsgründe der ägyptischen Sprache: Prof. *de Lagarde*, 4 St., 12 Uhr.

Grammatik der vedischen Sprache in Verbindung mit dem klassischen Sanskrit: Prof. *Benfey*, Mont., Dienst., Donnerst., Freit., 5 Uhr.

Interpretation von Böhtlingk's Sanskrit-Chrestomathie und vedischen Liedern: Prof. *Benfey*, Mont., Dienst., Mittw. 4 Uhr, oder in einer passenderen Stunde.

Griechische und lateinische Sprache.

Griechische und römische Epigraphik: Prof. *Sauppe*, Mont., Dienst., Donnerst., Freit., 9 Uhr.

Sophokles Elektra Prof. *von Leutsch*, Montag, Dienst., Donnertags 12 Uhr.

Metrik der Griechen: Prof. *von Leutsch*, 4 St., 10 Uhr.
Euripides Kyklops: vgl. *Alterthumskunde* S. 474.
Griechische Grammatik: vgl. *Vergleichende Sprachlehre* S. 474.
Geschichte der dramatischen Poesie bei den Griechen: vgl. *Literärgeschichte* S. 473.
Terentius Heautontimorumenos und Adelphi: Prof. *Sauppe*, Mont., Dienst., Donn., Freit., 2 Uhr.
Im K. philologischen Seminar leitet die schriftlichen Arbeiten und Disputationen Prof. *von Leutsch*, Mittw. 11 Uhr, lässt die 13. Rede des Lysias erklären Prof. *Sauppe*, Mont. u. Dienst., 11 Uhr; lässt ausgewählte Heroiden Ovids erklären Prof. *Dilthey*, Donnerst. u. Freit., 11 Uhr, alles öffentlich.
Im philologischen Proseminar leiten die schriftlichen Arbeiten und Disputationen die Proff. *v. Leutsch* (Mittw. 10 Uhr) und *Sauppe* (Mittw. 2 Uhr); lässt Lysias (25. Rede) Prof. *Sauppe* erklären, Mittw. 2 Uhr, alles öffentlich.

Deutsche Sprache.

Gotische Grammatik und Erklärung des Vulfila: Dr. *Wilken*, Mittw. und Sonnabends 11 Uhr.
Ausgewählte althochdeutsche und mittelhochdeutsche Gedichte (nach W. Wackernagels kleinerem altdeutschem Lesebuche): Prof. *W. Müller*, Mont., Dienst., Donn., 10 Uhr.
Die Uebungen der deutschen Gesellschaft leitet Prof. *W. Müller*, Dienst. 6 Uhr.
Geschichte der deutschen Literatur: s. *Literärgeschichte* S. 473.

Neuere Sprachen.

Altenglische Grammatik, mit Erläuterung von Chaucers Canterbury-Erzählungen: Prof. *Th. Müller*, Mont., Dienst., Donnerst., 4 Uhr.
Uebungen in der französischen u. englischen Sprache, die ersteren Mont., Dienst., Mittw., die letzteren Donnerst., Freit., Sonnabends 12 Uhr: Prof. *Th. Müller*.
In der romanischen Societät wird *Derselbe*, Freitags 4 Uhr, öffentlich, augewählte altfranzösische Dichtungen nach Bartschs Chrestomathie erklären lassen.

Schöne Künste. — Fertigkeiten.

Unterricht im Zeichnen mit besonderer Rücksicht auf naturhistorische und anatomische Gegenstände: Zeichenlehrer *Peters*, Sonnabends Nachm. 2–4 Uhr.

Geschichte der neueren Musik: Prof. *Krüger*, in zu verabredenden Stunden.

Harmonie- und Kompositionslehre, verbunden mit praktischen Uebungen: Musikdirector *Hille*, in passenden Stunden.

Zur Theilnahme an den Uebungen der Singakademie und des Orchesterspielvereins ladet *Derselbe* ein.

Reitunterricht ertheilt in der K. Universitäts-Reitbahn der Univ.-Stallmeister, Rittmeister a. D. *Schweppe*, Montags, Dienstags, Donnerstags, Freitags, Sonnabends, Morgens von 8–12 und Nachm. (ausser Sonnabends) von 3–4 Uhr.

Fechtkunst lehrt der Universitätsfechtmeister *Grüneklee*, Tanzkunst der Universitätstanzmeister *Höltzke*.

Oeffentliche Sammlungen.

Die *Universitätsbibliothek* ist geöffnet Montags, Dienstags, Donnerstags u. Freitags von 2 bis 3, Mittwochs und Sonnabends von 2 bis 4 Uhr. Zur Ansicht auf der Bibliothek erhält man jedes Werk, das man in gesetzlicher Weise verlangt; verliehen werden Bücher nach Abgabe einer Semesterkarte mit der Bürgschaft eines Professors.

Ueber den Besuch und die Benutzung der *theologischen Seminarbibliothek*, des *Theatrum anatomicum*, des *physiologischen Instituts*, der *pathologischen Sammlung*, der *Sammlung von Maschinen und Modellen*, des *zoologischen* und *ethnographischen Museums*, des *botanischen Gartens* und des *pflanzenphysiologischen Instituts*, der *Sternwarte*, des *physikalischen Cabinets* und *Laboratoriums*, der *mineralogischen* und der *geognostisch-paläontologischen Sammlung*, der *chemischen Laboratorien*, des *archäologischen Museums*, der *Gemäldesammlung*, der *Bibliothek des k. philologischen Seminars*, des *diplomatischen Apparats*, der *Sammlungen des landwirthschaftlichen Instituts* bestimmen besondere Reglements das Nähere.

Bei dem Logiscommissär, Pedell *Bartels* (Kleperweg 2), können die, welche Wohnungen suchen, sowohl über die Preise, als andere Umstände Auskunft erhalten und auch im voraus Bestellungen machen.

Für die Redaction verantwortlich: *E. Rehnisch*, Director d. Gött. gel. Anz.
Commissions-Verlag der *Dieterich'schen Verlags-Buchhandlung*.
Druck der *Dieterich'schen Univ.-Buchdruckerei (W. Fr. Kaestner)*.

Nachrichten
von der Königl. Gesellschaft der Wissenschaften und der G. A. Universität zu Göttingen.

4. August. № 15. 1880.

Königliche Gesellschaft der Wissenschaften.

Ueber Flußspath im Granit von Drammen.

Von
Otto Lang.

(Vorgelegt von Wöhler).

Flußspath wird als accessorischer und zwar wohl immer nur secundärer Gemengtheil von Graniten verschiedener Gegenden angegeben und wenn er auch unter die verhältnißmäßig sehr selten in Graniten gefundenen Mineralien gehört, so ist es doch nicht sein Fund allein, der mich veranlaßt, die Aufmerksamkeit auf seine Gegenwart im Granit von Drammen in Norwegen zu lenken, aus dessen Contactzone er schon längst bekannt ist, sondern die Art und Weise seines Auftretens.

Der Granit von Drammen ist mikroskopisch bereits von H. Möhl untersucht worden (Nyt Magazin f. Naturvid. 23. Bd. 1877, No. 18) und gehört aller Wahrscheinlichkeit nach zu demselben geologischen Körper, wie die ebenfalls von Möhl unter No. 16 und 17 beschriebenen Gesteine von Gjellebäk und Holmsbo, mit welchen zusammen er, wie Th. Kjerulf (vgl. »Udsigt over det sydlige Norges Geologi«, Seite 55—65) dargestellt hat, das in jeder Beziehung sehr interessante Massiv bei Drammen bildet.

Das von mir mikroskopisch untersuchte Stück ist geschlagen an der Landstraße, welche von Drammen nach Jarlsberg führt, etwa 20 Schritt unterhalb der Grenze des Granits gegen die auflagernden Silurschichten; es repräsentirt das Stück einen ziemlich grobkörnigen rothen Granit, der wesentlich aus Quarz und Feldspath besteht und von dessen Masse die übrigen Gemengtheile noch nicht 10% ausmachen; Quarz und Feldspath sind in ziemlich gleicher Menge zugegen. Der Quarz erscheint bei der Untersuchung mit bloßem Auge grau, die Feldspathe röthlich mit etwas grauem Tone (Radde's internationale Farben-Scala 2,*s*) und theilen sie ihre Färbung dem ganzen Gesteine mit. Auf der Gesteins-Bruchfläche bemerkt man ferner regellos verstreute, bis 5 mm im Durchm. erreichende bluthrothe Flecken von Eisenoxyd, — bedingt, wie die mikroskopische Untersuchung ergiebt, nicht etwa durch spezifische Verschiedenheit der das Pigment tragenden Feldspathe, sondern nur durch die Nachbarschaft des Mutterminerals, nämlich von Magnetit-Körnern, — sowie regellos begrenzte, bis 4 mm lange Partien (oder ihnen entsprechende Hohlräume) von schwarzem Glimmer oder in mehr angewitterten Stücken von »hellgrün angeflogenen«, epidotreicheren Umsetzungs-Resten der Hornblende, endlich sehr vereinzelte schwarze Erzkörnchen.

Bei der mikroskopischen Betrachtung fällt die Häufigkeit der pegmatitischen Verwachsung von Quarz und Feldspath auf; durch diese sowohl wie durch den Umstand, daß die Quarzindividuen ersichtlich einen mächtigen Trieb besessen haben, sich gesetzmäßig zu begrenzen, meist eine wenigstens streckenweise geradlinige Begrenzung aufweisen und zuweilen sogar, und zwar gerade in den dem Feldspath eingewachsenen Partien, regelrechte Krystallform erkennen lassen, erinnert trotz der herrschenden isomeren Structur die Erscheinung des Gesteins an die eines Granitporphyrs, wie es sich denn auch vollkommen als solcher, nach Möhls Schilderung, bei Gjellebäck ausgebildet zeigt.

Der Quarz tritt vorzugsweise in sehr großen Individuen (von 5 mm Durchm.) auf, die zuweilen recht rissig und zerspalten sind. Da dem Quarze nur »versteckte«, d. h. unvollkommene und erst durch jähen Temperaturwechsel hervorzurufende Spaltbarkeit zugeschrieben wird, erscheint mir die Angabe nicht überflüssig, daß in den Quarzen dieses Gesteins die Spaltlinien, sowohl diejenigen, welche den Schnüren kleinster Flüssigkeitseinschlüsse folgen, als diejenigen, bei welchen dies nicht zu erkennen ist, vollkommnere Spaltbarkeit als gewöhnlich andeuten, und daß sogar in einzelnen Individuen die rhomboëdrische Spaltbarkeit in feinen, scharfen und geraden Zickzacklinien ausgesprochen ist (allerdings nicht in so vollkommnen Linien-Systemen, wie wir sie bei Kalkspath beobachten). An Flüssigkeitseinschlüssen, die meist ganz regellos, oft schlauchartig geformt und gekrümmt sind, ist der Quarz im Allgemeinen sehr reich; wie betreffs ihrer Form waltet auch in ihren Größenverhältnissen und in ihrer Vertheilungsweise die größte Mannichfaltigkeit; Mikrolithen werden unter den Einschlüssen vermißt, dagegen finden sich hin und wieder Partikel der übrigen Gesteinsgemengtheile und zeigen sich solche eingelagerte Schmitzen u. s. w. immer von derselben Beschaffenheit, resp. in demselben Umsetzungsstadium, wie die im Gestein selbstständig auftretenden Gemengtheile.

Unter den Feldspathen waltet dem optischen Charakter nach Orthoklas vor und sind die Orthoklas-Individuen und -Zwillinge (nach Carlsbader Gesetze) meist ebenso groß wie jene des Quarzes; daß Splitter davon keine lebhafte Kali-Flammenfärbung geben, rührt wohl von der innigen pegmatitischen Durchwachsung durch Quarz her. Neben dem Orthoklas tritt ein dem optischen Verhalten nach kieselsäurereicher Plagioklas auf, dessen Sammel-Individuen zuweilen gekreuzte Lamellirung zeigen; die Plagioklase sind in der Mehrzahl kleiner als die Orthoklase und solche kleinere, aber doch bis 3 mm Länge erreichende Plagioklase sind nicht selten dem Orthoklas und zwar zuweilen parallel zur Fläche *M* eingewachsen; wo das der Fall ist, grenzt die Mikropegmatit-Structur, in welcher Quarz und Orthoklas verwachsen sind, meist am Plagioklas ab und dringt der Quarz nicht in den Plagioklas ein (während größere, selbstständige Plagioklase dergleichen Structur aufweisen); demnach ist anzunehmen, daß die Mehrzahl der Plagioklase früher gefestigt worden ist als Quarz und Orthoklas, welche wohl unter sich gleichaltrig sind. Die Feldspathe sind im Allgemeinen wenig gesetzmäßig begrenzt, und dabei mehr oder minder getrübt durch das bekannte kaolinische Umsetzungsproduct, welches in der Spaltbarkeit entsprechenden Feldern oder in Flasern angehäuft und von Eisenoxyd in höherem oder geringerem Grade geröthet ist; viele Feldspathe sind auch in Umsetzung zu farblosem oder gelblichem Glimmer (Kaliglimmer) begriffen und zwar sind einzelne ziemlich erfüllt von Glimmer und zuweilen radialstrahlig-struirten Glimmeraggregaten; diese Aggregate sind oft auch Ablagerungsorte größerer Mengen von Eisenoxyd.

Nächst dem unten eingehend beschriebenen dunklen Glimmer nimmt unter den untergeordnet auftretenden Gemengtheilen Titanit die bedeutendste Stellung ein; an Masse kommt er dem dunklen Glimmer beinahe gleich; seine 0,25—1,2 mm großen, in verschiedenen Tönen von Gelb durchsichtigen Individuen sind meist körnig zerklüftet; außer spärlichen Erzkörnchen findet man in ihnen hin und wieder Schaaren gerundeter Einschlüsse mit Libellen; an letzteren war zwar eine Beweglichkeit nicht zu erkennen, doch machen diese Interpositionen am Ehesten den Eindruck von Flüssigkeitseinschlüssen.

Opakes Erz, dem Habitus nach Magnetit, findet sich seltener in vereinzelten Körnern, häufiger in bis über 1 mm großen Körner-Concretionen, meist dem dunklen Glimmer und Titanit vergesellschaftet; sehr oft ist es von einem Hofe von Eisenoxyd umgeben, dem Titanit gegenüber aber zuweilen von einem schmalen Kranze, der wie mit Brauneisen imprägnirter Leukoxen erscheint.

Der dunkle Glimmer (Magnesiaglimmer) ist grün durchsichtig und zwar sind die parallel der Hauptaxe schwingenden Strahlen licht gelblich grün, die senkrecht dazu dunkelgrün (in einem Falle aber, woran wohl eine innige Imprägnation mit Brauneisen schuld war, erschien ein betr. Glimmer-Aggregat bei dieser Lage dunkelbraun mit grünem Rande). Die Glimmermassen sind meist annähernd, aber nie vollständig parallelblättrig struirt und umschlingen in welligen Windungen zahlreiche fremde Mineral-Partikel;

von ganz kleinen, eigentlich mikroskopischen Interpositionen aber führt der Glimmer nur gelbe oder trübe Körnchen, möglicher Weise auch Flüssigkeitseinschlüsse, was bei den geringen Dimensionen nicht sicher zu erkennen ist, aber keine Nädelchen. Die Formen der Glimmer-Aggregate sind von den in wahren Granititen gewöhnlich gefundenen abweichende; ihre Durchschnitte sind oft ganz regellos begrenzt, dabei nicht selten auch von in sich discordanter Structur, meist stellen sich aber die Durchschnitte dar als solche von mehr oder weniger dicken Säulen (Länge zu Breite wie 1,5:1 bis 3:1), welche z. Th. rechtwinklig, z. Th. schiefwinklig endigen; in diesen »Säulen« erstreben die Glimmer-Lamellen ersichtlich Parallelität zur Längs-Axe, vielleicht zu einer einzigen Fläche; außerdem kommen, als vereinzelte Schnitte oder in den peripherischen Partien größerer Glimmer-Aggregate gehäuft, mehr oder weniger vollkommen radialstrahlig struirte Glimmer-Rosetten vor, welche dann auch zwischen gekreuzten Nicols das dunkle Kreuz zeigen. Ein Glimmer-Durchschnitt, der nach seiner äußeren Begrenzung einem Säulen-Querschnitt von Hornblende entsprechen würde (vereinzelt finden sich jedoch ziemlich opake, aber stellenweis braun durchscheinende Partien von Hornblendeform, welche man als von Brauneisen innigst imprägnirte Glimmer-Pseudomorphosen nach Hornblende ansehen könnte) oder sogar noch einen Hornblende-Kern enthielte, konnte in keinem einzigen Präparate sicher ermittelt werden; trotzdem glaube ich aber die Glimmer-Aggregate als metasomatische Verwitterungs-Pseudomorphosen nach Hornblende auffassen zu dürfen: a. weil die Form derselben, wie das schon makroskopisch zu erkennen ist, ihrer gesammten Erscheinung nach eher derjenigen von Hornblende entspricht als von Glimmer; b. weil eine Umsetzung von Hornblende zu dunklem Magnesia-Glimmer überhaupt nicht selten beobachtet ist; c. weil sich mit dem Glimmer zusammen der in diesem Falle ersichtlich secundäre Epidot findet, der auch sonst als Verwitterungs-Product der Hornblende bekannt ist; d. weil von andern Beobachtern, und zwar auch auf Grund mikroskopischer Untersuchung, die Hornblende (in von Glimmer umsäumten Leisten, nach Möhl) als wesentlicher Gemengtheil des Granits von Drammen angeführt wird; e. endlich weil das Gestein so reichlich Titanit führt und Titanit bekanntlich vorzugsweise an Hornblende-haltige Gesteine gebunden ist.

Dem Glimmer ist, wie schon angegeben Epidot gesellt; außer deutlich als Epidot erkennbaren Körnern und Stengeln finden sich, und sogar noch häufiger als diese, zahlreiche bräunlich trübe, rundliche bis eckige Körnchen geringerer Dimensionen den Glimmer-Aggregaten eingeflochten, die wegen ihrer Trübung nicht sicher zu bestimmen sind, aber wahrscheinlich auch dem Epidot zugehören.

Neben Epidot und den weiter unten noch angegebenen Mineralien ist dem Glimmer nun auch ein tesserales, blau geflecktes Mineral vergesellschaftet; die lasurblaue Färbung tritt in dem an sich farblosen Minerale, das oft recht unreine Substanz aufweist (allem Anschein nach entstammen aber die Verunreinigungen dem Schleifschlamme und haben sich dieselben beim Schleifen in die Substanz eingedrückt), sowohl in regellos geformten und randlich verwaschenen Flecken auf von ersichtlich ganz gesetzloser Anordnung, als auch, allerdings abgeblaßt, längs feinen Rissen, am Intensivsten aber längs den geradlinigen, der gesetzmäßigen Spaltbarkeit entsprechenden Blätterdurchgängen; wo letztere in größerer Anzahl hervortreten, da erscheint das Mineral wie mit stumpfem Blaustift schraffirt. Mikroskopische Interpositionen zweifellos primärer Natur sind, abgesehen von Partikeln der übrigen Gesteinsgemengtheile, selten; nur hin und wieder findet man einige abgerundete Flüssigkeitseinschlüsse mit großen trägen Libellen (als Flüssigkeitseinschlüsse nur nach der Lichtbrechung bestimmt). Um dieses Mineral näher zu bestimmen, da meines Erachtens entweder Flußspath oder ein Mineral (Sodalith) aus der Gruppe der natürlichen Ultramarinverbindungen vorliegen konnte, schlug ich den mikrochemischen Weg ein. — Hauyn verliert seine blaue Färbung im Dünnschliff schon nach wenigen Minuten, wenn er mit einem Tropfen verdünnter Salzsäure bedeckt wird; an Sodalith, der im Dünnschliffe keine intensive Färbung besaß, mußte die Entfärbung an einer dickeren Platte (vom Ilmengebirge) versucht werden und gelang dieselbe auch mit verdünnter Salzsäure, allerdings erst in entsprechend längerer Zeit; das fragliche Mineral aber, im Dünnschliff längere Zeit hindurch der Einwirkung verdünnter Salzsäure ausgesetzt, zeigte keine Entfärbung. Dagegen tritt eine leichte Abschwächung der Färbung ein bei Behandlung des fraglichen Minerals mit Chloroform und dieser entsprechende Erscheinung läßt blauer Flußspath erkennen, dessen Färbung nach Wyrouboff bekanntlich durch Kohlenwasserstoff geliefert wird (eine Entfärbung durch Erwärmung herbeizuführen und die Art des Farben-Wechsels dabei zu beobachten erlauben, da eine Temperatur von gegen 300^0 dazu verlangt wird, die minimalen Dimensionen der Partikel und die Beschaffenheit der Dünnschliffe nicht). — Mit einem Tropfen Salpetersäure behandelt löst sich eine entsprechende Menge vom fraglichen Minerale unter Entfärbung des Restes; solche Entfärbung ist bei Behandlung mit concentrirter Schwefelsäure nicht zu constatiren; während aber Sodalith mit dieser behandelt Kieselgallert bildet, zeigten sich auf der Oberfläche der Partikelchen des fraglichen Minerals sehr schöne radial-strahlige Krystallgruppen feiner farbloser doppeltbrechender Nädelchen, wie solche Krystallgruppen bei Gyps-Bildung gewöhnlich entstehen; da diese Nädelchen, soweit sie gesondert aus den Krystallgruppen herausragten, auf dem das isotrope Mineral umgebenden anisotropen Glimmer auflagen, konnte ihr optischer Charakter nicht sicher ermittelt werden, sowie ihre geringe Masse auch nicht erlaubte, auf chemischem Wege ihre Natur zu bestimmen; in ihrer Erscheinung aber entsprachen sie vollkommen Gyps-Nädelchen. — Eine Reaction auf Fluor, mit geschmolzenem Phosphorsalze am Gesteinspulver, ergab allerdings kein Resultat; die Schuld daran schreibe ich jedoch nur dem Umstande zu, daß die angewandte Methode eine so geringe[1]) Menge von Fluor, wie zu erwarten war, nicht nachzuweisen vermag. — Auf Grund dieser Beobachtungen halte ich die fraglichen Mineral-Partikel für Flußspath.

Dieser Flußspath ist den Glimmer-Aggregaten in Körnern und regellos geformten Partien von 0,01—0,8 mm größtem Durchmesser ein- oder un-

1) Die Partikel haben meist noch nicht 0,1 □mm Fläche und macht nach einer Messung der Flächen-Ausdehnung in den das fragliche Mineral enthaltenden Dünnschliffen (mit Ausschluß eines daran ungewöhnlich reichen) dasselbe etwa 0,08% der Gesteins-Schlifffläche aus!

mittelbar angelagert und macht seine Masse im vereinzelten Falle sogar gegen 2 Procent der betreffenden Glimmeraggregat-Masse aus (der Flächenausdehnung im Dünnschliffe nach geschätzt), meist aber wohl nur 1%. Abgesehen von einem Falle, wo ein Flußspath-Durchschnitt, und zwar gerade der größte beobachtete (von 2 mm Längenerstreckung), unmittelbar am Rande des Dünnschliffes liegt und deßhalb das betreffende Verhältniß nicht erkennen läßt, findet man den Flußspath in nur äußerst seltenen Fällen, und dabei von sehr geringen Dimensionen, vom Glimmer getrennt eingelagert und zwar als Ausfüllungsmasse von feinen Spalträumen in den Dünnschliffen; doch ist ja auch in diesen Fällen möglich, daß Glimmer (in verticaler Richtung) unmittelbar benachbart war und durch den Schleifprozeß fortgenommen wurde; man darf deßhalb annehmen, daß sich der Flußspath immer an den Glimmer gebunden findet; auch führt umgekehrt jedes größere Glimmeraggregat in den beobachteten Dünnschliffen Flußspath in mehr oder weniger reichlicher Menge, allerdings meist nur in ganz kleinen, den Glimmer-Blättern zwischengelagerten Körnern und Schmitzen von selbst weniger als 0,005 mm Breite. Führt nun die Form und Lagerungsweise der meisten Flußspath-Partikel, soweit solche außerhalb der Glimmer-Aggregate, d. h. diesen angelagert vorkommen, als deutliche Ausfüllungsmassen von Spalt- und Hohlräumen zu der Annahme secundärer Bildung derselben, so berechtigt die geschilderte innige Vergesellschaftung von Flußspath und Glimmer, sowie der Umstand, daß der Flußspath innerhalb der Glimmer-Aggregate sowohl annähernd isometrische, also wohl von ihm selbst gewählte Körnerform, als auch dünne Schmitzengestalt (Einlagerungs- und von Außen, durch die nachbarlichen Glimmerblätter ihm aufgedrungene Form) zeigt, zu der weiteren Annahme, daß die Bildung des Flußspathes und des Glimmers gleichzeitig und gleichartig, wahrscheinlich sogar sich gegenseitig bedingend gewesen ist.

Der gewöhnlichen Erscheinungsweise in Form und optischem Verhalten nach zu urtheilen ist auch Apatit im Gesteine vertreten, aber spärlich; die Säulen von sechsseitigem Querschnitte mit etwa 0,03 mm Durchmesser sind nicht sehr langgestreckt; er findet sich sowohl im Magnetit wie in den Glimmer-Aggregaten eingewachsen; da er in letzteren noch jetzt und neben dem Flußspath zugegen ist (die Nachbarschaft des letzteren sowie die geringen Dimensionen überhaupt erschwerten seine chemische Prüfung), da ferner seine Menge im ganzen Gesteine eine verschwindende und auch im Verhältniß zu der des Flußspathes eine geringe ist, so erscheint die Annahme, daß der Flußspath etwa auf Kosten des Apatites entstanden sei, nicht wahrscheinlich.

Neben dem Apatit und an Gesammtmasse derjenigen des Apatit kaum gleichkommend finden sich noch andere farblose, regelloser geformte Körner dem Glimmer eingelagert; die Mehrzahl derselben halte ich für secundären Quarz (z. Th. helle Körner, z. Th. durch zahlreiche Eisenoxydhydrat-haltige Interpositionen, die zumal das Innere der Körner erfüllen, getrübte); in manchen Fällen war nicht zu entscheiden, ob Apatit oder Quarz vorlag; ein ebenfalls farbloses aber auch sehr verunreinigtes doppeltbrechendes Korn erinnerte durch seine Spaltbarkeit an ein Carbonat, wenn auch nicht an Kalkspath. Auf eine genaue Bestimmung solcher ganz vereinzelten Körnchen mußte ich verzichten.

Abgesehen also von den jedenfalls primären Gemengtheilen Magnetit, Titanit und Apatit finden sich als Umsetzungsproducte der Hornblende dem Glimmer Epidot und Flußspath innig vergesellschaftet, ferner Eisenoxydhydrat und einige farblose Körner, unter denen nur Quarz zu bestimmen war. Diese Summe von Producten der (complicirten) Verwitterung läßt auch den Umbildungs-Prozeß chemisch möglich erscheinen und ist insofern ebenfalls ein Beweismoment für die Wahrscheinlichkeit desselben. Dem in den meisten Hornblenden vor dem Calcium vorwiegenden Magnesium entspricht unter jenen Producten der an Menge vorwaltende Magnesiaglimmer, in welchem auch Thonerde wieder gebunden wurde; von letzterer ging auch ein Theil in den Epidot ein; das Calcium wurde einerseits (neben Thonerde) zur Bildung des Epidot verwandt, andrerseits zu der des Flußspaths. Das nöthige Fluor dürfte, wie schon hervorgehoben, nicht der Apatit geliefert haben, sondern die Hornblende selbst; es haben ja bereits viele Analysen [1]) einen Fluor-Gehalt von Hornblenden nachgewiesen (während solcher den Augiten zu fehlen scheint). Von der Kieselsäure wurde eine geringe Menge als Quarz und vom Eisen eine Quantität als Brauneisen ausgeschieden.

Der Flußspath im Granit von Drammen ist also ein Product der Verwitterung von Hornblende; von gleichem Herkommen dürften manche andere Flußspath-Vorkommen sein.

1) vgl. Rammelsberg, Mineralchemie, 2. Aufl. S. 420.

Für die Redaction verantwortlich: *E. Rehnisch*, Director d. Gött. gel. Anz.
Commissions-Verlag der *Dieterich'schen Verlags-Buchhandlung*.
Druck der *Dieterich'schen Univ.-Buchdruckerei (W. Fr. Kaestner)*.

Nachrichten

von der Königl. Gesellschaft der Wissenschaften und der G. A. Universität zu Göttingen.

20. October. №. 16. 1880.

Königliche Gesellschaft der Wissenschaften.

Sitzung am 7. August.

Wüstenfeld: Geschichte der Faṭimiden. Zweite Abth. (S. Abh.)

Benfey: Die Quantitätsverschiedenheiten in den Saṃhitâ- und Pada-Texten der Veden. Sechste und letzte Abhandlung: Unzusammengesetzte Wörter oder einfache Theile von Zusammensetzungen, welche im Anlaut oder Inlaut *a*, *i*, *u* in der Saṃhitâ lang, im Pada kurz zeigen. Erste Abtheilung. (S. Abh.)

Derselbe: Behandlung des auslautenden *ă* in *ná* 'wie' und *ná* 'nicht' im Rigveda, mit einigen Bemerkungen über die Umwandlung der ursprünglichen Aussprache und Accentuirung der Wörter im Veda. (S. Abh.)

Schering: Ueber literar. Geschenke, welche die K. Societät erhalten hat.

Lang: Ueber den Flußspath im Granit von Drammen.

Himstedt: Einige Versuche über Induction in körperlichen Leitern.

Briefe von Lagrange an Euler, Laplace und Canterzani in Photolithographien veröffentlicht von B. Boncompagni.

Vorgelegt von E. Schering.

Der Principe Baldassare Boncompagni hat wiederum die große Güte gehabt, der Königlichen Gesellschaft der Wissenschaften zu Göttingen ein sehr werthvolles Geschenk zu machen, welches in den von ihm photolithographisch veröffentlichten Schriften besteht:

1. *Lettres inédites de Joseph-Louis Lagrange à Léonard Euler tirées des archives de la salle des conférences de l'académie impériale des sciences de Saint-Pétersbourg. Saint-Pétersbourg, Expédition pour la confection des papiers de l'état. Atelier héliographique dirigé par G. Scamoni.* 1877.

Die Briefe sind theils in lateinischer Sprache geschrieben und tragen die Datirungen: Taurini: 4to cal. Julii, — die 20 Novembrij 1755, — die 19 Maii 1756, — die 4 Augusti 1758, — die 28 Julii 1759, theils sind sie in französischer Sprache geschrieben mit den Datirungen Turin 24 Novembre 1759, — 26 Décembre 1759, — 1 Mars 1760, — 14 Juin 1762, — 3 Octobre 1762. Der Inhalt betrifft verschiedene Gegenstände aus der Integral-Rechnung, der Variations-Rechnung, der analytischen Geometrie, der analytischen Mechanik und der Theorie der Differential-Gleichungen.

2. *Deux Lettres inédites de Joseph-Louis Lagrange tirées de la bibliothèque royale de Berlin (Collection Meusebach, Portefeuille* Nr. 21 *et Collection Radowitz.* Nr. 4952.) *Berlin. Imprimerie de Gustav Schade (Otto Francke)* 1878.

Der eine Brief ist datirt: Paris ce 25 nivose an 9. und trägt von anderer Hand die Bemerkungen: Paris le 15. Janv. 1801, La Grange rep. le 21 Mars 1801. Der Inhalt betrifft auch die damals beabsichtigte Fortsetzung von Montucla, l'Histoire des Mathématiques. Der andere Brief trägt kein Datum, aber von Humboldt's Hand die Aufzeichnung: »Lettre de M. de la Grange à M. Laplace écrite de Berlin. Elle m'a été donnée par Mad. la Marquise de Laplace (à Paris, Janv. 1843) A. Humboldt.«

3. *Lettera inedita di Giuseppe Luigi Lagrange tratta dalla biblioteca universitaria di Bologna* (*Corrispondenza Canterzani, Mss.* N. 2096. *Scatola IV*) *Firenze. Calcografia e Litografia Achille. Paris* 1879.

Der Brief ist aus Berlin vom 6. April 1773 datirt und an Canterzani gerichtet.

4. *Sessioni VI e VII. Accademia Pontificia de' nuovi Lincei. Anno XXXIII (1880).*

Einige Versuche über Induction in körperlichen Leitern.

Von

F. Himstedt.

Vorgelegt von Eduard Riecke.

Die Versuche, welche bisher über körperliche Induction angestellt sind, beschränken sich meines Wissens ausschließlich darauf, überhaupt nur das Vorhandensein inducirter Electricität nachzuweisen und die Richtung der auftretenden Ströme festzustellen, sehen aber von einer genauen Messung derselben gänzlich ab. Eine solche quantitative Bestimmung scheint mir aber in mehrfacher Beziehung nicht ohne Interesse zu sein.

Die Arbeiten von Helmholtz in Crelle Bd. 72 und 75 und die damit zusammenhängenden vieler anderer Autoren haben gezeigt, daß eine Entscheidung zwischen den verschiedenen Elementar-Gesetzen der Electricität durch das Experiment nur von solchen Versuchen zu erwarten ist, bei welchen in dem Leiter eine Anhäufung freier Electricität stattfindet, und weiter, daß eine solche Anhäufung in Wirklichkeit eintreten kann bei der Bewegung der Electricität in körperlichen Leitern. Die nachfolgend beschriebenen Versuche behandeln nun allerdings zwei Fälle körperlicher Induction, jedoch war bei beiden von vornherein ein für jene Entscheidung maaßgebendes Resultat nicht zu erwarten und können nach dieser Richtung die Versuche nur in so weit ein Interesse beanspruchen, als sie durch eine Behandlung der einfachsten Fälle vielleicht die der complicirteren, eine Entscheidung herbeiführenden, vorbereiten helfen. Eine selbständige Bedeutung glaube ich ihnen aber nach einer anderen Richtung beimessen zu dürfen, in so fern dieselben nämlich eine experimentelle Prüfung der von Kirchhoff aufgestellten Bewegungsgleichungen der Electricität in nichtlinearen Leitern enthalten. Kirchhoff hat jene Gleichungen aufgestellt, ausgehend von denselben Voraussetzungen, welche W. Weber's Betrachtungen zu Grunde liegen, und wenn auch der Ausdehnung dieser Annahmen auf nichtlineare Leiter theoretische Bedenken nicht entgegenstehen, so wird eine directe Bestätigung doch immerhin nicht nutzlos erscheinen, da alle Berechnungen über körperliche Induction sich auf diese Gleichungen stützen. Als weiteres Resultat der Versuche glaube ich dann hervorheben zu dürfen, daß durch sie der specifische Widerstand eines festen Leiters bestimmt wird, der die Form einer Kugel besitzt, während alle früheren Bestimmungen dieser Größe nur für die Drahtform ausgeführt sind.

Die Versuche zerfallen in zwei Gruppen.

In der ersten werden Inductionserscheinungen betrachtet, welche durch bewegte Magnete in einem ruhenden Leiter entstehen, in der zweiten solche, welche in einer in einem homogen magnetischen Felde rotirenden Kugel auftreten.

I. Gruppe.

Die Betrachtungen und Rechnungen, welche den Versuchen dieser Gruppe zu Grunde liegen, habe ich in meiner Dissertation[1]) durchgeführt und finden sich dieselben in größter Uebersichtlichkeit und Allgemeinheit in der Abhandlung von Prof. Riecke: Ueber die Bewegung der Electricität in körperlichen Leitern[2]).

Bewegt sich ein Magnet in der Nähe einer Metallkugel, so inducirt er in dieser electrische Ströme von der Art, daß diese seine Bewegung zu dämpfen suchen. Unter der Voraussetzung, daß wir den Magnet in seiner Wirkung ersetzen können durch zwei von einer horizontalen Linie getragene Pole $+\mu$ und $-\mu$ und daß die Bewegung dieser Pole in so kleinen Schwingungen besteht, daß wir die während einer solchen eintretenden Aenderungen der Coordinaten vernachlässigen können, ergeben die a. a. O. geführten Rechnungen für das von den inducirten Strömen auf den Magnet ausgeübte Drehungsmoment einen Ausdruck von der Form:

$$-P \cdot \frac{d\varphi}{dt} + Q \cdot \frac{d^2\varphi}{dt^2},$$

1) Ueber die Schwingungen eines Magneten unter dem Einfluß einer Kupferkugel. Göttingen 1875.

2) Abhandlungen der Gesellschaft der Wissenschaften zu Göttingen. 21. Bd. 1876.

in welchem $\frac{d\varphi}{dt}$ und $\frac{d^2\varphi}{dt^2}$ der 1te resp. 2te Differentialquotient des Drehungswinkels φ nach der Zeit, und P und Q in Bezug hierauf constante, nur von den Magnetverhältnissen und den Dimensionen der Kugel abhängende Größen sind. Die gedämpfte Bewegung des Magnets wird dann bestimmt durch die Gleichung:

$$(K-Q)\frac{d^2\varphi}{dt^2} + P.\frac{d\varphi}{dt} + M.T.\varphi = 0,$$

in welcher K das Trägheitsmoment, M das magnetische Moment des Magnets und T die von dem Erdmagnetismus und der Suspension abhängige Directionskraft. Bezeichnen wir mit t die Schwingungsdauer, mit l das logarithmische Decrement der Schwingungsbögen, so findet die Beziehung statt:

$$1) \qquad \frac{P}{K-Q} = 2\frac{l}{t}.$$

Das Bestehen dieser Gleichung für die durch Beobachtung bestimmten Werthe von K P Q l und t kann somit als Beweis dienen: 1) für die Richtigkeit der Ausdrücke, welche die Rechnung für die inducirten Ströme ergeben hat und 2) für die Gültigkeit der Kirchhoff'schen Gleichungen, auf Grund welcher jene Rechnungen ausgeführt wurden. Wir werden jedoch im Folgenden diese Gleichung noch in etwas anderer Weise ausnützen.

Der zu den Versuchen benutzte Apparat hatte folgende Einrichtung: Ein elliptisch geformter Ring von dickem Aluminiumdraht, dessen kleine Axe 120^{mm}, dessen große 180^{mm}, trug an den Enden der letzteren zwei dünnwandige Messinghülsen, deren Längsaxen parallell dieser großen Axe der Ellipse. Dieselben waren leicht federnd und dienten zur Aufnahme zweier kleiner Magnetstäbe. Der Drahtring trug außerdem einen kleinen Planspiegel zur Fernrohrablesung und Vorrichtungen, um behufs der Ermittelung des Trägheitsmomentes kleine Messinggewichte in verschiedenen Abständen von einander aufhängen zu können. Der Ring wurde bifilar an über eine leicht bewegliche Rolle führenden Coconfäden so aufgehängt, daß die Ringebene vertical hing und die große Axe zusammenfiel mit dem magnetischen Meridian.

Die beiden Magnete wurden annähernd gleich stark magnetisirt und entgegengesetzt in die Hülsen gesteckt, so daß der Nordpol des stärkeren (No. I) nach Norden, der des schwächeren (No. II) nach Süden zeigte. Die Kupferkugel, wenn sie gebraucht wurde, wurde so aufgestellt, daß ihr Mittelpunct zusammenfiel mit dem Durchschnittspuncte der verticalen Drehungsaxe und der horizontalen großen Ellipsenaxe, oder was dasselbe ist, mit dem Ringmittelpuncte.

Bezeichnen wir die Abstände des Nord- und Südpols des Magnets No. I von diesem Mittelpuncte mit d_1 und d_2, die magnetischen Massen mit $\pm\mu_1$ und die entsprechenden Größen des Magnets No. II mit d_4 und d_3 und $\pm\mu_2$, den Radius der Kupferkugel mit a, so leiten sich aus den Formeln bei Riecke für P und Q die folgenden Ausdrücke ab:

$$P =$$

$$4\pi\frac{A^2}{\lambda}\sum_{n=0}^{n=\infty}\frac{n^2}{2.2n+1.2n+3}a^{2n+3}\Big\{\mu_1\Big(\frac{1}{d_1^{\,n+1}}-\frac{1}{d_2^{\,n+1}}\Big)$$
$$+(-1)^{n+1}\mu_2\Big(\frac{1}{d_3^{\,n+1}}-\frac{1}{d_4^{\,n+1}}\Big)\Big\}^2$$

$$Q =$$

$$\pi^2\frac{A^4}{\lambda^2}\sum_{n=0}^{n=\infty}\frac{n^2}{2.(2n+1)^2 2n+3.2n+5}a^{2n+5}\Big\{\mu_1\Big(\frac{1}{d_1^{\,n+1}}-\frac{1}{d_2^{\,n}}$$
$$+(-1)^{n+1}\mu_2\Big(\frac{1}{d_3^{\,n+1}}-\frac{1}{d_4^{\,n+1}}\Big)\Big\}^2.$$

Hierin ist $A = \frac{\sqrt{2}}{c}$, c die Constante des Weber'schen Gesetzes und λ der Leitungswiderstand der benutzten Kupferkugel. Bezeichnen wir $\frac{A^2}{\lambda}$ mit x, so lassen sich die Ausdrücke für P und Q in der Form schreiben $P = x.p$ und $Q = x^2.q$ und die Gleichung 1) kann dann zur Bestimmung des x und damit, wenn man A als bekannt ansieht, der des λ benutzt werden. Es wird

$$x = \frac{-p.t+\sqrt{p^2t^2+16\,l^2qK}}{4\,l\,q}$$

oder durch Entwickelung der Quadratwurzel

$$2)\quad x = \frac{A^2}{\lambda} = 2\frac{l\,K}{pt} - 8\frac{l^3qK^2}{p^3t^3} + \dots.$$

Diese Gleichung ist im Folgenden zur Ausrechnung der Beobachtungen benutzt und hat sich gezeigt, daß schon das erste Glied der rechten Seite allein die erforderliche Genauigkeit liefert. Aus der guten Uebereinstimmung der aus ihr berechneten Werthe für λ mit den Resultaten früherer Beobachtungen ergeben sich dann dieselben Folgerungen wie aus der Gleichung 1).

Die Anordnung der Versuche war die folgende: Durch Ablenkungsbeobachtungen an einem an Coconfaden aufgehängten Spiegelmagneten von 20 ^{mm} Durchmesser wurden magnetisches Moment und Polabstand der zu benutzenden Magnete mit möglichst großer Schärfe bestimmt, die Magnete in der angegebenen Weise in die Hülsen des Aluminiumringes gesteckt und mit Hülfe eines Kathetometers mit mikroskopischer Ablesung die Abstände ihrer äußeren und inneren Endpuncte von einander bestimmt. Das Mittel aus diesen, dividirt durch zwei, wurde für die Abstände der Magnetmittelpuncte vom Ringmittelpuncte genommen und aus diesen und den Polabständen die oben mit d_1 d_2 d_3 d_4 bezeichneten Größen berechnet. Durch Schwingungsbeobachtungen bei zwei verschiedenen Abständen der Messinggewichte von einander wurde das Trägheitsmoment bestimmt und außerdem die Luftdämpfung beobachtet, alsdann die Kupferkugel mit Hülfe einer zweckdienlichen Vorrichtung an ihre Stelle gebracht und Dämpfung und gedämpfte Schwingungsdauer beobachtet, hierauf wieder das magnetische Moment und der Polabstand der Magnete bestimmt. Das Mittel aus dieser und der ersten nur sehr wenig davon abweichenden Bestimmung wurde für die weitere Rechnung benutzt. Alle Beobachtungen eines Versuches wurden ohne Unterbrechung thunlichst in 3—5 Stunden ausgeführt.

In der folgenden Uebersicht der Resultate bezeichnet L die Länge der Magnete (der Querschnitt war bei allen ein Quadrat von 5 mm Seite), r den Polabstand, d den Abstand eines Magnetpols vom Kugelmittelpuncte, M das magnetische Moment, $\mu = \frac{M}{r}$ die magnetische Masse eines Poles, endlich T die Horizontal-Intensität des Erdmagnetismus. Die letztere wurde mit Hülfe des compensirten Magnetometers gefunden aus einer Vergleichung der Bussolenablenkungen am Orte der Beobachtung mit solchen, welche an einem eisenfreien Orte gemacht wurden. Sie ist dieselbe für alle Versuche $T = 1,873$.

Die 4 ersten Versuche wurden ausgeführt mit einer Kupferkugel vom Durchmesser $2a = 92,94^{\text{mm}}$ einem Gewichte $G = 3728700^{\text{mgr}}$ und einem specifischen Gewichte $s = 8,88$. Bei dem 5ten Versuche wurde eine Kupferkugel benutzt, für welche:

$$2a = 59,85^{\text{mm}}$$

$$G = 999000^{\text{mgr}}$$

$$s = 8,9$$

Versuche.

		I	II	III		
	L	60mm	60mm	70mm		
No. I	$\frac{M_1}{T}$	1174650	1172460	1748400	767980	1472
No. I	r_1	41,68	39,4	57,34	44,92	49
No. I	d_1	106,13	102,5	119,11	99,72	9
No. I	d_2	64,45	63,1	61,77	54,8	4
No. II	$\frac{M_2}{T}$	1026750	1022800			
No. II	r_2	45,7	43,1	56,02		
No. II	d_3	62,44	61,25			
No. II	d_4	108,14	104,35	118		
	K	22812.10^4	22399.10^4	28592		
	t	11,842	11,573	12,32	9,83	
	l	0,0067	0,00742	0,00802	0,01095	0,0
	$\frac{A^2}{\lambda}$	$\frac{1}{215760}$	$\frac{1}{213900}$	$\frac{1}{220800}$	$\frac{1}{218900}$	$\frac{1}{2012}$

II. Gruppe.

Aufstellung und Integration der Bewegungsgleichungen der Electricität.

Rotirt eine leitende Kugel in einem homogen magnetischen Felde, so gelten für die Bewegung der inducirten Electricität die folgenden Gleichungen:

$$\text{I} \qquad \begin{aligned} \lambda u + \frac{\partial \varphi}{\partial x} + A^2 \frac{d U}{d t} - X = 0 \\ \lambda v + \frac{\partial \varphi}{d y} + A^2 \frac{d V}{d t} - Y = 0 \\ \lambda w + \frac{\partial \varphi}{\partial z} + A^2 \frac{d W}{d t} - Z = 0 \end{aligned}$$

u v w sind die an einem Puncte x y z der Kugel auftretenden Stromcomponenten, φ das Potential der freien Electricität, X Y Z die Componenten der äußeren electromotorischen Kraft, endlich U V W nach Helmholtz definirt durch:

$$U = \frac{1-k}{2} \frac{\partial \Psi}{\partial x} + \int\int\int \frac{u^1}{r} d x_1 \, d y_1 \, d z_1$$

$$V = \frac{1-k}{2} \frac{\partial \Psi}{\partial y} + \int\int\int \frac{v^1}{r} d x_1 \, d y_1 \, d z_1$$

$$W = \frac{1-k}{2} \frac{\partial \Psi}{\partial z} + \int\int\int \frac{w^1}{r} d x_1 \, d y_1 \, d z_1$$

wo $\Psi = \int\int\int \left\{ u^1 \frac{\partial r}{\partial x_1} + v^1 \frac{\partial r}{\partial y_1} + w^1 \frac{\partial r}{\partial z_1} \right\} d x_1 d y_1 d z_1$

und

$$r^2 = (x - x_1)^2 + (y - y_1)^2 + (z - z_1)^2.$$

Hierzu kommen noch die Bedingungsgleichungen:

$$\text{Ia} \qquad \frac{\partial u}{\partial x}+\frac{\partial v}{\partial y}+\frac{\partial w}{\partial z}=\frac{1}{4\pi}\frac{d(\Delta\varphi)}{dt}$$

für einen Punct im Innern und

$$\text{Ib} \qquad u^1\frac{dx_1}{dn}+v^1\frac{dy_1}{dn}+w^1\frac{dz_1}{dn}=\frac{1}{4\pi}\left(\frac{d^2\varphi}{dt\,dn}-\frac{d^2\varphi a}{dt\,dn}\right)$$

für einen Punct der Oberfläche, in welchen n die Normale im Puncte $x_1\ y_1\ z_1$ und φ_a der Werth des Potentials für einen äußeren Punct.

Legen wir den Anfangspunct eines rechtwinkligen Coordinatensystems in den Mittelpunct der Kugel, nehmen die X-axe nach Norden, die Y-axe nach Westen und die Z-axe senkrecht nach oben und letztere zur Rotationsaxe, so werden die Geschwindigkeitscomponenten $\mathfrak{u}\ \mathfrak{v}\ \mathfrak{w}$ eines Punctes $x\ y\ z$

$$\mathfrak{u}=-\omega.y \quad \mathfrak{v}=\omega.x \quad \mathfrak{w}=0$$

wo ω die Winkelgeschwindigkeit, für welche im Folgenden die Annahme gemacht werden soll

$$\omega=\frac{d\varphi}{dt}=D.\varkappa e^{\varkappa t}.$$

Nennen wir die Kraft des homogenen Feldes R und lassen ihre Richtung zusammenfallen mit der Horizontalcomponente des Erdmagnetismus, so werden:

$$X=0 \quad Y=0 \quad Z=AD\varkappa e^{\varkappa t}R.x.$$

Führen wir Polarcoordinaten ein:

$$x = \varrho \cos \vartheta, \quad y = \varrho \sin \vartheta \cos \psi, \quad z = \varrho \sin \vartheta \sin \psi$$

und wählen für die Bezeichnung der Kugelfunctionen zweier Veränderlichen die folgende[1])

$$C_m^n = \sin^m \vartheta \, \mathfrak{P}_m^n(\cos \vartheta) \cos m\psi$$
$$S_m^n = \sin^m \vartheta \, \mathfrak{P}_m^n(\cos \vartheta) \sin m\psi,$$

so läßt sich Z in die Form bringen:

$$Z = e^{\varkappa t} \varrho c_1^0 C_0^1$$

wenn c_1^0 für $AD\varkappa R$ gesetzt wird.

Aus den Gleichungen I, Ia und Ib lassen sich die neuen ableiten:

$$\text{II} \qquad \frac{d(\varDelta\varphi)}{dt} + \frac{4\pi}{\lambda}\varDelta\varphi - 4\pi k \frac{A^2}{\lambda}\frac{d^2\varphi}{dt^2} = 0$$

für die Bestimmung des Potentials und

$$\text{III} \qquad \begin{aligned} 4\pi u &= \chi_1 + \frac{\partial^2\varphi}{\partial x\, dt} \\ 4\pi v &= \chi_2 + \frac{\partial^2\varphi}{\partial y\, dt} \\ 4\pi w &= \chi_3 + \frac{\partial^2\varphi}{\partial z\, dt} \end{aligned}$$

$$\text{IIIa} \qquad \varDelta\chi - 4\pi \frac{A^2}{\lambda}\frac{d\chi}{dt} = 0$$

für die Bestimmung der Stromcomponenten $u\ v\ w$. Nehmen wir an, daß die Abhängigkeit der φ und χ von der Zeit dieselbe wie die der

1) Vergl. Heine, Handbuch der Kugelfunctionen.

$X\ Y\ Z$, so genügen wir den Gleichungen II und IIIa durch die Reihen:

$$\varphi = e^{\varkappa t} \sum \varrho^n q_n \sum F_n^m S_m^n + \Phi_n^m C_m^n$$
$$\chi_1 = e^{\varkappa t} \sum \varrho^n p_n \sum A_n^m S_m^n + \mathcal{A}_n^m C_m^n$$
$$\chi_2 = e^{\varkappa t} \sum \varrho^n p_n \sum B_n^m S_m^n + \mathcal{B}_n^m C_m^n$$
$$\chi_3 = e^{\varkappa t} \sum \varrho^n p_n \sum C_n^m C_m^n - \Gamma_n^m S_m^n$$

in welchen sich die Summation nach n von 0 bis ∞, nach m von 0 bis n zu erstrecken hat. p_n und q_n sind bestimmt durch

$$p_n = \frac{2^n \Pi(n)}{1.3\ldots.2n+1}\Big(1 + \frac{1}{2.2n+3}\frac{g^2}{a^2}.\varrho^2 + \frac{1}{2.4.2n+3.2n+5}\frac{g^4}{a^4}\varrho^4\ldots.\Big)$$

$$q_n = \frac{2^n \Pi(n)}{1.3\ldots.2n+1}\Big(1 + \frac{1}{2.2n+3}\frac{c^2}{a^2}\varrho^2 + \frac{1}{2.4.2n+3.2n+5}\frac{c^4}{a^4}.\varrho^4\ldots.\Big),$$

wo $\frac{g^2}{a^2}$ und $\frac{c^2}{a^2}$ gesetzt sind für $4\pi\frac{A^2}{\lambda}\varkappa$ resp. $4\pi\frac{A^2}{\lambda}k\frac{\varkappa^2}{\frac{4\pi}{\lambda}+\varkappa}$.

Die Bestimmung der bisher noch unbekannten vier Paare von Coefficienten A_n^m $\mathcal{A}_n^m$ etc. kann geschehen durch Einsetzen der für φ und χ angenommenen Entwickelungen in die Gleichungen

Ia. Bequemer ist es, die Raumintegrale dieser Gleichungen mit Hülfe der von Weingarten gegebenen Transformation vorher in Oberflächenintegrale zu verwandeln. Auf beiden Wegen ergeben sich vier Paar lineare Gleichungen in A_n^m A_n^m etc., aus denen sich dann ergiebt:

Es verschwinden alle Coefficienten mit Ausnahme von

$$F_2^1 = \frac{3.5}{4.4}\left(1 - 5\,\frac{\lambda}{4\pi}\,\varkappa\right) c_1^0$$

$$A_1^1 = -\frac{4\pi}{\lambda}\left(1 - \frac{1}{2.3} 4\pi \frac{A^2}{\lambda}\,\varkappa a^2\right) {}^3\!/_4\, c_1^0$$

$$C_1^0 = -A_1^1.$$

Es werden somit gefunden

$$u = e^{\varkappa t} \varrho p_1 A_1^1 S_1^1$$

$$= - e^{\varkappa t}\frac{1}{\lambda}\varrho\left\{1 - 2\pi\frac{A^2}{\lambda}\left(\frac{a^2}{3} - \frac{\varrho^2}{5}\right)\varkappa\right\} {}^1\!/_2\, c_1^0 \sin\vartheta \sin\psi$$

$$v = 0$$

$$w = e^{\varkappa t} \varrho p_1 C_1^0 C_0^1$$

$$= e^{\varkappa t}\frac{1}{\lambda}\varrho\left\{1 - 2\pi\frac{A^2}{\lambda}\left(\frac{a^2}{3} - \frac{\varrho^2}{5}\right)\varkappa\right\} {}^1\!/_2\, c_1^0 \,.\cos\vartheta.$$

Das von dem homogen magnetischen Felde auf die inducirten Ströme der Kugel ausgeübte Drehungsmoment und die Bewegungsgleichung der Kugel.

Bezeichnen wir die Componenten der pondermotorischen Kraft, welche das homogen magnetische Feld auf einen Punct $x\ y\ z$ der Kugel mit den Stromcomponenten $u\ v\ w$ ausübt, mit $\Xi\ H\ Z$, so ist bei einer Rotation der Kugel um die Z-axe das auf jenen Punct ausgeübte Drehungsmoment

$$\Delta = xH - y\Xi.$$

In unserem Falle ist

$$\Xi = 0 \qquad H = -A.w.R.dx\,dy\,dz.$$

Durch Einsetzen des soeben für w gefundenen Werthes und durch Integration des entstehenden Ausdruckes für Δ über die ganze Kugel ergiebt sich:

$$\Delta = -4\pi\frac{A^2}{\lambda}\varkappa e^{\varkappa t} D.R^2.\frac{a^5}{30}\left(1 - 8\pi\frac{A^2}{\lambda}\varkappa\frac{a^2}{21}\right)$$

oder indem wir uns der Substitution erinnern

$$D.\varkappa e^{\varkappa t} = \frac{d\varphi}{dt} \text{ und } D.\varkappa^2 e^{\varkappa t} = \frac{d^2\varphi}{dt^2}$$

erhalten wir:

$$\Delta = -P.\frac{d\varphi}{dt} + Q\frac{d^2\varphi}{dt^2}$$

wo

$$P = 4\pi\frac{A^2}{\lambda}R^2.\frac{a^5}{30} \quad Q = 32\pi^2\frac{A^4}{\lambda^2}R^2\frac{a^7}{21.30}.$$

Ist die Kupferkugel bifilar aufgehängt und wird sie durch eine Drehung um die Z-axe von nur wenigen Graden aus ihrer Ruhelage getrieben, so wird die entstehende schwingende Bewegung bestimmt durch die Gleichung:

$$(K-Q)\frac{d^2\varphi}{dt^2}+P\frac{d\varphi}{dt}+T.\varphi=0,$$

wo T die aus der Suspension entspringende Directionskraft, K das Trägheitsmoment bezeichnet. Ist die Schwingungsdauer t und das logarithmische Decrement gleich l, so muß die Relation bestehen

$$\frac{P}{K-Q}=2\frac{l}{t}.$$

Setzen wir

$$P=p.\frac{A^2}{\lambda}\quad Q=q\frac{A^4}{\lambda^2}$$

und lösen die entstehende Gleichung nach $\frac{A^2}{\lambda}$ auf, so erhalten wir:

$$\frac{A^2}{\lambda}=\frac{2lK}{pt}-8\frac{l^3qK^2}{p^3t^3}+\ldots\ldots$$

Die Größen rechter Hand lassen sich ohne Ausnahme durch die Beobachtung bestimmen und ergiebt somit die vorstehende Gleichung aus der Beobachtung der in einer Vollkugel inducirten Electricität 1) eine Bestimmung der Größe $\frac{A^2}{\lambda}$ und damit auch von λ und 2) durch die Vergleichung des für λ gefundenen Werthes mit solchen früherer, auf andere Weise ausgeführter Bestimmungen ein Mittel zur Prüfung der aufgestellten Bewegungsgleichungen der Electricität in körperlichen Leitern.

Herstellung und Messung des homogen magnetischen Feldes.

Drei Magnetstäbe von 1800—1850 ^{mm} Länge, 20 ^{mm} Dicke und 80 ^{mm} Höhe wurden mit ihren Längsaxen parallel dem magnetischen Meridian, hochkant, mit nur sehr kleinen Zwischenräumen neben einander gelegt, so daß die Endflächen des Systems im Norden wie im Süden ein vertical stehendes Rechteck von 70 ^{mm} Grundlinie und 80 ^{mm} Höhe bildeten. Drei weitere, diesen ganz gleiche Magnete waren in derselben Weise zu einem zweiten System zusammengelegt, und zwar so, daß die Längsaxe jedes einzelnen parallel dem magnetischen Meridian war und die directe Fortsetzung der Längsaxe des entsprechenden Magnets im ersten System bildete. Der mittlere Theil des Raumes zwischen der nördlichen Endfläche des ersten und der südlichen Endfläche des zweiten Systems konnte als homogen magnetisches Feld betrachtet werden. Die Homogeneität des Feldes wurde in doppelter Weise untersucht. Ein Mal durch Betrachtung der Linien, welche Eisenfeilspähne bildeten, die auf einem Kartenblatte in das Feld gebracht wurden. Die Linien waren vollständig parallel und gleichmäßig an allen Stellen des Feldes. Sodann aber fand eine genaue Prüfung statt durch die Messung der Winkel, um welche eine Bifilarrolle durch einen genau gemessenen galvanischen Strom aus ihrer Ruhelage abgelenkt wurde. Die Ruhelage war der Art, daß in ihr die Längsaxe der Rolle senkrecht stand zum magnetischen Meridian.

Bezeichnen wir die Stromfläche der Rolle mit F, die Intensität des hindurchgeleiteten Stromes mit i, die Directionskraft der Suspensionsdrähte mit D, die Horizontalintensität des Erdmagnetismus mit T, endlich den Ablenkungswinkel mit φ, so ist die Kraft R des Feldes bestimmt durch die folgende Gleichung:

$$R + T = \frac{D \cdot \varphi}{F \cdot i \cdot \cos \varphi}.$$

Beobachtet man ferner die Ablenkung φ', welche ein Strom i' bei der Rolle hervorbringt, wenn dieselbe nur unter der Einwirkung des Erdmagnetismus sich befindet, so besteht die Gleichung

$$T = \frac{D . \varphi'}{F i' \cos \varphi'}$$

und aus der Combination mit der vorstehenden ergiebt sich

$$\frac{T + R}{T} = \frac{\varphi \cdot i' \cos \varphi'}{\varphi' i \cdot \cos \varphi},$$

also die Kraft R gemessen durch die horizontale Componente des Erdmagnetismus.

Der äußere Durchmesser der Rolle war 60 mm, gleich dem Durchmesser der später zu benutzenden Kupferkugel. Die Suspension war unter der Decke des Beobachtungsraumes so befestigt, daß durch eine Schiebervorrichtung die Rolle ohne sonstige Aenderungen an 5 verschiedene Puncte A B C D E des homogenen Feldes gebracht werden konnte. A war der Mittelpunkt des Feldes, B und C in der Richtung des magnetischen Meridians nach Norden resp. Süden um 20 mm von A entfernt, D und E senkrecht zum Meridian nach Osten resp. Westen um je

5^{mm} von A. An jedem dieser 5 Puncte wurde R in der oben angegebenen Weise bestimmt. Die Uebereinstimmung dieser 5 Beobachtungen unter einander diente als Beweis für die Homogeneität und das Mittel aus denselben wurde als Werth für R benutzt.

Die Schwingungsversuche mit der Kupferkugel.

Nachdem in der eben angegebenen Weise die Stärke des homogen magnetischen Feldes bestimmt war, wurde die Kupferkugel von 60^{mm} Durchmesser, mit welcher auch schon in der 1ten Gruppe ein Versuch angestellt war, an einem c. $2^1/_2$ Mtr. langen Drathe bifilar aufgehängt, so daß ihr Mittelpunct mit dem Mittelpuncte des Feldes zusammenfiel. Dieselbe wurde in Bewegung gesetzt durch vorsichtiges Anblasen vermittelst einer capillar ausgezogenen Glasröhre gegen einen an der Kugel befestigten Holzstab, der zum Anhängen von Glasgewichten diente. Es wurden Dämpfung und Schwingungsdauer beobachtet, die Magnete weggeräumt und Luftdämpfung sowie Trägheitsmoment bestimmt.

Die einzelnen Versuche unterscheiden sich von einander durch die Größe des Abstandes zwischen den sich gegenüberliegenden Endflächen der beiden oben beschriebenen Systeme von Magneten. Derselbe ist in der folgenden Uebersichtstabelle der Versuche mit L bezeichnet, die Stärke des Feldes mit R. Unter t ist die gedämpfte Schwingungsdauer, unter l die Differenz der logarithmischen Decremente der Dämpfung und der Luftdämpfung, unter K das Trägheitsmoment zu verstehen.

Versuche.

	Nr. I.	Nr. II.	Nr. III.
L	455 mm	500	590
R	$87{,}3 . T$	$79{,}8 . T$	63,6
K	8746.10^5	86154.10^4	13243.10^5
t	15,164	15,28	18,882
l	0,01202	0,01038	0,00528
$\frac{A^2}{\lambda}$	$\frac{1}{205650}$	$\frac{1}{203500}$	$\frac{1}{204300}$

Die Resultate dieser Gruppe stimmen sehr gut überein und weichen auch von dem für dieselbe Kugel in der 1. Gruppe gefundenen Werthe nur wenig ab.

Das arithmetische Mittel aus allen Versuchen ergiebt:

1. Kugel.

Durchmesser = 92,94 Gewicht = 3728700 mgr

spec. Gew. = 8,88

$$\frac{A^2}{\lambda} = \frac{1}{217340}$$

$$\lambda = \frac{1}{444278.10^{12}}.$$

2. Kugel.

Durchmesser = 59,85 mm Gewicht = 999000 mgr

$$\text{spec. Gew.} = 8{,}9$$

$$\frac{A^2}{\lambda} = \frac{1}{203680}$$

$$\lambda = \frac{1}{474074.10^{12}}.$$

Zur Beurtheilung dieser Werthe mögen die Resultate einiger früherer Bestimmungen hier Platz finden, die für Kupferdrähte ausgeführt sind:

Jacobi $\lambda = \frac{1}{374116.10^{12}}$

Kirchhoff $\lambda = \frac{1}{451043.10^{12}}$

Weber $\lambda = \frac{1}{463382.10^{12}}$

Bestleitender galvanoplastischer Kupferdrath

$$\lambda = \frac{1}{513144.10^{12}}.$$

Ich verfehle nicht bei dieser Gelegenheit Herrn Prof. Riecke für die mir ertheilte Erlaubniß, diese Versuche im phys. Cabinet zu Göttingen anstellen zu dürfen, meinen Dank auszusprechen.

Freiburg i./B., September 1880.

Bei der Königl. Gesellschaft der Wissenschaften eingegangene Druckschriften.

Juli 1880.

Astronomical Papers. Vol. I. P. 2. Washington. 1880.
Zeitschrift der öster. Gesellschaft für Meteorologie. Bd. XV. Juli, August 1880.

Von der K. Universität Christiania:

H. Mohn, Jahrbuch des Norweg. meteorolog. Instituts für 1877 u. 1878.

Nyt Magazin for Naturvidenshaberne. Bd. 24 H. 4; 25 H. 1—3. 1879.

Tromsö Museums Aarshefter. 1. Tromsö 1878.

Beretning om Bodsfaengslets virksomhed i Aaret 1878.

Det K. Norske Frederiks Universitets Aarsberetning for 1878.

Forhandlinger i Videnskabs-Selskabet i Christiania i Aar. 1879.

Det K. Norske Vidensk. Selskabs Skrifter 1878. Throndhjem 1879.

H. Siebke, Enumeratio insoctorum norvegicorum. Fasc. V. Pars 1.

Archiv for Mathematik og Naturvidenskab. Bd. IV H. 2—4.

C. P. Caspari, Alte und neue Quellen zur Geschichte des Taufsymbols und der Glaubensregel. Christiania 1879.

G. O. Sars, Carcinologiske Bidrag til Norges Fauna. 8 Hefte. Christiania 1879.

Udkast til Vexellov. Kjöbenhavn 1878.

L. Daae, kong Christiern den förstes norske historie 1448—1458. Christiania 1879.

Index Scholarum in Univers. habendarum. Christiania 1880.

Betänkning angaaende Vexellore etc. 1879.

S. Lie, Classification der Flächen nach der Transformationsgruppe ihrer geodätischen Curven. Christ. 1879.

F. C. Schübeler, Vaextliret i Norge. Christ. 1879.

T. Dahll, om Norvegium, etc.

— — Geologisk Kart over nordlige Norge. 1866—79.

J. Biker, Supplemento á collecção dos tratados etc. T. XVII. Lisboa. 1879.

Monatsbericht der Berliner Akad. der Wiss. März u. April. 1880.

A. Falsan et E. Chantre, Monographie géologique des anciens glaciers et du terrain erratique du bassin du Rhone. Lyon. 1875. Fol.

(Fortsetzung folgt.)

Für die Redaction verantwortlich: *E. Rehnisch*, Director d. Gött. gel. Anz.
Commissions-Verlag der *Dieterich'schen Verlags-Buchhandlung.*
Druck der *Dieterich'schen Univ.-Buchdruckerei (W. Fr. Kaestner).*

Nachrichten

von der Königl. Gesellschaft der Wissenschaften und der G. A. Universität zu Göttingen.

3. November. **№ 17.** 1880.

Königliche Gesellschaft der Wissenschaften.

Ueber einen Dialekt der sumerischen Sprache.

Von

Dr. **Paul Haupt.**

Vorgelegt von Paul de Lagarde.

Im zweiten Bande der *Cuneiform Inscriptions of Western Asia* [1]) finden wir auf S. 31 und S. 40 zwei Vocabularien, die nicht wie gewöhnlich in zwei, sondern in drei Columnen getheilt sind.

Wie von vornherein zu erwarten ist und bei dem ersten Blick auf diesen Text klar wird, ist die dritte Spalte assyrisch; wir lesen zum Beispiel auf dem zwanzig Zeilen langen Fragment II R. 31 No. 1 die Wörter napχa-ru „Gesammtheit", bubûtu „Hunger", χušâχu „Hungersnoth", uzzu „Macht", šâru „Wind", mêχû

1) Sir Henry Rawlinson, *The cuneiform inscriptions of Western Asia*. London 1861; 66, 70, 75. Ich bezeichne die vier Bände in der gewöhnlichen Weise als I R., II R., III R., IV R. Der erste Theil des V. Bandes wird noch im Laufe dieses Jahres der Oeffentlichkeit übergeben werden.

„Sturm", nâš paṭri „Dolchträger" — alles ganz gewöhnliche und gut semitische Wörter.

Ebenso klar ist die zweite Columne. Hier haben wir offenbar die entsprechenden Wörter der sumerischen Sprache vor uns. So entspricht Z. 5 dem assyrischen uzzu in der zweiten Columne mêr, was uns schon aus dem von Hormuzd Rassam zu S^b 1 [1]) hinzugefundenen Fragmente als das sumerische Wort für „Macht, mächtig" bekannt ist [2]). In der nächsten Zeile erscheint als Aequivalent des assyr. šâru „Wind" imi bez. ohne Verlängerungsvocal (vgl. SFG. S. 24 ff.) im. Darauf folgt imi mêr-ra (lies mêra, mêr-a) d. i. „Wind + Macht, gewaltiger Wind, Sturm", assyr. mêχû. Auch das dem assyrischen nâš paṭri entsprechende Compositum gir-lal (Z. 9) ist vollkommen durchsichtig; gir wird S^b 165 durch paṭru „Dolch" übersetzt und lal, eine der gewöhnlichsten sumerischen Wurzeln [3]), bedeutet unter an-

1) Mit S^a, S^b, S^c bezeichne ich die sumerisch-assyrischen Zeichensammlungen in der Ausgabe Friedrich Delitzsch's. Vgl dazu meine „Sumerischen Familiengesetze" (Leipzig 1879) S. 4 ff. Ich citire dieses Buch als SFG.

2) Das betreffende Ideogramm wird dort (Revers Z. 14 und 15) links durch sumer. [mê]-ir, rechts durch assyr. uzzu „Macht" und šibbu „Gürtel" erklärt.

3) Die Wurzel lal ist in dieser Bedeutung auch in's Assyrische übergegangen: der Stamm lâlu „aufhängen" (Impf. ilûl) ist offenbar sumerischen Ursprungs. Als Präsensform sollten wir ilâl erwarten; wir finden aber stets nur die Form illalu, eine associative Neubildung im Anschluß an die Formen immar „er sieht", ikkal „er ißt" (= *ja'ákal) deren Imperfecta ursprünglich êmur (= *jêmur = jâmur = ja'mur) und êkul (= jêkul = jâkul = ja'kul) lauteten, später aber imur, ikul (also äußerlich gleich ilul „er hängte auf") geschrieben und gesprochen wurden. Vgl. dazu SFG. S. 21 Anm. 1, S. 52 Anm. 10, S. 66 Anm. 8 und Excurs IV.

derm „aufhängen", assyr. šaḳâlu — gir-lal heißt demnach eigentlich „einer, der einen Dolch umhängen hat."

Was sind nun aber die Wörter in der ersten Columne? Hier lesen wir

Z. 5 mê-ir = sum. mêr = ass. uzzu.
Z. 6 mê-ir = sum. imi = ass. šâru.
Z. 7 mê-ir-mê-ir = sum. imi mêr-ra = ass. mêχû.
Z. 9 mê-ri-lal = sum. gir-lal = ass. nâšpaṭri.

Friedrich Delitzsch meinte, daß diese erste Spalte sumerische Synonyma enthalte oder auch die phonetische Aussprache der sumerischen Ideogramme in der zweiten Columne angebe. Diese Auffassung läßt sich indeß nicht halten; ich bin der Ueberzeugung, daß in diesem dreispaltigen Vocabular die dritte Columne assyrisch, die zweite sumerisch ist, die erste aber Wörter aus einem andern Dialekt der sumerischen Sprache enthält [1]. In der nachfolgenden Untersuchung werde ich, wie ich meine, überzeugend nachweisen, daß diese Ansicht die allein richtige ist.

Ich theile meinen Aufsatz in zwei Abschnitte;

1) Demgemäß erkläre ich z. B. Z. 5 und 6 folgendermaßen: mêr heißt im Sumerischen „Macht", ebenso auch in diesem Dialekt; in letzterem wird diese Wurzel aber auch in der Bedeutung „Wind" gebraucht, wofür man im Sumerischen imi sagt. So kommt es, daß dann im Sumerischen „Sturm" imi mêr-a heißt, während man in dem Dialekt diesen Begriff durch Doppelsetzung der Wurzel mêr ausdrückt. Vgl. hierzu S[c] 19, wo mêr durch assyr. šibbu „Gürtel" (so auch II R. 34, 66 c. d), mêχû „Sturm" und iltanu (= istanu) „Nordwind" erklärt wird; ferner II R. 57, 76 c. d; 60 No. 2, 37 und 48, 35 a. b, wo mêrmêr bez mêrmêri als Name des Sturm- und Regengottes Râmânu erscheint.

in dem ersten werde ich das trilingue Vocabular ausführlicher behandeln, in dem zweiten die zusammenhängenden sumerischen Texte auf ihre dialektische Färbung hin untersuchen.

Erster Abschnitt.

I. 1) Betrachten wir Z. 9 unsres Vocabulars, mêri-lal = gir-lal = nâš paṭri „Dolchträger", so sehen wir, daß hier offenbar ein Uebergang von *g* in *m* vorliegt; der Dialekt zeigt an Stelle eines sumerischen *g* ein *m*: gir bez. gêr oder mit Verlängerungsvocal gêri erscheint in dem Dialekt in der Form mêri.

2) Ein zweites Beispiel für diesen Uebergang liegt in Z. 2 und 3 vor. Hier bietet der Text allerdings nur

......mar	......gar	bubûtum
...mar-mar	ša...gar	χušâχu

die beiden ersten Spalten lassen sich indeß leicht vervollständigen. In dem Vocabular II R. 39, 55 c. d. entspricht dem assyr. bubûtum im Sumerischen ša-gar; demnach können wir mit Sicherheit ergänzen:

[ša]-mar = sum. [ša]-gar = bubûtum
[ša]-mar-mar = sum. ša-[gar]-gar = χušâχu

Das sumerische ša-gar bedeutet eigentlich „Herz machen" d. i. „Verlangen nach etwas empfinden[1]), speciell „Verlangen nach Nahrung

1) Vgl. dazu die beiden, offenbar aus dem Sumerischen entlehnten, assyrischen Redensarten pâ êpêšu „reden", eigentlich „Mund machen" (Izdubarlegenden passim) und uzna šakânu „Ohr machen" d. i. „sich wohin begeben", z. B. im Anfang der Höllenfahrt der Istar: Ana Kurnugia Ištar mârat Sin uzunša iškun „Nach dem Lande ohne Heimkehr Istar, Tochter Sin's, sich aufmachte." Vgl. SFG. S. 56 Anm. 4.

empfinden, Hunger haben"; ša-gargar heißt „Herz machen machen" d. i. großen Hunger haben. Die assyrische Uebersetzung stimmt dazu ganz vortrefflich; denn χušâχu [1]) bedeutet „Hungersnoth", bubûtu nur „Hunger" [2]).

1) Andere sumerische Aequivalente von χušâχu außer ša-gargar sind *u-gug* (II R. 29, 39 c. d) d. i. eigentlich „Speisemangel" (gug wird zwei Zeilen vorher durch sunḳu „Mangel" übersetzt), sodann *su-ku* (Delitzsch, Schrifttafel No. 6) Wir finden dies z. B. in dem unveröffentlichten Vocabular K. 2061, das ich im Britischen Museum copirt habe. Col. II, Z. 17–20 dieses ganz ausnehmend schön geschriebenen Textes lautet: *su-ku* = χušâχu | *bad* (Schriftt. No. 109) — ga = mûtum „Tod" | gig (Schriftt. No 244) = simmu „Blindheit" | (*ka-kil* mit der Glosse) kir-ġab = bu'ušânu „übelriechender Athem." Vgl. dazu II R. 27, 54–56 a. b.

2) Das Wort bubûtu, woneben sich auch (z. B. II R. 43. 12 d) die Form bubu'utu findet, bedeutet sowohl „Nahrung" als auch „Verlangen nach Nahrung, Hunger." In der Bedeutung „Nahrung, Speise" finden wir es zum Beispiel in der bekannten Stelle der „Höllenfahrt der Istar": ašar iprâti bubussunu | akalšunu ṭî[ṭu] || nûru ul immarû | ina êṭûti aš[bû] || labšûma kima içcuri | çubât kap[pi] || êlî dalti u sikuri | šapûχ ipru || „wo Staub ihre Nahrung | ihre Speise Koth || (wo) sie Licht nicht sehen | in Finsterniß wohnen || und gekleidet sind gleich Vögeln | in ein Flügelwand || über Thür und Riegel | Staub lagert ||. Durch „Hunger" ist bubûtu dagegen z. B. Tig. VIII. 85 und in der Beschwörungsformel II R. 17, 22 d zu übersetzen. Hier lautet die durch ein neugefundenes Fragment vervollständigte assyrische Uebersetzung des sumerischen lu ša-gar-ta ên-nu-un-ta *bad*-ga | lu imma-ta ên-nu-un-ta *bad*-ga | d. i. „wer vor Hunger im Gefängniß stirbt, wer vor Durst im Gefängniß stirbt": ša ina bubûti u çibitti imût | ša ina çumê u çibitti imût. — Daß das Ideogramm für „Durst" (d. i. ka „Mund" mit hineingesetztem *ud* „Sonne") im Sumerischen im-ma gesprochen wurde, zeigt das babylonische Vocabular K. 36, welches V R. 31 No. 4 veröffentlicht ist. Hier hat das Zeichen, dem in der assyrischen Co-

Wir haben nun schon sum. gir „Dolch", dial. mêr und sum. gar „machen", dial. mar.

3) Noch ein dritter Beleg für diesen Uebergang von *g* in *m* lässt sich unserm Text entnehmen; allerdings liegt derselbe nicht so klar zu Tage. Wir lesen Z. 14 in der ersten Columne das Wort da-ma-al, in der zweiten, sumerischen, das bekannte Ideogramm für „weit", assyr. rapšu und „Mutter", assyr. um-mu; siehe Delitzsch, Schrifttafel (seiner *Assyrischen Lesestücke* 2. Aufl. Leipzig 1880) No. 144. Delitzsch giebt dort als sumerische Aussprache damal an. Wäre dies richtig, so würde der Dialekt hier mit dem gewöhnlichen Sumerisch durchaus übereinstimmen. Dies ist aber nicht der Fall; damal heißt allerdings „weit" in dem Dialekte, im Sumerischen dagegen lautet das entsprechende Wort nicht damal, sondern dagal!

Ich glaubte, daß Delitzsch's Angabe sich auf eine Glosse stütze und suchte deshalb vergeblich im II., III. und IV. Bande des Inschriftenwerkes eine Stelle zu finden, wo für dieses Ideogramm die Aussprache damal angegeben wird: es giebt

lumne çu-u-mu (lies çûmu = *çummu = çum'u) entspricht, die Glosse im-ma. — Zu den oben angeführten Zeilen aus der „Höllenfahrt der Istar" will ich für Semitisten noch bemerken, daß nach assyrischen Lautgesetzen bubussunu = *bubûtšunu ist, immarû = *ja'ámarû, êṭûti = *gaṭawti und êlî = 'alaj. Sodann ist zu beachten die Form labšû-ma „und sie sind gekleidet"; ma ist hier genau so construirt wie das amharische mĕ bez. *m* „und". Diese Construction ist im Assyrischen selten; das Gewöhnliche wäre ašbû-ma labšû. Ich werde dieses ma an einem andern Orte ausführlicher behandeln; einstweilen verweise ich auf das neue Buch von Dr. Wilhelm Lotz „*Die Inschriften Tiglathpileser's* I" (Leipzig 1880) S. 118.

keine einzige Stelle. Allem Anschein nach hat Delitzsch sein sumer. damal nur aus unserm trilinguen Vocabular und aus dem Hymnus an den Mondgott (IV R. 9) erschlossen, wo Z. 28/29 a dem assyr. tâmdu rapaštu „das weite Meer" im Sumerischen a-ab-ba da-ma-al-la (lies damala) entspricht und Z. 3/4 b die Verbalform mu-un-da-ma-al-la (mun-damala) durch assyr. urâpaš „er macht weit" wiedergegeben wird. Dieser Text ist aber eben, wie wir im zweiten Abschnitt unsrer Untersuchung darthun werden, in dem Dialekt, wo *g* in *m* übergeht, abgefaßt, kann demnach für die Aussprache des Ideogrammes im Sumerischen gar nichts beweisen.

Daß „weit" nun im Sumerischen dagal und nicht damal hieß, geht klar hervor aus der bisher ganz unbeachtet gebliebenen Stelle III R. 69 No. 5, Z. 76. Hier lesen wir einen Gottesnamen Kili-dagal, der geschrieben wird erstens mit dem Determinativ vor Götternamen, *an*; darauf folgt das Ideogramm für napχaru „Gesammtheit" (sumer. nigin, S[b] 1, Revers 2) und endlich das Ideogramm für rapšu „weit". Da nun das erste Ideogramm (nigin) öfter die Glosse kili[1]) hat, so ergiebt sich, daß dem Ideogramm für „weit" der Lautwerth dagal zukommt.

So hätten wir nun die richtige sumer. Aussprache für das Ideogramm in der Bedeutung „weit". Wie wir oben bemerkten, ist das be-

1) So z. B. in dem bilinguen Vocabular V R. 30, 15—18 c. d, wo (*nigin* mit der Glosse) kili-an durch assyr. (*mul* d. i.) kakkab šamê „Stern des Himmels" übersetzt wird. Es folgt darauf *su-bu* — êçidu „Himmelsgegend", sa-gar (geschrieben *di-ša*, vgl. II R. 48, 15 a. b) = multariχu „Herrscher" und *si-si* = mušêšêru „Leiter".

treffende Zeichen aber auch das Ideogramm für „Mutter" assyr. u m m u. Wie wurde es in dieser Bedeutung gelesen? Wir wissen, daß „Vater" a d a hieß, was heißt aber „Mutter" im Sumerischen? — Bisher waren wir nicht im Stande, diese Frage zu beantworten. Man hatte das Ideogramm wohl l u k u und ê ǵ i [1]) gelesen, das war aber, wie ich in meinen „Sumerischen Familiengesetzen" (S. 38 Anm. 1, c) nachgewiesen habe, durchaus unberechtigt. Ich glaube vielmehr, wir haben das Ideogramm, wenn es „Mutter" bedeutet, a m a zu lesen.

Es bestimmt mich dazu folgende Erwägung. Wir finden S[a] V, 8 und 9 in der ersten Columne die Lautwerthe a m a und d a g a l (*da-ga-al*); die mittlere Columne, wo das Zeichen stand, dem diese beiden Lautwerthe zukommen, ist weggebrochen; dagegen ist wieder die dritte Columne, die den Namen des betreffenden Schriftzeichens enthielt, unversehrt erhalten. Das Ideogramm führte (nach seinem ersten Lautwerth a m a) den Namen a m û. Was für ein Zeichen war das? Lenormant ergänzt das Zeichen a m (Schrifttafel No. 115); nirgends aber hat dies den Lautwerth d a g a l; Delitzsch enthält sich jeglicher Vermuthung. Meine Ueberzeugung ist nun, daß in der mittleren Columne das Ideogramm für „weit" stand [2]) und a m a der Laut-

1) Ueber das sum. ǵ (غ) siehe SFG. (S. 71) Nachträge zu S. 20 Anm. 3.

2) Wie ich mich nachträglich überzeugt habe, ist S[a] V. 9 auf dem Original in der mittleren Spalte, dicht am Anfang der dritten Columne, ein verticaler Keil noch deutlich zu sehen. Dies macht Lenormant's Ergänzung *am* vollends unmöglich, während meine Vermuthung, daß hier das Ideogramm für „weit" stand, dadurch um so wahrscheinlicher wird.

werth des Zeichens war, wenn es die Bedeutung „Mutter" hatte. Zu beachten ist hier die Stelle II R 32, 52 c,. wo wir hinter dem Ideogramm für „Mutter" das Wort a-ma [1]) lesen. Diese beiden Zeichen sind nun allerdings auf dem Original nicht wie gewöhnlich durch kleinere Schrift als Glosse gekennzeichnet, trotzdem aber glaube ich, daß wir hier in ama nur die Angabe der Aussprache für das vorausgehende Ideogramm zu sehen haben.

Das kommt indeß hier weniger in Betracht, die Hauptsache ist, daß „weit" im Sumerischen nicht damal sondern dagal heißt, demnach auch Z. 14 unsres Vocabulars der Uebergang von *g* in *m* vorliegt. Mehr Beispiele für diese Erscheinung sind in dem kleinen Fragmente II R. 31, No. 1 nicht zu finden.

4) Dagegen lesen wir wieder auf dem andern Stück des Vocabulars, das II R. 40, No. 5 veröffentlicht ist, Z. 77 der Vorderseite:

ṣi-ib-mar = sumer. dug-gar.

Die Wurzel dug [2]) bedeutet im Sumerischen „gut" assyr. ṭâbu, und gar heißt, wie wir schon oben sahen, „machen" assyr. šakânu;

1) Mit diesem ama „Mutter" ist natürlich das Wort êmê „Gebärerin, schwangeres Weib" assyr. târîtu (= *tahraitu), das wir zum Beispiel II R. 32, 56 c finden, eng verwandt. Vgl. auch SFG. S. 16 Anm. 2; S. 54, 19) und V R. 29, 69 g. h (êmê-du = ilitti bîti).

2) Daß das Ideogramm *χi* in der Bedeutung „gut" assyr. ṭâbu im Sumerischen dug, mit Verlängerungsvocal duga, gelesen wurde, wird dadurch über allen Zweifel erhoben, daß wir an mehreren Stellen die abgeschwächte Form (SFG. S. 46, 11) du finden. So hat z. B. *χi* = ṭâbu „gut" in der SFG. S. 69 mitgetheilten sumerisch-assyrischen Präparation zur babylonischen Sündenfallerzählung die Glosse du, ebenso wird auch in dem zu II R. 20 hinzugefundenen Fragment Z. 40 a für *χi* die Aussprache du angegeben. Dadurch erklärt sich

die assyrische Uebersetzung dieser Zeile ist abgebrochen. Wir sehen hier wieder deutlich, daß dem sumerischen g a r ein dialektisches m a r entspricht.

II. Noch wichtiger ist aber, daß der Dialekt an Stelle des sumer. d u g „gut“ die Form ṣ i - i b (lies z i b [1]) aufweist. Hier scheint kein Lautübergang vorzuliegen [2]); vielmehr wird dieses z i b wohl eine andere Wurzel sein, die eben in diesem Dialekte an Stelle des sumer. d u g üblich war. Die Erscheinung, daß in zwei benachbarten Dialekten grade für die gewöhnlichsten Begriffe ganz verschiedene Wörter in Gebrauch sind, läßt sich ja auch anderswo beobachten; man denke zum Beispiel an das Aethiopische und das Arabische [3]).

Auch in den beiden vorhergehenden Zeilen finden wir dial. z i b = sumer. d u g. Z. 75 lautet

ġ u b - ṣ i = ġ u b [4]) - d u

und Z. 76

ṣ i - i b = d u g.

auch, wie das Zeichen *χi* an dem Lautwerth ṭ i, das ist sum. d i bez. d ê kommt.

1) Daß die Sylbenzeichen, welche im Assyrischen die Lautwerthe ç i, ç u; ṭ i, ṭ u; ḳ a, ḳ i, ḳ u haben, im Sumerischen z i, z u; d i, d u; g a, g i, g u gesprochen wurden, werde ich an einem andern Orte ausführlich nachweisen.

2) Unmöglich ist diese Auffassung durchaus nicht; siehe unten.

3) Vgl. Dillmann, *Grammatik der äthiopischen Sprache*, S. 4.

4) χ u b bez. ġ u b wird hier mit dem Zeichen *kab* (Schrifttafel No. 59), das II R. 27, 19 c. die Glosse *χu-up* hat, geschrieben. Daß wir hier χ u b, ġ u b und nicht k a b zu lesen haben, zeigt das Fragment K. 5434, ein Duplicat unsres Textes (siehe unten), wo statt des Zeichen *kab* das zusammengesetzte, mit eingeschobenem *ud* (Schrifttafel No. 60), das nur den Lautwerth χ u p hat,

Wie man sieht, zeigen beide Dialekte hier das Verklingen der auslautenden Consonanten, das ich im I. Excurs meiner „Sumerischen Familiengesetze" an einer Reihe von Beispielen im Sumerischen nachgewiesen habe. Ich machte schon dort (S. 46 No. 11) darauf aufmerksam, daß wir neben dug auch die abgeschwächte Form du finden, desgleichen (S. 47 No. 15), daß neben murub „Mitte", assyr. ķablu auch muru vorkommt; ebenso haben wir hier dial. zi(b) = sum. du(g).

III. Gehen wir nun zu der Rückseite dieses Fragmentes über, so lesen wir Z. 73 und 74 a. b folgende Gleichung:

dialekt. *du* = sumer. mê-ên.

Mên ist die erweiterte Form der Wurzel mê „sein", die ich SFG. S. 29—32 eingehend besprochen habe. Wie ich dort schon bemerkte, wird mên im Assyrischen bald durch „er ist", bald durch „du bist", bald durch „ich bin" wiedergegeben. So lesen wir zum Beispiel IV R. 9, Z. 53 a ff.: ana aba maġ-mên zaê nšuâzu maġ-am[1]) | kia aba maġ-mên

angewandt ist. Auf K. 5434 hat das Ideogramm *χi* in dieser Zeile auch noch ausdrücklich die Glosse du, sodaß unsere Lesung ġub-du vollkommen gesichert ist. Der Lautwerth ġub des Zeichens *kab* verhält sich zu gub (der Aussprache dieses Ideogrammes in der Bedeutung „links" assyr. šumêlu, S[b] 274) wie ġul „böse, angreifen, vernichten" assyr. limnu bez. lummunu (SFG. S. 29, V. 1) zu gul (S[b] 338) „vernichten, zerstören" assyr. abâtu (Präs. ibbat, Impf. êbut). Vgl. dazu II R. 27, 58 c. d, wo gul durch assyr. a (sic!) — ba-[tu] wiedergegeben wird.

1) Daß das a-an geschriebene sumer. Affix am zu lesen ist, zeigt die babylonische Zeichensammlung V R. 22, 30 a, wo das Ideogramm *a-an* links durch sum. am, rechts durch assyr. ma-a (lies ma d. i. das äthiop. ma, Dillmann S. 301), ša-a (lies ša) „welcher" und

zaê ušuâzu maġ-am „Im Himmel, wer ist (mên) erhaben (maġ)? du allein, du bist erhaben | auf Erden, wer ist erhaben? du allein du bist erhaben" assyr. ina šamê mannu ṣîru, atta êdiššika ṣîrat | ina irṣitim mannu ṣîru, atta êdiššika [ṣîrat]. Dagegen finden wir in dem vierten sumerischen Familiengesetze: Tukundi [1]) ama duânara „duâmu nu-mên" ban-nan-gu „wenn eine Mutter zu ihrem Kinde „mein Kind nicht bist du" sie zu ihm sagt, so (muß es Haus und Eigenthum verlassen" [2]). Endlich haben wir IV R. 6, 41/42 b: maê lu kin-gi-a Šilig-lušar mên „ich bin der Bote des Gottes Merodoch", assyr. mâr šipri ša Marduk anaku.

ki-[i] d. i. kî „wie" erklärt wird. In der Bedeutung „Regen, regnen", ass. zunnu, zanânu ist das Ideogramm *a-an* gemäß Z. 31 dieser Zeichensammlung im Sumerischen (šê-ig) šêg zu lesen.

1) Tukundi und nicht tukundi-bi ist zu lesen; II R. 20, 13 a (vgl. SFG. S. 22) ist auf dem Original nach der Glosse tu-kundi ein Keil von dem Zeichen *bi* noch deutlich zu sehen. Das Ideogramm *šu-ša-tur-lal-bi* (lies tukundi) wird auch V R. 29, 8 c. d durch šumma „wenn" übersetzt. Die vorhergehende Zeile lautet dort: *šu-ša-tur-lal* = šurru.

2) Die 7 sumerischen Familiengesetze sind meiner Ansicht nach folgendermaßen zu übersetzen: „Für die Zukunft, für ewige Zeiten". 1. „Wenn ein Kind zu seinem Vater sagt „du bist nicht mein Vater", so scheert er es, macht es zum Sklaven und verkauft es für Geld". — 2. „Wenn ein Kind zu seiner Mutter sagt „du bist nicht meine Mutter", so scheert man ihm das Haar ab, jagt (sum. nigin!) es aus der Stadt und treibt es aus dem Hause". — 3. „Wenn ein Vater zu seinem Kinde sagt „du bist nicht mein Kind", so muß es — natürlich das Kind; alle Assyriologen übersetzen „er, der Vater"!! — Haus und Hof (assyr. igâru = *ḥigâru) verlassen". — 4. „Wenn eine Mutter zu ihrem Kinde sagt „du bist nicht mein Kind", so muß es Haus und Besitzthum ver-

So haben wir mên auch hier in unserm Vocabular zu fassen. Dies geht klar hervor aus Z. 74. Hier ist zwar nur der Anfang der assyrischen Columne erhalten, das ja, das wir dort lesen, kann aber nur zu ja-a-ši (lies âši) „mich" vervollständigt werden. Dazu stimmt nun, daß S^c 282 das Ideogramm *du* außer alâku „gehen", šapâru „senden", kânu „fest, treu sein", magâru „ergeben, gehorsam sein" auch durch anaku „ich" erklärt wird. Als sumerische Aussprache wird hier gi-in angegeben; demnach haben wir die oben angeführten Zeilen

dialekt. gin = sumer. mên

zu lesen.

IV. Besonders wichtig ist Z. 77 des Revers: dialekt. inga-da-tê = sumer. imma-da-tê

lassen". — 5. „Wenn ein Weib ihrem Manne untreu wird (assyr. izîr) und „mein Mann nicht bist du" sagt, so wirft man sie in den Fluß". — 6. „Wenn ein Mann zu seinem Weibe „nicht mein Weib du" sagt, so soll er eine halbe Mine Silber zahlen". — 7. „Wenn ein Hausmeister einen Sklaven mißhandelt, so daß derselbe stirbt, zu Schaden kommt, entflieht, widerspenstig (? assyr. ittaparka = *jantaparaka) oder krank wird, so soll er als (Entschädigung für) seine tägliche Arbeitskraft ein halbes Maß Getreide zahlen (eig. „darmessen"). — Die Transcription des assyrischen Textes lautet: Ana matîma, ana arkat ûmi. — 1. Šumma mâru ana abišu „ul abî atta" iḳṭábi, ugallabšu, abbuttum išákanšu u ana kaspi inádinšu. — 2. Šumma mâri ana ummišu „ul ummî attî" iḳṭábi, muttassu (= *muntâtišu) ugalbûma alam uçaḫḫaruŝu u ina bîti ušêçûšu. — 3. Šumma abu ana mârišu „ul mârî atta" iḳṭábi, ina bîti u igârum itê[î]. — 4. Šumma ummu ana mârišu „ul mârî atta" iḳṭábi, ina bîti u unâti itêl. — 5. Šumma aššata mussu izîrma „ul mutî atta", iḳṭábi, ana nâru inádûšu. — 6. Šumma mutu ana aššatišu „ul aššatî atta", iḳṭábi, šunni mana kaspi išáḳal. — 7. Šumma âpilum arda igurma imtût uḫtâlik, ittábata, ittaparka u imtáraçu, idišu ša ûmatan (?) šunni tân šê'am imádad. —

= assyr. id....., was jedenfalls zu idχî oder ittîχî (= *jadtáχaj) zu ergänzen ist, da imma-da-tê der *Da*-stamm der Wurzel tê „sich nähern", assyr. daχû ist.

Daß *mm* und *ng* im Sumerischen wechseln, ist längst bekannt, doch war man bisher, soviel ich weiß, noch nicht zu der Erkenntniß gekommen, daß die Formen mit *ng* dialektisch sind. Im Grunde genommen hatten wir übrigens außer der vorliegenden Stelle für den Wechsel zwischen *mm* und *ng* nur noch Ein Beispiel, nämlich dingir und dimmêr „Gott" und dies fällt obenein bei näherer Beobachtung vollständig hin. Wir haben hier in dem Dialekt inga-da-tê und imma-da-tê im Sumerischen; dementsprechend sollten wir erwarten, daß die rein sumerischen Texte die Form dimmêr aufweisen, die dialektisch gefärbten dagegen dingir. Es ist aber grade umgekehrt: dimmêr, was stets ganz unmißverständlich dim-mê-ir geschrieben wird, findet sich nur in den dialektischen Stücken; die rein sumerischen Texte gebrauchen dafür stets das Ideogramm *an*, das gemäß S[b] 2 dingir zu lesen ist. So wird zum Beispiel der Plural in den sumerischen Texten stets *an*-ri-ê-nê, was dingir-ri ê-nê bez. dingirênê zu lesen ist, geschrieben, in dem Dialekt dagegen regelmäßig dim-mê-ir-ê-nê das ist dimmêrênê.

Scheinbar liegt hier eine Inconsequenz vor; diese Schwierigkeit läßt sich indeß, wie ich meine, ganz ungezwungen beseitigen. Wir haben oben gesehen, daß der Dialekt *m* an Stelle eines sumerischen *g* aufweist. Es ist daher sehr wohl möglich, daß bei dimmêr und dingir der Wechsel zwischen *mm* und *ng* direct gar nicht vorliegt, sondern nur der Uebergang von *g* in *m*. Dimmêr ist, so vermuthe ich, zunächst entstanden aus dinmêr, ebenso wie im Sumerischen kin-mu „Sendungswort" das ist „Botschaft, Nachricht" (SFG. S. 71) zu kimmu geworden ist; dinmêr aber ist die Form, die wir in dem Dialekt für sumer. dingir zu erwarten haben.

Die Form dingir hat keine Etymologie, dimmêr dagegen, das wie II R. 33, 34 e. f bez. V R. 30, 8 a. b zeigt, nicht bloß „Gott" sondern auch „König" bedeutet, ist von Friedrich Delitzsch unter No. 185 der Schrifttafel ansprechend als „allmächtiger (mêr) Richter (di)" [1]) erklärt worden [2]). Er fügt an dieser Stelle noch hinzu: „Dasselbe mêr ist auch in dem Volks- und Landesnamen Šumêr d. i. Volk „mit gewaltigem Arm oder Kraft" enthalten". Šumêr oder Südbabylonien ist nun, wie die Assyriologen annehmen, identisch mit dem Lande Šinear der Bibel, das sie auf eine (nach Analogie von dingir erschlossene) Nebenform *Šungêr zurückführen. Ist dies richtig, so würden die Hebräer also den Namen in der dialektischen Form

1) Nach A. H. Sayce (*Accadian Phonology* S. 18) ist das semitische dîn „richten" ein sumerisches Lehnwort. Die Semiten nahmen, meint der geistreiche Sprachforscher, das Wort zu einer Zeit auf, wo im Sumerischen noch die volle Form din, die erst später mit Verklingen des auslautenden Nasals zu di wurde, üblich war. Wenn sich (durch Auffindung einer Stelle, wo di mit Verlängerungsvocal *di-na* geschrieben wird) nachweisen ließe, daß di „richten" in der That aus din abgeschwächt ist, so würde meine Erklärung der Formen dimmêr (= dinmêr) und dingir über allen Zweifel erhoben werden.

2) Dies scheint dafür zu sprechen, daß der Dialekt alterthümlicher ist, als das gewöhnliche Sumerisch. Es wäre demgemäß eigentlich richtiger zu sagen, nicht: „sumer. *g* geht dial. in *m* über", sondern: *g* ist im Sumer. theilweise aus älterem *m* hervorgegangen.

gehört haben. Dies giebt vielleicht in Zusammenhalt mit anderen Momenten einen Fingerzeig für die Bestimmung der Gegend, in welcher dieser Dialekt gesprochen wurde.

V. Noch ein anderer Lautwandel im Sumerischen ist auf Dialektspaltung zurückzuführen. In dem zweiten Excurs meiner „Sumerischen Familiengesetze" habe ich auf den interessanten Wechsel zwischen *u* und *ê* im Sumerischen aufmerksam gemacht. Es wurde dort darauf hingewiesen, daß wir in derselben Bedeutung nebeneinander finden: tu und tê „Taube", assyr. summatu[1]), mu und mê „rufen", assyr. ḳâlu; ġu und ġê „Vogel" assyr. iṣṣuru; ub und êb „Himmelsgegend", assyr. tubḳu oder tubuḳtu; uru und êri „Diener", assyr. ardu, mu und mê „Mann" assyr. zikru, mulu und mêli „Mensch" assyr. amêlu, tu und tê „Kleid" assyr. ṣubâtu[3]) u. v. a.[4]).

1) Die Semitisten der alten Schule würden dieses summatu (vgl. SFG. S. 51 Anm. 7), jedenfalls unbedenklich mit dem arabischen حمامة zusammenstellen.

2) Zu dem *a* in assyr. amêlu gegenüber sum. mulu, mêli vgl. II R. 48, 31 e. f, wo das sumer. zal in der Form azal in's Assyrische übergegangen ist.

3) Außer tu und tê konnte das Ideogramm *ku* „Kleid" assyr. çubâtum (çu-ba-a-tum!) auch mu und tug gelesen werden. Die drei Formen tug, tu und tê verhalten sich zu einander wie dug, du und dê oder sug, su und sê; siehe SFG. S. 52 Anm. 3.

4) Ich möchte bei dieser Gelegenheit darauf aufmerksam machen, daß wir an Stelle der Postposition šú, die ich SFG. S. 15—20 ausführlich besprochen habe, auch die dialektische Nebenform šê finden. Wir lesen II R. 14, 28 a. b: *bar-nun bar-nun*-šê ib-ta-$\hat{}_e$ = assyr. çilipta ana çilipti ušêçî, ebenso Z. 39 derselben Columne: lugal *a-ša*-ga-šê a[n-aka-ê] = assyr. ana bêl êḳli imádad „dem Herrn des Feldes mißt er dar". Ferner habe ich auf einem unnumerirten Frag-

Ich vermuthete schon damals, daß wir hier zum Theil dialektische Formen vor uns hätten, doch war ich nicht im Stande, diese Ansicht irgendwie näher zu begründen. Jetzt läßt sich mit Sicherheit nachweisen, daß die Formen mit *u* hier die ächt sumerischen sind, die mit *ê* dagegen dem Dialekt angehören. Dies geht klar hervor aus II R. 31, 10 b. c. Hier lesen wir nach der Zeile mêri-lal | gir-lal | nâš paṭri „Dolchträger" die Gleichung

dialekt. mê-ṣi-ir = sumer. mu-sir.

Ich war damals nicht im Stande, dies zu erkennen, weil das Londoner Inschriftenwerk hier statt des Zeichen sir (bu, git), wie deutlich im Original steht, irriger Weise uz bietet. Mit mêṣir = muz war natürlich nichts anzufangen.

VI. Nachdem nunmehr die Lesung richtig gestellt ist, können wir in dieser Zeile auch

ment in der Sammlung des Britischen Museum das Zeichen *kil* (*kir*, *rim*, Schrifttafel No. 266) als sumerische Postposition = assyr. ana „zu, für" gefunden. Wir werden in diesem Falle das Zeichen jedenfalls rim bez. rêm zu lesen und als Nebenform der Postposition rum oder ru, deren Aussprache SFG. S. 36 und 37 behandelt worden ist, aufzufassen haben. Ich wies dort hin auf die Stelle II R. 18, 31 d. e, wo wir sum. lu-ru = assyr. ana amêli finden. Ich habe den betreffenden Text jetzt sorgfältig collationirt; ru steht deutlich im Original. Dagegen ist die vorhergehende Zeile nicht richtig veröffentlicht; die beiden ersten Zeichen in der assyrischen Columne sind bu-kan. Das Ganze ist zu lesen: Bukâna šûtuḳ (= *šu'tuk עתק) | ana arkat ûmi amêlu ana amêli | ana lâ ênê | ana lâ ragâmi | nîš ilišunu itmû | nîš šarrišunu iššêbu | izkurû. Zur Erklärung dieser schwierigen Stelle ist vor Allem II R. 13, 12 a. b zu beachten, wo sum giš-i (sic! nicht etwa gan)-na ib-tan-bal durch assyr. bukâna ušêtiḳ wiedergegeben wird.

noch einen andern Lautübergang beobachten: dem sumer. sir entspricht hier ein dialektisches zir (ṣi-ir)! Derselbe Uebergang scheint auch in der vorletzten Zeile des zweiten Fragmentes II R. 40, 76 a. b. c vorzuliegen. Hier finden wir vor der Zeile inga-da-tê = sum. imma-da-tê = assyr. id[χî] „er näherte sich" in der assyrischen Columne die Form iddi[n] „er gab", in der sumerischen man-si und in der ersten Spalte má-ba-ṣi-*aka*.

Dieses Zeichen *aka* (Schrifttafel No. 124), das, da es als Ideogramm neben madâdu „messen" auch „lieben" assyr. râmu bedeutet [1]), im Assyrischen den Lautwerth ram erhalten hat, kann hier offenbar weder aka noch ram gelesen werden. Allem Anschein nach hatte es in dem Dialekte den Lautwerth im. Wir wissen, daß die sumerische Wurzel si „geben" assyr. nadânu nur die abgeschwächte Form von sim ist; das Präsens lautet nicht in-si-ê sondern in-sim-mu, vgl. SFG. S. 50 No. 26.

1) Zu der II R. 11 veröffentlichten Tafel K. 4350 ist ein kleines schwarzes Fragment hinzugefunden worden, welches die letzten Zeilen der ersten und zweiten Columne enthält. In der ersten Columne sind nur die letzten Zeichen der assyrischen Zeilen erhalten. Dieselben lauten: -bal | -ti | (darauf folgt ein Theilstrich) -ud | -du | -dad | -dadu | (Theilstrich) -am | -ammu | -am-šu |. Es unterliegt für mich nicht dem geringsten Zweifel, daß hier in der sumerischen Spalte in-aka | in-aka-êš | in-aka-ê | in-aka-ê-nê || in-aka-ê | in-aka-ê-nê und in-nan-aka-ê stand und demgemäß die assyrischen Formen zu imdud „er maß" | imdudû „sie maßen" | imádad „er mißt" | imádadû „sie messen" || irâm „er liebt" (irammû, lies) irâmû „sie lieben" und irâm-šu „er liebt ihn" zu ergänzen haben. — Daß das Imperfectum von madâdu „messen" imdud lautete, zeigt das unveröffentlichte sumerisch-assyrische Paradigma K. 4158, das ich demnächst veröffentlichen werde.

Im Hinblick darauf glaube ich, daß wir die erste Columne mába [1])-ṣim zu lesen haben.

Der besseren Uebersicht halber fassen wir das Ergebniß unsrer bisherigen Untersuchungen hier noch einmal kurz zusammen. Wir haben gefunden, daß sumer. *u* in diesem Dialekt als *ê* erscheint (z. B. musir, dial. mêṣir); daß sumer. *g* in *m* (z. B. gir-lal „Dolchträger" dial. mêri-lal), *s* in ṣ (z. B. sim „geben", dial. ṣim [2]) und *mm* in *ng* übergeht (z. B. immada-tê „er nähert sich", dial. inga-da-tê); sodann daß in diesem Dialekt ṣib bez. ṣi statt des sumer. dug (du) „gut" und gin statt des sumer. mên „ich bin" üblich ist.

Dies wären die dialektischen Eigenthümlich-

2) Má wird mit dem Zeichen *mal* geschrieben, für welches Lenormant den Lautwerth *ma* scharfsinnig erschlossen hat. Ich lese deshalb jetzt auch mit Lenormant maê „ich" statt mal-ê.

1) Ich machte schon oben darauf aufmerksam, daß statt çib in dem Dialekte besser zib zu lesen sei. Ebenso wurde çi-im „geben" jedenfalls zim gesprochen. Wenn nun zim im Sumerischen als sim erscheint und der Dialekt, worauf verschiedene Anzeichen hinweisen, alterthümlicher als das gewöhnliche Sumerisch ist, so muß in letzterem eine Neigung zur Verhärtung des *z* bestanden haben. Dafür ließe sich auch anführen, daß sumer. *z* im Assyrischen bisweilen durch *s* wiedergegeben wird. So erscheint zabar „Kupfer" S^b 113 im Assyrischen als siparru, abzu „Ocean" als apsû, azag, der Name einer Krankheit, als asakku. — Daß das Ideogramm *id-pa* im Sumerischen azag zu lesen ist, zeigt das Fragment K. 3927, wo *id-pa* die Glosse a-za-ag hat. Ich komme auf diesen Text an einem andern Orte zurück, hier will ich nur noch erwähnen, daß das Ideogramm für „Fuß" assyr. šêpu in der vorhergehenden Zeile die Glosse gi-ir hat, ebenso auch II R. 26, 10 g. h. „Fuß" hieß im Sumerischen gir und in dem Dialekte, wie wir im zweiten Abschnitt sehen werden, mêri. Vgl. zu diesem Lautwerth gir auch noch S^c 312 und IV R. 21, 60a.

keiten, die sich den beiden im II. Bande des Londoner Inschriftenwerkes mitgetheilten Fragmenten dieses trilinguen Vocabulars entnehmen lassen.

Glücklicher Weise läßt sich nun diese Liste noch bedeutend vermehren. Schon Norris bemerkte 1866 in dem Index zum II. Bande der „Cuneiform Inscriptions" zu S. 31 No. 1 und S. 40 No. 5: „Other portions of this Tablet have since been found". Seitdem ist der Text dieses unschätzbaren Vocabulars immer mehr vervollständigt worden, das letzte wichtige Fragment hat Hormuzd Rassam 1878 der Sammlung des Britischen Museums einverleibt.

Das Vocabular liegt jetzt in folgendem Zustande vor.

Die erste Columne bildet das Stück, das II R. 40 No. 5 mitgetheilt ist, die andere Hälfte derselben, die ungefähr 25 Zeilen enthielt, ist bis jetzt noch nicht gefunden. Besser erhalten ist die zweite Columne. Hier waren in dem Stück II R. 40 No. 5 nur die Anfänge der ersten 15 Zeilen enthalten; dazu sind nun aber noch 7 neue Fragmente hinzugekommen, sodaß von den 50 Zeilen, welche diese Columne enthielt, keine einzige ganz verloren gegangen ist. Zur Rückseite sind nur 3 Fragmente hinzugekommen und zwar gehören diese sämmtlich zur dritten Columne. Bei dieser fehlen zu Anfang etwa 16 Zeilen, dann sind uns 26 Zeilen erhalten und am Schluß wieder ungefähr 8 Zeilen verloren gegangen. Ebenso ist auch die erste, dialektische, Spalte hier fast ganz abgebrochen, was um so mehr zu beklagen ist, als die betreffenden Zeilen die Namen der Zahlen in diesem Dialekt enthielten. Von der vierten Columne ist nur das Stück II R. 40 No. 5

Revers erhalten. Es fehlen zu Anfang etwa 20 Zeilen, dann folgen die 10 erhaltenen und darauf die Unterschrift: Kišitti[1]) Aššurbânipal šar kiššati šar mât Aššur „Eigenthum Assurbanipals, des Königs der Gesammtheit[2]), König vom Lande Assur".

Die ganze Tafel enthielt ungefähr 180 Zeilen. Davon fehlen uns 72 vollständig und mehrere sind mehr oder weniger verstümmelt. Diese Lücken lassen sich jedoch zum größten Theil ergänzen durch Duplicate, welche zugleich auch mehrere außerordentlich wichtige Varianten an die Hand geben. Von diesen Duplicaten, das heißt Fragmenten von andern Exemplaren desselben Textes, besitzen wir gegenwärtig drei:

a) ein kleines Fragment von Smith mit Bleistift L. 425 bezeichnet, das 20 Zeilen des assyrischen Theils der II. Columne enthält. Außerdem sind nur noch die Ausgänge von 7 Zeilen der sumerischen Spalte und auf der Rückseite das letzte Zeichen in 4 Zeilen der assyrischen Spalte am rechten Rande der Tafel erhalten.

b) Das Rassam'sche Fragment R$^{\underline{M}}$ 605, das zu dem Fragment K. 4221 gehört. Die Rückseite des Täfelchens ist vollständig abgebrochen. Dieses Exemplar des trilinguen Vocabulars hatte eine andere Zeilen- und Columneneintheilung als die oben besprochene Haupttafel: nam-taga| arnu „Sünde", was wir auf der Haupttafel in Z. 10 der zweiten Columne lesen, bildet hier den Schluß der ersten Columne. Ebenso folgen auf a-mar = lânu „Hof", was auf der Haupttafel in der letzten Zeile der zweiten Co-

1) Kišitti steht hier für kišdat, Genetiv statt Stat. constr., wie tukulti statt tuklat u. v. a.

2) Vgl. dazu Lotz, *Die Inschriften Tiglathpileser's* I, S. 76 ff.

lumne steht, hier bis zum Schluß der zweiten Columne noch 15 Zeilen.

c) Das dritte der Duplicate ist das umfangreichste. Es ist aus 5 Stücken zusammengesetzt und enthält zwei 53 Zeilen lange Columnen. Die Rückseite ist wieder vollständig abgebrochen. Auch dieser Text hatte eine andere Columneneintheilung als die Haupttafel. Außerdem ist zu beachten, daß alle drei Duplicate sowohl a) als b) als c) keine Theilstriche haben, während dieselben auf der Haupttafel sehr häufig angewandt sind.

Ich werde den Keilschrifttext aller Fragmente dieses Vocabulars demnächst in meinen *Sumerischen Lesestücken* [1]) veröffentlichen. Der Text der Haupttafel wird auch (allerdings nicht ganz fehlerfrei) in dem ersten Theil des V. Bandes unter dem Titel „Trilingual Tablet, partly completed from Duplicates“ gegeben werden.

Gehen wir nun auf die Beispiele, welche uns die neugefundenen Stücke bieten, etwas näher ein. Ich gebe zunächst noch einige Belege für den Uebergang von *m* in *g*. Wir lesen in der II. Columne der Haupttafel:

Z. 24.	a-mar-ra	a-gar-ra	mê raχâṣu
Z. 25.	a-ma-ma	a-ga-ga [2])	do.

1) Diese autographirte Sammlung sumerischer Texte, die Anfang nächsten Jahres erscheinen soll, wird unter anderm enthalten: die beiden ersten Tafeln der Serie kikankalâbišê = ana ittišu, sodann II R. 8 No. 2, Col. II Obvers, II R. 14 und 15, ferner einen interessanten, zum größten Theil unveröffentlichten Text mit Beispielen der postpositiven Conjugation, den ich aus 5 Fragmenten zusammengesetzt habe, die große Beschwörungsformel II R 17 und 18, außerdem mehrere unveröffentlichte babylonische Texte, die in dem Dialekte geschrieben sind.

2) Beide Dialekte zeigen hier wieder das Verklingen

Z. 26. a-mar-ra	a-gar-ra	mê šaχâtu
Z. 33. [ma]-ma	ga-ga [1])	šakânu (marû)
Z. 34. [ma] [2])-al	gal	do. (χamṭu) •
Z. 35. mar	gar	do.
Z. 36. mar	gar	šarâḳu
Z. 37. mar	gar	nasâχu [3])
Z. 38. mar-za	garza [4])	parṣu

Hierdurch dürfte der Uebergang von *m* in *g* nunmehr zur Genüge belegt sein.

Dieselbe Columne giebt uns auch ein zweites Beispiel für den Wechsel zwischen *u* und ê. Zeile 6 lesen wir

aka-dê-[a] [5]) | nin-du-a | biblu „Wunsch".

Hier entspricht dem sumerischen du-a in der ersten Columne ein dialektisches dê-a. Dieses *ê* statt *u* war aber, wie ich schon oben erwähnte, aus dem Dialekt auch in das Sumerische eingedrungen. So erklärt sich, daß K. 4221 statt nin-du-a in der sumerischen Columne

eines auslautenden Consonanten; vgl. dazu SFG. S. 48 No. 19. Das sumer. ga ist hier mit dem Zeichen *mal* geschrieben, für das S^c 145 den Lautwerth ga angiebt.

1) S. vor. Note.

2) Nicht ga (V R.)! Die Ergänzung ist den Duplicaten entnommen.

3) Vgl. dazu II R. 62, 25 und 26 a. b.

4) Garza wird hier mit dem aus der „Höllenfahrt der Istar" bekannten Ideogramm *pa-an* geschrieben, das S^b 214 links durch sumer. ga-ar-za rechts durch assyr. par-çu erklärt wird. In derselben Bedeutung wurde das Ideogramm im Sumerischen auch kuš gesprochen. Doch ist hier ein kleiner Unterschied im Gebrauch: kuš sagt man im Sumerischen von dem Gebot eines Gottes (assyr. paraç ša ili), garza dagegen von dem Gebot eines Königs (paraç ša šarri). Siehe dazu II R. 27, 15—17 g. h bez. V R. 19, 32—34 c. d.

5) So ist zu ergänzen; dê steht zu weit vom Ende der Zeile ab, als daß es das letzte Zeichen gewesen sein könnte.

nin-dê-a bietet. Die Thatsache, daß die Formen mit *ê* statt *u* eigentlich dem Dialekt angehören, wird dadurch selbstverständlich nicht umgestoßen.

Ueberhaupt soll diese Zeile hier in dem Vocabular gar nicht den Wechsel zwischen *u* und *ê* veranschaulichen, sondern nur zeigen, daß der Dialekt an Stelle des sumerischen nin „alles was" *aka* gebraucht. Dreizehn Beispiele, unter denen *aka*-dê = nin-dê = biblu das vorletzte ist, führt K. 4221 — R^M 605 für dieses dial. *aka* = sumer. nin an, z. B.

Z. 12. *aka-u*	nin-*u*	[itlum]
Z. 13. *aka-tuk*	nin-*tuk*	mêrû
Z. 14. *aka*-ma-al	nin-gal	bušû
Z. 15. *aka*-maǵ	nin-maǵ	nin ma'adu
Z. 20. *aka-šit*	nin-*šit*	nikasu
Z. 21. *aka* ki-tab-ba	nin-ki-tab-ba	imtû

Wie das Zeichen, das ich durch *aka* wiedergegeben habe, in diesem Falle zu lesen ist, vermag ich nicht anzugeben. Ich muß es deshalb auch bei dem Präfix der Abstractformen in diesem Dialekt, die auf dieses *aka* = nin folgen, vorläufig bei der alten Lesung *na-aka*, *naka* oder *nak* bewenden lassen. Daß dieses *nak* (oder *na-aka*) ebenso wie nam Abstractformen bildet, war längst bekannt; Delitzsch bemerkt unter No. 124 seiner Schrifttafel, daß *na-ak* „Geschick, Bestimmung" assyr. šîmtu bedeute, daher auch ebenso wie No. 51 d. i. nam, welches dieselbe Bedeutung hat, zur Bildung von Abstractformen verwandt werde. Daher finden wir *na-ak-i* Khors. 34 als Ideogramm für nâdûtu „Erhabenheit". Das aber wußte man noch nicht, daß die Abstractbildungen mit vorgesetztem *nak* dialektische Formen sind. Jetzt sehen wir das ganz klar aus Z. 8—12 der zweiten Columne unseres Vocabulars:

naka	nam	šîmtum
naka-tar	nam-tar	šîmtum
naka-tag	nam-tag	arnu
naka-lugal	nam-lugal	lugallûtum
naka-nin	nam-nin	bêlûtum.

Šîmtum bedeutet „Geschick", arnu „Sünde", lugallûtum „Königthum", bêlûtum „Herrschaft". Als Uebersetzung von nam-lugal „Königthum" würden wir šarrûtum erwarten; es steht aber deutlich auf der Tafel ša-lu-tum, was ich im Hinblick auf Delitzsch's Bemerkungen in Dr. Lotz's Buche *Die Inschriften Tiglathpileser's* I. S. 107 Anm. 1 lugal-lu-tum gelesen habe[1]).

1) Da nam-lugal häufig auch durch bêlûtum wiedergegeben wird, so könnte man auch annehmen, daß das Zeichen *ša* den Lautwerth bê hat. Zu nam-lugal = bêlûtum vgl. z. B. II R. 33 No. 2, wo Z. 11 e. f in der Liste der Abstractformen auf dem Original nicht nam-in-la-a-ni-šú = ana na-ku-ti-šu, wie das Inschriftenwerk fälschlich bietet, sondern nam-lugal-la-a-ni-šú = ana bê-lu-ti-šu zu lesen ist; sodann V R. 20, No. 1, wo wir in der IV. Columne der Rückseite unter anderm finden: nam-tag-ga = sartu „Schlechtigkeit" (vgl. dazu IV R. 7, 3. 18. 28 etc. b)| nam-êrim (geschrieben nam-*né-ru*) = mamîtum „Fluch"| nam-êrim kud-da (vgl. dazu II R. 7, 26 c) = do. tamû „den Fluch beschwören"| nam-êrim ša-a (geschrieben *ag-a*, siehe SFG. S. 34) = do. tamû „den Fluch beschwören" | nam-êrim bur-ra = do. pašâru „den Fluch lösen" | nam-*ri* = šallatum „Beute" | nam-*ri-ag*-a = do. šalâlu „Beute machen" | nam-ên-na = šapçu „Stolz" | nam-tê = adiru „Ehrfurcht" | nam-lugal-la = bêlûtum „Herrschaft" | nam-lugal-la = šarrûtum „Königthum" | nam-ên-na = bêlûtum „Herrschaft" | nam-ên-na = šarrûtum „Königthum" | nam-nun-na = rubûtum „Erhabenheit" | [nam-kur]-kur-ra = kabrûtum „Ge-

Diese Abstractbildungen mit präfigirtem *naka* sind eins der am meisten in die Augen fallenden Kennzeichen der dialektisch gefärbten Texte. Ehe wir nun zu dem zweiten Abschnitt, den zusammenhängenden Texten übergehen, wollen wir in unserm Vocabular noch eine Nachlese halten. Wir finden unter anderm Z. 20 der zweiten Columne an Stelle des sumerischen [ki][1])-aka „lieben" assyr. râmu in dem Dialekt ki-ên-ga-ad d. i. kin-gad[2]). Sodann treffen wir Z. 27 ein neues Beispiel für dial. ṣib (zib) = sumer. dug „gut": a ṣi-ib-ba = a dug-ga = mê ṭâbûtu „gutes Wasser". Darauf folgt

Z. 28 a-da-ar	a-gar	u-ga-ru
Z. 29 a-ba	a-ga	ar-ka-tu.

Hier entspricht dem sumer. agar „Feld", das

walt" (vgl. dazu II R. 27, 18 a. b; 48, 29 g. h und IV R. 9, 19/20 a: kur-kur-ra = kabbâru „Gewaltiger") | [nam]-nin = bêlûtum „Herrschaft" | nam-ur-sag (vgl. SFG. S. 29 No. 14) = kardûtum „Kraft" | [nam-ag]-ga = dannûtum „Macht" | [nam-ag]-ga (vgl. K. 2061 Z. 17 a. b) = aštûtum „Gewalt".

1) So müssen wir ergänzen, weil aka hier am Ende der Zeile steht. Wäre aka das einzige Zeichen der sumerischen Spalte gewesen, so würde es der Schreiber in diesem Vocabular an den Anfang der Zeile gesetzt haben. Das Compositum ki-aka ist übrigens auch viel gewöhnlicher als das einfache aka (S^b 204); vgl. z. B. II R. 40 No. 2, 14 und 15 a. b; IV R. 18, 4 | 5 a; 29, 17/18 a, 11 b. Statt sumer. aka erscheint hier also in dem Dialekt die Form gad. Aus ki + gad wurde dann, indem sich vor *g* wie in kingi „Land" (= ki + gi) und kibingara (= kibi + gara) ein Nasal entwickelte, kingad. Siehe darüber SFG. S. 52 Anm. 5 und vgl. die Beschwörungsformel II R. 18, 41—43 a, wo wir lesen: ġa-ba-*ran*-gaga „er möge wenden" assyr. liškun und ġa-ba-*ran*-guba „er möge sich niederlassen" assyr. lizziz, aber ġa-ba-*ra*-ê „er gehe heraus" assyr. liçî.

2) Zu ki-ên = kin vgl. SFG. S. 49 Anm. 4.

in der Form ugaru auch in's Assyrische übergegangen ist[1]), in dem Dialekte adar, *g* ist also nicht in *m* übergegangen sondern in *d*. In Z. 29 aba = aga würde ein Uebergang von *g* in *b* vorliegen. Hier ist indeß die Lesung nicht ganz sicher; *a-ga* ist möglicherweise gar nicht phonetisch geschrieben, sondern als Ideogramm zu fassen. Wäre die Lesung aga zweifellos, so würde dieses Beispiel dafür sprechen, daß ṣib „gut" nur durch Lautwandel aus sumer. dug entstanden ist. Ebenso wie aga zu aba geworden, würde dann dug (durch die Mittelstufe *dum) in dub übergegangen sein. Daraus entstand dann ṣub und daraus ṣib.

Die Annahme, daß das anlautende *d* in dug in dem Dialekte in ṣ übergegangen sei, ließe sich stützen durch Z. 32 derselben Columne, wo dem sumer. dim „schaffen" assyr. banû ein dial. (ṣi-*aka* d. i.) ṣi-im bez. ṣim entspricht. Daß die Form dann ṣib und nicht ṣub lautet, würde zu den Eigenthümlichkeiten des Dialektes durchaus stimmen: ṣi-ib, was ebensowohl ṣi-êb[2]) d. i. ṣêb gelesen werden kann, verhielte sich zu *ṣub wie mêṣir zu muṣir.

Ein drittes Beispiel für den Uebergang von sumer. *d* in dial. ṣ scheint Z. 31 vorzuliegen. Hier lesen wir in der dialektischen Spalte: (*a-ši* ba-an-ṣi-*aka* d. i.) ir[3])-ban-ṣim. Dem

1) Vgl. SFG. S. 8 Anm. 4 und S. 35 Anm. 6.

2) Vgl. SFG. Nachträge zu S. 54 No. 20.

3) Zur Lesung ir vgl. II R. 21. 38c wo das Ideogramm *a-ši* d. i. „Wasser des Auges" die Glosse ir hat, sodann die vierspaltige babylonische Zeichensammlung V R. 22 No. 1, in der *a-ši* (Revers Z. 6) links durch sumer. ê-ir d. i. êr bez. ir, rechts durch assyr. dimtum „Thräne" und (Z. 11) unninnu „Seufzen" erklärt wird. In der Bedeutung bakû „weinen" ist das

entspricht im Sumerischen: *(a-ši* bez.) ir-ban-*du* „Thräne machte er gehen". Da *du* „gehen" nun aber deutlich aus älterem dum abgeschwächt ist, so können wir statt ir-ban-*du* auch ir-ban-dum lesen. Dann würde dum also in dem Dialekt zu ṣim geworden sein. Ganz sicher ist dies jedoch nicht, da die beiden Zeichen ṣi-(*aka* bez.) im in der dialektischen Spalte durch einen Riß in der Tafel leider sehr verstümmelt und unleserlich geworden sind.

Die Duplicate treten hier nicht helfend ein: auf dem Fragment K. 5434 steht in der ersten Spalte *a-ši*-ban, was ir-ban oder êš-ban gelesen werden kann. Hier ist also statt der zusammengesetzten Wurzel ir-ṣim bez. ir-du(m) „Weinen" oder „Thränen fließen lassen" die einfache Wurzel ir bez. êš „weinen" gebraucht. Zu beachten ist dabei, daß wir hier statt der gewöhnlichen Verbalpräfixe ein Verbalaffix (SFG. S. 58 Anm. 5) haben; diese seltene postpositive Conjugation scheint demnach ebenfalls zu den Eigenthümlichkeiten des Dialektes zu gehören.

Wichtig sind dann noch Z. 39 und Z. 49. Letztere lautet, wie wir oben gesehen haben, auf der Haupttafel und dem Duplicat K. 4410: dial. mêṣir = sumer. musir. Auf dem Rassam'schen Fragment R.M. 605 finden wir aber statt mêṣir die abgeschwächte Form mêṣi! Was sodann Z. 39 anbetrifft, so haben wir da ein Beispiel für den Wechsel zwischen *r* und *l*;

Ideogramm gemäß Z. 12 dieser Zeichensammlung nicht ir, sondern ê êš also êš zu sprechen. In der Zeichensammlung V R. 22 No. 8 wird dagegen für *a-ši* sowohl in der Bedeutung „Thräne" assyr. dimtum, als in der Bedeutung „weinen" assyr. bakû, als sumer. Aussprache ir angegeben.

dem sumer. ad-gal entspricht in dem Dialekt ad-mar. Diese Erscheinung ist schon aus III R. 70, 195 und 196 bekannt, wo das Ideogramm für „Verbrennung“ assyr. ḳilûtu nicht bloß wie Sb 42 durch sumer. gibil sondern auch durch kibir[1]) erklärt wird. Hier giebt dieses kleine Fragment offenbar sowohl die gewöhnliche sumerische Aussprache als auch die dialektische Form an. Ebenso wird in den nächsten vier Zeilen das bekannte Ideogramm für „Joch“ assyr. nîru nicht allein durch das gewöhnliche sumerische šudun (Sb 45), sondern auch durch (das offenbar dialektische) šudul erklärt.

Nunmehr haben wir eine genügende Anzahl dialektischer Eigenthümlichkeiten festgestellt, um die zusammenhängenden sumerischen Texte auf ihre dialektische Färbung hin untersuchen zu können. Wir verlassen deshalb unser Vocabular und gehen über zum zweiten Abschnitt, in dem wir nachweisen werden, daß vierzehn der im IV. Bande der „Cuneiform Inscriptions“ veröffentlichten sumerischen Gesänge (IV R. 9; 10; 11; 18 No. 2; 19 No. 3; 21 No. 2; 23 No. 1; 24 No. 2; 26 No. 3 und No 4; 27 No. 4; 28 No. 2; 29 No. 5 und 30 No. 1), außerdem auch der in Delitzsch's *Assyrischen Lesestücken* mitgetheilte Hymnus an das Himmelslicht Sm. 954 und mehrere unveröffentlichte Texte in demselben Dialekte, den das trilingue Vocabular behandelt, abgefaßt sind.

1) Vgl. dazu das Vocabular V R. 26, 16—18 a. b, wo das Ideogramm mit vorgesetztem Determinativ des Holzes, giš, die Glosse kibir hat und durch assyr. kibirru, êštê'u und maḳaddu „Scheiterhaufen“ übersetzt wird. Siehe auch Delitzsch, Schrifttafel No. 285.

Bei der Königl. Gesellschaft der Wissenschaften eingegangene Druckschriften.

Juli 1880.

(Fortsetzung.)

Mémoires de l'Acad. des Sciences de Lyon. Cl. des Sc. T. 23.
— — Classe des Lettres. T. 18. Ebd. 1878—79.
Annales de la Société Linnéenne de Lyon. T. 24. 25. 1878.
Annales de la Société d'Agriculture etc. de Lyon. Quatrième série. T. X. 1877. Cinquième série. T. I. 1878.
Leopoldina. XVI. No. 11—12. 13—14.
Nature. 558—562.
Erdélyi Muzeum. 7 sz. 1880.
J. Cameletti, Il Binomio di Newton. Genova. 1880.
R. Lipschitz, Lehrbuch der Analysis. Bd. II. Bonn. 1880.
Carta della circoscrizione elettorale politica dell' Italia. 2 Blatt.
L. Agassiz, Report on the Florida Reefs. Cambr. 1880. 4o.
Sitzungsb. der Münchener Akad. der Wiss. Math. phys. Cl. 1880. H. III.
— — Philos. philolog. u. histor. Cl. 1880. H. I.
Vierteljahrsschrift der Astron. Gesellsch. Jahrg. 15. H. 1. 2.
Jahrbuch über die Fortschritte der Mathematik. Bd. 10. (1878.) H. 1.
Jahrbuch f. Schweizerische Geschichte. Bd. 5. Zürich 1880.
Atti della R. Accademia dei Lincei. Transunti fasc. 7. Roma 1880.

Geolog. Survey of India, Calcutta.

Memoirs. Vol. I—XVII.
Paläontologia Indica. Series II—XIV.
Records. Vol. I—XIII, 1.
A manual of the Geology of India. Bd. I. II. und Karte.

Zeitschrift der deutsch. morgenländ. Gesellsch. Bd. 34. H. 2.
Statistica della Emigrazione italiana all' estero nel 1879.
Statistique internationale des banques d'émission. Allemagne. Rome 1880.
Mémoires de l'Acad. Imp. des Sciences de St. Pétersbourg. VIIIe Serie. T. XXVII. No. 2. 3. 4.
A. Couat, Du caractére lyrique et de la disposition dans les hymnes de Callimaque.
Bulletin of the Amer. Geograph. Society. 1879. No. 4.
Bulletin de l'Académie R. des Sciences de Belgique. T. 49. No. 5.

A. Genocchi, il carteggio di Sofia Germain e C. F. Gauss. 1880.
Nova Acta R. Societatis scientiarum Upsaliensis. Series 3. Vol. X. Fasc. 2. 4o.
Bulletin météorolog. mensuel de l'Obs. de l'Univers. d'Upsal. Vol. VIII. 1876. Vol. IX. 1877. 4o.
Os Lusiadas. 1880. 4o.
Revista Euskara. No. 28. Julio de 1880.
Politische Correspondenz Friedrich's d. Großen. Bd. IV. 1880.
E. Brelay, L'équité électorale. Paris 1880.

Boncompagni. Principe. B. Deux Lettres inédites de J. L. Lagrange. Berlin 1878.
— — — Lettres inédites de J. L. Lagrange à Léonard Euler. Saint-Pétersbourg. 1877.
— — — Lettera inedita di G. L. Lagrange tratta dalla biblioteca universitaria di Bologna. Firenze. 1879.
— — — Accademia Pontificia de' nuovi Lincei. Anno XXXIII (1880). Sessioni VI e VII.

Questions mises au concours par la *Société des arts et sciences* établie à *Utrecht*, Pays-Bas 1880.

Sciences naturelles et médecine.

1. Des recherches sur le développement d'une ou de plusieurs espèces d'animaux invertébrés dont l'histoire n'est pas encore connue; le tout accompagné des figures nécessaires pour l'intelligence du texte.

2. La Société demande une description anatomique exacte de la larve et de la nymphe du hanneton commun (*Melolontha vulgaris*). Cette description, en s'appuyant sur la monographie de Straus-Dürckheim sur l'insecte à l'état parfait, devra être accompagnée des figures nécessaires pour l'intelligence du texte.

3. Par quels moyens les eaux des fleuves qui traversent la Néerlande pourraient-elles être purifiées, de manière à devenir potables, sans aucun inconvénient pour la santé?

Quelles seraient les dépenses qu'exigerait leur application sur une grande échelle?

4. Un mémoire sur les résultats des expériences entreprises dans les derniers temps sur le mouvement des liquides et la résistance qu'ils opposent à des corps mouvants, avec un exposé *a*) des lois générales ou spéciales qu'on en peut déduire, et *b*) des principaux points sur lesquels manquent encore quelques donnés et de la nature des expériences nécessaires pour les obtenir.

5. Une étude critique et historique sur les théories des phénomènes électriques observés dans les muscles et les nerfs.

6. Un aperçu critique des méthodes employées pour déterminer la place qu'occupent dans les corps de la série aromatique les atomes substitués et les groupes d'atomes, d'après la théorie de la constitution du benzol, donnée par Kékulé et par Ladenburg.

7. Déterminer rigoureusement les quantités de chaleur dégagées ou absorbées dans le changement allotropique de deux ou plusieurs corps simples.

8. On demande de déterminer la chaleur donnée par la lune dans de différentes phases.

Belles-Lettres, Philosophie et Histoire.

9. La Société demande des recherches sur les prédicateurs et la prédication de l'Evangile auprès de l'ambassade néerlandaise en France du temps de la République des Provinces-Unies.

10. On demande une liste raisonnée des mots araméens en usage dans la langue arabe.

11. Un aperçu critique des résultats obtenus dans la linguistique Germanique depuis J. Grimm.

12. Disquisitio de loco difficiliore vel controverso, ad disciplinam antiquitatis sive graecae seu latinae pertinente.

Le prix, qui sera décerné à la réponse jugée satisfaisante, consistera en un diplôme d'honneur et trois cents florins de Hollande (environ 620 francs). Les réponses doivent être écrites en Français, en Hollandais, en Allemand (en lettres italiques), en Anglais ou en Latin (pour le No. 12 le Latin seul est admis), et remises, franches de port, au Secrétaire de la Société, M. le Baron R. Melvil de Lynden, juge au tribunal de première instance à Utrecht, avant le 1er Décembre 1881, à l'exception de la réponse au No. 11, pour laquelle ce terme est prolongé jusqu'au 1er Décembre 1882. Les mémoires doivent être accompagnés d'un billet cacheté, renfermant le nom et l'adresse de l'auteur. Les réponses couronnées seront publiées dans les Mémoires de la Société.

Les questions 1 et 12 sont permanentes. On peut y répondre chaque année.

S'adresser pour de plus amples informations au Secrétaire, M le Baron Melvil de Lynden.

Für die Redaction verantwortlich: *E. Rehnisch*, Director d. Gött. gel. Anz.
Commissions-Verlag der *Dieterich'schen Verlags-Buchhandlung.*
Druck der *Dieterich'schen Univ.-Buchdruckerei (W. Fr. Kaestner).*

Nachrichten

von der Königl. Gesellschaft der Wissenschaften und der G. A. Universität zu Göttingen.

17. November. № 18. 1880.

Königliche Gesellschaft der Wissenschaften.

Elektrische Schattenbilder.

Von

W. Holtz.

Zu den nachfolgenden Versuchen bedarf es keiner besondern Hülfsapparate. Vorausgesetzt sind nur eine Influenzmaschine und einige Utensilien, welche in jedem physikalischen Kabinet vorhanden sind. Aber auch derjenige, welcher nur eine Reibzeugmaschine besitzt, wird, wenn auch umständlicher und weniger vollkommen, dieselben Versuche wiederholen können.

Ich gedachte vor längerer Zeit einiger eigenthümlichen Büschelphänomene, welche man erhält, wenn man als Elektroden eine größere Kugel einer größeren Hohlscheibe gegenüberstellt *). Ich vergaß damals zu bemerken, daß hierzu namentlich trockne Luft erforderlich sei, weil in feuchter statt der erwarteten Erscheinungen leicht eine Glimmlichtbildung erfolgt. Unter solchen Verhältnissen geschah es vor Kurzem, daß ich einen Metallstab zwischen die

*) Poggendorf, Ann. Bd. 156, S. 498.

Elektroden brachte, weil sich hierdurch zuweilen die Glimmentladung in Büschelentladungen überführen läßt. Hierbei bemerkte ich, daß der Stab auf der glimmenden Kugelfläche einen Schatten warf, und diese Wahrnehmung bot die erste Anregung zu den in Rede befindlichen Versuchen. Inzwischen habe ich gelernt, daß man Glimmlicht auch in trockner Luft mit großer Sicherheit sowohl auf krummen als graden Flächen erzeugen kann.

Wie man die leuchtende Fläche am besten gewinnt.

Hat man eine größere Hohlscheibe zur Verfügung, so stecke man dieselbe auf die linke Entladungsstange und lasse zwischen dieser und der Spitze der rechten einen Raum von 6—15 Centimeter. Hierauf lege man ein Stück Seidenzeug, welches am besten so groß ist, als die vordere Scheibenfläche, an letzte an, während sich die Maschine in Thätigkeit befindet. Später braucht man dasselbe nicht mehr zu halten, da es mit großer Gewalt durch die elektrische Einwirkung festgehalten wird. Sah man vorher an der Spitze der rechten Entladungsstange einen kleinen Büschel, so erscheint an Stelle desselben nunmehr ein kleiner schwach leuchtender Stern. Zu gleicher Zeit aber tritt an der gegenüber befindlichen Elektrode eine in eigenthümlich flimmerndem Glimmlichte leuchtende Kreisfläche auf. Dieselbe ist größer, wenn die Maschine eine stärkere, und bei derselben Maschine, wenn man durch schnelleres Drehen ihre Wirksamkeit verstärkt; ferner größer (aber freilich lichtschwächer), wenn man die Spitze weiter entfernt; endlich größer (wenigstens bedingungsweise), wenn man die Scheibe ableileitend berührt. Diese Fläche ist diejenige, welche beschattet werden soll.

Hat man keine Hohlscheibe zur Verfügung, so kann man sich allenfalls mit einer größeren Kugel helfen, welche man in diesem Falle lieber ganz mit Seide überzieht. Geeigneter jedoch ist unter jener Voraussetzung ein anderes Verfahren, sofern nur ein passender Stativ zu Gebote steht. An diesem hängt man, am besten an einem isolirenden Arme, ein Stück Seide auf, welches man am besten wieder mit einer isolirenden Stange beschwert. Selbigen Schirm stellt man zwischen den in diesem Falle beiderseits zugespitzten Entladungsstangen auf. Das Beobachtungsfeld erscheint wieder als Kreisfläche, welche neben der Thätigkeit der Maschine mit der gegenseitigen Entfernung der Spitzen von einander wächst, daneben aber merkwürdiger Weise ihr Maximum erreicht nicht, wenn der Schirm in der Mitte steht, sondern wenn er mehr der negativen Elektrode genähert ist. Sehr bequem, aber schwerer zu beschaffen ist ein Schirm in Form eines mit Seide bespannten Ebonitringes, welcher auf einem Ebonituntersatze befestigt ist.

In beiden gedachten Fällen ist es nicht unwesentlich, daß das Seidenzeug möglichst faltenlos sei, weil sich nur solchergestalt eine einigermaßen gleichmäßig leuchtende Fläche erzielen läßt. Ist das Zeug von vornherein faltenlos, so wird es bei der zweiten Anordnung des Versuches auch so bleiben, während vollkommen glattes Zeug leicht in dem Momente faltig wird, wo es der Hohlscheibe angeheftet wird. Letzterer Uebelstand aber läßt sich dadurch in Etwas vermeiden, daß man im ersten Augenblicke außerordentlich langsam dreht, und etwaige Falten successive durch eine vorsichtige Spannung zu glätten sucht.

Das Glimmlicht ist bekanntlich nur in vollkommen dunklen Räumen erkennbar, während man zur Vorbereitung der einzelnen Versuche wieder des Lichtes nothwendig bedarf. Damit man nun Licht und Dunkelheit möglichst schnell wechseln lassen könne, scheint es mir am bequemsten, eine möglichst klein brennende Spirituslampe und gleichzeitig eine gewöhnliche Kerze zur Verfügung zu haben. Die erstere, ein wenig verdeckt, beeinträchtigt den Effect der Erscheinungen kaum; aber mit ihrer Hülfe zündet man letztere am schnellsten wieder an. Wo Gaseinrichtung besteht, bedarf man dieses Hülfsmittels freilich nicht.

Welche Körper überhaupt einen Schatten werfen, und wie man sich ihrer am besten bedient.

Bringt man zwischen Spitze und Fläche einen Gegenstand, so wirft er auf den erleuchteten Theil der letzteren einen Schatten. Aber nicht alle Körper, wenn auch von gleicher Form, werfen denselben Schatten. Schon aus diesem Grunde kann der Effect nicht eine gewöhnliche optische Schattenbildung sein. Einen Schatten werfen überhaupt nur leitende Körper, wobei sich Halbleiter und gute Leiter nur wenig zu unterscheiden scheinen. Wirkliche Isolatoren dagegen bei geringerer Ausdehnung beschatten gar nicht; bei größerer wohl im Anfange der Einwirkung, während sich bei längerer Einwirkung die Schattenbildung allmählich verliert. Hierbei erscheinen noch folgende Punkte bedeutungsvoll. Es macht kaum einen Unterschied, ob leitende Körper abgeleitet oder isolirt gehalten werden. Dagegen kommt beziehentlich der Leitungsfähigkeit vorzugsweise die Oberfläche und weniger die innere Masse der Körper in Betracht. Das Vermögen der Schattenbildung aber documentirt sich nicht allein in verhältnißmäßig stärkeren Schwärzung des Bildes, sondern gleichzeitig und vielleicht mehr noch in der Vergrößerung seiner Dimensionen. Aus Letzterem folgt zugleich, daß die eigentliche Form der Körper bei dieser Art der Schattenbildung nur eine verhältnißmäßig geringe Rolle spielt.

Am geeignetsten für diese Versuche erscheinen 6—8 Millimeter breite Streifen aus Karton und Ebonit (man kann letzteres ein wenig erwärmt mit der Scheere schneiden), auch wohl ein Kreuz, welches man aus derartigen Stücken leicht durch Zusammensetzung verfertigen kann. Man kann letzteres homogen wählen; man kann es aber auch, damit es gleichzeitig nach entgegengesetzten Richtungen wirke, zur einen Hälfte aus diesem, zur andern aus jenem Stoffe bilden. Hierzu bemerke ich, daß Ebonit auf Ebonit oder auf Karton am besten mit Hülfe von Siegellack befestigt wird. Zur weiteren Vervollständigung mögen Streifen aus Seide und Leinwand oder dergleichen Fäden, ferner eine Stricknadel, ein dünner Glasstab oder eine enge Glasröhre, welche man eventuell mit Flüssigkeit füllen kann, dienen. Einen Ring schneidet man am einfachsten aus Karton, oder biegt ihn aus einem Drahte. Statt eines besondern Ebonitstückes von größeren Dimensionen gebraucht man am einfachsten die Erregungsplatte der Maschine.

Man hält die betreffenden Stücke entweder mit der Hand, oder kittet sie auf Glasröhren oder auf Stangen von Siegellack, welche man ihrerseits, wenn sie nicht wanken sollen, auf kleine hölzerne Klötze setzt. Fäden oder Streifen Zeug läßt man hangen, indem man sie beschwert, oder spannt sie zwischen den Enden eines gebogenen Drathes aus.

Isolirende Stoffe muß man, wenn sie als solche wirken sollen, vorher ein wenig erwärmen, wenn man in nicht ganz trockner Luft experimentirt.

Wodurch die Größe und die Form der Bilder des Weiteren beeinflußt wird.

Das Schattenbild wird größer oder kleiner, je nachdem man den Körper der Spitze oder der seidenen Fläche nähert. Wendet man die zweite Form der Versuche an, so kann das Bild (und in diesem Falle zugleich das Beobachtungsfeld) auch dadurch verkleinert werden, daß man die zweite Spitze der seidenen Fläche nähert. Aber die Dimensionen des Bildes sind gleichzeitig durch die mehr oder weniger centrale Lage des Körpers bedingt. Sie wachsen, wenn man denselben seitlich aus seiner centralen Lage verschiebt. Ein längerer Streifen von überall gleicher Breite wirft demnach ein Schattenbild, welches sich nach dem Centrum des Beobachtungsfeldes hin verjüngt. Das Schattenbild eines aus derartigen Streifen gebildeten Kreuzes erscheint demnach bei centraler Stellung nach den Enden seiner Arme hin verstärkt; und verschiebt man das Kreuz seitlich, so erscheint das Bild verzerrt, indem sich der eine horizontale Arm noch weiter verstärkt, während sich der andre zugleich in demselben Maaße verdünnt. Eine weitere Merkwürdigkeit besteht darin, daß ein Streifen — bis zu einem gewissen Grade wenigstens — denselben Schatten wirft, ob man seine breite Seite oder seine schmale Kante nach der seidenen Fläche richtet. Ein Conglomerat von Streifen, welche mit ihren Flächen parallel stehn und um 3 - 5 Millimeter von einander entfernt sind, wirft demnach denselben Schatten, wie ein vollständig homogenes Stück.

Bei Alledem sind natürlich leitende oder halbleitende Körper vorausgesetzt; denn, daß wirklich isolirende keinen oder nur einen mehr oder weniger flüchtigen Schatten werfen, ist oben bereits gesagt. Bezüglich aller Körper mag noch erwähnt werden, daß sich bei ihrer Einführung das Beobachtungsfeld zu erweitern pflegt und zwar in dem Maaße mehr, als sie einen größeren Theil des (unsichtbaren) Strahlenkegels verdecken.

Einige Versuche, welche besonders einfach und instructiv sind.

Man befestige an einer Siegellackstange ein Kreuz, welches aus einem Karton- und einem Ebonitstreifen gebildet ist. Man wird alsdann in trockner Luft nur das Schattenbild des Kartonstreifens bemerken. Behaucht man jedoch während des Versuches das Kreuz, so tritt sofort, wenn auch nur auf Augenblicke, auch der zweite Streifen hervor.

Man erwärme das eine Ende eines Glasstabes oder einer Glasröhre stark, wodurch die Masse bekanntlich mehr oder weniger leitend wird. Das fragliche Ende wirft alsdann einen Schatten, aber derselbe verschwindet in dem Maaße, als die Masse erkaltet, weil sie hierdurch wieder isolirend wird.

Man fülle eine enge Glasröhre mit Wasser,

oder überziehe einen etwas dicken Draht mit Siegellack. Beide werden keinen Schatten werfen, weil es sich vorwiegend um die leitende Beschaffenheit der Oberfläche der Körper handelt.

Man befestige an einer Siegellackstange zwei gleiche Streifen Karton oder Metallblech, jedoch so, daß die scharfe Kante des einen (in einem Abstande von 10 Millimeter etwa) nach der Fläche des andern Streifens zeigt. Hält man die Siegellackstange alsdann so, daß die Verlängerung der Entladungsstange in den Zwischenraum zwischen gedachten Streifen fällt, so werden die Schatten beider näherungsweise von gleicher Breite sein.

Man bringe eine Stange Siegellack vor das Beobachtungsfeld. Dieselbe wird nur im ersten Augenblicke einen Schatten werfen. Aber sie wird constant einen schwachen Schatten werfen, wenn man sie wäbernd des Versuches langsam dreht. Auch noch bei einem Ebonitstreifen von 30 Millimetєr Breite wird der anfängliche Schatten sehr bald verschwinden, aber besonders stark auf kurze Zeit wieder hervortreten, sobald man die Flächen dem Beobachtungsfelde gegenüber wechselt. Sind die isolirenden Streifen breiter, so wird der Schatten schwerer zum Verschwinden kommen, überhaupt nur in ganz trockner Luft und auch dann zuweilen erst nach minutenlanger elektrischer Wirkung.

Man kitte einen Kartonstreifen und einen Ebonitstreifen auf einander, so daß sie sich decken. Dieser Doppelstreifen wird allemal einen Schatten werfen, sobald man eine der Kanten nach dem Beobachtungsfelde richtet. Im andern Falle dagegen wird ein Schatten — wenigstens ein dauernder Schatten nur dann entstehn, wenn man die Eboritfläche nach dem Beobachtungsfelde richtet.

Man bringe einen Kartonring vor das Beobachtungsfeld. Das Schattenbild wird nur dann nicht verzerrt erscheinen, wenn das Centrum des Ringes genau in der Verlängerung der Entladungsstange liegt. Es ist hierbei, wie überall, wo sich eine Figur vollständig abbilden soll, gerathen, dieselbe nicht größer zu nehmen, als etwa die halbe durchschnittliche Größe des Beobachtungsfeldes ist.

Man befestige ein Drathnetz an einer Siegellackstange und biege die Ecken und Kanten desselben ein wenig nach der Seite der Spitze hin. Dasselbe wird einen fast homogenen Schatten werfen, in welchem sich jedoch, wenn die Maschen nicht allzufein sind, hellere und dunklere Stellen markiren.

Man lasse den Rauch einer Cigarre vor der Spitze aufsteigen. Derselbe wird als Schatten wolkenartig das Beobachtungsfeld überziehn.

Doppelte Schattenbildung bei Anwendung einer Kugel an Stelle der Spitze.

Wendet man statt der Spitze eine Kugel an, so gelingen die bisher beschriebenen Versuche im Allgemeinen weniger gut, und um so weniger, je größer die Kugel ist. Dafür gewinnt man aber eine neue eigenthümliche Erscheinung, eine doppelte Schattenbildung, nämlich eine auf der seidnen Fläche und eine zweite auf der vorderen glimmenden Kugelfläche selbst. Dies zweite Schattenbild ist nur mangelhaft, weil die leuchtende Fläche hier zu wenig gleichmäßig, zudem gekrümmt und überhaupt nur wenig ausgedehnt ist. Entsprechend der Kleinheit der Fläche ist denn auch das Bild selbst nur außerordentlich klein. Gleichwohl ist unverkennbar, daß es, so gut, wie jenes erste, ein Abbild des betreffenden Körpers ist. Wie weit Natur und Stellung des letzteren dies zweite Bild beeinflussen, soll gelegentlich des Weiteren erörtert werden.

Einige Worte der Erklärung.

Ich weiß vorläufig zur Erklärung der mitgetheilten Erscheinungen kaum etwas Anderes anzuführen, als daß sie für die hier vorliegende bestimmte Entladungsform eine der Hauptsache nach gradlinie Bewegung die Electricität verrathen. Ich sage der Hauptsache nach, weil die Verzerrung der Bilder bei seitlicher Verschiebung wieder anzudeuten scheint, daß die Bewegung in größerer Entfernung von der Axe des Ausstrahlungsbündels keine gradlinie mehr ist. Bei Anwendung einer Spitze würde gedachtes Bündel im Ganzen einem zugespitzten, bei Anwendung einer Kugel statt jener, dagegen einem abgestumpften Kegel entsprechen. Das zweite Bild würde gleichzeitig beweisen, daß eine Bewegung nicht nur nach der seidenen Fläche hin, sondern gleichzeitig in entgegengesetzter Richtung bestände. Die Seide dürfte voraussichtlich nur bewirken, daß möglichst viele Punkte der einander zugekehrten Elektrodenflächen möglichst gleichmäßig an selbiger Ausstrahlung participiren — eine Entladungsform, wie sie auch sonst allgemein der Glimmentladung im Gegensatz zur Büschel- oder Funkenentladung anzugehören scheint. Der Einfluß der leitenden Beschaffenheit der Körper möchte darin bestehn, daß leitende Flächen im Gegensatz zu isolirenden die Strahlung hemmen, d. h. entweder reflectiren oder absorbiren, während jene gewissermaßen permeabel, aber bei größerer Ausdehnung erst permeabel wären, nachdem die Moleküle eine hierfür günstige Stellung angenommen hätten. Bei Alledem wäre freilich die Wirkungslosigkeit der inneren Masse noch ein Räthsel, desgleichen der geringe Unterschied der Schatten, wie er sich bei verschiedener Stellung von leitenden Streifen documentirt.

Noch ein Anderes erscheint räthselhaft und dürfte so viel wenigstens beweisen, daß bei gedachter Entladungsform die sonst gültigen Gesetze der elektrischen Fortpflanzung nur eine untergeordnete Rolle spielen — der Umstand, daß die Erscheinungen durch die Ableitung der Körper, welche sonst leitend sind, kaum eine Aenderung erfahren.

Andre Schattenbilder — eine Wirkung der elektrischen Ausstrahlung für sich allein.

Ich reihe hieran einige Versuche, welche den bereits mitgetheilten in sofern wenigstens verwandt sind, als sie auch eine Schattenbildung im Glimmlicht manifestiren. Hier ist es jedoch die Art und Weise der Ausstrahlung selbst, nicht ein interpolirter Gegenstand, welcher die fraglichen Bilder erzeugt.

Die Anordnung der Versuche bleibt im Uebrigen wie sie war, nur daß man die rechte Entladungsstange mit besonders geformten Elektrodenstücken versieht. Dies geschieht am einfachsten, indem man statt der gewöhnlichen Kugel über die Spitze derselben einen durchbohrten Kork schiebt, welcher folgendermaßen ausgerüstet ist.

Man mache in der vorderen Fläche einen Einschnitt und klemme ein Blechstückchen hinein, so daß es jene Fläche noch um einige Millimeter überragt. Im Beobachtungsfelde erscheint alsdann ein schwarzes Band, welches horizontal liegt, wenn die vordere Kante des Blechstückchens senkrecht verläuft.

Man mache senkrecht zu jenem ersten Schnitte noch einen zweiten Schnitt, und klemme auch in diesen zwei (entsprechend kleinere) Blechstücke ein, so daß sich die vorderen Kanten aller Stücke kreuzen. Im Beobachtungsfelde erscheint alsdann ein liegendes Kreuz, wenn man die Entladungsstange so dreht, daß jene Kanten ein stehendes repräsentiren.

Man binde um den Kork einen Blechstreifen, so daß die vordere Kante eine möglichst wohl geschlossene Kreislinie bildet. Im Beobachtungsfelde erscheint alsdann ein dunkler Mittelpunkt, welcher mehr oder weniger vollständig von einem leuchtenden Ringe umgeben ist.

Die erste dieser Erscheinungen aber erhält man auch, wenn man durch eine etwas größere Korkscheibe zwei Nadeln steckt, so daß ihre Spitzen etwa ebenso weit von einander entfernt stehn, als die vorderen Ecken gedachten Blechs, die zweite, wenn man in ähnlicher Weise mit vier Nadeln, die dritte, wenn man entsprechend mit einer ganzen Reihe von Nadeln verfährt. Hiermit erklärt sich zugleich die fragliche Schattenbildung, wenn man erwägt, daß es vorwiegend die Ecken der Bleche sind, an denen eine Ausstrahlung erfolgt, und wenn man gleichzeitig in Betracht zieht, daß die Grenzen der Schatten keine graden, sondern mehr oder weniger krumme Linien sind.

Jede Spitze erzeugt in der That eine leuchtende Kreisfläche für sich, welche in dem Maaße kleiner wird, als man die Anzahl der Spitzen vermehrt. Der Mangel an Licht stellt sich als

Schatten dar; deshalb muß ein in senkrechter Linie befindliches Spitzenpaar einen horizontal verlaufenden dunklen Streifen bilden. Sind die leuchtenden Flächen sehr klein und decken sie sich zum Theil, so entsteht bei kreisförmiger Stellung der Spitzen ein dunkles Centrum, welches von einem leuchtenden Bande eingeschlossen ist. Daß sich die Sache so verhält, beweist auch der Umstand, daß man in diesen Versuchen durch langsameres oder schnelleres Drehen der Maschine die Dimensionen der Schatten vergrößern oder verringern kann.

Wählt man die zweite Form der Darstellung (jene mit in der Mitte befindlichem Schirm), so kann man die Erscheinungen noch dadurch vervielfältigen, daß man auch die linke Entladungsstange in ähnlicher Weise armirt. Stellt man bei gleicher Armirung die Blechstreifen oder die Nadeln so, daß sie sich decken, so decken sich auch die Bilder, während andernfalls von Früherem mehr oder weniger abweichende Formen entstehn. Haben wir rechter Hand z. B. zwei Spitzen, welche über einander stehn, während jene linker Hand in einer horizontalen liegen, so stellt sich ein Schattenkreuz in aufrechter Stellung ein, wogegen früher bei Anwendung von vier Spitzen an derselben Korkscheide bei sonst gleicher Lage der Spitzen das Kreuz eine liegende Stellung hatte. Durch Variirung der Anzahl sowohl als der Lage der Nadeln, sowie durch größere oder geringere Annäherung der einen oder andern Elektrode lassen sich solchergestalt die verschiedensten Figuren gewinnen. Auch die Richtung der Nadeln ist nicht ganz bedeutungslos, da die Axe der Strahlenkegel mehr oder weniger eben dieser Richtung folgt.

Ein Anflug solcher Figuren bildet sich zuweilen aber auch ganz unbeabsichtigt, wenn man mit den gewöhnlichen Kugelelektroden experimentirt und die Luftverhältnisse der Bildung des Glimmlichtes günstig sind. Sie entstehn dadurch, daß die eine Elektrode an einzelnen Punkten rauh geworden, in Folge dessen an diesen Punkten eine bevorzugte Ausstrahlung resultirt. Ist dann die andre Elektrode zufällig mit Glimmlicht bedeckt, so wird dieses je nach der Lage jener Punkte an einzelnen Stellen mehr oder weniger beschattet sein. Aehnlich wie die Rauheit der Metallfläche können kleine Wassertröpfchen wirken oder kleine Faserchen, weil durch solche gleichfalls die Ausstrahlung begünstigt wird. Ich habe früher häufiger derartige Erscheinungen bemerkt, ohne daß ich mir von ihrer Entstehung zu jener Zeit Rechenschaft geben konnte, da es mir nie gelingen wollte, das Glimmlicht für eine längere Versuchsreihe zu fixiren.

Nachträgliche Bemerkungen zu diesen und den früheren Versuchen.

Es ist bei Anwendung eines Stückes Seidenzeug, ob man es nun als Beleg der Hohlscheibe oder als Schirm benutzt, ziemlich gleichgültig, welches die Polarität der beiden Elektroden sei. Ich habe bisher weder in der Gestaltung der Bilder, noch in der leichteren oder schwereren Darstellung der Erscheinungen überhaupt hierin einen namhaften Unterschied entdecken können. Eine Ausnahme macht jener Versuch, wo wir die Spitze mit der Kugel vertauschten, um auf dieser selbst das Glimmlicht, und in diesem das zweite Schattenbild erzeugen zu können. Hier nimmt man besser die Kugel zur positiven

Elektrode, weil sich auf einer reinen Metallfläche das Glimmlicht besser an solcher Elektrode bildet. Vielleicht könnte man auch diese noch mit Seide bekleiden. Ich habe dies bisher unerprobt gelassen, weil ich nach dieser Richtung ohnehin später noch weitere Versuche anstellen wollte.

Es ist mir wiederholt so erschienen, als ob eine einmalige Lage von Seidenzeug nicht allemal genüge, um die Erscheinungen möglichst vollkommen zu gewinnen. Ich glaube fast, daß hiermit der größere oder geringere Feuchtigkeitsgehalt der Luft in Verbindung steht, kann aber bisher nicht sagen, ob bei größerer Feuchtigkeit die Lage besser dicker oder dünner zu nehmen sei. Ich rathe daher bei etwaiger Wiederholung der Versuche lieber mehrere Stücke Seidenzeug zur Verfügung zu haben, oder von vornherein lieber eine doppelte oder mehrfache Lage zu benutzen, obwohl andrerseits bei einer solchen Falten schwerer zu vermeiden sind.

Ich stellte diese Versuche mit einer Influenzmaschine mittlerer Größe an. Sie werden jedenfalls besser mit einer größeren und noch besser mit einer Doppelmaschine gelingen. Aber ich zweifle nicht, daß — wenn das Zimmer nur dunkel genug ist — sich alle Erscheinungen, wenn auch weniger vollkommen, mit schwächeren Elektricitätsquellen darstellen lassen. Eine Reibzeugmaschine möchte — wenn zulässig — am besten so angewandt werden, daß man analog der Influenzmaschine zwei gegenüberstehende beiderseits isolirte Elektroden gewinnt.

Als selbstredend kann wohl gelten, daß man vor der Anstellung der Versuche die Condensatoren aus der Maschine fortzunehmen hat.

Einige anderweitige gelegentlich wahrzunehmende Erscheinungen.

Da man bei Wiederholung der mitgetheilten Versuche — wenigstens in ihrer zweiten Darstellungsweise — nothwendig eines seidenen Vorhanges oder Schirmes bedarf, so möchte ich noch auf einige Erscheinungen aufmerksam machen, welche man bei dieser Gelegenheit ohne weitere Hülfsmittel gewinnen kann, wenn dieselben auch sonst in keinem weiteren Zusammenhang mit oben gedachten Erscheinungen stehn.

Stellt man den Schirm in größerer Entfernung von der Hohlscheide auf und läßt positive Elektricität der gegenüber befindlichen Spitze entströmen, so beginnt zwischen jenen Flächen eine eigenthümliche Büschelbildung, dadurch charakterisirt, daß sich eine große Zahl getrennter, mit einander paralleler und nicht weiter verästelter Fäden bilden. Das Seidenzeug bietet der Elektricität einen gewissen Widerstand, ladet sich bei dieser Gelegenheit und entladet sich alsdann, aber letzteres immer nur partiell in seinen einzelnen Punkten. Entströmt negative Elektricität der Spitze, so ist die Erscheinung eine wesentlich andre; an der der Scheibe zugekehrten Fläche des Seidenzeuges stellen sich unzählige kurze negative Büschel ein, bis zeitweise ein eigenthümlich geformter sogenannter Halbfunke die fraglichen Flächen mit einander verbindet. Bei Alledem lastet auf dem Schirm nach der Richtung der Fläche hin ein so großer Druck, daß man gezwungen ist, ihn festzuhalten, wenn er nicht fortgerissen werden soll.

Hat man zwei Schirme, so kann man (unter Anwendung zweier Spitzen) besser, wie sonst je, jene eigenthümlichen Lichtbildungen beobachten, wie sie eben nur zwischen zwei geladenen isolirenden Flächen entstehn, wie man sie zwar auch zwischen den Scheiben der Maschine selbst, aber hier nur in sehr beschränktem Umfange wahrnehmen kann. Die Entladungen zwischen mehr oder weniger isolirenden Flächen — man könnte statt der seidnen Schirme ja auch solche von Papier oder anderem Zeuge anwenden — sind aber namentlich um deswillen von Interesse, weil es sich bei den Ausgleichungen der athmosphärischen Elektricität im Wesentlichen um solche Entladungen handeln dürfte.

Wendet man die Condensatoren an, so kann man mit Hülfe eines Schirmes, wenn man ihn der Spitze nahe rückt, trotz der Spitze sehr lange Funken erhalten, weil der Schirm bis zu einem gewissen Grade die Elektricitätsbewegung hemmt und die Spitze so eine größere Dichtigkeit gewinnen kann.

Desgleichen kann man mit Hülfe zweier Schirme unter Benutzung zweier Spitzen so lange Funken erhalten, wie nur sonst bei der geeignetsten Größe kugelförmiger Elektroden.

Noch auf andere Weise kann man mittelst eines Schirmes oder mittelst einer seidenen Umhüllung der Elektroden eine Variirung der Entladungen bewirken, wie ich es gelegentlich ausführlicher besprechen will.

(Fortsetzung folgt.)

Bei der Königl. Gesellschaft der Wissenschaften eingegangene Druckschriften.

August 1880.

Jahrbuch der k. k. geolog. Reichsanstalt. Jahrg. 1880. Bd. XXX. No. 2. 3.
Verhandlungen der k. k. geolog. Reichsanstalt. No. 6—11. 1880.
Journal of the Royal Microscopical Society. Vol. III. No. 4. 5.
Bulletin de la Société Mathématique. T. III. No. 5.
Jahrbücher der K. Akademie zu Erfurt. Neue Folge. H. 10.
Annali di Statistica. Ser. 2. Vol. 13. Vol. 16. Roma. 1880.
C. Bruhns u. A. Hirsch, Verhandl. der Europ. Gradmessung. Sept. 1879.
Transactions and Proceedings of the Philos. Society of Adelaide, South Australia. 1878—79.
Nature. 563—566. 568—573. 575.
Der Zoologische Garten. XXI. Jahrgang. No. 1—6.
Monthly Notices of the R. Astronom. Society. Vol. XL. No. 8.
Acta Societatis scientiarum Fennicae. T. XI. Helsingfors. 1880. 4°.
Bidrag till kännedom af Finlands natur och folk. H. 13.
Observations météorolog. publiées par la Société des Sciences de Finlande. Année. 1878.
Schriften der physik.-ökonom. Gesellsch. zu Königsberg. Jahrg. XVIII. Abth. 2. 1877. Jahrg. XIX. 1878. Jahrg. XX. 1879—80. Jahrg. XXI. 1880. Abth. I. 4°.
L. Smith, Mémoire sur le fer natif du Groenland. Paris. 1879.
Monatsbericht der Berliner Akad. Mai. Juni. Juli. 1880.
Jahresb. des physik. Vereins in Frankfurt a. M. 1878—1879.
Jahresber. des Vereins für Naturwissenschaft zu Braunschweig. 1879—80.
Anales de la Sociedad cientif Argentina. T. X. Entrega. I. II.
Bulletin de l'Acad. R. des Sciences de Belgique. T. 50. No. 6—8.
Account of the operations of the great trigonometrical Survey of India. Vol. V. 1879. 4°.
Transactions of the Zoolog. Society of London. Vol. XI. P. 2.

Proceedings of the Zoolog. Society for 1880. P. 2.
Verhandelingen van het Bataviaasch Genootschap van Kunsten en Wetenschappen. Deel XLI. 1. Stuk. D. XXXIX. 2. St.
Notulen. Deel XVII. 1879. No. 2—4. Batavia.
Register op de Notulen etc. over 1867—1878.
Tijdschrift voor Indische Taal- Land- en Volkenkunde. Deel XXV. Afl. 4 6. D. XXVI. Afl. I. 1879/80.
Vierteljahrsschrift der Astron. Gesellschaft. 15 Jahrg. H. 3.
Clausius, über die Anwendung des electrodyn. Potentials etc.
Koelliker, die Entwicklung der Keimblätter des Kaninchens.
Coast Survey Report. 1876. Text. Washington. 1879. 4°.
— — Progress Sketches. 1876. 4°.
Statistica elettorale politica. 16—23 Maggio 1880. Romà.
Leopoldina. XVI. No. 15—18.

September.

U. S. Naval Observations. The years 1851 and 1852. Washington. 4°.
Astronomical and meteorolog. Observations. The year 1863.
Idem. The year 1864. Idem the year 1868. Ebd. 4°.
Results of observations made at the U. S. Naval Observatory in the years 1853 to 1860 incl. Wash. 1872. 4°.
A subject-index to the publications of the U. S. Naval Observatory. 1845. Washington. 1875.
Catalogue of the Library of the U. S. Naval Observatory. Ebd. 1879.
Memoirs of the Boston Soc. of Nat. History. Voll. III. P. 1. No. 3. 4°.
Proceedings of the American Academy of Arts and Sciences. Vol. VII. P. 1. Boston. 1880.
Transactions of the Wisconsin Academy of Sciences, Arts and Letters. T. IV. 1876—77. Madison. 1878.
Proceedings of the American philosoph. Society. Vol. XVIII. No. 104—105.
The Transactions of the Acad. of Science of St. Louis. Vol. IV. No. 1.
Proceedings of the Academy of Natural Sciences of Philadelphia. Part I. II. III. 1879. Philadelphia. 1879. 1880.
Proceedings of the American Pharmaceutical Association at the 27 annual meeting, held in Indianopolis. 1879.
Proceedings of the Boston Society of Natural History. Vol. XX. P. 2. 3.

W. O. Crosby, contributions to the geology of eastern Massachusetts. Boston. 1880.
Debiti provinciali al 31 Decembre 1878. Roma. 1880.
W. Schlötel. Circular. Würzburg. 1880.
Abhandlungen für die Kunde des Morgenlandes. Bd. VII. No. 3.
Mittheil. der Gesellschaft für Naturkunde Ostasiens. Juni. 1880. 4°.
Verhandl. des histor. Vereins von Oberpfalz u. Regensburg. Bd. 34.
Transactions and Proceedings of the R. Society of Victoria. Vol. XVI. Melbourne.
C. A. F. Peters, Bestimmung des Längenunterschiedes zwischen den Sternwarten von Göttingen u. Altona. Kiel. 1880. 4°.
Zeitschrift der östr. Gesellschaft für Meteorologie. Bd. XV. Sept. Oct. 1880.
Philosophical Transactions of the R. Soc. of London. Vol. 170. P. 1. 2. Vol. 171. P. 1. — 1879. 1880. 4°.
Fellows of the R. Soc. 1st. Dec. 1879. 4°.
Proceedings of the R. Soc. Vol. XXIX. No. 197—199. Vol. XXX. No. 200—205.
Sitzungsberichte der philosoph. philolog. histor. Cl. der Akad. in München. 1880. H. 2.
Memoria historica e politica sobre o commercio da Escravatura, etc. Lisboa. 1880.
S. W. Burnham, observations made on Mt. Hamilton. Chicago. 1880.
E. Wadsworth, notes on the Geology of the iron and copper districts of lake superior. No. 1. Cambridge. 1880.
Zeitschrift der Morgenländ. Gesellsch. Bd. 34. H. 3.
Zur Geschichte der königl. Museen in Berlin. 1880. 4°.
American Journal of Mathematics. Vol. III. No. 1. 4°.
G. G. Stokes, mathematical and physical papers. Vol. I. Cambridge. 1880.
Abhandlungen aus dem Gebiete der Naturwiss. Vom naturw. Verein zu Hamburg. Bd. VII. Abth. 1. 4°.
Verhandlungen des naturwiss. Vereins von Hamburg-Altona im Jahre 1879. IV.

Für die Redaction verantwortlich: *E. Rehnisch,* Director d. Gött. gel. Anz.
Commissions-Verlag der *Dieterich'schen Verlags-Buchhandlung.*
Druck der *Dieterich'schen Univ.-Buchdruckerei (W. Fr. Kaestner).*

Nachrichten

von der Königl. Gesellschaft der Wissenschaften und der G. A. Universität zu Göttingen.

24. November. № 19. 1880.

Königliche Gesellschaft der Wissenschaften.

Sitzung am 6. November.

Klein: Ueber eine Vermehrung der Meteoritensammlung der Universität.
Wüstenfeld: Geschichte der Fatimiden-Chalifen. 3. Abth. (S. Abh.).
Pauli: Die Chroniken des Radulfus Niger.
Lipschitz, Corresp.: Mittheilung bei Gelegenheit der Herausgabe seines Lehrbuchs der Analysis.
Holtz, Corresp.: Elektrische Schattenbilder.
Förster, Corresp.: schenkt der Societät Briefe von Gauß an Encke.

Ueber eine Vermehrung der Meteoritensammlung der Universität.

Von

C. Klein.

Die mineralogische Sammlung der Universität, welche die Meteoritensammlung als einen besonderen Theil in sich enthält, ist in der glücklichen Lage einen erheblichen Zugang von Meteoriten verzeichnen zu können und es gebührt H. Geheimrath Wöhler der aufrichtigste Dank für die neuen Schenkungen, die er als Beweis dafür, daß er fortwährend sein regstes

Interesse der Meteoritensammlung bewahrt, dieser zugewandt hat.

Am 2. Januar 1879 betrug der Bestand der Sammlung an Meteorsteinen 115 Fall- und Fundorte mit 12260,85 gr. Gewicht, an Meteoreisen 91 Fundorte mit 23070,40 gr. Gewicht, heute (am 6. November 1880) besitzen wir 123 Fall- und Fundorte von Meteorsteinen mit 12589,60 gr. Gewicht, die Zahl der Meteoreisen beträgt 93 Fundorte mit 25755,40 gr. Gewicht, zusammen also 216 Localitäten mit 38345 gr. Gewicht.

In folgender Tabelle ist die Aufführung der Meteorsteine nach der Fallzeit, der Meteoreisen nach der Zeit ihres wissenschaftlichen Bekanntwerdens erfolgt, das Gewicht in gr. angegeben. Die im Catalog vom 2. Jan. 1879 schon vorkommenden Localitäten tragen einen Stern.

Meteorsteine.

Fallzeit	Localität	Gewicht des Hauptstücks	Gewicht im Ganzen
1804	* Darmstadt	16	16
1866 9. Juni	* Knyahinya Unghvar Ungarn	2,25	2.25
1869 22. Mai	Cléguérec (Kernouve) Bretagne	37	37
1869 19. Sept.	Tjabé. Pandangan. Java.	3,30	3,30
1876 21. Dez.	Rochester, Indiana	1.75	2,50
1877 3. Jan.	Warrenton, Missouri	32,50	32,50
1877 23. Jan.	Cynthiana, Kentucky	142	142
1879 10. Mai	Estherville, Emmet Co. Jowa (unverändert)	57	71,50
	„ (verändert)	24	49
1879 17. Mai	Gnadenfrei, Schlesien	1	1

1 alte u. 8 neue Lokalitäten. Gesammtgewicht 357,05.

Meteoreisen.

Jahr	Lokalität	Gewicht	
		des Hauptstücks	im Ganzen
1868	* Bolson de Mapini. Cohahuila. Mexico	2430	2515
1875	S. Catharina. Brasilien	91,50	140
—	Dickson Co., Tennessee	10	10
—	Lexington, South Carolina	20	20

1 alte u. 3 neue Lokalitäten. Gesammtgewicht 2685.

Bemerkungen.

Von den Meteorsteinen sind die von Darmstadt und Gnadenfrei im Tausch erworben. Ganz besonders sind wir für ersteren Stein H. Prof. Rosenbusch in Heidelberg verpflichtet, der uns dies werthvolle Vorkommen (sein Werth ist vielfach höher als das gleiche Gewicht Gold) überließ. — Den Stein von Gnadenfrei verdanken wir H. Prof. von Lasaulx, damals in Breslau. — Für beide Steine wurden von andern Localitäten unserer Sammlung 28,3 gr. im Tausch abgegeben.

Die Vorkommen von Cléguérec und Tjabé wurden durch Kauf erworben.

Die übrigen Meteorsteine von Rochester, Warrenton, Cynthiana und Estherville hat H. Geh. Rath Wöhler geschenkt. Sie stammen von den Herren Prof. Shepard und Smith aus Amerika.

Ganz besonderes Interesse erregt der Meteorit von Estherville, über den die Herren Prof. Shepard und Smith eingehende Untersuchungen veröffentlicht haben.

Nach den Angaben des letzteren Gelehrten

(vergl. Ref. N. Jahrb. für Mineralogie 1881. Bd. I, p. 29—31) fielen von diesem Steine beträchtliche Massen, andere zerstäubten in der Luft und kamen in Fragmenten zur Erde nieder. Ersteren Massen gehören die im Catalog als »unverändert« bezeichneten Meteoriten an, während letztere in Form eines Stein- und Eisenregens auf eine feuchte Wiese niederfielen, dort längere Zeit verblieben und erst später gesammelt wurden. In Folge dieser Umstände ging nach der Annahme von Smith ein Theil des steinigen Bestandtheils dieser Meteoriten zu Verlust, ein anderer wurde durch das Liegen im Feuchten zersetzt, kurz das Ganze so verändert, daß sich jetzt nur noch ein Theil des Eisenbestandtheils erhalten hat. —

Die unveränderten Meteoriten sind von höchst merkwürdigem Ansehen, keinem der bis jetzt bekannten völlig entsprechend. Sie bestehen aus einem Silicatgemenge von Bronzit und Olivin (letzterer öfters in großen krystallinischen Massen ausgeschieden), daneben kommt nach Smith selten ein neues Mineral der Peckhamit vor, dessen Formel zu $2 R Si O^3 + R^2 Si O^4$ angegeben wird. Im Silicatgemenge erscheint nickelhaltiges Eisen und Troilit (selten Chromit) in mehr oder weniger beträchtlicher Menge, ersteres bisweilen knotenförmig ausgeschieden.

Was die Meteoreisen anlangt, so ist zunächst zu bemerken, daß die unsichere Localität: Polen? aus Berzelius Sammlung als zu Lenarto gehörig erkannt wurde (vergl. N. Jahrb. f. Miner. 1879, p. 370), die Zahl der Localitäten mindert sich daher um eine herab.

Von den in vorstehender Zusammenstellung angegebenen sind mit Ausnahme von Bolson de Mapini sämmtliche andere neu und alle von

H. Geh. Rath Wöhler geschenkt. Demselben wurden diese Eisen von den Herren Prof. Daubrée in Paris, Shepard u. Smith überreicht.

Das schönste Stück ist das 2430 gr. schwere Eisen von Bolson de Mapiui, das an mehreren Stellen deutlich die seltene Verbindung Schwefelchrom, den sog. Daubréelith, enthält. Besagtes Stück hat die Form eines großen Hammerkopfes, ist auf vier Seiten angeschliffen und auf der fünften, die sich vom breitesten Theile bis zur Schneide hinzieht, mit Rinde bedeckt.

Interessant sind auch die Exemplare des sehr nickelhaltigen Eisens (Nickelgehalt 34 %) von S. Catharina, welches Damour und Daubrée beschrieben haben (Compt. rend. 1877. 84. p. 478 u. 482). —

Von den Eisen von Lexington und Dickson Co. fehlen zur Zeit die näheren Daten, doch wird von letzterem angegeben, daß es nicht, wie gewöhnlich bei den Meteoreisen, nur aufgefunden sei, sondern man den Fall selbst beobachtet habe. — Dadurch würde natürlich dieses Eisen ein ganz besonderes Interesse erwecken.

Die Chroniken des Radulfus Niger.

Von

R. Pauli.

Zu den englischen Autoren, welche im 12. und 13. Jahrhundert über weitere Gebiete als ihre Inselheimath berichteten, gehört Radulfus Niger, der mit Radulfus, dem Abt von Coggeshale in Essex, eine Reihe bildet und wahrscheinlich wie dieser Cistercienser war. Er gedenkt ausdrücklich der Einsetzung dieses Ordens, der in kaum hundert Jahren bereits überall in Blüthe steht, nennt Bernhard von Clairvaux einen Heiligen, gedenkt des Gotfried von Auxerre, des h. Bernhard Notarius, Biographen und vierten Nachfolgers, und anderer Cistercienser bei Namen. Vielleicht ist das jämmerliche Latein, das er bei aller theologischen Gelehrsamkeit schreibt, so wie der Hang zu Fabel und Sage auf dieselbe Verbindung zurückzuführen. Vor Allem aber erklären neben dem welterschütternden Kampfe zwischen Kirche und Staat die gleichmäßigen, zur Zeit der Kreuzzüge nicht nur das christliche Abendland umspannenden Interessen der Cistercienser einigermaßen die Aufmerksamkeit, mit welcher dieser Geschichtsschreiber und sein Fortsetzer, allerdings an der Hand älterer Chroniken, fortfuhren zusammenhängende Nachrichten auch über fern abliegende Länder zu sammeln und in den universalhistorischen Rahmen einzutragen.

Wir wissen von Radulfus Niger nur aus seinen Schriften, daß er zwei noch vorhandene chronikalische Werke, wie es in denselben jedesmal ausdrücklich bezeugt wird, geschrieben hat, daß er nach dem einen, welches bis gegen 1168 herabreicht und von anderer Hand bis 1178 fortgeführt ist, ein leidenschaftlicher Anhänger des Erzbischofs Thomas Becket war, mit diesem nach Frankreich ins Exil zog, sich in heftigen Ausfällen gegen König Heinrich II. von England ergieng, in dem anderen dagegen noch Thatsachen bis zum Ende des Jahrs 1194 und, wenn die Bemerkung über Erzbischof Hubert von Canterbury: parum tamen literatus *fuit* wörtlich zu nehmen ist, wenigstens bis 1205 berührt, eben dort seine meist theologischen Werke aufzählt und ein entschieden romanistisches Interesse zeigt, indem er in der That mit besonderer Aufmerksamkeit durch den Verlauf der Jahrhunderte das Verhältniß der Kirche zu den weltlichen Mächten verfolgt. Leben und Thätigkeit fallen daher ungefähr in die Zeit zwischen 1160 und 1210. In der einen der beiden Chroniken heißt er Magister Radulfus Niger. Daß er aber Bury St. Edmunds, dem alten berühmten Benedictinerkloster in Suffolk, angehört habe, in der Folge Archidiaconus von Gloucester geworden und um das Jahr 1217 gestorben sei, beruht lediglich auf Vermuthung der Literatoren des 16. Jahrhunderts, welche keine wirklichen Beweise anzuführen hatten. Er begegnet, so viel mir bekannt, nur bei einem einzigen gleichzeitigen Autor, nämlich in den Briefen 180 und 181 (Ausgabe von Giles) des Johannes von Salisbury, der aus ähnlichen Gründen wie er selber nach Frankreich entwichen war und dort im Jahre 1166 zweimal dem offenbar jüngeren Landsmann Magister Radulfus Niger schrieb. Ep. 180 handelt vom Schisma und Friedrichs I (Teutonici tyranni et haeresiarchae sui) Kampf wider Papst Alexander III. In Ep. 181 heißt es: Unde et studiis tuis congratulor, quem agnosco ex signis perspicuis in urbe garrula et ventosa (Paris), ut pace scholarium dictum sit, non tam inutilium argumentationum locos inquirere, quam virtutem.

Die beiden uns erhaltenen Chroniken Radulfs sind bisher nur einmal, höchst dürftig und ohne die geringste diplomatische und sachliche Kritik als Chronicon I und Chronicon II gedruckt worden in: *Radulfi Nigri Chronica. The Chronicles of Ralf Niger now first edited by Lieut. Col. Robert Anstruther London 1851. Publica-*

tions of the Caxton Society. Schon weil sie handschriftlich sehr verschiedenartig überliefert, auch von verschiedenem Werth und Ausdehnung sind, erscheint es gerathen die vom Herausgeber getroffene Anordnung beizubehalten.

Die erste Chronik, das längere, bis gegen Ende des 12. Jahrhunderts herabreichende Werk, findet sich nur in einer Handschrift: Ms. Cotton. Cleopatra C. X fol. 1—55, 4^{0} saec. XIII. Höchstens die darin vorkommende Genealogie englischer Könige begegnet noch einmal in einer Abschrift des 14. Jahrhunderts in Ms. Cotton. Claudius D. VII fol. 3^{b}. Aber auch der Cleopatra Codex ist keineswegs Autograph des Verfassers, sondern oft recht schlechte Copie, in welcher zwei, wenn nicht drei Hände zu unterscheiden sind. Eine Menge Namen und Zahlen sind ohne das geringste Verständniß von der Sache verschrieben. An mehreren Stellen hat eine zweite, der Zeit nach kaum spätere Hand Einiges verbessert. Auf den letzten vier Blättern gar wird die Schrift besonders flüchtig, indem der Abschreiber, der offenbar die Vorlage nur mangelhaft entzifferte, Worte und selbst Zeilen trostlos verlesen oder ausgelassen hat. Mehrmals fällt er aus der Construction. Das Werk endet auf fol. 55^{b} und der vierten Zeile von unten. In dem letzten, dem Verfasser gleichzeitigen Abschnitt wird seine Autorschaft durch folgenden Katalog seiner Schriften bezeugt:

Radulfus niger scripsit septem digesta super eptaticum, scripsit et moralia regum et epithome veteris testamenti in paralipominon et remediarium in Esdram, scripsit etiam librum de re militari et tribus viis peregrinationis Ierosolimitane et librum de quatuor festivitatibus beate Marie virginis et librum de interpretationibus Hebreorum nominum. Scripsit et hec chronica.

Das steht so ziemlich in Einklang mit dem, was wir auch sonst von ihm annehmen dürfen. Er war Theologe und Kanonist. Die Schriften über den Mariendienst, über Kreuzfahrt und Pilgerwege in das heilige Land entsprechen seiner Beziehung zum Cistercienserorden, die er selber oft genug hervorhebt. Vor allen aber verfaßte er diese Chronik, welche noch weit mehr als die andere von englischen Dingen absieht und sich vorzugsweise dem allgemeinen Zusammenhange der Weltgeschichte zuwendet.

Verdient sie schon wegen ihrer Bestandtheile einer näheren Untersuchung, als ihr bisher zu Theil geworden, so wird dieselbe besonders lehrreich durch das Ergebniß, nach welchem der Verfasser Kenntniß von festländischer Geschichtsschreibung hatte, wie sie in der englischen Historiographie des Mittelalters, wenn man von Sigebert und seinen Fortsetzern absieht, nicht leicht angetroffen wird, und über das zwölfte Jahrhundert, dem Radulf doch selber angehört, aus Nord- und Südeuropa sich Nachrichten zu verschaffen wußte, die, so weit sich feststellen läßt, nicht aus anderen Schriftwerken, sondern allein aus unmittelbarer, persönlicher Erkundigung hergeleitet werden können.

Der größeren Hälfte des Werks liegt die Historia ecclesiastica des Hugo von Fleury, so weit sie reicht, zu Grunde, mit deren Bestandtheilen der Verfasser freilich sehr eigenmächtig umgeht. Nicht nur hat er oder sein Abschreiber Namen und Zahlen in Menge verstümmelt, sondern in den Successionen der Vorlage flüchtig selbst wichtige Glieder ausgelassen. In der Regel zieht er Hugos Text stark zusammen oder gibt den synchronistischen Auszügen eine andere Reihenfolge. Mit stereotypen Wendungen wie: *eo tempore*, *per idem tempus*, *paulo priori tempore*, *hisdem temporibus*, *circa ea tempora*, *his diebus*, *interea* ohne genauere Zeitangabe geht er von einem Gegenstande, von einem Lande zum andern über. Andererseits flicht er dem Hugo auch von seinen eigenen weiteren Lesefrüchten ein. Gleich zu Anfang sind die Auszüge aus dem alten Testament ausführlicher als bei jenem, so daß sie an die im Katalog erwähnte epithome veteris testamenti in paralipominon erinnern. In Umschreibungen und Zuthaten blickt das jüngere Zeitalter durch, dem er selber angehörte, z. B.

Hug. Flor. ed. Rottendorff p. 2.	Rad. Nig.
Ismael ... unde Arabes et aliae gentes.	*Ismael, unde prodit origo Sarracenorum.*

Zu p. 7 *mater Remi et Romuli* heißt es erläuternd: *qui urbis inclyte Rome fundamenta iecerunt.* Vom zweiten Jahrhundert nach Christi Geburt an werden aus kirchenhistorischen Compendien Notizen über noch mehr Häresien eingeschoben als Hugo anführt. Folgt er diesem auch in den Bischofsreihen von Rom, Jerusalem, Antiochien, Alexandrien, so standen ihm, wie es scheint, noch andere, namentlich aus Südgallien zur Verfügung. Unter den römischen Kaisern weichen Constantin der Große und Julianus apostata am meisten von der Vorlage ab, denn jener mußte stärker herausgestrichen, dieser tiefer herabgezogen werden. Bei Constantin ist die Zuthat bemerkenswerth: Eo tempore ulterior India conversa est ad fidem per Edicium et Frumenticium, et Hispania per mulierculam captivam, que infantulum cilicio suo suscitavit et reginam sanavit et precibus suis columpnam erexit. Instructi vero sunt postea per sacerdotes a Constantino missos. Wenn sich auch späterhin bei näherer Untersuchung ergiebt, daß ganze Sätze aus Baeda oder Paulus nicht den Originalen, sondern ebenfalls nur dem Werke Hugos entnommen sind, so muß doch hier und da auf die Benutzung auch anderer Quellen geschlossen werden. Auffallend heißen die Geschwader, mit denen die Parteigänger der Kaiser Leoncius und Justinianus II. auftreten, nicht wie bei jenem *exercitus* oder *naves*, *dromones*, *triremes*, sondern es wiederholt sich hier stets: *cum stolo*, *pro habendo maiori stolo*, *misso stolo*, *qui . . . iterum stolum mitteret*. Bei Karl dem Großen gar hat Radulf mit dem eigenen Wissen nicht zurückhalten wollen. Nachdem die Besiegung des Königs Desiderius dem Hugo nacherzählt worden, folgt: Venit igitur Romam, ubi celebrato concilio . . . dignitatem quoque patriciatus nach Sigeb. Auctarium Aquicinense aus des Ivo Panormia, SS. VI, p. 393. Dann wird eingeschaltet: contulit ei, quam tamen solus Constantinus imperator sibi et successoribus suis retinuerat in donatione urbis et regalium facta beato Silvestro, ut imperator semper esset pater urbis et advocatus. Hierauf wird erst mit dem Auszuge aus dem Auctarium fortgefahren: Insuper archiepiscopos . . . eorum bona publicari decrevit. Das Bellum Hispanicum Karls bei Hugo wird durch einen fabulosen Rückblick auf die Unterwerfung Spaniens durch die Saracenen eingeleitet, alles Andere sehr kurz aus Hugo ausgezogen. Nur die Excerpte aus Einhard sind nicht der Historia ecclesiastica, sondern viel ausführlicher den Capiteln 18. 19. 22. 30. 32. 33 der Vita Karoli Magni selber entnommen. Was zunächst folgt schließt sich wieder Hugo an bis zum Schluß seines Werks mit der Erzählung von Theodulf Abt von Fleury und Bischof von Orleans. Die Einsetzung der Doxologie *Gloria laus et honor* bei der Feier des Palmsonntags gibt Anlaß zu einer ritualistischen Einschaltung über die von den ältesten Päpsten beim Gottesdienst eingeführten Gesänge und Gebete, Angaben, die der Verfasser aus dem Liber Pontificalis zusammenliest.

Für das 9., 10., 11. Jahrhundert bis zum Jahre 1112 bildet fortan die Chronik des Sigebert den Stamm, dem Radulf aber immer mehr eigene Lesefrüchte anheftet. Besonders merkwürdig erscheint mir, daß ihm Adam von Bremen zu Gebot stand, der, allerdings auffallend genug, den englischen Autoren des 12. und 13. Jahrhunderts völlig unbekannt geblieben zu sein scheint. — Radulf schreibt ihn aus, so oft er in seinem im bisherigen Synchronismus weiter geführten Werk auf Dänemark und den skandinavischen Norden zu reden kommt. So statt Sigeb. a. 825 Adam I, 16. 17, statt Sigeb. a 874 Adam I, 30. 39. 40. 41. Nachdem die Notiz: Eo tempore Taxis, rex Hungarorum, decem modios nummorum habuit pro tributo a Berengario rege Italie dem Sigeb. a 949 entnommen, folgt im Zusammenhang nordische Geschichte nach Adam I, 54. 57. 59. 68. II, 3. 25. 26. 28. 34. 37. 38. 49. 59. Die Benutzung einer bestimmten Recension freilich läßt sich nicht daraus erweisen; doch tritt die in unseren Exemplaren des Adam II, 49 herrschende Confusion zwischen der dänischen und der norwegischen Königreihe einigermaßen zurück. Die betreffende Stelle lautet: Eo quoque tempore fuit primus rex in Norweia Haluin (für Haquinus), qui gennit Truconem et ille Olaff, qui et Crachabien, qui, victus a Suenoito, submersus est navali bello, cuius tamen filius postea martyr factus est. Späterhin, nachdem aus Sigebert die Succession der Kaiser bis Heinrich IV., der Päpste bis zu Alexander II. und seinem Gegner Cadalus angegeben, begegnet noch einmal eine Einschaltung aus Adam II, 72. 74. 75, III, 11, die hauptsächlich Knut den Großen und seine Söhne so wie Svein Estrithson betrifft. Aber auch nach des letzteren Tode wird namentlich die dänische Geschichte weiter im Auge behalten. Anknüpfend an den Tod Wilhelms des Eroberers, durch den der Usurpator Harold gestürzt worden — *filius Goduini comitis*, schaltet der englische Chronist dem abgekürzten Sigebert ein — folgt dänische Königsgeschichte von Harald Hein bis Eric Lam, die zu Anfang wohl etwas an Wilhelms von Malmesbury Gesta Regum § 261 und bei Knut dem Heiligen noch mehr an des Landsmanns Aelnoth, Mönches von Canterbury, Historia sancti Kanuti regis bei Langebek III, p. 327 ff. anklingt, aber, so weit ich sehe, weder direct einem von ihnen, noch trotz verwandter sagenhafter Züge etwa gar aus Saxo Grammaticus entnommen sein kann. Und ähnlich steht es im weiteren Verlauf des 12. Jahrhunderts. Radulfs Quelle scheint auf Seite Knuts V. gegen dessen beide Nebenbuhler Svein und Waldemar gestanden zu haben und verdient daher aufmerksam mit den Nachrichten bei Otto von Freising und Helmold verglichen zu werden. Auch bei dem Engländer wendet sich Knut V. an Conrad III. und Svein an Friedrich I., erobert Waldemar Rügen und wird Knuts Sohn Waldemar Bischof von Schleswig. Ingleichen zeigt sich Radulf in der Folge über Waldemar den Großen und Knut VI. unterrichtet, wobei denn Arnold von Lübeck in Betracht kommt.

In ähnlicher Weise wie dem Norden Europas schenkte Radulf aber auch dem Süden seine Aufmerksamkeit, und zwar unabhängig von Sigebert. Abermals tritt spanische Geschichte hervor. Nach einer Notiz aus Sigebert a. 977 heißt es: Eo tempore Radamirus, imperator Hyspanie, Adarram, regem Sarracenorum, gravi confecit prelio, womit die Kämpfe zwischen Ramiro II. von Leon und Abderrahman III. gemeint zu sein scheinen, vgl. Schäfer Geschichte von Spanien II, 181. Gleich nach Succession Hugo Capets a. 987 fährt der Chronist fort: Circa ea tempora imperator Hyspanie, habens unicam neptem heredem, habito consilio cum principibus, vocavit Raimundum, ducem Burgundie, virum illustrem, de prosapia, ut dicitur, Karolorum, strenuum valde et prudentem et nominatum et dedit ei neptem et imperium post mortem suam. Idem Raimundus Sarracenos suo tempore graviter attrivit et de uxore sua habuit Xancium, qui et ipse prudens fuit et probus et Sarracenis semper infestus. Daß Donna Urraca, Alfons VI. Erbin, welche Raimund von Burgund, Wilhelms des Großen Sohn, heirathet und Mutter Alfons VII. wurde, der zuerst Kaiser hieß, Nichte statt Tochter genannt wird, bestätigt die Vermuthung, daß Radulf hier den Ordericus Vitalis benutzt habe, der im 13. Buch seiner Kirchengeschichte V, 16 ed. le Prevost denselben Verstoß begeht. Dem widerspricht aber einigermaßen wieder, daß bei Radulf nicht Alfons VII. direct, sondern erst Sancho folgt: In Hyspania imperatori Xancio successit Alfoncus filius eius, vir admirande virtutis et admodum fortunatus, qui reges Hyspaniarum suo subiecit imperio. Preterea cepit

Almariam insulam, preclaram olosericis, et Cordubam et Toletam et multas alias preclaras civitates et regiones potenti virtute acquisivit. Suo tempore Rotrolt de Pertica introivit Hyspaniam et multa virtute plures acquisivit civitates et oppida, unde modo insigniuntur rex Navarorum et Arragonensium. Eine wörtliche Uebereinstimmung mit Ordericus ist nicht nachzuweisen, der vielmehr von zwei Zügen des Grafen Rotrou II. von Perche nach Aragon erzählt. Bei Radulf, der doch die christlichen Staaten auf der iberischen Halbinsel zu unterscheiden weiß, fällt auf, daß er die Könige von Leon und Castilien von vorn herein Imperatoren nennt, ehe sich Alfons VII. das Imperium beilegt.

Nicht minder eigenthümlich lautet unmittelbar nach einer Notiz aus Sigebert a. 1075 folgende Mittheilung über Robert Wiscard: Circa ea quoque tempora Robertus Wischardus, a Samsone, ostiario comitis Gulielmi Normannie, percussus, ex indignatione transivit in Apuliam, ubi, vi et dolo in brevi multum proficiens, acquisivit Apuliam et Calabriam et Siciliam et eatenus invaluit, ut uno die bello confecerit et ad fugam abegerit citra mare imperatorem Romanum et ultra mare Constantinopolitanum et in mari ducem Veneciarum. Habuit enim tres filios egregios, Tancredum et Boemundum et Rogerum, quorum duo, Boemundus et Tancredus, insignes fuerunt in expeditione Jerosolimitana et in obsidione Antiochie. Premortuis vero Tancredo et Boemundo, Rogerus adeptus est Calabriam et Siciliam et Apuliam et Affricam civitatem, unde et circumscriptio sigilli eius erat:

Apulus et Calaber Siculus mihi servit et Affer.

Derselbe Vers wird bei Radulfus de Diceto II, p. 278 auf König Roger, in der Series ducum et regum Normannicorum SS. XXIV, p. 848 auf König Wilhelm II. bezogen. Der mährchenhafte Bruch Robert Wiscards mit dem Grafen Wilhelm von der Normandie paßt wenigstens chronologisch und entspricht einigermaßen den *paucis ante adventum Willelmi in Angliam annis* bei Wilhelm von Malmersbury Gesta Regum § 262, während der sog. Benedict II, 200 und Roger von Hoveden III, 161 den Robert Wiscard gar am Hofe Heinrichs I., des Sohns des Eroberers, auftreten lassen, nachdem er sein Leben längst beschlossen hatte. Radulfs weitere Mittheilungen über Roger den ersten und die anderen Normannenkönige Siciliens sind Anfangs auch noch mährchenhaft, beruhen späterhin aber auf eigenen Erkundigungen, die im 12. Jahrhundert wegen der engen Beziehungen Englands zu den Südnormannen leicht vermittelt wurden.

In englischen Dingen emancipirt der Chronist sich zuerst, nachdem er den Tod Urbans II. und des Gegenpapsts Wibert so wie den Antritt Paschalis II. nach Sigebert a. 1100 erwähnt und eine eigene Bemerkung über die Anfänge des Cistercienserordens in Verbindung mit dem Hause Theobalds von Blois eingeschaltet hat, mit folgender Notiz: In Anglia Willielmo regi Ruffo mortuo, Roberto Curta-ocrea, comite Normannie, cui regni successio competeret, in peregrinatione Jerosolimis peregrinante, successit Henricus frater eius iunior. Cum autem in pascha Jerosolimis ignem de celo more solito expectarent, accensus est divinitus cereus comitis Roberti, unde et elegerunt eum universi in regem. Ipse vero, audita morte fratris eius, aspirans ad regnum Anglie, contempsit donum oblationis divine, unde rediens in Normanniam, congressus cum fratre suo, victus est et mortuus in carcere suo.

Höchstens der Beiname Curta-ocrea begegnet bei Wilhelm von Malmesbury und Ordericus Vitalis. Die sagenhafte Anekdote aus dem ersten Kreuzzug ist Radulf eigenthümlich.

Nicht minder fabuliert er hierauf zur deutschen Geschichte: Henricus, filius imperatoris Henrici, duxit uxorem Matildem, filiam regis Henrici Anglie et consilio Alberti, archiepiscopi Maguntini, quem pater multis affecerat iniuriis, patrem suum bello appetiit et vicit et tanta afflictione contrivit, ut Leodii demum tamquam privatus moreretur. Mortuo vero patre, sprevit eum Albertus archiepiscopus, unde, vocato papa Innocentio, ut Albertum deiceret, et non prevaluit, et congregato concilio, quod ad concilium venit Albertus cum tanta fortitudine, ut nec papa nec imperator posset statuere nisi quatenus Albertus permitteret. Reichsgeschichte betrifft dann gleichfalls was zwar aus Sigebert a. 1110 und 1111, den letzten eigenen Aufzeichnungen dieses Chronisten, so wie aus Anselmi Gemblac. continuatio a. 1112 entnommen, aber doch seltsam genug zusammengefaßt und mit anderer Substanz durchmischt wird, so daß es hervorgehoben zu werden verdient.

Von hier an tritt Radulf auf die eigenen Füße, indem zugleich seine Erzählung viel breiter und zusammenhängender wird. Seiner eigenthümlichen Richtung gemäß gruppiert sie sich universal um den zweiten und dritten Kreuzzug, während sie im Uebrigen mehr national aus einander tritt.

Für deutsche Geschichte steht Friedrich I., *filius ducis Suevie*, im Vordergrunde. Nachdem die Lombardenkriege kurz erwähnt worden, heißt es: Tusciam vero et Campaniam per cancellarios suos edomuit et Romanos bello confecit.

Accidit enim diebus Frederici, ut principes clerici, eius cancellarii, prerogativam probitatis habuerint in imperio, primo Rainaldus Coloniensis, secundo Christianus, superintrusus Maguntinus, tercio Philippus Coloniensis, qui potentissimum ducem Henricum Bauuarie et Saxonie fere ad nichilum redegit cum adiutoriis suis. Sub hoc Frederico grave scisma fuit. Successit enim Innocencio Celestinus et ei Lucius et post eum Eugenius et ei Anasthasius senex et post eum Adrianus Anglicus et deinde Alexander eruditissimus, contra quem surrexit Ottovianus, Victor dictus, cuius papatus defecit in quarto successore, reformata pace inter imperium et sacerdocium Veneciis. Auch Friedrichs letzter Streit mit Urban III. wird erwähnt, dann aber sein Kreuzzug als glänzende Sühne dargestellt. Es heißt rühmend von ihm: Cum enim alii principes a subiectis suis decimas rerum mobilium et semoventium extorsissent, ille de singulis domibus dicionis sue unum denarium sumere contentus fuit, ut eo pretio fierent participes sue peregrinationis. Die Erzählung von seinem Tode entspricht nicht den anderen, besonders englischen Berichterstattern, und zeigt vielmehr Anklänge an die Epistola de morte imperatoris SS. XX, p. 496. Bei Heinrich VI. werden Vermählung mit Constanze, Kaiserkrönung, Zerstörung Tusculums, der erste vergebliche Versuch das Normannenreich zu gewinnen, die definitive Einnahme Siciliens erzählt, letztere sachgemäß im Zusammenhang mit der Gefangennahme Richards Löwenherz.

Was endlich französische und englische Geschichte während dieser letzten Periode betrifft, so muß zunächst hervorgehoben werden, daß sich die Könige Ludwig VII. und Philipp August der besonderen Gunst des Autors erfreuen. Mit der von Ludwig geschiedenen Eleonore von Poitou, die zweimal nach den Vaticinien Merlins bei Galfrid von Monmonth VII, 3 ed. Giles p. 122, ed. San Marte p. 95, wie späterhin auch bei Mathaeus Paris *aquila rupti federis* genannt wird, kommt der Unsegen in das englische Königshaus. Philipp II., der die Kirche schützt, während Heinrich II. sie knechtet, heißt *gloriosus rex Francie.* Eine merkwürdige Notiz zeigt den Verfasser bekannt mit einem wichtigen Fortschritt in der Hauptstadt dieses Fürsten: Fecit enim omnes vicos Parisyensis civitatis sternere silice. Wenn auch eine äußerst schwarze Sittenschilderung der Zeit vor allen auf Frankreich zu passen scheint, so zeigt andererseits die literarische Episode, welche Radulf anknüpfend an die Weissagungen Joachims einflicht, ihn wieder in naher Beziehung zu der Theologie von Clairveaux.

Bei Heinrich II. und Richard I. fällt äußerlich auf, daß er mehrmals einschaltet: *ut dicebatur*, *ut dicitur*, wie einer, der nach Hörensagen und vermuthlich außerhalb ihrer Herrschaft schreibt. Heinrichs Gewaltthätigkeit und Kirchenfeindschaft gipfelt natürlich im Martyrium Thomas Beckets. Die Constitutionen von Clarendon werden als *novae pravae consuetudines et veteres exasperatae* gebrandmarkt. Im Streit der Söhne mit dem Vater gehören die Sympathien jenen. Dieser hat nach dem Fall Jerusalems endlich nur mit List bewogen werden können das Kreuz zu nehmen, hat Johann statt Richard zum Nachfolger machen wollen und endet elend, wie er es mit seinen Sünden verdient hatte. Auf der gemeinsamen Kreuzfahrt erscheint Richard im Unrecht gegen Philipp August. Von der Rückkehr des letzteren wird ohne alle Vermittelung eine Königsreihe der Engländer eingeschaltet, wobei der Autor persönlicher als bisher so wie einige Beziehung zu seinen Quellen hervortritt.

Die Stelle lautet: De regimine Anglorum. Seriem eorum a primo rege Lucio christiano non posui, quoniam hystoriam Anglorum ad manum non habui et prolixitatem vitavi. Seriem tamen regum postmodum inventam non a Lucio, sed ab Ine, qui primus totius Anglie rex fuit, posui. Die Historia Anglorum ist wahrscheinlich eine der vielen damals schon unter dem Namen des Brut verbreiteten Ableitungen aus Galfrid von Monmouth. Die Worte: *Ine, qui primus totius Anglie rex fuit* begegnen in den sogenannten auch erst aus dem 12. Jahrhundert stammenden Leges Eadwardi confessoris, bei R. Schmid S. 514. Ein ander Mal beklagt Radulf die Lage der Kirche nach dem Pontificat Alexanders III. mit dem Beisatz: *sicut plures narrant hystorie.*

Den Schluß bildet die Erzählung von Richards Thaten in Palaestina, seiner Rückkehr, Gefangenschaft, Auslösung, wobei sich im Vergleich mit anderen Berichten im Einzelnen wieder Abweichungen ergeben. Der Autor kennt den Brief des Kaisers an den König von Frankreich über Richards Gefangennahme so wie das Schreiben Dandolos an Richard über den Tod Saladins und seiner Söhne, doch ist daraus nicht zu folgern, daß ihm der sogenannte Benedict oder sein Fortsetzer Roger von Hoveden oder Wilhelm von Newbury vorgelegen. Die gegen Ende sehr schlechte Abschrift des verlorenen Originals bricht ab mit dem Tode des Herzogs Leopold von Oesterreich und Rückgabe der englischen Geiseln durch den Erzbischof von Salzburg in den letzten Tagen des December 1194. Bis zuletzt werden ohne Angabe fester Daten die Ereignisse einander synchronistisch angereiht.

Die zweite Chronik, an sich viel unbedeutender, aber nicht zu übergehn, weil der für den Ausgang des 12. und Anfang des 13. Jahrhunderts wichtige, vielfach benutzte, aber kritisch gleichfalls noch nicht erschöpfend untersuchte Radulf von Coggeshale daran anschließt, ist handschriftlich viel besser überliefert. Es sind vier bis fünf Codices erhalten: A, Ms. Cotton. Vespasian. D. 10 saec. XIII, das ich wie schon zur Englischen Geschichte III, 876 auch neuerdings wieder untersucht habe, offenbar ein von der Hand eines oder mehrerer Fortsetzer durchcorrigiertes Exemplar. Mit einer äußerst feindseligen Charakteristik Heinrichs II. von England schließt die Arbeit des ursprünglichen Autors und ein anonymer Fortsetzer hebt an: Hucusque protraxit hanc chronicam *magister Radulfus Niger*, qui accusatus apud predictum principem et in exilium pulsus etc., worauf von 1162 bis 1178 kurze Annalen wesentlich zur englischen Geschichte folgen. Gelegentlich werden flandrische und französische Dinge, zu 1167 das große Sterben im Heere des Kaisers berührt. Unter 1168 steht bei Vermählung Heinrichs des Löwen mit der englischen Mathilde die dankenswerthe Notiz, daß die Grafen Wilhelm von Arundel und Reginald von Warenne die Braut nach Sachsen geleitet haben. Der Zusatz: *Hec fuit mater Othonis regis Alemannie* ist für die Zeit der Abfassung bedeutsam. Nach 1178 folgen unter viel jüngerer, wie ich glaube von Sir Robert Cotton stammender Ueberschrift: *Additiones monachi de Coggeshale* nochmals Annalen von

1114 der Vermählung Kaiser Heinrich V. mit der Tochter Heinrichs I. von England bis 1158, wo das vierte Kind Heinrichs II. und Eleonorens geboren wurde, woran unmittelbar Angaben über Kaiser Justinian anknüpfen, wie sie ausführlicher in den Abbreviationes Chronicorum des Radulf de Diceto ed Stubbs I, p. 91 begegnen. Auf fol. 42[b] ist von späterer Hand eine Königsreihe von Alfred bis Eduard I. eingetragen. Alsdann erst folgt die wenigstens zum großen Theil dem Abt Radulf von Coggeshale angehörende Chronik oder Historia Anglicana, nämlich bis 1186 Annalen von mehreren Händen, seitdem aber eine zusammenhängende Erzählung meist von derselben Hand, die im Vorhergehenden so vieles verbessert und am Rande ergänzt hat. Da in jener Königsreihe zu Stephan am Rande hinzugefügt wird: fundator domus de Coggeshale, gehörte das Buch also diesem Kloster und ist Fortsetzung und Bearbeitung vermuthlich Autograph des Abts Radulf. Bei seinem Antritt im Jahre 1207 heißt es fol. 109: *qui hanc cronicam a captione sancte crucis usque ad annum undecimum Henrici III. filii Johannis descripsit* (1226/27), doch steht *undecimum* auf Rasur und fol. 118 a. 1218 gibt von seiner Hand die Erläuterung: Eodem anno dominus Radulfus abbas sextus de Coggeshale, cum iam per annos 11 et mensibus duobus amministrasset, circa festum sancti Johannis Baptiste contra voluptatem conventus sui cura pastorali sponte sua renunciavit frequenti egritudine laborans. Da indeß noch Ereignisse vom Jahre 1224 berührt werden, mag er als eremitierter Abt in der That erst im Jahre 1227 gestorben sein. Im Monasticon Anglicanum V, p. 451 wird ohne urkundlichen Beleg 1218 als Todesjahr angegeben und succediert bis 1223

Benedict de Strafford. Der Schluß der Originalhandschrift muß schon früh verloren sein, indem eine Hand des 16. Jahrhunderts auf drei Blättern von weißem Pergament das Fehlende aus einem der andern Codices ergänzt.

B, Ms. Collegii Armorum (Heroldsamt in London) 11 saec. XIII, über welches ich schon in der Geschichte von England III, S. 879 berichtet habe, ist eine Reinschrift aus dem vorhergehenden Codex, indem die Einschaltungen des Ueberarbeiters in den Text des Radulfus Niger aufgenommen sind. Noch fehlt die dort hinzugefügte Königsreihe. Auch geht Allem der *Libellus de expugnatione terre sancte*, Anfangs ein selbständiger Bericht, später offenbar nur Auszug aus dem ersten Buch des Itinerarium Ricardi, vorauf, der auf Grund dieser und der folgenden Handschrift irrthümlich dem Abt Radulf beigelegt worden ist. Außerdem stehen zwischen den Notizen über Kaiser Justinian und der eigentlichen Arbeit des Abts von Coggeshale kurze Annalen vom Tode Eduards des Bekenners bis zum Jahre 1223.

C, das Ms. S. Victor 476 zu Paris saec. XIII, aus welchem Martène und Durand, Collectio amplissima V, p. 801 ff. und Dom Brial, Receuil XVIII, p. 59 ff. den Abschnitt der Coggeshale Chronik von 1066 bis 1200 abdruckten, während Martène p. 872 die Jahre 1213—1216 aus A hinzufügte. Die Handschrift weicht kaum anders als orthographisch von der vorigen ab, endet aber plötzlich unten auf fol. 20 unter dem Jahre 1200. Der Band enthält ebenfalls das Chronicon Terrae Sanctae.

D, Ms. Bibl. Reg. 13 A. 12, saec. XIII etwas jünger als A und B, reiht ohne Absatz oder Rubrik die Coggeshale Chronik an die des Radulfus Niger. Der Text beruht bis 1206 mit geringen Abweichungen auf A; was sich darauf ohne Angabe der Jahreszahlen bis 1211 anschließt, ist viel ausführlicher und stammt von einem andern Verfasser, dem aber die kurzen Notizen der Coggeshaler Chronik vorgelegen haben.

E, Ms. Coll. S. Trinitatis Dublin. E, 4, 24, enthält Radulfus Niger und Coggeshale, ist mir aber nur durch eine gelegentliche Notiz in Stubbs Ausgabe des Radulfus de Directo I, p. XCI bekannt geworden.

Diese kurze, fast werthlose Weltchronik des Radulfus Niger wird von einer schwülstigen, aber von Bekanntschaft mit klassischer Literatur zeugenden Vorrede eingeleitet. Sie berührt das alte Testament viel flüchtiger als die auf der Kirchengeschichte des Hugo von Fleury beruhende und bemerkt zu Christi Geburt: *ab initio mundi fluxerant anni 5198 secundum computacionem magistri Radulfi nigri, qui hanc chronicam composuit.* Sie benutzt für die Kaiserzeit, wie zu Theodosius dem Großen bemerkt wird, den Orosius: *hucusque protraxit historiam Orosius presbiter*, hat aber Kataloge der Päpste und Patriarchen, Martyrologien und Häresien hineingewoben. Unter Kaiser Anastasius werden die weiteren Quellen erwähnt: *Abhinc protrahunt historiam Gregorius Turonensis, Ivo, Freculphus discipulus Bede, et Hugo de sancto Victore et omnes posteri.* In die Compilation wird viel mehr über England aufgenommen wie Königsreihen, Verzeichnisse der Kleinreiche der Angelsachsen, der Bisthümer, mirabilia Anglie u. dgl. m. Von Autoren sind Wilhelm von Malmesbury, Heinrich von Huntingdon und Galfrid von Monmouth benutzt. Ueber Kaiser Heinrich III. begegnen dieselben Mythen wie bei Wilhelm von Malmesbury und Radulfus de Diceto, vgl. Steindorff I, S. 536, doch nicht wörtlich und mit einigen auffallenden Abweichungen und Zusätzen, so daß nicht auf Abschrift, sondern auf eine gemeinsame Quelle geschlossen werden muß, deren sich die drei Autoren bedienten. Einheimische und auswärtige Bestandtheile werden synoptisch in die Succession der Kaiser verwoben bis herab auf Kaiser Ludwig II., nach welchem französische und englische Könige den Stamm abgeben. Sehr flüchtig und mangelhaft sind gegen das Ende kurz vor dem heftigen Erguß gegen Heinrich II. von England einige Notizen über Kaiser Friedrich I. eingefügt: Urbs Mediolanum, 7 annis ab imperatore Frederico obsessa, funditus eversa est, sed postea reparata. Tres magi illi, qui Dominum requisierunt, Coloniam asportati sunt a Mediolano sub Frederico imperatore. Hic Alexandriam construxit in Italia de potestate pape. Für die Zeit der Abfassung kommt in Betracht, daß die Reihe der Erzbischöfe von Canterbury mit Balduin endet, welcher von 1184 bis 1190 regierte. Aehnlich steht es mit der bis 1178 herabreichenden anonymen Fortsetzung, in welcher, wie schon hervorgehoben, Otto IV. als römischer König erwähnt wird.

Mittheilung bei Gelegenheit der Herausgabe seines Lehrbuchs der Analysis.

Von

R. Lipschitz.

Der Königlichen Gesellschaft der Wiss. habe ich die Ehre gehabt, vor drei Jahren den ersten Band meines Lehrbuchs der Analysis: Grundlagen der Analysis, kürzlich den zweiten Band: Differential- und Integralrechnung, zu überreichen, und gestatte mir gegenwärtig, eine Mittheilung über den Plan der nunmehr abgeschlossenen Arbeit zu machen.

Das Buch enthält eine nur aus den Principien der Rechnung abgeleitete, vollständig zusammenhängende Entwickelung der Größenlehre. Insofern die ursprünglichen Bestandtheile, mittelst deren Größen durch Rechnung bestimmt werden, immer ganze Zahlen sind, muß diese Entwickelung von den ganzen Zahlen anfangen. Unter den zur Bestimmung von Größen dienenden Methoden lassen sich diejenigen, bei welchen die vier Grundoperationen der Rechnung nur in einer beschränkten Anzahl von Anwendungen vorkommen, von denjenigen unterscheiden, bei welchen Grenzproceße auftreten. In meiner Darstellung habe ich die volle Bedeutung dieses Gegensatzes hervorzuheben gesucht, und dadurch eine Richtschnur für die Anordnung erhalten.

Eine Betrachtung von Grenzprocessen ist unentbehrlich, um aus dem Gebiet der rationalen ganzzahligen Brüche zu einer Definition der irrationalen Größen zu gelangen, und um die für das erstere geltenden rationalen Rechnungsoperationen auf die irrationalen Größen auszudehnen. Innerhalb des hierdurch gewonnenen Gebiets der reellen bestimmten Größen kann man den Inbegriff der Resultate zusammenfassen, die aus der Anwendung einer beschränkten Anzahl von rationalen Operationen auf eine beschränkte Anzahl von reellen bestimmten Größen entstehen. Derselbe bildet den Gegenstand der Algebra. Bei dieser auf die reellen Größen beschränkten

Definition, die ich nach reiflicher Ueberlegung für die allein angemessene halte, ist der Satz, nach welchem das Product von zwei Summen von zwei Quadraten wieder als eine Summe von zwei Quadraten dargestellt werden kann, der Ausdruck einer fundamentalen algebraischen Thatsache, auf welcher die Einführung der Rechnung mit imaginären Größen beruht. Von dem angedeuteten Gesichtspunkte aus habe ich in dem zweiten Abschnitt des ersten Bandes die für das Folgende erforderlichen algebraischen Grundlagen, und unter diesen namentlich auch die Elemente der Theorie der quadratischen Formen von beliebig vielen Variabeln dargestellt, wobei als Typen der wesentlich positiven quadratischen Formen die Summen von beliebig vielen reellen Quadraten ausgezeichnet sind*).

Sobald die Rechnung mit complexen Größen als eine specielle Art der Rechnung mit reellen Größen erscheint, muß auch die Anwendung der Operationen der Infinitesimalrechnung auf reelle Größen als das allgemeine, die Anwendung auf complexe Größen als ein specielles Verfahren aufgefaßt werden. Mit Rücksicht hierauf ist der zweite Band in zwei Abschnitte getheilt, von denen der erste Differential- und Integralrechnung für reelle, der zweite für complexe Größen behandelt. Was die Natur der für die Infinitesimalrechnung charakteristischen Operationen anlangt, so sind sie Grenzprocesse, die

*) Eine auf die Eigenschaften der Summen von beliebig vielen reellen Quadraten gegründete Ausdehnung der Rechnung mit complexen Größen ist unter dem Titel: *Principes d'un calcul algébrique qui contient, comme espèces particulières, le calcul des quantités imaginaires et des quaternions,* in den comptes rendus de l'ac. d. sc. de Paris vom 11ten und 18ten October d. J. mitgetheilt.

mit Verbindungen von unabhängigen und abhängigen stetig veränderlichen Größen vorgenommen werden. Hier ist mein Streben immer dahin gerichtet gewesen, den in diesen Processen enthaltenen algebraischen Kern zur Geltung zu bringen. Nun spielt die Anzahl der in einen Proceß eingehenden unabhängigen veränderlichen Größen die wichtigste Rolle und bedingt den Zusammenhang zwischen der Infinitesimalrechnung und der Lehre von den Mannigfaltigkeiten der verschiedenen Ordnungen. Um zu beurtheilen, ob sich eine Größe geändert habe, bietet die Bildung der Differenz ihrer Werthe das einzige Mittel. Darum ist die Differentialrechnung die Lehre von den Veränderungen der Größen, und das Fundament für die Lehre von den Veränderungen der Dinge. Offenbar kann eine einzelne veränderliche Größe nur entweder eine Zunahme oder Abnahme zeigen. Wird dagegen eine Verbindung von mehreren unabhängigen veränderlichen Größen betrachtet, so kann jede einzelne entweder zu- oder abnehmen, und deshalb läßt sich die Veränderung der Verbindung nur als eine Verbindung von den Veränderungen der einzelnen Größen begreifen. Dieser combinatorische Proceß ist von der Betrachtung der verschiedenen Werthsysteme einer Verbindung von mehreren unabhängigen veränderlichen Größen unzertrennlich. Der Inbegriff der Werthsysteme einer solchen Verbindung wird aber nach dem Vorgange von Gauß eine Mannigfaltigkeit von der durch die Anzahl der Größen bestimmten Ordnung genannt. Mithin bildet die Lehre von den Mannigfaltigkeiten der verschiedenen Ordnungen die nothwendige Voraussetzung für die Lehre von den Functionen mehrerer veränderlicher Größen.

Auf diese Erwägungen gestützt, habe ich die Grundzüge der Lehre von den Mannigfaltigkeiten bei der Einführung der Lehre von den Functionen mehrerer Variabeln im fünften Capitel des ersten Abschnitts des zweiten Bandes auseinandergesetzt. Der dabei eingeschlagene Weg entspricht dem ersten Abschnitte des ersten Bandes. Es werden nämlich den Veränderlichen der Mannigfaltigkeit zuerst nur ganze Zahlen, dann rationale ganzzahlige Brüche, und endlich beliebige reelle Größen als Werthe beigelegt. In der That weist die Untersuchung der Mannigfaltigkeiten der verschiedenen Ordnungen auf die Elemente der Analysis zurück. Denn zum Beispiel gehört der Satz, daß das Product von beliebig vielen ganzen Zahlen einen von der Vertauschung und Zusammenfassung der Factoren unabhängigen Werth hat, zu der Lehre von den Mannigfaltigkeiten derjenigen Ordnung, welche durch die Anzahl der Factoren des Products bezeichnet wird. Im weiteren Verfolg zeigt sich, daß für eine lediglich auf Rechnung gegründete Theorie der Mannigfaltigkeiten auch eine gewisse Ausbildung der Theorie der Functionen mehrerer Variabeln gebraucht wird. Daher müssen die beiden Theorien so zusammen vorgetragen werden, daß sie mit einander gleichen Schritt halten.

Weil eine Mannigfaltigkeit der ersten, zweiten und dritten Ordnung beziehungsweise durch die Punkte einer Linie, einer Fläche und eines Raumes zur Anschauung gebracht wird, bietet die Geometrie ein werthvolles Mittel, um die zu einer dieser Mannigfaltigkeiten gehörenden wesentlichen Gedankenbewegungen dem Geiste geläufig zu machen. Hierin wurzelt meines Erachtens die Bedeutung der geometrischen Interpretation, welche Gauß für die complexen

Größen sowie für die wesentlich positiven quadratischen Formen von zwei und drei Variabeln gegeben hat. Zugleich ist damit auch der Zweck ausgesprochen, um dessen willen die verschiedenen geometrischen Anwendungen in das vorliegende Buch aufgenommen sind.

Der gesammte Inhalt des Buches ist eingerichtet, um für die Anwendung der Mathematik auf die Mechanik und für diejenigen mathematischen Disciplinen vorzubereiten, die mit der Mechanik auf gleicher Stufe stehen. Dies sind die Variationsrechnung und die mit derselben innig zusammenhängende Theorie der Formen von beliebig vielen Differentialen.

Bonn, im October 1880.

Bei der Königl. Gesellschaft der Wissenschaften eingegangene Druckschriften.

October 1880.

Von der Akad. d. Wiss. in Krakau. In polnischer Sprache. 1880.

Theophilus des Presbyters und Mönchs drei Bücher von mancherlei Künsten, aus dem Lateinischen von Th. Zebrauski.

Bilderlegende von der heilg. Hedwig. (Text u. Abbildungen.)

Wistocki, Katalog der Handschriften der Bibliothek der Jagellonischen Universität zu Krakau. Fasc. 2—5.

Abhandl. u. Sitzungsber. der Akad. der Wiss. Philolog. Abtheil. Bd. VII.

Jahrbuch der Verwaltung der Akad. d. Wiss. Jahr 1879.

Abhandl. der Commission zur Erforschung der Geschichte der Kunst in Polen. Bd. II. Heft 1.

Denkschriften der Akad. d. Wiss. Philolog. Abth. Bd. IV. Mathem. Abth. Bd. V.

Meddelanden af Societas pro fauna et flora fennica. 5te Häft.
Bulletin de l'Acad. Imp. des Sciences de St. Petersbourg. T. XXVI. No. 2.
Bulletin de la Société Imp. des Naturalistes de Moscou. 1880. No. 1.
Jahrbuch über die Fortschritte der Mathematik. Bd. X. H. 2.
IV. Jahresbericht des naturwiss. Vereins zu Osnabrück. 1876—80.
Revista Euskara. Año tercero. No. 29. 30.
Smithsonian contributions to knowledge. Vol. XXII. Wash. 1880. 4°.
Annual Report of the board of Regents of the Smithsonian Institution. For the year 1878. Washington. 1879.
Smithsonian miscellaneous Collections. Vol. XVI. XVII. 1880.
Popolazione. Movimento dello stato civile. Anni 1862—78. Roma.
Mémoires de la Société des Sciences de Bordeaux. T. IV. 1.
Mémoires de la Soc. des Antiquaires de Picardie. T. VI. 1880.
Bulletin de la Soc. des Antiquaires de Picardie. T. XIII. 1877—79.
Revue des Sociétés savantes des départements. T. II. 2—3. 1880.
Journal de l'Ecole polytechnique. Cah. 46. T. XXVIII. 1879. 4°.
W. Waldeyer, Bemerk. über die Squama ossis occipitis. 4°.
Erdélyi Muzeum. 8. SZ VII. 1880.
Memorie della Regia Accademia di scienze, letterre e arti in Modena. T. XIX. 1879. 4°.
Proceedings of the London Mathem. Society. No. 161—62.
Jahrbücher der K. K. Central-Anstalt für Meteorologie und Erdmagnetismus. Jahrg. 1878. Neue Folge. Bd. XV. Theil 1. Jahrg. 1879. Bd. XVI. Theil 1. Wien 1880. 4°.
Robinski, de l'influence des eaux malsaines sur le développement du typhus exanthématique. Paris 1880.
Annales de la Faculté des Lettres de Bordeaux. Année deuxième. No. 3.

J. Biker, Supplemento à collecção dos tratados etc. T. XIX. XXIV. Lisboa. 1880.

E. Prym u. A. Socin, der Neu-Aramaeische Dialekt des Tûr 'Abdîn. Th. I. die Texte. Th. II. Uebersetzung. Göttingen. 1881.

Zeitschrift des Ferdinandeums für Tirol und Voralberg. Dritte Folge. H. 24. Innsbruck. 1880.

19. Bericht der Oberhess. Gesellschaft für Natur- und Heilkunde.

G. Barone, Epimenide di Creta e le credence religiose de suoi tempi. Napoli. 1880.

H. Gyldén, Versuch einer mathem. Theorie zur Erklärung des Lichtwechsels der veranderlichen Sterne. Helsingfors. 1880.

O. Focardi, S. Partiti politice alle Elezioni generali dell' anno 1880. Roma.

Scientific Transactions of the R. Dublin Society. Vol. I. Part. 1 to 12. Vol. II. (New Series) P. 1 and 2. II. (Series II) No. 1.

Proceedings. Vol. I. P. I. to 3. Vol. II. P. 1 to 6.

W. Holty, Ueber die Zunahme der Blitzgefahr und ihre Ursachen. Greifswald. 1880.

Mémoires de l'Acad. Imp. des Sciences de St. Petersbourg. T. XXVII. 4°.

No. 5. V. v. Möller, Die Foraminiferen des russischen Kohlenkalks. 1879.

No. 6. W. Dybowski, Studien über die Spongien des russischen Reiches etc. 1880.

No. 7. L. v. Schrenck, Der erste Fund einer Leiche von Rhinoceros Merckii 1880.

No. 8. A. Bunge, Pflanzen-geographische Betrachtungen über die Familie der Chenopodiaceen. 1880.

No. 9. W. Gruber, Ueber den anomalen Canalis basilaris des Os occipitale beim Menschen. 1880.

No. 10. O. Heer, Nachträge zur Jura-Flora Sibiriens. 1880.

No. 11. O. Struve, Etudes sur le mouvement relativ des deux étoiles du système de 61 cygni. 1880.

No. 12. H. Abich, Ein Cyclus fundamentaler barometrischer Höhenbestimmungen auf dem Armenischen Hochlande. 1880.

Für die Redaction verantwortlich: *E. Rehnisch*, Director d. Gött. gel. Anz.
Commissions-Verlag der *Dieterich'schen Verlags-Buchhandlung*.
Druck der *Dieterich'schen Univ.-Buchdruckerei (W. Fr. Kaestner)*.

Nachrichten

von der Königl. Gesellschaft der Wissenschaften und der G. A. Universität zu Göttingen.

15. December. № 20. 1880.

Königliche Gesellschaft der Wissenschaften.

Sitzung am 4. December.

Jahresbericht des Secretärs.
de Lagarde: Zum ersten Briefe des Clemens.
Holtz, Corresp.: Elektrische Schattenbilder.
Koenigsberger, Corresp.: Ueber den Zusammenhang zwischen dem allgemeinen und den particulären Integralen von Differentialgleichungen.
K. Schering: Beobachtungen im Magnetischen Observatorium. (Vorgelegt von E. Schering).
Falkenberg: Ueber congenitale Verwachsung am Thallus der Pollexfenieen. (Vorgelegt von H. Graf zu Solms-Laubach).

Die K. Gesellschaft der Wissenschaften feierte heute ihren Stiftungstag zum neunundzwanzigsten Mal in dem zweiten Jahrhundert ihres Bestehens.

Sie hat in diesem Jahre 9 Sitzungen gehalten, in denen 10 ausführlichere Arbeiten und 43 kürzere wissenschaftliche Mittheilungen vorgetragen oder vorgelegt worden sind. Es ist möglich geworden, auch in diesem Jahre einen Band ihrer »Abhandlungen«, den XXVI., herauszugeben; er enthält die größeren Arbeiten. Die kürzeren Mittheilungen sind in dem gegenwärtigen Jahrgang der »Nachrichten von der Königl. Gesellschaft der Wissenschaften und der G. A.

Universität« veröffentlicht. Das Verzeichniß derselben findet sich in der Vorrede zu dem XXVI. Band der Abhandlungen.

Auch in diesem Jahre hat ein lebhafter Tauschverkehr zwischen der K. Societät und den auswärtigen Akademien und anderen wissenschaftlichen Vereinen stattgefunden, wie aus den in den Nachrichten veröffentlichten Accessionslisten zu ersehen ist.

Die für den November dieses Jahres von der historisch-philologischen Classe gestellte historische Preisfrage hat einen Bearbeiter nicht gefunden. Sie wird nicht von Neuem aufgegeben.

Für die nächsten 3 Jahre werden von der K. Societät folgende Preisfragen gestellt:

Für den November 1881 von der physikalischen Classe:

Die K. Societät verlangt eine auf neue Untersuchungen gestützte Darstellung derjenigen Entwicklungsvorgänge, durch welche die Gestaltung des ausgebildeten Echinodermenleibes herbeigeführt wird. Es soll darin, in Anschluß an die gesicherten Kenntnisse von der Embryonenentwicklung der Echinodermen, besonders gezeigt werden, in welcher Weise das Thier aus der Larvenform bis zur völligen Anlage sämmtlicher Organsysteme erwächst. Dabei bleibt es der Untersuchung überlassen, ob an einer characteristischen Art der Entwicklungsgang in allen Einzelnheiten erforscht wird, oder ob durch die Feststellung der Entwicklung verschiedener Formen ein für den ganzen Kreis geltendes Verhalten dargelegt wird; in letzterem Falle müßte aber die Untersuchung soweit eindringen, daß die hauptsächlichsten Uebereinstimmungen und Abweichungen in der Ausbildung der Organsysteme bei den verschiedenen Echinodermenformen von ihrem frühsten Auftreten an gekennzeichnet werden.

Für den November 1882 von der mathematischen Classe (wiederholt):

Während in der heutigen Undulationstheorie des Lichtes neben der Voraussetzung transversaler Oscillationen der Aetheriheilchen das mechanische Princip der Coëxistenz kleiner Bewegungen zur Erklärung der Polarisations- und der Interferenz-Erscheinungen genügt, reichen diese Unterlagen nicht mehr aus, wenn es sich um die Natur des unpolarisirten oder natürlichen Lichtes, oder aber um den Conflict zwischen Wellenzügen handelt, welche nicht aus derselben Lichtquelle stammen. Man hat dem Mangel durch die Voraussetzung einer sogenannten großen Periode von innerhalb gewisser Grenzen regelloser Dauer abzuhelfen gesucht, ohne nähere erfahrungsmäßige Begründung dieser Hülfsvorstellung. Die K. Societät wünscht die Anstellung neuer auf die Natur des unpolarisirten Lichtstrahls gerichteter Untersuchungen, welche geeignet seien, die auf natürliches Licht von beliebiger Abkunft bezüglichen Vorstellungen hinsichtlich ihrer Bestimmtheit denen nahe zu bringen, welche die Theorie mit den verschiedenen Arten polarisirten Lichtes verbindet.

Für den November 1883 von der historisch-philologischen Classe:

Die Aramäer haben im Laufe der Zeiten ihre Grenzen mehrfach verlegen müssen: sie sind durch Eroberer semitischer und nichtsemitischer Herkunft in nicht wenigen Gegenden um ihre Nationalität gebracht worden.

Die K. Gesellschaft der Wissenschaften wünscht eine vollständige Uebersicht über die

Veränderungen, welche das aramäische Gebiet in Hinsicht auf seinen Umfang nach außen und innen erlitten hat.

Eine Zusammenstellung der Gründe, welche in Betreff gewisser Landstriche anzunehmen zwingen oder rathen, daß dieselben von einer ursprünglich aramäischen Bevölkerung bewohnt sind, wird sich nicht ohne Rücksicht auf die vergleichende Grammatik der semitischen Sprachen und nicht ohne Eingehn auf die Ortsnamen des zu behandelnden Districts geben lassen: die K. Gesellschaft der Wissenschaften erwartet, daß diese beiden Gesichtspunkte die leitenden der Untersuchung sein werden: sie würde es für außerordentlich nützlich erachten, wenn eine vollständige Liste aller aramäischen Ortsnamen als Anhang zu der verlangten Abhandlung vorgelegt würde.

Die Concurrenzschriften müssen, mit einem Motto versehen, vor Ablauf des Septembers des betreffenden Jahres an die K. Gesellschaft der Wissenschaften portofrei eingesandt werden, begleitet von einem versiegelten Zettel, welcher den Namen und Wohnort des Verfassers enthält und auswendig mit dem Motto der Schrift versehen ist.

Der für jede dieser Aufgaben ausgesetzte Preis beträgt mindestens funfzig Ducaten.

Die Preisaufgaben der Wedekind'schen Preisstiftung für deutsche Geschichte für den Verwaltungszeitraum vom 14. März 1876 bis zum 14. März 1886 finden sich in den »Nachrichten« 1879 S. 225 veröffentlicht.

Das Directorium der Societät ist zu Michaelis d. J. von Herrn Professor Wüstenfeld in der historisch-philologischen Classe auf Herrn Obermedicinalrath Henle in der physikalischen Classe übergegangen.

Die K. Societät betrauert tief den Verlust zweier ihrer ordentlichen Mitglieder, des Professors K. v. Seebach und des Professors J. E. Wappäus. Ersterer starb im 41., letzterer im 68. Lebensjahre.

Von ihren auswärtigen Mitgliedern und Correspondenten verlor die Societät durch den Tod:

William Sharpey, Professor der Anatomie in London, im 76. J.

William Hallows Miller, Professor der Mineralogie in Cambridge, im 79. J.

Carl Aug. Friedr. Peters, Director der Sternwarte in Kiel, im 74. J.

Carl Wilhelm Borchardt, Mitglied der K. Akademie der Wissenschaften in Berlin, im 64. J.

Wilh. Philipp Schimper, Professor der Geologie in Straßburg, im 74. J.

Wilhelm Nitzsch, Professor der Geschichte in Berlin, im 62. J.

Zum hiesigen ordentlichen Mitglied der Societät wurde erwählt:

Hr. Hermann Wagner.

Zum Ehrenmitglied wurde ernannt:

Principe Baldassare Boncompagni in Rom.

Zu auswärtigen Mitgliedern:

Hr. August Kekulé in Bonn } seither
Hr. Luigi Cremona in Rom } Correspondenten.
Hr. Werner Siemens in Berlin.

Zu Correspondenten.

Hr. Gerhard vom Rath in Bonn.
Hr. Friedrich Beilstein in St. Petersburg.
Hr. Friedrich Merkel in Rostock.
Hr. Wilhelm His in Leipzig.
Hr. Ulisses Dini in Pisa.
Hr. Eduard Winkelmann in Heidelberg.

Elektrische Schattenbilder.

Von

W. Holtz.

(Fortsetzung.)

Nachträgliche Bemerkungen zu den früheren Versuchen.

Der folgenden Beschreibung einiger weiteren Versuche über den vorliegenden Gegenstand schicke ich einige Ergänzungen, respective Berichtigungen meiner ersten Mittheilung voraus.

Ich bemerkte, daß als Electricitätsquelle womöglich eine Influenzmaschine anzuwenden sei. Vielleicht hätte ich hinzufügen sollen, daß ich hierunter eine gewöhnliche Influenzmaschine verstehe. Es giebt deren ja auch mit metallisch belegter rotirender Scheibe. Mit einer solchen dürften die Erscheinungen jedoch kaum mit gleicher Leichtigkeit oder in gleicher Vollkommenheit zu gewinnen sein.

Ich ließ es zweifelhaft, ob je nach den Witterungsverhältnissen eine einfache, oder mehrfache Lage von Seidenzeug eine bessere Wirkung zeige. Nach späteren Versuchen möchte ich jedoch in jedem Falle, aber namentlich bei Anwendung zweier Spitzen und in der Mitte befindlichem Schirme eine mehrfache Lage empfehlen. Die leuchtende Fläche gewinnt hierdurch an Lichtstärke, was bei ihrer relativen Lichtarmuth gewiß als eine Verbesserung zu betrachten ist.

Ich erwähnte, daß bei positiv oder negativ elektrischer Ausstrahlung in den Erscheinungen kein wesentlicher Unterschied wahrzunehmen sei. In Wahrheit jedoch nimmt unter sonst gleichen Verhältnissen bei positiv elektrischer Ausstrahlung die leuchtende Fläche größere Dimensionen an. Auch das Schattenbild erscheint hierbei, wenn auch nur in geringerem Grade, verändert; wenn ich mich nicht täusche, gewinnt es radial, während es circular etwas verliert. Aber noch ein andrer Unterschied manifestirt sich, wenn man dem Ausstrahlungskegel mit einem leitenden Körper nahe kommt, gleichviel ob dieser isolirt oder abgeleitet ist. Um diesen Unterschied deutlich zu machen, muß ich zuvor einiger noch unerörterten Erscheinungen gedenken, welche beide Elektricitäten gleichmäßig berühren. Jene Annäherung bewirkt zunächst, daß sich die leuchtende Fläche an selbiger Seite ein wenig verdunkelt und gleichzeitig ein wenig nach entgegengesetzter Seite verschiebt. Bei größerer Annäherung treten dann die Umrisse gedachten Körpers immer deutlicher als Schattenbild in die leuchtende Fläche ein. Aber auch dieses geschieht eben schon bei einer Annäherung, nicht erst, nachdem man den Mantel des Ausstrahlungskegels, wenn derselbe wirklich die Form eines Kegels hätte, durchschneidet. In Alledem herrscht nun zwischen beiden Elektricitäten kein wesentlicher Unterschied, sobald man sich gedachtem Kegel mehr in der Nachbarschaft der Hohlscheibe, und weniger in der Nachbarschaft der Spitze nähert. In letzterem Falle aber tritt die fragliche Wirkung bei negativ elektrischer Ausstrahlung entschieden schon in größerer Ferne ein. Ja es scheint fast, als ob man bei positiv elektrischer Ausstrahlung hier bis zu einem gewissen Grade die entgegengesetzte Wirkung erzeugen kann. Ein weiterer Unterschied zwischen beiden Elektricitäten spricht sich in dem Grade der Verkleinerung der leuchtenden Fläche bei Ableitung der Spitze und in dem Grade der Vergrößerung derselben bei Ableitung der Hohlscheibe aus.

Des Weiteren bemerkte ich, daß Isolatoren nur bei beträchtlicher Größe ein Schattenbild erzeugen, und daß auch dieses bei fortgesetzter elektrischer Einwirkung allmählig verschwindet. Es hat sich ergeben, daß dies so allgemein doch nicht richtig ist, wenn man die fraglichen Dimensionen nur groß genug gewählt, daß vielmehr bei wachsender Größe, wie ja auch zu erwarten stand, am Ende jede Ausstrahlung erlischt. Wie groß aber bei Alledem der Unterschied zwischen Isolatoren und Leitern ist, mag das Factum beweisen, daß eine Stecknadel constant einen leicht erkennlichen Schatten wirft, während man den Schatten einer 6 Centimeter großen Ebonitscheibe fast vollständig zum Verschwinden bringen kann.

Eine verbesserte Hypothese der Schattenbildung überhaupt.

Nach der letzten Erklärung kann ich meine

frühere Ansicht nicht mehr aufrecht erhalten, nach welcher Isolatoren deshalb keinen Schatten werfen sollten, weil sie für die Ausstrahlungsmaterie als permeabel zu betrachten wären. Ich kehre vielmehr zu der bisher geltenden Annahme zurück, daß sich bei jeder Glimmentladung nur eine Bewegung ponderabler Massentheilchen vollzieht. Hierfür spricht ja auch der Umstand, daß die Wirkung interpolirter Körper fast ausschließlich von der Beschaffenheit ihrer Oberfläche abhängig ist, noch beredter aber wohl der folgende Versuch, auf welchen ich, trotzdem derselbe nahe genug lag, doch erst später verfallen bin.

Ich näherte die Ausflußöffnung eines Blasebalges seitlich so weit an, daß sie für sich allein noch keine Störung in der leuchtenden Fläche bewirkte. Wurde nun mit geringer Kraft geblasen, so ergab sich auch sonst keine solche, wohl aber, wenn ich den Luftstrom stärker hervortreten ließ. Bei jedem Stoße huschte eine Wolke über das Beobachtungsfeld, und gleichzeitig wurde das Schattenbild eines interpolirten Gegenstandes im Sinne der Luftbewegung etwas verschoben. Als ich denselben Versuch mit einer an den Blasebalg angesetzten längeren Gummiröhre wiederholte, konnte ich keine Störung hervorbringen, weil der Luftstrom nun nicht mehr kräftig genug war. Hieraus folgt denn wohl, daß die bewegte Materie Luftmoleküle sind, aber gleichzeitig, daß sich selbige mit ziemlich großer Schnelligkeit bewegt.

Wenn nun ein leitender Körper einen Schatten wirft, und ein isolirender im Allgemeinen nicht, so möchte man vielleicht glauben, dies geschehe, weil ersterer eine stärkere anziehende Wirkung übt. Dann müßte es aber einen wesentlichen Unterschied machen, ob selbiger abgeleitet ist, oder nicht; auch müßte sich die leuchtende Fläche bei Einführung eines solchen eher verkleinern, als vergrößern. Beides trifft aber nicht zu, und außerdem wäre damit der fragliche Unterschied noch immer nicht hinreichend erklärt. Da sich die leuchtende Fläche sowohl bei Einführung leitender als isolirender Körper erweitert, so müssen wir vielmehr schließen, daß beide Körper eine abstoßende Wirkung äußern, und wenn sich dort ein Schatten bildet und hier nicht, so dürften wir vielleicht annehmen, daß die Abstoßung dort eine soviel größere ist, daß die Anziehung der Hohlscheibe dieselbe nicht wieder auszugleichen im Stande ist. Denn ohne Zweifel werden die Moleküle nicht nur von der Spitze fortgetrieben, sondern sie werden eben sogut von der Hohlscheibe angezogen und voraussichtlich am stärksten von ihrer Mitte. Werden sie durch einen Körper abgelenkt, so dürfte in Folge letzterer Wirkung doch nachträglich bis zu einem gewissen Grade wieder eine Concentrirung erfolgen können. Daß ein leitender Körper aber einen stärker dispergirenden Einfluß hat, dürfte erklärlich sein, weil die gleichartig elektrischen Luftmoleküle durch ihn hindurch kräftiger auf einander einzuwirken im Stande wären.

Daß ein leitender Körper in der That vorzugsweise die Strahlen abstößt und bei seitlicher Annäherung bis zu einem gewissen Grade vor sich hertreibt, läßt sich sehr einfach auf folgende Weise zeigen. Man nähere, während ein andrer Körper einen Schatten wirft, zwischen jenem und der Hohlscheibe seitlich einen Finger. Man wird bei hinreichender Annäherung hierdurch das Schattenbild bald nach entgegengesetzter Seite verschieben. Hierbei zeigt sich dasselbe mehr oder weniger verzerrt, indem sich in seinen Contouren bis zu einem gewissen Grade zugleich die Form der Fingerspitze bemerklich macht. Nähert man eine Siegellackstange, so ist Verschiebung und Verzerrung entschieden geringer.

Andrerseits mag zugegeben werden, daß mit der eben aufgestellten Hypothese manche Erscheinungen im Einzelnen doch noch im Widerspruche stehn.

Die Form des Raumes, in welchem die Ausstrahlung erfolgt.

Daß das Strahlengebiet seiner Form nach keinem regelrechten Kegel entsprechen kann, scheint aus den anfänglich mitgetheilten Erscheinungen seitlicher Schattenbildung sicher zu folgen. Wäre es ein Kegel, so dürfte man bei gedachter Annäherung erst einen Schatten gewahren, nachdem der Körper die vom Umfange der leuchtenden Fläche nach der Spitze gezogen gedachten graden Linien durchschnitten hat. Das wirkliche Strahlengebiet reicht also zweifellos über die eingebildete Kegelfläche hinaus, d. h. in seinen mittleren Theilen, da Spitze und leuchtende Fläche natürlich als Endgrenzen zu betrachten sind. Es würde also gewissermaßen einem Pabsthute oder der größeren Hälfte einer senkrecht zur Längsaxe durchschnittenen Citrone vergleichbar sein. Die fragliche Ausbauchung aber dürfte je nach Umständen variiren; sie dürfte z. B. wachsen, wenn man die Spitze weiter von der Hohlscheibe entfernt. Aber auch mit der Elektricitätsart dürfte nach dem früher Mitgetheilten die Gestaltung wechseln, sofern sich bei negativ elektrischer Ausstrahlung jene Ausbauchung in größerer Nähe der Spitze befinden würde.

Hieraus folgt aber, ganz abgesehn von der Wirkung eines interpolirten Körpers, daß die Strahlung mehr oder weniger von einer gradlinien differirt. Nur in nächster Nähe der Axe werden wir annähernd gradlinie Bahnen, in größerem Abstande dagegen eine wachsende Krümmung anzunehmen haben. Andrerseits kann auf der ganzen Bahnstrecke keine gleichmäßige Krümmung herrschen; sie wird vorzugsweise vielmehr in größerer Nähe der Spitze vorhanden sein, und hier außerdem voraussichtlich in größerem Maaße, wenn selbige Spitze negativ elektrisch ist.

Wenn ich nicht irre, spricht sich die eben betonte wachsende Divergenz der Strahlen auch in den Erscheinungen aus, wenn man einen Gegenstand langsam der Spitze nähert und hierbei aufmerksam die Vergrößerung seines Schattenbildes verfolgt. Es scheint mir, als ob die Vergrößerung keine stetige, sondern von einem gewissen Punkte an ein unverhältnißmäßig schnell wachsende sei.

Bei näherer Betrachtung kann dies Alles kaum überraschen; es müßte mehr überraschen, wenn die Strahlung eine gradlinie wäre, da neben der abstoßenden Wirkung der Spitze eben gleichzeitig die anziehende Wirkung der Hohlscheibe existirt. Wenn erstere die Luftmoleküle divergirend auseinander treibt, so würden sie für sich allein wohl ihre gradlinien Bahnen behalten. Bei der gleichzeitigen und fortgesetzten Einwirkung der Scheibe aber werden sie nothwendig wieder in convergentere Bahnen gelenkt. Dies wird um so mehr geschehn, je länger letztere einwirkt, also je langsamer jene sich bewegen, also je schwächer der ursprüngliche Impuls. Deshalb verkleinert sich voraussichtlich die leuchtende Fläche, wenn wir die Kraft der Spitze schwächen, indem wir sie ableitend berühren. Es wird um so weniger geschehn, je schwächer die Hohlscheibe wirkt, und wir schwächen diese Wirkung wieder, indem wir jene ableitend berühren. Deshalb bringt hier derselbe Handgriff eine entgegengesetzte Wirkung, eine Vergrößerung der leuchtenden Fläche hervor. Wenn aber die Geschwindigkeit der Moleküle eine Beförderung ihrer gradlinien Bewegung ist, so darf es nicht Wunder nehmen, wenn sich diese eher in verdünnter Luft manifestirt, wie die Versuche von Crookes beweisen, wenn auch möglicher Weise die besondere Anordnung jener Versuche mit in Wage fallen mag.

Daß bei negativ elektrischer Ausstrahlung die leuchtende Fläche eine kleinere ist, kann nicht wohl daher rühren, daß die Strahlen hier von vornherein mehr der Mittellinie genähert sind, da im Gegentheil nach Früherem hier eine größere Ausbauchung des Raumes und somit eine größere Divergenz anzunehmen ist. Man dürfte eher glauben, daß die Triebkraft eine geringere sei, nicht trotzdem, sondern grade weil sich negative Elektricität leichter in die Luft verliert, da bei schnellerer Aufeinanderfolge der Impulse jeder einzelne dementsprechend eine geringere Kraft besitzen muß.

Die größere Divergenz der Strahlen an einer negativen Spitze spricht sich übrigens gewissermaaßen schon in den gewöhnlichen Büschelphänomenen aus, da der positive Büschel durchschnittlich mit einem Stiele beginnt, während der negative stets von vornherein einer kegelförmigen Flamme gleicht. Viel deutlicher freilich läßt sich, wie ich an einem andern Orte ausführlicher zu zeigen gedenke, dasselbe in isolirenden Flüssigkeiten erkennen, wo beide Büschel sonst ungleich ähnlicher, grade in gedachtem Punkte vorzugsweise verschieden sind.

Wie sich voraussichtlich die eigenthümliche Gestalt der Bilder erklärt.

An der Gestalt der Bilder ist jedenfalls das Auffallendste, daß sie partiell in dem Maaße wachsen, als ihre Theile der Mitte des Beobachtungsfeldes ferner liegen. Die beigegebene Abbildung wird dies besser veranschaulichen, als es sich vielleicht in Worten ausdrücken läßt.

Ich deutete in meiner ersten Mittheilung an, daß diese Eigenthümlichkeit wohl mit auf dem Umstande beruhe, daß die Strahlung keine gradlinie sei; ich glaube jedoch heute auf Grund der bereits aufgestellten allgemeinen Hypothese auch hierfür eine bessere Erklärung geben zu können.

Wenn ein leitender Körper wirklich die Moleküle abstößt oder — wie es wohl richtiger ist — in den Molekülen selbst die Neigung zu gegenseitiger Abstoßung befördert, so wird die Ablenkung ohne Zweifel eine größere sein für Moleküle, welche sich langsamer, als für solche, welche sich schneller bewegen. Andrerseits läßt sich mit Sicherheit erwarten, daß in der Geschwindigkeit der Bewegung ein wesentlicher Unterschied besteht, da der Impuls der Spitze, wie die Anziehung der Scheibe in der Richtung der Axe wohl ihr Maximum erreichen muß. Die Geschwindigkeit der Moleküle wird also in dem Maaße eine größere sein, als ihre anfänglichen Bahnen von vornherein der Axe genähert sind, und in demselben Maaße wird ihre Zerstreuung durch Theile eines interpolirten Gegenstandes eine geringere sein.

Eine Stütze für diese Erklärung bietet das folgende Experiment. Man beobachte das Schattenbild eines Körpers, während man die Thätigkeit der Maschine steigert. Man steigert hierdurch die Geschwindigkeit der Moleküle in ihrer Gesammtheit und dies spricht sich in einer allgemeinen Verkleinerung des Schattenbildes aus, während die leuchtende Fläche doch eine Vergrößerung erfährt. Bei successiver Abnahme der Thätigkeit wird umgekehrt das Schattenbild immer größer, während die leuchtende Fläche an Ausdehnung verliert.

Eine weitere Eigenthümlichkeit in der Gestalt der Bilder äußert sich in dem Einfluß, welchen die optisch unwirksame Dicke der Körper übt. Ich erwähnte, daß ein Kartonstreifen einen fast gleichen Schatten wirft, ob seine breite, oder seine schmale Seite der Hohlscheibe zugewendet sei. Noch auffallender vielleicht ist die Erscheinung, daß eine Kugel und ein parallel der Axe gestelltes Drahtstück fast gleiche Schatten werfen können.

Aber auch hier bietet die Erklärung keine Schwierigkeit, wenn wirklich ein interpolirter Gegenstand durch Abstoßung die Strahlen aus einander treibt. Die Divergenz muß dann naturgemäß eine größere werden, je länger die Moleküle den Gegenstand streifen d. h. je dicker derselbe ist.

Eine dritte Eigenthümlichkeit, deren ich bisher nicht gedacht, besteht in der Abrundung der Ecken oder in durchgängig ungenauer Reproduction.

Soweit diese Erscheinung nicht schon in dem Voraufgegangenen ihre Begründung findet, dürfte sie darauf basiren, daß sich die Wirkung der Körpermoleküle naturgemäß schon in größerer Ferne bemerkbar macht.

Ungefähre Schätzung der Geschwindigkeit und Kraft der bewegten Moleküle.

Vor Jahren schon, und jedenfalls vor Anwendung des Crookes'schen Flügelrädchens in evacuirten Röhren erlaubte ich mir auf den Gebrauch einer gleichen Vorrichtung zum Nachweise der Luftströmung bei elektrischer Ausstrahlung hinzuweisen. Ich bemerkte auch, daß ein Flügelrädchen zwischen den zugespitzten Entladungsstangen einer Influenzmaschine weit eher der Triebkraft der positiven Elektrode folge, als Beweis, daß hier eine stärkere Strömung vorhanden sei*).

*) Poggendorff, Annalen, Ergänzungsb. VIII.

Man verfertigt ein derartiges Rädchen am einfachsten aus einem kurzen, engen Glasröhrchen und vier Stückchen Karton, indem man die Röhre auf einer längeren einseitig befestigten Stecknadel laufen läßt, oder aus einer Nadel als laufenden Axe, indem man ihre Enden durch einen bogenförmigen Halter stützt, an welchem zwei ganz kurze Röhrenstücke befestigt sind. In beiden Fällen muß die Axe in horizontaler age verbleiben. Soll sie senkrecht stehn, soL wendet man noch ein kleines Glasstückchen, dort als oberen Verschluß der Röhre, hier als untern Verschluß des unteren Röhrenstückchens an. Man kann auch statt einer Glasröhre eine Kartonröhre mit Endplatten wählen, und in letztere Löcher stechen, oder eine Nadel einfach in einem bogenförmigen Kartonstreifen laufen lassen.

Eine Vorrichtung solcher Art, aber mit senkrecht gestellter Axe und etwas sorgfältigerer Ausführung diente zu den nachfolgenden Versuchen.

Ich stellte das Rädchen zwischen Spitze und Hohlscheibe nach einander an verschiedenen Stellen des voraussichtlichen Strahlengebietes auf. Ueberall fand, nur nicht in der Verlängerung der Entladungsstange, eine Bewegung in bestimmtem Sinne, aber vor und hinter jener eine Bewegung im entgegengesetzten Sinne statt. Dieser Umstand für sich allein schon beweist, daß die Geschwindigkeit der Moleküle von der Mittellinie angerechnet nach beiden Seiten fällt, weil sich das Rädchen nicht mit Entschiedenheit bewegen könnte, wenn es links und rechts von seiner Axe gleichen Impulsen ausgesetzt wäre. Ein Gleiches aber ließ sich auch aus dem Umstande schließen, daß das Rädchen immer langsamer rotirte, je weiter es nach außen verschoben wurde.

Ich versuchte nun, ob das Rädchen in Bewegung kam, wenn es ganz außerhalb des vermuthlichen Strahlengebietes an verschiedenen Punkten stand. Hier bewegte es sich nur in nächster Nähe der Entladungsstange, also mehr oder weniger hinter der Spitze, zum Beweise, daß hier vornehmlich die Stelle des ergänzenden Luftzuflusses war. Aber auch an andrer Stelle konnte ich es dadurch in Rotation versetzen, daß ich das Strahlengebiet durch Annäherung eines Gegenstandes nach der betreffenden Seite verschob, und eher, wenn dieser ein Leiter, als wenn er ein Isolator war, desgleichen eher, wenn das Rädchen mehr der Hohlscheibe und jener mehr der Spitze genähert wurde.

Ich brachte nun das Rädchen wieder in die Mitte des Strahlengebietes, stellte aber zwischen ihm und der Spitze einen Kartonschirm so, daß es nur einseitig getroffen wurde, sei es dadurch, daß ich den ganzen Raum zur Hälfte abschloß, sei es dadurch, daß ich nur einen kleineren Theil der Strahlen durch eine im Schirme befindliche Oeffnung fallen ließ. So rotirte das Rädchen begreiflicher Weise am leichtesten und seine Geschwindigkeit mochte so am ersten einen Anhalt für die Geschwindigkeit der Luftmoleküle geben. Aber dies doch nur bei langsamer Bewegung, da nur bei solcher der Widerstand, den es zur Hälfte in den nicht mitwirkenden Molekülen fand, vernachlässigt werden konnte. Unter solchen Umständen fielen auf jede Kurbelumdrehung etwa 18 Umdrehungen, und in derselben Zeit legte entsprechend der Flügelgröße, ein Punkt der Peripherie einen Weg von 1,62 Meter zurück. Hierbei drehte ich die Kurbel aber sehr langsam. Unter gewöhnlicher Benutzung der Maschine pflegte ich auf jede Sekunde 1½ Kurbelumdrehungen zu zählen. Dies würde — vorausgesetzt, daß die hier in Betracht kommende Leistung der Maschine der Anzahl der Kurbelumdrehungen proportional ist — für eine gewöhnliche Influenzmaschine bei gewöhnlicher Drehung eine Geschwindigkeit von 2,43 Meter in der Sekunde ergeben. Hiernach würde die Geschwindigkeit der Moleküle kaum eine größere sein, als diejenige eines mäßigen Windes, welcher eben die Zweige der Bäume rührt.

Ein Wind, bei welchem die Luft die eben gedachte Geschwindigkeit hat, übt erfahrungsgemäß einen Druck von etwas mehr als 1 Kilogramm auf den Quadratmeter aus. Es interessirte mich natürlich zu prüfen, ob sich hier wohl zwischen Geschwindigkeit und Druck eine gleiche Abhängigkeit ergeben würde.

In dieser Absicht bediente ich mich einer Art Winkelwage, in welcher eine Kartonscheibe, 10 Quadratcentimeter groß, isolirt, zwischen Spitze und Hohlscheibe balancirte, während an einem horizontalen Arme in genau gleicher Entfernung vom Drehpunkte, als der Mittelpunkt der Scheibe, genau äquilibrirt, eine kleine Schale hing. Zur größern Bequemlichkeit war noch eine Art Anschlag so angebracht, daß letztere wohl beliebig gehoben, aber nur wenig herabgedrückt werden konnte. Während die Ausströmung nun die Kartonscheibe aus ihrer Gleichgewichtslage trieb, wurde die Schale successive mit Sandkörnern beschwert und dies solange fortgesetzt, bis bei gewöhnlicher Umdrehungsgeschwindigkeit der Kurbel keine Hebung mehr erfolgte. Das Gewicht des Sandes betrug bei dieser Gelegenheit etwa 1 Gramm, wenn Spitze und Hohlscheibe, wie bei den früheren Versuchen, um 13 Centimeter getrennt waren, und die Kartonscheibe etwa in der Mitte derselben stand. Dies würde allerdings für eine quadratmetergroße Scheibe auffallend genau dem oben bezeichneten Drucke entsprechen. Bei andrer Stellung aber ergab sich ein etwas größerer Druck, und zwar eben so wohl, wenn die Scheibe der Spitze, als wenn sie der Hohlscheibe genähert wurde. Ersteres erklärt sich aus der Divergenz der Strahlen, sofern voraussichtlich eine größere Zahl derselben traf, Letzteres aus dem Umstande, daß jene, selbst elektrisch, von der Hohlscheibe angezogen wurde. Nach Letzterem hat freilich ein Vergleich der beiderseitigen Drucke nur einen sehr bedingten Werth.

Lichtbilder, eine Umkehrung der Schattenbilder, und Combinationen beider.

Stellt man zwischen Spitze und Hohlscheibe eine Kartonscheibe von etwa 12 Centimeter Durchmesser auf, so findet eine vollständige Beschattung des sonstigen Beobachtungsfeldes statt, während sich über die Beschattung hinaus eine ringförmige Beleuchtung zeigt, weil die Kartonscheibe die Strahlen nicht absorbirt, sondern nur divergirender macht. Hat die Kartonscheibe indessen eine Oeffnung, so dringt ein Theil der Strahlen hier hindurch und erzeugt auf der beschatteten Fläche ein leuchtendes Bild. Dies Bild nun ist wieder kein optisch regelrechtes, sondern hat gewisse und zwar entgegengesetzte Eigenschaften, als sie das Schattenbild eines der Oeffnung gleichgeformten Körpers zeigt.

Ein Körper wirft stets einen Schatten, welcher die Größe desselben übertrifft, während eine Oeffnung im Allgemeinen ein verkleinertes Bild erzeugt. Jedenfalls ist bei gleicher Entfernung von der Spitze das Bild eines Körpers stets größer, als dasjenige einer Oeffnung von gleichen Contouren.

Der Schatten eines Körpers vergrößert sich, wenn man den Körper nach außen schiebt, während sich das Bild einer Oeffnung bei gleicher Verschiebung verkleinert. Der Schatten eines körperlichen Kreuzes nimmt hiernach bei centraler Stellung (siehe die frühere Abbildung) jene wiederholt besprochene peripherische Verstärkung an, während sich das Bild einer kreuzförmigen Oeffnung bei gleicher Lage (siehe die folgende Abbildung) peripherisch verjüngt.

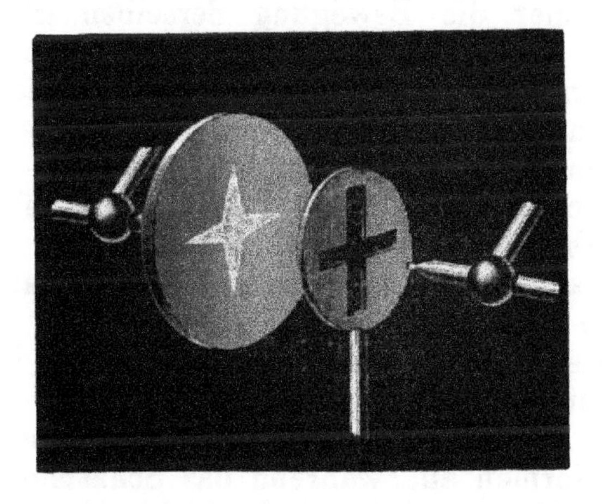

Verdreht man Körper oder Oeffnung bei sonst centraler Stellung so, daß ihre wirksamen Contouren zur Fläche der Hohlscheibe schräge stehn, so tritt bei beiden Bildern eine eigenthümliche, aber wieder entgegengesetzte Verzerrung ein. Die der Scheibe nähern Theile erscheinen im Schattenbilde eben so viel verstärkt, als die ferneren verjüngt erscheinen, während sich im Lichtbilde dort eine Verjüngung und hier eine Verstärkung bemerkbar macht.

Dagegen harmoniren beide Bilder in zwei Punkten, einmal darin, daß sie größer werden, wenn das ganze Object der Spitze genähert wird, ferner darin, daß bei eben dieser Annäherung zugleich ihre charakteristischen Unterschiede wachsen.

Was die Erklärung anlangt, so dürfte das Charakteristische der Lichtbilder im Wesentlichen wohl aus der bereits aufgestellten Hypothese abzuleiten sein, aus der Annahme, daß ein leitender Gegenstand die bewegten Luftmoleküle abstößt und um so weiter abstößt, je langsamer die Bewegung derselben ist. Hier wirkt die Abstoßung aber nicht nach außen, sondern nach innen, deshalb werden die Strahlen durch diese nicht divergenter, sondern convergenter gemacht. Deshalb muß dort, wo sich im Schattenbilde eine Verstärkung zeigt, im Lichtbilde eine Verjüngung resultiren.

Man kann ein Schattenbild aber auch mit einem Lichtbilde combiniren und zwar am einfachsten, indem man das erstere im Rahmen des letzteren erscheinen läßt. Hierbei nehmen beide Bilder bis zu einem gewissen Grade mittlere Formen an, während das Schattenbild zugleich kleiner wird und das Lichtbild umgekehrt wächst.

Stellt man den Kartonschirm mit einer größeren viereckigen Oeffnung auf und bringt zwischen dieser und der Spitze noch ein kleines rundes Scheibchen an, so erscheint das Lichtbild nicht viereckig, sondern verrundet, während gleichzeitig das Schattenbild mehr oder weniger eckig erscheint. Wäre die Oeffnung des Schirmes eine längliche, so würde das Schattenbild die Form einer Elipse repräsentiren.

Stellt man den Kartonschirm mit einer größeren runden Oeffnung auf und befestigt zwischen dieser und der Spitze einen schmalen Streifen oder ein kleines Kreuz, so wird man das Schattenbild außerordentlich klein finden, viel kleiner, als wenn man den Schirm gar nicht in Anwendung bringt. Ist der Schirm aber nur eine Kartonscheibe von mittlerer Größe, oder rückt man den Gegenstand so nahe der Spitze, daß eine Ueberschattung des Schirmes erfolgt, so wird man das äußere Bild in demselben Maaße vergrößert finden, als es sonst bei gewöhnlicher Darstellung erscheint. Dieser Versuch zeigt sehr deutlich, daß die Kartonscheibe nach außen die Strahlen mehr divergirend, nach innen mehr convergirend macht. In besonders feinen Linien erscheint das innere Schattenbild, wenn man dem Schirme keine runde, sondern gleichfalls streifen-, respective kreuzförmige Oeffnung giebt.

Wenn die Oeffnung des Schirmes divergirende Strahlen convergenter macht, so läßt sie hierdurch zugleich mehr oder weniger parallele Strahlen entstehn. In der That wachsen im Rahmen eines Lichtbildes die Dimensionen des Schattenbildes nur wenig, wenn der Körper der Spitze genähert wird. Ein gewisser Theil sehr nahe paralleler Strahlen gehört aber dem Strahlenbündel wohl an und für sich schon in nächster Nähe der Axe an, da das Schattenbild eines sehr kleinen Gegenstandes bei axialer Verschiebung überhaupt nur wenig geändert wird.

Während bei den früheren Versuchen mit

gleichem Erfolge sowohl positive als negative Ausstrahlung zu verwenden ist, findet die Darstellung der Lichtbilder entschieden am besten bei positiver Ausstrahlung statt, da die Anwendung des Kartonschirmes bei negativer den Uebelstand mit sich führt, daß die Glimmentladung leicht in eine Büschelentladung übergeht.

Fixirung der Bilder nach Art der Lichtenberg'schen Figuren.

Es lag nahe zu untersuchen, ob nicht durch vorherige Bestaubung der seidenen Fläche den Bildern eine bleibende Gestalt zu geben sei. Es hat sich herausgestellt, daß dies sehr wohl möglich ist, obwohl sich die so gewonnenen Zeichnungen in einigen Punkten doch von den früheren Bildern unterscheiden.

Während sonst die Farbe des Seidenstoffes natürlich gleichgültig ist, wählt man für den vorliegenden Zweck am besten schwarzes Zeug. Zur Bestaubung bedient man sich am zweckmäßigsten des Bärlappsamens, indem man ihn aus einem doppelt mit feiner Gaze überbundenem Gefäße schüttelt. Man nimmt die Hohlscheibe, während das Zeug noch an derselben haftet, von der Entladungsstange, oder stellt sie mitsammt der Entladungsstange ein wenig geneigt, weil man sie so besser bestauben kann. Man bestaubt möglichst dick und gleichmäßig, und bringt die Scheibe hiernach behutsam wieder in ihre frühere Lage zurück. Man darf die Kurbel nun nicht früher rühren, als bis der Versuch des Weiteren vollständig vorbereitet ist, ich meine bevor man, wenn man nicht etwa nur die leuchtende Fläche zeichnen will, dem beschattenden Körper oder dem Kartonschirm ihre ordnungsmäßigen Stellungen gegeben hat. Nach vier bis fünf Kurbelumdrehungen — man experimentirt diesmal natürlich nicht im Dunkeln, sondern im Tageslichte — wird man das Bild alsdann vollkommen fertiggestellt sehn. Für die Wiederholung des Versuches nimmt man zunächst das Zeug von der Scheibe und staubt es ab, läßt es hiernach zunächst wieder anhaften und bestaubt es dann in der angegebenen Weise von Neuem.

Die Bilder gleichen nun im Wesentlichen den früheren, wenn wir mehr ihre Contouren und weniger ihre Farbe vor Augen halten. Die letztere richtet sich nämlich danach, ob der Staub eher an den bestrahlten, oder eher an den beschatteten Punkten der Fläche haftet, und dies ist je nach Umständen verschieden. Bei ein- bis dreifacher Lage von Seidenzeug und gewisser Luftbeschaffenheit fand ich zuweilen die bestrahlten Theile weiß und die beschatteten Theile dunkel gezeichnet vor. Meistentheils aber und zumal bei mehrfacher Seidenlage stellen sich die beschatteten Theile in weißer, die bestrahlten in dunklerer Färbung dar. Keinenfalls aber sind die Flächen homogen, wie bei den früheren Bildern, sondern es sind allemal die Contouren in bevorzugter Weise weiß. Statt der leuchtenden Fläche erhält man durchschnittlich einen weißen Ring, dessen Weite wohl im Ganzen mit der Peripherie jener harmonirt. Statt des Schattenbildes, welches ein Kreuz wirft, findet man ein weißes Kreuz mit dunklen Mittellinien, oder ein dunkles Kreuz mit weißer Umsäumung vor. Die Verdunkelung der mittleren Theile wächst übrigens mit der Größe der Schatten, also in dem Maaße, als der Körper der Spitze genähert wird.

Der weiße Ring, welcher in diesen Figuren die frühere leuchtende Fläche repräsentirt, ließ wohl einen innigen Zusammenhang gedachter Zeichnungen mit den Lichtenberg'schen Figuren errathen. So versuchte ich denn, ob sich nicht auch auf einer bestaubten Ebonitscheibe durch Beschattung ähnliche Figuren erzeugen ließen. Dies gelang nun freilich nicht in der Maschine selbst, weil sich die Ebonitscheibe wegen der kräftigen unausgesetzten Strömung schnell vollständig nach Art einer Franklin'schen Tafel lud, wohl aber gelang es, als ich die Ebonitscheibe auf den Tisch legte, oberhalb derselben einen zugespitzten Leiter hielt und hierauf kleine Entladungen einer Leydner Flasche wirken ließ. Am besten gelang es, wenn der Leiter, den ich natürlich an einer isolirten Handhabe hielt, eine Holzstange war und an seinem oberen Ende eine größere Kugel trug. So gewann ich wenigstens mit beiden Elektricitäten gleichmäßig denselben Ring und innerhalb desselben das Schattenbild des interpolirten Körpers, während mir dasselbe bei Anwendung eines metallischen Leiters wohl auch mit negativer, nicht jedoch mit positiver Elektricität gelang. Die Holzstange bewirkte vermuthlich, daß die sonst eher zu disruptiver Entladung geneigte positive Elektricität gleichfalls zur Glimmentladung gezwungen wurde. Den fraglichen Körper legte ich über zwei Siegellackstücke, so daß er 10 Millimeter hoch etwa über der bestaubten Fläche schwebte. Die Spitze hielt ich wieder etwa um 10 Millimeter höher und möglichst ruhig natürlich, während der Act der Entladung vor sich ging. So erhielt ich Schattenbilder. Zur Darstellung der Lichtbilder legte ich den Kartonschirm in gleicher Höhe etwa auf drei Siegellackstücken hin. Wandte ich statt des letzteren ein Drathnetz mit weiten Maschen an, so zeichneten sich diese sehr deutlich auf der bestaubten Fläche ab. Sämmtliche Bilder boten im Uebrigen, zumal in Ansehung ihrer Form, die früher genannten Eigenthümlichkeiten dar.

Wenn die Spitze zur Fläche eine schräge Stellung hat.

Giebt man der Spitze zur Hohlscheibe eine schräge Stellung, so verliert die leuchtende Fläche mehr und mehr ihre kreisförmige Gestalt. Sie wird jedoch nicht grade eliptisch; es stellt sich vielmehr an jener Seite, wo die Stange mit der Fläche den kleinsten Winkel macht, eine Abplattung mit verstärkter Helligkeit ein, während sich für die gegenüberliegende Seite eine Ausbauchung mit umgekehrt verminderter Helligkeit ergiebt. Auf die hieraus resultirende Verzerrung der Schatten- und Lichtbilder soll hier nicht weiter eingegangen werden.

Eine ähnliche, aber scheinbar viel stärkere Wirkung übt die schräge Haltung gedachten Leiters über einer bestaubten Ebonitscheibe aus. Schon bei geringer Neigung stellt sich statt der Ringfigur eine eigenthümliche parabolische Zeichnung ein. Bei einer Neigung von 40° etwa erhält man eine grade Linie, welche bei weiterer Neigung wieder in gekrümmte Linien nach entgegengesetzter Richtung überschlägt. Selbige Zeichnungen sind freilich streng genommen mehr bandförmig als linear, auch nicht scharf begränzt, sondern mit verwaschenen Säumen. Die größere Schwärzung der Scheibe findet sich allemal an jener Seite, nach welcher die Spitze zeigt, während an der entgegengesetzten das Band die weißeste Färbung hat. Auch hier sollen die verzerrten Zeichnungen eines interpolirten Gegenstandes nicht weiter betrachtet werden.

Einige weitere Versuche mit negativem Resultat.

Ich stellte in das Strahlengebiet zwei Thermometer, das eine mit leitender Kugeloberfläche versehen, hoffend, daß sich an diesem die größere Abstoßung der Strahlen durch eine geringere Wärmewirkung documentiren sollte. Es ergab sich jedoch an beiden Instrumenten, voraussichtlich, weil sie zu wenig empfindlich waren, nur eine so schwache Erwärmung, daß der fragliche Unterschied nicht deutlich genug war.

Ich stellte einen Elektromagneten in nächster Nähe des Strahlengebietes auf in der Erwartung, daß sich bei Schließung des Stromes eine Ablenkung der Strahlen ergeben würde. Selbige documentirte sich jedoch weder in der Verschiebung der leuchtenden Fläche, noch des Schattenbildes, vermuthlich, weil eine Ablenkung bei so langsamer Elektricitätsbewegung überhaupt nicht resultiren kann.

Ich suchte analoge Erscheinungen in isolirenden Flüssigkeiten zu gewinnen, indem ich in einem mit einer solchen Flüssigkeit gefüllten größeren Gefäße eine Spitze einer Scheibe gegenüberstellte. Es entstand jedoch kein Glimmlicht, weder, wenn ich die Scheibe mit Seide bedeckte, noch wenn ich zur Flüssigkeit, um sie leitender zu machen, geringe Mengen einer besser leitenden Flüssigkeit gab. Ich mischte der Flüssigkeit nun gewisse pulverartige Stoffe bei, weil sich aus andern Versuchen ergeben hatte, daß solche durch elektrische Einwirkung die eine oder die andere Elektrode überziehn*). Aber auch hier trat in dem fraglichen Ueberzuge bei Interpolirung eines Gegenstandes nicht die erwartete Schattenbildung hervor.

Ueber den Zusammenhang zwischen dem allgemeinen und den particulären Integralen von Differentialgleichungen.

Von

L. Koenigsberger in Wien.

Der Fundamentalsatz in der Theorie der homogenen linearen Differentialgleichungen liefert bekanntlich das allgemeine Integral derselben als eine additive Verbindung mit willkührlichen Constanten multiplicirter particulärer Integrale, und grade auf diesem Satze beruht die Möglichkeit der Discussion der Integrale linearer Differentialgleichungen. Eine wichtige und für die Entwicklung der Theorie der allgemeinen Differentialgleichungen unumgängliche Frage ist nun die nach der Beziehung des allgemeinen Integrales zu den particulären für beliebige algebraische Differentialgleichungen oder vielmehr die nach den Bedingungen für die Existenz einer solchen algebraischen Relation, eine Frage, deren Beantwortung sich angreifen läßt vermöge derjenigen Untersuchungen und Sätze über Differentialgleichungen, welche ich in der letzten Zeit in meinen Arbeiten über die Er-

*) Meine desbezüglichen Versuche finden sich in den Mittheilungen des naturwissenschaftlichen Vereins für Neuvorpommern und Rügen vom Jahre 1880 ausführlich mitgetheilt.

weiterung des Abel'schen Theorems auf beliebige Differentialgleichungen und über algebraische Integrale nicht homogener linearer Differentialgleichungen (Crelle's Journal B. 90. H. 2, 3, 4) veröffentlicht habe.

Es mag noch erwähnt werden, daß den Kernpunkt dieser Ueberlegungen die Frage nach der Anzahl der einer algebraischen Differentialgleichung zugehörigen selbständigen transcendenten Integrale bildet, und daß in die Klasse dieser Untersuchungen auch jene merkwürdigen Sätze von Poisson und Jacobi gehören, nach welchen man aus zwei Integralen eines mechanischen Problems alle finden kann.

Ich erlaube mir im Folgenden einige Punkte aus einer Arbeit über diesen Gegenstand hervorzuheben, die ich in Kurzem zu veröffentlichen beabsichtige.

Die Discussion für die lineare Differentialgleichung erster Ordnung

$$\frac{dy}{dx} + yf(x) = \varphi(x)$$

läßt sich unmittelbar anstellen, da das allgemeine Integral in expliciter Form bekannt ist, und führt zu der Bedingung, daß entweder $f(x)$ das logarithmische Differential einer algebraischen Function sein muß, oder daß die Differentialgleichung ein particuläres algebraisches Integral besitzt, in beiden Fällen ist die Relation zwischen dem allgemeinen und einem particulären Integrale eine lineare mit constanten Coefficienten von der Form

$$Ay + A_1 y_1 = \omega(x).$$

Die entsprechende Frage für beliebige lineare nicht homogene Differentialgleichungen wird einerseits auf die Existenz von nur algebraischen Integralen der reducirten Differentialgleichung andererseits auf die Untersuchung der Irreductibilität einer Differentialgleichung höherer Ordnung zurückgeführt.

Legt man nunmehr eine allgemeine algebraische Differentialgleichung

$$f\left(x, y, \frac{dy}{dx}, \frac{d^2y}{dx^2}, \dots \frac{d^my}{dx^m}\right) = 0$$

zu Grunde, welche in dem von mir in meiner Arbeit »allgemeine Bemerkungen zum Abel'schen Theorem« angegebenen Sinne als irreductibel vorausgesetzt wird, so gilt der Satz:

Besteht zwischen $\mu + 1$ Integralen der Differentialgleichung eine algebraische Beziehung

$$y = F(x, y_1, y_2, \dots y_\mu, c_1, c_2, \dots c_m),$$

in welche auch die Variable x und die in der Differentialgleichung etwa vorkommenden algebraischen Irrationalitäten eintreten dürfen, so wird diese algebraische Beziehung erhalten bleiben, wenn man statt eines der Integrale ein beliebiges anderes particuläres Integral, für die μ übrigen Integrale aber bestimmte andere particuläre Integrale jener Differentialgleichung substituirt.

und hieran sich schließend:

Läßt sich in einer algebraischen irreductibeln Differentialgleichung $m$ter Ordnung das allgemeine Integral als algebraische Function der unabhängigen Variabeln x, eines particulären Integrales und m willkührlicher Constanten ausdrücken, so erhält man wieder einen Ausdruck für das allgemeine Integral der vorgelegten Differentialgleichung, wenn man für das particuläre Integral ein beliebiges anderes eben dieser Differentialgleichung substituirt.

Endlich folgt allgemein mit Hülfe dieser Sätze, *daß die Relation*

$$y = F(x, y_1, y_2, \ldots y_\mu, c_1, c_2, \ldots c_m)$$

die folgenden nach sich zieht:

$$y_1 = F\left\{x, F(x, y_1, y_2 \ldots y_\mu, k^{(1)}_{11} \ldots k^{(1)}_{1m}), \ldots F(x, y_1, y_2 \ldots y_\mu, k^{(1)}_{\mu 1} \ldots k^{(1)}_{\mu m}), c_1, c_2 \ldots c_m\right\}$$

$$y_2 = F\left\{x, F(x, y_1, y_2 \ldots y_\mu, k^{(2)}_{11} \ldots k^{(2)}_{1m}), \ldots F(x, y_1, y_2 \ldots y_\mu, k^{(2)}_{\mu 1} \ldots k^{(2)}_{\mu m}), c_1, c_2 \ldots c_m\right\}$$

. . . .

$$y_\mu = F\left\{x, F(x, y_1, y_2 \ldots y_\mu, k^{(\mu)}_{11} \ldots k^{(\mu)}_{1m}), \ldots F(x, y_1, y_2 \ldots y_\mu, k^{(\mu)}_{\mu 1} \ldots k^{(\mu)}_{\mu m}), c_1, c_2 \ldots c_m\right\}$$

und daß diese Gleichungen in den Größen $y_1, y_2, \ldots y_\mu$ identisch sein müssen mit Beibehaltung willkührlicher Werthe von $c_1, c_2, \ldots c_m$ und der von diesen abhängigen k-Größen.

Es wird sodann die Anwendung dieser Sätze und bestimmter Methoden auf die Untersuchung der Differentialgleichungen erster Ordnung von der Form

$$\frac{dy}{dx} = f(x, y)$$

gemacht, worin $f(x, y)$ eine algebraische Function von x und y bedeutet; man findet, daß das allgemeine Integral, wenn dasselbe eine ganze oder rationale gebrochene Function eines particulären Integrales mit variabeln Coefficienten sein soll, nur eine lineare ganze oder gebrochene Function sein kann; der erste Fall führt wieder auf die linearen Differentialgleichungen zurück, der zweite, constante Coefficienten der linearen Relation vorausgesetzt, umfaßt alle Differentialgleichungen von der Form

$$\frac{dy}{dx} = P(Ay^2 + By + C)$$

und nur diese, worin A, B, C Constanten und P eine willkührliche algebraische Function von x bedeutet; sind dagegen die Coefficienten der linearen Beziehung algebraische Functionen von x und der Integrationsconstanten, so wird die Form der Differentialgleichung

$$\frac{dx}{dy} = A_1 y_1^2 + B_1 y_1 + C_1$$

sein müssen, wenn A_1, B_1, C_1 algebraische Functionen von x sind, und man findet für den Fall der Existenz zweier algebraischer Integrale der Differentialgleichung in der That jene lineare Relation, wenn überhaupt ein transcendentes Integral existirt, in allen anderen Fällen kann die Frage wieder auf eine Irreductibilitätsuntersuchung zurückgeführt werden. Soll die Relation zwischen dem allgemeinen und einem particulären Integrale eine beliebige algebraische sein, in welche die unabhängige Variable nicht eintritt, so folgt für die Differentialgleichung die Form

$$\frac{dy}{dx} = \mu(x)\,\lambda(y),$$

worin $\mu(x)$ eine beliebige algebraische Function von x und $\frac{dy}{\lambda(y)}$ ein Differential erster Gattung vom Geschlechte 1 ist.

Wien 1. December 1880.

Ueber congenitale Verwachsung am Thallus der Pollexfenieen.

Von

P. Falkenberg.

(Vorgelegt von H. Graf zu Solms-Laubach.)

Wo die bisher an Rhodomeleen angestellten Untersuchungen die Art ihres Spitzenwachsthums mit Sicherheit eruirt haben, beruht dasselbe auf der Segmentation einer einzigen Scheitelzelle und auch bei solchen Gattungen, deren Thallus breit-bandförmig gestaltet ist, wie bei Rytiphloea, Amansia, Vidalia, Kützingia, Lenormandia, Polyphacum und Neurymenia kommt die spätere flache Gestalt erst durch die vorzugsweise in Richtung der Breite stattfindende Entwicklung der Segmente einer einzigen Scheitelzelle zu Stande. Unter diesen Verhältnissen war ich nicht wenig überrascht, in den Pollexfenieen [Pollexfenia, Jeannerettia, — Placophora*)] einer Formengruppe zu begegnen, deren Thallus an seinem ganzen einschichtigen Vorderrande vermittelst einer Scheitelkante wächst. Und dieser Wachsthumsmodus erscheint dadurch noch complicirter, daß die Randzellen augenscheinlich sich nicht alle übereinstimmend in ihren Theilungen verhalten: die einen werden offenbar längere Zeit hindurch nur durch untereinander parallele Wände gefächert und führen so zur Bildung von Segmentreihen, welche radial auf den wachsenden Thallusrand gestellt sind; an anderen Stellen des Randes erscheint die radiale Anordnung der Segmente verwischt und die Zelltheilungen verlaufen unregelmäßiger. — Die genauere Untersuchung zeigte, daß man es in der That bei den drei genannten Gattungen gar nicht mit einer einheitlichen Scheitelkante von gleichwerthigen Initialen zu thun hat, in der Weise, wie es etwa bei Taonia, Padina oder Peyssonnelia der Fall ist, sondern daß die randständigen Scheitelzellen insofern ungleichwerthig sind, als der wachsende Rand des flachen Thallus von den Scheitelzellen ungleichwerthiger Aeste

*) Die Untersuchung wurde ausgeführt an Exemplaren von Pollexfenia pedicellata, Jeannerettia lobata und Placophora Binderi des Straßburger und Göttinger Universitäts-Herbars, deren Ueberlassung zu Untersuchungszwecken ich der außerordentlichen Freundlichkeit der Herren Professoren de Bary und Graf Solms verdanke.

eines reich verzweigten Polysiphonia-artigen Sproßsystems gebildet wird, dessen sämmtliche Verzweigungen in einer Ebene liegend ihrer ganzen Länge nach congenital mit einander verwachsen sind.

Von der Voraussetzung congenitaler Verwachsung ausgehend ist es leicht, jeden einzelnen entwicklungsgeschichtlichen Vorgang mit gleichen Vorgängen in dem Wachsthum der typischen Rhodomeleen zu identificiren. Am klarsten lassen sich die Entwicklungsverhältnisse an solchen Stellen des wachsenden Thallusrandes übersehen, wo eine Scheitelzelle durch parallele Wände eine Reihe von Segmenten abgliedert, d. h. da, wo ein Zweig, ohne sich zu verästeln, in die Länge wächst. Ein jedes Segment theilt sich in der für Polysiphonia bekannten Weise successive durch excentrische Wände in eine centrale Zelle und pericentrale Zellen, so daß sich für jeden einzelnen der zum flachen Thallus verwachsenen Zweige der Pollexfenieen die gleiche Structur ergiebt, wie für einen Polysiphoniazweig. In Bezug auf die durch den ganzen Thallus constant sich wiederholenden Zahlen- und Lagerungsverhältnisse der Pericentralzellen unterscheiden sich die beiden aufrecht wachsenden Gattungen Pollexfenia und Jeannerettia von dem schuppenförmig niederliegenden Placophora-Thallus.

Für Pollexfenia und Jeannerettia beschreibt Agardh den ganzen Thallus als aus drei Schichten zusammengesetzt: einer vorderen und einer hinteren oberflächlichen einschichtigen Zelllage und drittens einem System von hyalinen Zellen, welches fächerförmig sich ausbreitend zwischen den beiden oberflächlichen Zellschichten verläuft und auf dessen Durchschimmern die fächerförmige

Nervatur des Thallus beruht. An der Bildung dieser drei Zellschichten betheiligen sich die Zellen eines Segmentes derart, daß die Centralzelle die sogenannte Nervatur des Thallus bilden hilft, deren Verlauf somit kein regelloser ist, sondern die Lage der einzelnen mit einander verschmolzenen Thalluszweige angiebt.

Von den vier Pericentralzellen der Gattungen Pollexfenia und Jeannerettia gehören immer zwei der vorderen, die beiden anderen der hinteren Oberflächenschicht des Gesammtthallus an. Später theilt sich jede Pericentralzelle in zwei bis vier Zellen, welche nebeneinander in der Ebene der Thallusfläche liegen. Die Brechung der Wände, die mit der Streckung der Zellen verbunden ist, läßt zuletzt die Lage der oberflächlichen Zellen völlig unregelmäßig erscheinen.

Bei Placophora bleiben die Pericentralzellen dagegen zeitlebens unverändert erhalten, und indem so die Umrisse der Gewebepartbieen, welche aus einem Scheitelzellsegment hervorgehen, deutlicher als Ganzes erhalten bleiben, wird den »frondes longitudinaliter flabellatim striatae et zonis subconcentricis transversim zonatae« (Ag.) ihr charakteristischer Habitus bewahrt. An der Bildung der beiden oberflächlichen Zellschichten betheiligen sich die stets in Fünfzahl vorhandenen Pericentralzellen von Placophora in der Weise, daß zwei derselben der unteren, dem Substrat zugewendeten Thallusseite angehören, während die drei anderen an der Oberseite des Thallus liegen. In dieser constanten Verschiedenheit der Vertheilung der fünf Pericentralzellen liegt das einzige Merkmal dorsiventraler Ausbildung bei Placophora. *)

*) Nach dieser Darstellung sind die Angaben der

Nachdem einmal constatirt ist, daß aus der Thätigkeit einer Randscheitelzelle, welche eine ununterbrochene Reihe von Segmentzellen durch parallele Wände abgliedert, eine Gewebemasse hervorgeht, welche in allen Einzelheiten ihrer Entwicklung mit einem unverzweigten Polysiphonia-Ast übereinstimmt, ist es leicht, auch die unregelmäßigeren Theilungsvorgänge in anderen Scheitelzellen des Pollexfenieen-Thallus zu deuten.

Der abweichende Habitus der zweiten Kategorie von Scheitelzellen rührt lediglich daher, daß in dem jüngsten Segment unmittelbar unterhalb der Scheitelzelle eine Verzweigung stattfindet. Aus der Entwicklungsgeschichte der Polysiphonien ist bekannt, daß an einem sich verästelnden Sproß die Scheitelzelle nicht durch parallele Wände gefächert wird, sondern daß die Scheidewände derartig geneigt auftreten, daß die astbildenden Segmente bereits bei ihrer Entstehung auf der Seite, die künftig den Ast erzeugen soll, eine größere Höhe besitzen als auf der gegenüberliegenden Seite. Wenn schon diese geneigte Wand die Form der Scheitelzelle an astbildenden Thallussprossen modificirt, so geschieht das noch in höherem Grade dadurch, daß die Spitze des neugebildeten Astes sich seitlich neben der Scheitelzelle des Muttersprosses vorbeidrängt und indem sie ihre Scheitelzelle zwischen die schon vorhandenen randständigen Zellen des wachsenden Thallus einschiebt, einen mechanischen Druck auf die Nachbarzellen ausübt und formändernd auf sie einwirkt.

Autoren über den Bau von Placophora Binderi zu berichtigen: Agardh hält den Thallus von Pl. für einschichtig; Kützing giebt in den Tab. phyc. Vol. XV tab. 4 unter Micramansia Binderi die Abbildung eines schön regelmäßig zweischichtigen Querschnittes mit Wurzeln.

Die Verzweigung an den Spitzen der verwachsenen Einzelsprosse erfolgt in äußerst regelmäßiger Weise und zwar tritt sie nicht nur an den Hauptsprossen auf, sondern sie wiederholt sich in derselben Weise auch an den Seitenästen, nachdem diese, ohne sich zu verzweigen, eine gewisse Länge erreicht haben. In der Stellung der Zweige zeigen sich constante Unterschiede zwischen Pollexfenia und Jeannerettia einerseits und Placophora andrerseits.

In der letzteren Gattung findet die Verästelung so statt, daß jedes Segment eines Zweiges, an dem die Astbildung bereits begonnen hat, sich verzweigt, so lange das Segment noch ungetheilt ist, und zwar stehen die Aeste so angeordnet, daß sie in Paaren zu zweien vereinigt am Stamm nach rechts und links alterniren. Die Segmente n und $n+1$ entwickeln z. B. ihre Aeste nach links, $n+2$ und $n+3$ nach rechts und diese Form des Alternirens kehrt an allen in lebhaftem Wachsthum begriffenen Zweigspitzen wieder.

Anders verhält sich die Sache bei Pollexfenia und Jeannerettia. Hier wird jedes zweite Segment bei der Astbildung übersprungen, so daß die Aeste einfach alterniren; das Segment n erzeugt einen nach links gewendeten Ast, $n+2$ einen Ast nach rechts, die Segmente $n+1$ und $n+3$ bilden keine Aeste. Aber die anfänglich bei der Astbildung übersprungenen Segmente bleiben darum bei Pollexfenia und Jeannerettia doch nicht dauernd unverzweigt; denn nachdem die Segmente sich bereits in Centralzelle und vier Pericentralzellen getheilt haben, erzeugen sie nachträglich endogen einen Ast, indem die Zentralzelle seitlich auswächst. Die endogenen Aeste brechen gleichfalls alternirend aus der vorderen und der hinteren Fläche des Thallus hervor.

Wenn man für die beiden verschiedenen Verzweigungsweisen der drei betrachteten Gattungen nach Analogieen unter den Rhodomeleen mit nicht verwachsenen Verzweigungen sucht, so würde z. B. Polysiphonia dendritica mit ihren nach rechts und links alternirenden exogenen Astpaaren den Verzweigungsmodus von Placophora wiederholen. Die Verzweigung von Pollexfenia und Jeannerettia dagegen entspricht derjenigen von Polyzonia. Denn bei dieser Gattung ist gleichfalls jedes zweite Segment von der exogenen Astbildung ausgeschlossen und erst nachträglich entwickeln sie auf endogenem Wege einen Ast*). Daß die Richtung, welche die Entwicklung der endogenen Aeste bei Pollexfenia und Jeannerettia nimmt, eine andere ist, wie bei Polyzonia, und dieselbe nicht mit den exogen entstandenen Aesten in eine Ebene fällt, dürfte wohl nur dem Umstand zuzuschreiben sein, daß die congenitale Verwachsung der exogenen Aeste die später entwickelten endogenen Zweige zwingt, den nächsten Weg einzuschlagen, um über die Thallusoberfläche hervorzubrechen.

Wenn es nach dem bisher Gesagten noch eines Beweises bedürfen sollte, daß man in der That berechtigt ist, den Pollexfenieen-Thallus als ein congenital verwachsenes System von Polysiphonia-artigen Sprossen zu deuten, so bedarf es nur des Hinweises auf zwei Punkte, um jeden Zweifel schwinden zu lassen.

Erstens entwickeln sich die endogenen Zweige von Pollexfenia und Jeannerettia, welche nicht

*) Ambronn, Sproßbildung bei Vidalia, Amansia u. Polyzonia: Sitzungsber. des Bot. Ver. für Brandenburg. Vol. XXII. pag. 76 (25. Juni 1880.)

in die Verwachsung der exogen entstandenen Aeste hineingezogen werden, nach Art normaler Polysiphonien. An der Beweiskraft dieser Thatsache wird nichts geändert durch den Umstand, daß die endogenen Zweige, — weil nur zu Trägern der Fortpflanzungsorgane bestimmt, — keine bedeutenden Dimensionen erreichen, sondern ihr Spitzenwachsthum früh einstellen, wie das ja auch bei den zu Stichidien werdenden endogenen Aesten der Polyzonia geschieht.

Zweitens geben aber bei Placophora zur Zeit der Fruktifikation die fruchtenden Zweige ihr bis dahin congenitales Wachsthum auf und wachsen direct als isolirte Aeste weiter, an denen die Bildung der Fortpflanzungsorgane in der für die Rhodomeleen charakteristischen Weise stattfindet*).

Das Vorkommen der congenitalen Verwachsung, das bei dem bilateral resp. dorisventral gebauten flachen Thallus der Pollexfenieen nachzuweisen, keiner Schwierigkeit unterliegt, macht es mir zweifellos, daß der eigenthümliche Bau des Digenea-Thallus, dessen Entwicklungsgeschichte bisher noch nicht hat klar gelegt werden können, der gleichen Erscheinung seinen Ursprung verdankt, wenngleich bei der allseitigen Verzweigung des radiär gebauten Thallus der directe Nachweis congenitaler Verwachsung noch nicht hat gelingen wollen. In Bezug auf Digenea sagt Haufe**): »Ich glaube daher, daß

*) Ob die Fruchtbildung bei Placophora an beliebigen Aesten des Thallus auftreten kann oder etwa localisirt ist auf das jüngere Glied eines Astpaares, wie sie bei Jeanneretia u. Pollexfenia immer auf jeden zweiten (endogenen) Ast beschränkt auftritt, habe ich bisher nicht zu constatiren vermocht.

**) In seiner ebenso inhalts- wie formlosen Disser-

der Stamm nicht durch eine Scheitelzelle oder vielleicht durch Theilung eines Zellen-Complexes entsteht, sondern vielmehr dadurch, daß die sehr zahlreichen Aeste, deren jüngere immer zwischen den älteren hervorwachsen, förmlich zusammengeschweißt als einheitliches Ganzes das Zellgewebe des Stammes bilden; ... für die Annahme einer anderen besseren Ansicht fand ich keine Gründe.« Nach dem Auffinden des Wachsthumsmodus der Pollexfenieen glaube ich gleichfalls, daß die Polysiphonia-artigen Aeste von Digenea, welche sich frei von der fleischigen Thallusaxe erheben, gleichwerthig sein dürften den isolirt auswachsenden Aesten von Placophora. Aber die Scheitelzellen der nicht isolirt auswachsenden Aeste, welche sich zwischen den Basen der freien Asttheile vorfinden müßten, haben sich bisher noch consequent der Beobachtung entzogen.

Ob die provisorische Vereinigung der Gattung Placophora mit den näher miteinander verwandten Gattungen Pollexfenia und Jeannerettia auf Grund des gemeinsamen Merkmals der congenitalen Verwachsung eine dauernde bleiben kann oder ob nicht vielleicht die erstere naturgemäßer an die Gattung Polysiphonia, die beiden letzteren Gattungen an Polyzonia angereiht werden müssen, mag augenblicklich noch zweifelhaft sein. Unzweifelhaft dagegen ist es, daß eine Gattung, welche Agardh in die Tribus der Pollexfenieen eingeordnet hat, aus derselben entfernt werden muß: die Gattung Martensia hat nicht nur mit den Pollexfenieen, sondern überhaupt mit den Rhodomeleen gar nichts zu thun und muß in Zukunft ihren Platz unter

tation: Beiträge zur Kenntniß der Anatomie und theilweise der Morphologie einiger Florideen. 1879. pag. 21.

den Delesserieen finden. Und dasselbe Loos steht noch mancher Species und Gattung bevor, die bisher unbeanstandet unter den Rhodomeleen aufgezählt worden ist.

December 1880.

Bei der Königl. Gesellschaft der Wissenschaften eingegangene Druckschriften.

November 1880.

Kais. Akad. d. Wiss. z. Wien. 1879—80:

Denkschriften. Philos.-historische Classe. B. 30. 4°.
— Mathemat.-naturwissensch. Classe. Bd. 41. 4°.
Sitzungsberichte, math.-naturwiss. Classe. I. Abth. Bd. 79. H. 1—5. Bd. 80. H. 1-5. — II. Abth. Bd. 79. H. 4—5. Bd. 80. H. 1—5. Bd. 81. H. 1—3. — III. Abth. Bd. 80. H. 1—5. Bd. 81. H. 1-3.
— philosoph.-histor. Classe. Bd. 94. H. 1—2. Bd. 95. H. 1—4. Bd. 96. H. 1.
Fontes rerum Austriacarum. Bd. 42.
Archiv für österreichische Geschichte. Bd. 59. H. 1-2. Bd. 60. H. 1.

Zeitschr. f. Meteorologie. Bd. XV. Nov. 1880. redig. v. Hann.
Abhandlungen der K. Akademie der Wissensch. zu Berlin. Aus d. J. 1879.
Atti della Società Toscana di scienze natur. Vol. IV. fasc. 2.
R. Lipschitz, Principes d'un calcul algébrique qui contient comme espèces particulières, le calcul des quantités imaginaires et des quaternions. Paris. 4°.
F. Rammelsberg, über Zusammensetzung des Descloizitz u. Pollucits. Leopoldina. H. XVI. Nr. 19—20.
Monthly Notices of the R. Astronomical Society. Vol. XL.

Kgl. Akademie d. Wiss. in München. 1880:

Abhandlungen der histor. Cl. Bd. 15. 1-2. Abth.
— der philosoph.-philol. Cl. Bd. XV. 2.
— der mathem.-phys. Cl. Bd. XIII. 3.
Sitzungsberichte. Mathem.-physik. Classe. H. 4.
— philosoph.-philolog. u. histor. Cl. H. 3.
I. v. Döllinger, das Haus Wittelsbach.
L. Rockinger, die Pflege der Geschichte durch die Wittelsbacher.
K. A. Zittel, über d. geolog. Bau d. lybischen Wüste.

A. v. Druffel, Ignatius von Loyola an d. Römisch. Curie.
Meteorol. u. magnetische Beobachtungen der K. Sternwarte. J. 1879.

Nature. 576—578.
Journal de l'École polytechnique. T. XXVIII. 4°.
Mémoires de l'Académie de Montpellier. Sect. Sciences. T. IX. 3. Fasc. — Lettres. T. VI. 4ième Fasc. — Médecine. T. V. 2. Fasc. 4°.
Mittheilungen der deutschen Gesellschaft für Natur- und Völkerkunde Ostasiens. August 1880. Yokohama. 4°.
Mittheilungen des histor. Vereins für Steiermark. XXVIII. Heft. Graz 1880.
Beiträge zur Kunde steiermärk. Geschichtsquell. Jahrg. 17.
Festschrift zur Erinnerung der Erhebung Steiermarks zum Herzogthum. Graz 1880.
Monatsbericht der Berliner Akad. d. Wiss. August 1880.
Erdélyi Muzeum. 9 SZ. VII. évfolyam. 1880.
57. Jahresbericht der Schlesisch. Gesellschaft. f. vaterländ. Cultur im J. 1879.
Bulletin de l'Acad. Imp. des Sciences de St Petersbourg. T. XXVI. Nr. 3.
Movimento della Navigaziono nei porti del regno. Parte I. Anno XIX. 1879. Roma. — Appendice. A. XIX. 1879.
J. A. Allen, History of North American Pinnipeds. Washington 1880.
Quellen zur Geschichte Siebenbürgens. Bd. I. Hermannstadt 1880.
Danzig in naturwiss. u. medic. Beziehung. Danzig 1880.
Memorie dell' Accademia delle Scienze dell' Istituto di Bologna. Serie III. T. X. Fasc. 3. 4. Bologna 1880. 4°.
Memorie del R. Istituto Lombardo. Classe di lettre e scienze morali e politiche. Vol. XIV. V della Serie III. Fasc. 1. Milano. 1880. 4°.
R. Istituto Lombardo. Rendiconti. Serie II. Vol. XII. 1879.
Jahrbücher des Nassauischen Vereins für Naturkunde. Jahrg. XXXI u. XXXII. 1878—79.
Proceedings of the Zoological Society of London. P. III. 1880.
Briefwechsel zwischen Gauß u. Bessel. Leipzig 1880.
XVI. u. XVII. Jahresbericht des Vereins für Erdkunde zu Dresden. (Wissenschaftl. u. geschäftl. Theil.) Nachträge.

Für die Redaction verantwortlich: *E. Rehnisch*, Director d. Gött. gel. Anz.
Commissions-Verlag der *Dieterich'schen Verlags-Buchhandlung.*
Druck der *Dieterich'schen Univ.-Buchdruckerei (W. Fr. Kaestner).*

Nachrichten

von der Königl. Gesellschaft der Wissenschaften und der G. A. Universität zu Göttingen.

22. December. **№ 21.** 1880.

Königliche Gesellschaft der Wissenschaften.

Sitzung am 4. December.

Mittheilungen über die Universitäts-Bibliothek aus den Jahren 1876—1879.

I.

Im Personale, unter den ständigen Beamten sowohl wie den Hülfsarbeitern, haben zahlreiche Veränderungen stattgefunden.

Zunächst verlor die Bibliothek drei der älteren Beamten durch den Tod. Am 22. Decbr. 1876 starb der erste Secretär Professor Dr. Friedrich Wilhelm Unger, der, geb. am 8. April 1810, 1843 Accessist und 1845 Secretär geworden, durch seine vielseitige, weit über die von ihm auch schriftstellerisch vertretenen Fächer der Jurisprudenz und Kunstgeschichte hinausgehende wissenschaftliche Bildung und sein humanes und feines Wesen eine Zierde ersten Ranges für die Bibliothek war. Am 14. August 1878 starb der Unterbibliothekar und Rath Dr. Eduard Christian Friedrich Stromeyer; geb. am 18. Oct. 1807, war er 1838, nachdem er das medicinische Studium absolvirt, als Accessist eingetreten und seit 1872 Unterbibliothekar; er wird den zahlreichen Benutzern der Bibliothek in dauernder Erinnerung bleiben durch die Gewissenhaftigkeit und Sachlichkeit, mit der er das Amt des Ausleihebeamten viele Jahre hindurch verwaltete, während seine Fachbildung der Bibliothek durch die lange Zeit von ihm besorgte Fortführung der medicinischen Realkataloge zu Gute kam. Am 1. Sept. 1879 starb Dr. Otto August Kunze; geb. am 9. April 1820, studierte er Theologie und wurde 1845 Hülfsarbeiter und 1847 Secretär; er führte als solcher die theologischen Realkataloge und begann die Umarbeitung der biblischen Litteratur und vollführte diese und andere gelegentliche Arbeiten mit großer Genauigkeit. Endlich ist nicht unerwähnt zu lassen der Tod des hochverdienten früheren Oberbibliothekars, Hofrath und Professor Dr. Karl Friedrich Hoeck, der am 10. Jan. 1877 erfolgte; 1814 als Accessist eingetreten, wurde er 1815 Secretär und 1858 Oberbibliothekar, nachdem er bereits seit Benekes Tode (1845) die Verwaltung geführt hatte; 1875 trat er nach sechzigjähriger Thätigkeit an der Bibliothek in den Ruhestand.

Außer diesen durch den Tod abgerufenen Beamten verlor die Bibliothek noch zu Anfang 1876 den vierten Secretär Dr. jur. Emil Steffenhagen, der seit 1. Octbr. 1872 hier angestellt war und als Vorstand der Universitätsbibliothek nach Kiel übersiedelte.

Diese Lücken wurden durch das Aufrücken der übrigen Secretäre und die Anstellung jüngerer Kräfte wieder ausgefüllt. Die Secretäre Dr. Müldener, Dr. Gilbert, Dr. Ehrenfeuchter rückten auf, während als solche neu eintraten Dr. Ludwig Schemann, geb. am 16. Oct. 1852, 1. Jan. 1876 Hülfsarbeiter, 1. Febr. desselben Jahres Secretär, und Dr. Carl Boysen, geb. 14. Febr. 1852, 1. Sept. 1876 Hülfsarbeiter, 1. April 1878 Custos, beide Philologen.

Als Hülfsarbeiter wurden beschäftigt: Alfred Graser, vom 1. Juli 1875 bis Ende 1876, wurde zum Secretär an der Königl. Landesbibliothek zu Wiesbaden ernannt; Dr. jur. Emil Brunnenmeister, vom 1. Oct. 1877 bis zum 30. April 1878, jetzt Professor der Rechte an der Universität Zürich; Dr. Wilhelm Velke, vom 1. Dec. 1877 bis zum 30. Sept. 1878, jetzt Stadtbibliothekar zu Mainz; Dr. Franz Wolny, vom 1. Oct. bis zum 30. Nov. 1878; Dr. Gustav Heylbut und Dr. jur. Emil Lutz befanden sich, ersterer seit 1. Mai 1878, der zweite seit 1. Jan. 1879, noch am Schlusse des Jahres 1879 in dieser Stellung.

Auf kurze Zeit wurden außerdem einige junge Männer als Volontäre beschäftigt. Der Zudrang zur Beschäftigung an der Bibliothek war ein großer, aber leider gestattete der Raum in den meisten Fällen nicht, auf die Wünsche der Bewerber einzugehen, deren mehr als vierzig entweder wegen des Raummangels abgewiesen werden mußten oder zurücktraten, weil keine Aussicht auf ein baldiges Avancement vorhanden war.

Eine dauernde Einbuße an Arbeitskräften erlitt die Bibliothek dadurch, daß der Geheime Regierungsrath Professor Dr. Grisebach, der seit Anfang 1845 derselben wöchentlich einige Arbeitsstunden widmete und hauptsächlich die Eintragung der wissenschaftlichen Litteratur in die Realkataloge besorgte, sich mit dem Anfange des Jahres 1877 aus dieser Thätigkeit zurückzog, andererseits das Repetentencollegium, dessen Mitglieder zur Betheiligung am Saaldienste in der Bibliothek verpflichtet waren, um dieselbe Zeit aufgelöst wurde; diese Betheiligung war allerdings in der letzten Zeit in Folge der persönlichen Verhältnisse der Mitglieder eine unregelmäßige geworden, doch hat der Licentiat Ferdinand Kattenbusch, gegenwärtig Professor der Theologie zu Gießen, in den Jahren 1876 u. 1877 wiederholt freiwillig, wenn Lücken in dem Personale eingetreten waren, Aushülfe gewährt.

Durch Verfügung vom 17. Juli 1876 wurde eine Instruction für die Beamten erlassen und denselben zugleich die Amtsbezeichnung als Custoden an Stelle der bisherigen als Secretäre beigelegt, dabei jedoch für den ersten Custos der Charakter als Bibliothekar, für den zweiten der als Unterbibliothekar beibehalten.

II.

Die laufenden Arbeiten, die der Natur der Sache nach in ihren Hauptzweigen stehend sind, wurden demgemäß im wesentlichen fortgeführt wie bisher, aber im Einzelnen zugleich genauer und einfacher eingerichtet, damit sie ihrem Zwecke besser entsprächen und auch mit der Zeit eine Zeit- und Arbeitsersparniß davon erwartet werden könne. Daß letztere sich in den Jahren 1876 bis 1879 noch wenig bemerklich gemacht hat, rührt theils daher, daß das Personal sich in die geänderten Einrichtungen einleben mußte, indem darauf gehalten wurde, daß wenigstens die jüngeren Beamten sämmtliche Zweige des Dienstes durch praktische Bethätigung genau kennen lernten, theils daher, daß das Personal stark wechselte und daß mit den Abänderungen selbst weitläuftige und zeitraubende Geschäfte verbunden waren.

Die Umgestaltungen betrafen vorzugsweise das Manual, das in ein einheitliches, chronologisch geordnetes Zugangsverzeichniß, dessen einzelnen Nummern alle wünschenswerthen Vermerke beigefügt sind, verwandelt wurde, und die sog. Accessio, an deren Stelle ein bibliographisch exacter Zettelkatalog für alle abgeschlossenen Werke gesetzt wurde; dieser soll später rückwärts ergänzt werden und den alphabetischen Hauptkatalog der Bibliothek bilden. Als unentbehrliche Ergänzungen traten zum Manual und den abschließenden Zetteln eine Fortsetzungsliste für die allmählich erscheinenden Werke, die bisher ganz fehlte, so wie eine andere für die Zeitschriften, beide auf Zetteln, und Hand in Hand mit diesen Aufnahmen ging eine Revision des ganzen dahin gehörigen Bestandes, die als nothwendige Folge mangelnder Controlle eine große Menge nicht fortgeführter Anschaffungen ergab. Die Lücken dieser Art waren so bedeutend, daß zu ihrer Beseitigung die Bitte um einen außerordentlichen Zuschuß an den Herrn Minister gerichtet wurde, der denselben, wenn auch nicht in der erbetenen Höhe, bewilligte.

Die Revision und Umarbeitung des alphabetischen Kataloges nahm ihren Fortgang, und wurden 39 Bände, so weit es nöthig war, umgeschrieben, neu geordnet und in 99 zerlegt; dieses Geschäft gelangte damit zu einem vorläufigen Abschlusse, mit welchem die Zahl der Bände auf 521 gestiegen ist. Bei der Fortführung des Kataloges wurde auf die bisher stark vernachlässigten Verweisungen, die für die bequeme und sichere Benutzung so wichtig sind, größerer Werth gelegt und dieselben gleichmäßiger, vollständiger und genauer gemacht; allerdings schwellen die Bände dadurch in verstärktem Maße an und wird demnächst mit einer weiteren Zerlegung derselben begonnen werden müssen.

Von den Realkatalogen wurde umgearbeitet das Fach der Bibliographie, Bücher- und Bibliothekkunde (Historia litteraria librorum) und der neue Katalog, etwa zur Hälfte auf der Grundlage früher gefertigter Materialien, in neun Bänden vollendet; ebenso die Umarbeitung der allgemeinen deutschen Geschichte (Band 9—12) zu Ende geführt und die der allgemeinen Naturgeschichte (3 Bände) auch Umsignirung und Neuaufstellung des Restes abgeschlossen. Die neue Bearbeitung der theologischen Litteratur wurde begonnen, und die sog. Praecognita und der Anfang der biblischen Litteratur, die Textausgaben der Bibel und die altorientalischen und lateinischen Uebersetzungen umfassend, in zwei Bänden fertig. Von der französischen Geschichte wurde der 4te Band, bis zum Ende der Valois, fertig und die Brasilianische Geschichte, die namentlich durch Zuwendungen des Professor Wappäus stark angewachsen war, ganz umgearbeitet. Zur römischen und zur preußischen Geschichte wurden die Vorarbeiten gefördert und begonnen mit der Auflösung des Faches der Epistolographen, die in die Kataloge der betreffenden Litteraturen und Litteraturgeschichten übertragen werden. Bei allen fertigen Bänden wurden die in denselben enthaltenen Bücher sowohl selbst wie im alphabetischen Kataloge umsignirt und neu aufgestellt.

Die Revision des Bücherbestandes, zu der regelmäßig die Monate Juli bis October benutzt wurden, bezog sich in der Hauptsache auf die Fächer der Philosophie, Litteraturen, Mathematik, Oeconomie und fast der ganzen Theologie, mit anderen Worten, es wurde nahezu der Inhalt des ganzen Erdgeschosses, mit Ausnahme der juristischen Litteratur, revidirt. Das Resultat kann als ein im Ganzen günstiges insofern bezeichnet werden, als die Defecte zum weitaus größeren Theile bereits bei früheren Revisionen als fehlend bezeichnet waren, und manche früher vermißte Bücher entweder, wie das immer geht, sich einfach wieder vorfanden oder bei genauerem Nachforschen als angebunden an andere oder in die Kataloge anderer Fächer übertragen herausstellten.

Zu diesen laufenden Arbeiten kamen größere und kleinere andere, von denen die folgenden erwähnt werden mögen:

Zu Anfang des Jahres 1877 wurde eine Zählung der Bibliothek vorgenommen, welche einen Bestand von 361,500 gedruckten Bänden und 4800 Handschriften ergab; rechnet man dazu die seitdem hinzugekommenen 14,530 Bände, so ergiebt sich für das Ende des Jahres 1879 ein Gesammtbestand von 380,830 Bänden; dabei sind Dissertationen und Programme, nach den Sammelbänden, in welche sie vereinigt werden, Miscellanbände nur einmal gerechnet.

Zu besserer Orientierung in den Büchersäälen wurden an sämmtlichen Repositorien Schilder mit den Nummern der auf jedem einzelnen Regale, durchgängig in drei Formate geschieden, aufgestellten Bücher, und vorläufig versuchsweise im philologischen Saale alphabetische Wegweiser angebracht, welche für die einzelnen Hauptdisciplinen, Sprachen und Autoren die Standnummern angeben. Auch wurde der einzige ohne Signaturetiquetten gebliebene Theil der Bibliothek, die Theologia miscella, mit solchen versehen und ihnen entsprechend aufgestellt.

Die aus 1158 Werken bestehende Bibliothek der deutschen Gesellschaft, die in einem besonderen Raum aufbewahrt und in die Kataloge nicht aufgenommen war, wurde, mit Ausscheidung der Doubletten, in die betreffenden Fächer eingereiht und in die verschiedenen Kataloge eingetragen.

Zu den Zeitschriften, die bei ungenauen Titelangaben oft schwer zu identificiren sind, wurde ein alphabetisches Verzeichniß ausgearbeitet, das durch möglichst zahlreiche Verweisungen der leichteren und rascheren Auffindung zu Hülfe kommen soll.

III.

Das Zugangsverzeichniß ergiebt für die Jahre

1876:	3104	Nummern mit	4285	Bänden,
1877:	3299	„ „	4060	„
1878:	3916	„ „	5596	„
1879:	3443	„ „	4774	„

Davon gingen als Geschenke ein:

	1876	1877	1878	1879	
von der Regierung und inländischen Behörden	130	108	121	137	Bd.,
von ausländ. Behörden	112	62	118	73	„
von der Gesellschaft der Wissenschaften					
a. gelehrte Zeit- und Academieschriften.	270	202	373	243	„
b. Bücher	120	82	126	92	„
von d. Redact. d. Gött. Gelehrten Anzeigen .	89	72	57	58	„
von einzelnen Privaten	136	165	206	141	„
im Ganzen	857	691	1001	744	„

Vom hiesigen litterarischen Museum erhielt die Bibliothek als Gegenleistung für die demselben regelmäßig zugehenden neu eintreffenden wissenschaftlichen Zeitschriften:

von wissenschaftlichen Zeitschriften	6	58	33	51	Bd.,
von politischen Zeitungen .	65	7	55	11	„
von kleinen Tageschriften .	0	203	51	84	„

Die Pflichtexemplare aus der Provinz Hannover ergaben die folgenden Bändezahlen:

Zeitungen und Amtsblätter .	81	117	139	145	Bd.,
Bücher	154	158	491	247	„

Endlich liefen dem bestehenden Tauschverkehre entsprechend jährlich die Universitätsschriften und Dissertationen der deutschen und die der meisten ausländischen Universitäten, ebenfalls im Tausche oder als Geschenke, ferner die Programme der preußischen und der übrigen deutschen Gymnasien, außer den bayerischen und österreichischen, ein, welche beiden letzteren erst für die Jahre 1878 und 1879 eintrafen.

Die übrigen Erwerbungen waren aus dem Etat für die sachlichen Ausgaben zu bestreiten. Derselbe belief sich in den Jahren 1874—1876 auf 11,880 Thaler oder 35,640 Mark, und (durch Verfügung vom 12. April 1875) erhöht um 4800 Mark auf 40,440 Mark; in den Jahren 1877—1879 auf 40,140 Mark. Nur einmal kam dazu der erwähnte außerordentliche Zuschuß (Verfügung vom 30. Juni 1877) von 3700 Mark.

Von diesen Beträgen wurden für Bücheranschaffungen ausgegeben (in Mark):

	1876	1877	1878	1879
im Ganzen . .	33,430.56	32,188.80	36,522.15	34,869.52
davon für neue Bücher . .	9,734.11	10,600.33	12,261.51	11,291.70
für Fortsetzungen . . .	6,711.01	8,129.68	7,960 33	8,636.58
für antiquar. Ankäufe . . .	6,292.45	1,482.00	4,680.80	2,720.69

Unter die drei letzten Rubriken vertheilen sich die für Completirung steckengebliebener mehr- oder vielbändiger Werke und Zeitschriften ausgegebenen Posten mit

4,707.44	2,643.70	2,608.10	3,611.35

Die Bezugsquellen waren theils hiesige, theils auswärtige Buchhändler und Antiquare. Die ersteren, seit vielen Jahren ständige Lieferanten der Bibliothek, wurden angehalten ihre Sendungen regelmäßig zu Anfang der Woche zu machen; dieselben wurden dann sofort in geschäftliche Behandlung genommen und alsbald den Buchbindern übergeben, die ihrerseits bestimmte Fristen einhalten mußten, um die Bücher den Benutzern möglichst rasch zugänglich zu machen. Hinsichtlich der ausländischen Buchhandlungen wurden mehrfache Abänderungen nöthig, da einige der vorzugsweise herangezogenen in ihren Sendungen zu wenig zuverlässig und zu lückenhaft waren, als daß sie dem Bedürfnisse die wichtigere Litteratur bald und regelmäßig zu erlangen, entsprochen hätten.

Die Bücheranschaffungen bildeten selbstverständlich den Hauptposten der Ausgaben. Außerdem wurden verausgabt:

	1876	1877	1878	1879
für Buchbinderarbeiten	8016.36	5581.70	5926.70	5774.85
f. Schreibmaterial, Drucksachen, Frachten etc. .	952.78	1171.26	921.59	1089.64
für Heizung . .	477.50	383.09	263.89	147.80
für and. vermischte Ausgaben . . .	802.66	861.89	545.55	926.32

IV.

Um die Benutzung der Bibliothek zu erleichtern und einige mit der bisherigen Einrichtung verknüpfte Uebelstände zu beseitigen, gestattete der Herr Curator durch Verfügung vom 8. Juli 1876, daß hinfort nicht mehr jeder einzelne Leihschein von den als Bürgen für die Studierenden eintretenden Professoren unterzeichnet, sondern Cavetkarten eingeführt werden sollten, die jedes Mal Gültigkeit für ein Semester haben.

Da die einzelnen Hefte neu erschienener Zeitschriften, welche dem hiesigen litterarischen Museum auf sechs Wochen überlassen wurden, nur mit Schwierigkeit zu benutzen waren, wurde mit demselben ein neuer Vertrag geschlossen

(10. Jan. 1879), in welchem die angegebene Frist auf zwei Wochen gekürzt und der Bibliothek zugleich einige andere Vortheile eingeräumt wurden. Die Verwaltung kann das freundliche Entgegenkommen des Museumsvorstandes in dieser Angelegenheit nur dankbar anerkennen.

Die gesammte Benutzung war zuletzt im Jahre 1830 durch das in den Gesetzen für die Studierenden auf der Georg-Augusts-Universität S. 62 abgedruckte Regulativ geordnet, das in manchen Beziehungen nicht mehr ausreichte. Der Herr Minister sah sich daher veranlaßt, unter dem 8. Februar 1879 neue Bestimmungen über die Benutzung (gedruckt u. A. im Centralblatt f. d. ges. Unterrichtsverwaltung 1879, S. 241 fgd.) zu erlassen, die durchaus im Sinne der Liberalität gehalten sind, die hier stets maßgebend war und sich bereits als sehr förderlich erwiesen haben.

Die Benutzung selbst sowohl hier am Orte als von auswärts nahm stetig zu, was nicht so sehr in den Zahlen der Benutzer als den der entliehenen Bücher zu Tage tritt. Die Zahl der Studierenden, welche hier die Bibliothek benutzte, schwankte in den acht Semestern vom Winter 1875 bis zum Sommer 1879 zwischen 363 und 452, während die höchste früher (Winter 1874/75) erreichte Zahl 463 ist; aber auch sie stieg im Winter 1879/80 auf 489. Die vor 1876 erreichte höchste Zahl, im Kalenderjahre 1875, der am Orte verliehenen Bände betrug 23,420, während sie im Wintersemester 1878/79 auf 17,692 (Universitätslehrer und andere Einwohner 7072, Studierende 10,620), im Sommersemester 1879 (März bis Juli) auf 14,702 und im Wintersemester 1879/80 (August bis Februar) auf 21,228, also für das ganze Jahr 1879/80 auf 35,930 anwuchs.

Diese ansehnliche Zahl — bei der jedoch die seit Anfang des Sommersemesters 1879 geltenden neuen Bestimmungen über die Benutzung in Betracht zu ziehen sind, welche (§. 13) die Leihzeit für die Studierenden auf vier Wochen festsetzen, während bis dahin die Bücher das ganze Semester in derselben Hand bleiben konnten, wenn sie nicht anderweitig verlangt wurden — vertheilt sich folgendermaßen auf die vier Facultäten:

	Universitätslehrer	Studierende	
theologische			
im Sommersemester	204	869	Bände,
im Wintersemester	422	1431	"
juristische			
im Sommersemester	453	2059	"
im Wintersemester	575	2163	"
medicinische			
im Sommersemester	296	97	
im Wintersemester	476	151	
philosophische			
im Sommersemester	2203	6811	"
im Wintersemester	3265	10314	"

Auf andere Entleiher hier am Orte kamen im Sommersemester 1710, im Wintersemester 3268 Bände.

Die am stärksten vertretenen Monate waren im Sommer der Mai mit 3628, im Winter der November mit 3850 Bänden.

Die Zahl der nach auswärts verschickten Bücher und Handschriften betrug im Jahre 1876: 3017, 1877: 4293, 1878: 5222, 1879: 5826 Bände.

In zahlreichen Fällen wendete sich die Bibliothek, wenn sie von hiesigen Gelehrten dringend gewünschte Werke nicht besaß, an andere deutsche und auswärtige Bibliotheken und hat ganz besonders für die Bereitwilligkeit zu danken, mit welcher die Königliche Bibliothek in Berlin aushalf, wo sie konnte. Aber auch viele andere Bibliotheken und Archive, namentlich die Kais.

Bibliothek zu Wien, die bibliothèque nationale zu Paris, die Königl. Große Bibliothek zu Kopenhagen, die Königl. Hof- und Staats-Bibliothek zu München, die Königl. öffentlichen Bibliotheken zu Stuttgart, Dresden, Bamberg, Hannover, die Bibliothek des Stiftes Zwetl, die Stadtbibliotheken zu Hamburg, Leipzig, Breslau, die Universitätsbibliotheken zu Leiden, Oxford (Bodleiana), Gießen, Halle, Jena, Leipzig, Königsberg, Würzburg, das Kais. Haus-, Hof- und Staatsarchiv zu Wien, das Königl. Allgemeine Reichsarchiv zu München, das Großherzogl. General-Landesarchiv zu Karlsruhe, das Königl. Geheime Staatsarchiv zu Berlin, die Staatsarchive zu Hannover, Idstein, Königsberg, die Kreisarchive zu Nürnberg und Würzburg, die Stadtarchive zu Riga, Augsburg, Frankfurt a./M., Höxter, Köln, Stendal, Straßburg i. E., Thorn überschickten zur Benutzung Handschriften, Urkunden und gedruckte Bücher mit einer Liberalität, deren nur mit wärmster Dankbarkeit gedacht werden kann.

V.

Da die Räumlichkeiten der Bibliothek schon seit längerer Zeit für eine übersichtliche und den einzuschaltenden Zugängen Platz gewährende Aufstellung der Bücher unzureichend geworden, außerdem nicht nur die Geschäftsräume viel zu klein waren, sondern auch Lese- und Arbeitszimmer für die Benutzer gänzlich fehlten, so trat der Herr Minister in dankenswerthester Anerkennung dieser Bedürfnisse der bereits mehrfach angeregten Angelegenheit näher und beauftragte im October 1876 den Bauinspector und Professor Kühn in Berlin mit der Ausarbeitung eines Specialentwurfes zu einem Erweiterungsbaue. Diese Arbeit, deren eigenthümliche Schwierigkeiten in der Verbindung der neuen Theile mit den alten lagen, wurde so rasch gefördert, daß die fertigen Entwürfe schon im April 1877 hierher geschickt werden konnten; es war darin der Anbau eines nördlichen und eines westlichen Flügels in Aussicht genommen, durch welche eine Gesammtanlage von wünschenswerther Ausdehnung und Zweckmäßigkeit geschaffen wurde, so weit letztere durch die Vergrößerung des vorhandenen, umfangreichen Gebäudes überhaupt zu erreichen war. Die Entwürfe fanden daher allgemeine Anerkennung, aber leider sah sich der Herr Minister in der Lage, auf die Ausführung des westlichen Flügels vorläufig zu verzichten, ordnete jedoch, nachdem die Mittel bereit gestellt waren, die alsbaldige Inangriffnahme des Baues an, die im Herbste 1878 unter der umsichtigen Leitung des Regierungsbaumeisters Kortüm erfolgte. Der stattliche neue nördliche Flügel wurde dem Bauplane entsprechend bis Ende 1879 zum dritten Stockwerke emporgeführt und außerdem der westliche Theil des alten Gebäudes zum großen Theile umgebaut.

Um das Letztere möglich zu machen, mußten die betreffenden Theile geräumt und die dort befindlichen Bücher, so gut es gehen wollte, in den übrigen Säälen untergebracht werden. Sie wurden in den historischen, juristischen und medicinischen Saal geschafft, die dadurch allerdings, wenigstens die beiden letzteren, in unbequemster Weise überfüllt und verdunkelt wurden, allein diesen vorübergehenden Uebelstand läßt die Gewißheit, in kurzer Zeit ausreichende und würdige Räume zu erhalten, leicht ertragen.

Wilmanns.

Für die Redaction verantwortlich: *E. Rehnisch*, Director d. Gött. gel. Anz.
Commissions-Verlag der *Dieterich'schen Verlags-Buchhandlung*.
Druck der *Dieterich'schen Univ.-Buchdruckerei (W. Fr. Kaestner)*.

Nachrichten

von der

Gesellschaft der Wissenschaften

und der

Georg-Augusts-Universität

zu Göttingen.

Aus dem Jahre 1881.

No. 1—16.

Göttingen.
Dieterich'sche Verlags-Buchhandlung.
1881.

Man bittet die Verzeichnisse der Accessionen zugleich als Empfangsanzeigen für die der Kgl. Societät übersandten Werke betrachten zu wollen.

Register

über

die Nachrichten von der Königl. Gesellschaft der Wissenschaften und der Georg-Augusts-Universität aus dem Jahre 1881.

---

den Einfluß der Wärme auf die optischen Eigenschaften des Boracit 73. — F. Wieseler, Verbesserungsvorschläge zu Euripides' Kyklops 177. — W. Holtz, Elektr. Schattenbilder, 3. Abth. 80. 4. Abth. 241. — K. Heun, Neue Darstellung der Kugelfunctionen und der verwandten Functionen durch Determinanten 104. — C. Fromme, Bemerkungen zu einer Abhandlung von Warburg etc. 119. — K. Schering, Beobachtungen im magnetischen Observatorium 133. 361. — F. Wüstenfeld, Magister Pacht gegen Friedrich d. Gr. 209. — L. Königsberger, Ueber die Irreductibilität von Differentialgleichungen 222. — A. Ben-Saude, Beiträge zur Kenntnis der optischen Eigenschaften des Analcim 226. — E. Ehlers, Beiträge zur Kenntnis des Gorilla und des Chimpanse (Abhandl. B. XXVII) 249. — R. Pauli, Ueber einige Bestandtheile des Königlichen Staatsarchivs in Hannover 249. — Kronecker, Auszug aus einem Briefe an E. Schering 271. — P. de Lagarde, Johannis Euchaitorum archiepiscopi quae in codice Vaticano supersunt graece 281. 345, Abh. B. XXVIII. — F. Kohlrausch, Messung des Erdmagnetismus auf galvanischem Wege 281. — A. Enneper, Zur Theorie der Curven doppelter Krümmung 291. — Bemerkungen über einige Transformationen von Flächen 305. — F. Wüstenfeld, Die Geschichtsschreiber der Araber und ihre Werke 337. 345, Abhandl. B. XXVIII.

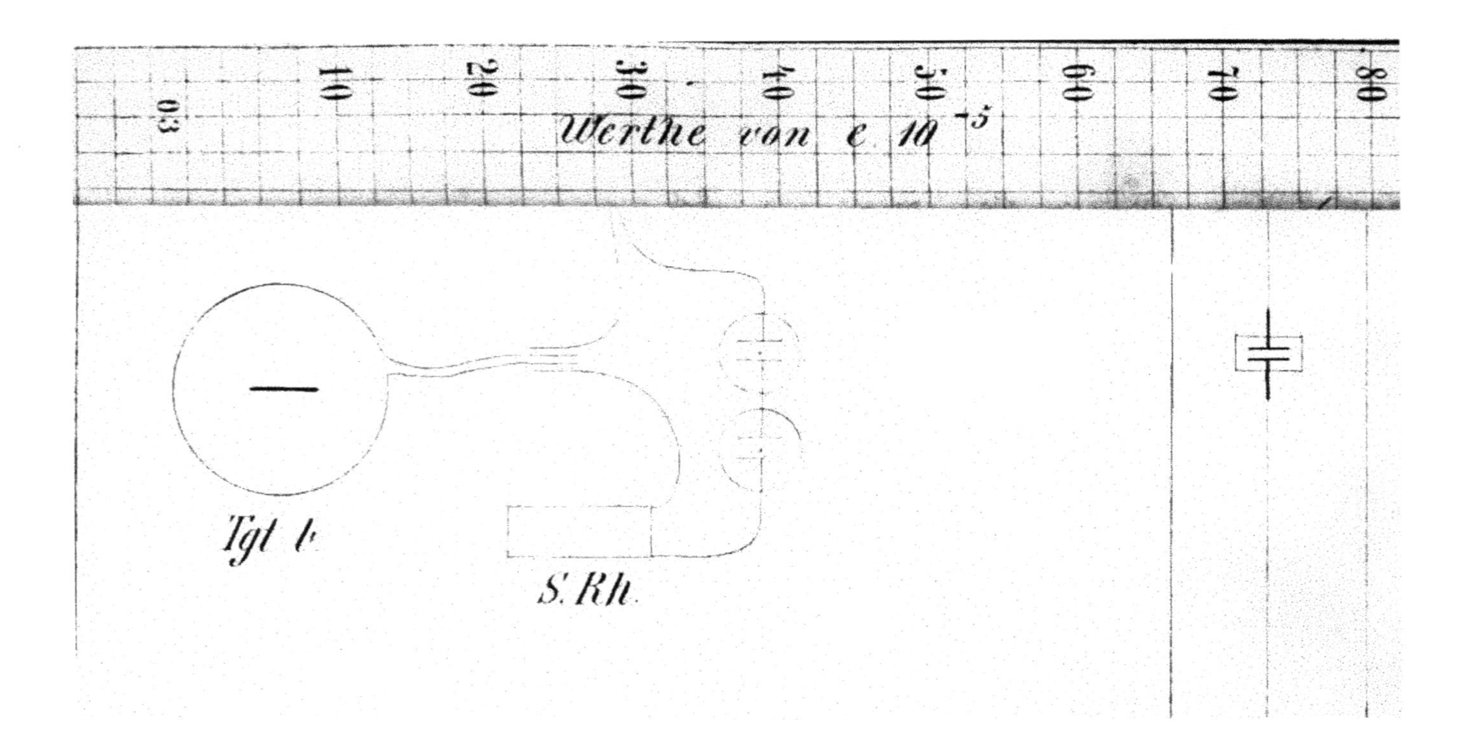

Werthe von e. 10^-5
10
20
30
40
50
60
70
80
S. Rh.
Fig. 1.

Nachrichten

von der Königl. Gesellschaft der Wissenschaften und der G. A. Universität zu Göttingen.

19. Januar. **№ 1.** 1881.

Königliche Gesellschaft der Wissenschaften.

Die K. Gesellschaft der Wiss. bringt in Erinnerung, daß auf Honorar für Beiträge zu den Nachrichten nur die ordentlichen Mitglieder und Assessoren, so wie der Redacteur derselben, auch wenn er nicht Mitglied ist, Anspruch haben. Für Mittheilungen ex officio (Verzeichnisse der Vorlesungen, Universitätsnachrichten, kurze Todesanzeigen, Promotionsverzeichnisse, Berichte über die Institute, Sitzungsberichte der Gesellschaft d. W., Verzeichnisse der neu eingegangnen Bücher) wird kein Honorar bewilligt.

Sitzung am 8. Januar.

Benfey: Zusatz zu dem Aufsatz »Ueber die eigentliche Accentuation des Indicativ Präsentis von ἐς 'seien' u.s.w.« in 'Nachrichten' 1878 S. 189 Z. 6 v. u. = 'Vedica und Linguistica' S. 114 Z. 6 v. u.

Wieseler: Scenische und kritische Bemerkungen zu Euripides' Kyklops. (Erscheint in den Abhandlungen).

Riecke: I. Ueber die Bewegung eines elektrischen Theilchens in einem homogenen magnetischen Felde und das negative elektrische Glimmlicht.

— II. Ueber die von einer Influenzmaschine zweiter Art gelieferte Elektricitätsmenge und ihre Abhängigkeit von der Feuchtigkeit.

— III. Messung der vom Erdmagnetismus auf einen drehbaren linearen Stromleiter ausgeübten Kraft.

Fuchs, ausw. Mitglied: Ueber Funktionen zweier Variabeln, welche durch Umkehrung der Integrale zweier gegebener Funktionen entstehen. (Erscheint in den Abhandl.).

Koenigsberger, Corresp.: Ueber einen Satz von der Erhaltung der algebraischen Beziehung zwischen den Integralen verschiedener Differentialgleichungen und deren Differentialquotienten.

Zusatz zu dem Aufsatz 'Ueber die eigentliche Accentuation von ἐς, seien' in 'Nachrichten' 1878, S. 189 Z. 6 v. u. = 'Vedica und Linguistica' S. 114, Z. 6 v. u.

Von

Theodor Benfey.

Ich bitte hinter '*konnten*' hinzuzufügen: '*außer wenn ein Encliticon folgt*, z. B. *Hom.* Il. XVII. 760 περί τ' ἀμφί τε τάφρον; Od. XVI. 6 περί τε κτύπος ἦλθε'

und dazu folgendes als Note:

'Daraus folgt aber eben so wenig, daß περί der Sprache als selbstständiges Wort mit dieser Accentuation angehört, als z. B. aus εἴ τις γέ μοι folgt, daß die Sprache ein γέ als selbstständiges Wort gekannt hätte, oder aus φίλοι τινές μοι, ein τινές, oder aus ἄνθρωπός μου, gar ein ἄνθρωπός. Alle diese Accentuationen sind nur Folge der 'Veränderungen des Wortaccentes im Zusammenhang der Rede'. Daß z. B. γε als Wort sogar schon im Indogermanischen tonlos war, wird höchst wahrscheinlich, ja wohl gewiß, durch die Tonlosigkeit des entsprechenden vedischen *gha*. Daß ein τινές als selbstständiges Wort ein sprachliches Unding ist, bedarf wohl kaum eines Beweises. Der Nominativ Pluralis konnte als selbstständiges Wort nur τίνες lauten, und so lautet er, wenn das Wort seine interrogative Bedeutung bewahrt; wenn es dagegen in der indefiniten gebraucht wird, wird es tonlos (vgl. Nachrichten a. a. O. S. 174 = Vedica und Ling. S. 99) und erst im Zusammenhang der Rede durch Einfluß eines folgenden Encliticon zu τινές. Ueber ἄνθρωπός bedarf es natürlich keiner Bemerkung.

Hieran verstatte man mir einige Worte in Bezug auf G. Curtius' Miscellen (in Leipziger Studien z. class. Philol. 1880 S. 322 ff.) zu schließen. Wenn er daselbst S. 325 meint, daß ich gegen ἐστί nichts einzuwenden hätte, dann irrt er sich sehr. Wenn meine Auffassung der Accentuation des Präsens von ἐς richtig ist, so ist die von ἐστί, gerade wie die von τινές, nur Folge des Zusammenhangs im Satze und ebenso wenig wie diese als die des selbstständigen Wortes aufzufassen. Wenn ich mich darüber in dem in der Ueberschrift bezeichneten Aufsatze nicht ausgelassen habe, so geschah dies, weil ich überhaupt in Bezug auf die Anwendung meiner Auffassung in den Griechischen Grammatiken kein Wort fallen lassen, sondern diese den Specialisten anheim stellen wollte[1]).

1) Wenn ich mich habe verleiten lassen, im Widerspruch mit dieser Absicht, im 12ten (dem letzten) § dieses Aufsatzes eine Bemerkung in Bezug auf die Präpositionen ἄπο u. s. w. zu machen, so war dies eigentlich nur eine Folge davon, daß dieser § mehrere Wochen nach Abfassung des Aufsatzes, im Anfang des Jahres 1878 unter dem Eindruck trüber Erinnerungen hinzugefügt ward, zu denen der Rückblick auf die Beachtung, welche meine fünfzigjährige wissenschaftliche Thätigkeit in meinem Vaterlande mir gefunden zu haben scheinen mußte oder wenigstens konnte, nur zu sehr veranlassen durfte. Es thut mir jedoch jetzt leid, daß ich mich von diesem

Völlig unzusammengehöriges verbindet aber Curtius an derselben Stelle (S. 325), wenn er glaubt ἔστι und ἐστί mit ἄλλα und ἀλλά zusammenstellen zu dürfen; neben ἄλλα und ἀλλά ist nirgends, wie neben ἔστι und ἐστί ein tonloses ἐστι, so ein tonloses ἀλλα möglich; ἀλλά ist freilich in der That ursprünglich mit ἄλλα, dem Acc. Plur. Ntr. von ἄλλο, identisch, aber durch den Uebertritt in eine andre Wortkategorie (aus der der Adjectiva in die der Adverbia) und die damit verbundene Bedeutungsverschiedenheit ('besonders u. s. w.' statt 'die andren') hat es sich im Sprachbewußtsein von seiner Basis getrennt und diese Verschiedenheit ist es, welche die Differenziirung des Accents herbeigeführt hat. Derartige Differenziirungen der Accentuation lassen sich fast in allen Sprachen, deren Accentuation uns genauer bekannt ist, nachweisen;

Eindruck habe überwältigen lassen und ich würde demgemäß wünschen den Abdruck dieses § ungeschehen machen zu können; allein andrerseits kann ich nicht leugnen, daß es mir doch dienlich schien, daß das in ihm Gesagte — zumal mit dem jetzt gegebnen Zusatz, der jedes Mißverständniß ausschließt - einmal gesagt werde. Denn daß die ganz verkehrte Behandlung, welche die griechischen Grammatiken den in jenem Aufsatze besprochenen Verben und Präpositionen angedeihen lassen, einer wissenschaftlichen Platz zu machen habe, wird Jeder zugeben müssen, welcher meine Darstellung für richtig anerkennt, und daß dies nicht mit so großen Schwierigkeiten verbunden sein wird, wie Curtius (nach S. 326 der angeführten Miscellen) anzunehmen scheint, davon wird man sich leicht überzeugen. Man braucht nur die grammatische, oder selbstständige, in einer wissenschaftlichen Grammatik auch die ursprüngliche, Accentuation von derjenigen zu trennen, welche diese im Zusammenhange der Rede oder des Satzes erleidet und es wird alles, was sich mit Sicherheit lehren läßt, wissenschaftlich, klar und selbst leicht hervortreten.

sie treten zwar keineswegеs immer, aber doch ziemlich häufig ein. Warum nicht immer, läßt sich in den einzelnen Fällen nicht mit Sicherheit erklären; aber im Allgemeinen wird man wohl unbedenklich annehmen dürfen, daß wenn ein derartiger Uebergang nach und nach und gewissermaßen vom Sprachbewußtsein unbemerkt eintrat, oder wenn gar, wie in *μᾶλλον μάλιστα* das Adjectiv ganz eingebüßt war und nur das Adverb sich erhielt, der ursprüngliche Accent unverändert blieb, wenn dagegen die Differenz dem Sprachbewußtsein scharf entgegentrat, sie auch in der Differenziirung des Accents ihren Ausdruck empfieng. Gerade so wie auf diese Weise hier *ἄλλα* und *ἀλλά* durch den Accent geschieden wurden, finden wir im Sanskrit vom Adjectiv *ápara*, der, die, das folgende, im Accus. Sing. Ntr. das Adjectiv *áparam*, aber als Adverb, mit der Bedeutung 'in der Folge, in Zukunft' *aparám*; eben so im Dativ Sing. das Adject. *áparâya*, aber als Adverb wiederum *aparā̂ya*. Der Unterschied zwischen den beiden Fällen des Griechischen und des Sanskrit, nämlich *ἀλλά* und *aparám*, liegt wesentlich nur darin, daß im Sanskrit, wie hier durchgreifend, der Acc. Sing. Ntr. die Adverbialbedeutung annimmt, im Griechischen dagegen, wie hier häufig, der Acc. Plur. Ntr. Daß die Accentdifferenz zwischen *ἄλλα* und *ἀλλά* nicht eine Analogie für *ἔστι* und *ἐστί* bilde, wird übrigens über jeden Zweifel erhoben und vollständig dadurch entschieden, daß sie nicht auf Verwandlung von Paroxytona (*ἄλλα*) in Oxytona (*ἀλλά*) beschränkt ist, sondern auch umgekehrt Adverbia von oxytonirten Adjectiven oder Wörtern in Paroxytona verwandelt; so sind im Griechischen aus dem Acc. Plur. Ntr. von Adj. auf *ύ* z. B. *ὠκύ*, *ταχύ* die Adverbia *ὦκα*, *τάχα* hervorgetreten, die sich unbedenklich aus den ursprünglicheren Formen jenes Casus *ὠκέα ταχέα* erklären lassen, indem *εα* — wie z. B. in *κλέα* für *κλέεα*, bei Hesiod *κλεῖα*, von *κλέος* — zu *ᾰ* ward. Ganz ebenso scheidet sich durch Accentvorziehung im Sanskrit vom Instrumental Sing. *divā̆* 'durch den Tag' das Adverb *dívâ* 'am Tage'. In wesentlich gleicher Weise ist es im Griechischen z. B. auch zu erklären, wenn das Adjectiv *ξανθός* durch den Uebertritt in die Categorie der Nomina propria zu *Ξάνθος* wird. Am stärksten treten uns durch dieses Princip herbeigeführte Accentdifferenziirungen bekanntlich in einer modernen Sprache, der englischen, entgegen. Hier scheiden sich bekanntlich eine beträchtliche Anzahl von, in allem übrigen gleichen, Themen bloß durch die Accentdifferenz in Nomina und Verba, z. B. *ábject*, verworfen, *to abjéct* verwerfen; in Adjectiva und Substantiva z. B. *compáct*, verbunden, *cómpact*, Vertrag; in verschiedne Bedeutungen, z. B. *siníster*, link, *sínister*, hinterlistig.

Ueber einen Satz von der Erhaltung der algebraischen Beziehung zwischen den Integralen verschiedener Differentialgleichungen und deren Differentialquotienten.

Von

L. Koenigsberger in Wien.

Ich habe in früheren Arbeiten einen Satz bewiesen, nach welchem — um hier nur den einfachsten Fall von zwei Differentialgleichungen hervorzuheben — eine algebraische Beziehung zwischen einem partikulären Integrale einer beliebigen Differentialgleichung und einem particulären Integrale einer anderen, aber irreductibeln Differentialgleichung unverändert bleibt, wenn man in dieselbe irgend ein beliebiges anderes partikuläres Integral der irreductibeln Differentialgleichung und ein bestimmtes anderes der ersteren Differentialgleichung substituirt — und von diesem Satze habe ich bereits mehrere Anwendungen auf die Aufstellung des Abel'schen Theorems für Integrale von Differentialgleichungen, auf die Untersuchung der Irreductibilität von Differentialgleichungen, auf die Feststellung der Form der algebraisch-logarithmischen Integrale linearer Differentialgleichungen u. s. w. gemacht. Bei einer Untersuchung, welche die algebraische Ausdrückbarkeit des allgemeinen Integrales zweiter Ordnung durch particuläre Integrale desselben zum Gegenstand hat, brauchte ich jedoch eine Verallgemeinerung des oben ausgesprochenen Satzes und eben diese bildet den Gegenstand einer Arbeit, die in Kurzem veröffentlicht wird und deren Inhalt ich hier angeben will.

Besteht zwischen einem particulären Integrale z_1 *der algebraischen Differentialgleichung*

$$(1) \ldots F\left(x, z, \frac{dz}{dx}, \ldots \frac{d^m z}{dx^m}\right) = 0$$

und dessen Ableitungen, und einem partikulären Integrale y_1 *der irreductibeln algebraischen Differentialgleichung*

$$(2) \ldots f\left(x, y, \frac{dy}{dx}, \ldots \frac{d^n y}{dx^n}\right) = 0$$

und dessen Ableitungen eine algebraische Beziehung

$$(3)\quad \varphi\left(x, z_1, \frac{dz_1}{dx}, \ldots \frac{d^p z_1}{dx^p}, y_1, \frac{dy_1}{dx}, \ldots \frac{d^q y_1}{dx^q}\right) = 0,$$

so bleibt diese erhalten, wenn man für y_1 irgend ein Integral jener irreductibeln Differentialgleichung (2) *setzt, vorausgesetzt daß für z_1 ein passendes Integral der Differentialgleichung* (1) *substituirt wird.*

Der Beweis zerlegt sich in die beiden Fälle, in denen z_1 eine algebraische Function von y_1 und dessen Ableitungen ist oder z_1 nur die Lösung einer algebraischen Differentialgleichuug $p$ter oder niederer Ordnung ist, deren Coefficienten algebraisch aus y_1 und dessen Ableitungen zusammengesetzt sind.

Nachdem sodann eine Untersuchung der Irreductibilität der linearen homogenen Differentialgleichung zweiter Ordnung

$$\frac{d^2y}{dx^2} + P\frac{dy}{dx} + Qy = 0,$$

worin P und Q algebraische Functionen von x bedeuten, vorausgeschickt worden, welche unter anderem das Resultat liefert, daß wenn in einer reductibeln linearen homogenen Differentialgleichung zweiter Ordnung nicht ein partikuläres Fundamentalintegral eine algebraische Function eines anderen ist, das einer Differentialgleichung niedrigerer Ordnung genügende Integral stets eine *lineare*, im Allgemeinen nicht homogene, Differentialgleichung erster Ordnung befriedigen muß, wird die Form der allgemeinsten algebraischen Beziehung zwischen zwei Fundamentalintegralen einer *irreductibeln* linearen homogenen Differentialgleichung zweiter Ordnung und deren erste Differentialquotienten aufgestellt und als specieller Fall unter der Annahme, daß $P = -\frac{d \log A}{dx}$ ist, worin A eine algebraische Function bedeutet, die Existenz der bekannten Beziehung

$$y_1 \frac{dy_2}{dx} - y_2 \frac{dy_1}{dx} = cA$$

hergeleitet.

Ich benutze diese Gelegenheit, um zu einer die Theorie der linearen Differentialgleichungen betreffenden und der k. Societät im vorigen Jahre vorgelegten Notiz als Ergänzung einen Satz zu erwähnen, dessen Beweis in Kurzem in den mathematischen Annalen veröffentlicht wird; derselbe lautet:

Wenn eine lineare Differentialgleichung

$$\frac{d^m z}{dx^m} + Y_1 \frac{d^{m-1} z}{dx^{m-1}} + \ldots + Y_m z = y_1,$$

in welcher $Y_1, Y_2, \ldots Y_m, y_1$ *algebraische Functionen von* x *bedeuten, ein algebraisches Integral besitzt und dieses ist nicht schon selbst so beschaffen, daß es rational in* $x, Y_1, Y_2, \ldots Y_m$ *und* y_1 *ausdrückbar ist, so besitzt die Differentialgleichung jedenfalls noch ein particuläres Integral von dieser Beschaffenheit,*

vorausgesetzt, daß nicht $Y_m = Cy_1$, worin C eine Constante, welcher Fall, wie unmittelbar zu sehen, auf die lineare *homogene* Differentialgleichung führt.

Aehnliches gilt für logarithmische und elliptische Integrale und mit einigen Modificationen für den Fall, daß Abel'sche Integrale der Differentialgleichung genügen.

Universität.

Bericht über die Poliklinik für Ohrenkranke

des

Dr. K. Bürkner.

In der Zeit vom 1. Januar bis 1. December 1880 (vom 1. December bis zum Jahresschlusse war ich leider durch Krankheit verhindert, die poliklinischen Sprechstunden abzuhalten) wurden in meiner Poliklinik für Ohrenkranke im Ganzen an 428 Personen mit 467 verschiedenen Krankheitsformen 2179 Consultationen ertheilt. 385 Patienten wurden in Behandlung genommen, 43 dagegen als gänzlich unheilbar abgewiesen.

Geheilt wurden	179.
Wesentlich gebessert	81.
Ungeheilt blieben	22.
Ohne Behandlung entlassen wurden .	43.
Vor beendigter Kur blieben aus . .	72.
Gestorben ist	1.
In Behandlung verblieben	30.
	428.

Es war somit Heilung zu verzeichnen in 42,0%, Besserung in 19,1% der Fälle; von den zur Consultation gekommenen Kranken wurden mithin 73,25% mit vollständigem oder theilweisem Erfolge behandelt.

Von den 428 Patienten waren
aus Göttingen 134, d. i. 31,3%,
von auswärts 294, d. i. 68,7%;

auf das männliche Geschlecht kamen 271, d. i. 63,5%,

auf das weibliche Geschlecht kamen 157, d. i. 36,5%.

Kinder waren 151, d. i. 35,3%,
Erwachsene 277, d. i. 64,7%.

Nach dem Krankheitsschema vertheilen sich die Fälle in folgender Weise:

A. Krankheiten des äußeren Ohres.
115 Fälle.

1. *Neubildungen des äußeren Ohres.* 1 Fall. Bei einem 6jährigen Mädchen wurde aus jedem Lobulus je eine aus dem Ohrlochkanale entspringende kirschkerngroße Geschwulst (Fibrom) mit Messer und Wilde'scher Schlinge entfernt.

2. *Othaematom.* 1 Fall, einen Locomotivheizer betreffend; die Geschwulst wurde incidirt, worauf sich Serum und frisches Blut entleerte; nach 14 Tagen war die Heilung vollständig.

3. *Abscess des äußeren Ohres*, durch Trauma (Verletzung an einem eisernen Stachel eines Kutschentrittbrettes) entstanden. Durch Incision geheilt.

4. *Eczem der Ohrmuschel und des äußeren Gehörganges.* 12 Fälle.

Einseitig	7 mal.	Acut	5 mal.
Doppelseitig	5 mal.	Chronisch	7 mal.

Die Behandlung wich von der in meinem letzten Berichte (Nachrichten v. d. K. Ges. d. WW. und der Georg-Augusts-Universität 1880, S. 79) angeführten nicht wesentlich ab.

5. *Diffuse Entzündung des äußeren Gehörganges.* 17 Fälle.

Einseitig 10 mal. Acut 10 mal.
Doppelseitig 7 mal. Chronisch 7 mal.

Geheilt wurden 11 Kranke, während 6 ausblieben, ehe die Kur beendigt war.

6. *Circumscripte Entzündung des äußeren Gehörganges.* 13 Fälle.

Einseitig 12 mal. Acut 12 mal.
Doppelseitig 1 mal. Chronisch 1 mal.

7. *Ceruminalpfröpfe.* 68 Fälle. (Außerdem sehr häufig als Nebenbefund).

Einseitig 31 mal (17mal rechts, 24mal links).
Doppelseitig 37 mal.

Vollständige Wiederherstellung des Gehöres wurde in 57 Fällen, erhebliche Besserung (bei Complicationen) 11 mal erreicht.

8. *Fremdkörper.* 2 Fälle. (Außerdem mehrfach als Nebenbefund).

Einseitig 1 mal.
Doppelseitig 1 mal.

Leichte Fälle; die Gegenstände waren mittels der Spritze gut zu entfernen.

B. Krankheiten des Trommelfelles. 12 Fälle.

9. *Acute Entzündung des Trommelfelles.* 6 Fälle.

Einseitig 6 mal.
Doppelseitig —

Sämmtlich geheilt.

10. *Chronische Entzündung des Trommelfelles.* 3 Fälle.

Einseitig 2 mal.
Doppelseitig 1 mal.

11. *Traumatische Affectionen des Trommelfelles.* 3 Fälle.

Einseitig 3 mal.
Doppelseitig —

12. *Veraltete Trommelfellanomalien* wurden sehr häufig als Complicationen beobachtet; so: Verkalkungen 28 mal, Narben 32 mal, beide combinirt 11 mal.

C. Krankheiten des Mittelohres. 252 Fälle.

13. *Acuter einfacher Mittelohrcatarrh.* 20 Fälle.

Einseitig 11 mal.
Doppelseitig 9 mal.

Meist durch Paracentese der Paukenhöhle, eine Operation, welche in drei Fällen wiederholt vorgenommen werden mußte, geheilt.

14. *Chronischer einfacher Mittelohrcatarrh.* 99 Fälle.

Einseitig 13 mal.
Doppelseitig 86 mal.

Auch hier gilt das im vorigen Berichte Angegebene.

15. *Acuter Tubencatarrh.* 12 Fälle.

Einseitig 8 mal.
Doppelseitig 4 mal.

16. *Chronischer Tubencatarrh.* 5 Fälle.

Einseitig 3 mal.
Doppelseitig 2 mal.

17. *Acute eiterige Mittelohrentzündung.* 24 Fälle.

Einseitig 15 mal.
Doppelseitig 9 mal.

Zum Theil sehr schwere Fälle, über welche

soll.

18. *Chronische eiterige Mittelohrentzündung.* 76 Fälle.

Einseitig 48 mal.
Doppelseitig 28 mal.

Als Complicationen wurden 13 mal *Polypen*, 8 mal *Caries* und *Necrose* notirt; kleinere *polypoide Granulationen* kamen ungemein häufig in veralteten Fällen vor. Auch in diesem Jahre wurde mit befriedigendem Erfolge ausgedehnter Gebrauch von pulverisirter Borsäure gemacht, theilweise mit Zusatz von Salicylsäure (1%).

19. *Abgelaufene Mittelohrprocesse.* 16 Fälle.

Einseitig 6 mal.
Doppelseitig 10 mal.

Vernarbungen, Perforationen, Verkalkungen, Atrophien u. s. w.

20. *Periostitis des Warzenfortsatzes* (ohne Betheiligung des Mittelohres) 2 Fälle.

Einseitig 2 mal.
Doppelseitig —

D. Krankheiten des inneren Ohres. 17 Fälle.

21. *Chronische Labyrinthaffectionen.* 17 Fälle.

Einseitig 2 mal.
Doppelseitig 15 mal.

E. Verschiedenes. 32 Fälle.

11 mal *Taubstummheit* (4 mal erworben, 7 mal angeboren), 3 mal *Otalgie*, 5 mal *Brausen ohne Befund*, 3 mal *normal*, 8 mal *keine Diagnose*.

An *Operationen* wurden in der Poliklinik ausgeführt: *Incisionen in Furunkel* 10 mal, in *Abscesse am äußeren Ohr* 2 mal, in ein *Othaematom* 1 mal; *Exstirpation von Fibromen* 2 mal; *Fremdkörper* 3 mal, *Paracentese der Paukenhöhle* 26 mal; *Polypenextraction* 11 mal, *Wilde'scher Schnitt* 1 mal.

Zum Schlusse spreche ich Herrn Dr. Behm, Assistenten am pathologisch-anatomischen Institute, für mehrmalige Vertretung in der Poliklinik meinen verbindlichsten Dank aus.

Bei der Königl. Gesellschaft der Wissenschaften eingegangene Druckschriften.

Man bittet diese Verzeichnisse zugleich als Empfangsanzeigen ansehen zu wollen.

December 1880.

Nature. 579. 580. 581. 583.
Revista Euskara. Anno tercero. No. 31.
Leopoldina. H. XVI. No. 21—22.
J. Hann, Zeitschrift für Meteorologie. Bd. XV. Dec. 1880.
Verhandlungen des naturhistor. medicin. Vereins zu Heidelberg. N. F. Bd. 2. H. 5.
Donders u. Engelmann, Onderzoekingen gedann in het physiologisch Laboratorium de Utrechtsche Hoogeschool. Derde reeks. V 3de Afler. 1880.
E. Winkelmann, über die ersten Staats-Universitäten. Heidelb. 1880.
G. vom Rath, naturwissensch. Studien. Bonn. 1879.
G. Lindström, Fragmenta silurica e dono C. H. Wegelin. Holmiae. 1880. 4.
J. Biker, Supplemento a collecção dos tratados, etc. T. XXII. XXIII. XXVI. Lisboa. 1880.
Journal of the R. Microscopical Society. Vol. III. No. 6. With Lists.
E. Morselli, Critica e Riforma del metodo in Antropologia fondate sulle leggi statistiche e biologiche dei valori seriali. Roma. 1880.
Gli istituti e le scuole dei Sordomuti in Italia. Ebd. 1880.
Monthly Notices of the R. Astronomical Society. Vol. XLI. No. 1.
Ordinamento della Statistica delle cause di morte. Roma. 1880. 2 Exemplare.

Philosophical Transactions of London. Vol. 170. P. 1. — 2. — Vol. 171. P. 1.
Fellows. 1. December 1879.
Proceedings. Vol. XXIX. No. 198—201.
Bulletin de l'Acad. R. des Sciences de Belgique. T. 50. No. 9—11.
Proceedings of the London Mathem. Society. No. 163—164.
Jahresber. des histor. Vereins von Unterfranken und Aschaffenburg. 1879.
Archiv dess. Titel zu Bd. 23.
Die Geschichte des Bauernkrieges in Ostfranken von Magister L. Fries. Würzburg. 1879.
Atti della R. Accademia dei Lincei. Transunti. Vol. V. Fasc. 1.
Lotos. Neue Folge. Bd. 1. 1880.
Erdélyi Muzeum. 10. SZ. évfolyam. 1880.

Januar 1881.

Palaeontologia Scandinavica, auctore N. P. Angelin. P. 1. Holmiae 1878.
Revista Euskara. Anno terzo. No. 32.
Congrès provincial des Orientalistes. T. 1. 2. Lyon. 1880. 4.
Luzzatti, statistische Tabelle. Rom.
Musée Guimet, Catalogue des objets exposés. Lyon. 1880.

Von der k. k. Akademie d. Wiss. in Wien.

Denkschriften. Math. naturwiss. Classe. Bd. 40. 42. 4.
Sitzungsberichte. Philosoph. histor. Classe. Bd. 96. H. 2—3.
— math. naturwiss. Classe. 1. Abthlg. Bd. 81. H. 1—5. Bd. 82. H. 1—2.
— — Zweite Abth. Bd. 81. H. 4—5. Bd. 82. H. 1—2.
— — Dritte Abth. Bd. 81. H. 4. 5. Bd. 82. H. 1—2.
— — Register zu Bd. 76 — 80.
Archiv für österreich. Geschichte. Bd. 60. 2. Bd. 61. 1—2. Bd. 62. 1.
Almanach. 1880.

(Fortsetzung folgt.)

Für die Redaction verantwortlich: *E. Rehnisch*, Director d. Gött. gel. Anz.
Commissions-Verlag der *Dieterich'schen Verlags-Buchhandlung*.
Druck der *Dieterich'schen Univ.-Buchdruckerei (W. Fr. Kaestner)*.

Nachrichten

von der

Königl. Gesellschaft der Wissenschaften
und der Georg-Augusts-Universität
zu Göttingen.

2. Februar. № 2. 1881.

I.

Ueber die Bewegung eines elektrischen Theilchens in einem homogenen magnetischen Felde und das negative elektrische Glimmlicht.

Von

Eduard Riecke.

Ein elektrisches Theilchen von der in elektrostatischen Einheiten gemessenen Masse e sei verbunden mit der trägen Masse ε, die Coordinaten desselben mit Bezug auf ein im Raume festes Coordinatensystem seien x, y, z, die Componenten seiner Geschwindigkeit u, v, w. Ist außerdem gegeben ein magnetischer Punkt mit der Masse μ und den Coordinaten a, b, c, so sind die Componenten der von demselben auf das elektrische Theilchen ausgeübten Kraft gegeben durch:

$$X = \frac{\sqrt{2}}{c}\mu e \frac{(z-c)v-(y-b)w}{r^3}$$

$$Y = \frac{\sqrt{2}}{c}\mu e \frac{(x-a)w-(z-c)u}{r^3}$$

$$Z = \frac{\sqrt{2}}{c}\mu e \frac{(y-b)u-(x-a)v}{r^3}$$

Bezeichnen wir durch P das von dem Punkte μ ausgeübte magnetische Potential, so erhalten wir die Gleichungen:

$$X = \frac{\sqrt{2}}{c} e \left\{ \frac{\partial P}{\partial y} w - \frac{\partial P}{\partial z} v \right\}$$

$$Y = \frac{\sqrt{2}}{c} e \left\{ \frac{\partial P}{\partial z} u - \frac{\partial P}{\partial x} w \right\}$$

$$Z = \frac{\sqrt{2}}{c} e \left\{ \frac{\partial P}{\partial x} v - \frac{\partial P}{\partial y} u \right\}$$

welche in dieser Form allgemein gelten, gleichgültig ob das Potential P herrührt von einem einzelnen magnetischen Punkt oder von einer beliebigen Vertheilung magnetischer Massen. Die Differentialgleichungen, durch welche die Bewegung des elektrischen Theilchens e in dem magnetischen Feld bestimmt wird, sind:

$$\varepsilon \cdot \frac{d^2 x}{dt^2} = \frac{\sqrt{2}}{c} \cdot e \left\{ \frac{\partial P}{\partial y} \cdot \frac{dz}{dt} - \frac{\partial P}{\partial z} \cdot \frac{dy}{dt} \right\}$$

$$\varepsilon \cdot \frac{d^2 y}{dt^2} = \frac{\sqrt{2}}{c} \cdot e \left\{ \frac{\partial P}{\partial z} \cdot \frac{dx}{dt} - \frac{\partial P}{\partial x} \cdot \frac{dz}{dt} \right\}$$

$$\varepsilon \cdot \frac{d^2 z}{dt^2} = \frac{\sqrt{2}}{c} \cdot e \left\{ \frac{\partial P}{\partial x} \cdot \frac{dy}{dt} - \frac{\partial P}{\partial y} \cdot \frac{dz}{dt} \right\}$$

Das Integral der lebendigen Kraft ist gegeben durch

$$\left(\frac{dx}{dt}\right)^2 + \left(\frac{dy}{dt}\right) + \left(\frac{dz}{dt}\right)^2 = \text{Const.}$$

d. h. die Bahngeschwindigkeit des Theilchens ist

eine Constante, welche im Folgenden durch σ bezeichnet werden soll.

Ist insbesondere das magnetische Feld ein homogenes, so hat das Potential die Form

$$P = -Ax - By - Cz$$

und die Bewegungsgleichungen werden:

$$\varepsilon \frac{d^2 x}{dt^2} = \frac{\sqrt{2}}{c} e \left\{ C \frac{dy}{dt} - B \frac{dz}{dt} \right\}$$

$$\varepsilon \frac{d^2 y}{dt^2} = \frac{\sqrt{2}}{c} e \left\{ A \frac{dz}{dt} - C \frac{dx}{dt} \right\}$$

$$\varepsilon \frac{d^2 x}{dt^2} = \frac{\sqrt{2}}{c} e \left\{ B \frac{dx}{dt} - A \frac{dy}{dt} \right\}$$

Aus denselben folgt zunächst

$$A \frac{d^2 x}{dt^2} + B \frac{d^2 y}{dt^2} + C \frac{d^2 z}{dt^2} = 0$$

$$A \frac{dx}{dt} + B \frac{dy}{dt} + C \frac{dz}{dt} = \text{Const.}$$

Es ergiebt sich somit, daß auch die Componente der Bahngeschwindigkeit nach der Richtung der magnetischen Kraftlinien konstant ist. Bezeichnen wir die ganze Intensität des magnetischen Feldes mit I, jene konstante Geschwindigkeit mit j, so haben wir die Gleichung:

$$A \frac{dx}{dt} + B \frac{dy}{dt} + C \frac{dz}{dt} = Ij$$

und hieraus

$$Ax + By + Cz = Ijt$$

wenn vorausgesetzt wird, daß das Theilchen e sich zur Zeit 0 im Anfangspunkt des Coordinatensystems befinde.

Versteht man unter α den Winkel, welchen ein Element der von dem Theilchen e durchlaufenen Bahn mit der Richtung der Kraftlinien einschließt, so gilt die Gleichung

$$\cos \alpha = \frac{j}{\sigma}$$

Es ist also dieser Winkel α ebenfalls konstant, alle Elemente der von dem Theilchen e durchlaufenen Bahn sind unter demselben Winkel gegen die Richtung der magnetischen Kraftlinien geneigt.

Bezeichnen wir mit ds ein Element dieser Bahn, welches von dem elektrischen Theilchen e in der Zeit dt durchlaufen wird, so ist:

$$\frac{ds}{dt} = \sigma$$

und daher

$$\frac{dx}{dt} = \frac{dx}{ds} \cdot \sigma, \quad \frac{d^2x}{dt^2} = \frac{d^2x}{ds^2} \cdot \sigma^2$$

Substituiren wir diesen Werth in den Differentialgleichungen der Bewegungen, so ergiebt sich:

$$\varepsilon \sigma^2 \frac{d^2x}{ds^2} = \frac{\sqrt{2}}{c} e \left\{ C \frac{dy}{dt} - B \frac{dz}{dt} \right\}$$

$$\varepsilon \sigma^2 \frac{d^2y}{ds^2} = \frac{\sqrt{2}}{c} e \left\{ A \frac{dz}{dt} - C \frac{dx}{dt} \right\}$$

$$\varepsilon \sigma^2 \frac{d^2z}{ds^2} = \frac{\sqrt{2}}{c} e \left\{ B \frac{dx}{dt} - A \frac{dy}{dt} \right\}$$

und hieraus:

$$s \cdot \sigma^3 \left(\frac{dy}{ds} \cdot \frac{d^2 z}{ds^2} - \frac{dz}{ds} \cdot \frac{d^2 y}{ds^2} \right) = \frac{\sqrt{2}}{c} e \left\{ A \sigma^2 - Ij \frac{dx}{dt} \right\}$$

$$s \cdot \sigma^3 \left(\frac{dz}{ds} \cdot \frac{d^2 x}{ds^2} - \frac{dx}{ds} \cdot \frac{d^2 z}{ds^2} \right) = \frac{\sqrt{2}}{c} e \left\{ B \sigma^2 - Ij \frac{dy}{dt} \right\}$$

$$s \cdot \sigma^3 \left(\frac{dx}{ds} \cdot \frac{d^2 y}{ds^2} - \frac{dy}{ds} \cdot \frac{d^2 x}{ds^2} \right) = \frac{\sqrt{2}}{c} e \left\{ C \sigma^2 - Ij \frac{dz}{dt} \right\}$$

Aus diesen Gleichungen ergiebt sich für den reciproken Krümmungshalbmesser der Bahnkurve der Werth

$$t = \frac{\sqrt{2}}{c} \cdot \frac{eI}{s} \cdot \frac{w}{\sigma^2}$$

wo $w = \sqrt{\sigma^2 - j^2}$ die ebenfalls konstante Componente der Bahngeschwindigkeit σ nach einer zur Richtung der Kraftlinien senkrechten Ebene bezeichnet. Der Krümmungshalbmesser der von dem Theilchen e durchlaufenen Bahn ist also konstant, d. h. die Bahn selbst hat die Gestalt einer Schraubenlinie. Da aber die Elemente der Bahn alle denselben Winkel α mit der Richtung der magnetischen Kraftlinien einschließen, so muß die Axe der Schraubenlinie der Richtung der Kraftlinien parallel sein. Die Projection der Bahnkurve auf eine zur Richtung der Kraftlinien senkrechte Ebene ist ein Kreis vom Halbmesser

$$a = \frac{\sin^2 \alpha}{t} = \frac{c}{\sqrt{2}} \frac{s}{eI} \sigma \sin \alpha$$

Die Höhe eines Schraubenganges ist:

$$h = \pi c \sqrt{2} \frac{s}{eI} \sigma \cos \alpha$$

Es ergiebt sich hieraus, daß die von Hittorf beobachtete schraubenförmige Windung des elektrischen Glimmlichtes unter der Wirkung magnetischer Kräfte durch die Annahme einer Ausstrahlung von mit träger Masse verbundenen elektrischen Theilchen erklärt werden kann.

II.

Ueber die von einer Influenzmaschine zweiter Art gelieferte Elektricitätsmenge und ihre Abhängigkeit von der Feuchtigkeit.

Von

Eduard Riecke.

Die folgenden Beobachtungen beziehen sich auf eine Elektromaschine zweiter Art mit entgegengesetzt rotirenden Scheiben. Es wurden bei denselben die beiden vorderen horizontalen Conduktoren der Maschine metallisch mit einander verbunden. In den Schließungskreis wurde die Tangentenboussole eingeschaltet, welche von Weber in den elektrodynamischen Maaßbestimmungen [1]) beschrieben worden ist. Der diametrale Conduktor war entfernt, die beiden hinteren vertikalen Conduktoren durch einen Messingbügel verbunden. Der mittlere Abstand der beiden Scheiben betrug 1,34 mm, der mittlere Abstand der vorderen Spitzen von der Oberfläche der vorderen Scheibe betrug 4.1 mm, der mittlere Abstand der hinteren Spitzen von der Oberfläche der hinteren Scheibe 5.4 mm. Die Drehung der Maschine geschah mit der Hand,

1) Weber, Zurückführung d. Stromintensitätsmessungen auf mechanisches Maaß. Abh. d. math. phys. Cl. d. K. S. G. d. W. Bd. III. S. 289.

wobei die Geschwindigkeit nach den Schlägen eines Sekundenzählers regulirt wurde. Eine Umdrehung der Kurbel war gleich 5.0033 Umdrehungen der vorderen und gleich 5.0058 Umdrehungen der hinteren Scheibe.

Es wurde zuerst eine Reihe von Beobachtungen angestellt, welche den Zweck hatten, die bei verschiedenen Drehungsgeschwindigkeiten entwickelte Elektricitätsmenge zu bestimmen. Bei diesen Beobachtungen blieben weder die Temperaturverhältnisse, noch die Feuchtigkeit der Luft konstant; um eine vollständigere Kenntniß von den Eigenschaften der Maschine zu gewinnen war es daher nothwendig, über den Einfluß jener beiden Elemente durch eine besondere Versuchsreihe Aufklärung zu gewinnen. Die Feuchtigkeitsverhältnisse der Luft in dem Beobachtungsraume, einem Zimmer von etwa 40 cm Rauminhalt, wurden geändert, theils durch Verdampfen von ausgesprengtem Wasser, theils durch Einlassen von frischer Luft durch Oeffnung der Fenster und Thüren. Dabei konnten natürlich stärkere Schwankungen der Temperatur nicht vermieden werden; es zeigte sich ferner, daß bei raschem Wechsel der Feuchtigkeit und Temperatur die Maschine den neuen Verhältnissen nicht sofort sich anpaßt, sondern oft noch längere Zeit in einem den früheren Verhältnissen entsprechenden Zustande verharrt. Beide Umstände beeinträchtigen die Brauchbarkeit der erhaltenen Resultate. Eine genauere Prüfung des Gesetzes, durch welches ich meine Beobachtungen darzustellen versucht habe, mit vollkommeneren experimentellen Einrichtungen ist daher noch zu wünschen.

Mit Bezug auf die Ausführung der Beobachtungen möge folgendes bemerkt werden. Der

Magnetspiegel, welcher im Mittelpunkte des Rings der Tangentenboussole aufgehängt war, besaß eine Schwingungsdauer von 2,3 Sekunden; seine Schwingungen waren durch einen denselben umgebenden Kupferring so stark gedämpft, daß das Verhältniß zweier auf einanderfolgender Schwingungen 1,94 betrug. Die Stellung des Ringes der Tangentenboussole wurde geprüft, indem der Strom eines Daniell'schen Elementes unter Einschaltung eines Widerstandes von 26100 Siemens in der einen und in der entgegengesetzten Richtung durch denselben hindurchgeleitet wurde. Es ergab sich dabei eine Ablenkung nach der einen Seite von 3° 19.84', nach der anderen eine solche von 3° 19.74', woraus sich ergiebt, daß die Abweichung der Ebene des Rings von dem magnetischen Meridian vernachlässigt werden kann. Für den Torsionskoëfficienten des Cokonfadens wurde gefunden $\Theta = 0.00244$. Die Stromstärke in magnetischem Maaße ergiebt sich aus dem Ablenkungswinkel φ mit Hülfe der Formel:

$$i = \frac{T}{262.1}(1 + \Theta)\, tg\varphi.$$

Für die Horizontalintensität im Mittelpunkte der Tangentenboussole ergab sich aus zwei sehr gut übereinstimmenden Beobachtungen, bei welchen der Magnetspiegel der Tangentenboussole als Hülfsnadel diente, der Werth 1.956. Die Ablenkungen, welche durch den Strom der Influenzmaschine hervorgerufen wurden, sind bestimmt, indem von 7 zu 7 Sekunden der Stand des Magnetspiegels mit Fernrohr und Skale beobachtet wurde. Aus einer größeren Reihe solcher Standbeobachtungen wurde mit Rücksicht auf das Dämpfungsverhältniß die mittlere Ablenkung berechnet. Die relative Feuchtigkeit wurde mit Hülfe zweier zu beiden Seiten der Maschine aufgestellter Hygrometer von gut übereinstimmende Gange gemessen.

Es möge beispielsweise das Protokoll einer Beobachtungsreihe mitgetheilt werden.

Mittwoch d. 12. Febr. 1879.

Umdrehungszahl der Kurbel = $^1/_2$
Relative Feuchtigkeit = 58.5%
Temperatur = 19.8°
Ruhelage des Magnetspiegels = 398.8

Drehung positiv. Standbeobachtungen.

315.8	314.8	319.7	316.8
313 3	315.5	314.0	317.8
319.5	318,6	310.8	317.2
312.2	311,8	316.8	319.1
315.0	311.0	317.6	311.9
311.0	310,8	313.6	313.5
318.2		311.0	315.5
		310.8	319 3
		317.0	
		312.5	
314.8	313.6	318.5	317.3

Hauptmittel = 314.9.

Drehung negativ. Standbeobachtungen.

481.8	479.6	474.3	472.5	474.6
480.3	477.8	479.2	479.4	471.2
476.5	485.0	474.0	475.6	482.0
474.9	476.9	478.2	480.3	475.0
475.7	—	478.5		477.0
480.2	479.6	479.0		477 0
477.4	478.6			488.3
477,6	478.5	477.7	478.1	477.4

Hauptmittel = 477.9.

Ruhelage des Magnetspiegels = 397.8
Temperatur = 19.3
Relative Feuchtigkeit = 60.0.

Entfernung von Spiegel zu Skale = 2595 mm.

Hieraus ergiebt sich

$$i = 0.0001157.$$

Die Umdrehungszahl der vorderen Scheibe ist gleich 2.5016; wird die in mechanischem Maaß ausgedrückte Stromstärke durch diese Umdrehungszahl dividirt, so erhält man die während einer Umdrehung der Scheibe durch den Querschnitt des Verbindungsdrahtes strömende Menge positiver Elektricität in elektrostatischen Einheiten. Wird diese, wie im Folgenden immer, durch e bezeichnet, so ergiebt sich aus dem vorliegenden Beispiele

$$e = 71.93 \times 10^5$$

In der folgenden Tabelle sind die Resultate derjenigen Beobachtungsreihen, welche zur Ermittlung des Einflusses der Umdrehungsgeschwindigkeit angestellt worden waren, zusammengestellt. Hiebei bezeichnet ω die Umdrehungszahl der vorderen Scheibe, ϱ die relative Feuchtigkeit, t die Temperatur.

Tag der Beobacht.	ω	ϱ	t	$e \cdot 10^{-5}$
12/2 79.	0.625	0.54	20.7	69.7
	1.251	0.55	20.7	71.9
	2.502	0.59	19.5	71.9
14/2 79.	0.625	0.47	21.2	71.7
	1.251	0.46	23.4	69.9
	2.502	0.45	25.1	68.0
	5.003	0.48	24.7	67.4
18/2 79.	0.625	0.49	18.5	70.6
	1.251	0.58	18.1	71.1
	2.502	0.55	17.5	71.6
	5.008	0.58	16.9	73.8
20/2 79.	0.625	0.41	21.3	71.0
	1.251	0.45	21.4	70.4
	2.502	0.47	21.1	70.9
	5.003	0.51	20.6	72.5
24/2 79.	0.625	0.42	19.4	74.0
	1.251	0.40	21.7	68.7
	2.502	0.40	21.6	67.1
	5.008	0.43	21.1	71.4
26/2 79.	0.625	0.39	22.6	72.5
	1.251	0.40	23.2	72.4
	2.502	0.41	23.1	74.1
	5.003	0.44	22.6	74.5
28/2 79.	0.625	0.34	24.2	70.9
	1.251	0.36	24.7	71.7
	2.502	0.39	24.3	73.9
	5.003	0.44	23.5	74.7
4/3 79.	0.625	0.41	21.3	75.1
	1.251	0.43	22.0	72.6
	2.502	0.45	22.5	72.8

Wenn aus sämmtlichen bei gleicher Rotationsgeschwindigkeit angestellten Beobachtungen das Mittel genommen wird, so ergiebt sich die folgende Zusammenstellung:

ω	ϱ	t	$e\,.\,10^{-5}$
0.625	0.48	21.1	71.9
1.251	0.45	21.9	71.1
2.502	0.46	21.8	71.8
5.008	0.48	21.6	72.4

Hiernach dürfte die durch eine Umdrehung gelieferte Elektricitätsmenge e von der Umdrehungszahl im Wesentlichen als unabhängig zu betrachten sein.

Es mögen nun auch die Resultate der zweiten Beobachtungsreihe, welche zur Ermittlung des Einflusses der Feuchtigkeit angestellt worden war, zusammengestellt werden; f bezeichnet hiebei die aus relativer Feuchtigkeit und Temperatur berechnete absolute Feuchtigkeit.

1. Umdrehungszahl der vorderen Scheibe 0.625.

Tag der Beobacht.	ϱ	t	f	$e \cdot 10^{-5}$
25/3 79.	0.33	22.5	7.7	70.2
	0.33	24.2	8.2	72.7
	0 33	24.1	8.8	70.0
	0.34	19.2	5.6	70.6
	0.35	20.8	6.8	78.8
	0.36	21.4	6.7	67.7
	0.51	20.0	8.7	61.9
	0.54	19.9	9.2	54.9
	0.56	19.8	9.4	37.0
	0.60	19.0	9.7	39.1
	0.61	18.9	9.8	44.3
	0.62	18.6	9.8	41.2
26/3 79.	0.39	17.4	5.7	70.6
	0.39	18.5	6.2	70.8
	0.40	19.0	6.4	69.2
	0.48	18.6	7.6	67.3
	0.51	18.4	8.0	64.9
	0.53	18.2	8.2	64.2
	0.58	17.7	8.8	38.3
	0.59	17.6	8.9	30.6
	0.60	17.5	8.9	36.2
28/3 79.	0.66	19.5	11.0	31.4
	0.66	19.5	11.1	20.4
	0.67	19.4	11.1	31.6

2. Umdrehungszahl der vorderen Scheibe 1.251.

Tag der Beobacht.	ϱ	t	f	$e \cdot 10^{-5}$
28/3 79.	0.40	22.3	8.0	70.0
	0.42	22.7	8.3	68.7
	0.43	22.4	8.6	71.9
	0.54	21.0	9.3	62.1
	0.53	20.9	10.4	48.3
	0.60	21.0	10.7	38.4
	0.64	20.2	11.1	30.6
	0.66	19.9	11.0	36.1
	0.66	19.5	11.0	30.3
31/3 79.	0.44	25.2	10.2	74.3
	0.45	25.5	10.5	74.3
	0.46	25.5	10.7	73.0
	0.59	24.4	12.9	59.3
	0.61	24.4	13.4	62.1
	0.62	24.2	13.6	34.3
	0.60	19.0	9.6	74.2*
	0.60	19.7	10.1	73.3*
	0.61	20.0	10.5	79.1*
1/4 79.	0.65	22.0	12.5	37.5
	0.65	22.1	12.3	36.1
	0.66	22.1	12.9	39.3

3. Umdrehungszahl der vorderen Scheibe 2,502.

Tag der Beobacht.	ϱ	t	f	e . 10⁻⁵
1/4 79.	0.47	23.2	9.6	71.4
	0.48	24.7	10.7	68.9
	0.48	25.0	11.1	72.2
	0.57	23.8	12.1	80.8*
	0.59	24.0	12.6	65 1
	0.61	24.0	13.1	65.9
	0.60	19.8	10.2	79.6*
	0.62	21.2	11.5	78.7*
	0.64	21.8	12.1	76.8*
2/4 79.	0.63	18.7	10.2	76.4*
	0.62	20.2	10.8	76.2*
	0.60	21.0	10.9	77.2*
	0.67	19.9	11.5	54.4
	0.68	20.3	12.0	50.8
	0.68	20.6	12.2	52.2
	0.72	20.6	12.8	21.5
	0.72	20.6	12.9	25.9
3/4 79.	0.58	22.0	11.1	69.0
	0.58	21.6	10.9	71.7
	0.58	21.5	10.9	73.4
	0.61	19.5	10.2	39.5
	0.63	20.2	11.0	47.7
	0.64	20.6	11.4	55.5
	0.66	18.6	10.5	67.0*
	0.67	18.8	10.8	48.7
	0.68	18.8	10.9	38.5
	0.66	17.7	10.0	56.4
	0.68	18.0	10.5	48.6
	0.69	18.8	10.7	41.8
	0.74	18.6	11.7	21.9
	0.75	18.6	11.9	28.3
	0.75	18.7	11.9	28.9

Daß der Einfluß der Feuchtigkeit auf die von der Maschine gelieferte Electricitätsmenge ein sehr bedeutender ist, ergiebt sich aus der Betrachtung dieser Tabellen ohne weiteres. Um zu einer genaueren Bestimmung desselben zu gelangen, kann man davon ausgehen, daß die Elektricitätsmenge e eine Funktion der absoluten Feuchtigkeit und der Temperatur ist. Um diese Funktion zu ermitteln, kann man zunächst alle diejenigen Beobachtungen vereinigen, welche sich auf dieselbe Temperatur beziehen, und mit Hülfe derselben die Elektricitätsmenge e als Funktion der absoluten Feuchtigkeit darstellen. Sodann würden die in der gefundenen Funktion auftretenden Coëfficienten durch Vergleichung der auf verschiedene Temperaturen sich beziehenden Beobachtungsreihen in ihrer Abhängigkeit von der Temperatur bestimmt werden. Man kann aber auch vermuthen, daß die Elektricitätsmenge e wesentlich nur abhängig sei von der relativen Feuchtigkeit ϱ, so daß, wenn man e als Funktion von ϱ darstellt, die auftretenden Coëfficienten mit der Temperatur nur noch in geringerem Grade sich ändern. Wenn man von dieser Annahme ausgeht, so wird man sich darauf beschränken, aus den bei derselben relativen Feuchtigkeit erhaltenen Werthen von e das Mittel zu nehmen und diesen Mittelwerth durch eine Funktion von ϱ auszudrücken. Um für die weitere Verfolgung der beiden angedeuteten Wege eine bequemere Grundlage zu gewinnen, wurden die bei den drei verschiedenen Rotationsgeschwindigkeiten erhaltenen Beobachtungen in zwei Tabellen geordnet, von welchen die eine nach steigenden Werthen der absoluten, die andere nach steigenden Werthen der relativen Feuchtigkeit fortschritt.

Die Untersuchung der nach den Werthen

der absoluten Feuchtigkeit geordneten Tabellen zeigte, daß die Beobachtungen zur Berechnung mehrerer Werthreihen von e zu unvollständig waren. Es wurde daher nur für die Umdrehungszahl 0.625 eine Werthreihe aufgestellt, indem die vorliegenden Beobachtungen auf eine gewisse Mitteltemperatur bezogen wurden unter Ausschluß aller derjenigen, welche bei einer vom Mittel um mehr als 0,5° abweichenden Temperatur angestellt waren.

Auf diese Weise ergab sich die folgende Tabelle:

Umdrehungszahl 0.625
Temperatur 18.9.

f	$e \cdot 10^{-5}$	
	beob.	ber.
5.5	70.6	76.8
6.2	70.8	72.4
6.4	69.2	71.1
7.6	67.8	62.5
8.0	64.9	59.4
9.7	39.1	44.1
9.8	42.7	43.1
11.0	31.4	31.4
11.1	26.0	30.3

Will man die beobachteten Werthe von $e \cdot 10^{-5}$ durch eine nach Potenzen von f fortschreitende Reihe darstellen, so kann man dabei die höchst wahrscheinliche Annahme benutzen, daß der Differentialquotient $\frac{de}{df}$ für $f = 0$ verschwindet; beschränkt man sich dann auf das erste Glied der Entwicklung, so ergiebt sich:

$$e = e_0 - k \cdot f^2$$

wo dann e_0 diejenige Elektricitätsmenge darstellt, welche bei Abwesenheit aller Feuchtigkeit erhalten würde. In dieser Weise sind die berechneten Werthe der vorhergehenden Tabelle erhalten und zwar mit Hülfe der Formel:

$$e \cdot 10^{-5} = 92.0 - 0.51 \cdot f^2.$$

Die nach steigenden Werthen der relativen Feuchtigkeit geordneten Tabellen sind im folgenden für die drei verschiedenen Umdrehungsgeschwindigkeiten zusammengestellt.

(Siehe die Tabelle auf der folgenden Seite.)

Zum Zwecke der weiteren Verwerthung wurden die in dieser Tabelle enthaltenen Werthpaare von e und ϱ graphisch dargestellt, und auf Grund der Zeichnung die benachbarten Werthpaare von e und ϱ ersetzt durch die zugehörigen Mittelwerthe. Auf diese Weise entstanden die folgenden Tabellen.

Umdrehungszahl der vorderen Scheibe ω = 0,625.

ϱ	$e \cdot 10^{-5}$	
	beob.	ber.
0.35	70.7	77.0
0.39	70.6	72.6
0.48	67.3	61.2
0.52	63.7	55.4
0.54	54.9	52.2
0.59	38.2	48.8
0.66	27.8	31.1

Die berechneten Werthe sind erhalten mit Hülfe der Formel: (Seite 36)

$\omega = 0.625$		$\omega = 1.251$		$\omega = 2.502$	
ϱ	$e \cdot 10^{-5}$	ϱ	$e \cdot 10^{-5}$	ϱ	$e \cdot 10^{-5}$
0.34	70.6	0.40	70.0	0.47	71.4
0.35	73.8	0.42	68.7	0.48	68.9
0.36	67.7	0.43	71.9		72.2
0.38	70.0	0.44	74.8	0.57	80.8*
	70.2	0.45	74.3	0.58	71.7
	72.7	0.46	73.0		69.0
0.39	70.6	0.54	62.1		73.4
	70.8	0.58	48.3	0.59	65.1
0.40	69.2	0.59	59.8	0.60	79.6*
0.48	67.3	0.60	74.2*		77.2*
0.51	64.9		78.8*	0.61	65.9
	61.9		33.4		39.5
0.53	64.2	0.61	62.1	0.62	78.7*
0.54	54.9		79.1*		76.2*
0.56	37.0	0.62	34.3	0.63	76.4*
0.58	38.8	0.64	30.6		47.7
0.59	30.6	0.65	36.1	0.64	76.8*
0.60	36.2		37.5		55.5
	39.1	0.66	30.3	0.66	67.0*
0.61	44.3		36.1		56.4
0.62	41.2		39.8	0.67	54.4
0.66	31.4				48.7
	20.4			0.68	50.8
0.67	31.6				52.2
					38.5
					48.6
				0.69	41.3
				0.72	21.5
					25.9
				0.74	21.9
				0.75	23.3
					23.9

$$e \cdot 10^{-5} = 94.8 - 146 \cdot \varrho^2.$$

Bei Abwesenheit aller Feuchtigkeit würde die durch eine Umdrehung entwickelte Menge positiver Elektricität 94.8×10^5 elektrostatische Einheiten betragen haben, in guter Uebereinstimmung mit dem früher gefundenen Werth 92.0×10^5. Der Bruch $\frac{94.8}{146}$ giebt das Quadrat derjenigen relativen Feuchtigkeit, bei welcher die Wirksamkeit der Maschine aufhören würde; für diese selbst berechnet sich daraus der Werth 0.81.

Umdrehungszahl der vorderen Scheibe n = 1,251.

ϱ	$e \cdot 10^{-5}$ beob.	$e \cdot 10^{-5}$ ber.
0.42	70.2	76,4
0.45	75.7	72,2
0.54	62.1	57,5
0.58	48.8	50,4
0.59	59.8	48,4
0.60	38.4	46,4
0.61	48.2	44,5
0.64	30.6	38,3
0.65	36.8	36,4
0.66	35.4	34,0

Die berechneten Werthe sind erhalten mit Hülfe der Formel:

$$e \cdot 10^{-5} = 105.1 - 163 \cdot \varrho^2.$$

Die für $\varrho = 0$ und $e = 0$ auftretenden Grenzwerthe der Elektricitätsmenge und der relativen Feuchtigkeit werden hiernach

$$e_0 = 105.1 \times 10^5 \text{ und } \varrho_0 = 0.80.$$

Umdrehungszahl der vorderen Scheibe = 2,502.

ϱ	$e.10^{-5}$	
	beob.	ber.
0.48	70.8	75.8
0.58	71.4	61.0
0.59	65.1	59.8
0.61	52.7	56.1
0.63	47.7	52.7
0.65	55.9	49.3
0.67	51.5	45.7
0.68	48.8	43.9
0.69	41.8	42.1
0.72	28.7	36.4
0.75	28.0	30.6

Die Werthe sind berechnet nach der Formel:

$$e.10^{-5} = 106.3 - 135.\varrho^2.$$

Hiernach werden die Grenzwerthe der Elektricitätsmenge und der relativen Feuchtigkeit

$$e_0 = 106.3 \times 10^5. \quad \varrho_0 = 0.89.$$

Die Figuren 2—4 enthalten eine Zusammenstellung der aus den angeführten Gleichungen sich ergebenden Curven mit den beobachteten Werthen. Figur 1 gibt eine Zusammenstellung der für die drei Umdrehungszahlen gefundenen Curven.

Mit Bezug auf die vorhergehenden Tabellen muß noch bemerkt werden, daß bei ihrer Berechnung alle diejenigen Beobachtungen, welche in den früheren Tabellen mit einem Sternchen bezeichnet worden sind, vollständig ausgeschlossen wurden. Alle in dieser Weise ausgezeichneten Werthe von e haben eine abnorme Größe, wie sie bei den entsprechenden Feuchtigkeitsgraden nicht wohl vorkommen kann. Diese ungewöhnlich großen Elektricitätsmengen traten auf, wenn kurz zuvor durch Oeffnen der Fenster und Thüren des Beobachtungszimmers frische Luft in dasselbe eingelassen war. Es scheint, daß die Maschine durch den Zug der trockeneren Luft in einen Zustand größerer Wirksamkeit versetzt wurde, welcher noch anhielt, auch nachdem die Luft durch verdampfendes Wasser wieder einen höheren Feuchtigkeitsgrad erreicht hatte.

Im Mittel ergiebt sich aus den drei Beobachtungsreihen für die Abhängigkeit der Elektricitätsmenge von der relativen Feuchtigkeit die Gleichung

$$e \,.\, 10^{-5} = 102.1 - 148 \,.\, \varrho^{2}.$$

Die zuerst besprochenen Beobachtungen hatten zu dem Resultate geführt, daß die Elektricitätsmenge e von der Umdrehungszahl im wesentlichen als unabhängig betrachtet werden kann.

Nehmen wir aus den für die 4 verschiedenen Umdrehungszahlen gefundenen Werthen das Mittel, so ergiebt sich die Elektricitätsmenge 71.7×10^{5} entsprechend einer relativen Feuchtigkeit 0,45; wenden wir auf diese Zahlen die vorhergehende Formel an, so ergiebt sich für die bei Abwesenheit aller Feuchtigkeit auftretende Elektricitätsmenge die Gleichung:

$$e_0 \,.\, 10^{-5} = 71.7 + 148 \times 0.45^{2}$$

somit:

$$e_0 = 101.6 \times 10^{5}$$

Als Resultat der Untersuchung können demnach die folgenden Sätze ausgesprochen werden.

1. Die durch eine Umdrehung der Maschine gelieferte Menge e von positiver Elektricität ist von der Umdrehungszahl im Wesentlichen unabhängig.

2. Dem lufttrockenen Zustand entspricht eine Elektricitätsmenge e_0 von 102×10^5 elektrostatischen Einheiten.

3. Die Abhängigkeit der Elektricitätsmenge e von der relativen Feuchtigkeit ϱ kann in erster Annäherung dargestellt werden durch den Ausdruck

$$e \,.\, 10^{-5} = 102 - 148 \,.\, \varrho^2$$

Eine Ergänzung finden diese Sätze in den Beobachtungen von Rosetti [1]). In der umfassenden Arbeit, in welcher derselbe die Maaßbeziehungen des Stromes einer Elektromaschine erster Art untersucht hat, finden sich 4 Beobachtungsreihen, welche sich auf 4 verschiedene Hygrometerstände beziehen. Die in denselben mitgetheilten Beobachtungen wurden durch eine allerdings etwas unsichere graphische Interpolation auf gleiche Umdrehungsgeschwindigkeiten reducirt und daraus die folgende Tabelle für die Werthe von $e \,.\, 10^{-5}$ gewonnen.

ω	Relative Feuchtigkeit			
	0.35	0.49	0.54	0.69
2.	162.9	156.2	127.1	110.9
3.	154.4	156.7	131.9	113.2
4.	154.6	166.3	146.9	118.7
5.	162.0	165.1	157.5	130.5
6.	169.4	159.0	159.3	143.4
7.	170.4	158.1	160.4	146.9

1) Rosetti, Neue Studien über die Ströme der Elektrisirmaschinen. Pogg. Ann. 154. S. 507. 1875.

Es ergiebt sich aus dieser Tabelle, daß die Elektricitätsmenge e namentlich bei höheren Feuchtigkeitsgraden mit wachsender Umdrehungszahl zunimmt; in geringerem Grade und daher nicht mit derselben Sicherheit läßt sich ein solches Verhalten auch bei der von mir untersuchten Elektromaschine zweiter Art erkennen. Es würde daraus folgen, daß in der Gleichung

$$e = e_0 - \alpha . \varrho^2$$

durch welche die Elektricitätsmenge e in ihrer Abhängigkeit von der relativen Feuchtigkeit dargestellt wird, der Coëfficient α nicht konstant ist, sondern mit wachsender Umdrehungsgeschwindigkeit abnimmt.

Die bei einer Umdrehung der vorderen Scheibe aus dem einen der horizontalen Conduktoren von den Spitzen zur Scheibe überströmende Menge positiver Elektricität ist nach dem Vorhergehenden gleich e. Während einer halben Umdrehung strömt über die Elektricitätsmenge $\frac{e}{2}$, und diese genügt, um die vorher negative Ladung der Scheibe in eine ebenso starke positive zu verwandeln. Daraus ergiebt sich, daß sobald der stationäre Zustand der Maschine eingetreten ist, auf dem einen der durch die horizontalen Conduktoren geschiedenen Halbringe der vorderen Scheibe die Elektricitätsmenge $+\frac{e}{4}$ auf dem andern die Elektricitätsmenge $-\frac{e}{4}$ sich befindet.

Bei der Maschine, an welcher die vorliegenden Beobachtungen angestellt worden sind, hat der der Breite der Spitzenkämme entsprechende Ring einen innern Halbmesser von 112, einen äußeren Halbmesser von 200 mm. Nimmt man, was in Wirklichkeit allerdings nicht genau zutrifft, an, daß die Elektricitäten mit gleichmäßiger Dichtigkeit auf den beiden Halbringen ausgebreitet sind, so ergiebt sich, daß auf 1 □mm 58 Einheiten positiver beziehungsweise negativer Elektricität kommen.

Wenn aber auf diese Weise die Vertheilung der Elektricität auf den beiden Scheiben der Maschine bestimmt ist, so ist die Möglichkeit der Berechnung der von den Scheiben der Maschine ausgeübten elektrischen Kräfte und damit die Grundlage für eine vollständige Theorie der Maschine gewonnen.

III.

Messung der vom Erdmagnetismus auf einen drehbaren linearen Stromleiter ausgeübten Kraft.

Von

Eduard Riecke.

1. Nach dem elektromagnetischen Grundgesetze ist die Transversalkraft, welche ein Magnetpol μ auf ein zu der Richtung der Entfernung senkrechtes Stromelement ausübt, gegeben durch

$$\frac{\mu i ds}{r^2}.$$

Ist der Pol μ soweit von dem Element ds entfernt, daß das von μ erzeugte magnetische Feld als ein homogenes betrachtet werden kann, so stellt $\frac{\mu}{r^2}$ die Intensität dieses Feldes vor. Ist also das Element $i ds$ horizontal gerichtet, so ist die von der Vertikalkomponente des Erdmagnetismus auf dasselbe ausgeübte Transversalkraft gleich $Vids$, wenn wir durch V die vertikale Intensität des Erdmagnetismus bezeichnen. Es möge nun das Element ds einem längeren, geradlinigen und horizontalen Leiter angehören, welcher um eine durch seinen Anfangspunkt hindurchgehende vertikale Axe drehbar ist. Bezeichnen wir die Entfernung des Elements ds von dem Anfangspunkt des Leiters durch s, so ist das von der Vertikalkomponente des Erdmagnetismus auf ds ausgeübte Drehungsmoment gleich $Visds$; ist also die ganze Länge des Leiters gleich l, so ist das ganze auf denselben ausgeübte Drehungsmoment gleich

$$\tfrac{1}{2}Vil^2.$$

2. Um das durch diesen Ausdruck bestimmte Drehungsmoment zu messen, wurde eine Kreisscheibe von Kupfer an einem Drahte von hartem Messing in ihrem Mittelpunkte so aufgehängt, daß sie in horizontaler Stellung im Gleichgewichte sich befand; die obere Fläche der Scheibe war mit Siegellack überzogen, die untere mit einer kreisrund geschliffenen Glasplatte so weit bedeckt, daß nur am Rande derselben ein Ring freiblieb. Die Scheibe war eingetaucht in ein mit Kupfervitriollösung gefülltes Gefäß; der Boden des letzteren war in der Mitte durchbohrt; durch diese Durchbohrung war eine vertikale messingene Säule in das Innere des Gefäßes eingeführt, auf welche eine mit der zuvor beschriebenen vollkommen gleiche Scheibe aufgeschraubt war; die nach oben gekehrte Seite derselben war mit einer Glasplatte bedeckt, so daß an ihrem Rande ein Kupferring freiblieb von genau derselben Breite wie bei der beweglichen Scheibe. Wurde

nun durch den Suspensionsdraht ein galvanischer Strom in die drehbare Scheibe eingeleitet, so trat derselbe aus dem freien Rand der unteren Fläche aus, und gieng durch die Kupfervitriollösung hindurch in den gegenüberstehenden Rand der Standscheibe; aus diesem wird er dann durch einen mit ihrem Träger verbundenen Draht vertikal nach unten abgeleitet. In den Stromkreis war außerdem eingeschaltet eine Tangentenbussole und ein Siemensscher Rheostat. Die Anordnung der Verbindungen ist aus Fig. 5 der beigelegten Tafel zu ersehen. Die beiden Rechtecke *STMP* und *STNQ*, welche von dem galvanischen Strom stets in entgegengesetztem Sinne umkreist werden, lagen in einer und derselben Ebene der Ebene des magnetischen Meridians. Als Beobachtungsraum diente der eisenfreie Pavillon des physikalischen Institutes.

Die Betrachtung des durch den Strom auf der beweglichen oder der Standscheibe erzeugten Kupferniederschlages zeigte, daß derselbe sich über die ganze Fläche der Elektrodenringe anscheinend gleichförmig vertheilte. Man wird also ohne einen merklichen Fehler zu begehen annehmen können, daß der Austritt oder Eintritt des Stromes in der ganzen Fläche der Elektroden mit derselben Stromdichtigkeit sich vollzieht. Mit Hülfe dieser Annahme ergiebt sich für das von der Vertikalkomponente des Erdmagnetismus auf die von dem Strom i durchflossene Scheibe ausgeübte Drehungsmoment der Ausdruck:

$$\tfrac{1}{2} V i l^2 \left(1 + \frac{\delta^2}{l^2}\right)$$

wenn man durch l den mittleren Halbmesser

des Elektrodenringes, durch δ die halbe Breite desselben bezeichnet. Wird durch dieses Moment die Scheibe um einen Winkel φ gedreht, so hat man, wenn unter D die Direktionskraft der Torsion verstanden wird,

$$D\varphi = \tfrac{1}{2} V i l^2 \left(1 + \frac{\delta^2}{l^2}\right)$$

$$2\varphi = \frac{V i l^2}{D} \left(1 + \frac{\delta^2}{l^2}\right).$$

Wird die Drehung der Scheibe mit Hülfe von Spiegel und Skale beobachtet, und ist der Skalenausschlag gleich n, die Entfernung zwischen Spiegel und Skale gleich r, so ist:

$$2\varphi = \frac{n}{r}\left(1 - \frac{1}{3} \cdot \frac{n^2}{r^2}\right).$$

Somit:

$$n = \frac{V i l^2 r}{D}\left(1 + \frac{\delta^2}{l^2}\right)\left(1 + \frac{1}{3}\frac{n^2}{r^2}\right).$$

3. Messung der horizontalen und vertikalen Intensität des Erdmagnetismus.

Eine Bestimmung dieser beiden Größen in dem magnetischen Pavillon des Institutes wurde im Jahre 1879 mit Hülfe eines transportablen Magnetometers von Meyerstein ausgeführt. Das Trägheitsmoment desselben wurde für eine Temperatur von 0 Graden gefunden gleich

$$16083 \, . \, 10^4.$$

Der Torsionskoëfficient war 0,01117; die Schwingungsdauer wurde immer am Anfang und

Schluß einer Messung beobachtet. Bei den Ablenkungsbeobachtungen wurde der Hauptstab auf den an dem Stative befestigten Messingarmen in zwei verschiedenen Entfernungen von der Hülfsnadel sowohl östlich als westlich aufgelegt; diese Entfernungen waren für eine Temperatur von 0° gleich 450.06 mm und 600.07 mm. Der Torsionskoëfficient der Hülfsnadel war 0.00485; das Verhältniß von T zu M wurde berechnet nach der Formel

$$\frac{M}{T} = \frac{r^3 (1 + \vartheta) \operatorname{tg} \varphi}{2\left(1 - \frac{k}{r^2}\right)}$$

wo

$$k = \frac{r_1^3 \operatorname{tg} \vartheta_1 - r_2^3 \operatorname{tg} \varphi_2}{r_2^5 \operatorname{tg} \varphi_2 - r_1^5 \operatorname{tg} \varphi_1} r_1^2 r_2^2.$$

Die an 6 verschiedenen Tagen angestellten Beobachtungen und deren Resultate sind im Folgenden zusammengestellt:

Tag der Beobacht.	t	φ_1	φ_2	k	M	T
23. Sept.	10.123 10.148	2°19.18′	5°28.15′	1290	8222.10³	1.8605
24. Sept.	10.096 10.117	2°18.43′	5°26.25′	1520	8221.10³	1.8708
25. Sept.	10.111 10.124	2°18.37′	5°25.90′	1770	8210.10³	1.8688
26. Sept.	10.099 10.110	2°18.58′	5°26.67′	1130	8224.10³	1.8702
9. Oct.	10.088 10.109	2°18.38	5°26.23′	1340	8225.10³	1.8722
10. Oct.	10.092 10.102	2°18.70′	5°26.88′	1550	8236.10³	1.8705
Mittelwerthe für d. 2. Oct. 1879				1840	8223.10³	1.8705

Das Verhältniß der vertikalen zur horizontalen Componente des Erdmagnetismus wurde mit Hülfe eines Erdinduktors gemessen, und es wurden an drei aufeinanderfolgenden Beobachtungstagen die folgenden Werthe erhalten:

Tag der Beobacht.	A	B	$\frac{V}{T}$
1. Oct.	740.81	819.56	2.2735
2. Oct.	741.30	819.51	2.2754
3. Oct.	740.83	819.31	2.2754

Hier sind A und B die bei Anwendung der Vertikal- und Horizontalintensität erhaltenen Skalenausschläge bei einer Entfernung von 2827 mm zwischen Spiegel und Skale. Im Mittel ergiebt sich für den 2. Oktober der Werth

$$\frac{V}{T} = 2.2748$$

woraus sich die Inklination zu 66°16.15′ die vertikale Intensität zu 4.2549 berechnet.

Die Beobachtungen des auf die elektrodynamische Drehwage, wie wir die bewegliche vom Strom durchflossene Scheibe nennen können, ausgeübten Drehungsmomentes wurden im Jahre 1880 in der zweiten Hälfte des Oktober angestellt. Die für diese Zeit geltenden Werthe der erdmagnetischen Elemente können aus den oben angeführten mit Hülfe der bekannten jährlichen Variationen berechnet werden. Die jährliche Zunahme der horizontalen Intensität beträgt nach neueren Beobachtungen 0.0018, die jährliche Abnahme der Inklination 1′29″. Hiernach ergeben sich für den Oktober des Jahres 1880 in dem magnetischen Pavillon die Werthe

$$T = 1.8723 \quad j = 66^{0}\,14{,}67'.$$

Für die Horizontalintensität liegt außerdem für den Oktober des Jahres 1880 eine direkte Bestimmung vor, welche Herr Dr. Schering in dem magnetischen Observatorium angestellt hat. Dieselbe ergab den Werth

$$T_0 = 1.8649.$$

Andererseits ergab eine ebenfalls von Herrn Dr. Schering angestellte Vergleichung für das Verhältniß der Intensitäten in dem magnetischen Pavillon und dem magnetischen Observatorium den Werth 1,0033; somit ist die Horizontalintensität in dem magnetischen Pavillon gleich 1.8710 in vollkommener Uebereinstimmung mit dem oben gefundenen Werthe. Bei der Berechnung der an der Drehwage angestellten Beobachtungen können wir demnach setzen:

$$V = 4.253.$$

4. Directionskraft der Drehwage.

Die Direktionskraft der Drehwage wurde nach dem Gauß'schen Verfahren bestimmt, zwei cylindrische in der Axe ausgebohrte Bleigewichte von einer Gesammtmasse von 399705 mg waren auf den die drehbare Scheibe tragenden Suspensionsstift aufgeschoben. Nachdem bei dieser Lage derselben die Schwingungsdauer des ganzen Systems bestimmt worden war, wurden die Gewichte entfernt und auf zwei vertikale Stifte aufgesetzt, welche an einem mit dem Suspensionsstifte verbundenen horizontalen Träger in gleicher Entfernung von der Mitte angebracht waren. Die Schwingungsdauer des Systems wurde von neuem bestimmt und mit Hülfe des bekannten Abstandes der Mittelpunkte der äußeren Stifte die Direktionskraft berechnet, dieser letztere Abstand beträgt bei 0 Grad 100,036 mm.

Es wurden zwei Bestimmungen der Direktionskraft ausgeführt, die eine vor, die andere nach der Anstellung der elektromagnetischen Messungen. Die Resultate derselben sind im Folgenden zusammengestellt.

t_i	t_a	t'_a	D
21.252 21.297	42.407	42.259	2951.10^4
21.280 21.268 21.226	42.387	42.148	2959.10^4

Hier bezeichnet t_i die Schwingungsdauer mit Gewichten in der Mitte, t_a und t'_a die Schwingungsdauern mit Gewichten außen in zwei um 180° gegen einander gedrehten Stellungen. Im Mittel ergiebt sich

$$D = 2955 \,.\, 10^4.$$

Bei den elektromagnetischen Messungen wird diese Direktionskraft in Folge der Erwärmung des Suspensionsdrahtes durch den Strom eine Verminderung erleiden; die hiedurch bedingte Correction ist im Folgenden vernachlässigt, da ein Mittel zur Messung der Temperatur des Drahtes nicht vorhanden war.

5. Messung der Stromstärke.

Um die Constanz der an der Drehwage beobachteten Ablenkung zu prüfen, war es nothwendig, den Strom längere Zeit in einer und derselben Richtung geschlossen zu halten, ohne durch eine Commutation desselben in der Tangentenboussole eine Unterbrechung zu veranlassen. Die Stromstärken waren also aus einseitigen Ablenkungen der Nadel der Tangentenboussole zu bestimmen. Bezeichnet man den Winkel, welchen die Ebene der Windungen mit dem magnetischen Meridian einschließt, durch α, einen Ausschlag, bei welchem der Nordpol der Nadel nach Osten abgelenkt wird durch φ, einen Ausschlag nach Westen durch ψ, so gelten für die benutzte Tangentenboussole die Gleichungen:

$$\frac{i}{0.85725}\cos(\varphi+\alpha)\left\{1-0.02\sin^2(\varphi+\alpha)\right\}=T\sin\varphi$$

$$\frac{i}{0.85725}\cos(\psi-\alpha)\left\{1-0.02\sin^2(\psi-\alpha)\right\}=T\sin\psi$$

Aus der Beobachtung zweier derselben Stromstärke entsprechender Werthe von φ und ψ ergiebt sich

$$\operatorname{tg}\alpha=\frac{\sin(\psi-\varphi)}{2\sin\varphi\sin\psi}.$$

Zur Bestimmung des Winkels α wurde der Strom zweier Grovescher Elemente unter Einschaltung eines Widerstandes von 25 Siemens durch die Tangentenboussole geleitet; es ergab sich:

$$\varphi=38.48^0 \quad \psi=39.02^0$$

woraus

$$\alpha=0.69^0 \text{ westlich.}$$

Was den Werth der Horizontalintensität für den Mittelpunkt der Tangentenboussole anbelangt, so ist zu bemerken, daß das zur Bestimmung der Horizontalintensität dienende Magnetometer in einer durch den Mittelpunkt der Boussole senkrecht zum magnetischen Meridian hindurchgehenden Vertikalebene aufgestellt war. Der Mittelpunkt des Magnets war von dem Mittelpunkt der Boussole in horizontaler Richtung um 1183 mm, in vertikaler um 165 mm entfernt. Darnach ergiebt sich für die Horizontalintensität im Mittelpunkt der Boussole der Werth

$$1.8710 - \frac{822.10^4}{1194^3} = 1.8662.$$

Zur Bestimmung der Stromstärke ergaben sich somit die Formeln:

$$i = 1.5998 \frac{\sin\varphi}{\cos(\varphi + \alpha)} (1 + 0.02 \sin^2 \overline{\varphi + \alpha})$$

$$i = 1.5998 \frac{\sin\psi}{\cos(\psi - \alpha)} (1 + 0.02 \sin^2 \overline{\psi - \alpha})$$

6. Die Ablenkungsbeobachtungen an der Drehwage.

Die mit der Drehwage ausgeführten Versuchsreihen sind in den folgenden Tabellen zusammengestellt. Die Einstellungen der Scheibe wurden durch Standbeobachtungen ermittelt; es wurde in der Regel von 5 zu 5 Minuten ein Satz von Beobachtungen gemacht, wobei die Einstellungen von 9 zu 9 Sekunden notirt wurden. Da die Schwingungsdauer der Scheibe nahezu gleich 18 Sekunden war, so konnte aus je zwei um 18 Sekunden von einander abstehenden Einstellungsbeobachtungen die Ruhelage der Scheibe berechnet werden, wobei für das Dämpfungsverhältniß der Werth 1,7 zu setzen war. Die Ablenkungen der Nadel der Tangentenboussole wurden mit Hülfe zweier zu ihrer Axe senkrechter Glasfäden beobachtet, welche über einem auf einer Spiegelplatte befindlichen Theilkreise sich bewegten. Diese beiden Fäden sind im Folgenden mit *o* und *w* bezeichnet. Es möge nun das Protokoll der zuerst angestellten Beobachtungsreihe in etwas ausführlicherer Weise mitgetheilt werden; zu bemerken ist noch, daß einer Bewegung der Zeiger *o* und *w* nach zunehmenden Graden eine östliche Ablenkung entspricht.

(Siehe die Tabelle auf der folgenden Seite.)

Es ergeben sich hieraus die folgenden zusammengehörigen Ablenkungen der Tangentenboussole und der Drehwage:

Zeit	ψ	n	Zeit	ψ	n
10h 0m		6.9	10h 45m		6.7
5	54.52	6.5	50	56.24	6.5
10	55.03	6.7	55	55.79	6.4
15	55.04	6.4	11 0	55.74	6.6
20	55.03	6.5	5	55.75	6.6
23		6.6	8		6.6
Mittel	54.90	6.60	Mittel	55.88	6.58

Die Resultate von drei andern in derselben Weise angestellten Beobachtungsreihen sind im Folgenden zusammengestellt.

15. Oct. 1880. Der positive Strom geht von
r Peripherie der Scheibe zum Centrum.

eit	Tangentenb.		Dreh-wage	Zeit	Tangentenb.		Dreh-wage
	o	*w*			*o*	*w*	
			914.0		105.0	285.0	
	105.05	285.0	914.1	10h 40m			914.8
			914.4	42			914.3
	Strom geschlossen.			44	Strom geschlossen.		
9 33s			922.1	44 33s			922.7
42			920.1	42			920.6
51			919.9	51			921.0
0 0			921.9	45 0			922.3
9			922.1	9			922.8
18			921.3	18			922.0
27			920.8	27			921.4
5	159.56	339.5	920.9	10 50	48.52	229.0	921.2
0	160.08	340.0	921.1	55	49.02	229.4	921.1
5	160.08	340.02	920.8	11 0	49.05	229.47	921.3
0	160.07	340.02	920.9	5	49.05	229.45	921.3
3			921.0	8			921.3
4	Strom geöffnet.			11 9	Strom geöffnet.		
33			914.0	9 33			915.1
42			916.9	42			917.0
51			915.7	51			915.0
0			913.9	10 0			913.8
9			913.7	9			914.0
18			914.4	18			915.0
27			914.9	27			915.6
0			914.8	15			914.9
5			914.6	20			914.7
				25			914.9

16. Oct. 1880. Der positive Strom geht vom Centrum der Scheibe zur Peripherie.

Zeit	ψ	n	Zeit	φ	n
11h 25m		9.3	11h 55m		9.3
30	63.79	9.1	12 0	63.03	9.1
35	63.68	9.2	5	62.99	9.0
38		9.3	8		8.9
Mittel	63.73	9.22	Mittel	63.01	9.07

18. Oct. 1880. Der positive Strom geht von der Peripherie der Scheibe zum Centrum.

Zeit	ψ	n	Zeit	φ	n
9h 15m		8.8	10h 0m		9.1
20	62.90	8.5	5	62.87	9.1
25	63.29	8.6	10	62.83	9.0
30	63.37	8.8	15	62.85	9.3
35	63.39	9.0	20	62.85	9.3
40	63.40	8.7	25	62.83	9.3
43		8.9	28		9.2
Mittel	63.27	8.76	Mittel	62.85	9.19

19. Oct. 1880. Der positive Strom geht vom Centrum der Scheibe zur Peripherie.

Zeit	φ	n	Zeit	ψ	n
9h 40m		7.8	10h 15m		7.9
45	59.75	7.7	20	60.25	7.7
50	59.73	7.7	25	60.30	7.7
55	59.76	7.7	30	60.30	7.7
58		7.7	33		7.7
Mittel	23.75	7.72	Mittel	60.28	7.74

7. Die berechneten Werthe der Ablenkung.

Die Entfernung zwischen Spiegel und Skale betrug 2644.5 Skalentheile; die Ablenkungen n können demnach berechnet werden nach der Formel

$$n = \frac{V i l^2 r}{D}\left(1 + \frac{\delta^2}{l^2}\right).$$

Für den inneren Durchmesser der Kupferscheibe ergab sich bei einer Temperatur von 15° der Werth 164.13 mm, für den äußeren Durchmesser bei 13° der Werth 175.01 mm. Hiernach ist:

$$l = 84.78, \quad \delta = 2.72.$$

Somit erhalten wir mit Rücksicht auf die früher für V und D gegebenen Werthe

$$n = 2.739 \times i.$$

Hiernach ergiebt sich die folgende Zusammenstellung der berechneten und beobachteten Werthe von n.

i	n ber.	n beob.	$\frac{n \text{ beob.}}{n \text{ ber.}}$
2.348	6.43	6.60	1.026
2.351	6.44	6.58	1.022
3.215	8.81	9.22	1.046
3.269	8.95	9.07	1.013
3.152	8.63	8.76	1.015
3.246	8.89	9.19	1.033
2.844	7.79	7.72	0.991
2.786	7.63	7.74	1.014

Die Differenz zwischen den beobachteten und berechneten Werthen beträgt im Mittel 0.16 Skalentheile, während ein Skalentheil einem Winkel von 39 Sekunden entspricht. Mit einer Ausnahme sind die beobachteten Werthe größer als die berechneten und zwar im Mittel um 0.020%. Eine solche Differenz würde durch eine Erwärmung des Suspensionsdrahtes um etwa 40 Grade ihre Erklärung finden.

Bei der Königl. Gesellschaft der Wissenschaften eingegangene Druckschriften.

Man bittet diese Verzeichnisse zugleich als Empfangsanzeigen ansehen zu wollen.

Januar 1881. (Fortsetzung.)

Zeitschrift der morgenländ. Gesellschaft. Bd. 34. H. 4.
J. D. Whitney, the auriferous Gravels of the Sierra nevada of California. Cambridge 1880. 4.
— the climatic changes of later geological times. Cambridge 1880. 4.
Annual report of the Curator of the Museum of comparative Zoölogy. 1879—80.
Bulletin of the Museum of comparative Zoölogy at Harvard College. Vol. VI. No. 8—11.
— de la Société Mathématique. T. VIII. No. 6.
Nature. 584—588.
Jahrbuch der Fortschritte der Mathematik. Bd. 10. 1878. H. 3.
J. Hann, Zeitschrift für Meteorologie. Bd. XVI. 1881. (Januar-H.)
Verhandl. der physik.-medicin. Gesellschaft zu Würzburg. Bd. XV. H. 1. 2. 1881.
H. Wild, Repertorium für Meteorologie. Bd. VII. H. 1. St. Petersburg 1880. 4.
J. Biker, Supplemento etc. T. XXV. XXVII—XXIX.
Leopoldina. H. XVI. No. 23—24. Titel zu XVI.
Atti della R. Accademia dei Lincei. Vol. V. Fasc. 2—4. 1881. 4.
G. Celoria, sopra alcuni eclissi di sole antichi e su quello di Agatocle in particolare. Roma 1880. 4.
Bulletin of the American geograph. Society. 1879. No. 5.
American Journal of Mathematics. Vol. III. No. 2.
Atti della Società Toscana di Scienze nat. D. 14. Nov. 1880.

Tromsö Museums Aarshefter III. Tromsö 1880.
F. v. Müller, a descriptive Atlas of the Eucalypts of Australia and the adjoining islands. Seventh decade. Melbourne 1880. 4.
Politische Correspondenz Friedrichs des Grossen. Bd. V. Berlin 1880.
Erdélyi Muzeum. 1. SZ. VIII évfolyam. 1881.
Monthly Notices of the R. Astronomical Soc. Vol. XLI. No. 2.
L. F. v. Eberstein, Urkundliche Nachträge zu den geschichtlichen Nachrichten von dem Geschlechte Eberstein. 3. Folge. 1880.
Bulletin de la Soc. Imp. des Naturalistes de Moscou. 1880. No. 2.
Neues Lausitzisches Magazin. Bd. 56. H. 2.
Astronomical Papers. Vol. I. P. 3. Washington 1880. 4.
Bulletin de l'Acad. R. des Sciences de Belgique. T. 50. No. 12.
Annuaire de l'Acad. R. de Belgique. 47ième année. 1881.
J. de Macare, Bassin de Liège. (4 große Karten.)
H. Wolf, Geologische Gruben-Revier-Karte des Kohlenbeckens von Teplitz-Dux-Brünn im nordwestlichen Böhmen. Lief. I. Blatt 10, 13, 14, 16. Wien 1880.
Monatsbericht der Berliner Akad. der Wiss. Sept. u. Oct. 1880.
R. Wolf, Astronomische Mittheilungen. LI.
Mesures proposées pour l'abolition du cours forcé. Par M.M. les ministres Magliani et Miceli. Roma 1881.
Provvedimenti per l'abolizione del corso forzoso. Progetto di legge presentato dai ministri Magliani et Miceli. Ebd. 1881.
O. Struve, Observations de Poulkova. Vol. XI. St. Petersb. 1879.
Jahresbericht für 1878—79 und 1879—80 der Hauptsternwarte. St. Petersb.
E. Meyer, die Spermatogenese bei den Säugethieren. (Mem. der Akad. T. XXVII. No. 14.)
J. Dansky u. J. Kostenitsch, über die Entwicklungsgeschichte der Keimblätter u. des Wolff'schen Ganges im Hühnerei. (Mem. d. Akad. T. XXVII. No. 13.) St. Petersb. 1880.

Für die Redaction verantwortlich: *E. Rehnisch*, Director d. Gött. gel. Anz.
Commissions-Verlag der *Dieterich'schen Verlags-Buchhandlung.*
Druck der *Dieterich'schen Univ.-Buchdruckerei (W. Fr. Kaestner).*

Nachrichten

von der

Königl. Gesellschaft der Wissenschaften
und der Georg-Augusts-Universität
zu Göttingen.

16. Februar. №. 3. 1881.

Universität.

Verzeichniß der Vorlesungen
auf der Georg-Augusts-Universität zu Göttingen
während des Sommerhalbjahrs 1881.

= Die Vorlesungen beginnen den 20. April und enden den 15. August. =

Theologie.

Alttestamentliche Theologie: Prof. *Schultz* fünfstündig um 10 Uhr.

Biblische Lehre von den Engeln und Teufeln: Prof. *Duhm* Freitags 4 Uhr, öffentlich.

Erklärung der Genesis: Prof. *Duhm* fünfstündig um 10 Uhr; vgl. Orientalische Sprachen S. 69.

Erklärung des Buches Hiob: *Derselbe* dreistündig, Montags, Dienstags, Donnerstags, um 4 Uhr.

Erklärung der Psalmen: Prof. *Bertheau* fünfstündig um 10 Uhr.

Einleitung in das Neue Testament: Prof. *Wiesinger* viermal um 8 Uhr.

Neutestamentliche Theologie: Lic. *Wendt* fünfmal um 9 Uhr.

Geschichte des apostolischen Zeitalters: *Derselbe* dreimal, Montag, Dienstag, Donnerstag, um 4 Uhr.

Erklärung des Evangeliums Johannis: Prof. *Lünemann* fünfstündig um 9 Uhr.

Erklärung des Römerbriefs: Prof. *Wiesinger* fünfmal von 9—10 Uhr.

Erklärung der katholischen Briefe: Prof. *Ritschl* fünfmal um 11 Uhr.

Allgemeine Kirchengeschichte Theil I: Prof. *Wagenmann* fünfstündig um 8 Uhr.

Kirchengeschichte des Mittelalters unter Rücksicht auf Hase's Kirchengeschichte: Prof. *Reuter* fünfmal um 8 Uhr, Sonnabends um 9 Uhr.

Dogmengeschichte: Prof. *Wagenmann* fünfstündig um 7 Uhr.

Dogmatik I. Theil: Prof. *Ritschl* fünfmal um 12 Uhr.

Dogmatik II. Theil: Prof. *Schöberlein* sechsmal um 12 Uhr.

Theologische Ethik: Prof. *Schultz* fünfstündig um 8 Uhr.

Comparative Symbolik: Prof. *Reuter* fünfmal um 11 Uhr, Sonnabends um 8 Uhr.

Praktische Theologie: Prof. *Schöberlein* viermal, Mont. Dienst. Donnerst. Freit., um 5 Uhr und Mittwochs um 4 Uhr.

Kirchenrecht: s. unter Rechtswissenschaft.

Die alttestamentlichen Uebungen der wissenschaftlichen Abtheilung des theologischen Seminars leitet Prof. *Bertheau* Freitags um 6; die neutestamentlichen Prof. *Wiesinger* Dienstags um 6; die kirchen- und dogmenhistorischen Prof. *Reuter* Montags um 5; die dogmatischen Prof. *Ritschl* Donnerstags um 6 Uhr.

Die homiletischen Uebungen der praktischen Abtheilung des theologischen Seminars leiten abwechslungsweise Prof. *Wiesinger* und Prof. *Schultz* Sonnabend 9—12 Uhr öffentlich; die katechetischen Uebungen: Prof. *Wiesinger* Mittwoch 5—6 Uhr; Prof. *Schultz* Sonnabend 2—3 Uhr öffentlich; die liturgischen Uebungen: Prof. *Schöberlein* Mittwoch 6—7 Uhr und Sonnabend 9-11 Uhr öffentlich.

Eine dogmatische Societät leitet Prof. *Schöberlein* Montag 6—8 Uhr; eine historisch-theologische Prof. *Wagenmann* Freitags 6—8 Uhr.

Rechtswissenschaft.

Rechtsphilosophie und Encyklopädie: Prof. *v. Bar* Montag, Dienstag, Donnerstag und Freitag von 12—1 Uhr.

Römische Rechtsgeschichte: Prof. *v. Ihering* fünfmal von 11—12 Uhr.

Institutionen des Römischen Rechts: Prof. *Leonhard* fünfmal von 10—11 Uhr.

Pandekten I. Theil (Allg. Lehren, Sachenrecht, Obligationenrecht): Prof. *Hartmann* täglich von 8—10 Uhr.

Pandekten II. Theil (Erbrecht und Familienrecht): Prof. *Leonhard* fünfmal von 11—12 Uhr.

Pandekten-Prakticum: Prof. *v. Ihering* Montag, Mittwoch und Freitag von 12—1 Uhr.

Pandekten-Exegeticum: Prof. *Leonhard* Dienstag und Donnerstag von 12—1 Uhr.

Römischer Civilprocess: Dr. *v. Kries* Montag und Donnerstag von 4—5 Uhr.

Deutsche Rechtsgeschichte: Prof. *Dove* fünfmal von 7—8 Uhr.

Deutsche Rechtsgeschichte: Dr. *Sickel* fünfmal von 4—5 Uhr.

Uebungen im Erklären deutscher Rechtsquellen: Prof. *Frensdorff* Montag Nachm. um 6 Uhr öffentlich.

Deutsches Privatrecht mit Lehn- Handels- Wechsel- und Seerecht: Prof. *Wolff* fünfmal von 8—10 Uhr.

Deutsches Privatrecht mit Lehnrecht: Dr. *Ehrenberg* fünfmal von 8—9 Uhr.

Handelsrecht mit Wechselrecht und Seerecht: Prof. *Thöl* fünfmal von 7—8 Uhr.

Handels- Wechsel- und Seerecht: Dr. *Ehrenberg* fünfmal von 9—10 Uhr.

Landwirthschaftsrecht: Prof. *Ziebarth* Dienstag, Donnerstag, Freitag von 7—8 Uhr.

Deutsches Strafrecht: Prof. *John* fünfmal von 10—11 Uhr.

Deutsches Staatsrecht (Reichs- und Landesstaatsrecht): Prof. *Frensdorff* fünfmal von 8—9 Uhr.

Deutsches Verwaltungsrecht: Prof. *Frensdorff* Montag, Mittwoch, Freitag von 11—12 Uhr.

Evangelisches und katholisches Kirchenrecht, einschliesslich des Eherechts: Prof. *Mejer* fünfmal von 10—11 Uhr.

Civilprocess, einschliesslich des Konkurs und der summarischen Processe: Prof. *John* fünfmal von 11—12 Uhr.

Strafprocess: Prof. *Ziebarth* fünfmal von 9—10 Uhr.

Strafprocess: Dr. *v. Kries* Montag, Dienstag, Donnerstag und Freitag von 10—11 Uhr.

Civilprocess-Prakticum: Prof. *v. Bar* Donnerstag von 4—6 Uhr.

Ueber Entscheidungen des Reichsgerichts civilrechtlichen Inhalts: Prof. *Leonhard* Dienstag von 6—7 Uhr.

Strafrechtliche Uebungen: Prof. *v. Bar* Dienstags von 4—6 Uhr.

Medicin.

Zoologie, Botanik, Chemie s. unter Naturwissenschaften.

Knochen- und Bänderlehre: Dr. *von Brunn* Dienstag, Donnerstag und Sonnabend von 11—12 Uhr.

Die Mechanik der Gelenke: Prof. *Krause* Mittwoch von 2—3 Uhr oder zu anderer passender Stunde öffentlich.

Systematische Anatomie II. Theil (Gefäss- und Nervenlehre): Prof. *Henle* täglich von 12—1 Uhr.

Allgemeine Anatomie: Prof. *Henle* Montag, Mittwoch, Freitag von 11—12 Uhr.

Gewebelehre des Menschen trägt Prof. *Krause* Dienstag, Donnerstag und Sonnabend von 11—12 Uhr oder zu anderen passenden Stunden vor.

Mikroskopische Uebungen (allgemeine Histologie für Anfänger wie auch specielle mikroskopische Anatomie für Geübtere) hält Dr. *von Brunn* je vier Mal wöchentlich in zu verabredenden Stunden.

Mikroskopische Curse in normaler Histologie hält Prof. *Krause* vier Mal wöchentlich um 2 Uhr.

Allgemeine und besondere Physiologie mit Erläuterungen durch Experimente und mikroskopische Demonstrationen: Prof. *Herbst* sechsmal wöchentlich um 10 Uhr.

Experimentalphysiologie I. Theil (Physiologie der Ernährung): Prof. *Meissner* täglich von 10—11 Uhr.

Physiologie der Zeugung nebst allgemeiner und specieller Entwicklungsgeschichte: Prof. *Meissner* Freitag von 5—7 Uhr.

Ausgewählte Capitel der physiologischen Chemie mit praktischen Uebungen: Dr. *Flügge* Sonnabend von 3—5 Uhr.

Physische Optik s. S. 65.

Ueber Morphologie und Biologie der hygienisch wichtigen Mikroorganismen verbunden mit Demonstrationen und Experimenten wird Dr. *Flügge* Dienstag von 5—7 Uhr vortragen.

Arbeiten im physiologischen Institut leitet Prof. *Meissner* gemeinschaftlich mit Dr. *Flügge* täglich in passenden Stunden.

Specielle pathologische Anatomie lehrt Prof. *Orth* täglich ausser Sonnabend von 12–1 Uhr.

Pathologische Anatomie der Knochen und Muskeln lehrt Prof. *Orth* Mittwoch um 2 Uhr öffentlich.

Sectionscursus hält Prof. *Orth* in passenden Stunden.

Praktischen Cursus der pathologischen Histologie hält Prof. *Orth* Dienstag und Freitag um 2 Uhr.

Physikalische Diagnostik verbunden mit praktischen Uebungen lehrt Prof. *Eichhorst* Montag, Mittwoch und Donnerstag von 4—5 Uhr; Dasselbe trägt Dr. *Wiese* viermal wöchentlich in später näher zu bestimmenden Stunden vor.

Uebungen im Gebrauch des Kehlkopfspiegels hält Prof. *Eichhorst* Sonnabend von 12—1 Uhr.

Untersuchung des Harns und Sputums verbunden mit praktischen Uebungen: Prof. *Eichhorst* Mittwoch von 3–4 Uhr.

Arzneimittellehre und Receptirkunde verbunden mit Experimenten und Demonstrationen lehrt Prof. *Marmé* drei Mal wöchentlich Montag, Dienstag, Donnerstag von von 5—6 Uhr.

Die gesammte Arzneimittellehre mit Demonstrationen, Versuchen und praktischen Uebungen im Abfassen ärztlicher Verordnungen trägt Prof. *Husemann* fünfmal wöchentlich um 3 Uhr vor.

Die organischen Gifte (II. Theil) demonstrirt experimentell Prof. *Marmé* ein Mal wöchentlich Donnerstag von 6—7 Uhr öffentlich.

Ueber essbare und giftige Pilze trägt Prof. *Husemann* Dienstag von 5—6 Uhr öffentlich vor.

Pharmacie lehrt Prof. *Boedeker* fünf Mal wöchentlich von 9—10 Uhr; Dasselbe lehrt Prof. *von Uslar* vier Mal wöchentlich um 3 Uhr.

Organische Chemie für Mediciner: Vgl. Naturwissenschaften S. 66.

Ein pharmakognostisches Prakticum, Uebungen im Bestimmen der officinellen Droguen und ihrer Verwechslungen hält Prof. *Marmé* ein Mal wöchentlich Freitag von 5—7 Uhr.

Ein pharmakologisches Prakticum, Uebungen im Receptiren und Dispensiren hält Prof. *Marmé* ein Mal wöchentlich von 6—7 Uhr.

Pharmakologische und toxikologische Untersuchungen leitet Prof. *Marmé* im pharmakologischen Institut täglich in passenden Stunden; solche Uebungen und Untersuchungen leitet auch Prof. *Husemann* privatissime.

Specielle Pathologie und Therapie I. Hälfte: Prof. *Ebstein* täglich, ausser Montag, von 7—8 Uhr.

Ueber Kinderkrankheiten I. Theil trägt Prof. *Eichhorst* Dienstag und Freitag von 4—5 Uhr vor.

Die medicinische Klinik und Poliklinik hält Prof. *Ebstein* täglich von 10½—12 Uhr (Sonnabend von 9½—10¾ Uhr).

Poliklinische Referatstunde hält Prof. *Eichhorst* ein Mal wöchentlich.

Uebungen in der Untersuchung von Nervenkranken mit besonderer Berücksichtigung der Elektrotherapie hält Prof. *Ebstein* gemeinschaftlich mit Dr. *Damsch* zwei Mal wöchentlich in näher zu bestimmenden Stunden.

Allgemeine Chirurgie lehrt Prof. *Rosenbach* fünf Mal wöchentlich von 8—9 Uhr. Dasselbe lehrt Prof. *Lohmeyer* viermal wöchentlich von 8—9 Uhr.

Die chirurgische Klinik hält Prof. *König* fünf Mal wöchentlich von 9½—10¾ Uhr.

Chirurgische Poliklinik hält Prof. *König* in Verbindung mit Prof. *Rosenbach* Sonnabend von 10¾—12 Uhr öffentlich.

Einen chirurgisch-diagnostischen Cursus hält Dr. *Riedel* zwei Mal wöchentlich von 4—5 Uhr.

Uebungen in chirurgischen Operationen an Leichen, insofern Material vorhanden, leitet Prof. *König* von 5—7 Uhr Nachmittags.

Verbandcursus hält Dr. *Riedel* ein Mal wöchentlich.

Ueber Aetiologie der Augenkrankheiten wird Prof. *Leber* ein Mal wöchentlich öffentlich vortragen.

Ueber die Anomalien der Refraction und Accommodation verbunden mit praktischen Uebungen der Functionsprüfungen des Auges trägt Dr. *Deutschmann* zwei Mal wöchentlich in näher zu bestimmenden Stunden vor.

Augenspiegelcursus hält Dr. *Deutschmann* Mittwoch und Sonnabend von 12—1 Uhr.

Die Klinik der Augenkrankheiten hält Prof. *Leber* Montag, Dienstag, Donnerstag, Freitag von 12—1 Uhr.

Ueber die Krankheiten des Ohrs mit Einschluss der Anatomie und verbunden mit Uebungen im Untersuchen an Gesunden und Kranken trägt Dr. *Bürkner* Dienstag und Freitag in näher zu bestimmenden Stunden vor.

Otiatrische Poliklinik: Dr. *Bürkner*, an zwei zu bestimmenden Tagen, 12 Uhr.

Ueber Frauenkrankheiten wird Prof. *Schwartz* Montag, Dienstag, Donnerstag u. Freitag um 3 Uhr vortragen.

Ueber Krankheiten der Wöchnerinnen: Dr. *Hartwig*

wöchentlich in 2 noch näher zu bestimmenden Stunden öffentlich.

Geburtshülflichen Operationscursus hält Dr. *Hartwig* Mittwoch und Sonnabend um 8 Uhr.

Geburtshülflich-gynaekologische Klinik leitet Prof. *Schwartz* Mont., Dienst., Donnerst., Freit. um 8 Uhr.

Psychiatrische Klinik in Verbindung mit systematischen Vorträgen über Pathologie und Therapie der Geisteskrankheiten hält Prof. *Meyer* Montag u. Donnerstag von 3—5 Uhr.

Forensische Psychiatrie lehrt Prof. *Meyer* wöchentlich in zwei zu verabredenden Stunden.

Die äusseren Krankheiten der Hausthiere und die Beurtheilungslehre des Pferdes und Rindes trägt Prof. *Esser* wöchentlich fünf Mal von 7—8 Uhr vor.

Klinische Demonstrationen im Thierhospital wird *Derselbe* in zu verabredenden Stunden halten.

Philosophie.

Geschichte der alten Philosophie: Prof. *Baumann*, Montag, Dienstag, Donnerstag, Freitag, 5 Uhr.

Darstellung der Philosophie Kants: Prof. *Peipers*, Mittwoch und Sonnabend 11 Uhr.

Die deutsche Philosophie der Gegenwart: Dr. *Ueberhorst*, Montag und Donnerstag 6 Uhr, unentgeltlich.

Logik: Prof. *G. E. Müller*, 4 Stunden, 10 Uhr.

Metaphysik: Prof. *Rehnisch*, 4 Stunden, 10 Uhr.

Psychologie: Dr. *Ueberhorst*, 4 Stunden, 12 Uhr.

Elemente der Psychophysik: Prof. *G. E. Müller*, Mittwoch und Sonnabend 10 Uhr.

Ueber Probleme und Controversen der praktischen Philosophie: Prof. *Rehnisch*, 2 Stunden, öffentlich.

In einer philosophischen Societät wird Prof. *Baumann*, Montag 6 Uhr, Probleme aus der Metaphysik zur Besprechung vorlegen.

In einer philosophischen Societät wird Prof. *Peipers* Lockes Essay concerning human understanding behandeln, Mittwoch 6 Uhr, öffentlich.

Geschichte und System der Paedagogik: Prof. *Baumann*, Mont., Dienst., Donn., Freit., 8 Uhr.

Die Uebungen des K. paedagogischen Seminars leitet Prof. *Sauppe*, Mont. und Dienst. 11 Uhr, öffentlich.

Mathematik und Astronomie.

Analytische Geometrie: Dr. *Hettner*, Mont., Dienst., Mittw., Donn., 12 Uhr.

Synthetische Geometrie: Prof. *Schwarz*, Mont. bis Freit. 9 Uhr.

Differential- und Integralrechnung: Prof. *Stern*, 5 St., 7 Uhr.

Theorie der bestimmten Integrale: Prof. *Enneper*, Mont. bis Freit. 10 Uhr.

Analytische Functionen: Prof. *E. Schering*, Dienst., Mittw., Donnerst., Sonnab. Morg. 7 Uhr.

Ueber die Gaussische hypergeometrische Reihe: Prof. *Schwarz*, Mont. und Donnerst. 4 Uhr, öffentlich.

Anwendungen der elliptischen Functionen: Prof. *Schwarz*, Mont. bis Freit. 11 Uhr.

Theorie der Zahlen: Prof. *E. Schering*, Dienst. Donn. Sonnab. 8 Uhr und Mittw. 10 Uhr.

Undulationstheorie des Lichtes: Dr. *K. Schering*, Dienst. u. Donnerst. 12 Uhr.

Theorische Astronomie: Prof. *Klinkerfues*, Montag, Dienstag, Mittwoch und Donnerstag, 12 Uhr.

Geometrische Optik: s. *Naturwiss.* S. 65.

Mathematische Societät: Prof. *E. Schering*, in einer geeigneten Stunde.

Mathematische Colloquien wird Prof. *Schwarz* wie bisher privatissime leiten, unentgeltlich.

In dem mathematisch-physikalischen Seminar Prof. *E. Schering:* Geodätische Uebungen, Mittw. 9 Uhr; Prof. *Schwarz:* Ueber Minimalflächen, Freit. 12 Uhr; Prof. *Stern:* Ueber einige merkwürdige Reihen, Mittwoch 8 Uhr. Prof. *Klinkerfues* giebt einmal wöchentlich zu geeigneter Stunde Anleitung zu astronomischen Beobachtungen, alles öffentlich. — Vgl. *Naturwissenschaften* S. 66.

Naturwissenschaften.

Zoologie, Uebersicht des Gesammtgebietes: Prof. *Ehlers*, täglich 8 Uhr.

Zootomischer Kurs: Prof. *Ehlers*, Mittw. u. Donnerst., 11–1 Uhr.

Naturgeschichte der Wirbelthiere: Dr. *Spengel*, Dienst., Donnerst., Freit., 5 Uhr.

Zoologische Uebungen: Prof. *Ehlers*, wie bisher, täglich (mit Ausnahme des Sonnabends) von 9—1 Uhr.

Uebungen im Untersuchen und Bestimmen der Gewächse: Prof. *Graf zu Solms*, Dienstag 3–5 Uhr. — Ueber die wichtigeren einheimischen Waldbäume: *Derselbe*, Donnertag 4 Uhr, öffentlich. — Anleitung zu botanischen Arbeiten im Laboratorium des botanischen Gartens, ausschliesslich für Vorgeschrittenere, giebt *Derselbe*, in zu bestimmenden Stunden, privatissime.

Grundzüge der gesammten Botanik: Prof. *Reinke*, Dienst. bis Sonnab., 7 Uhr früh. — Mikroskopisch-botanischer Cursus: *Derselbe*, Sonnabend 9–1 Uhr. — Tägliche Arbeiten im pflanzenphysiologischen Institut: *Derselbe*. — Botanische Excursionen: *Derselbe*.

Ueber Archegoniaten und Gymnospermen (Moose, Farne und Nadelhölzer): Dr. *Falkenberg*, Montag und Freitag 4 Uhr.

Ueber die Vegetation des Meeres: Dr. *Falkenberg*, Donnerstag 6 Uhr.

Mineralogie: Prof. *Klein*, 5 Stunden, 11 Uhr.

Krystallographie: Prof. *Klein*, 5 Stunden, 9 Uhr.

Gesteinskunde: Dr. *Lang*, verbunden mit geologischen Excursionen, in zwei zu verabredenden Stunden.

Palaeontologie: Prof. *von Koenen*, 5 Stunden.

Ueber die geologischen Verhältnisse des mittleren Deutschlands: Prof. *von Koenen*, 1 St, öffentlich, verbunden mit Excursionen.

Mineralogische Uebungen: Prof. *Klein*, Sonnabend 10—12 Uhr, öffentlich.

Praktische Uebungen: Prof. *von Koenen*, 2 Tage, öffentlich.

Mikroskopisch-petrographische Uebungen: Dr. *Lang*, in 2 zu verabredenden Stunden, privatissime, aber unentgeltlich.

Experimentalphysik, erster Theil: Mechanik, Akustik und Optik: Prof. *Riecke*, Montag, Dienstag, Donnerstag, Freitag, 5 Uhr.

Geometrische und physische Optik, ausgewählte Kapitel: Prof. *Listing*, 3 Stunden, 12 Uhr.

Ueber Auge und Mikroskop: Prof. *Listing*, privatissime in 2 zu verabredenden Stunden.

Physikalische Uebungen leitet Prof. *Riecke*, in Gemeinschaft mit den Assistenten Dr. *K. Schering* und Dr. *Meyer* (I. Abtheilung Dienst., Donnerst., Freit. 2—4 Uhr und Sonnab. 9–1 Uhr. II. Abtheilung Donnerst. 2—4 Uhr und Sonnab. 9—1 Uhr).

Undulationstheorie des Lichtes: s. *Mathematik* S. 64.

Physikalisches Colloquium: Prof. *Listing*, Sonnabend 11—1 Uhr.

In dem mathematisch-physikalischen Seminar leitet physikalische Uebungen Prof. *Listing*, Mittwoch 12 Uhr, und behandelt Prof. *Riecke* ausgewählte Theile der mathematischen und Experimentalphysik, Montag 2 Uhr. — Vgl. *Mathematik* S. 64.

Allgemeine Chemie (s. g. unorganische Chemie): Prof. *Hübner*, 6 St., 9 Uhr.

Allgemeine organische Chemie: Prof. *Hübner*, Mont., Dienst., Donnerst., Freit., 12 Uhr.

Organische Chemie, für Mediciner: Prof. *von Uslar*, 4 St., 9 Uhr.

Analytische Chemie (vorzugsw. quantitative Analyse): Prof. *Post*, 2 St.

Chemische Technologie in Verbindung mit Exkursionen: Prof. *Post*, 2 St.

Pharmaceutische Chemie (anorgan. Theil): Dr. *Polstorff*, Mont. Dienst. Donnerst. Freit. 5 Uhr.

Ueber die Verunreinigungen und Verfälschungen der Nahrungs- und Genussmittel und deren Erkennung: Dr. *Polstorff*, Dienst. u. Freit., 8 Uhr, oder in 2 zu verabredenden Stunden.

Pflanzenernährungslehre (Agriculturchemie): Prof. *Tollens*, 3 St., 10 Uhr.

Die Vorlesungen über Pharmacie und Pharmakognosie s. unter *Medicin* S. 61.

Die praktisch-chemischen Uebungen und wissenschaftlichen Arbeiten im akademischen Laboratorium leiten die Professoren *Wöhler* und *Hübner*, in Gemeinschaft mit den Assistenten Prof. *Post*, Dr. *Iannasch*, Dr. *Polstorff*, Dr. *Stünkel* und Dr. *Lellmann*.

Prof. *Boedeker* leitet die praktisch-chemischen Uebungen im physiologisch-chemischen Laboratorium täglich (ausser Sonnabend) 8—12 und 2—4 Uhr.

Uebungen im agriculturchemischen Laboratorium leitet Prof. *Tollens* (in Gemeinschaft mit dem Assistenten Dr. *Kehrer*) täglich 8—12 und 2—4 Uhr.

Historische Wissenschaften.

Praktische Diplomatik mit Uebungen: Prof. *Weizsäcker*, Mont. u. Dienst. 9 Uhr.

Lateinische Palaeographie: Prof. *Steindorff*, 4 Stunden, Mittwoch u. Sonnabend 9—11 Uhr.

Römische Geschichte bis zu Sullas Zeit: Prof. *Volquardsen*, Mont. Dienst. Donnerst. Freit. 8 Uhr.

Römische Verfassungsgeschichte: Dr. *Gilbert*, 4 St., 4 Uhr.

Geschichte der deutschen Kaiserzeit bis zum Interregnum: Prof. *Weizsäcker*, 4 St., 4 Uhr.

Neueste Geschichte seit 1815, mit besonderer Berücksichtigung der Verfassungsgeschichte: Dr. *Bernheim*, Mont. Dienst. Donnerst. Freit. 10 Uhr.

Geschichte Grossbritanniens und des Parlamentarismus seit 1688: Prof. *Pauli*, 4 St., 5 Uhr.

Geschichte Italiens im Mittelalter: Dr. *Th. Wüstenfeld*, Montag, Dienstag, Donnerstag und Freitag 11 Uhr, unentgeltlich.

Historische Uebungen leitet Prof. *Pauli* Mittwoch 6 Uhr, öffentlich.

Historische Uebungen leitet Prof. *Weizsäcker* Freitag 6 Uhr öffentlich.

Historische Uebungen leitet Prof. *Volquardsen*, Dienst. 6 Uhr, öffentlich.

Historische Uebungen leitet Prof. *Steindorff* Donnerst. 5 Uhr, öffentlich.

Historische Uebungen leitet Dr. *Bernheim* Montag 6 Uhr, unentgeltlich.

Kirchengeschichte: s. unter *Theologie* S. 58.

Erd- und Völkerkunde.

Allgemeine Erdkunde, 2. Theil (Klimatologie und geographische Verbreitung der Organismen): Prof. *Wagner*, 4 Stunden.

Geographie und Statistik des Deutschen Reichs: Dr. *Krümmel*, Sonnab. 10—12 Uhr.

Ueber den geographischen Unterricht: Prof. *Wagner*, 2 St.

Geographische Uebungen: Prof. *Wagner*, 1 St. öffentlich.

Staatswissenschaft und Landwirthschaft.

Politik: Prof. *Pauli*, 4 St., 8 Uhr.

Geschichte des Parlamentarismus; vgl. *Historische Wissenschaften* S. 67.

Deutsche und Römische Verfassungsgeschichte: vgl. *Histor. Wissenschaften* S. 67.

Volkswirthschaftslehre (Nationalökonomie): Prof. *Hanssen*, 5 St., 4 Uhr.

Die volkswirthschaftlichen Verhältnisse des deutschen Reiches: Dr. *Eggert*, 4 St., 5 Uhr.

Kameralistisches Conversatorium: Prof. *Hanssen*, in 2 noch näher zu bestimmenden Stunden, privatissime, aber unentgeltlich.

Volkswirthschaftliche Uebungen: Prof. *Soetbeer*, privatissime, aber unentgeltlich, in später zu bestimmenden Stunden.

Einleitung in das landwirthschaftliche Studium: Prof. *Drechsler*, 1 Stunde.

Ackerbaulehre, specieller Theil: *Derselbe*, 4 St., 12 Uhr.

Die allgemeine und specielle Züchtungslehre (Pferde-, Rindvieh-, Schaf- und Schweine-Züchtung): Prof. *Griepenkerl*, Mont. u. Dienst., 8 Uhr.

Die Rassenkunde: Prof. *Griepenkerl*, Donnerstag und Freitag 8 Uhr, öffentlich.

Die Ackerbausysteme (Felderwirthschaft, Feldgraswirthschaft, Fruchtwechselwirthschaft u. s. w.): Prof. *Griepenkerl*, in 2 passenden Stunden.

Im Anschluss an diese Vorlesungen werden Exkursionen nach benachbarten Landgütern veranstaltet werden.

Die Lehre vom Futter: Prof. *Henneberg*, Montag, Dienstag und Mittwoch, 11 Uhr.

Ausgewählte Kapitel aus der Züchtungslehre, mit besonderer Berücksichtigung der Controversen von Nathusius-Settegast: Dr. *Fesca*, 2 St., 11 Uhr.

Landwirthschaftliches Practicum: 1. Uebungen im landwirthschaftlichen Laboratorium, Freit. 2—6 Uhr, Sonnab. 9—1 Uhr, unter Leitung des Prof. *Drechsler* und Dr. *Fesca*; 2. Uebungen in landwirthschaftlichen Berechnungen, Mont. u. Donnerst. 6 Uhr: Prof. *Drechsler*.

Landwirthschaftliche Excursionen und Demonstrationen im Versuchsfelde: Prof. *Drechsler*.

Krankheiten der Hausthiere: s. *Medicin* S. 63.

Landwirthschaftsrecht: vgl. *Rechtswissenschaft* S. 59.

Agriculturchemie, Agriculturchemisches Practicum: s. *Naturwiss.* S. 66.

Literärgeschichte.

Geschichte der griechischen Prosaliteratur bis zum Zeitalter Alexanders des Grossen: Dr. *Bruns*, 3 St.

Geschichte der griechischen Historiographie: Prof. *Volquardsen*, Mittw. u. Sonnab. 8 Uhr, öffentlich.

Leben und Schriften Lukians: Dr. *Bruns*, 1 St., unentgeltlich.

Geschichte der deutschen Dichtung im 17. Jahrhundert: Assessor Dr. *Tittmann*, 5 St.

Ueber Schillers Leben und Schriften: Prof. *Goedeke*, Mont. 4 Uhr, öffentlich.

Altfranzösische Literaturgeschichte: Dr. *Andresen*, Mittw. u. Freit. 11 Uhr.

Geschichte der Philosophie: vgl. *Philosophie*, S. 63.

Alterthumskunde.

Umriss der Kunstgeschichte: Prof. *Wieseler*, 2 St., 10 Uhr, zugleich mit einer Erklärung der Antiken und Gypsabgüsse des K. Museums.

Im K. archäologischen Seminar wird Prof. *Wieseler* ausgewählte Kunstwerke öffentlich erläutern lassen.

Die Abhandlungen der Mitglieder wird *Derselbe* privatissime beurtheilen, wie bisher.

Geschichte der griechisch-römischen (seit Alexander d. Gr.) und der alt-italischen Kunst: Dr. *Körte*, Mittw. u. Sonnabend, 9—11 Uhr.

Archäologische Uebungen: Dr. *Körte*, privatissime, unentgeltlich.

Vergleichende Sprachlehre.

Vergleichende Grammatik der griechischen Sprache: Prof. *Fick*, 4 St., 10 Uhr.

Litauische Texte: Dr. *Bechtel*, unentgeltlich, 1mal wöch.

Orientalische Sprachen.

Die Vorlesungen über das A. Testament s. u. *Theol.* S. 57.

Die Anfangsgründe der arabischen Sprache: Prof. *Wüstenfeld*, privatissime.

Syrische Sprache: Prof. *Bertheau*, Dienst. und Freit., 2 Uhr, öffentlich.

Erklärung der sumerischen Hymnen im IV. Band der „Cuneiform Inscriptions of Western Asia“ nebst Abriss der Grammatik der lišânu naḳbu: Dr. *Haupt*, Montag, Mittw. u. Freit., 7 Uhr.

Anfangsgründe der assyrischen Sprache und Erklärung leichter Keilschrifttexte: Dr. *Haupt*, zweimal in zu bestimmenden Stunden, unentgeltlich.

Die Keilinschriften und die Genesis: Dr. *Haupt*, 1 St., unentgeltlich.

Grammatik der Sanskritsprache: Dr. *Bechtel*, dreimal in passenden Stunden.

Ausgewählte Hymnen der Rigveda: Prof. *Benfey*, Mont., Dienst. und Donnerst., 4 Uhr.

Griechische und lateinische Sprache.

Uebersicht der griechischen Dialekte: Prof. *Fick*, 2 St.

Vergleichende Grammatik der griech. Sprache: vgl. *Vergleichende Sprachlehre* S. 69.

Hesiods Theogonie, mit Anleitung zur griechischen Mythologie: Prof. *Wieseler*, 3 St., 10 Uhr.

Platons Gastmahl: Prof. *Sauppe*, Mont. Dienst. Donn. Freit. 9 Uhr.

Geschichte der griech. Prosa, und: Leben und Schriften Lukians: vgl. *Literärgeschichte* S. 68. 69.

Geschichte der griech. Historiographie: vgl. *Literärgeschichte* S. 69.

Lateinischer Stil mit praktischen Uebungen: Prof. *Sauppe*, Mont. Dienst. Donnerst. Freit., 7 Uhr Morgens.

Die Elegien des Propertius nach einer Einleitung über dessen Leben, Dichtung, Vorbilder: Prof. *Dilthey*, Mont. Dienst. Donnerst. Freit., 12 Uhr.

Historien des Tacitus: Prof. *von Leutsch*, 4 St., 10 Uhr.

Lateinische Palaeographie: vgl. *Historische Wissenschaften* S. 67.

Im K. philologischen Seminar leitet die schriftlichen Arbeiten und Disputationen Prof. *Sauppe*, Mittwoch 11 Uhr, lässt den homerischen Hymnus auf Demeter erklären Prof. *Dilthey*, Montag und Dienstag, 11 Uhr, lässt Vergils Aeneis B. VI erklären Prof. *von Leutsch*, Donnerstag und Freitag, 11 Uhr, alles öffentlich.

Im philologischen Proseminar leitet die schriftlichen Arbeiten und Disputationen Prof. *Sauppe*, Mittwoch 2 Uhr, lässt Prof. *von Leutsch* Euripides Alkestis Mittw. 9 Uhr und Vergils Aeneis B. II Mittwoch 10 Uhr erklären, alles öffentlich.

Deutsche Sprache.

Historische Grammatik der deutschen Sprache: Prof. *Wilh. Müller*, 5 St., 3 Uhr.

Gedichte Walthers von der Vogelweide erklärt Prof. *Wilh. Müller*, Mont. Dienst. Donnerst., 10 Uhr.

Altdeutsche Metrik: Dr. *Wilken*, Mittw. u. Sonnab., 11 Uhr.

Altsächsiche Grammatik und Erklärung des Heliand: Dr. *Wilken*, Mittw. u. Sonnabend, 10 Uhr.

Die Uebungen der deutschen Gesellschaft leitet Prof. *Wilh. Müller*.

Neuere Sprachen.

Corneilles Cid erklärt in französischer Sprache Prof. *Th. Müller*, mit Vergleichung des spanischen Originals „Las mocedades del Cid von Guillen de Castro“, Montag und Donnerstag, 4 Uhr.

Uebungen in der französischen und englischen Sprache veranstaltet *Derselbe*, die ersteren Montag, Dienstag und Mittwoch, die letzteren Donnerst., Freit. u. Sonnab. 12 Uhr.

Oeffentlich wird *Derselbe* in der romanischen Societät ausgewählte altfranzösische Dichtungen (nach Bartsch's Chrestomathie) erklären lassen, Freitag 4 Uhr.

Erklärung von Shakspeares Antony and Cleopatra: Dr. *Andresen*, Sonnabend 11 Uhr, unentgeltlich.

Altfranzösische Literaturgeschichte: vgl. *Literärgeschichte* S. 69.

Schöne Künste. — Fertigkeiten.

Ueber Raphael, als Einführung in die neuere Kunstwissenschaft: Dr. *Schmarsow*, Mittw. 11—1 Uhr, unentgeltl.

Kunsthistorische Uebungen (über die Hauptmeister der umbrischen Malerschule bis auf Raphael): Dr. *Schmarsow* einmal, in zu verabredender Stunde.

Unterricht im Zeichnen ertheilt Zeichenlehrer *Peters*, Dienstag 4—6 Uhr, unentgeltlich.

Unterricht im Malen *Derselbe* in zu verabredenden St.

Harmonie- und Kompositionslehre, verbunden mit praktischen Uebungen: Musikdirector *Hille*, in passenden Stunden.

Zur Theilnahme an den Uebungen der Singakademie und des Orchesterspielvereins ladet *Derselbe* ein.

Reitunterricht ertheilt in der K. Universitäts-Reitbahn der Univ.-Stallmeister, Rittmeister a. D. *Schweppe*, Montag, Dienstag, Donnerstag, Freitag, Sonnabend, Morgens von 7—11 und Nachm. (ausser Sonnabends) von 4—5 Uhr.

Fechtkunst lehrt der Universitätsfechtmeister *Grüneklee*, Tanzkunst der Universitätstanzmeister *Höltzke*.

Oeffentliche Sammlungen.

Die *Universitätsbibliothek* ist geöffnet Montag, Dienstag, Donnerstag u. Freitag von 2 bis 3, Mittwoch und Sonnabend von 2 bis 4 Uhr. Zur Ansicht auf der Bibliothek erhält man jedes Werk, das man in gesetzlicher Weise verlangt; verliehen werden Bücher nach Abgabe einer Semesterkarte mit der Bürgschaft eines Professors.

Die *Gemäldesammlung* ist Donnerstag von 12—1 Uhr geöffnet.

Der *botanische Garten* ist, die Sonn- und Festtage ausgenommen, täglich von 5—7 Uhr geöffnet.

Ueber den Besuch und die Benutzung der *theologischen Seminarbibliothek*, des *Theatrum anatomicum*, des *physiologischen Instituts*, der *pathologischen Sammlung*, der *Sammlung von mathematischen Instrumenten und Modellen*, des *zoologischen* und *ethnographischen Museums*, des *botanischen Gartens* und des *pflanzenphysiologischen Instituts*, der *Sternwarte*, des *physikalischen Kabinets* und *Laboratoriums*, der *mineralogischen* und der *geognostisch-paläontologischen Sammlung*, der *chemischen Laboratorien*, des *archäologischen Museums*, der *Gemäldesammlung*, der *Bibliothek des philologischen Seminars*, der *Bibliothek des mathematisch-physikalischen Seminars*, des *diplomatischen Apparats*, der *Sammlungen des landwirthschaftlichen Instituts* bestimmen besondere Reglements das Nähere.

Bei dem Logiscommissär, Pedell *Bartels* (Kleperweg 2), können die, welche Wohnungen suchen, sowohl über die Preise, als andere Umstände Auskunft erhalten und auch im voraus Bestellungen machen.

Für die Redaction verantwortlich: *E. Rehnisch*, Director d. Gött. gel. Anz.
Commissions-Verlag der *Dieterich'schen Verlags-Buchhandlung*.
Druck der *Dieterich'schen Univ.-Buchdruckerei (W. Fr. Kaestner)*.

Nachrichten

von der

Königl. Gesellschaft der Wissenschaften
und der Georg-Augusts-Universität
zu Göttingen.

23. Februar. № 4. 1881.

Königliche Gesellschaft der Wissenschaften.

Sitzung am 5. Februar.

Klein: Ueber den Einfluss der Wärme auf die optischen Eigenschaften des Boracit.
Wieseler: Verbesserungsversuche zu Euripides' Kyklops.
Holtz, Corresp.: Ueber elektrische Schattenbilder. Abh. 3.
Heun: Neue Darstellung der Kugelfunctionen und der verwandten Functionen durch Determinanten. (Vorgel. von Schering.)
Fromme: Bemerkungen zu einer Abhandlung von Hrn. Warburg: '*Ueber einige Wirkungen der magnetischen Coërcitivkraft*'. (Vorgel. von Riecke.)

Ueber den Einfluß der Wärme auf die optischen Eigenschaften des Boracit.

Von

C. Klein.

In der Absicht durch Erwärmung und darauf folgende rasche Abkühlung etwaige versteckte Spaltrichtungen in den Boracitkrystallen zur Darstellung zu bringen, untersuchte ich eine schöne Platte aus einem Rhombendodekaëder dieses Minerals, parallel einer Fläche letzterer Gestalt geschnitten.

Nicht gering war mein Erstaunen, als

ich nach dem Erhitzen der Platte, die etwa der Fig. 14 auf Tafel 1 meiner vorjährigen Abhandlung (Nachrichten 1880 Nr. 2) glich, den Centraltheil *A* (vergl. Fig. 15) fast völlig verschwunden und an seiner Stelle die Theile *D*, *E*, *F*, *G* erscheinen sah!

Diese so äußerst überraschende Thatsache forderte sofort zu näherer Prüfung auf, die alsbald an Schliffen aus rhombendodekaëdrischen, würfelförmigen und scheinbar oktaëdrischen Krystallen von Boracit, sämmtlich parallel ∞O (110) genommen, ausgeführt wurde.

Bei der Deutung der Resultate hat man sich zu erinnern, daß der Theil *A* und die Theile *B*, *C* die Rolle von Endflächen des rhombischen Systems im optischen Sinne spielen, der Ebene zweier Elasticitätsaxen parallel laufen, parallel den Diagonalen der äußeren rhombischen Begrenzung auslöschen und den Austritt zweier Axen, symmetrisch zur Normale der Fläche gelagert zeigen; die Theile *D*, *E*, *F*, *G* dagegen im optischen Sinne von der Bedeutung von Pyramidenflächen sind, unter 45° zu den Diagonalen des Rhombus auslöschen und den Austritt einer der beiden optischen Axen, geneigt zur Normale der Fläche darbieten.

Wird nun eine Platte parallel ∞O (110) erwärmt, so behalten die Grenzen der Theile *A*—*G* gegeneinander nicht mehr ihre ursprüngliche Lage bei.

Im Falle geringster Veränderung werden diese Grenzen verwaschen, die Theile *D*, *E*, *F*, *G* rücken mehr gegen die Theile *A*, *B*, *C* vor, oder umgekehrt werden diese größer und verdrängen etwas erstere.

Im Falle stärkerer Veränderung verschwinden die Theile *A*, *B*, *C* ganz oder nahezu ganz und kommen beim Erkalten in von der ursprünglichen verschiedener Ausdehnung, zum Theil an den früheren Stellen, dann aber auch da, wo früher keine Spur von ihnen vorhanden war, zum Vorschein.

Wenn ein Theil *A*, *B*, *C* verschwindet, so rückt an seine Stelle ein Theil *D*, *E*, *F*, *G* mit der für ihn charakteristischen Auslöschungsrichtung und sonstigen optischen Beschaffenheit, als z. B. Austritt der Axe, ein. Wenn umgekehrt, wie man dies bisweilen beim Erkalten sehr schön beobachten kann, ein Theil *D*, *E*, *F*, *G* durch einen Theil *A*, *B*, *C* ersetzt wird, so verschwindet momentan die Farbe des z. B. auf Helligkeit eingestellten Theils *D*,*E*,*F*,*G*, die Dunkelheit des einschießenden Theils *A* oder *B*, *C* erscheint plötzlich, für die bestimmte Stelle ruckweise, ohne vermittelnden Uebergang und sofort danach erkennt man, daß die Stelle nunmehr den Austritt zweier Axen darbietet, wie er Theilen *A*, *B*, *C* zukommt [1]).

An allen von mir untersuchten Präparaten waren beim Erwärmen Aenderungen wahrzunehmen. Dieselben erstreckten sich von Veränderungen an den Grenzen der Theile bis zum völligen Verschwinden der Theile *A*, *B*, *C*, die beim Erkalten theil- und stückweise, stets in anderer Gestalt wie früher, häufig an ganz anderen Stellen wie vorher, aber oft mit haar-

1) Dieser Axenaustritt, manch' Mal gleich nach dem Umstehen schwach zu sehen, tritt nach dem Erkalten deutlich an derselben Stelle hervor. Im Allgemeinen scheint der Axenwinkel durch Temperaturerhöhung wenig verändert zu werden, wenigstens so lange Temperaturen bis etwa 100° C in Frage kommen (vergl. auch Des-Cloizeaux Miner. 1874 p. 4); erst bei höheren Temperaturen ändern die Felder ihre Bedeutung.

scharfen Begrenzungen gegen die anderen Theile hin, wiederkehrten. Etliche Platten gestatteten eine drei bis vierfache Wiederholung der Versuche, die ich zum Theil vor versammelter Zuhörerschaft ausführte.

Sehr auffallend sind Form und Lage der Theile *D*, *E*, *F*, *G*, wenn sie in *A*, *B*, *C* einschießen. Sie entsprechen dann Theilen γ, δ, wie ich sie in Fig. 16 dargestellt habe und zeigen mitunter, wie dort angegeben, verschwommene Grenzen, nicht selten aber auch haarscharfe, senkrecht stehend auf den Kanten des Rhombus.

Die Temperaturen, bei welchen diese Veränderungen vor sich gehen, sind bei verschiedenen Krystallen durchaus nicht die gleichen: die einen verändern die Contouren ihrer Theile schon bei Temperaturen von 150°—200° C, andere müssen beträchtlicher erhitzt werden. Die Erhitzung selbst wurde so vorgenommen, daß die gereinigte Platte (womöglich ein recht dünner Schliff) auf eine Glasplatte gelegt und über einer Spiritus- oder Gasflamme erwärmt und dann auf einer kühleren Platte unter das Mikroskop gebracht wurde. Stets ward Bedacht darauf genommen bei den Präparaten, auf Grund deren Erscheinungen eine Schlußfolgerung gezogen werden sollte, die Erhitzung der Platte nicht höher zu steigern, als es die Erhaltung des frischen Ansehens derselben vertrug. Bei dem Beginn einer leichten Trübung sofort nicht weiter erhitzt, läßt die Platte die Erscheinungen schön hervortreten und zeigt durch die Frische der Polarisationsfarben, daß sie in ihrer chemischen Constitution nicht alterirt sei.

Wird dann die Erhitzung noch mehr gesteigert, so zerlegt sich ein Theil der öfters verhältnißmäßig einheitlichen Felder *D*, *E*, *F*, *G* in

Streifen, senkrecht zu den Kanten des Rhombus, die nicht scharf in ihrer Begrenzung sind und nicht völlig zu gleicher Zeit auslöschen. Andere Stellen besagter Theile zerfallen in Lamellensysteme, parallel den Diagonalen des Rhombus, höchst scharf und präcis gebildet und unter kleinen Winkeln zu einander auslöschend.

Die Erhitzung der Würfelflächen lieferte das Resultat, daß die Theile, die den Austritt einer Axe zeigen, meist gegen die vorrücken, die einer Endfläche im optischen Sinne entsprechen (Fig. 10 in den Ecken). Letztere und erstere bedecken sich dann bei stärkerer Erhitzung mit Streifen parallel den Kanten des Würfels und erzeugen im Falle von Ueberlagerung Gitterstructur. Die Auslöschung der einzelnen Streifen erfolgt nicht zu gleicher Zeit und es treten beträchtliche Auslöschungsverschiedenheiten wie bei Zwillingen auf[1]).

Bei der Erhitzung von Schliffen parallel den Tetraëderflächen verschwinden, wenn vorher vorhanden, die scharfen Grenzen, die einzelnen Theile drängen sich in einander ein, und blattförmige Lamellen, wie ich sie in den Fig. 29 und 30 von nicht erhitzten Schliffen darstellte, erfüllen das Präparat und machen es rasch undurchsichtig.

Ueberblickt man die vorstehend beschriebenen Versuche, so zeigen sie, daß die Grenzlinien der einzelnen optischen Felder, die einige Forscher als Zwillingsgrenzen auffassen zu müssen glaubten, dies nicht sind, denn sie erweisen sich veränderlich mit der Temperatur und verschwinden oft völlig, um entweder nicht wieder

1) Eine Aehnlichkeit dieser Partien mit von Zwillingslamellen durchsetzten Leucitschliffen ist unverkennbar.

zu kommen oder an ganz anderen Stellen, nicht selten auch in anderen Richtungen, wieder zu erscheinen.

Zwillingsgrenzen können sonach diese optischen Grenzlinien nicht darstellen, ebensowenig sind aber die durch sie von einander geschiedenen Theile Zwillingspartien, die doch bei Temperaturänderungen unverändert bleiben müßten und nicht regellos hin und her schwanken könnten.

Ein Uebergang des durch den optischen Befund angezeigten Systems in ein anderes von niederer Symmetrie (an den man etwa denken könnte) findet aber bei der Temperaturänderung ebenfalls nicht statt, da stets Theile, wie sie von Anfang an vorhanden waren, erhalten bleiben und sich nur auf Kosten anderer vergrößern, was beweist, daß die neu erscheinenden Theile denselben Symmetrieverhältnissen gehorchen, unter denen die schon vorhandenen stehen. Bei diesen Vorgängen erscheinen und verschwinden scharfe, wie verschwommene Grenzen der Theile gegen einander. Ebensowenig bietet aber dies Verschieben der Theile gegen einander Grund zur Annahme eines Systems von niederer Symmetrie für den Boracit, da dessen Theile differenter optischer Bedeutung, z. B. auf den Flächen von ∞O(110) eben nur diesen Uebergang in einander beim Erwärmen zeigen und nicht ein jeder für sich in eine beliebige neue Gleichgewichtslage, die im Falle ersterer Annahme zunächst erwartet werden müßte, übergeht. Wir dürfen daher das durch die optische Untersuchung nachgewiesene System nicht durch ein solches von niederer Symmetrie ersetzen, und etwa durch Veränderung der Lage der Mittellinie [ausgehend von der Anfangslage: Normale auf ∞O(110)] die Veränderungen, welche optisch vor sich geben, zu erklären versuchen wollen [1]).

Eine Aenderung aber, wie sie beobachtet ist, fordert, daß eine Fläche von der Bedeutung eines Hauptschnitts im optischen Sinne diese Bedeutung verliere und zu einer Fläche werde, die die drei Elasticitätsaxen in endlichen Abständen schneidet und umgekehrt. Einen solchen Uebergang und Rücklauf kennen wir für den hier in Frage kommenden Fall des optisch-zweiaxigen Systems nicht. Die bekannten Fälle von Aenderungen innerhalb der Hauptschnitte können nicht herangezogen werden, da die von mir beobachteten Erscheinungen eine vollständige Aenderung der Lage des Elasticitätsellipsoids erfordern würden, also von ganz anderer Art sind.

Das eigenthümliche Verhalten der Boracitkrystalle gegen die Wärme läßt daher die bei diesem Mineral beobachteten optischen Erscheinungen als nicht aus ursprünglicher Anlage resultirende erkennen. Im Verein mit den schon früher von mir nachgewiesenen optischen Besonderheiten, die bei wahrer Doppelbrechung

1) Eigentlich könnte dann nur ein System, das trikline, in Frage kommen, wenn man von obigem Uebergang der Felder und der durch Annahme dieses Systems entstehenden geometrischen Schwierigkeiten absieht. Im monoklinen System genügt das Klinopinakoid für die Fläche, zu der die Elasticitätsaxe normal ist, nicht, da diese letztere sich in ihrer Lage ändert. Eine Fläche aus der Zone der Orthodiagonale entspricht ebenfalls dem Erforderniss nicht, da hier zwar die zu ihr normale (zufällig normale) Elasticitätsaxe sich in ihrer Lage ändern und in der Symmetrieebene bewegen kann, die Auslöschungen aber immer, wie zu Anfang, in derselben Weise erfolgen müssen, welchem Erforderniss die Thatsachen widersprechen.

Andere Flächen des monoklinen Systems können nicht in Betracht kommen.

nicht vorkommen, fordern die neuen Thatsachen zu der Annahme auf, die das Krystallsystem in Bau, Flächenanlage und Flächenneigungen erheischt, und welche die von mir beobachteten Aetzerscheinungen verlangen, nämlich: daß die Boracite nicht einem zwillingsmäßigen Aufbau von Theilen niederer Symmetrie ihre Entstehung verdanken, sondern regulär sind, einfache Individuen darstellen und die optischen, in scheinbar grellem Widerspruch damit stehenden Eigenschaften, durch beim Wachsthum erzeugte Spannungen hervorgerufen und bedingt sind. Dieselben zerfällen den Krystall in Theile verschiedener Spannung, von denen, wie es die Versuche zeigen, die jeweils stärkeren die schwächeren für gewisse Temperaturen und Stellen des Krystalls unterdrücken. — In Beziehung zu Form und Begrenzungselementen desselben stehend, erzeugen diese Spannungen die regelmäßige Compression und Dilatation im Sinne Neumann's, vermöge deren im regulären Boracit und ohne dessen morphologische Eigenschaften zu beeinflussen, die Erscheinungen der rhombischen Zweiaxigkeit zu Stande kommen.

Elektrische Schattenbilder.
(3te Versuchsreihe).

Von

W. Holtz.

Speciellere Unterschiede des Glimmlichts bei positiver und negativer Elektricität.

Das Glimmlicht der Spitze, welche der seidenen Fläche gegenübersteht, erscheint oberflächlich betrachtet als ein schwach leuchtender Stern; bei genauerer Betrachtung aber bietet es sehr bestimmte polare Verschiedenheiten dar. Bei positiver Spitze zeigt sich ein schwach röthlich glänzender Punkt oder vielmehr ein Spitzchen, welches von einer bläulichen Hülle umgeben ist. Bei negativer repräsentirt sich ein schwach röthlich schimmender Kegel ohne bläuliche Hülle und etwa 3—4^{mm} lang. Genau so verhält sich das Glimmlicht aber auch sonst, so oft es an einer oder an beiden zugespitzten Entladungsstangen erscheint. Die Seide ändert hierin also Nichts; sie bewirkt nur, daß sicher ein Glimmen und nicht eine Büschelbildung erfolgt. Auch dadurch läßt sich in gedachten Erscheinungen Nichts ändern, daß man schneller oder langsamer dreht, einseitig ableitet, die Elektroden näher oder ferner zu einander stellt, noch dadurch, daß man die Seidenlage vervielfältigt, höchstens, daß Form und Farbe der Erscheinung um ein Minimum variirt.

Das Glimmlicht der seidenen Fläche verhält sich anders; hier treten polare Unterschiede überhaupt nur bei verstärkter Seidenlage auf, ich meine Unterschiede in der Structur der Lichtfläche, nicht in ihrer sonstigen Gestaltung, von welcher hier abgesehn werden soll. Bei 1—2-facher Lage haben wir stets den Eindruck, als ob ein schwacher Lichtschein auf eine fein mattgeschliffene Glastafel fiele. Bei stärkerer Lage ist es bei negativer Fläche eher, als ob die Glastafel mit besonders grobem Sande geschliffen wäre. Ist die Seide 4—8fach, so löst sich das Licht der negativen Fläche mehr und mehr in eine große Zahl einzelner Punkte auf, welche durch dunkle Zwischenräume getrennt in beständigem Wechsel des Ortes bald hier bald dort auftauchen und verschwinden. Auch auf der positiven Fläche treten wohl nach und nach eine kleinere Zahl hellerer Punkte hervor, welche sich ähnlich bewegen; aber die Fläche bietet hierbei noch immer jenen ursprünglichen homogenen Lichtschimmer dar. Sehn wir genauer hin, so ergiebt sich, daß alle helleren Punkte hier wie dort mit einer schwach leuchtenden Hülle umgeben sind, aber diejenige der positiven ist unvergleichlich größer, sie lehnt sich scheibenförmig an die noch schwächer leuchtende übrige Fläche an. Verstärken wir das Seidenzeug noch weiter, so geht nun auch der positiven Fläche mehr jener homogene Schimmer verloren; zur selbigen Zeit setzen sich an ihre helleren Punkte oder an deren Lichthüllen längere oder kürzere Büschelfäden an. Zuweilen — zumal, wenn die Maschine kräftiger wirkt — werden letztere so lang, daß sie fast die andre Elektrode erreichen, wobei das wispernde Geräusch, welches sonst die Erscheinungen begleitet, mehr einem Rauschen ähnlich wird. In allen Fällen übt aber die Ableitung zugleich einen wesentlichen Einfluß auf die Structur der Lichtfläche aus. Bei Ableitung der Spitze rücken die helleren Punkte näher, bei Ableitung der Fläche rücken sie weiter von einander ab. Die Ableitung der Spitze wirkt nebenbei noch dahin, daß sie die Büschelfäden der positiven Fläche vermehrt oder verlängert und daß sie dieselbe eher ihres homogenen Schimmers beraubt. Die Farbe des Lichtes variirt bei Alledem kaum weder bei der Ableitung, noch beim Wechsel der Polarität. Sie ist constant ein bläuliches Grau, wie auch sonst, wo das Glimmlicht einer größeren Fläche angehört.

Da der Lichtschein, je mehr wir die Seidenlage verstärken, zwar intensiver wird, aber gleichzeitig an Zusammenhang verliert, so ist es zur Darstellung der Schattenbilder am geeignetsten, wenn man eine mittlere Stärke, etwa eine 4—6-fache Lage wählt. Bei größerer Stärke gelingt die Darstellung am wenigsten bei positiver Fläche, weil jede Büschelbildung die Schattenbildung stört.

Weitere Unterschiede der Elektricitäten in der Gestaltung der Lichtfläche und der Form der Schatten.

Ich bemerkte ehedem, daß die Lichtfläche, wenn dieselbe die negative Elektrode bilde, umfangreicher sei. Dies ist auch im Allgemeinen richtig, aber es treten je nach der Art der Ableitung noch wesentliche Abstufungen ein. Viel größer ist die negative Lichtfläche, als die positive, so lange beide Elektroden nicht abgeleitet werden. Nur wenig größer ist sie, wenn sie selbst, und kaum größer, wenn die Spitze eine Ableitung erfährt. Genauer betrachtet verhält sich die Sache folgendermaßen. Wird die Spitze abgeleitet, so sind beide Lichtflächen fast gleichmäßig klein. Heben wir die Ableitung auf, so wächst die positive nur wenig, wogegen die negative nach undnach umfangreicher wird. Der Grund liegt darin, daß die negative gewissermaßen durch das Spiel der Maschine selbst eine Ableitung erfährt, was sich am einfachsten darin manifestirt, daß man aus dieser, wenn man den Knöchel nähert, kaum einen Funken erhält. Wie groß der Unterschied der freien Elektricität der beiden Pole ist, erfährt man am sichersten, wenn man etwa in folgender Weise operirt. Man lasse die Elektroden zunächst einander berühren, leite sie hierbei ab, und stelle sie alsdann auf eine größere Entfernung ein, hierauf lasse man die Maschine einige Zeit wirken und nähere, während sie fortwirkt, den Knöchel dem einen Conductor an; dann wiederhole man die ganze Operation von Neuem, bevor man sich dem andern Conductor nähert. Der positive, gleichviel, ob mit Spitze oder Fläche communicirend, und nebenbei auch, wenn letztere gar keine Seidenlage hat, wird stets einen namhaften Funken geben, während man am negativen nur eben eine Ausgleichung spürt. Hiermit harmonirt auch eine Beobachtung von Poggendorff, welcher die vollständig geschlossene Leitung gleichfalls immer schwach positiv elektrisch fand. Eine Erklärung bieten die Wiedemann- und Rühlmann'schen Versuche, nach welchen negative Elektricität leichter ausstrahlt und so eher dem Ganzen verloren geht.

War die Spitze vorher abgeleitet, und leiten wir hiernach die Fläche ab, so verschiebt sich der Lichtkreis sich vergrößernd zugleich aus dem Centrum seiner Elektrode. Das Strahlenbündel flieht nämlich die Glasscheibe der Maschine, wenn diejenige Hälfte derselben, welche mit der Spitze communicirt, an freier Elektricität gewinnt. Das Bündel gehorcht also eher einer Störung, welche näher der Spitze wirkt, wie es nach Früherem in ähnlicher Weise bei seitlicher Annäherung eines Gegenstandes geschieht. Die so verschobene Fläche aber ist nicht mehr rund, sondern etwas oval, weil die der Glasscheibe näheren Strahlen begreiflicher Weise stärker verschoben werden. In Alledem sind sich beide Elektricitäten gleich; aber daneben treten Erscheinungen auf, welche ausschließlich nur einer positiven Fläche angehören. Zunächst finden wir, daß sich die Lichtfläche in demselben Momente, wo sie sich vergrößert, in ihrer mittleren Theilen verdunkelt. Der verdunkelte Theil ist etwa so groß, als vorher bei Ableitung der Spitze die gesammte Ausdehnung betrug. Es erscheint also gewissermaßen ein Ring; aber die Erscheinung ist nicht dauernd, die Lichtunterschiede gleichen sich in wenigen Secunden aus. Hierbei ist zu beachten, daß der verdunkelte Theil auch darin der früheren hellen Fläche entspricht, daß er mehr in der Mitte der Elektrode liegt. Hat sich der Contrast wieder verwischt, und bleibt die Ableitung constant, so repräsentirt sich nunmehr ein Bild von entgegengesetzter Coloratur. Die Lichtfläche wird dort, wo sie eben dunkler war, heller als der übrige mehr eliptische und mehr nach vorne verschobene Theil. Diese Erscheinung ist constant, und man kann aus derselben entnehmen, daß bei Ableitung der Fläche zwei Strahlenbündel entstehn, ein inneres, welches seine centrale Lage behauptet und ein äußeres, welches allein eine Ablenkung erfährt. Weshalb die Lichtfläche des ersteren auf Augenblicke dunkel wird, soll im nächsten Kapitel eine sehr einfache Erklärung finden. Noch einer anderen Erscheinung mag hier gedacht werden, welche gleichfalls nur einer positiven Fläche angehört, aber an keine Ableitung gebunden ist, es ist eine kleine hin und her wogende Verdunklung im Centrum der Fläche, welche bald mehr bald weniger in die Augen fällt. Ich möchte aus derselben fast schließen, daß der kleine röthliche Kegel der negativen Spitze kein voller Kegel ist, oder daß er zum Wenigsten in nächster Nähe der Axe eine geringere Triebkraft hat.

Daß die Schattenbilder beider Elektricitäten differiren, habe ich gleichfalls schon im Früheren angedeutet. Ich bemerkte, daß die Schatten bei positiver Spitze radial ausgedehnter, circular schmaler erschienen. Hierbei ist jedoch die durchweg größere Ausdehnung der negativen Lichtfläche nicht weiter beachtet, und es mag richtiger sein, eine Parallele zu ziehn für den Fall, daß jene Fläche dieselbe Größe hat. Dies trifft nach Obigem annähernd zu, wenn die Spitze constant eine Ableitung erfährt, und betrachten wir die Bilder alsdann, so erscheinen diejenigen einer negativen Fläche nur radial verdünnt. Ich meine, daß ein Streifen Carton auf einer solchen nicht länger, sondern eben nur dünner erscheint, als auf einer positiven Fläche, auf welcher nebenbei die peripherischen Verstärkungen noch besonders excelliren. Aber auch sonst sind Unterschiede vorhanden, zunächst darin, daß eine negative Fläche constantere Bilder liefert. Bei einer positiven sind es namentlich die peripherischen Verstärkungen, welche fortwährenden Schwankungen unterworfen sind. Dann läßt sich bei positiver Fläche, sofern wir die Fläche ableiten, überhaupt kein symmetrischer Schatten gewinnen, weil wir nach Obigem allemal zwei verschiedene excentrische leuchtende Flächen erzeugen. Endlich besteht auch, wenn ich mich nicht täusche, ein Unterschied in der Vergrößerung, wenn das Object der Spitze genähert wird. Ich meine, daß eine namhafte Vergrößerung bei negativer Fläche erst in größerer Nähe der Spitze erfolgt.

Das Crookes'sche Lichtkreuz als Nachwirkung eines Schattenkreuzes.

Nimmt man den schattenwerfenden Körper, während die Maschine weiter wirkt, fort, so stellt sich unter gewissen Bedingungen, welche ich gleich näher besprechen will, eine neue merkwürdige Erscheinung heraus, eine Lichtverstärkung dort, wo der Schatten beobachtet war. Die Form ist genau die des letzteren; es tritt also die peripherische Verstärkung gleichfalls hervor. Die Erscheinung indessen ist nur flüchtig, zumal in ihren Umrissen; nach Sekunden ist sie vollständig verwischt.

Bei 1—2facher Seidenlage ist der Effect nur sehr schwach und flüchtig, so daß er leicht ganz unbeachtet bleibt. Desgleichen tritt die Zeichnung nur undeutlich hervor, wenn der schattengebende Körper nicht fest gestellt war. Die Maschine ferner muß einige Zeit wirken, zum wenigsten 4—5 Sekunden, bevor man den Gegenstand entfernt. Daneben ist es wesentlich, daß sie möglichst kräftig wirkt, und daß jener dann, während sie fortwirkt, möglichst schnell beseitigt wird. Endlich handelt es sich noch um eine Bedingung, welche absolut nothwendig und grade am merkwürdigsten ist. Die Lichtverstärkung erfolgt nur auf positiver Fläche, also nur bei Ausstrahlung negativer Elektricität. Das Phänomen stimmt also vollkommen mit dem Crookes'schen Lichtkreuze überein, während doch die Schattenbilder sonst an andre Bedingungen gebunden sind.

Aber die ganze Erscheinung läßt sich auch umkehren, wenn wir kein Schattenbild, sondern ein Lichtbild wirken lassen. Es tritt dann nach Auslöschung des letzteren eine partielle Verdunkelung der übrigen Lichtfläche hervor. Es ist angegeben, daß man sich zur Darstellung eines Lichtbildes einfach eines Cartonschirmes bedient, in welchem eine Figur ausgeschnitten ist. Interpoliren wir einen solchen auf kurze Zeit und heben ihn dann schnell fort, so tritt jene Figur als Verdunkelung hervor. Die bei negativer

Ausstrahlung durch den Cartonschirm begünstigte Bildung von Büscheln hebt man am besten durch zeitweise Ableitung der Fläche auf.

Hierin liegt nun zugleich die Erklärung, weshalb sich die Lichtfläche central verdunkelt, wenn wir erst die Spitze und hiernach die Fläche ableitend berühren. Die verkleinerte Fläche ist gewissermaßen das Lichtbild, welches wir auslöschen, sobald wir eine größere Fläche erzeugen. In der That können wir eine ganz ähnliche Verdunkelung dadurch erzeugen, daß wir einen Cartonschirm mit runder Oeffnung wählen, und im Uebrigen wie angegeben verfahren. Außerdem spricht für diese Erklärungsweise der Umstand, daß auch jene Erscheinung nur bei negativer Ausstrahlung erfolgt.

Welches die Ursache der beiderseitigen Nachwirkungen, und weshalb sie nur an einer positiven Fläche auftreten, darüber wage ich nicht mich zu äußern, ich möchte jedoch noch einen Versuch anführen, welcher möglicherweise weitere Aufschlüsse geben kann. Läßt man die Maschine besonders kräftig wirken, sei es dadurch, daß man die Hülfsconductoren entfernt, oder die Drehung besonders beschleunigt, und steht die Spitze der Fläche nicht zu fern, und wendet man eine verhältnißmäßig starke Seidenage an, so sieht man im ersten Aufglühn der Erscheinung lange Büschelfäden nach der betreffenden Stelle schießen, oder von derselben ausgehn, als ob sich im Raume körperlich die Zeichnung der Fläche wiederholen wollte. Also nicht auf der Fläche allein tritt eine verstärkte Action ein, sondern überhaupt im ganzen Strahlengebiet in den mit der Zeichnung correspondirenden Schichten. Es dürfte also jedenfalls die Crookes'sche Erklärung des analogen Phänomens hier nicht stichhaltig sein.

Zuweilen hat man übrigens auch bei positiver Ausstrahlung den Eindruck, als ob dem Schatten eine ganz flüchtige Lichtverstärkung folge. Ich glaube jedoch eher, daß dies eine subjective Erscheinung, eine Contrastwirkung, als eine wirkliche Lichtverstärkung ist.

Wenn die Fläche unterhalb der Seide ein verschiedenes Leitungsvermögen hat.

Ersetzt man die Metallscheibe durch eine Holzscheibe, so wird man ohne Weiteres kaum abweichende Erscheinungen gewahren. Gleichwohl sind Unterschiede vorhanden, aber man erkennt sie bei aufeinanderfolgender Betrachtung ihrer Geringfügigkeit halber nicht. Weit eher gelingt es sie festzustellen, wenn man die Versuche so arrangirt, daß man die beiderseitigen Erscheinungen gleichzeitig überblickt, oder doch mehr oder weniger gleichzeitig, und dies ist der Fall, wenn man eine Metallscheibe oder eine Holzscheibe partiell ungleich leitend macht. Bei einer Holzscheibe ist übrigens noch ein Umstand zu berücksichtigen; man hat zu verhüten, daß die Entladungsstange nicht durch ihre Masse hindurch wirkt. Man muß sie aus diesem Grunde verhältnißmäßig dick wählen, oder ihre hintere Fläche mit einer kegelförmigen Verstärkung versehn.

Legt man unter die Seidenlage einer Metallscheibe einen Papierstreifen, so tritt derselbe auf der leuchtenden Fläche als Verdunklung hervor. Umgekehrt verhält sich ein Streifen Stanniol, wenn man einen solchen unter die Seidenlage einer Holzscheibe legt. Ein schlechterer Leiter also verdunkelt die Lichtfläche, ein besserer bringt größere Helligkeit hervor. Wählt man größere Stücke, dort von Papier, hier von Stanniol, so bemerkt man auch, daß sich die Lichtstructur ändert. Bei einem schlechteren Leiter erscheint sie homogener und ruhiger, bei einem bessern mehr unterbrochen und lebhafter bewegt. Ein besserer Leiter wirkt also in demselben Sinne, als bei gleicher Grundlage eine Verstärkung der Seide. Fixiren wir die leuchtende Fläche durch constante Ableitung eines der Pole und legen ein halbkreisförmiges Stück so, daß es grade unter der Hälfte derselben liegt, so treffen wir diese, jenachdem sie der bessere oder schlechtere Leiter ist, etwas verkleinert, respective vergrößert an. Auch hierin wirkt ein Unterschied in der Seidenlage analog, wovon wir uns überzeugen können, wenn wir die Scheibe halb und halb mit ungleicher Lage bedecken. Eine partielle Verdunkelung läßt sich übrigens auch dadurch gewinnen, daß man ein Papierstück nicht innerhalb, sondern außerhalb am Seidenzeuge haften läßt. Ein Stanniolstück haftet nicht, und kleben wir es an, so ist es lichtlos, wie die Scheibe selbst, soweit ihr die seidene Armirung fehlt. Die Unterlage eines Papier- respective Stanniolstücks bietet aber noch einen besondern Nutzen, wenn wir es grade so legen, daß die Spitze nach demselben zeigt. Wir können uns dadurch genauer, als auf andere Weise, von den Schwankungen der Lichtfläche bei einseitigen Ableitungen überzeugen. Wir finden so, daß auch bei Ableitung der Spitze jene nicht ganz central bleibt, sondern etwas nach hinten verschoben wird, während bei Ableitung der Fläche, und auch schon ohne diese, wie hervorgehoben, eine starke Verschiebung nach vorne erfolgt. Als Unterlage wendet man in diesem Falle natürlich am besten ein kleines rundes Scheibchen an.

Wie gestalten sich nun unter solchen Verhältnissen die Schatten? Hierfür hat sich eine sehr einfache Richtschnur ergeben. Wo die Lichtfläche dunkler, gleichviel durch welche Mittel, nimmt der Schatten bei geringerer Schwärze größere Dimensionen an. Sehr in die Augen fallend ist diese Vergrößerung freilich nicht, und man muß, um hierin schlüssig zu werden, überhaupt etwas vorsichtig experimentiren. Zunächst muß der schattengebende Körper unverrückt bleiben. Dann muß derselbe in genau gleicher Länge die Scheidegränze überragen. Endlich darf man auch nicht die vordere und die hintere Lichthälfte mit einander vergleichen, weil die vordere, der seitlichen Ablenkung halber, durchgängig stärkere Schatten giebt. Man hefte die Unterlage also entweder an die obere oder an die untere Hälfte der Scheibe und lasse die diagonale Schnittlinie genau in Höhe der Spitze liegen. Dann rüste man einen an einem seitlichen Halter horizontal schwebenden Cartonstreifen mit zwei kurzen und genau gleichen Seitenarmen aus. Endlich stelle man das Ganze so ein, daß der Schatten des horizontalen Streifens genau die Lichtscheide trifft. Eine andere und vielleicht einfachere Versuchsform ist die folgende. Man nehme zur Unterlage einen Streifen von 15—20mm Breite. Man hefte ihn so an, daß er vom Centrum der voraussichtlichen Lichtfläche radical nach oben verläuft. Dann stelle man einen schmalen Cartonstreifen so, daß sein oberer Schatten noch vollständig innerhalb des fraglichen Streifens fällt. Dreht man die Scheibe dann schnell mit Hülfe des Ebonitheftes, so wird der Schatten, jenachdem er auf eine hellere oder dunklere Fläche tritt, kleiner oder größer erscheinen.

Ich habe den gedachten Phänomenen um deswillen eine größere Aufmerksamkeit geschenkt, weil sie mit meiner früheren Erklärung der peripherischen Verstärkungen harmoniren.

Statt der ebenen Fläche convexe und concave Kugelflächen.

Es ist im Bisherigen fast ausschließlich der Fall betrachtet, wo einer Spitze eine ebene Fläche gegenüber steht. Dieser Fall ist auch unstreitig der einfachste, und es lag nahe, ihn mit besonderer Vorliebe zu behandeln. Nun mögen aber an Stelle der ebenen Fläche nach und nach einige andre Flächen, und in erster Linie Kugelflächen treten, und die Erscheinungen, soweit sie von den früheren differiren, in kürzeren Worten gekennzeichnet werden.

Das Experimentiren mit Kugelflächen wird dadurch unbequem, daß sich das Seidenzeug nicht faltenlos an die Fläche fügen läßt. Am ehesten gelingt dies noch bei convexer Fläche, weil man hier eher einen Druck ausüben und eine hintere Befestigung anwenden kann. Die Pressung hat aber wieder den Uebelstand, daß das Zeug für andre Versuche eher neu aufgeplättet werden muß. Bei kleiner Fläche dient zur Befestigung einfach ein Gummiring. An einer solchen würde das Zeug übrigens ohne Befestigung gar nicht haften.

Betrachten wir zunächst die Wirkung einer convexen Kugelfläche d. h. die Wirkung einer Kugel selbst von größeren oder geringeren Dimensionen.

Die mittlere Größe der Lichtfläche ist kleiner, als auf ebener Fläche, und verkleinert sich mehr und mehr, je kleiner die Kugel wird. Ihre Größendifferenz bei einseitigen Ableitungen dagegen ist erheblicher, und wächst mehr und mehr, je kleiner die Kugel wird. Wieder anders verhält es sich mit der Größe der Lichtfläche, wenn man sie als Theil der jedesmaligen ganzen Fläche betrachtet. Bei Ableitung der Spitze nimmt sie bei Verkleinerung der Kugel — zumal bei positiver Ausstrahlung — einen immer kleineren Theil derselben ein. Bei Ableitung der Kugel dehnt sie sich bei Verkleinerung der Kugel — zumal bei positiver Ausstrahlung — über einen immer größeren Theil derselben aus. Zur bessern Orientirung mögen einige absolute Bestimmungen folgen. Ich wandte Kugeln von 200, 100, 75 und 25mm an. Von diesen war bei Ableitung der Kugel unter sonst gleichen Verhältnissen etwa $\frac{1}{8}$, $\frac{3}{8}$, $\frac{2}{3}$ und $\frac{3}{4}$ der Fläche hell. Bei Ableitung der Spitze war der helle Raum im Maximum vielleicht ein Markstück groß und nahm der Reihe nach bis auf Erbsengröße ab. In der Structur des Lichtes wirkt die Krümmung der Fläche ähnlich einer Verstärkung des Seidenzeugs, insofern wenigstens, als sie auch die Entstehung der Büschel mehrt. Schon bei zweifacher Lage von Seidenzeug ist aus diesem Grunde bei kleineren Kugeln eine positive Fläche kaum noch für Schattenbilder zu verwerthen.

Die Schattenbildung weicht namentlich in folgendem Punkte von der früheren ab. Auf ebener Fläche wird der Schatten constant größer, wenn der Körper der Spitze, und constant kleiner, wenn derselbe der Fläche genähert wird. Zum Wenigsten tritt bei Annäherung an letztere, wenn auch zuletzt kaum noch eine Verkleinerung, so doch gewiß keine Vergrößerung ein. Bei einer Kugel kehrt sich diese Regel bis zu einem gewissen Grade um und wird nebenbei je nach Umständen sehr eigenthümlich modificirt. Zunächst findet allemal bei Annäherung an die Kugel in größerer Nähe derselben eine schwache Vergrößerung statt, und früher und stärker, je kleiner die Kugel ist. Aber auch bei Annäherung an die Spitze findet in größerer Nähe derselben eine starke Vergrößerung statt, solange die Kugel abgeleitet ist. Der Punkt, wo das Bild am kleinsten, liegt jedenfalls näher der Kugel, aber nach ihrer Größe und der Elektricitätsart etwas verschieden. Ganz anders bei Ableitung der Spitze; hier resultirt eine constante Verkleinerung, so lange der Körper der Spitze genähert wird, bei größeren Kugeln wohl weniger entschieden, als bei kleineren, aber sicher schon bei Kugeln von 75^{mm} an. Eine weitere Abweichung documentirt sich darin, daß hier bei seitlicher Annäherung noch früher eine Schattenbildung erfolgt, noch früher, als bei ebener Fläche, wo eine solche schon erfolgte, bevor der Mantel des eingebildeten Kegels durchbrochen war. Die Ausbauchung des Strahlengebietes ist hier also größer, und scheinbar um so größer, je kleiner die Kugel ist. Daß die pheripherischen Strahlen bei einer solchen vorzugsweise große Curven beschreiben müssen, läßt sich übrigens schon aus der Mitbeleuchtung der hinteren Fläche schließen. Hier entsteht denn auch der Schatten zuerst und rückt dann mehr und mehr auf die vordere Fläche, je mehr wir uns der mittleren Axe nähern. Das seitliche Bild ist in der Regel stark verzerrt, aber wir können es durch eine entsprechende Drehung des Körpers fast unverzerrt erhalten. Nähern wir uns seitlich mehr in Nachbarschaft der Kugel, so erhalten wir das seitliche Bild weniger vollständig, als wenn wir uns in Nachbarschaft der Spitze nähern. Daß sich das Strahlenbündel auch sonst nahe der Spitze gegen eine seitliche Annäherung vorzugsweise empfindlich zeigt, stimmt mit den Erscheinungen bei ebener Fläche überein. Noch eine Abweichung aber möchte ich mit aufführen, wenn es auch möglichst ist, daß ich hier in einer Täuschung befangen bin. Es scheint mir, als ob die pheripherischen Verstärkungen bei Kugeln verhältnißmäßig größere sind.

So gestalten sich die Verhältnisse bei convexen Flächen. Mit concaven habe ich nur wenige Versuche angestellt. Es fehlten mir metallische Halbkugeln mit der nöthigen Modificirung des Randes um größere Ausstrahlungen zu verhüten. Um gleichwohl einige Einsicht zu gewinnen, nahm ich halbkugelförmige Schalen aus Holz, welche eher zu beschaffen waren. Sie zeigten wenigstens, daß sich die Erscheinungen in ihrem Hauptcharacter so gestalteten, wie nach dem Bisherigen zu erwarten war. Die leuchtende Fläche zeigte sich entschieden größer, als an ebener Fläche; bei einem Kugeldurchmesser von 200^{mm} nahm sie die ganze innere Hohlung ein. Schon bei geringerer Entfernung von der Schale wurde der Schatten außerordentlich groß. Er dehnte sich linear leicht ebenfalls über die ganze innere Hohlung aus. Bei Annäherung nahm derselbe beständig ab, aber scheinbar weniger schnell von dem Momente an, wo der Körper in's Innere der Schaale trat.

Statt der ebenen Fläche convexe und concave Cylinderflächen.

Cylindrische Flächen sind leicht zu beschaffen und bieten dem Experimente wieder die Bequemlichkeit, daß sich die Seide ohne Falten anlegen läßt. Daneben haben sie den Vortheil, daß sie bis zu einem gewissen Grade wenigstens die Eigenschaften einer Kugel- und einer ebenen Fläche in sich vereinen. Jedes cylindrisch geformte Blech kann als convexe Elektrode gelten, wenn nur nicht die scharfen Kanten grade der Spitze zugerichtet sind. Eine concave Elektrode gewinnt man in einem Halbcylinder, dessen Längskanten noch etwas halbrund nach hinten gebogen sind. Die Axe stellt man natürlich senkrecht zur Entladungsstange, an welcher das Stück mit Hülfe einer kleinen Hülse befestigt wird. Die Länge wählt man so, daß, wenn man es mit der Entladungsstange dreht, es noch frei an den Einsaugern der Maschine vorübergeht.

An einer convexen Cylinderfläche bieten sich folgende Erscheinungen dar. Die leuchtende Fläche ist oval und zwar verlängert in der Längsrichtung des Cylinders, und um so mehr, je enger der Cylinder ist. Dieser Form schließt sich die Gestaltung der Schatten an. In der längern Richtung der Fläche sind alle verlängert respective verstärkt. Der Cylinder liege z. B. horizontal, und der Körper sei ein aufrechtes Kreuz, dann sind die horizontalen Schattenarme sehr lang und dabei dünn, die vertikalen hingegen sind kurz, vielleicht drei- bis fünffach so kurz, und dabei außerordentlich breit. Drehen wir den Cylinder, so tritt zunächst eine Verzerrung, dann eine theilweise Ausgleichung der Unterschiede, dann eine neue Verzerrung, und endlich das umgekehrte Verhältniß ein. Nähern wir das Kreuz bei horizontal liegendem Cylinder nach und nach der Spitze, so tritt folgende, nach Früherem theilweise zu erwartende Modificirung des Bildes ein. Die horizontalen

Arme nehmen constant in ihrer Länge zu, in ihrer Breite aber nehmen sie anfänglich ab, um sich später wieder zu verstärken. Die vertikalen Arme nehmen constant in ihrer Dicke zu, in ihrer Länge aber nehmen sie anfänglich ab, um sich später wieder zu verlängern. So ist es wenigstens im Durchschnitt; gewisse Abweichungen resultiren je nach der Entfernung der Elektroden, ihrer Ableitung, ihrer Polarität und der Weite der Cylinder.

Auch bei einer concaven Fläche ist die Lichtfläche ein Oval, aber diesmal ein solches, welches in der Richtung der Rundung verlängert ist. Die Schatten schließen sich wieder dieser Gestaltung an, es ist Alles nach gedachter Richtung länger respective verstärkt. Bei Annäherung an die Spitze findet hier aber keine partielle Abnahme, sondern überall nur ein Wachsen der Größe statt, nur daß sich die auf die Rundung fallenden Arme des Kreuzes vorzugsweise schnell verlängern, wogegen sich die andern besonders schnell verstärken. Eine concave Fläche darf man beiläufig bemerkt nicht zu klein wählen, damit die Lichtfläche vollständig in die Hohlung des Bleches fällt. Man stellt letzteres daneben am besten aufrecht, damit der Körper mit seinem Halter auch in's Innere treten kann.

Es liegt nahe, die Beziehungen, welche sich früher zwischen der Lichtfläche und den Staubfiguren ergaben, auch für gekrümmte Flächen zu verfolgen. Für eine convexe Kugelfläche stände eine Verkleinerung, für eine concave eine Vergrößerung des Staubringes zu erwarten. Auf einer Cylinderfläche müßte derselbe oval sein, auf convexer verlängert, auf concaver verkürzt in der Richtung der Axe. Kugelförmige Ebonitflächen sind schwerer zu beschaffen, als cylindrische;. ich habe daher nur an letzteren einige Versuche ausgeführt. Ich beklebte die der Tischplatte zugewandte Seite mit Stanniol, damit sie überall abgeleitet sei. Im Uebrigen verfuhr ich, wie früher; ich ließ kleine Flaschenentladungen durch eine mit einer Kugel armirte Holzspitze aus einiger Entfernung auf die bestaubte obere Fläche wirken. Ich erhielt auch jedesmal ein Oval, aber jedesmal ein umgekehrtes seiner Verlängerung nach, als nach Obigem zu erwarten war.

Desgleichen einige Flächen von gemischter Form.

Man biege ein Blechstück so, daß es eine längere runde Kante und zwei sich daran schließende parallele Flächen repräsentirt. Man klemme es so auf die Entladungsstange, daß die runde Kante rechtwinklig der Spitze gegenübersteht. Die Lichtfläche, welche neben der Rundung dann gleichzeitig einen Theil der Flächen beherrscht, ist dann sehr ungleich erhellt. Sie ist vorzugsweise hell an der Rundung, und desto heller, je stärker die Krümmung derselben ist. Dort ist aber auch der Schatten eines Cartonstreifens, welcher der Kante parallel und in Höhe der Spitze liegt, ganz besonders schmal, während er sich sofort verbreitert, sobald man ihn auf eine der beiden Flächen fallen läßt.

Man biege ein Blechstüch wellenförmig, und stelle die so geformte Fläche der Spitze gegenüber. Man mache die leuchtende Fläche so groß, daß sie mehrere Vertiefungen und Erhöhungen beherrscht. Die Lichtfläche erscheint dann an den erhabenen Stellen heller, mag man die Seide auch noch so genau in die Vertiefungen pressen, und der Schatten eines der Biegung parallelen Streifens wird abwechselnd schmal und breit, jenachdem er Berge oder Thäler passirt.

Wenden wir an Stelle einer größeren Hohlscheibe eine kleinere, etwa eine solche von 6—9 Centimeter an, so ist auch hier die Lichtfläche nicht überall gleich hell, und am wenigsten, je größer sie ist. Der mittlere Theil ist stets etwas dunkler und je mehr, je weiter der Rand beleuchtet ist. Der Rand selbst aber ist vorzugsweise hell, hier setzen sich auch am ersten die längeren Büschelfäden an. Daher kommt es denn auch, daß die Schattenbilder auf solcher Scheibe sehr wesentlich von jenen auf ebener Fläche differiren. Schon bei axialer Lage fällt die peripherische Verstärkung mehr und mehr fort, oder schlägt eventuell sogar in eine Verjüngung um. Aus axialer Lage verschoben liefert der Körper im Ganzen kein vergrößertes, sondern eher ein verkleinertes Bild. Trifft das Bild aber den Rand, so ist es sicher am kleinsten, also am kleinsten wieder dort, wo die größere Helligkeit dominirt.

Allgemein scheint also einer größeren Helligkeit d. h. einer schnelleren Bewegung eine verringerte Schattengröße zu entsprechen.

Die Doppelschatten bei Anwendung zweier Flächen als Elektroden.

Stellen wir einer ebenen Fläche eine sehr kleine Kugel gegenüber, so ist schon die Lichtfläche auf jener kleiner, als wenn eine Spitze die Kugel vertritt. Noch kleiner wird sie, wenn wir eine größere Kugel wählen und successive kleiner, je größer dieselbe ist. Aber auch auf der Kugel entsteht gleichzeitig eine Lichtfläche und zwar bei kleineren Kugeln, wenn dieselben auch gar nicht mit Seide überzogen sind, vielleicht besser sogar als mit Seide, während größere Kugeln, namentlich als negative Elektrode, gedachten Ueberzuges bedürfen. Auch die Lichtfläche der Kugel nimmt mit Größe derselben ab, absolut betrachtet sowohl, als auf die gesammte Fläche bezogen. Zwei leuchtende Flächen erhält man aber auch sonst bei Gegenüberstellung von Flächenelektroden von dieser oder jener Form, wenn man sie eventuell entsprechend mit Seide bedeckt, desgleichen für eine geeignete Strömung, für den richtigen Abstand und die richtige Ableitung sorgt. Zum Wenigsten ist dies bei Kugeln verschiedener Größe, bei einer großen und einer kleinen Hohlscheibe, sowie bei zwei kleinen Hohlscheiben der Fall. Für zwei große Hohlscheiben habe ich es bis jetzt nicht constatiren können, weil mir nur eine dergleichen zu Gebote stand. So bequem als bei Anwendung einer Spitze ist freilich das Experimentiren mit doppelseitigen Flächenelektroden nicht. Das Glimmlicht schlägt leicht in Büschelentladungen um, zumal, wenn die negative die kleinere Fläche ist. Characteristisch ist, daß auch das Glimmen sehr häufig durch einen momentanen, fast funkenähnlichen Büschel eingeleitet wird.

Aber auch die leuchtenden Flächen sind keine homogenen; sie werden beständig von wolkenähnlichen Verdunkelungen überzogen. Die Wolken der einen mögen dadurch entstehn, daß in der andern die bevorzugten Ausstrahlungspunkte wechseln, vielleicht aber auch dadurch, daß die einander begegnenden Molelüle sich bald hier bald dort dichter zusammendrängen und stören. Jedenfalls dürfte, während bei Anwendung einer Spitze voraussichtlich eine Bewegung der Moleküle vorzugsweise nur in einer Richtung erfolgt, im vorliegenden Falle eine zweifache entgegengesetzte Bewegung und in dieser eine partielle Ausgleichung resultiren. Wunderbar bleibt es freilich, daß gedachte Ausgleichung keine universelle ist, daß nicht alle Moleküle, ihre Elektricitäten ausgleichend, auf einander prallen und sich hemmen. Daß dies nicht der Fall, beweisen freilich die beiden leuchtenden Flächen nicht an und für sich, wohl aber die Erscheinungen, welche ich gleich näher erörtern will. Es müssen also die beiderseitigen Bewegungen doch derartig differencirt sein, daß sie die Moleküle eher von einander, als auf einander treiben.

Bringen wir einen Gegenstand zwischen beide leuchtende Flächen, so ereignet sich, was ich schon in meiner ersten Mittheilung flüchtig besprach. Es bildet sich ein Schatten auf beiden Flächen, soweit dieselben eben nicht von Wolken durchzogen sind. Stellt man den Körper mehr in die Mitte, so sind beide Schatten zugleich da, in den meisten Fällen aber von sehr ungleichen Dimensionen. Der auf positiver Fläche ist länger und breiter, d. h. das Bild ist nach allen Richtungen verstärkt. Nähert man den Körper mehr der einen, so wird nach und nach der Schatten auf der andern Fläche kleiner, bis er vollständig erlischt. Der andre Schatten hingegen wird allemal größer, es sei denn daß man mit einer größeren Hohlscheibe operirt. Steht einer solchen eine große Kugel gegenüber, so nimmt der Schatten der Scheibe bei Annäherung an diese ebenfalls zu; steht jener indessen eine kleine Kugel gegenüber, so nimmt der Schatten bei gleicher Annäherung wie bei Wirkung einer Spitze ab. An beiden Schatten treten periphérische Verstärkungen, wenn überhaupt, nur in sehr verringertem Maaße auf. Bei Gegenüberstellung zweier kleinerer Hohlscheiben zeigt sich die Mitte der Lichtflächen in bevorzugter Weise dunkel. Man erhält hier schwer nur ein Schattenbild, leichter in Nähe des Randes, wo es freilich kleiner erscheint. Ueberhaupt aber zeigen sich alle Schatten für gewöhnlich so wenig constant, als die leuchtenden Flächen selbst.

Bei einem seidenen Schirme zwischen Spitzenelektroden.

Zu dieser in meiner ersten Mittheilung in zweiter Linie empfohlenen Versuchsform möchte ich noch folgende ergänzende Bemerkungen machen.

Ist einer der Pole abgeleitet, so ist die leuchtende Fläche klein; nimmt man die Ableitung fort, so wird sie plötzlich sehr groß. Die vergrößerte ist auch hier stark nach vorn verschoben, und wohl stärker, als sonst, da die Glasscheibe hier auf beide Strahlenbündel wirkt. Deshalb tritt eine peripherische Verstärkung der Schatten auch hier ganz besonders an der vordern Seite der Lichtfläche hervor, so daß ein Schattenkreuz, wenn es auch sonst eine centrale Lage hat, an seinem vorderen Arme vorzugsweise umfangreich erscheint.

Haben wir reine Seide, so ist der Eindruck derselbe, ob der beschattende Körper vor oder hinter dem Schirme steht. Etwas größer ist bereits der Unterschied, wenn wir ein Papierstück innerhalb der Seidenlage verbergen. Bei einem Stanniolstück dürfen wir einen Schatten nur an der beschatteten Seite suchen, aber können jede Seite für sich beschatten lassen, hier bei positiver, dort bei negativer Elektricität.

Aber auch bei reiner Seide können wir vor jede Spitze einen besonderen Gegenstand stellen, und so gemischte Bilder erzeugen. Hierbei treten einige nicht uninteressante Erscheinungen auf, welche zeigen, wie sehr die jenseitigen Strahlen auf die diesseitigen reagiren. Stellen wir dort etwa einen Kartonstreifen horizontal, und hier einen solchen senkrecht, so daß die Spitze dieses noch etwas unterhalb des andern liegt, so hat der horizontale Schatten dort eine Wölbung nach oben, wo ihn der senkrechte trifft. Durch seitliches Verschieben des dem letzteren angehörigen Streifens rückt gedachte Wölbung wellenförmig in dem oberen Schatten fort. Sehr hübsch zeigt sich die beiderseitige Abstoßung der Schatten noch in einem andern eben so einfachen Versuche. Man stelle vor beide Spitzen je einen schmalen Cartonstreifen senkrecht. Man wird dann nie erreichen können, daß sich die beiden Schatten vollständig decken. Läßt man den einen dem andern nahe treten, so weicht dieser anfangs ein wenig aus und hüpft dann plötzlich über den andern fort.

Auch in dieser Versuchsform zeigt sich das Crookes'sche Lichtkreuz als Nachwirkung eines Schattenkreuzes, aber doch in etwas andrer Weise als sonst. Zunächst heller, als zwischen Spitze und Hohlscheibe, aber dann auch in sofern anders, als es hier ausnahmslos erfolgt. Dort zeigte es sich nur bei negativer Spitze; hier ist es gleich, ob wir den Körper vor diese, oder jene Spitze stellen, was freilich darin seine Erklärung findet, daß auch das Schattenbild nicht an gedachte Stellung gebunden ist. Die frühere Darstellungsweise hat aber doch einen Vortheil. Dort können wir den Effect auch dadurch erzeugen, daß wir nur die Scheibe drehen, ohne den Körper verrücken zu müssen, wenn es sich darum handeln sollte, den Einwand zu beseitigen, daß die fragliche Wirkung nur eine subjective Erscheinung sei.

Neue Darstellung der Kugelfunctionen und der verwandten Functionen durch Determinanten

von

Karl Heun.

(Vorgelegt von Herrn Prof. E. Schering).

1. Setzt man in der allgemeinen Determinante:

$$R^{(n)} = \begin{vmatrix} E_{h_1 k_1} & E_{h_1 k_2} & \cdots\cdots & E_{h_1 k_n} \\ E_{h_2 k_1} & E_{h_2 k_2} & \cdots\cdots & E_{h_2 k_n} \\ E_{h_3 k_1} & E_{h_3 k_2} & \cdots\cdots & E_{h_3 k_n} \\ \vdots & \vdots & \cdots\cdots & \vdots \\ E_{h_n k_1} & E_{h_n k_2} & \cdots\cdots & E_{h_n k_n} \end{vmatrix}$$

immer diejenigen Elemente einander gleich

$$E_{h_l k_m} = E_{h_\lambda k_\mu}$$

welche als Summe ihrer Zeilen-Nummer und Spalten-Nummer einen gleichen Werth haben:

$$l + m = \lambda + \mu = \nu \leqq 2n$$

so entsteht die specielle Determinante:

$$R^{(n)} = \begin{vmatrix} \mathrm{E}_{h_1 k_1} & \mathrm{E}_{h_1 k_2} & \mathrm{E}_{h_1 k_3} & \dots & \mathrm{E}_{h_1 k_{n-1}} & \mathrm{E}_{h_1 k_n} \\ \mathrm{E}_{h_1 k_2} & \mathrm{E}_{h_1 k_3} & \mathrm{E}_{h_1 k_4} & \dots & \mathrm{E}_{h_1 k_n} & \mathrm{E}_{h_2 k_n} \\ \mathrm{E}_{h_1 k_3} & \mathrm{E}_{h_1 k_4} & \mathrm{E}_{h_1 k_5} & \dots & \mathrm{E}_{h_1 k_n} & \mathrm{E}_{h_3 k_n} \\ \vdots & \vdots & \vdots & & \vdots & \vdots \\ \mathrm{E}_{h_1 k_{n-1}} & \mathrm{E}_{h_1 k_n} & \mathrm{E}_{h_2 k_n} & \dots & \mathrm{E}_{h_{n-2} k_n} & \mathrm{E}_{h_{n-1} k_n} \\ \mathrm{E}_{h_1 k_n} & \mathrm{E}_{h_2 k_n} & \mathrm{E}_{h_3 k_n} & \dots & \mathrm{E}_{h_{n-1} k_n} & \mathrm{E}_{h_n k_n} \end{vmatrix}$$

Es sind also alle Elemente, welche auf derselben zur Nebendiagonale parallelen Sehne stehen, einander gleich. Vertauscht man in dieser Determinante irgend eine Zeile mit derjenigen Spalte, welche sie in der Hauptdiagonale schneidet, so ändern die Elemente der Determinante nicht ihre Plätze. Alle von einander verschiedenen Elemente, und zwar immer in gleicher Reihenfolge trifft man, wenn man auf irgend einem Wege, aber an jeder Stelle entweder nur in der Zeile oder nur in der Spalte um Einen Schritt vorwärts gehend vom ersten Elemente $E_{h_1 k_1}$ bis zum letzten Elemente $E_{h_n k_n}$ gelangt. Ich will deßhalb solche Determinanten im Folgenden, nach dem Vorschlag des Herrn Prof. Schering, einreihige nennen. Aus den Randelementen ergeben sich die übrigen Elemente theils durch:

$$\mathrm{E}_{h_r k_s} = \mathrm{E}_{h_1 k_{r+s-1}}$$

nemlich wenn:

$$r+s\leqq n+1$$

theils durch:

$$E_{k_r k_s} = E_{k_{r+s-n} k_n}$$

wenn:

$$r+s>n+1$$

2. Ich habe nun für einige schon vielfach untersuchte, sowie für einige weniger eingehend behandelte Functionen die Form solcher einreihigen Determinanten gefunden, deren Elemente lineare Functionen des Argumentes sind. Entwickelt man nach Herrn Heine (»Mittheilung über Kettenbrüche.« Crelle J. Bd. 67) die Function:

$$o = \int_\alpha^\beta f(z)\frac{\partial z}{x-z}$$

so ergiebt sich für den νten Näherungsnenner $N^{(n)}$ ein Ausdruck vom Grade n, welchen ich als die einreihige Determinante:

$$N^{(n)} = \begin{vmatrix} a_1 x - a_2 \ldots\ldots a_{n-1} x - a_n, & a_n x - a_{n+1} \\ a_2 x - a_3 \ldots\ldots a_n x - a_{n+1}, & a_{n+1} x - a_{n+2} \\ a_3 x - a_4 \ldots\ldots a_{n+1} x - a_{n+2}, & a_{n+2} x - a_{n+3} \\ \vdots & \vdots \\ a_{n-1} x - a_n \ldots\ldots a_{2n-3} x - a_{2n-2} & \\ a_n x - a_{n+1} \ldots a_{2n-2} x - a_{2n-1}, & a_{2n-1} x - a_{2n} \end{vmatrix}$$

darstelle. Die Coëfficienten a_ν bestimmen sich durch die Gleichungen:

$$a_1 = \int_\alpha^\beta f(z) \partial z$$

$$a_1 = \int_\alpha^\beta z f(z) \partial z$$

$$\vdots$$

$$a_{2n} = \int_\alpha^\beta z^{2n-1} f(z) \partial z$$

In dem speciellen Falle

$$f(z) = 1, \; -\alpha = \beta = 1$$

wird;

$$\sigma = \int_{-1}^{+1} \frac{\partial z}{x - z}$$

$$= \lg \frac{x+1}{x-1}$$

$$a_\nu = \int_{-1}^{+1} z^{\nu-1} \partial z$$

Der Werth dieses Integrals ist $= \frac{2}{\nu}$, wenn ν eine ungerade Zahl ist, und = Null, wenn ν eine gerade Zahl ist.

Der $n$te Näherungsnenner der Kettenbruchentwicklung von $\sigma = \lg \frac{x+1}{x-1}$, der in diesem Falle auch vom Grade n ist, stimmt dann, abgesehen von einem constanten Factor, mit der Kugelfunction einer Veränderlichen übereiu, und die Determinante desselben hat folgende bemerkenswerthe Gestalt:

$$C_n . P^{(n)}(x) =$$

$$\begin{vmatrix} x, & -\frac{1}{3}, & \frac{1}{3}x, & -\frac{1}{5}, & \frac{1}{5}x & \ldots & -\frac{1}{n+1} \\ -\frac{1}{3}, & \frac{1}{3}x, & -\frac{1}{5}, & \frac{1}{5}x, & -\frac{1}{7} & \ldots & \frac{1}{n+1}x \\ \frac{1}{3}x, & -\frac{1}{5}, & \frac{1}{5}x, & -\frac{1}{7}, & \frac{1}{7}x & \ldots & \frac{1}{n+3} \\ \cdot & \cdot & \cdot & \cdot & \cdot & \cdot & \cdot \\ \cdot & \cdot & \cdot & \cdot & \cdot & \cdot & \cdot \\ -\frac{1}{n+1}, & \frac{1}{n+1}x, & \ldots & & & & +\frac{1}{2n-1}x \end{vmatrix}$$

wenn n eine gerade Zahl ist. In diesem Falle schließt also die erste Reihe mit einem Gliede, welches x nicht enthält. Ist dagegen der Index der Kugelfunction eine ungerade Zahl, dann hat die Determinante die Form:

$$C'_n . P^{(n)}(x) =$$

$$\begin{vmatrix} x, & -\frac{1}{3}, & \frac{1}{3}x, & -\frac{1}{5} & \ldots & \frac{1}{n}x \\ -\frac{1}{3}, & \frac{1}{3}x, & -\frac{1}{5}, & \frac{1}{5}x & \ldots & -\frac{1}{n+1}x \\ \frac{1}{3}x, & -\frac{1}{5}, & \frac{1}{5}x, & -\frac{1}{7} & \ldots & \frac{1}{n+1}x \\ \cdot & \cdot & \cdot & \cdot & \cdot & \cdot \\ \cdot & \cdot & \cdot & \cdot & \cdot & \cdot \\ \frac{1}{n}x, & -\frac{1}{n+1}, & \frac{1}{n+1}x & & \ldots & \frac{1}{2n-1}x \end{vmatrix}$$

Die so definirte Function $P^{(n)}(x)$ stimmt vollständig mit dem L e g e n d r e'schen Entwicklungscoëfficienten des reciproken Werthes der Entfernung zweier Puncte überein, wenn man die constanten Factoren C_n und C_n' in geeigneter Weise bestimmt.

»Die *n*te Kugelfunction $P^{(n)}(x)$ ist also abgesehen von einem constanten Factor eine einreihige Determinante, deren characteristische Randelemente, abwechselnd aus dem Product des Argumentes in die reciproken Werthe der aufeinander folgenden ungeraden Zahlen, und aus denselben nur mit entgegengesetzten Vorzeichen versehenen Zahlen gebildet sind.«

Beispiele:

1) $n = 2$

Dann ist:

$$C_2 P^{(2)}(x) = \begin{vmatrix} x, & -\frac{1}{3} \\ -\frac{1}{3}, & \frac{1}{3}x \end{vmatrix}$$

$$= \tfrac{1}{3}x^2 - \tfrac{1}{9}$$

$$= \tfrac{2}{9} \cdot \tfrac{3}{2}(x^2 - \tfrac{1}{3})$$

$$= \tfrac{2}{9} . P^{(2)}(x)$$

2) $n = 3$

$$C_3 . P^{(3)}(x) = \begin{vmatrix} x, & -\frac{1}{3}, & \frac{1}{3}x \\ -\frac{1}{3}, & \frac{1}{3}x, & -\frac{1}{5} \\ \frac{1}{3}x, & -\frac{1}{5}, & \frac{1}{5}x \end{vmatrix}$$

$$= \frac{1}{3.5}x^3 - \frac{1}{5^2}x + \frac{1}{3^2.5}x - \frac{1}{3^3}x^3$$

$$= \frac{4}{3^3.5}(x^3 - \tfrac{3}{5}x)$$

$$= \frac{8}{3^3 5^2} \cdot \tfrac{5}{2}(x^3 - \tfrac{3}{5}x)$$

$$= \frac{2^3}{3^3.5^2} \cdot P^{(3)}(x)$$

Eine andere Darstellung derselben Function in Form einer Determinante hat Glaischer gegeben (vergl. Messenger of Mathematics Vol. VI. pag. 49.). Er findet:

$$P^{(n)}(x) =$$

$$\begin{vmatrix} 1, & 1, & 0, & 0 \ldots\ldots 0 \\ 0, & x, & 1, & 0 \ldots\ldots 0 \\ \frac{1}{2}(x^2-1), & x^2, & 2x, & 1 \ldots\ldots 0 \\ 0, & x^3, & 3x^2, & 3x \ldots\ldots 0 \\ \cdot & \cdot & \cdot & \cdot \\ \cdot & \cdot & \cdot & \cdot \end{vmatrix}$$

Und speciell für $n = 3$:

$$P^{(3)}(x) = \begin{vmatrix} 1, & 1, & 0, & 0 \\ 0, & x, & 1, & 0 \\ \frac{1}{2}(x^2-1), & x^2, & 2x, & 1 \\ 0, & x^3, & 3x^2, & 3x \end{vmatrix}$$

$$= \frac{5}{2}\left(x^3 - \frac{3}{5}\right)$$

Diese Darstellungsform ist jedoch viel zu wenig übersichtlich, um als Hülfsmittel zur Untersuchung der Eigenschaften der Kugelfunctionen dienen zu können.

3. Neben die $P^{(n)}(x)$ treten in der Theorie der Kugelfunctionen die »Zugeordneten« $P_{\lambda}^{(n)}(x)$, welche Lösungen der Differentialgleichung:

$$\frac{d}{dx}\left\{(1-x^2)\frac{dy}{dx}\right\} + \left\{n(n+1) - \frac{\lambda^2}{1-x^2}\right\} y = 0$$

sind. Sie sind bestimmt durch die Gleichung:

$$P_\lambda^{(n)}(x) = \frac{2\,\Pi(n)}{\Pi(n+\lambda)}(1-x^2)^{\frac{\lambda}{2}}\frac{d^\lambda P^{(n)}(x)}{dx^\lambda}$$

Die Function $\frac{d^\lambda P^{(n)}(x)}{dx^\lambda}$ auf der rechten Seite dieser Gleichung ist für jeden Werth von λ rational in Bezug auf das Argument x. Sieht man von einem constanten Factor ab, dann kann dieselbe ebenfalls in Form einer einreihigen Determinante dargestellt werden. Die Coëfficienten a_1, a_2 . . . a_{2n} der Elemente derselben bestimmen sich durch die Gleichungen:

$$a_1 = \int_{-1}^{+1}(1-z^2)^\lambda dz$$

$$a_2 = \int_{-1}^{+1} z(1-z^2)^\lambda dz$$

. . . .

. . . .

$$a_{2\nu} = \int_{-1}^{+1} z^{2\nu-1}(1-z^2)^\lambda dz$$

$$a_{2\nu+1} = \int_{-1}^{+1} z^{2\nu}(1-z^2)^\lambda dz$$

Die Auswerthung dieser bestimmten Integrale giebt

$$a_{2\nu} = 0$$

$$a_{2\nu+1} = 2^{3\lambda}.\frac{\Pi(\nu+\lambda)}{\Pi(2\nu+\lambda+1)}$$

wo Π die Characteristik der bekannten Gauß'schen Function ist. Hieraus ergiebt sich der Werth der Determinante $G_\lambda^{(n)}(x)$ für ein beliebiges λ. Der besseren Uebersicht wegen führe ich, statt des allgemeinen Resultats, einige Beispiele an.

1) $n = 3, \quad \lambda = 1$

Dann ist:

$$G_1^{(3)}(x) = 4^2 \begin{vmatrix} \frac{x}{1.3}, & -\frac{1}{3.5} \\ -\frac{1}{3.5}, & \frac{x}{3.5} \end{vmatrix}$$

$$= \frac{4^2}{3^2.5}(x^2 - \tfrac{1}{5})$$

$$= \frac{5^2}{2^4.3^3} \cdot \frac{3.5}{2}(x^2 - \tfrac{1}{5})$$

$$= \frac{5^2}{2^4.3^3} \cdot \frac{dP^{(3)}(x)}{dx}$$

2) $n = 4, \quad \lambda = 1$

$$G_1^{(4)}(x) = 4^3 \begin{vmatrix} \frac{x}{1.3}, & -\frac{1}{3.5}, & \frac{x}{3.5} \\ -\frac{1}{3.5}, & \frac{x}{3.5}, & -\frac{1}{5.7} \\ \frac{x}{3.5}, & -\frac{1}{5.7}, & \frac{x}{5.7} \end{vmatrix}$$

$$= \frac{4^3}{3^2.5^2 7}(x^3 - \tfrac{3}{7}x + \tfrac{1}{5}x - \frac{7}{3.5}x^3)$$

$$= \frac{4^3.8}{3^2.5^3.7^2}(x^3 - \tfrac{3}{7}x)$$

$$= \frac{2^5 . 4^3}{3^2 . 5^4 . 7^3} \cdot \frac{5 . 7}{2^2} (x^3 - \tfrac{3}{7} x)$$

$$= \frac{2^5 . 4^3}{3^2 . 5^4 . 7^3} \cdot \frac{dP^{(4)}(x)}{dx}$$

3) $n = 5, \quad \lambda = 2$

$$G_2^{(5)}(x) =$$

$$4^6 . \begin{vmatrix} \frac{x}{1.3.5}, & -\frac{1}{3.5.7}, & \frac{x}{3.5.7} \\ -\frac{1}{3.5.7}, & \frac{x}{3.5.7}, & -\frac{1}{5.7.9} \\ \frac{x}{3.5.7}, & -\frac{1}{5.7.9}, & \frac{x}{5.7.9} \end{vmatrix}$$

$$= \frac{4^6 . 2^2}{5^3 . 7^3 . 9^2} (x^3 - \tfrac{2}{3} x)$$

$$= \frac{2^3 . 4^6}{5^4 . 7^4 . 9^3} \cdot \frac{7 . 9}{2} (x^3 - \tfrac{1}{3} x)$$

$$= \frac{2^3 . 4^6}{5^4 . 7^4 . 9^3} \cdot \frac{d^2 P^{(5)}(x)}{dx^2}$$

»Der rationale Bestandtheil von $P_\lambda^{(n)}(x)$ ist allgemein eine einreihige Determinante $(n - \lambda)$ten Grades, deren Elemente abwechselnd aus dem Argument und der negativen Einheit multiplicirt in den reciproken Werth des Productes von je $\lambda + 1$ aufeinanderfolgenden ungeraden Zahlen gebildet sind.«

4. Man erhält den Ausdruck der Kugelfunction I. Ordnung oder von $\cos n\varphi$ als Function von $\cos\varphi = x$ betrachtet in Form einer einreihigen Determinante, wenn man setzt:

$$f(z) = \frac{1}{\sqrt{1-z^2}}$$

$$-\alpha = \beta = 1$$

Dann wird:

$$a_{2\nu+1} = \int_{-1}^{+1} z^{2\nu} \frac{\partial z}{\sqrt{1-z^2}}$$

$$a_{2\nu} = \int_{-1}^{+1} z^{2\nu-1} \frac{\partial z}{\sqrt{1-z^2}} = 0$$

Folglich:

$$C_n . \cos n\varphi =$$

$$\begin{vmatrix} x, & -\frac{1}{2}, & \frac{1}{2}x, & -\frac{1.3}{2.4} & \cdots \\ -\frac{1}{2}, & \frac{1}{2}x, & -\frac{1.3}{2.4}, & \frac{1.3}{2.4}x & \cdots \\ \frac{1}{2}x, & -\frac{1.3}{2.4}, & \frac{1.3}{2.4}x, & -\frac{1.3.5}{2.4.6} & \cdots \\ \cdot & \cdot & \cdot & \cdot & \cdot \\ \cdot & \cdot & \cdot & \cdot & \cdot \end{vmatrix}$$

»Der Cosinus des n-fachen Winkels als Function von $\cos\varphi = x$ betrachtet ist abgesehen von einem constanten Factor eine einreihige Determinante, deren characteristische Randelemente, abwechselnd aus dem Product des Argumentes in die aufeinanderfolgenden binomischen Entwicklungscoëfficienten von $\frac{1}{\sqrt{x^2-1}}$ und aus denselben mit entgegengesetzten Vorzeichen versehenen Zahlen gebildet sind.«

Beispiele:

1) $n = 2$

$$\tfrac{1}{4}\cos 2\varphi = \begin{vmatrix} x, & -\tfrac{1}{2} \\ -\tfrac{1}{2}, & \tfrac{1}{2}x \end{vmatrix}$$
$$= \tfrac{1}{2}x^2 - \tfrac{1}{4}$$
$$= \tfrac{1}{4}(2x^2 - 1)$$

Folglich:

$$\cos 2\varphi = 2\cos^2\varphi - 1$$

2) $n = 3$

$$\frac{1}{2^6}\cos 3\varphi = \begin{vmatrix} x, & -\tfrac{1}{2}, & \tfrac{1}{2}x \\ -\tfrac{1}{2}, & \tfrac{1}{2}x, & -\frac{1.3}{2.4} \\ \tfrac{1}{2}x, & -\frac{1.3}{2.4}, & \frac{1.3}{2.4}x \end{vmatrix}$$
$$= \tfrac{1}{8}(\tfrac{3}{2}x^3 - \tfrac{9}{8}x + \tfrac{3}{4}x - x^3)$$
$$= \frac{1}{2^6}(4x^3 - 3x)$$
$$= \frac{1}{2^6}(4\cos^3\varphi - 3\cos\varphi)$$

Folglich:

$$\cos 3\varphi = 4\cos^3\varphi - 3\cos\varphi$$

5. Aehnliche ebenso einfache Determinanten kann man für $\dfrac{\sin n\varphi}{\sin\varphi}$ als Function von $\cos\varphi$ betrachtet, die hypergeometrische Reihe mit endlicher Gliederzahl und noch allgemeinere Func-

tionen aufstellen, welche ganze Functionen des Argumentes sind.

Diese Resultate und die Untersuchung der allgemeinen einreihigen Determinante mit Hülfe der analytischen Methoden des Herrn Prof. Schering (Abhandlungen der Königl. Gesellsch. der Wissensch. t. 22. »Analytische Theorie der Determinanten«), die eine Betrachtung der Eigenschaften jener Functionen, ohne Zuhülfenahme einer Differentialgleichung II. Ordnung, ermöglichen, werde ich in kurzer Zeit im Zusammenhang veröffentlichen.

Anhang.

Während des Drucks der vorstehenden Seiten bemerke ich einen einfachen Zusammenhang zwischen der erzeugenden Function:

$$\sigma = \int_{\alpha}^{\beta} \frac{f(u)}{x-u} \partial u$$

und den Elementen der Determinante, welche die Näherungsnenner der Kettenbruchentwicklung dieser Function darstellen. Dieser Zusammenhang gestattet es die obigen speciellen Resultate unter einen allgemeinen Gesichtspunct zu bringen.

Entwickelt man $\dfrac{1}{x-u}$ in dem Integrale:

$$\int_{\alpha}^{\beta} \frac{f(u)}{x-u} \partial u$$

in die Reihe:

$$\frac{1}{x-u} = \frac{1}{x} + \frac{u}{x^2} + \frac{u^2}{x^3} + \text{etc.}$$

$$= \sum_{\nu=1}^{\nu=\infty} \frac{u^{\nu-1}}{x^{\nu}}.$$

so wird:

$$\sigma = \sum_{\nu=1}^{\nu=\infty} \int_{\alpha}^{\beta} u^{\nu-1} f(u) \partial u \,.\, \frac{1}{x^{\nu}}$$

Nun ist aber nach der obigen Bezeichnung (pag. 107):

$$a_{\nu} = \int_{\alpha}^{\beta} u^{\nu-1} f(u) \partial u$$

Folglich:

$$\sigma = \sum_{\nu=1}^{\nu=\infty} \frac{a_{\nu}}{x^{\nu}}$$

Wir haben also das Resultat: »Der νte Näherungsnenner N_n der Kettenbruchentwicklung von:

$$\sigma = \int_{\alpha}^{\beta} \frac{f(u)}{x-u} \partial u$$

welcher vom $n$ten Grade sein möge, ist abgesehen von einem constanten Factor C_n eine Determinante $n$ten Grades von der Form:

$$C_n \cdot N_n =$$

$$\begin{vmatrix} a_1 x - a_2, & a_2 x - a_3 & \dots & a_n x - a_{n+1} \\ a_2 x - a_3, & a_3 x - a_4 & \dots & a_{n+1} x - a_{n+2} \\ \cdot & \cdot & \cdot & \cdot \\ \cdot & \cdot & \cdot & \cdot \\ a_{n-1} x - a_n, & a_n x - a_{n+1} & \cdot & a_{2n-4} x - a_{2n-3} \\ a_n x - a_{n+1}, & a_{n+1} x - a_{n+2} & \cdot & a_{2n-3} x - a_{2n-2} \end{vmatrix}$$

Die Coëfficienten $a_1, a_2 \dots a_{2n}$ sind die Coëfficienten der Entwicklung von

$$\int_\alpha^\beta \frac{f(u)}{x-u} \partial u$$

nach absteigenden Potenzen von x.«

In dem speciellen Falle, daß die N_n mit den Kugelfunctionen zusammenfallen, hat man:

$$\sigma = \int_{-1}^{+1} \frac{\partial u}{x-u} = \lg \frac{x+1}{x-1}$$

$$= 2 \left\{ \frac{1}{x} + \tfrac{1}{3} \frac{1}{x^3} + \tfrac{1}{5} \frac{1}{x^5} + \text{etc.} \right\}$$

Mithin wenn man den gemeinsamen Factor 2 fortläßt:

$$a_1 = 1, \quad a_3 = \tfrac{1}{3}, \quad a_5 = \tfrac{1}{5} \dots$$

$$a_2 = 0, \quad a_4 = 0, \quad a_6 = 0 \dots$$

In dem zweiten oben betrachteten Falle war (vergl. Heine Theorie der Kugelfunctionen. I. pag. 293):

$$\sigma = \int_{-1}^{+1} \frac{1}{x-u} \frac{\partial u}{\sqrt{u^2-1}}$$

$$= \pi \left\{ \frac{1}{x} + \frac{1}{2} \frac{1}{x^3} + \frac{1.3}{2.4} \frac{1}{x^5} + \text{etc.} \right\}$$

Folglich wird nach Fortlassung des gemeinsamen Factors π:

$$a_1 = 1, \quad a_3 = \tfrac{1}{2}, \quad a_5 = \frac{1.3}{2.4} \ldots$$

$$a_2 = 0, \quad a_4 = 0, \quad a_6 = 0 \ldots.$$

Aus dem obigen allgemeinen Theorem ergeben sich unmittelbar die Elemente derjenigen einreihigen Determinante, welche, von einem Factor abgesehen, die allgemeine hypergeometrische Reihe darstellt, deren erstes Element eine negative ganze Zahl ist.

Göttingen, 4. Februar 1881.

Bemerkungen zu einer Abhandlung von Hrn. Warburg: '*Ueber einige Wirkungen der magnetischen Coërcitivkraft*'.

Von

Carl Fromme.

In den Verhandlungen der naturforschenden Gesellschaft zu Freiburg i. Br. Bd. VIII, 1. hat Hr. Warburg kürzlich die Resultate einer Untersuchung mitgetheilt, deren Ausgangspunkt in naher Beziehung zu den Arbeiten steht, welche ich unter dem Titel »Magnetische Experimentaluntersuchungen« in Wiedemann's Annalen Bd. IV, S. 76—107 und Bd. V, S. 345—388, cf. auch

Nachr. von d. k. Ges. d. Wissensch. zu Göttingen, 1877, veröffentlicht habe.

Die Erscheinung, welche Hr. Warburg studirt hat, und an welche er sodann sinnreiche Betrachtungen anknüpft, ist folgende:

Läßt man die auf einen Eisenstab wirkende magnetisirende Kraft von Null bis P continuirlich wachsen, darauf ebenso continuirlich bis zur Null abnehmen, so findet man, nachdem dieses Verfahren genügend oft wiederholt worden ist, ganz constant den von einer beliebigen Kraft p: $0 < p < P$ inducirten Magnetismus in der aufsteigenden Reihe der Kräfte kleiner als in der absteigenden Reihe.

Trägt man die Kräfte p als Abscissen und die magnetischen Momente als Ordinaten eines rechtwinkligen Coordinatensystems ein, so entsprechen jeder Abscisse mit Ausnahme von Null und P zwei Ordinaten; man erhält als graphische Darstellung eine geschlossene Curve, deren Flächeninhalt die während eines Cyclus an dem Eisenstab geleistete Arbeit ist.

Die von Hrn. Warburg für die Differenz der Momente, welche in der ab- und aufsteigenden Reihe der Kräfte inducirt wurden, gegebenen Zahlenwerthe wurden nur unter der Bedingung erhalten, daß bei der Variation der Kraft jede Erschütterung des Stabs ausgeschlossen war.

Wurde der Stab während des Processes erschüttert, so fiel die Differenz viel kleiner aus.

Die von mir Wied. Ann. IV p. 102—105 mitgetheilten Versuche bestanden darin, daß ich einen Stahlstab, dessen permanenter Magnetismus nahe seinen Maximalwerth besaß, so daß er durch die angewandten Kräfte nicht mehr gesteigert wurde, der magnetisirenden Kraft P eines Stroms von 2 Bunsen unterwarf, dessen

Intensität in Folge der gewählten, sehr verdünnten Salpetersäure stark abnahm.

Der inducirte Magnetismus nahm dann ebenfalls ab, aber in bei weitem geringeren Verhältniß als die Kraft. Denn wenn man, nachdem die Kraft constant (p) geworden war, den Stab aus der Spirale entfernte, also die auf ihn wirkende Kraft von p auf Null reducirte, und ihn unmittelbar darauf wieder in die Spirale brachte, so war das nun von p inducirte d. h. das ganze Moment weniger dem permanenten bedeutend (bis zu 27%) kleiner als vorher.

Dies ist aber der Versuch von Hrn. Warburg, mit dem Unterschiede nur, daß derselbe genauere Messungen der Kräfte und der Momente vornahm und nicht nur bei einer Kraft p, sondern bei mehreren beobachtete.

Mir kam es bei diesen Versuchen hauptsächlich darauf an festzustellen, ob, wie ich vermuthete, eine Erschütterung des einer continuirlich abnehmenden Kraft unterworfenen Stabs unter Umständen eine Abnahme des Moments veranlassen könnte.

In der That gelang dies auch, sobald nur der Anfangswerth P hinlänglich größer war, als diejenige Kraft p, bei welcher die Erschütterung geschah. War die Differenz $P—p$ kleiner, so konnte sich der Stab gegen Erschütterungen unempfindlich verhalten; erschütterte man endlich, als nach dem Eintritt des constanten Werthes der Stab aus der Spirale entfernt und wieder eingeschoben war, so beobachtete man eine Zunahme des Moments. Aber es erreicht dadurch bei Weitem nicht den Werth, auf welchen es vorher durch die Erschütterungen gesunken war — bei einer Beobachtung war das Verhältniß 213 : 153 —, und ganz entsprechend wurde auch bei Warburg's Beobachtungen die Differenz der Momente in der ab- und aufsteigenden Reihe der Kräfte in Folge von Erschütterungen zwar kleiner, aber nicht gleich Null gefunden.

Ich habe früher die Ansicht ausgesprochen, daß die bei Erschütterung während einer kontinuirlich abnehmenden Kraft eintretende Abnahme des Moments und die bei konstanter Kraft erfolgende Zunahme sich gegenseitig ergänzen, indem beide Erscheinungen auf eine Art von Reibungswiderstand hindeuten, welcher der Drehung der Molekularmagnete entgegenwirkt.

Auch Hr. Warburg weist auf die Analogie der von ihm untersuchten Erscheinung mit der bei der Bewegung fester Körper auftretenden Reibung hin.

Käme aber allein eine Art Reibung der Molekularmagnete in Betracht, so sollte man erwarten, daß die Momente in der ab- und aufsteigenden Reihe der Kräfte bei hinzutretender Erschütterung gleich würden — was weder nach Hrn. Warburg's noch nach meinen Versuchen der Fall ist.

Ich glaube deßhalb, daß man besser thun wird, von einer Analogie mit der Reibung fester Körper ganz abzusehen, und will im Folgenden zeigen, daß die von Hrn. Warburg beobachtete Erscheinung vielmehr unter den Begriff der magnetischen Nachwirkung fällt, welche ich Wied. Ann. IV p. 88—92 eingehender untersucht habe.

Wir setzen voraus, ein Stab besitze ein so großes permanentes Moment, daß eine Reihe von Kräften nicht im Stande ist, dasselbe zu vergrößern. Unterwerfen wir den Stab einer dieser Kräfte — sie sei p —, so läßt sich durch wiederholtes Einschieben und Ausziehen des Stabs aus der Spirale, d. h. durch häufigen Wechsel zwischen den Grenzen 0 und p erreichen, daß das von p inducirte Moment einen konstanten Werth annimmt, sich bei weiterer Wiederholung der Impulse nicht mehr ändert.

Lassen wir dann vorübergehend eine größere Kraft P wirken und stellen, nachdem wir zuvor P auf Null reducirt haben, p wieder her, so zeigt sich jetzt das Moment vergrößert.

Die Zunahme des Moments, welche als Nachwirkung der größeren Kraft bezeichnet wurde, ließ sich nur dadurch wieder beseitigen, daß man die Kraft p mehrmals wirken ließ: Je öfter man zwischen p und 0 wechselte, desto kleiner wurde das Moment, bis es schließlich wieder den früheren Werth erreichte.

Die Zunahme des von p inducirten Moments wuchs mit P. Blieb P constant und wurde p variirt, so nahm mit von P an abnehmendem p die Nachwirkung von Null bis zu einem Maximum zu und convergirte mit weiter abnehmendem p mit diesem gegen Null. Sie folgt aber nicht dem einfachen Gesetze:

$$N = \text{Const.}\ p\ (P-p),$$

sondern einem viel complicirteren, etwa

$$N = \text{Const.}\ p^a\ (P-p)^b,$$

wo a und b positive echte Brüche.

Diese Nachwirkungserscheinungen mußten sich natürlich auch bei der vorhin beschriebenen Wirkung einer inconstanten, continuirlich abnehmenden Kraft zeigen, und ich habe damals auch darauf hingewiesen (l. c. p. 104), daß wenn nach dem Eintritt eines constanten Werths

p diese Kraft mit einer Reihe von Impulsen wirkte, nicht sofort beim ersten ein constantes Moment eintrat. Doch blieb die bei folgenden Impulsen noch eintretende Abnahme des Moments klein im Vergleich zu der nach der ersten Entfernung des Stabs aus der Spirale beobachteten.

Beispielsweise wurde ein Stab einer Kraft $P = 467$ ausgesetzt, welche continuirlich bis $p = 369$ abnahm. Das inducirte Moment war dann $TM_0 = 418$. Darauf wurde, während die Spirale ein constanter Strom von der magnetisirenden Kraft $p = 369$ durchfloß, der Stab aus der Spirale entfernt und wieder eingeschoben. Er gab nun $TM_1 = 307$. Reducirte man nochmals die Kraft auf Null und steigerte sie wieder auf p, so war $TM_2 = 300$, und so fiel bei weiteren Impulsen TM bis zu einem (hier nicht beobachteten) kleinsten Werthe TM_n, der von der Größe von P ganz unabhängig war.

Während ich nun früher die Differenz $TM_1 - TM_n$ als Nachwirkung der Kraft P bezeichnete, scheint es mir richtiger, mit TM_0 zu beginnen und unter der durch P erzeugten Nachwirkung den Unterschied $TM_0 - TM_n$ zu verstehen.

Die Berechtigung hierzu liegt auf der Hand; man vergleiche aber auch die von Hrn. Warburg mit y bezeichneten Differenzen der magnetischen Momente, welche der obigen Differenz $TM_0 - TM_1$ entsprechen, mit meinen Nachwirkungszahlen N (p. 89).

Zum Beispiel.

Warburg

$y = TM_0 - TM_1$	0	39	43	27	0
bei p	0	20	41	60	89 (P)

Fromme

$N = TM_{,} - TM_{,,}$	0	4,3	15,3	10,5	5,2	0
bei p	0	31	72	129	214	357 (P)

Man sieht sofort, daß die y und N denselben Verlauf haben: sie sind beide der Null gleich für $p = 0$ und $p = P$ und besitzen bei einer zwischen 0 und P liegenden Kraft ein Maximum, sie lassen sich beide nicht durch eine Gleichung von der Form $N =$ Const. $p\,(P - p)$ darstellen.

Hiernach dürfte es mehr als wahrscheinlich sein, daß die von Hrn. Warburg gemessenen Unterschiede der magnetischen Momente zu der Erscheinung der magnetischen Nachwirkung gehören, d. h. einen Theil derselben, aber den weitaus größten bilden. Die magnetische Nachwirkung ist aber eine Erscheinung, welche sich aus den hypothetischen Vorstellungen, die in die Lehre vom Magnetismus bis jetzt Eingang gefunden haben, schwerlich erklären läßt; es entspricht ihr auch keine analoge Erscheinung auf einem anderen Gebiete der Physik; es wäre denn die nach Hrn. Streintz bei den Torsionsschwingungen von Metalldräthen eintretende »Accommodation«, deren Bestehen indeß durch die Beobachtungen von Hrn. P. M. Schmidt einigermaaßen in Frage gestellt ist.

Es soll nun untersucht werden, ob die Differenz der magnetischen Momente und folglich die Arbeit, welche dem Stab bei Durchlaufung eines Cyclus $P\,..\,p\,..\,0\,..\,p\,..\,P$ zugeführt wird, von der Geschwindigkeit, mit welcher die Kraft geändert wird, abhängt?

Hr. Warburg hält es für wahrscheinlich, daß eine solche Abhängigkeit nicht besteht, wenigstens nicht bei dünnen Dräthen.

Ich will im Folgenden auf Grund der Versuche, welche ich in der 3. Abhandlung Wied. Ann. V. p. 345—388 mitgetheilt habe, diese Frage zu beantworten suchen.

Nachdem von v. Waltenhofen vor längeren Jahren schon beobachtet war, daß es bei plötzlicher Unterbrechung des magnetisirenden Stroms möglich ist, einem Eisenstab ein permanentes Moment zu ertheilen, dessen Vorzeichen dem des temporären Moments entgegengesetzt ist, hatte G. Wiedemann in seinem »Galvanismus« darauf aufmerksam gemacht, daß diese anomale Magnetisirung vielleicht nicht in der Natur des Magnetismus, sondern in den Strömen begründet sei, welche beim Oeffnen des magnetisirenden Stroms in der Masse des Eisens inducirt werden.

Ich habe dann den Versuch v. Waltenhofen's wieder aufgenommen in der Meinung, daß wenn auch die Vermuthung Wiedemann's sich als richtig ergeben und dem Versuch sein theoretisches Interesse nehmen sollte, er doch für die Praxis magnetischer Untersuchungen von fundamentaler Bedeutung bleibt.

Die Untersuchung wurde in der Weise geführt, daß man den magnetisirenden Strom entweder schloß, bevor der Eisen- oder Stahlkörper (langsam und ohne Erschütterung) in die Spirale eingeschoben wurde, und ihn öffnete, nachdem der Körper ebenso aus der Spirale entfernt war, oder daß man ihn schloß und öffnete, während sich der Körper in der Spirale befand. Die bei beiden Verfahren resultirenden magnetischen Momente wurden mit einander verglichen.

Ich führe nur folgende Ergebnisse der Untersuchung an:

1. Das ganze von einer Kraft erregte Moment, also das temporäre plus dem permanenten Moment, ist bei Befolgung des zweiten Verfahrens größer, das permanente Moment kleiner, als bei Magnetisirung nach dem ersten Verfahren.

2. Die Unterschiede sind desto geringer, je härter der Körper ist und je gestrecktere Form er besitzt, derart, daß der Unterschied der ganzen Momente, welcher immer viel kleiner ist als der der permanenten, sowohl bei Stahlstäben und -Dräthen, als auch bei sehr dünnen Eisendräthen nahezu der Null gleich wird.

3. Der Unterschied der permanenten Momente wächst bei compakten Stäben stetig mit der magnetisirenden Kraft, bei dünnen Drathbündeln dagegen zeigt er Maxima und Minima.

4. Wenn der zu magnetisirende Körper mit einem geschlossenen leitenden Rohr umgeben ist, so daß sich im Augenblick der Stromschließung und -Oeffnung Induktionsströme in demselben bilden können, so werden die obigen Unterschiede bedeutend kleiner, namentlich der der permanenten Momente, welcher bei Stahlstäben und Eisen- oder Stahldrathbündeln und nicht zu großer magnetisirender Kraft sogar ein dem oben angegebenen entgegengesetztes Vorzeichen erhält.

5. Reducirt man bei dem zweiten Verfahren die Kraft derart auf Null, daß man sie zunächst auf einen sehr kleinen Werth bringt — etwa durch Einschaltung einer Parallelleitung von sehr kleinem Widerstande zur Magnetisirungsspirale — und dann erst den Strom unterbricht, so findet man bei Eisenstäben den Unterschied der permanenten Momente kleiner, bei Stahlstäben und Eisendrathbündeln aber nahezu gleich

Null und mit einem dem in 1. angegebenen entgegengesetzten Vorzeichen.

Auf Grund dieser Resultate glaubte ich schließen zu müssen, daß den Unterschieden, welche die magnetischen Momente bei den genannten beiden Magnetisirungsverfahren aufweisen, eine Ursache zu Grunde liegt, welche aus dem Wesen des Magnetismus selbst abgeleitet werden muß.

Daß die Erscheinung sich nicht auf Induktionsströme zurückführen läßt, beweist am besten ihr Auftreten auch bei Bündeln dünnsten Pariser Blumendraths, es ist aber auch daraus schon ersichtlich, daß sie viel weniger ausgeprägt ist und sogar verschwinden kann, wenn man absichtlich das Auftreten von Induktionsströmen befördert durch Umgebung des Stabs mit einem geschlossenen Metallrohr oder durch Reduktion der magnetisirenden Kraft bei geschlossen bleibender Leitung.

Ich habe deßhalb versucht, meine Resultate mit Hülfe der Vorstellungen zu erklären, welche wir uns nach der Hypothese drehbarer Molekularmagnete von dem Vorgang der Magnetisirung bilden, und ich denke, daß dieser Versuch die Möglichkeit einer solchen Erklärung für die Mehrzahl der von mir beobachteten Thatsachen gezeigt hat.

In der jüngsten Zeit ist nun der Waltenhofen'sche Versuch von Hrn. Righi[1]) als neu publicirt worden. Er hält die anomale Magnetisirung für eine in theoretischer Beziehung wichtige Erscheinung, wohingegen die Hrn. Bartoli und Alessandri[2]) die Meinung geltend gemacht haben, daß der Erscheinung jede

1) Righi, C. R. 90. p. 688. 1880.

2) Bartoli und Alessandri. Cim. (3) VIII p. 16—19. 1880.

Bedeutung fehle, da sie bei ihren Versuchen sofort nur normalen Magnetismus gefunden hätten, sobald sie den starken Oeffnungsfunken am Quecksilber vermieden. Dies geschah, indem sie den Strom durch Entfernung zweier Zinkelektroden in Zinksulfatlösung oder durch Abwicklung eines Wheatstoneschen Rheostaten sehr stark schwächten, bevor sie ihn an Quecksilber unterbrachen.

Dieses Resultat ist nicht neu, denn dieselbe langsame Reduktion der magnetisirenden Kraft erreicht man mit Hülfe des von mir vorhin als ersten bezeichneten Magnetisirungsverfahrens, das stets normale Momente lieferte.

Wenn ferner die Hrn. Bartoli und Alessandri den permanenten Magnetismus bei kleinen Kräften anomal, bei größeren aber normal fanden, so entspricht das meinem Resultat (l. c. p. 360 a. E. p. 361 a. A.), daß der Unterschied der permanenten Momente bei den beiden Magnetisirungsverfahren, in Theilen des nach dem ersten gefundenen ausgedrückt, mit wachsender Kraft bis zu einem Maximum zunimmt, von welchem er bei Stäben wieder herabsinkt.

Die Verf. geben aber zu, daß eine vollständige Untersuchung der Erscheinung schon deßhalb nützlich sei, weil sie Aehnlichkeit mit den bei der Entladung einer Leydner Batterie beobachteten Magnetisirungsvorgängen zeige.

Diese Analogie habe ich aber a. a. O. p. 381—382 schon ausführlich begründet.

Hr. Righi[1]) hat in einer Erwiederung auf die Bemerkungen der Hrn. Bartoli und Alessandri weitere in dieser Richtung von ihm

1) Righi, Cim. (3) VIII. p. 102—108. 1880.

gemachte Versuche in Aussicht gestellt, von denen ich noch keine Kenntniß habe nehmen können.

In einem kurzen Referat [1]) über die Versuche von Bartoli und Alessandri bemerkt Hr. G. Wiedemann, daß dieselben mit seiner Erklärung der Erscheinung durch Induktionsströme stimmen.

Daß und warum ich dieser Erklärung keine Berechtigung mehr zugestehen kann, habe ich oben schon gesagt. Ich glaube vielmehr: die beschriebenen Erscheinungen liefern uns den Beweis, daß die Größe des temporären und des permanenten Moments von der Geschwindigkeit, mit welcher man die magnetisirende Kraft bis zu dem gewünschten Werthe ansteigen oder fallen läßt, abhängt, und daß man die Erklärung direkt in unseren theoretischen Vorstellungen vom Magnetismus suchen muß.

Nachdem somit bewiesen ist, daß die Geschwindigkeit, mit welcher die magnetisirende Kraft von einem Werthe zu einem anderen übergeht auf die Größe des inducirten Moments einen Einfluß ausübt, bleibt die Frage zu erörtern, ob unter den Versuchsbedingungen, unter welchen Hr. Warburg arbeitete, dieser Einfluß überhaupt von merkbarer Größe war?

Die continuirliche Variation der magnetisirenden Kraft wurde mit Hülfe eines dem Du Bois'schen ähnlichen Rheostaten ausgeführt, nur der Uebergang von dem kleinsten Werthe der Kraft, bei welchem das inducirte Moment beobachtet wurde, bis zur Null und umgekehrt geschah durch Ausziehen resp. Eintauchen des Leitungsdraths in Quecksilber. Es konnte von einer

1) Beibl. IV. p. 738. 1880.

continuirlichen Ab- und Zunahme bei kleinen Kräften deßhalb abgesehen werden, weil sich herausstellte, daß das obige Verfahren die gleichen Resultate lieferte — was man nach den Ergebnissen meiner Versuche ohne Weiteres nicht erwarten sollte.

Drei Ursachen können eine Differenz der Resultate verdeckt haben:

1) Eine sehr gestreckte Form des Stabs.

2) Eine stahlartige Beschaffenheit desselben.

3) Die Wickelung der Spirale auf ein geschlossenes Metallrohr.

Die erste Ursache sowohl als die zweite sind jede für sich schon genügend, den Unterschied zwischen den inducirten (verschwindenden) Momenten fast vollständig aufzuheben, während eine jede der drei Ursachen den Unterschied der permanenten Momente vermindert, und falls zwei von ihnen zusammenwirken, auf ein Minimum reducirt.

Die erste Bedingung war in der That bei den Versuchen meist erfüllt, und auf das Stattfinden der zweiten schließe ich aus der zuweilen bedeutenden Größe der permanenten Momente. Ueber die Wickelung der Spirale liegt keine Angabe vor.

Es genügt aber auch eine sehr gestreckte Form der Eisenkörper zur Führung des Nachweises, daß die Differenzen der inducirten Momente in der ab- und aufsteigenden Reihe der Kräfte von der Geschwindigkeit, mit welcher die Kraft geändert wurde, nicht merkbar beeinflußt worden sind. Denn es sind die Momente in der aufsteigenden Reihe nach Satz 2) und die in der absteigenden nach Satz 5) von der Geschwindigkeit fast vollkommen unabhängig.

In beiden Fällen ist dies eine Wirkung des Extrastromes, wie ich a. a. O. gezeigt habe.

Dagegen muß die Geschwindigkeit, mit welcher die Kraft geändert wird, in folgendem Sinne ihren Einfluß geltend machen, sobald man Eisenstäbe wenig gestreckter Form dem Processe unterwirft: Je größer man die Geschwindigkeit wählt, desto tiefer wird der Anfangspunkt und desto höher der Endpunkt der Curve rücken. Die Curve erhält eine größere Ausdehnung in der Länge, zugleich aber gehen ihre beiden Aeste näher zusammen.

In welcher Weise sich hierdurch der Flächeninhalt der Curve, also die Arbeit, ändert, läßt sich ohne Weiteres nicht entscheiden.

Gießen, im Januar 1881.

Zusatz zu p. 129 a. E. und p. 130 a. A.

Während der Correctur lese ich in den Beibl. V. p. 62—65 eine Zusammenstellung aller von Hrn. Righi erhaltenen Gesetze. Dieselben sind zum Theil in meiner oben citirten Abhandlung schon enthalten. Mit Bündeln von sehr dünnen Eisendräthen hat Hr. Righi, wie es scheint, nicht experimentirt.

Gegenüber den Bemerkungen des Hrn. Ref. halte ich meine Ansicht aufrecht, daß ich durch meine Versuche mit Eisendrathbündeln, welche ebenfalls den Unterschied der permanenten Momente in der regelmäßigsten Weise zeigten, schon nachgewiesen zu haben glaube, daß Induktionsströme keinesfalls zur Erklärung ausreichen können.

Für die Redaction verantwortlich: *E. Rehnisch*, Director d. Gött. gel. Anz.
Commissions-Verlag der *Dieterich'schen Verlags-Buchhandlung*.
Druck der *Dieterich'schen Univ.-Buchdruckerei (W. Fr. Kaestner)*.

Nachrichten

von der

Königl. Gesellschaft der Wissenschaften
und der Georg-Augusts-Universität
zu Göttingen.

2. März. № 5. 1881.

Beobachtungen im magnetischen Observatorium.

Von

Karl Schering.

I. *Bestimmung der Horizontal-Intensität.*

In dem Gauß'schen eisenfreien magnetischen Observatorium der hiesigen Sternwarte sind im Jahre 1880 eine Anzahl Bestimmungen der absoluten Intensität T der horizontalen erdmagnetischen Kraft nach der Gauß'schen Methode ausgeführt. Während einer jeden solchen Bestimmung wurden die magnetischen Variationsinstrumente abgelesen. Die in den Monaten April, August, October von mir angestellten Beobachtungen haben das Resultat ergeben:

Göttingen. Zeit: 1880,56. $T = 1,86332$.

Dieser Werth, dem die Gauß'schen Maaßeinheiten: Milligramm, Millimeter, Secunde mittlerer Zeit zu Grunde liegen, ist das Mittel aus mehreren von den täglichen Variationen befreiten Werthen.

§ 1.

Die einzelnen uncorrigirten Beobachtungsresultate sind in der angehängten Tabelle Nr. I. zusammengestellt. Darin bedeuten

U, W, B sehr nahe gleichzeitig abgelesene Theilstriche auf den Scalen der Variationsinstrumente, nämlich des Unifilarmagnetometer (U), resp. der Hülfsnadel (W) am Bifilar, resp. des Bifilar (B) selbst. Auf den Werth, den die Intensität in dem Momente besaß, in welchem die Instrumente auf diesen Scalentheilen einstanden, sind die einzelnen Beobachtungen während einer jeden Bestimmung von T reducirt. Wachsenden Scalentheilen am Bifilar entspricht wachsende Intensität und daher abnehmende Werthe von:

t der Schwingungsdauer des Hauptmagnets in Sec.

φ_{I}, φ_{II}, φ_{III}, φ_{IV} sind die Winkel, um welche die Ablenkungsnadel durch den transversal von Ost nach West gelegten Hauptmagnet abgelenkt wurde, und zwar war dieser Winkel gleich:

φ_{I} wenn die Nadel in I d. h. nahe 2000^{mm} nördlich vom Hauptmagnet hing.

φ_{II} wenn die Nadel in II d. h. nahe 1500^{mm} nördlich vom Hauptmagnet hing.

φ_{III} wenn die Nadel in III d. h. nahe 1500^{mm} südlich vom Hauptmagnet hing.

φ_{IV} wenn die Nadel in IV d. h. nahe 2000^{mm} südlich vom Hauptmagnet hing.

Die Ablenkungsbeobachtungen geschahen, wie hieraus ersichtlich ist, nach dem »Modus secundus« wie ihn Gauß in der »Intensitas vis magnet.« § 19 definirt hat (Gauß Werke Bd. V. p. 108).

φ_1 ist das Mittel aus φ_{II} und φ_{III}

φ_2 ist das Mittel aus φ_{I} und φ_{IV}.

(Ueber die aus der Tabelle I ersichtliche Differenz zwischen φ_{II} und φ_{III} so wie zwischen φ_{I} und φ_{IV} s. unten § 4).

Aus diesen beobachteten Größen sind die Unbekannten

T_1 die Horizontalintensität (ohne Correctionen)
M_1 das magnetische Moment des Hauptmagnets

und der Coëfficient C mit Hülfe der bekannten Gleichungen:

$$(1) \qquad M_1 T_1 (1+\theta) t^2 = \pi^2 K$$

$$(2) \quad (1+\vartheta) \operatorname{tang} \varphi_\nu = \frac{M_1}{T_1} \left(\frac{1}{R_\nu^3} - \frac{C}{R_\nu^5} \right); \nu = 1;2$$

berechnet, in denen:

K das Trägheitsmoment des Hauptmagnets
θ den Torsionscoëfficienten des Hauptmagnets
ϑ den Torsionscoëfficienten der Ablenkungsnadel
R_1, R_2 die beiden Entfernungen der Ablenkungsnadel vom Hauptmagnet bedeutet.

Die Gleichungen (2) werden für die Rechnung bequemer, wenn man setzt:

$$\cos \alpha^2 = \left(\frac{R_1}{R_2} \right)^5 \frac{\operatorname{tang} \varphi_1}{\operatorname{tang} \varphi_2}; \quad \cos \beta = \frac{R_1}{R_2}; \quad R_1 < R_2$$

$$\cos \gamma_2 = \frac{\sin \beta}{\sin \alpha}, \qquad \sin \gamma_1 = \frac{\sin \gamma_2}{\cos \beta}.$$

Dann ist:

$$\frac{M_1}{T_1} = \frac{R_2^3 (1+\vartheta) \operatorname{tang} \varphi_2}{(\cos \gamma_2)^2} = \frac{R_1^3 (1+\vartheta) \operatorname{tang} \varphi_1}{(\cos \gamma_1)^2}$$

$$C = (R_2 \sin \gamma_2)^2 = (R_1 \sin \gamma_1)^2$$

Die sich zeigende Verschiedenheit der Werthe von C wird durch die Bemerkung erklärt werden, daß eine Aenderung von φ_1 resp. φ_2 um $+ 0{,}1$ Scalentheil eine Aenderung von C um

— 897 resp. + 1847 zur Folge hat. Der Einfluß des Werthes von C auf T ist sehr gering: es entspricht einer Aenderung von C um + 1000 eine Aenderung von T um — 0,00047.

Die drei mit einem * bezeichneten Werthe von T verdienen weniger Zutrauen aus den unter der Rubrik: »Bemerkungen« angeführten Gründen.

Die Variationsinstrumente wurden genau gleichzeitig mit den zur Bestimmung von T nöthigen Beobachtungen im April, August, October von meinem Bruder Prof. E. Schering abgelesen, außerdem aber auch von mir an den Tagen: April 10—18, Aug. 10—14, Oct. 20—24 ungefähr Morgens um 8 Uhr, Mittags um 1 Uhr und Abends um 9 Uhr oder auch am Tage alle zwei Stunden. Die so erhaltenen Ablesungen am Bifilar müssen zunächst von der, aus den Beobachtungen der Hülfsnadel und des Variationsmagnetometer sich ergebenden Aenderung des magnetischen Moments des Magnets im Bifilar befreit werden (mit Hülfe der unten § 2 angegebenen Formel). Die in dieser Weise reducirten Werthe von B der Tabelle I sind unter B_1 in *Tabelle II* angegeben. Die Reduction ist auf dasjenige Moment des bifilar aufgehängten Magnets ausgeführt, das er zur Zeit der unterstrichenen Werthe B_1 in Tab. II, die also gleich B in Tab. I sind, besass. B_0 ist das aus den mehrtägigen auf gleiches magnetisches Moment reducirten Ablesungen am Bifilar genommene Mittel.

Die Reihenfolge, in welcher die Winkel bei den Ablenkungsbeobachtungen bestimmt wurden, war entweder φ_{I}, φ_{II}, φ_{III}, φ_{IV}, φ_{II}, φ_{I} oder φ_{IV} φ_{III}, φ_{II}, φ_{I}, φ_{III}, φ_{IV}. Aus den Differenzen der beiden Werthe für die beiden zweimal beobachteten Winkel (s. § 4) sind die Gewichte ermittelt, welche den einzelnen Beobachtungen in der Tabelle II gegeben sind. Mit Berücksichtigung dieser Gewichte und unter Ausschluß der mit * bezeichneten Resultate ist der Mittelwerth C_0 sowie T_3 berechnet. Der letztere mag für den 26. Juli = 0,56 in Bruchtheilen des Jahres, den mittleren Tag der im April, August, October angestellten Beobachtungen gelten.

An diesen Werth T_3 ist noch eine Correction anzubringen wegen des durch Inductionswirkung der horizontalen Componente des Erdmagnetismus in der Stahlmasse des Hauptmagnets erzeugten magnetischen Moments. Dieses Moment kommt zu dem permanenten Momente hinzu während der Bestimmung der Schwingungsdauer, fällt dagegen wieder fort während der Ablenkungsbeobachtungen, da dann der Magnet in der Richtung Ost-West liegt. Es bezeichne:

m das durch eine, in der Richtung der magnetischen Achse des Magnets wirkende, constante Kraft von der Intensität Eins in der Stahlmasse erzeugte magnetische Moment in absoluten Einheiten; ferner sei M_3 der Werth des permanenten Moments, der in derselben Weise aus den einzelnen Werthen M_1 der Tab. I erhalten sei wie T_3 aus T_1; dagegen seien M_4, T_4 die von dem Einflusse der Inductionswirkung befreiten Werthe.

Dann ist:

$$(M_4 + mT_4)\, T_4 = M_3 . T_3 ; \qquad \frac{M_4}{T_4} = \frac{M_3}{T_3}$$

woraus folgt:

$$T_4\, T_4 \left(1 + m \frac{T_3}{M_3}\right) = T_3\, T_3$$

oder hinreichend genau:

$$T_4 = T_3 \left(1 - \tfrac{1}{2} \frac{m T_3}{M_3}\right)$$

Der Inductionscoëfficient m wurde nach der Methode von Hrn Geh. Rath Weber (s. Göttinger Abhandlungen. 1855 Bd. VI) bestimmt mit Benutzung eines Apparats, dessen Theorie und Constanten in der Abhandlung von Hrn Prof. Riecke: (Die Magnetisirungszahl des Eisens. Göttingen 1871) angegeben sind. Es ergab sich:

1880 Dec. $m = 442080$.

(Zur Berechnung von m wurde für den Magnet ein aequivalentes Rotationsellipsoid substituirt: Aequatorachse $= 26{,}49^{mm}$. Rotationsachse $= 545{,}92^{mm}$. Die bei Anwendung der Zurückwerfungsmethode beobachteten größten Ausschläge des Galvanometer waren bei der Drehung der Inductionsspirale ohne Magnet: 30,81; 62,15, mit Magnet: 173,66; 347,78 in Scalentheilen. Entfernung: Scala vom Spiegel $= 4470^{mm}$).

Es genügt offenbar, in der Correctionsformel an Stelle von M_3 den Mittelwerth der beobachteten Werthe M_1 zu benutzen, also zu setzen:

$$M_3 = 522\,992\,000$$

dann wird:

$$\frac{m T_3}{M_3} = 0{,}001577$$

$$\tfrac{1}{2} \frac{m T_3}{M_3} \cdot T_3 = 0{,}00147.$$

Ferner muß T_4 auf die Normalmaaße reducirt werden. Dem Werthe T_4 liegt als Längeneinheit ein Theilintervall = 1 (M . M) eines der ganzen Länge nach eingetheilten Messingstabes zu Grunde, der im Auftrage von Gauß durch Herrn Dr. Meyerstein für die auf die Darstellung der Hannoverschen Normalmaaße bezüglichen Arbeiten in den Jahren 1840—44 geliefert war. Auf die Einheit = (M . M) sind die Scalentheile der benutzten Scalen und Maaßstäbe reducirt. Der erwähnte Messingstab wurde mit Hülfe eines Repsold'schen Comparators des Physikalischen Instituts mit einem von der Kaiserlichen Normal-Eichungscommission zu Berlin an das hiesige Physikalische Institut gelieferten Normalmeter (Silberstreifen in Messing eingelassen) verglichen, das Herr Prof. Riecke zu diesem Zwecke gütigst mir zur Verfügung stellte. Das Resultat der Vergleichung war:

1880 Juli 12. 600 (M . M) = 600,316^{mm}.

Da T durch einen Ausdruck von der Form

$\frac{p^{\frac{1}{2}}}{l^{\frac{1}{2}}t}$ (p = Masse; l = Länge; t = Zeit) gemessen wird, so beträgt die:

Corr. auf ^{mm} = —0,0002633 $\times$ T_4 = —0,00049.

Die Gewichtseinheit, in welcher T_4 ausgedrückt ist, ist gleich dem millionsten Theile des ebenfalls von der Eichungscommission gelieferten Normalkilogramm Nr. 9 des Physikalischen Instituts. Dieses Gewicht ist nach der Angabe der Commission um 8,6^{mgr} zu leicht, die deshalb anzubringende Correction auf mgr kann vernachlässigt werden; sie beträgt nur —0,00001.

Die beobachteten Zeiten der Schwingungsdauer sind auf das Chronometer Knoblich (Hamburg) Nr. 1950 reducirt, das unter den auf der Seewarte in Hamburg im Winter 1878/9 geprüften 51 Chronometern mit Nr. 16 bezeichnet ist.

Die Correction auf die Secunde mittlerer Zeit ist ebenfalls Null.

Wir erhalten nach diesen Correctionen:

$$T = 1{,}86528 - 0{,}00147 - 0{,}00049$$
$$T = 1{,}86332 \quad \text{(s. oben p. 133).}$$

— Nach Abschluß der mitgetheilten Beobachtungsreihe und vollständiger Reduction der einzelnen Resultate fand sich im Nov. noch Gelegenheit, unter thätiger Mitwirkung des Herrn Henn, Studirenden der Mathematik, einige Beobachtungen im magnet. Observator. auszuführen. Eine Bestimmung der absoluten Intensität am Nov. 17 ergab 1,86725; die Correction auf das Mittel zweitägiger Ablesungen am Bifilar betrug —0,00084, außerdem ist wie oben die Correction —0,00196 anzubringen, so daß man erhält:

1880 Nov. 17—18. $T = 1{,}86445$.

Die Abweichung von den oben angegebenen Werthen ist so gering, daß ich es nicht für nöthig erachtet habe, ein neues Mittel zu berechnen. Bei der Ableitung der Variationsformel in § 5 ist der Werth vom Nov. berücksichtigt.

§ 2.

Die benutzten Instrumente und ihre Constanten.

Die Instrumente sind in den Jahren 1861—1866 im Auftrage von Hrn Geh.-Rath Weber in der physikalischen Werkstätte von Hrn Dr. Meyerstein angefertigt, und mit ihnen hat gleich nach der Aufstellung Hr Prof. F. Kohlrausch die in den Göttinger Nachrichten 1868 p. 159, 1870 p. 522; Pogg. Annal. Bd. 149 p. 174; Ergänzungsbd. VI p. 23 veröffentlichten Resultate erhalten. Unmittelbar vor den Beobachtungen i. J. 1880 sind einige Aenderungen an den Instrumenten angebracht.

1) Der Hauptmagnet, der aus zwei Halbcylindern von 477^{mm} Länge und 25^{mm} Durchmesser besteht und in einer, zum Zweck absoluter Declinationsbestimmung mit Glaslinsen verschlossenen, Messinghülse unverrückbar fest eingeschlossen ist, wird mit seinem Schiffchen, Torsionskreis und Spiegel von einem circa $2{,}8^{m}$ langen Kupferdrahte getragen. Das Gewicht des Magnetometers ist ungefähr 2200^{gr}. Zur Bestimmung des Trägheitsmoments sind im Jahre 1879 folgende Einrichtungen getroffen. Auf der Messinghülse des Magnets sind 4 Paare von punktförmigen Vertiefungen (circa $0{,}5^{mm}$ tief, $0{,}3^{mm}$ breit) so angebracht, daß der Mittelpunkt der Verbindungslinie jedes Paares mit dem Schwerpunkte des Apparats sehr nahe in derselben Verticalen liegt. Jedes der beiden anzuhängenden Gewichte trägt an einem Arme einen kleinen Cylinder aus Argentan. Das untere Ende dieses Cylinders ist konisch zugespitzt, so daß es in die Vertiefungen der Messinghülse paßt; auf der Mitte der oberen Fläche des Cylinders ist ein feiner Punkt markirt. Die Masse der beiden Gewichte zusammen ist:

$$999844^{mgr}.$$

Der Unterschied in den Massen beider Gewichte beträgt nur $2{,}5^{mgr}$.

Um den bei der Bestimmung des Trägheitsmoments in Betracht kommenden Abstand der beiden Verticalen von einander zu bestimmen, welche durch die Schwerpunkte der eingehängten Gewichte gehen, wurde der Magnet in seiner Messinghülse auf einen eisenfreien Comparator gelegt, so daß er in derselben Weise unterstützt war wie in seinem Schiffchen, dann der horizontale Abstand der Punkte auf den Argentancylindern der eingehängten Gewichte mikroskopisch genau gemessen und zur Elimination der Excentricität dieser Punkte (die im Mittel 0,094^{mm} betrug), nach einer Umdrehung der eingehängten Gewichte um 180° um die verticale Achse, dieselbe Messung wiederholt. In dieser Weise ergab sich, wenn

r_ν die halbe Distanz der Punkte eines Paares bezeichnet:

$$r_1 = 20{,}485^{mm}$$
$$r_2 = 135{,}015 \quad \text{für Temp.} = +5^0$$
$$r_3 = 219{,}836$$
$$r_4 = 239{,}801$$

Da die Entfernungen der Punkte auch in verschiedenen Combinationen unter einander gemessen waren, so konnte aus den sich ergebenden Bedingungsgleichungen der mittlere Fehler einer Bestimmung von r_ν berechnet werden; er war $= 0{,}008^{mm}$. Die Werthe von r_ν für eine andere Temperatur ergeben sich mit Hülfe des Ausdehnungscoëfficienten von Messing: 0,000018.

Daß durch das Aufhängen der Gewichte keine Verschiebung des Schwerpunktes des Magnetometer statt fand, wurde mit Hülfe eines seitlich angebrachten und mit Fernrohr und verticaler Scala beobachteten Spiegels controllirt, dessen Normale mit der Verbindungslinie der Schwerpunkte der eingehängten Gewichte nahezu parallel war.

Zur Bestimmung des Trägheitsmoments wurden die Gewichte in alle 4 Punktpaare gehängt und die 4 Schwingungsdauern in bekannter Weise mit Fernrohr-Beobachtung und Scala bestimmt. Die Resultate waren:

1880 Juli 4.		t Beob.	t Ber.	Ber.-Beob.
Temp. = + 18°	20,489	21,0525	21,0542	+0,0017
	185,047	24,9388	24,9357	−0,0031
	219,887	30,3878	30,3914	+0,0042
	239,857	31,8705	31,8703	−0,0002
	Unbelastet	20,8915		

r bedeutet den Abstand der Gewichte von der Drehungsachse in mm; (genauer in Einheiten м.м) s. p. 138.

t die Schwingungsdauer in Secunden. Die unter »Ber.« angegebenen Werthe von t sind durch streng durchgeführte Ausgleichung nach der Methode der kleinsten Quadrate erhalten.

Aus den Differenzen »Ber.-Beob.« folgt als mittlerer Fehler einer Schwingungsdauer: $\mu(t) =$ 0,0032 Sec. Das Resultat der Ausgleichung ergab:

$$K = 43544 \,.\, 10^6 \text{ für Temp.} = +18^0$$

und den mittleren Fehler: $\dfrac{\mu(K)}{K} = 0{,}00036.$

Ungefähr $\frac{4}{5}$ der Masse des Magnetometers besteht aus Stahl, $\frac{1}{5}$ aus Messing, demnach ist der Ausdehnungscoëfficient der Gesammtmasse 0,000014 und es ist für eine Temp. = t

$$\log K = 10{,}638923 + 0{,}000028\ (t - 18^0)$$

2) Die zweite Classe der auszuführenden Beobachtungen, die Ablenkungen einer Magnetnadel durch den Hauptmagnet, erfordert eine Transversallage des letzteren, so daß seine Achse vom magnetischen Ost nach West gerichtet ist. Um dies zu erreichen, ist im Jahre 1879 folgende Einrichtung getroffen. An dem Schiffchen des Magnetometer sind, außer dem bei der Beobachtung der Schwingungsdauer benutzten Spiegel (Nr. 1), seitlich zwei andere Spiegel, von

denen jeder mit Hülfe eines Systems von Gelenken und Schrauben um zwei zu einander senkrechte Achsen drehbar ist, so angebracht, daß die Normalen derselben nahezu rechtwinkelig zur Normale des Spiegels (1) stehen. Ferner kann einfach durch Drehungen des Magnets um seinen Suspensionsdraht erreicht werden, daß die Scala des Beobachtungsfernrohrs auch in dem einem oder dem andern der seitlichen Spiegel erscheint. Um die rechtwinkelige Stellung der Normalen der Spiegel zu einander genau zu erreichen, wird das Schiffchen mit einer geeigneten Vorrichtung auf der Achse eines Theodoliths befestigt, ein Fernrohr mit Scala auf den Spiegel (1) eingestellt, dann der Theodolith genau um 90° um seine verticale Achse gedreht und an den Correctionsschrauben des betreffenden seitlichen Spiegels so lange corrigirt, bis derselbe Scalentheil sichtbar ist wie im Spiegel Nr. 1. Sind beide seitlichen Spiegel eingestellt, so behalten sie während des ganzen Verlaufs der Beobachtungen ihre Lage. Es ist ersichtlich, wie mit Hülfe eines so eingerichteten Spiegelsystems die magnetische Achse des Magnets genau von dem magnetischen Ost nach West gerichtet werden kann. Er muß dann in dieser Lage festgehalten werden. Zu dem Zwecke sind jetzt zwei, an ihrem oberen Ende in einer geeigneten Vorrichtung eingeklemmte und durch eisenfreie Bleigewichte gespannte vertical hängende Kupferdrähte so befestigt, daß der Magnet mit den äußersten Enden seiner Messinghülse an ihnen anliegt, wenn derselbe in einer transversalen Lage sich befindet. Der obere Befestigungspunkt jeder dieser beiden Drähte ist mit Hülfe von Schrauben beweglich aber in jeder Stellung fixirbar. Befindet sich z. B. der Magnet, der immer *nur* von seinem Suspensionsdrahte *getragen* wird, in der Lage, in welcher sein Nordpol nach Osten gerichtet ist, so liegt er mit dem nordöstlichen und dem südwestlichen Rande seiner Hülse an je einem Drahte an und wird so am Zurückdrehen in seine natürliche Lage gehindert. Hierzu würde allerdings schon ein einziger Draht ausreichen, doch könnte dieser, wenn auch nur wenig, den Mittelpunkt des Magnets von Norden nach Süden verschieben. Dagegen ist bei der Anwendung zweier Drähte jede solche seitliche Verschiebung unmöglich, und es wird daher der gemessene Abstand der Suspensionsdrähte des Hauptmagnets und der Ablenkungsnadel durch die Arretirung des Hauptmagnets nicht geändert. Nachdem die Correctionsschrauben an den oberen Befestigungspunkten der beiden Arretirungsdrähte bei einer transversalen Lage des Magnets so eingestellt sind, daß derselbe ost-westlich hängt, wird er um 180° herumgedreht und es dient dann ein zweites Paar eben so eingerichteter gespannter Drähte zur Arretirung.

Die Ablenkungsnadel, ein cylindrischer Magnet von 232^{mm} Länge und 11^{mm} Durchmesser, ist mit einem Torsionskreise und, nach der jetzigen Einrichtung, mit zwei Spiegeln versehen, deren Normalen bei der natürlichen Lage der Nadel nach dem magnetischen Norden nahezu resp. nach dem magnetischen Süden gerichtet sind. Bei den Ablenkungsbeobachtungen wird die Nadel nach einander mit der geeigneten Vorrichtung an Drähte gehängt, welche von der Decke des Zimmers über den in der Figur mit I, II, III, IV bezeichneten Punkten herunterhängen und zwar so, daß sie sämmtlich in einer magnetischen Meridianebene sich befinden. *H* bedeutet den Mittelpunkt des transversal liegenden Hauptmagnets.

Von den beiden eisenfreien mit Scalen S_1 und S_2 versehenen Fernröhren F_1 und F_2 wird das erstere zur Beobachtung benutzt, wenn die Nadel in III und IV, das zweite wenn sie in I und II hängt. Die fünf Drähte in I, II, H, III, IV sind oben an ein und derselben Messingröhre befestigt, die an ihren beiden Enden auf den Dachsparren aufliegt, und befinden sich daher sehr nahe in ein und derselben Ebene; ihre Länge beträgt ungefähr 2,8^{m}.

Die Ebene der Drähte muß mit der Ebene des magnetischen Meridians zusammenfallen. Um dies zu erreichen, wurde die Messingröhre so lange seitlich verschoben bis die Nadel in II oder in III, mit Fernrohr und Scala beobachtet ihre Richtung nicht änderte, mochte der Hauptmagnet sich in H in seiner natürlichen Lage befinden oder ganz fortgenommen sein. Der geringe Einfluß des bei dieser Einstellung noch übrigbleibenden Fehlers auf das Resultat ist unten (§ 4) berechnet. Die Abstände der Drähte wurden im Laufe des Sommers 1880 an fünf verschiedenen Tagen und jedesmal wiederholt mit einem 5 Meter langen, in Centimeter getheilten und mit einem in Millimeter getheilten Schlitten versehenen, Holzmaaßstabe gemessen und dann nach Vergleichung dieses Maaßstabes mit dem Meyerstein'schen Messingstabe auf

Einheiten des letzteren (M . M) (s. oben p. 138) reducirt. Das Resultat war in Einheiten (M . M):

Abstände:

(H, IV)	(H, III)	(H, II)	(H, I)	
1999,95	1499,64	1500,18	1999,93	Temp. + 10°

Das Gesammtmittel aus den vier mittleren Fehlern einer Beobachtung einer dieser vier Größen betrug: 0,24mm, der mittlere Fehler der obigen Resultate aus 5 Messungen ist daher 0,10mm. Bei den Berechnungen sind die Mittelwerthe:

Temp. + 10°

für die kleinere Distanz: $R_1 = 1499{,}91$

für die weitere Distanz: $R_2 = 1999{,}94$

benutzt und auf die jedesmalige Temperatur mit Hülfe des Ausdehnungscoëfficienten der Messingröhre 0,000018 reducirt. Zur Fixirung der Scalen der Fernröhre F_1 und F_2 hängt vor jeder Scala unmittelbar vor dem Scalentheil, der sich über der Mitte des Fernrohrs befindet, ein Coconfaden von der Decke herab, der durch ein Messinggewicht gespannt ist.

Bezeichnen wir auch diese Fäden einfach durch F_1 und F_2, so sind die Abstände der Scala vom Spiegel:

(F_1, IV)	(F_1, III)	(F_2, II)	(F_2, I)
4521,4	4021,4	4036,3	4536,1

in Millimeter (genauer: in Einheiten (M . M), s. oben p. 138). Hierin ist schon der Abstand der Spiegel der Ablenkungsnadel vom Suspensionsdrahte (12,9 resp. 13,4mm) und die Dicke der Spiegel berücksichtigt. Dagegen ist zu den obigen Zahlen noch zu addiren $(-\frac{1}{3}\delta + \varepsilon)$ wenn δ die Dicke einer noch zwischen Spiegel und Scala eingeschalteten planparallelen Glasplatte bedeutet und ε den bei jeder Beobachtung zu prüfenden Abstand des Senkels von der Scala bezeichnet, der nur Bruchtheile eines Millimeters beträgt.

Der Torsionscoëfficient des Drahtes des Hauptmagnets ergab sich aus 19 einzelnen Bestimmungen zu

$$\theta = 0{,}01042$$

derjenige der 4 Drähte der Ablenkungsnadel im Mittel zu:

$$\vartheta = 0{,}00132$$

Von diesem Mittel weicht ϑ für die einzelnen Drähte nur um 0,00002 ab.

— Die Variationsinstrumente sind in den westlichen Räumen der Sternwarte aufgestellt; mit Hülfe eines Glockenzuges können vom magnetischen Observatorium Signale gegeben werden zum Zweck genau gleichzeitiger Beobachtungen.

Bezeichnet:

I. die Mitte des Magnets im Bifilar.

I.* die Mitte der Hülfsnadel.

II. die Mitte des Variationsmagnetometer.

III. die Mitte des Hauptmagnets im magnet. Observatorium, und sind x, y, z die entsprechenden Coordinaten dieser Punkte in Metern (x positiv nach Süden, y positiv nach Westen, z positiv zum Zenith), so ist für:

	I.	I.*	II.	III.
$x =$	$-3{,}4$	$-3{,}4$	$-15{,}6$	$-23{,}6$
$y =$	$+6{,}7$	$+6{,}7$	$+4{,}8$	$+69{,}2$
$z =$	$+1{,}7$	$+0{,}5$	$+0{,}8$	$-2{,}2$

[Der Nullpunkt des Coordinatensystems (s. Gauß, Result. 1840 p. 32. Gauß Werke Bd. V p. 433) fällt zusammen mit dem Punkte, in welchem eine durch die Mitte des Reichenbach'schen Meridiankreises gezogene Verticale den Fußboden der Sternwarte schneidet].

Nach Bestimmungen vom März 1880 beträgt die Aenderung um einen Scalentheil am Bifilarmagnetometer in Theilen der ganzen Intensität

0,0000931,

der Winkel zwischen der Verbindungslinie der unteren Drahtenden des Bifilar und der der oberen Drahtenden $48^0\ 38',6$,

der Bogen-Werth eines Scalentheils für die unter 45^0 gegen den Meridian gerichtete Hülfsnadel des Bifilars $22'',065$

und für das Variationsmagnetometer $20'',073$.

Das Bifilar ist identisch mit dem von Gauß benutzten Instrumente (Gewicht des Magnets 11870gr).

Die von Herrn Geh.-Rath W. Weber abgeleitete Formel zur Berechnung der Intensitätsänderung (s. Göttinger Abhandlungen. Bd. VI. 1855) erhält hiernach in unserm Falle die Gestalt:

$$10^6 \frac{\delta T}{T} = 88\,\delta B + 50\,(\delta U - 2.1,067\,\delta W)$$

worin $\delta B, \delta U, \delta W$ die Zunahmen der Scalenablesungen am Bifilar resp. am Magnetometer resp. an der Hülfsnadel bedeuten. Bezeichnet ferner $\delta B'$ diejenige Aenderung am Bifilar, die eingetreten sein würde, wenn das magnetische Moment des Magnets ungeändert geblieben wäre, so folgt aus der obigen Formel:

$$\delta B' = \delta B + 0,568\,(\delta U - 2.1,067\,\delta W).$$

Als Variationsmagnetometer diente ein älteres schon von Gauß benutztes Instrument, das jetzt zum Inventar des Physikalischen Instituts gehört, aber von Herrn Prof. Riecke für diese Beobachtungen gütigst geliehen ist. Es stimmt überein mit dem in den Result. 1836 auf Taf. X abgebildeten Instrumente, nur ist die Suspensionsvorrichtung und die Befestigung des Spiegels geändert (Gewicht des Magnets 1520gr).

§ 3.

Beispiel einer Beobachtung.

Um die Art und die Reihenfolge, in welcher die Beobachtungen für eine absolute Bestimmung angestellt wurden, zu erläutern, möge ein vollständiges Beispiel einer Beobachtung folgen. (Siehe *Tab. III.*).

Die angegebenen VI Elongationszeiten sind aus je 8 Beobachtungen der Momente aufeinanderfolgender Durchgänge des schwingenden Hauptmagnets durch die Ruhelage berechnet. Die Reduction auf T_0 ist durch Hinzufügung von:

$$+ \tfrac{1}{2} t \frac{\delta T}{T}$$

ausgeführt, die Reduction auf kleine Bogen beträgt:

$$- t \frac{s^2}{256 r^2}; \quad r = 4083{,}6$$

schließlich die Reduction auf Secunden mittlerer Zeit:

$$- t \frac{S}{86400}$$

wenn S = der Anzahl Secunden ist, um welche die Uhr in 24^h voraneilt.

Während der Beobachtungen unter (2) der *Tabelle III* wurde das Variationsmagnetometer genau gleichzeitig mit den Ablesungen an der Ablenkungsnadel beobachtet, um diese Ablesungen von einer der Zeit nicht proportionalen Aenderung der Declination befreien zu können. Das Bifilar wurde während der Zeit beobachtet, die zur Umhängung der Ablenkungsnadel angewandt wurde; die Werthe von δT für die zwischenliegenden Zeiten sind interpolirt.

Aus der hier genügend genauen Gleichung für die Ruhelage der Ablenkungsnadel

$$T(1+\vartheta)\sin\varphi = \frac{M}{R^3}\cos\varphi$$

wo R den Abstand vom Hauptmagnet bedeutet, leitet man ab, daß die Reduction des Standes der Nadel auf T_0, in Scalentheilen ausgedrückt, beträgt:

$$\pm r\sin 2\varphi\,\frac{\delta T}{T}$$

$+$ wenn die Nadel auf wachsende, $-$ wenn sie auf abnehmende Zahlen abgelenkt ist (r ist $=$ dem Abstande: Scala-Spiegel). Analog erhält man für die Reduction auf gleiche Declination D_0:

$$-\frac{r}{r'}\cos\varphi^2 . \delta U$$

wo $r' = 4696{,}6$ gleich dem Abstande: Scala-Spiegel für das Variationsmagnetometer ist. Die Rechnung ergiebt:

Nadel in	$r\sin 2\varphi$	$\frac{r}{r'}\cos\varphi^2$
I	317	0,97
II	672	0,86
III	660	0,85
IV	314	0,96

Wie aus der *Tabelle III* hervorgeht, ist bei der Reduct. auf D_0 jedesmal der Stand für die mittlere Beobachtung z. B. zu den Zeiten $9^h 6^m 55$; $9^h 19^m 55$ als Nullpunkt angenommen. — Die Correctionen wegen Scalenfehler haben sich aus der Vergleichung der Scalen mit dem Messingmaaßstab (M. M) ergeben.
n_0 ist der Scalentheil, der sich über der Mitte

des Fernrohrs befindet, und vor dem das Senkel herunterhängt. Wenn $\frac{n_1+n_2}{2}$ von n_0 verschieden ist, lautet die genaue Formel zur Reduction auf die Tangente des doppelten Ablenkungswinkel φ:

$$2r\operatorname{tang}2\varphi = (n_1-n_2) - \left(\frac{n_1+n_2}{2}-n_0\right)^2 \frac{n_1-n_2}{r^2}$$

$= (n_1-n_2) +$ »Reduct. auf gl. $\pm$ Ablenkg.«

Aus den beiden Werthen von n_1-n_2 für »Nadel in I« ist schließlich das Mittel genommen, ebenso aus den beiden für »Nadel in II.«

§ 4.

Constante Instrumental-Fehler.

Da bei den Ablenkungsbeobachtungen die Bedingungen, welche für die Lage der beiden Magnete, des Hauptmagnets und der Ablenkungsnadel, von der Theorie vorgeschrieben sind, in der Praxis nicht leicht vollständig streng erfüllt werden können, so muß der Einfluß, welchen die fehlerhaften Lagen der Magnete auf das Resultat haben, geprüft werden. Sei:

χ = dem Winkel zwischen dem magnetischen Meridiane und der Ebene, in welcher die Suspensionsdrähte sich befinden.

δ = der Neigung der Verbindungslinie der Mittelpunkte beider Magnete gegen die Horizontalebene.

Sei ferner der Winkel, welchen die magnetische Achse des in die transversale Lage gedrehten Hauptmagnets (und zwar ihre positive dem Nordpole zugewandte Richtung) mit dem magnetischen Meridian bildet, gleich:

$\frac{\pi}{2} - \varepsilon_1$ wenn sein Nordpol im Osten,

$\frac{\pi}{2} - \varepsilon_2$ wenn sein Nordpol im Westen sich befindet,

so besteht, wie aus dem Potential der Wechselwirkung zweier Magnete abgeleitet werden kann, statt der Gleichung (2) auf p. 135, die genauere:

$$(1+\vartheta)\,\mathrm{tang}\,\varphi\,(1+C') = \frac{M}{T}\left(\frac{1}{R^3} - \frac{C}{R^5}\right)$$

worin

$$C' = (\varepsilon_1+\varepsilon_2)\,\mathrm{tang}\,\varphi + 3\chi^2 + \tfrac{3}{2}(\varepsilon_1-\varepsilon_2)\chi + \tfrac{1}{4}(\varepsilon_1^2+\varepsilon_2^2) + \tfrac{3}{2}\delta^2$$

ist. Da in erster Annäherung

$$2r\,\mathrm{tang}\,\varphi = \frac{n_1 - n_2}{2}$$

gesetzt werden kann, so giebt der Werth $2r\,\mathrm{tang}\,\varphi \,.\, C'$ die Scalentheile an, deren Vernachlässigung bei den Ablenkungsbeobachtungen denselben Einfluß auf das Resultat hat, wie die Vernachlässigung von C'. — Bei einer Verschiebung des einen Endes der die Aufhängungsdrähte der Instrumente tragenden Messingröhre um 5mm konnte noch deutlich eine Ablenkung der Nadel in II oder in III durch den Hauptmagnet bemerkt werden (s. p. 146). Angenommen jedoch, die Einstellung der Röhre sei um 10mm unrichtig, so würde, da die Röhre nahe 5000mm lang ist, für χ ein Werth von circa 7' sich ergeben, in C' also

$$\chi = \frac{7}{3437{,}7}$$

einzusetzen sein. Wenn ferner die Nadel in II

oder III. 5^{mm} tiefer hängt als der Hauptmagnet, so ist:

$$\delta = \frac{5}{1500}$$

und wenn bei der transversalen Lage des Magnets in den seitlichen Spiegeln ein um 20 Scalentheile von der Ruhelage verschiedener Theilstriche erscheint (s. p. 144), so wird:

$$\varepsilon_1 = -\varepsilon_2 = \frac{20}{2.4084}$$

Bei den Beobachtungen haben δ, ε_1, ε_2 niemals diese Größe gehabt, kaum die Hälfte derselben erreicht.

Nach Einsetzung dieser Werthe erhält man aus

$$2r \operatorname{tang}\varphi . C' =$$

$$\frac{-n_1}{2}\left((\varepsilon_1+\varepsilon_2)\operatorname{tang}\varphi + 3\chi^2 + \tfrac{3}{2}(\varepsilon_1-\varepsilon_2) + \tfrac{1}{4}(\varepsilon_1^2+\varepsilon_2^2) + \tfrac{3}{2}\delta^{\ldots}\right.$$

$$2r \operatorname{tang}\varphi . C' =$$

$$= 0 \qquad +0{,}008 + 0{,}010 \qquad +0{,}002 \qquad +0{,}\ldots$$

C' kann also unbedenklich vernachlässigt werden.

— Die Excentricität jedes der beiden benutzten Magnete d. i. der horizontale Abstand des magnetischen Mittelpunktes von dem verlängerten Suspensionsdrahte wird durch die Beobachtungen in den verschiedenen Lagen eliminirt. Gleichwohl fordert die regelmäßige Differenz zwischen φ_{II} und φ_{III} resp. zwischen φ_I und φ_{IV} (s. Tab. I) auf, die Excentricität e der Ablenkungsnadel zu berechnen. Aus den hier genügend genauen Gleichungen

$$\operatorname{tang}\varphi_{II} = \frac{G}{(R-e)^3}, \quad \operatorname{tang}\varphi_{III} = \frac{G}{(R+e)^3}, \quad G = \text{Const.}$$

und analogen für φ_I und φ_{IV} erhält man:

$$e = \alpha'\delta' = \alpha''\delta'' \quad (\text{in }^{mm})$$

wenn:

$$\alpha' = \tfrac{1}{3}\,\frac{1500}{206264{,}8 \sin 2\varphi_{III}} \qquad \alpha'' = \tfrac{1}{3}\,\frac{2000}{206264{,}8 \sin 2\varphi_{IV}}$$

$$\varphi_{II} = \varphi_{III} + \delta' \qquad \varphi_{I} = \varphi_{IV} + \delta''$$

ist. Die Rechnung ergiebt:

	e in mm aus: φ_{II} u. φ_{III}	*e* in mm aus: φ_{I} u. φ_{IV}	Mittel	Temp.
April 9.	0,84	0,74	0,89	+ 6,6
» 18.	1,23	1,28	1,25	+ 15,0
Aug. 10.	1,63	1,52	1,57	+ 18,0
Oct. 20.	1,76	2,51	2,03	+ 10,0
» 21.	1,91	2,83	2,32	+ 9,5
» 22.	1,98	1,43	1,72	+ 8,0

Es scheint daraus hervorzugehen, daß diese Excentricität, deren geringer Werth übrigens bei einem Magnet von 232^{mm} Länge sehr glaublich ist, mit der Zeit zugenommen oder mit der Temp. sich geändert hat.

§ 5.

Genauere Formel.

Es bleibt ferner noch zu prüfen, um wie viel der aus den Gleichungen (2) § 1:

$$(2) \qquad (1+\vartheta)\,\mathrm{tang}\,\varphi_\nu = \frac{M_1}{T_1}\left(\frac{1}{R_\nu^{\,3}} - \frac{C}{R_\nu^{\,5}}\right)$$

in der auf p. 135 angegebenen Weise berechnete Werth T_1 von dem genaueren T^* abweicht, der aus

$$(2^*) \quad (1+\vartheta)\,\mathrm{tang}\,\varphi_\nu = \frac{M^*}{T^*}\left(\frac{1}{R_\nu^{\,3}} - \frac{C^*}{R_\nu^{\,5}} - \frac{C_1}{R_\nu^{\,7}}\right)$$

für $\nu = 1;\ 2$ abgeleitet wird. Zwischen den

Werthen: M^*, T^*, zu denen auch C^* gehört, und den Werthen: M_1, T_1 besteht ferner die Beziehung:

(3) $$M_1\,T_1 = M^*\,T^*.$$

Aus (2) folgt:

$$(1+\vartheta)\left\{R_1^5 \operatorname{tang}\varphi_1 - R_2^5 \operatorname{tang}\varphi_2\right\} = \frac{M_1}{T_1}(R_1^2 - R_2^2)$$

aus (2*) dagegen:

$$(1+\vartheta)\left\{R_1^5 \operatorname{tang}\varphi_1 - R_2^5 \operatorname{tang}\varphi_2\right\} =$$
$$= \frac{M^*}{T^*}(R_1^2 - R_2^2)\left(1 + \frac{C_1}{R_1^2 R_2^2}\right);$$

es ist daher mit Rücksicht auf (3):

$$T^* = T_1\left(1 + \tfrac{1}{2}\,\frac{C_1}{R_1^2 R_2^2} + \ldots\right)$$

Die Größen C^* und C_1 hängen von der Vertheilung der magnetischen Massen in den benutzten Magneten ab. Bedeutet nämlich:

2L den gegenseitigen Abstand der beiden Punkte im Hauptmagnet, in denen magnetische Massen concentrirt gedacht werden können, so. daß deren Wirkung auf die Hülfsnadel gleich ist derjenigen des Magnets, und bezeichnet:

2λ das analoge für die Hülfsnadel, so ist:

$$C^* = \tfrac{3}{2}L^2 - 6\lambda^2, \quad C_1 = -\tfrac{15}{8}L^4 + \tfrac{45}{2}L^2\lambda^2 - 15\lambda^4$$

[s. die Abhandlung von Herrn Prof. Riecke: Zur Lehre von den Polen eines Stabmagnetes. Wiedem. Annal. Bd. VIII. p. 324. (1879)].

An Stelle von C^* können wir den aus den Beobachtungen entnommenen Mittelwerth:

$$C = 8357 \quad \text{(Tab. II.)}$$

annehmen. Da augenblicklich noch keine Einrichtungen getroffen sind, um die Ablenkungen auch nach dem »modus primus« entsprechend genau auszuführen, so ist nur eine angenäherte Bestimmung von L und λ möglich. Man nimmt in der Regel an, daß das Doppelte dieser Größen gleich 0,85 mal der Länge des Magnets ist; die nach dieser Annahme berechneten Größen seien mit L' und λ' bezeichnet, dann ist:

$$L' = 0{,}85 \,.\, \frac{477}{2} = 203^{\mathrm{mm}}; \quad \lambda' = 0{,}85 \,.\, \frac{232}{2} = 99^{\mathrm{mm}}$$

Als die wahrscheinlichsten Werthe von L und λ mögen dann diejenigen angesehen werden, welche sich aus den Gleichungen

$$8357 = \tfrac{3}{2} L^2 - 6\lambda^2$$

$$L = L' + \varepsilon; \quad \lambda = \lambda' + \varepsilon_1; \quad \varepsilon^2 + \varepsilon_1^2 = \text{Minimum}$$

ergeben, nämlich: $L = 204 \quad \lambda = 95$

Dann wird: $C_1 = 39815 \,.\, 10^5$

und: $T^* = T_1 + \tfrac{1}{2} T_1 \dfrac{C_1}{R_1^2 R_2^2} = T_1 + 0{,}00041$

wenn $T_1 = 1{,}863$; $R_1 = 1500$; $R_2 = 2000$ ist.

Es würde aber wohl kaum thunlich sein, auch abgesehen von der jetzt noch in L und λ liegenden Unsicherheit, diese Correction an T anzubringen, da die Ungenauigkeit der Ablenkungsbeobachtungen einen doppelt so großen mittleren Fehler einer Bestimmung von T, nämlich: $\pm$ 0,00088 (s. unten p. 160) verursacht.

§ 6.

Mittlerer Fehler.

Den Einfluß der mittleren Fehler der beobachteten Größen auf das Resultat habe ich nach der Methode der kleinsten Quadrate bestimmt. Wenn wir durch $\mu(g)$ den mittleren Fehler einer Größe g bezeichnen und:

$$MT = a; \ \frac{M}{T} = b$$

setzen, so ist:

$$T^2 = \frac{a}{b}; \ 4\frac{\mu^2(T)}{T^2} = \frac{\mu^2(a)}{a^2} + \frac{\mu^2(b)}{b^2}$$

$$\frac{\mu^2(a)}{a^2} = \frac{\mu^2(K)}{K^2} + \frac{4\mu^2(t)}{t^2}$$

Unter der Annahme, daß:

$$\mu(R_1) = \mu(R_2) = \mu(R); \ \mu(\varphi_1) = \mu(\varphi_2) = \mu(\varphi)$$

ist, wird:

$$\mu^2(b) = \mu^2(R) . \left\{\left(\frac{\partial b}{\partial R_1}\right)^2 + \left(\frac{\partial b}{\partial R_2}\right)^2\right\} +$$

$$+ \mu^2(\varphi) \left\{\left(\frac{\partial b}{\partial \psi_1}\right)^2 + \left(\frac{\partial b}{\partial \psi_2}\right)^2\right\}$$

$$\frac{\partial b}{\partial R_1} = -5\frac{R_1^2}{\varrho^2-1} \operatorname{tg} \psi_1 + \frac{2}{\varrho^2-1} \cdot \frac{1}{R_1} \cdot \frac{M}{T};$$

$$\frac{\partial b}{\partial R_2} = +\frac{5\varrho^4}{\varrho^2-1} R_1^2 \operatorname{tg} \psi_2 - \frac{2\varrho}{\varrho^2-1} \frac{1}{R_1} \frac{M}{T}$$

$$\frac{\partial b}{\partial \psi_1} = -\frac{1}{\varrho^2-1} \frac{R_1^3}{\cos^2\psi_1}; \ \operatorname{tg}\psi_\nu = (1+\theta)\operatorname{tg}\varphi_\nu$$

$$\frac{\partial b}{\partial \psi_2} = +\frac{\varrho^5}{\varrho^2-1} \frac{R_1^3}{\cos^2\psi_2}; \text{ für } \varrho = \frac{R_2}{R_1} \text{ *)}$$

*) Die Bedingung des Minimum von $\left(\frac{\partial b}{\partial \psi_1}\right)^2 + \left(\frac{\partial b}{\partial \psi_2}\right)^2$

Für die Mittelwerthe:

$$\psi_1 = 2^0\ 0' \qquad R_1 = 1500$$
$$\psi_2 = 4^0 44' \qquad R_2 = 2000$$

erhält man:

$$10^6 \frac{\mu^2(b)}{b^2} = 18\mu^2(R) + 0{,}106\mu^2(\varphi)$$

worin $\mu(R)$ in Millimeter, $\mu(\varphi)$ in Bogensecunden einzusetzen ist.

Wie auf p. 136 angegeben ist, wurden bei jeder Bobachtungsreihe zwei der Winkel φ je zweimal beobachtet. Die Differenzen, um welche die zwei Werthe desselben φ von einander abwichen, waren, in Scalentheilen aus gedrückt:

	April 9.	$\tau'-\tau$	April 18.	$\tau'-\tau$	Aug. 10.	$\tau'-\tau$
$2(\varphi'_{III}-\varphi_{III}) =$	-0,03	+0,4	-0,56	+0,8	+0,94	+0,7
$2(\varphi'_{IV}-\varphi_{IV}) =$	-0,21		-0,26		+0,13	
	Octob. 20.	$\tau'-\tau$	Oct. 21.	$\tau'-\tau$	Oct. 22.	$\tau'-\tau$
$2(\varphi'_{II}-\varphi_{II}) =$	+0,30	+0,8	-0,08	+0,5	+0,58	+0,7
$2(\varphi'_{I}-\varphi_{I}) =$	+0,52		-0,18		—0,32	

wo φ' immer den zweiten der erhaltenen Werthe und $(\tau'-\tau)$ die Temperaturdifferenz in Graden bedeutet.

Der Mittelwerth ist:

$$2(\varphi'-\varphi) = 0{,}34; \quad \varphi'-\varphi = 0{,}17$$

Darnach ist der mittlere Fehler einer Beobachtung von φ:

$$\mu(\varphi) = \frac{0{,}17}{\sqrt{2}} = 0{,}12 \text{ in Scal.} = 2'',9.$$

---

als Function von ϱ führt, unter der Annahme, daß man für $\cos^4\psi_1$ und $\cos^4\psi_2$ einen gemeinsamen Mittelwerth setzen kann, auf die Gleichung: $h = 3\varrho^{10}-5\varrho^8-2 = 0$; für $\varrho = \varrho^* = 1{,}318895$ ist $h = +0{,}00006$; Näherungswerthe von ϱ^* sind: $\frac{4}{3}$, $\frac{29}{22}$, $\frac{62}{47}$. S. Goldschmidt, Resultate d. magnet. Vereins. Göttingen 1840. p. 130.

Dieser Werth würde sich allerdings noch etwas ändern, wenn er von der, in Folge der Temperaturänderung eingetretenen, Abnahme des magnetischen Moments des Hauptmagnets befreit würde. Es ist ferner oben schon angegeben

$$\mu(R) = 0{,}10^{mm} \qquad \text{p. 147.}$$

$$\frac{\mu(K)}{K} = 0{,}00036 \qquad \text{p. 143.}$$

$$\mu(t) = 0{,}003 \text{ Sec.} \qquad \text{p. 143.}$$

Nach dem Einsetzen dieser Werthe in die obigen Gleichungen erhält man:

$$10^6 \frac{\mu^2(b)}{b^2} = 1{,}069 \qquad 10^6 \frac{\mu^2(a)}{a^2} = 0{,}212$$

$$\frac{\mu(T)}{T} = 0{,}00057 \qquad \mu(T) = 0{,}00104$$

und zwar ist der Beitrag zu $\mu(T)$, der von den Fehlern in R und K herrührt und also als constanter Fehler zu bezeichnen ist, gleich: 0,00043. Aus den bei jeder Beobachtung ermittelten Größen φ und t allein ergiebt sich für T der mittlere Fehler zu 0,00092, der sich wieder aus den von $\mu(\varphi)$ herrührenden Betrage: 0,00088 und dem aus $\mu(t)$ folgenden: 0,00027 zusammensetzt.

Man erkennt hieraus, daß die Fehler bei den Ablenkungsbeobachtungen (φ) einen 3—4 mal größeren Beitrag ergeben als diejenigen der Schwingungsdauer. Aus dem Grunde wurden auch bei einer Beobachtungsreihe nicht die Bestimmung der letzteren Größe, sondern die Ablenkungen wiederholt. Aus den Resultaten von Oct. 20, 21, 22 würde sich eine mittlere Abweichung von nur 0,00021 ergeben an Stelle des theoretisch berechneten Werthes 0,00092, man wird daher eine solche Uebereinstimmung nicht immer erwarten können.

§ 7.

Etwaiger Localeinfluß.

Schließlich muß noch die Größe des Local-Einflusses berechnet werden, welcher von einer eisernen Gasrohrleitung herrührt, die im Jahre 1873, an dem magnetischen Observatorium vorbeiführend, gelegt ist. Diese Leitung liegt in der Richtung von Ost nach West, und zwar so, daß der Abstand von der Mitte des Hauptmagnets (H), der im Süden der Leitung sich befindet, bis zum nächsten Punkte (A) der Leitung $6{,}4^m$ beträgt. Die Röhren sind aus Gußeisen; jede, 2^m lang, hat einen inneren Durchmesser von 45^{mm} und eine Wanddicke von 6^{mm}. Man wird annehmen können, daß die Röhren keinen permanenten Magnetismus besaßen, ehe sie gelegt wurden, daß sie also nur durch die Inductionswirkung der Erde magnetisirt sind. Um daher den Einfluß dieser Leitung zu prüfen, wurde eine solche, von der städtischen Gasanstalt geliehene, Röhre, in einer Entfernung von $1{,}5^m$ von H so hingelegt, daß die Verbindungslinie zwischen H und der Mitte der Röhre horizontal war und mit der Richtung des magnetischen Meridians übereinstimmte, daß ferner die Richtung der Längsachse der Röhre ost-westlich war. Es wurde dann der Hauptmagnet um 7,22 Scalth. auf wachsende Zahlen abgelenkt; der Werth ist das Mittel aus 8 Beobachtungen. Wenn dagegen die Röhre an der Stelle auf die Erde gelegt wurde, unter der die Leitung sich befindet, so war keine Aenderung der Ruhelage mit Sicherheit zu bemerken.

Sei nun m das Moment eines kleinen Magnets, der in der Mitte der Röhre sich befindet, dessen Achse ferner dieselbe Richtung hat wie die der Röhre, also ostwestlich ist, und der dann auf H dieselbe Wirkung in der Entfernung von 1,5^m ausübt, wie die Röhre, so ergiebt sich aus der folgenden Formel

$$dD = -\frac{m}{Tr^3}\cos D$$

worin $$dD = -\frac{7{,}22 \,.\, 25{,}255}{206264{,}8}$$

$$r = 1500$$

ist, die Größe $m = 1371 \,.\, 10^4$

In der obigen Gleichung haben die Größen dieselbe Bedeutung wie bei Gauß (Resultate aus d. Beobb. d. magnet. Vereins. Göttingen 1840 p. 30, 31. Gauß Werke Bd. V p. 428); nämlich es bezeichnet D die Declination, r die Entfernung der Mitte eines Magnets von dem Punkte, für den die Wirkung desselben berechnet werden soll, T die absolute Intensität.

Würde dieser Magnet im Punkte A der Röhrenleitung mit ost-westlich gerichteter Achse sich befinden, so würde er eine Declinationsänderung dD hervorrufen, die aus

$$dD = -\frac{m}{Tr_1^3}\cos D; \qquad r_1 = 6400$$

gleich —0,22 in Scalth. folgt. Der kleine Magnet ersetzt die dem Punkte H nächste Röhre, deren Mitte wir in A annehmen. Bezeichnen wir diese Röhre mit 1, jede der beiden in der Richtung nach Osten und nach Westen benachbarten mit Nr. 2 u. s. w. so wird die Declinationsänderung dD_ν und die Intensitätsänderung dT_ν, welche durch die νte nach Westen hin folgende Röhre hervorgerufen werden, mit Hülfe der Gleichungen

$$dD_\nu = \frac{m}{Tr_\nu^3} (3\cos^2 f_\nu \sin g_\nu \sin(g_\nu - D) - \cos D)$$

$$\frac{dT_\nu}{T_\nu} = \frac{m}{Tr_\nu^3} (3\cos^2 f_\nu \sin g_\nu \cos(g_\nu - D) - \sin D)$$

ermittelt und die analogen von der Einwirkung der νten nach Osten hin folgenden Röhre herrührenden Größen aus den Formeln:

$$dD_\nu = \frac{m}{Tr_\nu^3} \{ 3\cos^2 f_\nu \sin g_\nu \sin(D + g_\nu) - \cos D \}$$

$$\frac{dT_\nu}{T_\nu} = \frac{m}{Tr_\nu^3} \{ -3\cos^2 f_\nu \sin g_\nu \cos(D + g_\nu) - \sin D \}$$

abgeleitet, in denen: $\nu = 2, 3, 4 \ldots$ zu setzen ist und

$$r_\nu^2 = r_1^2 + 4(\nu - 1)^2; \ \mathrm{tang}\, g_\nu = \frac{2(\nu - 1)}{6,4}$$

$$\mathrm{tang} f_1 = \frac{19}{61}$$

$$r_1 = 6400 \qquad \sin f_\nu = \sin f_1 \cos g_\nu$$

Die Leitung liegt 1,9^m tiefer als H und die horizontale Entfernung der Leitung von H beträgt 6,1^m.

Man erhält aus den obigen Gleichungen:

ν	dD_ν in Scalenth. Westliche	Oestliche	$10^6\left(\frac{dT}{T}\right)_\nu$ Westliche	Oestliche
	Röhre		Röhre	
1	−0,22		−7	
2	−0,18	−0,11	+15	−22
3	−0,07	+0,01	+20	−23
4	∓0,00	+0,02	+16	−15
5	+0,02	+0,06	+10	− 8
6	+0,03	+0,05	+ 7	− 3

Die Summen:

$$dD = -0{,}39 \text{ Scalenth.} \quad dT = -0{,}000011.\ T$$

können mit großer Annäherung als die Gesammtwirkung der Leitung angesehen werden. Der Einfluß auf T ist eine zu vernachlässigende Größe, sie wird sogar übertroffen von der Einwirkung des Bifilarmagnetometer in der Sternwarte (s. die Coordinaten p. 148). Diese Einwirkung betrug 1840 (s. Result. 1840 p. 33. Gauß Werke V. p. 433) $+ 0{,}0000132.\ T$ und ist jetzt vielleicht nur um ein Geringes kleiner in Folge einer etwaigen Abnahme des Moments für den Magnet im Bifilar.

§ 8.

Saecularvariation der Intensität.

Die ersten Bestimmungen der Intensität, welche Gauß i. J. 1832 anstellte (s. Gauß Werke Bd. V. p. 115) sind in den Räumen der hiesigen Sternwarte ausgeführt. Die späteren in eisenfreien Gebäuden in Göttingen von verschiedenen Beobachtern erhaltenen Resultate sind folgende:

	Göttingen	T		
I	1834 Juli 19	1,77480	Gauß	Result. 1840 p. 155
II	1839 Septbr. 10	1,78200	Goldschmidt	" "
III	1840 Septbr. 10	1,78173	Goldschmidt	" "
IV	1841 Aug. 1	1,78477	Goldschmidt	" "
V	1853 Juli 29	1,80145	W. Weber	Gött.Abh.VI. 1855 p. 28
VI	1867 Juli 9	1,84121	F. Kohlrausch	Gött. Nachr. 1868 p. 159 1869 p. 36
VII	1869 Aug. 18 23h	1,8396	F. Kohlrausch	Pogg.Annal. Erg. VI
	Aug. 21 23h	1,8387	F. Kohlrausch	" "
VIII	1880 April 10-18	1,86320	K. Schering	
	Aug. 10-14	1,86321	" "	
	Oct. 20-24	1,86363	" "	
		1,86322	" "	
		1,86347	" "	
	Nov. 17-18	1,86445	K. Sch. u. Heun	

Nr. II ist reducirt auf mittl. Intensität am 31. Aug. 1839 aus Ablesungen am Bifilar.

IV) Mittel aus 4 Werthen vom Juli 31 bis Aug. 1. Reducirt auf Mittel von 2 Tagen am Bifilar.

V) Mittel aus 12 Werthen, red. auf Tagesmittel am Bifilar (Juli 28 bis Juli 30).

VI) Mittel aus 2 Bestimmungen, im Zwischenraume von etwa 14 Tagen red. auf 8tägiges Mittel am Bifilar.

VII) Außer den beiden absoluten Beobb. sind noch mehrere vergleichende ausgeführt: Aug. 17. 6h: 1,8422; Aug. 17. 23h: 1,8398; Aug.

19. 21h: 1,8393; Aug. 20. 12h: 1,8382; Aug. 22. 23h: 1,8410; Aug. 23. 20h: 1,8404. Diese Werthe verdanke ich einer gütigen schriftlichen Mittheilung des Herrn Prof. F. Kohlrausch mit dem Bemerken:

»Die Zahlen lauten ein wenig anders als die »gedruckten, weil letztere sich nur auf diejeni- »gen Zeiten beziehen, welche für die abs. Wi- »derstandsbestimmung gebraucht wurden, die »umstehenden aber auf die ganze Zeit, während »welcher die Variat.-Instrumente beobachtet »wurden. Aug. 19. 11h V. und Aug. 22. 11h V. »wurden abs. Bestimmungen gemacht, an welche »sich die anderen Beobachtungen anschließen.«

VIII) sind die Werthe auf Tabelle II (mit Ausschluß der mit * versehenen) und der Werth vom Nov. auf p. 140, nach Berücksichtigung der Correction: —0,00196 (pag. 140).

Die Resultate I—IV sind mit denselben Instrumenten im magnetischen Observatorium erhalten (4pfündige Magnete); es ist jedoch der Einfluß der Inductionswirkung des Erdmagnetismus auf den Hauptmagnet noch nicht berücksichtigt. Für einen der damals von Goldschmidt benutzten Magnete, die jetzt im Physik. Institute sich befinden, habe ich jenen Coëfficienten bestimmt und für die Größe m (s. p. 137) erhalten

$$1881 \text{ Jan. } 4. \quad m = 630770.$$

Unter Annahme des Mittelwerths der in den Result. 1840 p. 153 angegebenen Momente und des Mittelwerths von T für 1834—1841 ergiebt sich $\frac{mT}{M} = 0,00149$; daher ist von jedem der Resultate unter I bis IV die Größe

$$\frac{1}{2}\,\frac{mT^2}{M} = 0{,}00133$$

abzuziehen.

(Die von Herrn Geh. Rath W. Weber in den Gött. Abh. Bd. VI. p. 29 an den Werthen I bis IV angebrachte Correction beruht auf der »Annahme, daß der Stahl der zu den früheren »Messungen gebrachten Ablenkungsstäbe, in Be»ziehung auf beharrlichen und veränderlichen »Magnetismus, von dem Stahl der zuletzt ge»brauchten Ablenkungsstäbe nicht wesentlich »verschieden sei«).

Das Resultat Nr. V ist aus Beobachtungen in einem eisenfreien Pavillon im Garten des Physik. Instituts, das innerhalb der Stadt gelegen ist, abgeleitet (Gewicht jedes der benutzten Magnete: 151gr). Im J. 1870 verglich Herr Prof. F. Kohlrauch (s. Gött. Nachr. 1871 p. 54) mit dem compensirten Magnetometer die Intensität (T_m) im magn. Observat. der Sternwarte mit derjenigen (T_p) im eisenfreien Pavillon des Instituts und fand:

$$(1870)\quad \frac{T_p}{T_m} = 1{,}0036$$

Vor kurzer Zeit habe ich solche Beobachtung wiederholt und es ergab sich:

$$1880\ \text{Novbr. } 15\quad \frac{T_p}{T_m} = 1{,}0056$$

Unter der etwas unsicheren Annahme, daß der Mittelwerth: 1,0046 auch für das Jahr 1853 das Verhältniß $\frac{T_p}{T_m}$ angäbe, würde der Werth Nr. V auf das magnet. Observator. reducirt, sich in:

Nr. (V*) 1,79316

verwandeln.

Ueber die bei den Beobb. VI — VIII angewandten Instrumente (Gewicht des Hauptmagnets 2100gr) ist in § 2 das Nöthige gesagt.

Trägt man die Werthe von T als Ordinaten in eine Tafel ein, deren zugehörigen Abscissen durch die Werthe der Zeit t gegeben sind, so ist sofort zu erkennen, daß die jährliche Aenderung während der Jahre 1834 — 1841, sowie während 1867 — 1880 geringer war als in dem zwischenliegenden Zeitraume. Dies führt auf eine Darstellung durch eine periodische Function z. B. von der Form:

$$T = T_0 + a \sin \frac{2\pi(t-b)}{\mathfrak{T}}$$

wo T_0, a, b, $\mathfrak{T}$ zu bestimmende Constanten sind.

Legt man eine Sinuslinie durch folgende vier Punkte:

1) durch das Mittel der Resultate unter VIII.

2) durch das Mittel aus VI und dem Mittelwerthe der Resultate unter VII.

3) durch das Mittel aus II, III, IV (nach Subtraction von: 0,00133).

4) durch I (nach Subtraction von: 0,00133), so erhält man:

$$T_0 = 1{,}82200 \qquad b = 1860{,}63$$
$$a = 0{,}05486 \qquad \mathfrak{T} = 148{,}50 \text{ Jahre.}$$

Die so erhaltene Curve ist auf der beigefügten *Tafel* construirt; die beobachteten Werthe sind durch ein $\times$ bezeichnet.

Der Vergleich zwischen Beobachtung und Rechnung ergiebt:

	t	T beob.	T ber.-T beob.
I	1834,54	1,77347	— 0,00046
II	1839,69	1,78067	— 0,00116
III	1840,69	1,78040	+ 0,00061
IV	1841,58	1,78344	— 0,00102
V	1853,57	1,80145	+ 0,00440
VI	1867,52	1,84121	— 0,00344
VII	1869,63	1,83990	+ 0,00249
VIII	1880,64	1,86357	— 0,00054

Wenn der Werth von T auch jenseits des Zeitraumes, innerhalb dessen die Beobachtungen liegen, durch die obige Formel gegeben wird, so hat die Intensität i. J. 1823,5 den kleinsten Werth 1,7671 gehabt und wird 1897,8 ihr Maximum 1,8769 erreichen.

— Für eine Sinuslinie dagegen, welche durch die Punkte 1) 2) 3) wie vorher, ferner

4) durch den Werth Nr. V*

gelegt wird und dann an alle 8 Beobb. (aber V*, statt V) nach der Methode der kleinsten Quadrate angeschlossen wird, erhält man die Constanten:

$$T_0^* = 1{,}82264 \qquad b^* = 1862{,}92$$
$$a^* = 0{,}04284 \qquad \mathfrak{T}^* = 88{,}48 \text{ Jahre.}$$

Die mit diesen Constanten berechneten Werthe von T ergeben folgende Differenzen zwischen Beobachtung und Rechnung:

	T ber.-beob.		T ber.-beob.
I	+ 0,01049	V*	+ 0,00308
II	— 0,00074	VI	— 0,00482
III	— 0,00060	VII	+ 0,00239
IV	— 0,00357	VIII	— 0,00021.

1880	Temp.		φ_{II} φ_{III} φ_{I} φ_{IV}	φ_1, φ_2; t^{sec}
April 5	+10,0		4° 43′ 10″,0	4° 43′ 22″,4
9h 12h			4 43 44 ,8	
			1 59 52 ,1	2 0 1 ,0
			2 0 9 ,9	20,8649
April 9	+ 6,6	U = 786	4 44 37 ,6	4 44 8 ,2
19h 30 –		W = 523	4 43 38 ,6	
22h 30m		B = 495	2 0 26 ,0	2 0 18 ,1
			2 0 10 ,3	20,85799
April 18	+15,0	U = 767	4 43 58 ,5	4 43 16 ,0
9h—12h		W = 492	4 42 33 ,5	
		B = 470	2 0 4 ,1	1 59 50 ,4
			1 59 36 ,8	20,87857
Aug. 10	+18,0	U = 800	4 43 3 ,7	4 42 9 ,4
9h—11h		W = 568	4 41 15 ,3	
		B = 360	1 59 48 ,8	1 59 32 ,4
			1 59 16 ,2	20,88832
Aug. 11	+19,0	U = 792	4 44 37 ,9	4 42 58 ,9
8h 30m–11h		W = 578	4 41 20 ,0	
		B = 350	2 0 7 ,0	1 59 22 ,5
			1 58 38 ,0	20,89717
Aug. 12	+20,0	U = 795	4 43 36 ,2	4 43 7 ,2
9h–11h 30m		W = 575	4 42 38 ,3	
		B = 350	1 59 40 ,0	1 59 15 ,3
			1 58 50 ,7	20,89633
Octb. 20	+10,0	U = 818	4 44 19 ,3	4 43 18 ,8
8h 30m –		W = 632	4 42 20 ,4	
10h 30m		B = 399	2 0 23 ,7	1 59 56 ,6
			1 59 29 ,6	20,86854
Octb. 21	+ 9,5	U = 843	4 44 48 ,4	4 43 44 ,0
9h 30m —		W = 644	4 42 39 ,6	
11h 30m		B = 389	2 0 34 ,4	2 0 3 ,9
			1 59 33 ,4	20,87821
Octb. 22	+ 8,0	U = 820	4 44 50 ,2	4 43 43 ,5
8h - 10h		W = 642	4 42 36 ,9	
		B = 405	2 0 24 ,8	2 0 5 ,3
			1 59 45 ,9	20,86556

1880	M_1	T_1	C	Bemerkungen.
April 5	523 397 000	1,8658		Ohne Variationsbeobachtungen. Alte Arretirung.
April 9	524 047 000	1,86481	9451	Von April 9 ab Variationsbeobachtungen und neue Arretirung.
April 18	522 462 000	1,86732*	5445	In der Nähe des Magnets Bleigewichte, die sich später eisenhaltig erwiesen.
Aug. 10	522 134 000	1,86693	12692	
Aug. 11	520 108 000	1,87261*		Grosse Variationen: Schwanken um: 0,0044. T
Aug. 12	519 365 000	1,87545*		Grosse Variationen: Schwanken um: 0,0070. T
Octb. 20	522 976 000	1,86647	8822	
Octb. 21	522 832 000	1,86518	6415	
Octb. 22	522 972 000	1,86587	7120	

Tabelle II. (Zu p. 136)

1880	B_1	B_0 =	Mittelwerthe aus Ablesungen vom:	T_2 reduc. auf B_0	Gewichte	Corrigirte Werthe $(T) = T_2 - 0{,}00196$	Mittel
April 9	495	499	April 10—18	1,86516	52	1,86320	
18	496			1,86759*	(16)	1,86563*	$T' =$
Aug. 10	360	340	Aug. 10—14	1,86517	18	1,86321	1,86332
11	356			1,87120*	(3)	1,86924*	Zeit:
12	356			1,87404*	(1)	1,87208*	1880,56
Octb. 20	410	400	Octb. 20—24	1,86559	16	1,86363	
21	400			1,86518	52	1,86322	
22	405			1,86543	16	1,86347	

Mittel: (Juli 26) $T_2 = 1{,}86528$
Mittel der Größen C gleich $C_0 = 8357$

Tabelle III. (Zu p. 150)

1880 Oct. 22.

1. *Bestimmung der Schwingungsdauer.*

Nr.	Zeit der Elongation	Nr. d. Elongat.	Bog. in Scal. $= s$	Rubel.	Temp.	δB	δW	δU
					+7°,8			
I	8h 13m 46s,588	0	515	464,77		+0,4	−0,5	−1,7
II	19 20 ,450	16	501	4,45		+0.9	−0,6	
III	24 54 ,325	32	488	5,40		+0,9	−0,2	
IV	30 28 ,200	48	476	5,55		+1,8	+0,1	
V	36 48 ,712	66	462	5,65		+2,9	+0,5	
VI	42 59 ,225	84	449	6,17		+4,2	+0,2	−0,3
	Uhr gewann in 24h: + 1s,8				+7°,6	+3,7	−0,1	−0,5

Aus den Nr.	Schwingd. t	Mittelwerthe t	δB	δW	δU	$10^6 \frac{\delta T}{T}$	Reduct. auf T_0	Reduct. auf kl. Bog.	Reduct. auf m. Zeit
IV u. I	20,86796								
V u. II	20,86524	20,86555	+2,1	−0,1	−0,9	+151	+0,00157	−0,00118	−0,00048
VI u. III	20,86346								

Corrigirter Werth von t = 20,86556; Temp. = + 7°,4

T a b e l l e I I I. (Zu p. 150)

2. *Ablenkungsbeobachtungen.* 1880. Octb. 22.

	n_1	n_2									n_1	n_2
			8h 50m 23s			+3,7	+247					
			8 52 23		−0,1							
	Nadel in I (Temp. + 7°,6)		9 1 10	− 1,8								
9h 3m 55s	1104,34			− 1,2			+147	+0,04	+0,68	−0,18	1104,93	
6 55		467,98		− 0,5			+ 97	−0,08	0	+0,54		468,4
10 25	1105,65			− 0,1			+ 47	+0,02	−0,42	- 0.13	1105,54	
			9 14 20		0		0					
	Nadel in II		16 20			0						
16 55	1454,81			+ 0,8			+ 10	0	+0,21	−0,67	1454,35	
19 55		103,82		+ 1,1			+ 22	−0,01	0	+0,57		104,3
22 55	1454,74			+ 1,1			+ 34	+0,02	0	−0,67	1454,09	
			9 26 23		+0,3		+ 45					
	Nadel in III (Temp. + 8°,1)		28 28			+0,2				+0,88	1505,73	
30 45	1505,02			+ 0,8			+ 59	+0,04	−0,21	−0,66		167,1
33 45		167,89		+ 0,6			+ 80	−0,05	0	+0,88	1505.47	
36 45	1504,40			+ 0,5			+111	+0,07	+0,12			
			9 40 23		−0,1							

	Nadel in IV		42 23			+4,1	+139					
48 45	1146,79			+ 0,6			+147	+0,05	−0,12	+0,31	1147,03	
46 45		514.29		+ 0,5			+171	−0,05	0	0		514,2
49 45	1146,44			+ 0.9			+195	+0.06	−0,32	+0.31	1146,49	
			9 54 23		+0,5							
	Nadel in II		56 0			+3,0	+257					
56 45	1459,27			+ 6,8			+267	+0,18	+3,20	− 0.67	1461,98	
10 0 5		110,95		+10,6			+301	−0,20	0	+0,57		111,3
3 5	1464,05			+13,1			+334	+0,28	−2,10	−0,67	1461,51	
			10 7 23		+5,4							
	Nadel in I (Temp. + 8°,3)		9 0			+3,4	+395					
9 45	1115,05			+10,8			+381	+0,18	−1,65	−0,18	1113,40	
13 5		476,46		+ 9,2			+355	−0,12	0	+0,54		476,8
15 55	1112,04			+ 7,3			+331	+0,11	+1,28	− 0,13	1113,30	
			10 19 23		+2,7							
			21 28			+2,1						

Nadel in	$n_1 - n_2$	n_0	Reduct. auf gl. ± Ablenkg.	Corrigirt $n_1 - n_2$	= $2r_\nu \tan 2\varphi_\nu$	r_ν
I	636,79	750	−0,05	636,74	636,58	4536,0
II	1349,84	750	−0,07	1349,77	1350,06	4036,2
III	1338,42	620	−3,88	1334,54	1334,54	4021,7
IV	632,52	620	−1,37	631,15	631,15	4521,7
II	1350,42	750	−0,07	1350,35		
I	636,47	750	−0,05	636,42		

Zusatz.

Die großen Schwankungen, welche die Intensität und die Richtung der horizontalen erdmagnetischen Kraft an den Abenden des 11. u. 12. Aug. 1880 während der zur Berechnung von T angestellten Beobachtungen so wie auch an den folgenden Tagen gezeigt haben, gewinnen besonderes Interesse noch durch den Umstand, daß an denselben Tagen Störungen in den Telegraphenleitungen über weit ausgedehnte Gebiete und außerdem Nordlicht-Erscheinungen bemerkt sind, wie der Herr Geh. Postrath Ludewig in der »*Elektrotechnischen Zeitschrift*« (1881. Heft I. p. 10; Heft II: Karte) berichtet. Es ist darnach ein Nordlicht in Schweden, Norwegen, Rußland, Dänemark, an der deutschen Nordseeküste und in England beobachtet; Störungen in den Telegraphenleitungen haben sich über ganz Europa verbreitet und sind sogar an der Ostküste von Afrika, von Aden bis Port Natal, und in Japan und China von Yeddo bis Hongkong bemerkt. Da die Störungen, die der elektrische Zustand der Erde vom 11.—14. Aug. gezeigt hat, so weit sich erstreckt haben, würde es sehr wünschenswerth sein, auch über die Variationen der erdmagnetischen Elemente an diesen Tagen in verschiedenen Gegenden der Erde Kenntniß zu erhalten. Wenn sich die Gelegenheit bietet, die im magnetischen Observatorium in Göttingen erhaltenen Ablesungen der Variationsinstrumente vom 10.—14. Aug. 1880 mit Beobachtungen, die an andern Orten angestellt sind, zu vergleichen, werde ich sie zur Veröffentlichung zusammenstellen.

Für die Redaction verantwortlich: *E. Rehnisch*, Director d. Gött. gel. Anz.
Commissions-Verlag der *Dieterich'schen Verlags-Buchhandlung*.
Druck der *Dieterich'schen Univ.-Buchdruckerei (W. Fr. Kaestner)*.

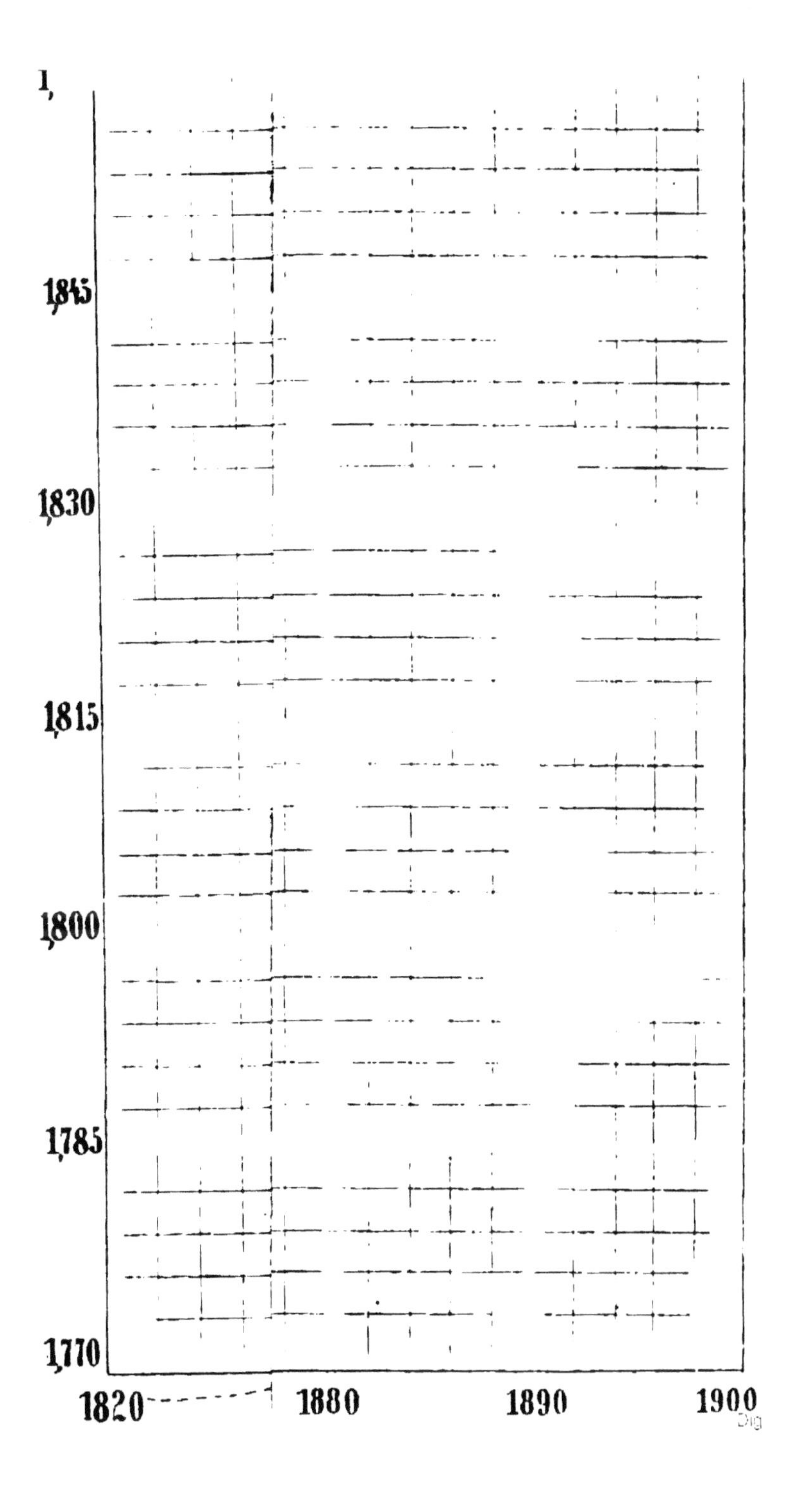

1,
1,845
1,830
1,815
1,800
1,785
1,770
1820
1880
1890
1900

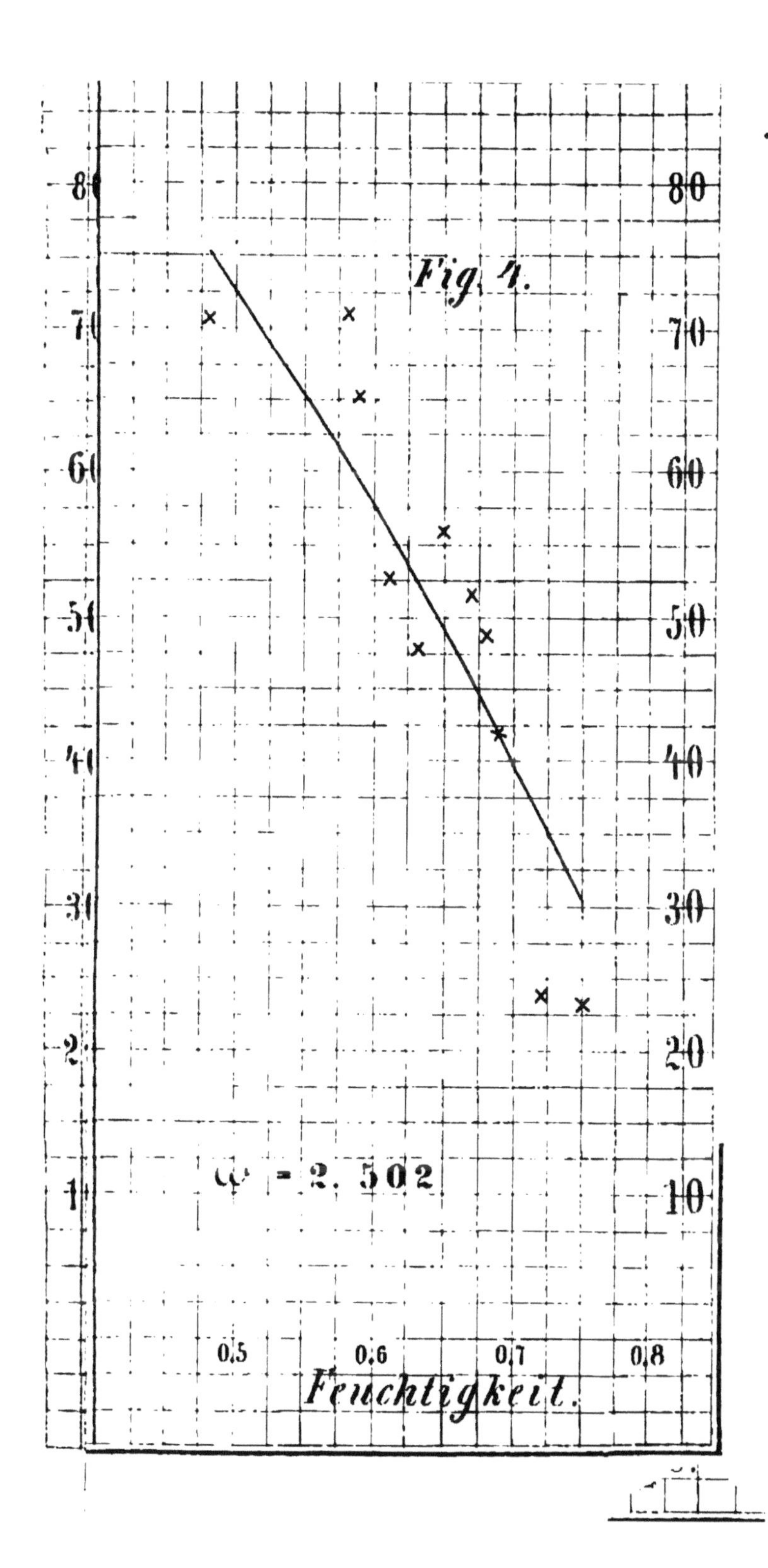
Fig. 4.
80
70
60
50
40
30
20
10
φ = 2. 502
0,5
0,6
0,7
0,8
Feuchtigkeit.

Nachrichten
von der
Königl. Gesellschaft der Wissenschaften
und der Georg-Augusts-Universität
zu Göttingen.

9. März. № 6. 1881.

Verbesserungsversuche zu Euripides' Kyklops.

Von

Friedrich Wieseler.

Die nachfolgenden Versuche bilden nebst denen, welche in einer gleichzeitig erscheinenden, für die Abhandlungen der K. Gesellschaft der Wissenschaften bestimmten Schrift „Scenische und kritische Bemerkungen zu Euripides' Kyklops" veröffentlicht werden, eine Fortsetzung der Adnotationes criticae ad Euripidis Cyclopem, welche dem Index scholarum der Georgia Augusta für das Wintersemester 1879—1880 beigegeben sind. Außer den in diesen drei Schriften berücksichtigten Stellen giebt es im Kyplops noch eine Anzahl von Stellen, die ich nebst Anderen oder allein für verderbt halte, aber jetzt noch nicht zu meiner Zufriedenheit herzustellen vermag. Vielleicht wird durch meine Darlegungen auch Anderen die Ueberzeugung zu Theil, daß man bisher bei der Herstellung des so außerordentlich verderbten Textes weder die Art und Weise der Verderbnisse, die meist zur Heilung nur sehr geringer Veränderungen bedürfen, noch den Gedanken der einzelnen Stellen, noch den Zusammenhang des Ganzen gehörig ins Auge gefaßt hat.

Vs 55 fg. Nauck.

σπαργῶντας μαστοὺς χάλασον·
δέξαι θηλαῖσι σποράς,
ἃς λείπεις ἀρνῶν θαλάμοις.

Da die handschriftliche Lesart *σποράς* aus metrischen Gründen nicht die richtige sein kann, so könnte man schwanken, ob ein gleichbedeutendes Substantiv oder ein Participium einzusetzen sei. Letzteres hat F. V. Fritzsche Dissert. I de Euripidis choris glyconeo polyschematisto scriptis, Rostock 1856, angenommen, der *πορουσ'* schrieb. Größere Wahrscheinlichkeit würde *παρουσ'* haben. Bei dieser Annahme erregt aber das Femininum *ἃς* Bedenken, da unten Vs 225, 234 und 256 das Wort *ἄρνες* als Masculinum vorkommt und in Vs 189, wo *ἄρνες* als Femininum gebraucht ist, Schafe weiblichen Geschlechts, Mutterschafe, zu verstehen sind, während nicht wohl einzusehen ist, inwiefern an der vorliegenden Stelle nur von weiblichen Lämmern die Rede sein könnte. Um so wahrscheinlicher ist es, daß es sich um ein Substantiv handelte. Dann liegt aber nichts so nahe wie: *τροφάς*, vgl. unten Vs 189: *μηκάδων ἀρνῶν τροφαί.* *ΣΠΟΡΑΣ* entstand aus *ΣΙΤΡΟΦΑΣ*.

Vs 74 fg.

ὦ φίλος ὦ φίλε Βακχεῖε, ποῖ οἰοπολῶν
ξανθὰν χαίταν σείεις;

Die Handschriften bieten: *οἰοπολεῖς*. Eine leichtere und passendere Veränderung ist: *οἰοπολεῖς* und besonders *οἰοπολεῖ σὺ ξ.*, mit einem Fragezeichen hinter *οἰοπ.* und einem Komma hinter *σείεις*.

Vs 113 fg.

ΟΔ. τίς δ' ἥδε χώρα, καὶ τίνες ναίουσί νιν;
ΣΕΙ. Αἰτναῖος ὄχθος Σικελίας ὑπέρτατος.

ΟΔ. τείχη δὲ ποῦ' στι καὶ πόλεως πυργώματα;
ΣΕΙ. οὐκ εἴσ᾽· ἔρημοι πρῶνες ἀνθρώπων, ξένε.
ΟΔ. τίνες δ' ἔχουσι γαῖαν; ἢ θηρῶν γένος;

Daß die Worte καὶ τίνες ναίουσί νιν in Vs 113 nicht in Ordnung sind, zeigt die Antwort in Vs 114 und der Umstand, daß dieselbe Frage mit den Worten: τίνες δ' ἔχουσι γαῖαν, in Vs 117 gethan wird, wo sie an ihrer rechten Stelle ist. Ich vermuthe, daß geschrieben war: κἀκ τίνος καλοῦσι, „nach wem oder was nennt man." Ὀνομάζειν ἔκ τινος „nach etwas benennen" bei Homer Il. X, 68, Sophocl. Oed. Rex 1036 u. s. w. Auch das ποῦ in Vs 115 paßt nicht. Silens Worte in Vs 114 können dem Odysseus auch nicht die mindeste Veranlassung geben zu fragen, wo die feste Stadt, sondern nur, ob eine solche vorhanden sei. Also sagte er: τείχη δέ που' στι; Dazu paßt auch die Antwort Silens οὐκ εἴσ᾽ besser.

Vs 121 fg.

ΟΔ. σπείρουσι δ', ἢ τῷ ζῶσι, Δήμητρος στάχυν;
ΣΕΙ. γάλακτι καὶ τυροῖσι καὶ μήλων βορᾷ.

Mit Recht nahm Nauck an βορᾷ Anstoß. Aber seine Vermuthung: κρέᾳ, steht der handschriftlichen Ueberlieferung doch etwas fern; auch erwartet man nicht, daß, da doch vom Kleinvieh die Rede ist, das Fleisch desselben ausdrücklich bezeichnet wäre. So schreibe ich: σπορᾷ. Daß die auf junges Kleinvieh lautende Angabe besonders passend ist, liegt wohl auf der Hand. Vgl. Vs 162: τύρευμα τ' ἢ μήλων τόκον.

Vs 129.

Vor diesem Verse nahm G. Hermann eine Lücke an: nam quum credi non possit, tam negligentem fuisse Euripidem, ut Ulixem de illo Cyclope, de quo nondum quidquam compererat, quaerentem faceret, aliquot versus interisse necesse est, quibus ad Polyphemum deductum fuerit diverbium. Allerdings würde eine Lücke anzunehmen sein, wenn *αὐτός* in Vs 129 wirklich von dem Dichter herrührte. Aber was könnte in der Lücke gestanden haben? Genaueres über Polyphem im besonderen zu hören, als was er über die Kyklopen des Landes schon erfahren hatte, konnte nicht eben in Odysseus' Interesse liegen; nur das mußte er wissen, ob ein Kyklop in der Nähe oder in der Höhle weile, die er nach Vs 118 als Wohnung eines solchen betrachten mußte. Ich denke, wenn man schreibt: *αὐτοῦ δὲ Κύκλωψ πον' στιν ἢ δόμων ἔσω;* („ist hier in der Nähe irgendwo ein Kyklop oder im Hause?"), so werden die Schwierigkeiten auch ohne Annahme einer Lücke gehoben sein.

Vs 133 fg.

ΟΔ. *ὅδησον ἡμῖν σῖτον, οὗ σπανίζομεν.*
ΣΕΙ. *οὐκ ἔστιν, ὥσπερ εἶπον, ἄλλο πλὴν κρέας.*
ΟΔ. *ἀλλ' ἡδὺ λιμοῦ καὶ τόδε σχετήριον.*
ΣΕΙ. *καὶ τυρὸς ὀπίας ἔστι καὶ βοὸς γάλα.*

Die Worte *ὥσπερ εἶπον* beziehen sich auf Vs 122, wo nicht allein Fleisch, sondern auch Milch und Käse erwähnt werden. Es ist daher passend, nach *κρέας* nicht einen Punkt sondern ein Zeichen unterbrochener Rede zu setzen, die in Vs 136 wieder aufgenommen wird.

In diesem Verse befremdet das Wort *βοὸς*. In Vs 122 war von Milch im Allgemeinen die Rede. Daß Polyphem auch Milch vom Kleinvieh hatte und genoß, erhellt, wenn es dazu eines besonderen Beweises bedarf, aus Vs 218. Wollte man etwa sagen, Silen erwähne gerade Kuhmilch, weil die für etwas Besseres gehalten sei als Kleinviehmilch, so wäre das doch eine bedenkliche Sache. Auch wird man nicht einwenden dürfen, daß auch sonst ähnliche Angaben nicht durchaus übereinstimmen, wie z. B. Silen Vs 122 als thierische Nahrung der Kyklopen nur μῆλα erwähnt, während Polyphem Vs 248 fg. nur von Löwen und Hirschen spricht und auch Vs 325 nur μόσχον ὀπτὸν und τι θήρειον δάκος nennt. Μῆλα machten eben die gewöhnliche thierische Nahrung der Kyklopen aus; Wild und Färsen kamen nur dann an die Reihe, wenn die Jagd jene geliefert hatte und es sich um etwas Außerordentliches handelte. Wenn Polyphem in Vs 325 neben dem Wild' nur μόσχον ὀπτὸν erwähnt, so paßt das sehr gut dazu, daß er sich bei Ereignissen wie das dort erwähnte besonders gütlich thut; auch in der Stelle Vs 248 fg. schlägt er das Wild besonders hoch an, wenn ihm auch Menschenfleisch noch lieber ist. Zudem liegt es auf der Hand, daß in Vs 122 deshalb nur μῆλα erwähnt werden, weil gerade diese in dem gleich darauf erwähnten Handel mit Odysseus in Betracht kommen. Euripides hätte den Anstoß, welchen, wie ich hinterdrein sehe, schon Scaliger an dem βοὸς in Vs 136 nahm, vermeiden können, wenn er βοτοῦ oder βοτῶν γάλα schrieb: „Milch vom Weidevieh," worunter sowohl Kleinvieh als Kühe verstanden werden konnten. Aber ich zweifle sehr daran, daß er so schrieb. Genau genommen, wäre ja der Zusatz βοτοῦ ganz überflüssig. In Betreff des Käse wird nicht gesagt, von welchem Thiere er herrühre, sondern nur, welche Eigenschaft er habe. Danach erwartet man ein Epitheton zu γάλα von der Art wie ὀπίας zu τυρὸς sich verhält. Nun wird bekanntlich in der Anführung dieses Verses bei Athenäos XIV, p. 658, c und darnach bei Eustathios zu Homer, p. 1485, 30 geschrieben gefunden: Διὸς γάλα. Daß Διὸς unmöglich ist, liegt auf der Hand: aber es kann recht wohl als der ursprünglichen Schreibweise näher stehend betrachtet werden. Diese scheint gewesen zu sein: *πῖον γ.*

Vs 138 fg.

Wenn Odysseus auf die Frage Silens:

σὺ δ' ἀντιδώσεις, εἰπέ μοι, χρυσὸν πόσον;

antwortet:

οὐ χρυσόν, ἀλλὰ πῶμα Διονύσου φέρω,

so bedeutet *φέρω* „ich bringe dar, biete an," obgleich Odysseus wirklich Geld bei sich hatte, wie aus Vs 160 fg. erhellt, wo er sich erbietet, dem Silen außer dem von ihm selbst angebotenen Weine auch Geld zu geben. Wenn nun Silen Vs 144 in Bezug auf den Wein an Odysseus die Frage richtet:

ἐν σέλμασιν νεὼς ἔστιν, ἢ φέρεις σύ νιν;

so halte ich *φέρεις* für nicht passend, sondern glaube, daß *φέρει σύ,* „mit dir führst," geschrieben war. *Φέρεσθαι* auch Vs 88 u. 191.

Vs 162

sagt Odysseus:

ἐκφέρετε νῦν τυρεύματ' ἢ μήλων τόκον.

Silen aber bringt wie aus Vs 189 fg. und 224 fg. ersichtlich ist, junge Lämmer und Käse. Wollte etwa der Dichter absichtlich andeuten, daß Silen, um den gewünschten Wein in reichlichem Maße zu erhalten, sich stärker an dem Besitze seines Herrn vergriff als er der Forderung nach nöthig hatte, oder schrieb er in Vs 162 *τύρευμα καὶ μήλ. τ.*? Daß an den beiden andern Stellen, wo das erste Wort bei Euripides vorkommt (unten Vs 190 u. Electr. 496) auch der Plural gebraucht ist, kann schwerlich etwas ausmachen. Vorher Vs 137 versteht Odysseus unter den herauszubringenden Gegenständen gewiß Fleisch, Käse und Milch. Es wäre eigenthümlich, wenn er sich jetzt, da Silen zum Handel so bereit ist, sich mit e i n e m, Käse oder Kleinvieh, begnügte. Die Milch konnte er, wenn er Käse erhielt, immerhin daran geben. Oder wollte man den Umstand, daß Odysseus Vs 256 nur die Lämmer als von Silen verkauft angiebt, daher erklären, daß er nur diese verlangt habe und die Käse von Silen zugegeben seien? Das Wahrscheinlichere ist doch wohl, daß Odysseus nur die Lämmer erwähnt, weil sie das Wichtigste sind.

Vs 169 fg.

ἵν' ἔστι τουτί τ' ὀρθὸν ἐξανιστάναι
μαστοῦ τε δραγμὸς καὶ παρεσκευασμένου
ψαῦσαι χεροῖν λειμῶνος, ὀρχηστύς θ' ἅμα.

Eine wegen des Wortes *παρεσκευασμένου* viel, aber stets ohne Glück behandelte Stelle. Daß jenes verderbt ist, unterliegt keinem Zweifel. Wer sich an Stellen des Aristophanes erinnert, wie Lysistr. Vs 88:

κομψότατα τὴν βληχώ γε παρατετιλμένη,

ebenda Vs 149 fg.:

εἰ γὰρ καθοίμεθ' ἔνδον ἐντετριμμένοι
κἂν τοῖς χιτωνίοισι τοῖς ἀμοργίνοις
γυμναὶ παρίοιμεν, δέλτα παρατετιλμέναι,
στύοιντο δ' ἄνδρες κἀπιθυμοῖεν πλέκειν,

auch an die *ὀρχηστρίδες*, die in den Fröschen dem auf sie begierigen Xanthias-Silen von der Therapaina Vs 516 als

ἡβυλλιῶσαι κἄρτι παρατετιλμέναι

bezeichnet werden, der wird wohl nicht anstehen mir beizupflichten, wenn ich behaupte, daß der Dichter schrieb: *π α ρ ε σ κ υ θ ι σ μ έ ν ο υ.* Allerdings kommt, so viel ich mich erinnere, *παρασκυθίζειν* sonst nicht vor, sondern *ἀποσκυθίζειν* und das Simplex *σκυθίζειν*, beide auch bei Euripides. Aber ich möchte deshalb nicht *πάρ' ἐσκυθισμένου* schreiben, zumal da gerade *π α ρ α-*

σκυθίζειν in Bezug auf die Scham passender ist. Daß das Wegschaffen der Haare an der Scham ebensowohl durch Rasiren (σκυθίζειν) als durch Ausrupfen (τίλλειν) geschehen konnte, bedarf kaum der Bemerkung. Aehnlich gehen auch die Ausdrücke ἀποτετιλμένος σκάφιον (Aristoph. Av. 806) und ἀποκεκαρμένος σκάφιον (Aristoph. Thesm. 838) neben einander her.

Vs 195

nimmt Kirchhoff an den letzten der Worte Silens:

ἔσω πέτρας τῆσδ', οὔπερ ἂν λάθοιτέ γε,

mit Recht Anstoß. Er vermuthet: λάθοιτ' ἴσως. Aber man kann mit einer viel leichteren Aenderung abkommen, indem man für γε schreibt: πῃ, „auf irgendwelche Weise."

Vs 201 fg.

ἀλλ' εἰ θανεῖν δεῖ, κατθανούμεθ' εὐγενῶς,
ἢ ζῶντες αἶνον τὸν πάρος γε σώσομεν.

Die Handschriften bieten πάρος εὖ und πάρος γ' εὖ σώσομεν. Hartung wollte: τὸν πάροιθε σ., Kirchhoff: τὸν πάροιθ' ἐκσώσομεν. Es ist in der That zu verwundern, daß Niemand an: τὸν παρόντ' („den vorhandenen") εὖ σ. dachte. Bewahren kann man doch nur, was man noch hat. Vgl. Aeschyl. Prom. Vinct. 392: σῷζε τὸν παρόντα νοῦν. Εὖ anzutasten ist gar kein Grund; im Gegentheil paßt das Wort zum Gedanken vortrefflich.

Vs 206 fg.

sagt der Kyklop:

πῶς μοι κατ' ἄντρα νεόγονα βλαστήματα;
ἦ πρός τε μαστοῖς εἰσι χὑπὸ μητέρων
πλευρὰς τρέχουσι, σχοινίνοις τ' ἐν τεύχεσιν
πλήρωμα τυρῶν ἐστιν ἐξημελγμένον;

Die Herstellung des zweiten Verses rührt von Musgrave, Dindorf und G. Hermann her. Aber sie giebt ja ganz offenbar einen durchaus unpassenden Gedanken. Die Lämmer können doch nicht an den Eutern sein und unter den Seiten der Mütter hinlaufen. Dieses steht jenem diametral entgegen. Das von Musgrave getilgte ἢ vor χὐπὸ (oder χ' ὑπὸ wie im Cod. C und in der Aldina steht) bietet entschieden das Richtige; ebenso das εἰσιν und γε in Cod. C und der Ald. Auch Hermann's Aenderung des ersten ἢ in ἦ (welches der Cod. B in der That bietet) trifft das Wahre. Das χ' ist aber verderbt. Der Dichter schrieb:

ἦ πρός γε μαστοῖς εἰσιν, ἢ 'θ' ὑπὸ μητέρων u. s. w.;

Das 'θ', welches wir für χ' eingesetzt haben, ist ἔτι, wie unten in Vs 561: „oder laufen sie noch" u. s. w.; εἶθ', worauf man etwa auch verfallen könnte, würde, abgesehen davon, daß es der handschriftlichen Ueberlieferung nicht ganz so nahe steht, nicht ganz so bezeichnend sein. Das ὑπὸ μαστοῖς εἶναι ist das, worauf es dem Kyklopen ankommt. Daher paßt das γε hinter πρός besonders gut.

Auch mit dem letzten Verse weiß ich Nichts anzufangen. Was soll denn πλήρωμα τυρῶν bedeuten? Eine Menge Käse? Denn die Redensart mit πλήρωμα δαιτός, Eur. Med. 203, zusammenzustellen, wie man gethan hat, geht doch noch weniger an. Ferner: was soll denn ἐξημελγμένον heißen? Jemand hat gemeint: „ausgepreßt." Allein die Zulässigkeit dieser Annahme wäre noch erst nachzuweisen. Ich denke, daß man für τυρῶν zu schreiben hat: ταρρῶν, „der Horden" (Hesych. ταρροί· τὰ ἀγγεῖα τῶν τυρῶν, ταρρός· πλέγμα καλάμινον, ἐφ' οὗ τοὺς τυροὺς ξηραίνουσιν, ταρσῆται· ἀγγεῖα ἐν οἷς οἱ τυροὶ ψύχονται, Eustath. z. Homer. p. 1625: ταρσοὶ δὲ καλαθίσκοι ἐν οἷς τυροκομοῦσι, Pollux On. I, 251, X, 130). Vgl. Homer. Od. IX, 219:

ταρσοὶ μὲν τυρῶν βρῖθον, und Theocrit. Id. XI, 36 fg.: τυρὸς δ' οὐ λείπει μ' — ταρσοὶ δ' ὑπεραχθέες αἰεί, wo es sich jedesmal um den Besitz des Kyklopen handelt. Die Käse werden bei Euripides bezeichnet durch den Zusatz ἐξημελγμένον, „in den binsenen Geräthen vorhandene, ausgemolkene Füllung der Horden" bedeutet nichts anderes als: genügend viele Geräthe mit geronnener Milch auf den Horden. Daß für ἐσαὶ zu schreiben ist: ἔσω, bedarf kaum noch der Bemerkung.

Vs 231 fg.

ΚΥ. οὐκ ἦσαν ὄντα θεόν με καὶ θεῶν ἄπο;
ΣΕΙ. ἔλεγον ἐγὼ τάδ'· οἳ δ' ἐφόρουν τὰ χρήματα
καὶ τόν γε τυρὸν οὐκ ἐῶντος ἤσθιον
τούς τ' ἄρνας ἐξεφοροῦντο.

Daß ich in den Anotat. crit. p. 5 fg. mit Recht für ἐφόρουν schrieb: ἐφρόνουν, glaube ich auch jetzt noch. Aber die beiden anderen Aenderungen, welche ich in Vs 232 vornahm, billige ich nicht mehr. Es bedarf weiter keiner Veränderung, wenn man nur annimmt, daß Silen das Wort χρήματα in der Pronuntiation hervorhob: „ich sagte das; sie aber waren auf deine Habseligkeiten bedacht (nicht auf meine Worte, kümmerten sich nicht um diese).

Daß in Vs. 232 ἐσθίειν zu schreiben und dieses Wort mit ἐξεφοροῦντο zu verbinden sei, habe ich a. a. O. schon bemerkt. Es kann etwa noch hinzugefügt werden, daß zu der Verderbniß des ἐσθίειν in ἤσθιον etwa auch der Umstand beitrug, daß nach Homer Od. IX, 131 fg. Odysseus und seine Gefährten von dem Käse aßen.

Vs 238 fg.

κἄπειτα συνδήσαντες εἰς θαδώλια
τῆς νηὸς ἐμβαλόντες ἀποδώσειν τινὶ
πέτρους μοχλεύειν, ἢ 'ς μυλῶνα καταβαλεῖν.

In den Büchern steht: ἢ πυλῶνα καταβαλεῖν. Die im Obigen wiedergegebene Ruhnken'sche Verbesserung hat mit Recht allgemein Beifall gefunden. Ob sie aber das Wahre vollständig biete, kann doch gefragt werden. Eine jedenfalls nicht bedeutendere Veränderung wäre: ἢ μυλῶνα καταλαβεῖν, „einen Platz in einer Mühle einzunehmen". Diese Herstellung hat vor jener sogar noch den Vorzug, daß das Subjekt dasselbe bleibt wie bei μοχλεύειν. Unten in Vs 541 bietet der Cod. C καταλάβῃ, der Cod. B aber καταβάλῃ (so!), was in diesem Falle das Richtige zu sein scheint.

Vs 241 fg.

ΕΥ. ἄληθες; οὔκουν κοπίδας ὡς τάχιστ' ἰὼν
θήξεις μαχαίρας καὶ μέγαν φάκελον ξύλων
ἐπιθεὶς ἀνάψεις; ὡς σφαγέντες αὐτίκα
πλήσουσι νηδὺν τὴν ἐμὴν ἀπ' ἄνθρακος
θερμὴν ἔδοντος δαῖτ' ἄτερ κρεανόμων,
τὰ δ' ἐκ λέβητος ἑφθὰ καὶ τετηκότα·

Die Schreibart ἄτερ κρεανόμων in Vs 245 rührt von G. Hermann her; die Bücher geben: τῷ κρεανόμῳ. Aus Vs 326 fg. erhellt, daß in der That Polyphem selbst die Gefährten des Odysseus tödtet und ihr Fleisch zerlegt. Danach wird er auch hier als der κρεανόμος zu betrachten sein. Entsprechend wird er von Odysseus Vs 397 Ἅιδου μάγειρος genannt. Schreibt man also: τοῦ κρεανόμου (was, wie ich hinterdrein sehe, schon von Ruhnken vorgeschlagen ist), so kann auch ἔδοντος unangetastet bleiben. Was die Form der Rede anbetrifft, so vergleiche man unten Vs 345 fg., wo Polyphem sagt:

ἀλλ' ἕρπετ' εἴσω, τῷ κατ' αὔλιον θεῷ
ἵν' ἀμφὶ βωμὸν στάντες εὐωχῆτέ με,

und unter dem θεὸς κατ' αὐλίον auch er selbst

zu verstehen ist, und Vs 477 fg., wo in den Worten des Odysseus:

χῶταν κελεύω, τοῖσιν ἀρχιτέκτοσι
πείθεσθ'

mit *τοῖσιν ἀρχίτεκτοσι* er selbst gemeint ist.

Vs 251 fg.

soll Silen zum Kyklopen sagen:

οὐ γὰρ αὖ νεωστί γε
ἄλλοι πρὸς ἄντρα τὰ σά γ' ἀφίκοντο ξένοι.

In den Handschriften steht: *τὰ σ' ἀφίκοντο.* Das von Nauck nach Hermann's Vorgang aufgenommene *σά γ'* rührt von L. Dindorf her. Heimsoeth wollte: *πρὸς οἴκους σοὺς*. In der That paßt das *γε* nicht wohl. Ohne Zweifel ist zu schreiben: *πρὸς ἄντρα τὰ σ' ἐσαφίκοντο.* Vgl. unten zu Vs 288. *Εἰσαφικόμην* auch in der Androm. Vs 13. *Πρὸς νυμφεῖον εἰσβαίνειν* bei Soph. Antig. 1204 fg. Wie leicht *ἐς* hinter *τὰ σ'* ausfallen konnte, liegt auf der Hand.

Vs 256 fg.

sagt Odysseus nach den Handschriften über Silen:

τοὺς δ' ἄρνας ἡμῖν οὗτος ἀντ' οἴνου σκύφου
ἀπημπόλα τε κἀδίδου πιεῖν λαβών.

Daß Silen für das von ihm Verhandelte mehr als „einen Becher Weins" haben wollte, ist im Vorhergehenden zur Genüge angedeutet. Wenn er Vs 191 fg. am Schlusse seiner Verhandlung sagt:

φέρεσθε, χωρεῖθ' ὡς τάχιστ' ἄντρων ἄπο
βότρυος ἐμοὶ πῶμ' ἀντιδόντες εὔιον,

so meint er nicht einen Trunk" vom Traubennaß, sondern „Getränke," ebenso wie Vs 172 fg.:

εἶτ' ἐγὼ οὐκ ὠνήσομαι
τοιόνδε πῶμα.

An der Stelle Vs 147:

ἔνι δὶς τόσον πῶμ' ὅσον ἂν ἐξ ἀσκοῦ ῥύῃ,

hat ihm Odysseus selbst gesagt, daß noch zweimal so viel Wein vorhanden sei als der Schlauch, welchen er bei sich führe, enthalte, und ihn dadurch wesentlich zum Verkauf des Eigenthums des Kyklopen geneigt gemacht. Dazu kommt, daß es dem Odysseus in dem, was er Vs 256 fg. zum Kyklopen sagt, daran liegen muß, diesem als ein rechtlicher Mann zu erscheinen, der nicht bloß den Weindurst Silens sich zu Nutze machte, sondern für die Waare auch genügendes Entgelt gab. Auch in den Worten πιεῖν λαβών wird von Odysseus hervorgehoben, daß der Handel nicht auf blindes Risico, sondern nach Prüfung der Waare von Seiten Silens abgemacht sei. Aus diesen Gründen glaube ich, daß der Dichter schrieb: ἀντ' οἴνου σύχνου, „gegen reichlichen Wein." — Schließlich sei noch bemerkt, daß das Wort ἐδίδου nicht im allgemeinen dasselbe bedeutet wie ἀπημπόλα, sondern noch den besonderen Vorwurf enthält, daß Silen selbst auch die Waare ausgeliefert habe.

Vs 259 fg.

schließt Odysseus seine Rede mit den Worten:

ἀλλ' οὗτος ὑγιὲς οὐδὲν ὧν φησιν λέγει,
ἐπεὶ κατελήφθη σοῦ λάθρᾳ πωλῶν τὰ σά.

Weder das κατελήφθη der Handschriften, noch Heath's von Valckenaer gebilligtes γ' ἐλήφθη, noch Hermann's οὐκ ἐλήφθη (mit Fragezeichen am Schluß des Verses) kann das Richtige sein, da ja Silen nicht bei seinem Handel ertappt wurde. Allerdings trifft ihn der Kyklop nach Vs 222 fg. bei Odysseus und dessen Gefährten und dem diesen überlieferten Eigenthum Polyphems, aber dieser merkt ja auch nicht das Mindeste von seiner Schuld. Aller Wahrscheinlichkeit nach war, wie schon anderseitig bemerkt ist, in Vs 260 so etwas gesagt, wie: „da er nicht zu seinem Ziele gelangte als er das

Deinige verkaufen wollte." Wer nun im Gegensatze gegen Gr. Hermann (Eurip. Cycl. p. XVI) meint, daß der Anapäst geduldet werden könne, der kann etwa schreiben: κατελείφθη. Mehr kommt das Simplex λείπεσθαι in entsprechender Bedeutung vor, z. B. im Sinne von durchfallen „bei Plutarch Mar. V: λ. ἐν τῇ ἀγορανομίᾳ. Das Particip findet sich auch bei Xenoph. Oecon. XVIII, 5; ταῦτα οὐδὲν ἐμοῦ λείπει γιγνώσκων. Auch deshalb scheint es das Gerathenste, das Simplex vorzuziehn und zu schreiben: γ' ἐλείφθη.

Vs 262 fg.

ΣΕΙ. μὰ τὸν Ποσειδῶ τὸν τεκόντα σ', ὦ Κύκλωψ,
μὰ τὸν μέγαν Τρίτωνα καὶ τὸν Νηρέα,
μὰ τὴν Καλυψὼ τάς τε Νηρέως κόρας,
μά θ' ἱερὰ κύματ' ἰχθύων τε πᾶν γένος,
ἀπώμοσ', ὦ κάλλιστον ὦ Κυκλώπιον,
ὦ δεσποτίσκε, μὴ τὰ σ' ἐξοδᾶν ἐγὼ
ξένοισι χρήματ'. ἢ κακῶς οὗτοι κακοὶ
οἱ παῖδες ἀπόλοινθ', οὓς μάλιστ' ἐγὼ φιλῶ.
ΧΟ. αὐτὸς ἔχ'. ἔγωγε τοῖς ξένοις τὰ χρήματα
περνάντα σ' εἶδον· εἰ δ' ἐγὼ ψευδῆ λέγω,
ἀπόλοιθ' ὁ πατήρ μου, τοὺς ξένους δὲ μὴ
[ἀδίκει.

Daß der Anfang von Vs 265 verderbt ist, unterliegt keinem Zweifel. Vor ἱερὰ stand sicherlich der Artikel; aber Hermann's Herstellung τά θ' ἱερὰ ist entschieden unzulässig, wie jede andere, durch welche μὰ geopfert wird. Man schreibe μὰ τά θ' ἱερὰ. Das τε hinter τά entspricht dem hinter ἰχθύων.

Daß man an den letzten Worten des Chors bisher gar keinen Anstoß genommen hat, ist sehr zu verwundern. Da das, was der Chor über Silen aussagt, in der That nicht falsch ist, so würde er sich ja dahin aussprechen, daß dem

Silen nichts Schlimmes widerfahren und den Fremden die gerechte Strafe zu Theil werden möge. Er aber offenbar gerade das Gegentheil. Also sagte er: *εἰ δ' ἐγὼ οὐ ψευδῆ λέγω*, „nicht Falsches, Wahres.“

Vs 288

sagt nach der handschriftlichen Ueberlieferung Odysseus zu Polyphem:

μὴ τλῇς πρὸς ἄντρα σοὺς ἀφιγμένους ξένους κτανεῖν u. s. w.

Daß in *σοὺς* ein Fehler stecke, sah Hermann ein, der deshalb *τὰ σά γ'* schrieb, wie oben Vs 252, während Heimsoeth auch hier *οἴκους σοὺς* vermuthete. Allerdings sind beide Stellen in wesentlich gleicher Weise zu verbessern. An der jetzt in Rede stehenden ist zu lesen: *ἄντρα σ' εἰσαφιγμένους.*

Vs 356 fg.

ΧΟ. εὐρείας φάρυγγος, ὦ Κύκλωψ,
ἀναστόμου τὸ χεῖλος· ὡς ἕτοιμά σοι
ἑφθὰ καὶ ὀπτὰ καὶ ἀνθρακιᾶς ἄπο χναύειν,
βρύκειν, κρεοκοπεῖν μέλη ξένων,

Daß Vs 358 nocht nicht richtig hergestellt ist, unterliegt keinem Zweifel. *Καὶ* hinter *ὀπτὰ* kann nicht geduldet werden. Die Worte *ὀπτὰ* und *ἀνθρακιᾶς ἄπο* gehören zusammen, beide Ausdrücke bezeichnen dieselbe Sache. Das sah schon Scaliger ein, der *καὶ* seltsamerweise in *κατ'* verändern wollte. Aus neuerer Zeit sind wir nur zwei Verbesserungsversuche bekannt, nämlich der von Nauck gar nicht erwähnte Kirchhoff's: *ὀπταλέ' ἀνθρακιᾶς,* und der von jenem angeführte J. Krause's: *κρέ'*. Dieses gefällt aber schon wegen des folgenden *κρεοκοπεῖν* mit nichten. Beachtenswerther ist Kirchhoff's Versuch. Aber es bedarf nicht einmal der Veränderung eines einzigen Buchstabens. Es war geschrieben: *OΠT AKAI*, d. i. ὄπτ' ἀκᾷ. Ἀκᾷ ist aus Pind. Pyth. IV, 277 bekannt. Das stammverwandte und gleichbedeutende ἦκα kommt in der Bedeutung „gelinde," und in der Verbindung ἦκα μαραίνεσθαι bei Oppian, Halieut. II, 66 und in der Anthol. Pal. V, 279 in der von „allmälig, nach und nach" vor.

Vs 373 fg.

schließt der Chor mit den Worten:

ἑφθά τε δαινύμενος μυσαροῖσιν ὀδοῦσιν
ἀνθρώπων θέρμ' ἀπ' ἀνθράκων κρέα.

In denselben stecken zwei Fehler. Es mußte angedeutet sein, daß die ἑφθά von den θέρμ' ἀπ' ἀνθράκων κρέα verschieden sind; außerdem ist ἀνθρώπων offenbar verderbt. Was nun dieses anbetrifft, so äußerte Hermann die schwer zu glaubende Ansicht: nihil est nisi diversa scriptura, adscri ta ad ἀνθράκων. Dagegen waren Roßbach und Westphal (Metrik III, S. 380) der Ansicht, daß ἀνδρῶν geschrieben gewesen sei. Um kurz zu sein: auch hier ist gar keine Buchstabenveränderung nöthig. In der Handschrift, die den unserigen zu Grunde liegt, stand: *ANΩN*. Dieses ist bekanntlich eine nicht selten vorkommende Abkürzung von ἀνθρώπων und so entstand dieses. Jenes *ANΩN* sollte aber vielmehr sein: ἄνων, in der Bedeutung „verzehrend" gebraucht, die ἀνύω z. B. in Homers Od. XXIV, 71: φλόξ σε ἤνυσεν, hat. Nun läßt sich der zweite Fehler leicht verbessern. Man schreibe nur: μυσαροῖσί τ' ὀδοῦσιν.

Vs 388 fg.

heißt es vom Kyklopen:

κρατῆρα δ' ἐξέπλησεν ὡς δεκάμφορον,
μόσχους ἀμέλξας, λευκὸν εἰσχέας γάλα.

Daß μόσχους nicht allein von den Färsen verstanden werden dürfe, ist schon in den Scen. u.

krit. Bemerkungen zu Eurip. Kyklops S. 12, Anm. 3 bemerkt. Schon an sich würde es befremdlich sein, daß nur die Färsen, nicht auch die andern Milchkühe erwähnt werden. Der Zweifel an der Echtheit jenes Wortes muß sich aber steigern, wenn man erwägt, daß unter *μόσχοι* auch die milchenden Schafe mit verstanden werden müssen, nicht bloß aus dem a. a. O. hervorgehobenen Grunde, sondern auch deshalb, weil die in den Worten des Dichters angegebene Quantität der Milch eine sehr bedeutende ist. Wird man sich aber entschließen können, unter *μόσχοι* junge Mutterschafe mit zu verstehen? Nach dem, was Pollux VII, 184 über die *προβάτων ἡλικίαι* sagt, *τὸν μὲν ἀπὸ γονῆς εἴποις ἂν μοσχίον*, ließe es sich für einen Dichter wohl zugeben. Vgl. auch Lobeck Pathol. serm. Gr. Proleg. p. 52. Aber auch hier stellt sich die Frage, warum gerade die Jugend hervorgehoben wird. Sollte der Dichter für *μόσχους ἀμέλξας* nicht geschrieben haben: *μαστοῦ 'ξαμέλξας*? Vgl. Aeschyl. Choeph. Vs 883 fg. und Macedon. in der Anthol. Pal. IX, 645, 8 oder bei Jacobs Delect. epigr. IX, 20, 8, p. 343: *οὔθατος ἐκ βοτρύων ξανθὸν ἄμελξε γάνος.* Die Worte *μαστοῦ 'ξαμέλξας* sind keineswegs überflüssig, da sie die Andeutung frischer Milch enthalten.

Vs 393

ist in den Adnot. crit. p. 8 besprochen. Es wäre vielleicht nicht unzweckmäßig gewesen, wenn ich besonders hervorgehoben hätte, daß die gewöhnliche Bedeutung von *σφαγεῖα* „Becken zum Auffangen des Blutes des Opferthieres," durchaus nicht vorausgesetzt werden könne. Wenn auch der Kyklop bei Vergil, Aen. III, 622 und Ovid, Metam. XIV, 195 das Blut der Gefährten des Odysseus trinkt, so ist doch daran bei Euripides nicht im mindesten zu denken. — Bei dieser Gelegenheit bemerke ich zugleich in Betreff der von mir in Vs 395 vorgeschlagenen Verbesserung *γνάθους* ausdrücklich, daß mir Kirchhoff's Ausgabe des Euripides bei der Abfassung jener Schrift nicht zur Hand war, in welcher *γνάθους* schon richtig hergestellt ist. Auch für Vs 667 hat Kirchhoff schon an das von mir a. a. O. p. 14 empfohlene *καῖσδ'* gedacht.

Vs 398 fg.

erzählt Odysseus, wie seine beiden Gefährten von Polyphem behandelt wurden, wie er sich dabei verhielt und welchen Eindruck die Unthat auf seine übrigen Gefährten machte:

ῥυθμῷ τινι
τὸν μὲν λέβητος εἰς κύτος χαλκήλατον,
τὸν δ' αὖ, τένοντος ἁρπάσας ἄκρου ποδός,
παίων πρὸς ὀξὺν στόνυχα πετραίου λίθου,
ἐγκέφαλον ἐξέρρανε, καὶ καθαρπάσας
λάβρῳ μαχαίρᾳ σάρκας ἐξώπτα πυρί,
τὰ δ' εἰς λέβητ' ἐφῆκεν ἕψεσθαι μέλη.
ἐγὼ δ' ὁ τλήμων δάκρυ' ἀπ' ὀφθαλμῶν χέων
ἐχριμπτόμην Κύκλωπι κἀδιακόνουν·
ἄλλοι δ' ὅπως ὄρνιθες ἐν μυχοῖς πέτρας
πτήξαντες εἶχον, αἷμα δ' οὐκ ἐνῆν χροΐ.

In Vs 398 (Adn. crit. p. 9) möchte ich jetzt lesen: *ῥυθμῷ τέ νιν.*

Ob Euripides in Vs 402 *καθαρπάσας* schrieb, steht sehr dahin, wie auch Herwerden in der Rev. de philol., Nouv. sér. II, p. 55 urtheilt. An dem *καθαρπάσας* würde ich allein wegen des *ἁρπάσας* in Vs 400 keinen Anstoß nehmen, wenn *καθαρπάζειν* an sich paßte, was man um so weniger behaupten wird, wenn man bedenkt, daß es sich um ein scharfes Messer handelt und daß das fragliche Participium Aoristi allem Anschein nach sich nicht allein auf *σάρκας* beziehen soll, sondern auch auf andere Theile von dem Körper der Getödteten. An *καταρτίσας*, etwa in dem Sinne von „zurechtmachen,“ ist schwerlich zu denken. Dagegen hat es große Wahrscheinlichkeit, daß ein in der hier nöthigen Bedeutung minder gebräuchliches und mißverstandenes Wort, welches zugleich zu dem Begriff von *λάβρος* paßte, durch *καθαρπάσας* verdrängt ist. Ein solches Wort ist *καταιγίσας*, über welches Hesychios bemerkt: *κατασχίσας· οἱ γὰρ ἀνατιθέντες ἱμάτια κατέσχιζον αὐτά, ἵνα μὴ ἀρθῶσι παρά τινων*. Ebenso Photios und Suidas u. d. W., nur daß beide hinter *ἀνατιθέντες* hinzufügen: *τοῖς θεοῖς*, und am Schlusse bieten: *ἵνα μή τις ἄρῃ*. Die betreffende Schriftstelle ist uns nicht erhalten. Aber für die Gültigkeit der Deutung sprechen auch die Erklärungen, welche sich bei Hesychios unter *αἰγίζει* und *αἰγίζειν* finden, dort: *καταιγίζει· διασπᾷ*, hier: *διασπᾶν, ἐκ μεταφορᾶς· παρ' ὃ καὶ τὸ αἰγίζεσθαι, ἀπὸ τῶν καταιγίδων*. Ebenso Suidas u. d. W. *αἰγίζειν*. Vgl. auch Zonaras u. d. W. *αἰγίζειν*. Danach entsprachen die betreffenden Worte den Homerischen, Od. IX, 291:

τοὺς δὲ διαμελεϊστὶ ταμὼν ὡπλίσσατο δόρπον.

Daß auch der folgende Vers, in welchem Heath *τὰ δ'* richtig für *τάδ'* verbesserte, keineswegs vollständig hergestellt ist, liegt, denk' ich, auf der Hand, obgleich Niemand vor mir Anstoß genommen hat. Die *μέλη* können doch nicht den *σάρκες* entgegengesetzt werden. Zudem ist das Wort *μέλη* so gestellt, daß man fühlt, es solle nicht allein mit *τὰ δ'* verbunden werden. Nach Homer, Od. IX, 193 handelt es sich außer den *σάρκες* um die *ἔγκατά τε καὶ ὀστέα μυελόεντα* *). Meine frühere Vermuthung,

*) Aehnlich heißt es bei Ovid, Metam. XIV, 208 fg.

daß das Wort μέλη in einem Zusammenhange gestanden habe, in welchem es zum Ausdrücken der Homerischen Angabe διαμελεϊστὶ ταμών diente, ist jetzt nicht mehr nöthig. Auch habe ich jetzt eine leichtere und passendere Herstellung gefunden. Man schreibe: ἕψεσθαι 'μμελῆ d. i. ἐμμελῆ, „was paßte gekocht zu werden." Ἐμμελὴς findet sich in dieser Bedeutung nicht bloß bei Prosaikern, sondern auch bei Aristophanes, Eccles. Vs 807. Hinsichtlich der Construction mit dem Infinitivus Passivi vgl. ἐπιτήδειοι ὑπεξαιρεθῆναι bei Thukydides VIII, 70.

Weiter scheint in Vs 404 nichts zu verändern zu sein. Wenn Nauck für ἐφῆκεν vorschlug ἔθηκεν und ich ihm bestimmte, so dachte ich nicht an die unmittelbar folgenden Verse, in denen von Odysseus' Dienstleistung die Rede ist (der für Silen eintreten muß, vgl. Vs 31, weil dieser unfähig ist sein Amt zu verrichten, s. Vs 432 fg.). Das Legen in den Kessel soll wohl dem Odysseus zugekommen sein. Polyphem sendet durch ihn die betreffenden Stücke in jenen.

Wohl aber glaube ich, daß in Vs 407 ein Fehler steckt. Ἄλλοι ist sicherlich nicht zu dulden. Kirchhoff schlug ἄλλοι vor, auf welches auch ich zuerst verfallen bin. Jetzt aber glaube ich vielmehr, daß geschrieben war: λαοί. Daß jedenfalls nur an „die Leute" des Odysseus, welche noch am Leben waren, zu denken ist,

vom Kyklopen:

Visceraque et carnes cumque albis ossa medullis
Semianimesque artus avidam condebat in alvum.

Hier hat man unter artus die Extremitäten einzelner Körpertheile, namentlich Hände und Füße zu verstehen, wie auch Vs 196 und bei Vergil, Aen. III, 627. Das μέλη des Euripides hat mit dem artus bei Ovid und Vergil nichts zu schaffen.

liegt auf der Hand. Es war aber passend, das so genau als möglich zu bezeichnen. *Λαοὶ* bedarf des Artikels nicht, vgl. z. B. Hom. Il. X, 205, Eurip. Hec. 553 *).

Vs 449 fg.

ΟΔ. οὐδὲν τοιοῦτον, δόλιος ἡ 'πιθυμία.
ΧΟ. πῶς δαί; σοφόν τοί σ' ὄντ' ἀκούομεν πάλαι.
ΘΔ. κώμου μὲν αὐτὸν τοῦδ' ἀπαλλάξω, λέγων
ὡς οὐ Κύκλωψι πῶμα χρὴ δοῦναι τόδε,
μόνον δ' ἔχοντα βίοτον ἡδέως ἄγειν.

In Vs 451 ist *ἀπαλλάξαι* Lesart aller Handschriften. *Ἀπαλλάξω* rührt von Casaubonus her. G. Hermann verschmähte aber mit Recht diese sich so leicht darbietende Aenderung. In der That sieht man nicht ein, wie *ἀπαλλάξαι* in dem betreffenden Verse so allgemeine Aufnahme finden konnte, wenn es nicht auf Ueberlieferung beruhte. Aber Hermann's Erklärung: „pendet infinitivus ex *πρόθυμός εἰμι*, quod inest in *δόλιος ἡ προθυμία*, kann allerdings nicht gut geheißen werden, und dieser Umstand hat wohl dazu geführt, der aller inneren Wahrscheinlichkeit entbehrenden Correctur Casaubonus' Glauben beizumessen. Sollte etwa zu schreiben sein: *αὐτόν γ' οἶδ' ἀπαλλάξαι*, „ich verstehe mich darauf, bin im Stande, ihn abzubringen"? Das *γ'* hinter *αὐτόν* paßt recht wohl: „gerade ihn," den Weinbegierigen. Freilich kann es auch weggelassen werden, da es auch möglich ist, daß der Anfangsbuchstabe von *τοῦδε* durch Dittographie des *ν* am Ende von *αὐτὸν* entstand, ja, nachdem einmal *οὖδ'* aus *οἶδ'* entstanden war,

*) Gelegentlich hier die Bemerkung, daß, wenn Herwerden a. a. O. p. 55 in Vs 422 *φνος* geschrieben wissen will, ich das nicht für nöthig halte, ja nicht einmal für wahrscheinlich, da bei Homer, dessen Nachahmung gerade im Kyklops so sehr hervortritt, Od. XXI, 293, steht: *οἶνός σε τρώει.*

die Ergänzung jenes zu *τοῦδ'* sich von selbst machte.

Vs 472

erwiedert auf die Worte des Chors:

πόνου γὰρ τοῦδε κοινωνεῖν θέλω

Odysseus:

δεῖ γοῦν· μέγας γὰρ δαλός, ὂν ξυλληπτέον.

Hermann schrieb nach Reiske's Vorgange, nur daß er ein Kolon hinter *δαλὸς* setzte: *οὐ ξ.*, indem er hinzufügte: Quae ratio loquendi eamdem vim habet, ac si dixisset *ὥστε συλληπτέον.* Mir ist das Wahrscheinlichste: *ὡς ξυλληπτέον*, welche Veränderung, zumal da in den Handschriften *συλληπτέον* steht, vollkommen so leicht ist wie die Reiske'sche.

Vs 523 fg.

ist zwischen dem Kyklopen und Odysseus von dem Weingott die Rede:

KY. ἐρυγγάνω γοῦν αὐτὸν ἡδέως ἐγώ.
ΟΔ. τοιόσδ' ὁ δαίμων· οὐδένα βλάπτει βροτῶν.

In Vs 524 scheint es doch passender zu sein, wenn man liest: *οὐδ' ἕνα.* Der Kyklop würde es doch wohl übel nehmen, wenn Odysseus so spräche, daß man auch nur im entferntesten daran denken könnte, derselbe halte ihn für einen Sterblichen; vgl. Vs 281 fg. und Odysseus selbst in Vs 286 fg. Stellen wie Vs 199, 591 und 605, wo Odysseus hinter dem Rücken des Kyklopen spricht, können nicht in Betracht kommen. Sagte Odysseus in Vs 524 aber „nicht einmal einen von den Sterblichen,“ indem er das letzte Wort noch besonders hervorhob, so sagte er etwas, das dem Kyklopen durchaus genehm sein mußte.

Vs 457 fg.

sagt Odysseus in Beziehung auf den *ἀκρεμὼν ἐλαίας*:

ὅταν κεκαυμένον
ἴδω νιν, ἄρας θερμὸν εἰς μέσην βαλὼν
Κύκλωπος ὄψιν ὄμματ' ἐκτήξω πυρί.

Mit Recht nimmt Nauck an ἐκτήξω Anstoß; sagt doch Odysseus selbst kurz darauf συναναγῶ κόρας. Aber das von Nauck nach Hertlein's Emendation in Vs 475 vorgeschlagene ἐκθύψω hat durchaus keine Wahrscheinlichkeit. Die leichteste Veränderung ist jedenfalls: ἐκστίξω, die auch dem Sinne nach bestens paßt, insofern als das στίζειν mit dem Brenneisen geschah. 'Εκστίζειν bedeutet herausstechen und herausbrennen zugleich. Daß dieses Wort nur hier vorkommt, verschlägt nichts.

Vs 527 fg.

ΚΥ. οὐ τοὺς θεοὺς χρῆν δῶμ' ἔχειν ἐν δέρμασιν.
ΟΔ. τί δ', εἴ σε τέρπει γ'; ἦ τὸ δέρμα σοι πικρόν;

Der zweite Vers ist schwerlich ohne Fehler. Was soll denn das Subjekt zu τέρπει sein? Daß man nicht ergänzen darf „vinum in utre contentum," liegt auf der Hand. Ich denke, daß zu schreiben ist: εἴ σφε τέρπει γ', „wenn es ihnen, d. i. den Göttern, Freude macht." In der zweiten Abtheilung des Verses ist dann zu betonen σοί, wodurch hervorgehoben wird, daß der Kyklop auch zu den Göttern gehört. Die Verderbung von σφε in σε ist auch für Vs 704 anzunehmen, vgl. „Scen. u. krit. Bemerkung. z. Eur. Kyklops" S. 34, Anm., und in Vs 555 ist, wie wir unten sehen werden, σφ' von den Abschreibern ganz weggelassen.

Vs 541 fg.

ΚΥ. καὶ μὴν λαχνῶδές γ' οὖδας ἀνθηρᾷ χλόῃ.
ΣΕΙ. καὶ πρός γε θάλπος ἡλίου πίνειν καλόν.

In Vs 541 scheint doch die handschriftliche Ueberlieferung ἀνθηρᾶς χλόης noch näher als auf Kirchhoff's ἀνθηρᾷ χλόῃ hinzuweisen auf:

ἀνθηραῖς χλόαις. *Χλόαι ἀνθέων* bei Plutarch Mor. p. 565, E.

In Betreff von Vs 542 äußerte schon Spengel in der Zeitschrift „Eos," Jahrg. I, 1864, S. 193: das in diesem Verse Gesagte „ist gut griechisch und verständlich, daß es fast verwegen scheint, daran zu zweifeln, aber schärfer wird der Gedanke doch hervorgehoben, wenn man schreibt

καὶ πρός γε θάλπος ἡλίου πίνειν καλεῖ

und überdies ladet die Sonnenhitze zum Trinken ein," wozu er Vs 150 anführt:

δίκαιον· ἡ γὰρ γεῦμα τὴν ὠνὴν καλεῖ.

Nimmt man an, daß *καλοῦν* geschrieben gewesen sei, so handelt es sich nicht allein um eine bedeutend leichtere Aenderung, sondern auch um eine genauere Entsprechung beider Verse in Betreff des Ausdrucks.

Vs 552 fg.

ΚΥ. οὗτος, τί δρᾷς; τὸν οἶνον ἐκπίνεις λάθρα;
ΣΕΙ. οὔκ, ἀλλ' ἔμ' οὗτος ἔκυσεν, ὅτι καλὸν βλέπω.
ΚΥ. κλαύσει, φιλῶν τὸν οἶνον οὐ φιλοῦντά σε.
ΣΕΙ. ναὶ μὰ Δί', ἐπεί μού φησ' ἐρᾶν ὄντος καλοῦ.
ΚΥ. ἔγχει, πλέων δὲ τὸν σκύφον· δίδου μόνον.
ΣΕΙ. πῶς οὖν κέκραται; φέρε διασκεψώμεθα.

Die Schreibweise *φησ'* in Vs 555 rührt nicht bloß von Florens Christianus her, sie findet sich auch im Cod. B. Unter den Handschriften, welche *φῂς* bieten, befindet sich auch der Cod. C. Gegen die gewöhnliche Auffassung jenes Verses bemerkte schon Spengel a. a. O. S. 193 fg.: „die bejahende Zustimmung *ναὶ μὰ Δί'* muß doch einfach auf *κλαύσει*, nicht auf *φιλῶν* gehen; dann erwartet man nicht, was der Wein sagt, sondern Beziehung auf das, was der Kyklops so eben gesagt hat, also *φῄς*, die zweite Person." Gewiß mit Recht. Er fährt dann fort: „wiederholt man zwei Buchstaben *μου οὐ φῄς* —

eine Synizesis, die im drama satyricum vielleicht nicht unmöglich ist — so bezieht sich die Antwort auf das οὐ φιλοῦντά σε und Silenus erwidert: allerdings werde ich weinen, da du sagst, daß er mich nicht liebe, der ich doch so schön bin; es ist Fortsetzung des obigen ἐμ' οὗτος ἔκυσεν ὅτι καλὸν βλέπω.“ Der Gedanke, welchen Spengel voraussetzt, ist sicherlich derjenige, welchen Euripides ausdrücken wollte, aber derselbe liegt mit nichten in den Worten, welche er als die des Dichters giebt, denn nach denen sagt ja Silen, Polyphem leugne ihn (den Silen) zu lieben. Die Zulässigkeit der Synizese wird der verehrte Gelehrte schwerlich noch aufrecht erhalten wollen. Euripides schrieb: ἐπεὶ οὔ μου φῄς σφ' ἐρᾶν. Wie leicht σφ' (d. i. τὸν οἶνον als Accusativus Subjecti) ausfallen konnte, liegt auf der Hand. Verbindet man οὔ(κ) ἐρᾶν, so entspricht das dem vorhergehenden οὐ φιλοῦντα noch genauer, als wenn man οὐ zu φῄς zieht. Vgl. Soph. Philoct. 1389: φημὶ δ' οὔ σε μανθάνειν.

Die Schreibung von Vs 556 ist die von G. Hermann gegebene, welcher bemerkt: Veretur Cyclops, ne ille non plenum sibi scyphum daturus sit: ubi sat vini infusum putat dicit δίδου μόνον. Danach sieht es ja ganz so aus, als ändere der Kyklop mit diesen Worten seinen Sinn, beanspruche er nicht mehr den vollauf gefüllten Becher. Auch scheinen sich an dieselben die folgenden Worte Silens nicht passend anzuschließen. Man erwartet eher so etwas wie „aber erst muß untersucht werden, wie die Mischung ist.“ Sollte nicht der Dichter geschrieben haben:

ἔγχει, πλέων δὲ τὸν σκύφου δίδου νόμον?

Vgl. Aristoph. Thesmoph. 347 fg.: τοῦ χοῶς ἢ τῶν κοτυλῶν τὸ νόμισμα.

Vs 561

hat Nauck wiederum herausgegeben:

ἀπομυκτέον δὲ σοί 'γ, ὅπως λήψει πιεῖν,

obgleich Kirchhoff mit Recht an γ' Anstoß genommen hatte. Dieser meint, daß zu schreiben sei: δέ σοί 'στ'. Mir scheint für γ' ein Wort mit der Bedeutung von „noch“ entschieden passender, ja fast nothwendig. Daher vermuthe ich: 'θ', d. i. ἔτι. Vgl. oben zu Vs 207.

Vs 603 fg.

schließt Odysseus seine Bitte an Hephästos, der das Auge des Kyklopen verbrennen, und an Hypnos, der ihn in den tiefsten Schlaf versenken soll, mit den Worten:

καὶ μὴ 'πὶ καλλίστοισι Τρωικοῖς πόνοις
αὐτόν τε ναύτας τ' ἀπολέσητ' Ὀδυσσέα
ὑπ' ἀνδρός, ᾧ θεῶν οὐδὲν ἢ βροτῶν μέλει.

Wie man hier ἀπολέσητε hat dulden können, ist unbegreiflich. Es ist offenbar zu schreiben: ἀπελάσητ': „weiset mich nicht ab wegen eines Mannes.“ Ἀπελαύνεσθαι „abgewiesen werden mit einem Gesuche“ bei Herodot. V, 94. Hinsichtlich des ὑπό vgl. ἐπιλανθάνεσθαί τινος ὑπό τινος bei Platon Apol. p. 17, A.

Gegen die von Nauck in Vs 605 aufgenommene handschriftliche Lesart οὐδὲν ἢ bemerkte G. Hermann mit Recht: Non tam languide loquentem Euripides fecit Ulixem. Aber seine Veränderung: οὐδέν, οὐ βροτῶν hat auch keine Wahrscheinlichkeit. Odysseus will ohne Zweifel den Hephästos und den Hypnos vornehmlich darauf hinweisen, daß der Kyklop sich nicht um die Götter bekümmere. Der Menschen geschieht nur nebenbei Erwähnung. Der Dichter schrieb wohl: οὐ πλέον βρ., d. i. πλέον ἢ βροτῶν. Das ἢ rührt von einem Erklärer her. Wie dem Kyklopen *βροτῶν μέλει*, ist aus dem Schicksal des Odysseus und seinen Gefährten bekannt.

Vs 627 fg.

heißt Odysseus die Satyrn sich ganz ruhig zu verhalten,

ὡς μὴ 'ξεγερθῇ τὸ κακόν, ἔστ' ἂν ὄμματος
ὄψις Κύκλωπος ἐξαμιλληθῇ πυρί.

Den Ausdruck *κακόν* hat man auf den Kyklopen bezogen, der vorher Vs 599 als *γείτων κακὸς* des Hephästos bezeichnet werde. Aber dazu passen die folgenden Worte durchaus nicht. Schon an und für sich wird man geneigt sein, jenen Ausdruck im Sinne von „Unheil, Verderben" zu fassen und *ἐγείρειν* als „erregen." Dann paßt aber der bestimmte Artikel *τὸ* nicht so gut wie *τι*. Vgl. Vs 597 fg.: *τι ἀπάλαμνον*, 652: *τι μάταιον*.

Vs 630 fg.

ΟΔ. ἄγε νυν ὅπως ἅψεσθε τοῦ δαλοῦ χεροῖν
ἔσω μολόντες· διάπυρος δ' ἐστὶν καλῶς.

Daß man an den Worten *ἔσω μολόντες* gar keinen Anstoß genommen hat, ist sehr auffallend. Man beachte doch nur Vs 635 fg.:

HM. ἡμεῖς μὲν ἐσμεν μακρότερον πρὸ τῶν θυρῶν
ἑστῶτες ὠθεῖν ἐς τὸν ὀφθαλμὸν τὸ πῦρ.

Passen denn diese Worte zu der Aufforderung des Odysseus, in die Höhle hineinzugehen? Oder hält man es für möglich, daß der Dichter absichtlich den Sprecher von Vs 635 fg. die Aufforderung vollständig ignoriren ließ? Es ist ohne Zweifel zu schreiben: *ἐς ὄμμ' ἐλῶντες*, d. i. *ἐλάσοντες*, „um ihn ins Auge zu treiben." Auf diese Worte bezieht sich das *ὠθεῖν-πῦρ* in Vs 636 unmittelbar. Das Participium Futuri Att. findet sich auch Phoeniss. Vs 607 (*ἐξελῶν*).

Vs 632 fg.:

ΧΟ. οὔκουν σὺ τάξεις οὕστινας πρώτους χρεὼν

καυτὸν μοχλὸν λαβόντας ἐκκάειν τὸ φῶς
Κύκλωπος; ὡς ἂν τῆς τύχης κοινώμεθα.

Ist *καυτὸν* richtig für das *καὶ τὸν* der Handschriften hergestellt, was wohl keinem Zweifel unterliegt, so erregt *ἐκκάειν* Bedenken, wie schon Höpfner bemerkte. Die leichteste und passendste Veränderung wäre wohl: *ἐκκνάειν*, vgl. Vs 486: *λαμπρὰν ὄψιν διακναίσει.* Jenes Wort konnte um so eher verderbt werden, als es, und zwar in der Aoristform *ἐξέκνησε*, nur bei Herodot VII, 239 in entsprechender Bedeutung vorkommt.

Vs 650 fg.

sagt Odysseus zum Chor:

νῦν δ' οἶδ' ἄμεινον. τοῖσι δ' οἰκείοις φίλοις
χρῆσθαί μ' ἀνάγκη. χειρὶ δ' εἰ μηδὲν σθένεις,
ἀλλ' οὖν ἐπεγκέλευέ γ', ὡς εὐψυχίαν
φίλων κελευσμοῖς τοῖσι σοῖς κτησώμεθα.

Dachte er wirklich durch die Zurufe sich guten Muth nur für seine Freunde zu verschaffen? Hielt er sich selbst der Standhaftigkeit für so sicher, daß er den Zuspruch nicht nöthig hatte? Und war es billig, daß er seinen stammverwandten, aus seiner Heimath stammenden Freunden (*οἰκείοις φίλοις*), die er noch eben vorher keinesweges geringschätzig erwähnt hatte, und zwar hinter deren Rücken, nicht aber auch sich, einen Mangel an Standhaftigkeit beimaß? Die Stelle Vs 407 fg. wird man doch nicht dafür veranschlagen wollen. Vs 193 gerieth Odysseus bei dem Erscheinen des Kyklopen selbst in Schrecken. Sein Sprechen und Handeln von Vs 624 an deutet keinesweges auf ruhige, des Erfolges sichere Beherztheit; vgl. die Scen. u. krit. Bemerkungen zu Eurip. Kyklops S. 27. Bei Homer, Od. IX, 531 fg. erhält er seine vier Gefährten durch das Loos als Theilnehmer an dem Wagestück, und zwar gerade dieselben, welche er sich selbst ausgewählt haben würde. Alle zwölf, welche er mitgenommen hat, gehören zu den „Besten" der ganzen Mannschaft (Od. IX, 193 fg.). Er sieht sich allerdings veranlaßt, kurz vor der Ausführung allen Muth einzusprechen, damit sie sich nicht zurückziehen. Aber die Worte Vs 380 fg., die sich auf den Augenblick unmittelbar vor der Handlung beziehen: *θάρσος ἐνέπνευσεν μέγα δαίμων*, sollen sich ohne Zweifel ebensowohl auf ihn selbst als auf seine Gefährten beziehen, wie denn auch nachher nach dem Aufschrei des Kyklopen nicht bloß diese in Furcht gerathen und weglaufen (Vs 396). Hiernach ist es wohl nicht zu gewagt, wenn ich das *φίλων* bei Euripides Vs 653 als verdächtig betrachte. Die leichte Veränderung in *φίλην*, „erwünschte, willkommene," würde das oben geäußerte Bedenken heben.

Vs 661 fg.

τόρνευ', ἕλκε, μή σ' ἐξοδυνηθεὶς
δράσῃ τι μάταιον.

Schon Musgrave nahm mit vollstem Recht an *ἕλκε* Anstoß, quod occasioni non conveniret, wie G. Hermann angiebt, der in sehr verwunderlicher Weise den Englischen Gelehrten durch einfache Verweisung auf die bekannte Stelle Homers Od. IX, 384 fg. abfertigen zu können vermeint. Doch trifft Musgrave's *ἕλκου*, saucia, gewiß nicht das Richtige. Vermuthlich schrieb der Dichter: *εἶλλε*, in der Bedeutung von „treibe um, drehe" (Aristoph. Nub. 761, Apollon. Rhod. Arg. II, 571, Platon. Tim. p. 40, b, Aristot. de caelo II, 13).

Auch die folgenden Worte des Nauck'schen Textes sind nicht in Richtigkeit. Daß der Chor die an der Blendung des Kyklopen Betheiligten auffordert, zu drehen und umzutreiben, damit der

Kyklop ihnen kein Leid zufüge, scheint durchaus unpassend. Jenes wie das, wozu der Chor im Vorhergehenden außerdem noch antreibt, geschieht, um an dem Kyklopen Rache zu nehmen. Dazu kann immerhin vom Chor der Wunsch gefügt werden, daß dem Odysseus und seinen Gefährten bei der That durch den Kyklopen nichts Schlimmes widerfahren möge. Ob es ähnliche Erwägungen waren, durch die Hermann veranlaßt wurde μή δέ σ' ἐξοδυνηθεὶς zu schreiben, mag dahin gestellt bleiben. Nach seinen Worten sieht es ganz so aus, als thue er es wegen der Auctorität des Flor. 1. 2, die δέ für σ' bieten, wie auch im Cod. C μήδ' (so!) steht. Ich habe, ehe ich dieses wußte, das δὲ hergestellt. Da aber ἐξοδυνᾶσθαι sonst, so viel ich weiß, nicht vorkommt und — was mehr sagen will — hier nur passend ist, wenn es wesentlich in derselben Bedeutung gefaßt wird, welche ὀδυνηθεὶς hat, nicht aber in dem Sinne von „schmerzbefreit," so glaubte ich, und glaube das noch, daß geschrieben war: μή δ' ἐς σ' ὀδυνηθείς. Δρᾶν τι εἴς τινα bei Sophocl. Oed. Col. Vs 976; δρᾶν δεῖνα εἴς τινα bei Cassius Dio LXXI, 3.

Vs 677

erwähnt der Kyklop den Odysseus mit den Worten:

ὁ μιαρός, ὅς μοι δοὺς τὸ πῶμα κατέκλυσε,

worauf der Chor Vs 678 bemerkt:

δεινὸς γὰρ οἶνος καὶ παλαίεσθαι βαρύς.

Die Handschriften bieten in Vs 677 als letztes Wort κατέκαυσε. Κατέκλυσε rührt von Canter her. Musgrave vermuthete: κατέκλασε. Wenn Hermann bemerkte: Mihi optima visa est Canteri emendatio, quae et facillima est, et cum caeteris verbis optime consentit, so berücksichtigte er in den letzten Worten das παλαίεσθαι nicht. Der Begriff dieses („niedergerungen werden," vgl.

Eur. Electr. 686 in Bezug auf Aegisthos: *εἰ παλαισθεὶς πτῶμα θανάσιμον πεσεῖ*) spricht gerade für *κατέκλασε*, was bei Theokrit, Id. XXV, 146 fg. im eigentlichen Sinne „niederbrechen, niederbeugen" vorkommt. Zudem empfiehlt sich *κατέκλασε* auch dadurch, daß es viel kräftiger und bezeichnender ist. Für dasselbe spricht ferner auch wohl die von zweiter Hand herrührende Lesart im Cod. B: *κατέσπασε*. Vgl. auch Homer Od. IX, 516, wo Polyphem sagt: *ἐπεί μ' ἐδαμάσσατο οἴνῳ*, und besonders Plutarch. Mor. p. 596: *κεκλασμένος μέθῃ*. Was endlich die Leichtigkeit der Aenderung betrifft, so ist der Uebergang von *ΚΑΤΕΚΛΑΣΕ* in *ΚΑΤΕΚΑΥΣΕ* nicht eben schwerer als der von *ΚΑΤΕΚΑΥΣΕ*, zumal wenn man annimmt, daß jenem ein Verschreiben in *ΚΑΤΕΚΑΣΕ* oder *ΚΑΕΚΛΑΣΕ* zu Grunde lag.

Vs 694 fg.

sagt Odysseus zum Kyklopen:

κακῶς γὰρ ἂν Τροίαν γε διεπυρώσαμεν
εἰ μή σ' ἑταίρων φόνον ἐτιμωρησάμην.

Kirchhoff nimmt an dem *κακῶς* Anstoß, welches auch mir wenig zusagt. Er schlägt vor: *καλῶς*. Ich glaube viel eher, daß zu schreiben ist: *κ ἄ λ λ ω ς*. *Ἄλλως*: „ohne Grund." Im zweiten Verse ist zu betonen *μ ή σ'*, da das Pronomen im Gegensatze zu *Τροίαν γ'* steht.

Vs 696 fg.:

ΚΥ. *αἰαῖ· παλαιὸς χρησμὸς ἐκπεραίνεται.*
τυφλὴν γάρ ὄψιν ἐκ σέθεν σχήσειν μ' ἔφη
Τροίας ἀφορμηθέντος. ἀλλὰ καὶ σέ τοι
δίκας ὑφέξειν ἀντὶ τῶνδ' ἐθέσπισε,
πολὺν θαλάσσῃ χρόνον ἐναιωρούμενον.

ΟΔ. *κλαίειν σ' ἄνωγα· καὶ δέδραχ' ὅπερ λέγω.*
ἐγὼ δ' ἐπ' ἀκτὰς εἶμι καὶ νεὼς σκάφος
ἥσω 'πὶ πόντον Σικελὸν ἔς τ' ἐμὴν πάτραν.

In den früheren Ausgaben wird Vs 701 geschrieben: *καὶ δέδορχ' ὅπως λέγω*, welche Schreibweise von Musurus herrührt. Seit Musgrave schreibt man nach den Handschriften: *καὶ δέδραχ' ὅπερ λέγω*, meistentheils ohne Andeutung der Wahrscheinlichkeit oder Möglichkeit eines Fehlers. Nur Kirchhoff, der zugleich für *καὶ δέδραχ'* vermuthete: *κοὐ δέδοιχ'*, und Paley schlugen für *λέγω* vor, jener: *λέγει*, dieser: *λέγεις*, und Nauck bezeichnet *λέγω* als verderbt. Man wird auch durch eine andere Veränderung als die eben erwähnten, wenig zusagenden schwerlich einen passenden Gedanken herausbringen. Dagegen erhält man einen solchen, wenn man nur *δέδραχ'* in *δέδορχ'* verändert. Odysseus sagt zu dem Kyklopen, daß es ihm unglücklich gehen möge, und fügt dann hinzu „und ich sehe, was ich sage." Der Kyklop hat ja wirklich das größte Leid erlitten. Mit jenem Worte nimmt Odysseus auf das von Polyphem erwähnte Orakel Bezug, nach welchem es auch ihm schlimm ergehen soll, indem er andeutet, daß das eine bloße Prophezeiung sei, deren Erfüllung noch dahinstehe, die ihn jedenfalls nicht schrecke. Daran schließen sich dann sehr passend die Worte *ἐγὼ δ' ἐπ' ἀκτὰς εἶμι* u. s. w.

Vs 708 fg.

ΧΟ. ἡμεῖς δὲ συνναῦταί γε τοῦδ' Ὀδυσσέως
ὄντες τὸ λοιπὸν Βακχίῳ δουλεύσομεν.

Werden denn die Satyrn als Schiffsgesellen des Odysseus dem Bakchios dienen? Vgl. Vs 435 fg. u. 466 fg. Es ist ohne Zweifel zu schreiben: *ἡμεῖς δέ, νῦν ναῦταί γε τ. Ὀ. ὄντες*, u. s. w. In Vs 705 bietet der Cod. B, *νυν ναύταισι*, so, daß *νυν* in *σὺν* corrigirt ist. Auch die anderen Handschriften bieten getrennt *σὺν ναύταισι*.

Für die Redaction verantwortlich: *E. Rehnisch*, Director d. Gött. gel. Anz.
Commissions-Verlag der *Dieterich'schen Verlags-Buchhandlung.*
Druck der *Dieterich'schen Univ.-Buchdruckerei (W. Fr. Kaestner).*

Nachrichten

von der

Königl. Gesellschaft der Wissenschaften
und der Georg-Augusts-Universität
zu Göttingen.

16. März. № 7. 1881.

Königliche Gesellschaft der Wissenschaften.

Sitzung am 5. März.

Wüstenfeld: Magister Pacht gegen Friedrich d. Gr.
Königsberger, Corresp.: Ueber die Irreductibilität von Differentialgleichungen.
A. Ben-Saude: Beiträge zur Kenntniß der optischen Eigenschaften des Analcim. (Vorgelegt von C. Klein.)

Magister Pacht gegen Friedrich d. Gr.

Von

F. Wüstenfeld.

Diese Überschrift ist gewählt worden, um damit anzudeuten, wie ich dazu gekommen bin, über die Persönlichkeit und die Lebensumstände des Mag. Pacht nachstehende Untersuchungen anzustellen, was mir um so näher lag, als sie zugleich das Schulwesen meiner Vaterstadt Hann.-Münden um die Mitte des vorigen Jahrhunderts betrafen.

Johann Ludwig Pacht wurde im J. 1716 geboren, dies ergiebt sich unzweifelhaft aus der Schlußbemerkung über das Alter, welches er erreichte; wenn daher Rotermund-Jöcher als das

Geburtsjahr 1720 angiebt, so beruht dies sicher nur auf der Vermuthung, daß er etwa 18 Jahre alt gewesen sein könnte, als er die Universität bezog, er war aber zu der Zeit schon älter. Pacht selbst nennt sich mehrmals Scharnbecca-Lunaeburgensis, als wenn er in dem Pfarrorte Scharnebeck 1½ Stunden von Lüneburg geboren sei, in den dortigen Kirchenbüchern kommen aber seine Vornamen nicht vor; jedoch findet sich in dem Trauregister, daß ein gewisser Joh. Andreas Pacht aus Neustadt am Rübenberge am 7. März 1707 sich mit Margarethe Elisabeth Eleonore Vorthampf, der Tochter des Organisten Joh. Sebast. Vorthampf in Scharnebeck verheirathet habe und dies sind unzweifelhaft die Eltern des Joh. Ludwig. Die Mutter hatte am 25. März 1710 bei ihren Eltern in Scharnebeck einen Knaben geboren, welcher in der Taufe die Namen Carl Siegmund erhielt, weiter kommt dann der Name Pacht dort nicht vor. Die Erkundigungen in Neustadt a. R. waren leider! vergeblich, weil daselbst bei einem großem Brande die älteren Kirchenbücher zu Grunde gegangen sind und die jetzigen erst mit dem J. 1757 beginnen. Man wird sich also auf die Vermuthung beschränken müssen, daß Joh. Ludwig zwar in Neustadt geboren, aber bei seinen Großeltern in Scharnebeck erzogen sei und sich danach Scharnbecca-Lunaeb. genannt habe. Daß er den Schulunterricht in Lüneburg genossen habe, ist an sich wahrscheinlich, aber nicht mit Bestimmtheit zu erweisen, da in den noch erhaltenen Classenbüchern des Johanneum sein Name nicht vorkommt; er könnte auch die St. Michaelis-Schule besucht haben, und wenn man annehmen möchte, daß er aus den reichen Legaten zu Lüneburg als Schüler oder als Student ein Stipendium erhalten habe, weil er eine Schrift den Mitgliedern des dortigen Magistrats dedicirte, so ist auch hierüber aus den Stipendien-Rechnungen nichts zu ersehen gewesen.

Jedenfalls muß seine Schulbildung eine vorzügliche gewesen sein und mit den besten Kenntnissen ausgerüstet bezog Pacht die Universität Göttingen, wo er am 19. April 1738 als studii theologici cultor immatriculirt wurde. Schon am Ende des zweiten Studienjahrs hielt er eine öffentliche Disputation, wozu Prof. Schmauß das Programm geschrieben hatte: Diss. philos. De ignorantia docta, quam consensu amplissimae facultatis philosophicae in Academia Georgia Augusta, praeside M. Godofredo Everardo Schmaussio ad diem XXIX. Martii A. 1740 in auditorio philosophico publice tuebitur Joannes Ludovicus Pacht, Scharnbecca - Luneburgicus p os. et th. cultor. Gottingae. Der Decan Phöf. Hollmann hatte Chr. Lud. Obbarius, damals Adjunct der philos. Facultät, und Mag. Woog aus Dresden, welcher der Universität nicht angehörte, zu Opponenten bestimmt. (Decanats-Acten).

Mit einer Dedication als Gratulation zum Neujahr 1741 an seine hohen Gönner in dem Magistrat zu Lüneburg erschien von Pacht selbst als Erstlingsarbeit, studiorum sacrorum primitiae, eine Dissertation, welche er öffentlich vertheidigte: Diss. philol. De Christi responsione *Quod dixi dico* Joh. VIII. 25, quam in Acad. Georg. Aug. praeside *Andrea Georg Waehner* ling. or. P. P. O. d. 7. Jan. 1741 publico eruditorum examini submittet auctor respondens *Jo. Lud. Pacht*, Scharnbecca - Lunaeburgensis, philos. et theol. cult. Gottingae. — Am 20. Oct. 1741 erhielt Pacht eine Vocation als Con-

17*

rector an die Schule zu Münden, machte vor seinem Abgange dahin das Magister-(Doctor-) Examen und schrieb dazu: Diss. inaug. philol. De eruditione Judaica, quam pro consequendis summis in philosophia honoribus praeside *Andrea Georgio Waehnero*, praeceptore suo devenerando d. V. Januar. 1742 publico eruditorum examini submittet auctor *Jo. Lud. Pacht*, Lycei Mündens. conr. design. Das Datum V. Januar, ist corrigirt in XIII. Jan. und von diesem Tage ist auch das Diplom ausgestellt unter dem Prorectorat von Feuerlein und dem Decanat von Heumann. Das Verhältniß zu Prof. Wähner hatte sich zu einem sehr freundschaftlichen gestaltet, und dieser ließ zum Abschied noch eine Abhandlung erscheinen: De sanctificatis per conjuges conjugibus ad 1. Cor. VII. 14 disserit et Joa. Ludovico Pacht, amico suo in paucis dilectissimo summos in philosophia honores et conrectoris apud Mundenses munus gratulatur *Andreas Georg Waehner*, Gottingae. Wenn man die beiden vorhin genannten Dissertationen hier und da, selbst in der Geschichte der Universität Göttingen, Wähner zugeschrieben findet, so läßt sich dies noch besonders aus dessen eigenen Worten in der letztgenannten Abhandlung S. 5 in der Anrede an Pacht widerlegen: Dedisti anno proxime elapso publicum eruditionis philologicae specimen in locum Johanneum Cap. VIII. 25, interpretibus vexatissimum. Novum jam edis de Eruditione Judaica, cet.

Die Schule zu Münden befand sich in den Jahren 1730—40 in dem traurigsten Zustande [1]), von den vier Lehrern Rector, Conrector, Cantor

1) Benutzt sind die Schul-Acten von Münden mit der Aufschrift: »Unterhaltung der Schul-Bediente«, und dem Titel: »Beschreibung der Besoldungen, Neben-Einkünfte

und Subconrector mußten endlich 1737 die beiden ersteren mit vollem Gehalt »pro emeritis declariret« werden, der »seit vielen Jahren [seit 1719] als Cantor« fungirende Constantin Bellermann wurde »mit ansehnlicher Gehaltserhöhung« (zu den bisherigen 109 Thl. 6 mgr. 2²/₃ Pf. kamen 62 Thl. 31 mgr. 5¹/₃ Pf.) zum Conrector befördert und ein Schreibmeister angestellt, die Stelle des Rector blieb wegen mangelnder Mittel unbesetzt. Nachdem dann am 24. Dec. 1739 der Rector emeritus Schumann gestorben, aber, »da dessen Wittwe noch ein halbes Gnadenjahr genoß«, erst am 10. Aug. 1740 ein Collega Quintus hinzugekommen war, wählte der Magistrat am 16. Oct. 1741 den Conrector Bellermann zum Rector mit 208 Thl. Gehalt (mit den Accidentien zusammen 300 Thl.) und am 18. Oct. den Candidaten *Pacht* zum Conrector mit einer Besoldung aus fünf verschiedenen Cassen von zusammen 138 Thl. 12 gr. nebst etwa 25 Thl. als dem fünften Theile des ganzen Schulgeldes, (ein Knabe bezahlte bis dahin 12, von jetzt an 24 mgr. jährlich), nachdem davon 20 Thl. für den Conrector emeritus abgezogen waren, dazu kamen vier Klafter Holz, ein kleiner Garten und einige Accidentien; er verdiente sich in der Folge noch etwa 200 Thl. jährlich durch Privatunterricht, und im J. 1745 wurde sein Gesuch, das Hausmiethegeld von 10 Thl. um 12 Thl. zu erhöhen, auf Antrag des Magistrats von der Regierung (Münchhausen) »seines Wohlverhaltens wegen« genehmigt [1]).

und übrigen Emolumentorum der jetzigen Schul-Bediente bei hiesiger Raths-Schule« (1744).

1) Bei seinem Abgange von Münden im J. 1754 wurden seinem Nachfolger alle solche persönlichen Zulagen gestrichen, der Gehalt vermindert und das Schul-

Bellermann mag in seiner Stellung ein ganz guter Gesanglehrer und Organist gewesen sein, er hat mehrere Motetten, Cantaten und Oratorien geschrieben, auch selbst Gedichte gemacht und in Musik gesetzt, ist sogar im J. 1754 von dem Bürgermeister in Münden J. G. Mejer als Poeta laureatus Caesareus gekrönt, wird aber in wissenschaftlichen Werken als Musiker kaum, als Dichter gar nicht erwähnt [1]). An classischer Bildung war ihm Pacht unstreitig weit überlegen, welcher sogar einigen Schülern ein Collegium privatissimum Syriaco-chaldaicum hielt, und daß ein so gelehrter und vielseitig gebildeter junger Mann sich in den alten Schlendrian einer kleinen Stadtschule nicht recht fügen wollte, ist nur zu begreiflich, zumal da ihm bei seiner Anstellung das Condirectorium übertragen war. Es entstanden zwischen ihnen bald Streitigkeiten, auch mit den anderen Lehrern konnte sich Bellermann nicht vertragen und im Juni 1744 trug er förmlich seine Beschwerden vor, welche von dem Med. licent. Scholarcha et Senator Dan. Phil. Rosenbach zu Protokoll genommen und danach von demselben zu einer Eingabe an den Magistrat ausgearbeitet wurden. Von den 23 Klagpuncten beziehen sich 15 speciell auf den Conrector Pacht: »daß er die Lectionem Theologicam alzu sublim mithin ultra captum discipulorum tractire; daß er dabei nicht das in der Gesnerianischen Schulordnung verordnete Compendium Theologicum Tromsdorfii, sondern seine eigenen theses tractire und dictire; daß er

geld wieder auf den früheren Satz von 12 mgr. jährlich herabgesetzt.

1) Er war 1696 in Erfurt geboren und starb 1768 in Münden, nicht Minden, wie man hier und da, auch in der Deutschen Biographie, liest.

im Lateinischen nicht des Cellarii von Hn. Prof. Gesner revidirte Grammatic, sondern des Langii Grammatic tractire; daß er die privatisten dem Rectori abspänstig mache; daß er keine gute methode in Führung der Schulgelderrechnung habe« u. s. w. Der Conrector widerlegte bei seiner Vernehmung die meisten dieser Punkte und gab nur weniges zu mit Anführung der Gründe, der Rector nahm einiges zurück, blieb aber in den meisten Fällen bei seiner Meinung und nun wurden die Acten zur Begutachtung an den Prof. Gesner nach Göttingen geschickt.

Durch Königl. Verordnung d. d. Hamptoncourt d. $\frac{2}{18}$ Aug. 1737 war nämlich der Magistrat von Münden angewiesen, über Desideria Scholastica sich des Rathes des Prof. Gesner zu bedienen und auf dieses »ansinnen der Königl. und Churfürstl. Regierung hatte Senatus dem Hn. Prof. Gesner wegen seiner der Schule halber habenden Mühwaltung jährlich eine remuneration von 8 Thl. aus der Cämmerey accordiret und demselben bißher auf die fällige Zeit zugesandt«. Gesner gab ein ausführliches Gutachten ab, welches den mir zugestellten Acten leider! nicht beilag, aus welchem indeß am Rande der oben erwähnten Eingabe Rosenbach's der wesentliche Inhalt bei den meisten Klagpuncten »Juxta Gesnerum« angeführt ist. Hiernach wurde dann am 10. Dec. 1744 in einem Erkenntniß des Rathes »das Betragen des Hn. Rectoris intuitu der ungegründeten und empfindlichen Anschuldigungen contra Conrectorem« gerügt, dagegen eine persönliche Beleidigung des letzteren gegen den ersten (er hatte ihn einmal einen Lügner und Stänker genannt) »unter umständen, die dem Hn. Rectori gar leicht zu gleicher Last kommen dürften«, mißbilligt und beide zur Verträglichkeit ermahnt. Dem Prof. Gesner wurde »auf ausdrückliches Verlangen des Hn. Conrectoris von denen hierauff genommenen RathsEntschließungen gleichmäßige Communication« gemacht mit einem Begleitschreiben, an dessen Schlusse es heißt: » und haben wir selbigem solches [diese Communication] um so weniger versagen können, da wir ihm das Zeugnis eines überaus fleißigen, treuen und mit vielem nutzen arbeitenden SchulMannes beylegen müssen«. Gesner antwortete darauf in folgendem im Original bei den Acten befindlichen Schreiben:

HochEdelgebohrne und Hochgelehrte, auch HochEdel u Hochachtbare Insonders Hochgeehrteste Herren, u. Geneigteste Gönner

Ew. Edelgebohren etc. erkenne mich gehorsamst verbunden, daß dieselben von der untersuchung u. Abthuung einiger Irrungen bey Dero Schule mir originale nachricht ertheilen wollen.

Ich freue mich über die hervorleuchtende Klugheit u. moderation, womit die Sache tractirt worden, u. wünsche herzlich daß der abgezielte endzweck vollkommen bey den lehrenden u. lernenden erreicht werden möge.

Ich finde zu meinem Vergnügen viel gutes von dem Hn. M. Pacht u. gleich wie Hr. Bellermann's Brief u. letzt edirte Sachen mir gleichfalls eine vielbessere Meinung von ihm machen, als ich ehedem nicht ohne Grund gehabt: so will nicht alle Hofnung fahren lassen Ew. Edelgebohren etc. werden mittel und wege finden, die beiden Leute wo nicht ganz unter einen Hut zu bringen; doch also zu balanciren, daß die Schule beider Männer gutes genießen, u. sie selbst einander, das ist der Jugend, auf die es endlich hinausläuft, nicht schaden können. Der Hr. Conrector Pacht wird insonderheit wol thun, wenn er betrachtet, daß er auch mit der Zeit Rector werden könne, u. sich der verhoffentl. billigen estime, die ich ihm von Grund der Selen gönne, nicht zum despect seines oberen Collegen, mithin zum offenbaren Schaden der Schule, mißbrauchen. Ich habe das ius talionis in diesem punct sehr offt wahrgenommen; als Conrector manches erlitten, aber in meinen 2 Rectoraten, so lange dieselbe verwaltet, die vollkommenste Ruhe und Zufriedenheit nicht nur selbst genossen, sondern auch unter meinen Collegen erhalten. — Jedoch Ew. HEdelgeb. verlangen und bedürfen dieser Betrachtungen nicht, u. werden schon ohne meinen Beytritt die gehörigen Vorstellungen u. verfügungen machen: daher ich auch, was etwa sonst wegen der Grammatic u. des Vocabelnlernens zu erinneren hätte, gerne zurück behalte, aber doch um des besten der Schule willen, wünschen wollte, Ew. HEdelgeb. möchten sich gefallen lassen, die von mir geschriebene Vorrede der Cellarianischen Grammatic, (: welche nebst dem libro memoriali in Berlin u. Merseburg nachgedruckt, u. in unterschiedenen auswärtigen Schulen eingeführt worden :) mit bedacht u. überlegung zu lesen.

Nebst herzl. anwünschung alles gedeylichen Wohlergehens von Dero hochgeschätzten Personen, Aemtern u. Familien, nahmentl. gesegneter Feyertage u. eines glückl. Jahrwechsels, beharre mit aller Hochachtung u. Ergebenheit

Ew. HEdelgebohren etc. Meiner Hochgeneigten Gönner gehors. tr. Dr.

Gefner.

Göttingen, d. 18. Dec. 1744.

Aus der Zeit seiner Lehrthätigkeit in Münden werden von *Pacht* drei Schulprogramme erwähnt, welche ich mir nicht habe verschaffen können, die Titel sind:

De linguarum et imprimis Ebraeae usu et noxio earundem in scholis neglectu. Gottingae 1747.

De literas elegantiores in scholis tradendi ratione. ib. 1748.

De historia providentiae divinae theatr. ib. 1749.

Daß er seine philologischen Studien unablässig fortsetzte, werden wir weiterhin sehen.

Im J. 1750 erschienen die Mémoires pour servir a l'histoire de Brandenburg. Außer einigen Mitgliedern der Berliner Academie wußten anfangs wohl nur wenige, daß *Friedrich d. Gr.* der Verfasser war. Von dem ungewöhnlichen Aufsehen, welches dieses Werk hervorrief, geben die damaligen kritischen Blätter und die gleich darauf von mehreren Seiten unternommenen Uebersetzungen Zeugniß [1]); es fehlte auch nicht an Widerspruch und es sind sogar einige Gegenschriften erschienen, wie

»Bescheidene Erinnerungen an den Hrn. Verf. der Denkwürdigkeiten der Brandenburgischen Geschichte, darinnen dessen Vorgeben geprüfet wird: Ob die Reformation in Deutschland ein

1) Die anonym unter dem Titel »Merkwürdigkeiten zur Erläuterung der Brandenburgischen Geschichte« zu Frankfurt gedruckte Uebersetzung ist von *Joh. Cstph. Stockhausen*, welcher seinen Namen in das Exemplar der Bibliothek der deutschen Gesellschaft eingeschrieben hat; derselbe ist 1784 als Consistorialrath und Superintendent zu Hanau gestorben. Der Verfasser der »bescheidenen Erinnerungen« benutzte aber außer dem Französischen Originale die andere Uebersetzung »Denkwürdigkeiten der Brandenburgischen Geschichte«.

Werk des Eigennutzes? In Frankreich eine Wirkung des Gassen-Liedes? Und in Engelland ein Erfolg der Liebe? Zur Vertheidigung der Wahrheit und Rettung des Ehren-Gedächtnisses des sel. Lutheri ans Licht gestellet. s. l. 1751«. 168 Seiten kl. Octav.

Der Verf. beginnt seine Vorrede mit den Worten: »Die Denkwürdigkeiten der Brandenb. Geschichte verdienen mit Recht einen Platz unter denjenigen wohlgerathenen Schriften, welche die Mitte dieses J. H. zieren«. Er würde ihm das Lob eines vollkommenen Geschicht-Schreibers »nicht streitig machen, wenn nicht eine alzugroße Neigung zur Tadel-Sucht gar zu vielen Antheil daran schiene genommen zu haben«. »Besonders hat dem H. V. gefallen, allen seinen Witz und Lebhaftigkeit aufzubieten, den Anfang und Erfolg der Reformation auf eine verkleinernde Art vorzustellen. Luther und Calwin genießen bei ihm nicht das Vorrecht, daß man sonsten wolverdienten Männern des Alterthums zu gönnen pflegt«. Das letztere ist der einzige Punct, gegen welchen diese »Bescheidenen Erinnerungen« gerichtet sind und die auf dem Titel aufgeworfenen drei Fragen beziehen sich auf die Stelle der Mémoires S. 27: »Si donc on veut réduire les causes des progrès de la Reforme à des principes simples, on verra qu'en Allemagne ce fut l'Ouvrage de l'Interêt, en Angleterre celui de l'Amour, & en France celui de la Nouveauté, ou peut-être d'une Chanson«.

Voran geht eine kurze, aber aus den Quellen geschöpfte Geschichte der Reformation, worin der Verf. seine große Bücherkenntniß und Belesenheit zeigt, ohne welche es nicht möglich gewesen wäre, neben seinen Berufsgeschäften in kurzer Zeit eine solche Darstellung zu liefern, erst im letzten Drittel des Buches §. 5 kommt er auf die »Ehrenrettung Luthers« und §. 7. 8. u. 9 werden jene drei Fragen erörtert, indem nach der Ansicht Friedrichs d. Gr. die Reformation in Deutschland vorzugsweise dem Verlangen der protestantischen Fürsten nach den geistlichen Gütern, in Frankreich einem Gassen-Liede mit dem Refrain: O Moines! O Moines! il faut vous marier, und in England dem Widerspruch des Papstes Clemens VII. gegen die Scheidung Heinrichs VIII. von seiner Gemalin Catharina und seine Verheirathung mit Anna Bulen zuzuschreiben sei. Das Ganze läuft also auf eine kurze aber wohlgelungene Darstellung der Reformation Luthers hinaus, dessen Verdienste zu schmälern in unseren Tagen nach den Werken von Ranke, Köstlin und Anderen ein eitles Bemühen sein würde[1]).

Der Verf. ist Herr Magister Pacht, Conrector in Münden. Gedruckt ist dieses Buch in Göttingen, woselbst es die Schmidtsche Buchhandlung verlegt hat. So steht auf dem Vorsatzblatt eines Exemplars geschrieben, welches aus der Bibliothek der Deutschen Gesellschaft hierselbst stammend kürzlich der Königl. Universitäts-Bibliothek einverleibt worden ist. Der Schreiber dieser Notiz war der Prof. *Colom*, Secretär und Bibliothekar der genannten Gesellschaft, also ein ganz zuverlässiger Zeuge, und es ist auffallend, daß die Univ.-Bibl. erst im J. 1858 aus

1) Auch der Verfasser einer Englischen Gegenschrift hat es für nöthig gehalten, Calwin und die Protestanten in Frankreich in Schutz zu nehmen: A Comment upon the Memoirs of the House of Brandenburg; wherein the Mistakes, Misrepresentations, Inconsistencies, of the ingenious Author are candidly discussed. With a sketch of a Compassion between Cromwell and Lewis XIV. and a Vindation of the *French* Protestants. London 1751.

der von Prof. Wrisberg († 1808) hinterlassenen Büchersammlung ein anderes Exemplar erwarb und daher weder bei dem Titel, noch bei dem Namen Pacht sich eine Bemerkung über dessen Autorschaft fand, welche auch sonst nicht bekannt gewesen sein möchte. Auf der vorderen Seite des Blattes ist von derselben Hand noch bemerkt: *geschenket von dem Herrn Candidaten Biscamp zu Münden 1752*; dieser Justus Albert Biscamp war ein Schüler Pacht's und studirte in Göttingen 1750 bis 1752.

Der Conrector Mag. Pacht wurde im J. 1754 als Pastor nach Parensen bei Göttingen gesetzt mit dem Filial Kloster Marienstein, dort vollendete er eine in Münden begonnene philologische Arbeit, die nun zum Druck kam:

Historicus Cornelianus d. i. Nachamungen über den Cornelius — nach Anleitung des Vocabularii Knolliani aus vieljäriger SchulErfarung entworfen von Joh. Ludow. Pacht, M. Pr. zu Parensen bei Gött. und Kl. St. Mar.-Stein. Göttingen, Kübler s. a. Die Vorrede ist datirt: Parensen bei Göttingen d. 20. Juni 1755.

Im Sept. 1757 wurde Pacht auf die Pfarre zu Lengelern mit dem Filial Holtensen befördert und hier schrieb er:

Daß Jairi Tochter nicht aus der Ohnmacht, sondern dem Tode durch Jesum erwekket worden: wieder die neuliche Erklärung eines gelerten Mannes aus Heil. Schrift dargethan von M. Jo. Ludow. Pacht, Pred. zu Lengelern und Holtensen bei Göttingen. Göttingen u. Leipzig 1762.

Diese Schrift ist besonders gerichtet gegen »den sonst witzigen Vortrag des gel. Herrn Pastor Rautenberg zu Coppenbrügge, der nun nach Braunschweig berufen worden«[1]).

1) Betrachtung über die Geschichte der Auferweckung

Im Nov. 1762 wurde Pacht auf die Superintendentur zu Einbeck und die damit verknüpfte Predigerstelle bei dem dortigen Stift St. Alexandri befördert, nachdem er in dem Berichte an den König als »ein gelehrter und ad res agendas aufgelegter Mann« empfohlen war. Als er im J. 1773 »wegen seiner zunehmenden Jahre« die leichtere Stelle in Hardegsen zu bekommen wünschte, wurde er im Februar 1774 als Superintendent dahin versetzt, nachdem er damaliger Sitte gemäß als Ephorus in dem Consistorium zu Hannover eine Lateinische Abhandlung De Christo Novi Testamenti conditore vorgetragen hatte, welche zu den Consistorial-Acten gegeben ist. Dort ist er am 6. März 1780 gestorben und hat, nach einer gefälligen Mittheilung des Hn. Superintendenten Soltmann aus dem Kirchenbuche zu Hardegsen, ein Alter von 64 Jahren erreicht.

Ueber die Irreductibilität von Differentialgleichungen.

Von

Leo Koenigsberger in Wien.

Die Irreductibilitätsbedingungen, welche ich in der in der k. Societät veröffentlichten Anzeige meiner Arbeit »allgemeine Bemerkungen zum Abel'schen Theorem« (Crelle's Journal B. XC, H. 2) angegeben habe, lassen sich noch in eine andere aequivalente Form bringen, die

der Tochter Jairi, von C. G. *Rautenberg*. In den Hannov. Beiträgen zum Nutzen und Vergnügen. 1761. St. 88. S. 1886.

für manche Untersuchungen brauchbarer ist, und ich erlaube mir, den Inhalt einer darauf bezüglichen Arbeit, welche nächstens veröffentlicht werden soll, kurz anzugeben.

Es wird zunächst gezeigt, daß die von mir früher gegebene Irreductibilitätsdefinition ersetzt werden kann durch die folgende:

Eine Differentialgleichung

$$y^{(m)^k} + f_1\left(x, y, y', \ldots y^{(m-1)}\right) y^{(m)^{k-1}} + \ldots$$
$$+ f_{k-1}\left(x, y, y', \ldots y^{(m-1)}\right) y^{(m)}$$
$$+ f_k\left(x, y, y', \ldots y^{(m-1)}\right) = 0$$

ist irreductibel, wenn sie weder in Bezug auf $y^{(m)}$ im algebraischen Sinne reductibel ist, noch mit einer algebraischen Differentialgleichung niederer Ordnung ein Integral gemein hat.

Nachdem sodann der Satz bewiesen worden, daß,

wenn eine algebraische Differentialgleichung mit einer algebraischen Differentialgleichung niederer Ordnung, welche in Bezug auf den höchsten Differentialquotienten im algebraischen Sinne irreductibel ist, ein Integral gemein hat, welches keiner Differentialgleichung noch niederer Ordnung genügt, sämmtliche Integrale der zweiten Differentialgleichung auch der ersten genügen, oder die Differentialgleichung niederer Ordnung ein algebraisches Integral der ersteren ist,

wird als kürzeste Definition der Irreductibilität die folgende gegeben:

Eine algebraische Differentialgleichung ist irreductibel, wenn sie in Bezug auf den höchsten Differentialquotienten im algebraischen Sinne irreductibel ist und kein algebraisches Integral irgend einer Ordnung besitzt.

Eine unmittelbare Folge der gemachten Auseinandersetzungen ist der Satz, welcher eine Erweiterung eines früher von mir bewiesenen ist: *Hat eine Differentialgleichung, die in Bezug auf den höchsten Differentialquotienten im algebraischen Sinne irreductibel ist, ein Integral, welches nicht zugleich ein Integral einer Differentialgleichung niederer Ordnung ist, mit einer anderen Differentialgleichung gemein, so hat sie alle Integrale mit der letzteren gemein, d. h. sie ist ein algebraisches Integral der letzteren.*

Dem entsprechend werden sich auch die Sätze, welche ich in einigen meiner letzten Arbeiten bewiesen habe und welche die Unveränderlichkeit von algebraischen Relationen zwischen Integralen verschiedener Differentialgleichungen und den Zusammenhang zwischen dem allgemeinen Integrale und den particulären beliebiger Differentialgleichungen betreffen, erweitern lassen, und ich will mich begnügen, hier den letzten der k. Societät mitgetheilten Satz in seiner neuen Fassung zu geben:

Besteht zwischen einem particulären Integrale z_1 einer algebraischen Differentialgleichung

$$\text{(A)} \ldots F(x, z, z', \ldots z^{(m)}) = 0$$

und einer Reihe von Ableitungen desselben, und zwischen dem Integrale y_1 der in Bezug auf den höchsten Differentialquotienten im algebraischen Sinne irreductibeln algebraischen Differentialgleichung

$$\text{(a)} \ldots f(x, y, y', \ldots y^{(n)}) = 0$$

— für welche y_1 *der Bedingung unterworfen ist, keiner Differentialgleichung von niederer als der* n*ten Ordnung zu genügen — und einer Reihe von Ableitungen desselben eine algebraische Relation*

$$\varphi(x, y_1, y'_1, \ldots z_1, z'_1, \ldots) = 0,$$

so bleibt diese unverändert, wenn man für y_1 *und dessen Ableitungen irgend ein Integral der Differentialgleichung (a) und die Ableitungen desselben setzt, wenn man nur für* z_1 *und dessen Ableitungen ein passendes Integral der Differentialgleichung (A) und dessen Ableitungen substituirt.*

Zum Schluß wird noch eine Anwendung der gegebenen Vereinfachung der Irreductibilitätsdefinition auf die Theorie der homogenen linearen Differentialgleichungen angefügt; es mag hier genügen einen der dort bewiesenen Sätze hervorzuheben:

Hat eine lineare homogene Differentialgleichung mit einer Differentialgleichung niederer Ordnung ϱ*, welche in Bezug auf den* ϱ*ten Differentialquotienten im algebraischen Sinne irreductibel ist, ein Integral gemein, welches nicht zugleich einer Differentialgleichung von niederer Ordnung als der* ϱ*ten genügt, so ist unter der Voraussetzung, daß zwischen den Fundamentalintegralen der gegebenen Differentialgleichung und deren* $\varrho - 1$ *ersten Ableitungen keine algebraische Beziehung besteht, jene algebraische Differentialgleichung* ϱ*ter Ordnung eine lineare und zugleich eine Integralgleichung* ϱ*ter Ordnung der gegebenen Differentialgleichung, und die letztere hat außerdem die reducirte lineare Differentialgleichung* ϱ*ter Ordnung zum Integral*

Wien im Februar 1881.

Beiträge zur Kenntniß der optischen Eigenschaften des Analcim.

Von

A. Ben-Saude aus Portugal.

(Vorgelegt von C. Klein).

Die optischen Eigenschaften des Analcim haben schon seit langer Zeit vielfach die Aufmerksamkeit der Forscher auf sich gezogen. Gestützt auf die trefflichen Beobachtungen Brewster's[1]) sah man die bei diesem Mineral sich darbietenden Erscheinungen als durch Druck erzeugte an, bis in neuerer Zeit Mallard[2]) die Phänomene durch Zwillingsbildung von Theilen niederer Symmetrie erklären wollte. Nach diesem Forscher sollten drei sich durchkreuzende pseudo-quadratische, in Wahrheit selbst wieder in rhombische Theile zerfallende Individuen zum Bau des Krystalls zusammentreten. So wenigstens hat Mallard den Aufbau der würfelförmigen Analcime von den Cyclopen-Inseln erklären wollen.

Auf Veranlassung meines hochverehrten Lehrers, Herrn Professor C. Klein, habe ich mich seit längerer Zeit mit dem Studium der optischen Eigenschaften dieses Minerals beschäftigt und konnte meine Untersuchungen auf Krystalle von Duingen, Andreasberg, Fassathal, Aussig, Montecchio Maggiore, Aetna und Cyclopen-Inseln ausdehnen, welche Vorkommen mir durch die Güte des oben genannten Herrn zur Verfügung standen.

1) On a new species of double refraction, accompanying a remarkable structure in the mineral called Analcime (Read 7th Jan. 1822). Transact. of the royal soc. of Edinburgh Vol X 1824.

2) Explication des phénomènes optiques anomaux etc. Annales des mines T. X 1876.

Wenn man ein Ikositetraëder 2O2 (211) an den verschiedenen Ecken durch Würfel-, Oktaëder- und Rhombendodekaëderflächen abstumpft, so zeigen die entsprechenden Schnitte, je nach ihrer Gestalt als Vierecke oder Dreiecke, Viertheilung nach den Diagonalen und Dreitheilung nach den Ecken, die der schwachen Doppelbrechung der Substanz wegen bei Anwendung eines G psblättchens vom Roth der I. Ordnung in characteristischen Färbungen des Gesichtsfelds im Mikroskop hervortreten. Es muß demnach, wenn man den Ansichten Mallard's folgt, erwartet werden, daß 24 Individuen zum Aufbau des Ikositetraëders zusammentreten. Schnitte parallel den Flächen von 2O2 (211) zeigen nach den vorliegenden Präparaten, bis auf geringe unregelmäßige Einlagerungen anders orientirter Substanz, eine einheitliche Erscheinung.

Die Symmetrie der einzelnen Individuen würde sich, nach den auf Würfel und Oktaëderflächen vorkommenden, annähernd zu den Begrenzungselementen oder deren Diagonalen orientirten Auslöschungsrichtungen [1]) und mit Berücksichtigung der Nichtorientirung der Auslöschungsrichtungen auf den Flächen des Rhombendodekaëders, als optisch zweiachsig, aber nicht als rhombisch, sondern als monoklin oder triklin darstellen. Der zweiachsige Character der hier in Betracht kommenden secundären optischen Erscheinungen, ist durch den auf den Oktaëder- und Rhombendodekaëderflächen beobachteten Aus-

1) Nicht nur verschiedene Fundorte, sondern auch Krystalle eines und desselben Fundorts, zeigen in dieser Beziehung durchaus nicht das gleiche Verhalten, so daß sich aus der in dieser Hinsicht auftretenden Unregelmäßigkeit der Mangel an gesetzmäßiger Bildung behaupten läßt.

tritt einer der beiden optischen Achsen [1]) constatirt. Auf den Würfelflächen bemerkt man den Austritt zweier Achsen; es würde danach eine Mittellinie normal oder nahezu normal auf $\infty O \infty$ (100) stehen. Diese Verhältnisse sind der schwachen Doppelbrechung des Minerals wegen nur schwierig und vorzugsweise auf den optisch wirksamsten Stellen der einzelnen Felder gleicher optischer Bedeutung zu constatiren.

Die fast selbständigen Würfel zeigen auf den Würfelschnitten zunächst das von Mallard beobachtete Verhalten bezüglich der Einheitlichkeit, nach dem Inneren zu tritt Viertheilung ein. Die Oktaëder-Schliffe bieten Dreitheilung nach den Ecken dar. Die Dreitheilung der Flächen von O (111), die Mallard von der Mitte der Seiten nach dem Schwerpunkt des Dreiecks angiebt, wurde selbständig nie beobachtet; wenn sie vorkommt, so tritt sie immer mit ersterwähnter Dreitheilung nach den Ecken combinirt auf.

Die Rhombendodekaëderschliffe, von außen genommen, weisen einen Zusammenhang mit gleichliegenden Schnitten ikositetraëdrischer Krystalle auf, sind aber schon so verwickelt, daß ihre Darstellung durch eine einfache Beschreibung ohne Abbildungen nicht wiedergegeben werden kann.

Studirt man Schliffe aus den oben beschriebenen Gestalten, die sich einerseits mehr dem Würfel, andererseits mehr dem Ikositetraëder

1) Dieselben treten im convergenten polarisirten Licht als Barren auf, die sich entgegengesetzt der Drehung des Tischs bewegen und innerhalb bestimmter Bezirke der Platte nicht an den Ort gebunden sind. Außerdem kommen auch die damit nicht zu verwechselnden schwarzen Banden, welche für Spannungsdoppelbrechung so bezeichnend sind, vielfach bei diesem Mineral vor.

nähern, so zeigt sich, wie ich in einer demnächst erscheinenden Abhandlung ausführen werde, daß die beobachteten Erscheinungen der Doppelbrechung ausschließlich von den Begrenzungselementen des Krystalls abhängen und durch die Art des Auftretens derselben bedingt sind. Während größere Krystalle im Allgemeinen sehr verwickelte Erscheinungen zeigen, sind die kleinsten vorzüglich geeignet die Erscheinungen klar hervortreten zu lassen.

Es zeigt sich beim Studium derselben, dass die optischen Erscheinungen auf Feldern gleicher optischer Bedeutung weit davon entfernt sind einheitliche zu sein; so beobachtet man neben Stellen, die kräftig auf den Ton eines empfindlichen Gypsblättchens vom Roth der I. Ord. wirken, solche, die nur höchst schwach reagiren und andere, die keine Spur einer Wirkung zeigen.

Zuweilen sieht man auf Feldern einer und derselben optischen Bedeutung Uebergänge dieser Erscheinungen von stark doppelbrechenden Stellen herab bis zu solchen, die vollständig isophan sind.

Um aus dem Bereiche zahlreicher Beobachtungen nur eine, wenn auch sehr ausgezeichnete Erscheinung zu schildern, sei die doppelte Theilung eines Würfelschliffs beschrieben, der aus einem Ikositetraëder nach dessen Medianebene genommen ist. Der in Rede stehende Schliff bietet ein Achteck mit Winkeln von 126° 52′ und 143° 8′ dar, je zwei gegenüberliegende spitzere Winkel werden durch die krystallographischen Hauptachsen, je zwei gegenüber liegende stumpfere Winkel durch die rhombischen Zwischenachsen mit einander verbunden. Nach diesen Achsen wird der Schliff in 8 Theile getheilt. Bei der Stellung, in welcher die Halbirungslinien der spitzeren Winkel mit den gekreuzten Nicols zusammenfallen, tritt das Maximum der Dunkelheit ein und die Platte erscheint annähernd gleichmäßig dunkel. Wird der Schliff aus dieser Lage um ein Weniges (3°—5°) nach rechts oder links gedreht, so erscheinen abwechselnd vier Sectoren dunkel und vier hell. Wird die Drehung weiter fortgesetzt bis die Halbirungslinien der spitzeren Winkel mit den gekreuzten Polarisationsebenen der Nicols Winkel von 45° bilden, so werden die an diesen Linien zusammenstossenden Theile stark aufgehellt, während vom Mittelpunkt nach den stumpferen Winkeln fast inactive Zonen verlaufen, die als ein schwarzes Kreuz zwischen je 2 aneinanderstoßenden aufgehellten Sectoren auftreten. Besonders mit Hülfe des Gypsblättchens kann man wahrnehmen, daß dieses Kreuz nicht ganz wirkungslos ist und daß mitten durch die Arme desselben die wahre Trennung der Sectoren als feine Linie verläuft. Die so getheilten Arme des Kreuzes nehmen, der Art aber nicht der Intensität nach, die Färbungen an, welche die Sectoren, denen sie anliegen, zeigen. Je weiter von diesen schwach wirkenden Zonen eine Stelle im Sector liegt, um so größer ist die Lebhaftigkeit ihrer Färbung und erreicht ihr Maximum, wenn sie an den spitzeren Winkeln selbst gelegen ist. Es findet nicht allein eine Abnahme der Farbenintensität in den senkrecht zu den Ikositetraëderkanten verlaufenden Richtungen, sondern auch von den spitzeren nach den stumpferen Winkeln hin statt.

In der Brewster'schen Beschreibung sind die stumpferen und spitzeren Winkel verwechselt und das schwarze Kreuz als die spitzeren

Winkel mit einander verbindend beschrieben. Außerdem ist die mit dem Kreuz nicht zusammenfallende Trennung nicht beobachtet. Die Verwechselung der Winkel kann in der That bei größeren, unübersichtlichen Präparaten, die etwa an den Rändern beschädigt sind, sehr leicht eintreten, während die zweite Theilung ohne Gypsblatt nur selten unzweideutig beobachtet werden kann[1]).

Der Einfluß der Begrenzungselemente auf die optische Structur, die soeben beschriebenen Eigenthümlichkeiten, die theilweise schon Brewster bekannt waren, lassen die Annahme einer wahren Doppelbrechung für den Analcim nicht zu.

Wendet man auf dieses Mineral die von Herrn Prof. C. Klein beim Boracit (diese Nachrichten 1881, Sitzung vom 5. Februar) angegebene Methode der Erwärmung an, so beobachtet man in Schliffen parallel $\infty O \infty$ (100), O (111) und ∞ O (110) eine bleibende Verstärkung der Intensität der Doppelbrechung und ein Verschwinden der schwach doppeltbrechend bis isophanen Theile, die nunmehr ihrerseits auch stark doppeltbrechend werden. Bei diesen Veränderungen ist das Auftreten von distincten und regelmäßigen Trennungslinien in Theilen zu beobachten, die vorher schwach doppeltbrechend oder isophan waren. Letzterer Zustand darf, da die in Rede stehenden Partien homogen sind, nicht als Folge von Ueberlagerung betrachtet werden. Seltner ist eine Verminderung der In-

1) Die von A. v. Lasaulx (N. Jahrb. f. Min. etc. 1878 p. 511) am Picranalcim beobachteten Erscheinungen sind ebenfalls hier zu vergleichen. Ich behalte mir ferner vor auf des genannten Forschers neueste Ansicht bezüglich der Analcime von den Cyclopen-Inseln (Zeitschr. f. Kryst. und Min. V 1881. p. 330 u. f.) später zurückzukommen.

tensität der stark doppeltbrechenden Theile zu bemerken. Hierdurch ist wiederum einleuchtend, daß es sich bei diesen Erscheinungen nicht um wahre Doppelbrechung handeln kann.

Zieht man die oben erwähnten Thatsachen in Betracht, so dürfte die Behauptung gerechtfertigt erscheinen, den Analcim als regulär nach wie vor anzusehen und die an ihm beobachteten abnormen optischen Erscheinungen auf den Einfluß seiner Begrenzungselemente beim Krystallwachsthum zurückzuführen.

Indem ich mir nähere Mittheilungen über diesen Gegenstand vorbehalte und dieselben an der Hand von Figuren zu erläutern versuchen werde, glaube ich nur noch auf ein merkwürdiges Verhalten aufmerksam machen zu sollen, welches Gelatine zeigt, wenn sie in reguläre Formen, z. B. in solche von 2O2 (211) gegossen wird. Schnitte aus den so dargestellten Körpern lassen eine nahezu vollständige Nachahmung der Erscheinungen optisch anomaler Krystalle erkennen — ein Resultat, welches, nach einer gefälligen Mittheilung des Herrn Prof. Klein, gleichzeitig und unabhängig hiervon Herr Prof. Klocke in Freiburg mit derselben Substanz aber auf einem anderen Wege der Darstellung gewonnen hat.

Universität.

Preis-Stiftung der Wittwe Petsche geb. Labarre.

I. Juristische Facultät.

Die von der juristischen Fakultät am 6. Juni 1880 gestellte Preisaufgabe:

Ueber Beschädigung durch Thiere und die daraus entspringenden Civilansprüche nach gemeinem Rechte und den im deutschen Reiche geltenden Codificationen in vergleichender Darstellung
hat zwei Bearbeitungen gefunden, von denen die Fakultät derjenigen mit dem Motto: Utile per inutile non vitiatur den Preis (Dreihundert Mark) zuerkannt hat. Als Verfasser hat sich ergeben:

stud. jur. ***Gustav Böcker*** *aus Göttingen.*

Göttingen, den 7. März 1881.

Der Decan der juristischen Facultät
Ziebarth.

II. Medicinische Facultät.

Behufs Bewerbung um den Preis der Petsche-Stiftung sind der medicinischen Facultät zwei Arbeiten rechtzeitig eingereicht. Der mit dem Motto »Aus Kleinem Großes« bezeichneten Abhandlung ist der Preis zuerkannt worden. Der Verfasser dieser Abhandlung, als welcher sich bei Eröffnung des mit gleichlautendem Motto versehenen Couverts der Cand. med. Herr *Dietrich von Sehlen* aus Hannover ergeben hat, wird hierdurch aufgefordert, sich bei dem Unterzeichneten zur Entgegennahme des Preises zu melden.

Göttingen, 2. März 1881.

Der Decan der medicinischen Facultät
Schwartz.

III. Philosophische Facultät.

Die philosophische Facultät hatte am 5. Mai 1880, da sie über eine doppelte Preissumme verfügen konnte, zwei Aufgaben ausgeschrieben. Für beide waren an den Dekan mit genügender Berücksichtigung der bestehenden Bestimmungen Bewerbungsschriften eingeliefert. Die eine der eingereichten Arbeiten brachte die geforderte: »Zusammenstellung der im Sommer und Herbst 1880 in der Umgegend Göttingen's häufiger vorkommenden Blattläuse« unter dem Motto: »In den Naturwissenschaften hat oft gerade das Studium von Gegenständen, die im gewöhnlichen Leben verachtet werden, zu sehr wichtigen Aufschlüssen geführt«. Die Arbeit wurde für preiswürdig erachtet und ihrem Verfasser der ausgesetzte Preis von Einhundert und funfzig Mark zuerkannt. Der geöffnete Zettel nannte als Verfasser

H. Kronberg, stud. chem. aus Göttingen.

Auch die andere mit dem Motto: 'Ne quid nimis' eingereichte Arbeit, welche die Aufgabe: »Quaeratur, num de codicum rationibus, quibus Livii libri 26—30 continentur, A. Luchs recte nuper judicaverit« behandelte, wurde für preiswürdig befunden und ihrem Verfasser der ausgesetze Preis von Einhundert und funfzig Mark zuerkannt. Der geöffnete Zettel nannte als Verfasser

Oscar Haccius, stud. phil. aus Otterndorf.

Die zuerkannten Preise können von den Preisträgern bei dem Dekan der philosophischen Facultät erhoben werden.

Göttingen, 1. März 1881.

Die philosophische Facultät.
Der Dekan.
E. Ehlers.

Gesellschaft für Kirchenrechtswissenschaft in Göttingen.

Am 10. November 1880 hat sich nach längeren vorbereitenden Verhandlungen in Göttingen eine Gesellschaft für Kirchenrechtswissenschaft gebildet. Auf Einladung der Professoren des Kirchenrechts an der Universität Göttingen, der Geheimen Justizräthe Dr. *O. Mejer* und Dr. *R. Dove*, ferner des Professors der Geschichte Dr. *R. Pauli* und der Professoren der Theologie Consistorialräthe Dr. *Wagenmann* und Dr. *A. Ritschl*, welche zugleich ein Statut entworfen hatten, sind der Gesellschaft zunächst 27 Mitglieder beigetreten, darunter der Curator der Georg-Augusts-Universität, 19 Göttinger Universitätslehrer[1], 3 Superintendenten, der Inspector im theologischen Stift, der Präsident und 2 Räthe des Landgerichts zu Göttingen. Der Vorstand besteht für das erste Jahr aus den oben genannten fünf Universitätslehrern. Zum Vorsitzenden wurde für das erste Jahr Geh. Justizrath Dr. *Dove*, zu dessen Stellvertreter Geh. Justizrath Dr. *Mejer*, zum Schriftführer Consistorialrath Dr. *Wagenmann* erwählt. Der Beitritt als Mittglied erfolgt bis auf Weiteres (nach Statut §. 2) auf Einladung durch den Vorstand. Das Mitgliederverzeichniß ist im 1. Sitzungsberichte enthalten. — Zur vorläufigen Orientirung diene das Folgende:

1. Nachricht über die Gesellschaft für Kirchenrechtswissenschaft.

Die mit dem Sitze in Göttingen gebildete *Gesellschaft für Kirchenrechtswissenschaft* stellt sich zur *Aufgabe*, *einen Sammelpunkt für Be-*

1) Seitdem sind noch 2 Universitätslehrer beigetreten.

strebungen im Gebiete des Kirchenrechts, des canonischen Rechts, des Kirchenstaatsrechts, des Eherechts und ihrer Geschichte *zu bilden*, und des *wissenschaftlichen Austausches mit den verwandten Disciplinen, insbesondere der Theologie, Geschichte und Jurisprudenz zu pflegen.* Einwirkung auf öffentliche Angelegenheiten bezweckt sie nicht. (Statut §. 1).

Mittel zur Förderung des Gesellschaftszwecks sind insbesondere:

1. Die Sitzungen und Verhandlungen der Gesellschaft.
2. Die Correspondenz auswärtiger Gelehrter und die Gewinnung kirchenrechtlich interessanten urkundlichen Materials.
3. Das wissenschaftliche Organ der Gesellschaft.

Eine der Sitzungen soll im Oktober gehalten werden, um auch auswärtigen Mitgliedern und Correspondenten zur persönlichen Theilnahme Gelegenheit zu geben. (Aus: Statut §. 5).

An Vorträge oder Mittheilungen kann eine Besprechung angeknüpt werden. Abstimmungen finden außer in Gesellschaftsangelegenheiten nicht statt. (Aus: Statut §. 5).

Die *Protokolle* über die Sitzungen *werden in der Zeitschrift für Kirchenrecht abgedruckt.* Vortragenden ist gestattet, zur Aufnahme in diesen Abdruck einen gedrängten Abriß ihres Vortrags in gemessener Zeit dem Vorstande zugehen zu lassen. (Aus: Statut §. 6).

Die *auswärtigen Mitglieder* und *Correspondenten* werden vom Vorstande um Förderung der Gesellschaftszwecke ersucht. Ihre *Mittheilungen* werden in den Sitzungen vorgetragen, beziehungsweise vorgelegt. (Aus: Statut §. 10).

Wissenschaftliches Organ der Gesellschaft ist die »*Zeitschrift für Kirchenrecht*«[1]. Sie stellt der Gesellschaft für deren Mittheilungen eine eigene Rubrik zur Verfügung, in welcher über die Verhandlungen regelmäßig berichtet wird, und die Mittheilungen des Vorstandes in Gesellschaftsangelegenheiten veröffentlicht werden.

Ein besonderer Ausschuß (Redactions-Ausschuß), welchem der Schriftführer, die Professoren des Kirchenrechts an der Göttinger Universität und einige weitere vom Vorstande zu bezeichnende Mitglieder angehören, soll sich die Förderung des Gesellschaftsorgans angelegen sein lassen, insbesondere auch durch Pflege der Beziehungen zu den dem Kirchenrecht angränzenden Disciplinen. Im Uebrigen normiren hinsichtlich des Verhältnisses der Redaction und der Mitarbeiter zu dem Inhalte der Zeitschrift die folgenden seit 1871 maaßgebenden Grundsätze:

»Die Mitarbeiter sind in der freien Aeußerung ihrer wissenschaftlichen und kirchlichen Ueberzeugungen nicht beschränkt. Die Redaction giebt also durch die Aufnahme einer Arbeit nicht ihre Zustimmung zu allen darin ausgesprochenen Ansichten, sondern nur zu erkennen, daß sie die Arbeit nach Inhalt und Form für geeignet zur Veröffentlichung in einer wissenschaftlichen, dem Rechte der christlichen Kirchen gewidmeten, aber auch die Berechtigung des Staates zur selbstständigen Erfüllung seines sittlichen Berufs anerkennenden Zeitschrift hält. Kein Mitarbeiter ist für etwas anderes verantwortlich, als was er selbst geschrieben hat. Die Aufsätze der Herausgeber stehen mit allen

1) Deren Verlag ist auf die akademische Verlagsbuchhandlung von *J. C. B. Mohr — Paul Siebeck* — in *Freiburg* im Br. übergegangen.

übrigen auf völlig gleicher Linie. Auch sie erscheinen unter alleiniger wissenschaftlicher Verantwortlichkeit ihrer Verfasser.« (Aus: Statut §. 7 und Anlage dazu).

Die Mitglieder erhalten eine durch den Vorstand unterzeichnete *Mitgliedschaftsurkunde.* — Das Stimmrecht in Gesellschaftsangelegenheiten üben nur die persönlich anwesenden Mitglieder aus. (Aus: Statut §. 2).

Mitglieder können *durch Vermittlung der Gesellschaft* die Zeitschrift für Kirchenrecht *für den Buchhändlerpreis* beziehen. (Aus: Statut §. 9).

Hinsichtlich des *Erwerbs der früher erschienenen Theile der Zeitschrift* hat der Vorstand der Gesellschaft den Mitgliedern, welche seine Vermittelung in Anspruch nehmen, *namhafte Begünstigungen* ausgewirkt.

2. Die erste Sitzung der Gesellschaft

hat am 20. December 1880 stattgefunden. Der betreffende Sitzungsbericht ist im ersten Hefte des XVI. Bandes der Zeitschrift für Kirchenrecht zum Abdrucke gelangt. Wir geben hier den Inhalt desselben: Ansprache des Vorsitzenden. Geschäftliche Mittheilungen. Besprechung eingegangener literarischer Geschenke. — Vortrag des Geh. Justizraths Dr. *O. Mejer*: Zur Geschichte des protestantischen Eherechts im nördlichen Deutschland von 1539 bis 1570. — Mittheilung des Dr. *O. Bernheim*, einen bisher unbekannten Bericht über das Concil zu Pisa von 1135 betreffend. — Ein von Professor Dr. *Hugo Lörsch* in Bonn mitgetheiltes ungedrucktes eherechtliches Urtheil von 1448, vorgelegt durch Geh. Justizrath Dr. *Dove.* — Bemerkungen des Geh. Justizraths Dr. *Dove* über das Verhältniß des Staates zur wissenschaftlichen Vorbildung der Geistlichen. — Anlage: Literarische Geschenke, welche für die Gesellschaft eingegangen sind Nr. 1—55.

Bei der Königl. Gesellschaft der Wissenschaften eingegangene Druckschriften.

Man bittet diese Verzeichnisse zugleich als Empfangsanzeigen ansehen zu wollen.

Februar 1881.

J. Hann, Zeitschrift für Meteorologie. Bd. XVI. Februar 1881.
E. Cardona, dell' antica Litteratura catalana. Napoli. 1878.
Contributions to the Archaelogy of Missouri. Of the St. Louis Acad. of Science. T. I. Salem. Mass. 1880. 4°.
Bulletin of the Essex Institute. Vol. 11. No. 1—12.
Proceedings of the American phil. Society. (Philadelphia) Vol. XVIII. No. 106.
List of the Members. 1880.
Publications of the Cincinnati Observatory. 5. 1878—79.
Proceedings of the American Academy of arts and sciences. Vol. VII. P. 2. Boston.
Annals of the New York Acad. of Sciences. Vol. I. No. 9—13.
Annals of the Lyceum of Natural History. Vol. XI. No. 13. Index and contents.
G. M. Wheeler, Report upon geographical and geological explorations and surveys west of the one hundredth meridian. Vol. II. III. IV. V. VI. Washington. 4°.
Statistique internationale des banques d'émission. Autriche — Hongrie — Pays-Bas etc. Rome. 1881.
Statistique internationale des banques d'émission. France.
Revista Euskara. Anno quarto. No. 38. Pamplona.
L. Bodio, di una statistica sommaria delle Opere pie esistenti in Italia nel 1878. Roma. 1880.
D. G. Zesas, Wirkung der arsenigen Säure auf gesunde und kranke Haut. Straßburg. 1881.
Leopoldina. H. XVII. No. 1—2.

O. Comes, osservazioni su alcune specie di Funghi del Napoletuno. 1880.
Journal of the R. Microscopical Society. February 1881.
Annali di Statistica. Ser. 2. Vol. 17. 1880. Vol. 18. 1881. Roma.
Catalog der Bibliothek der herz. techn. Hochschule zu Braunschweig. I. 1880.
Bulletin of the Museum of Comparative Zoölogy. Vol. VIII. 1—2.
Nature. 590—592.
Sitzungsber. der Münchener Akad. der Wiss. Mathem. naturw. Classe. 1881. H. 1.
Monthly Notices of the R. Astron. Society. Vol. XLI. No. 3.
J. W. Glaisher, various papers and notes. Cambridge. 1881.
Von demselben 5 Separat-Abdrücke mathem. Inhalts.
Tageblatt der 53. Versammlung deutscher Naturforsch. u. Aerzte in Danzig. 4°.
Publication des k. preuß. geodätischen Instituts. Westphal, Winkel- und Seitengleichungen u. Werner, über die Bezeichnung etc. Berlin 1880.
Nachrichten von der Gesellschaft für Kirchenrechtswissenschaft in Göttingen. No. 1—2.
Atti della R. Accad. dei Lincei. Vol. V. Fasc. 5. 1881.
H. Wild, Annalen des physik. Central-Observatoriums. Jahrg. 1879. 4°.
Erdélyi Muzeum. 2 Sz. VIII évtolyam.
R. Hörnes u. M. Accinger, die Gasteropoden der Meeres-Ablagerungen der ersten und zweiten Miocänen Mediterran-Stufe in der österreich. Monarchie. Wien. 1880. 4°.
Verhandlungen der k. k. geolog. Reichsanstalt. Jahrg. 1880. No. 12—18.
Jahrbuch der k. k. geolog. Reichsanstalt. Jahrg. 1880. No. 4.
Abhandlungen für die Kunde des Morgenlandes. Bd. VII. No. 2.
F. C. Noll, der zoologische Garten. XXI. Jahrg. No. 7—12.
Atti della Società Toscana. Proc. verb. Jan. 1881.
Revista Euskara. Anno. 4. No. 34.

(Fortsetzung folgt.)

Für die Redaction verantwortlich: *E. Rehnisch*, Director d. Gött. gel. Anz.
Commissions-Verlag der *Dieterich'schen Verlags-Buchhandlung.*
Druck der *Dieterich'schen Univ.-Buchdruckerei (W. Fr. Kaestner).*

Nachrichten

von der

Königl. Gesellschaft der Wissenschaften
und der Georg-Augusts-Universität
zu Göttingen.

11. April. № 8. 1881.

Königliche Gesellschaft der Wissenschaften.

Elektrische Schattenbilder.

4. Versuchsreihe (im Auszug [1]).

Von

W. Holtz.

Weitere Versuche zeigten, daß verschiedene Seidenstoffe sehr ungleich wirken, daß Seide aber bis zu gewissem Grade auch durch andre Stoffe zu ersetzen sei, so z. B. durch Seidenpapier, eventuell auch durch Schreibpapier oder Wachstafft, wenn man letztere zur Genüge mit feinen Nadelstichen versieht. Bei etwa 200facher Lage von Seidenzeug präsentirten sich eigenthümliche Lichtphänomene, welche man Vergrößerungen eines einzigen Glimmlichtpunktes nennen kann, zusammengesetzt aus einer Büschel- und Flächenentladung, erheblich verschieden bei positiver und negativer Elektricität. Einige andre nicht erwartete Resultate ergab die Hemmung durch

1) Eine ausführlichere Mittheilung erscheint in Carl's Repertorium der Physik.

Seidenzeug, die Einschließung und Theilung des Strahlenbündels durch gläserne Röhren. Es schien, als ob erstere mehr für die positive, letztere mehr für die negative Ausstrahlung ein Hinderniß seien. Hierauf untersuchte ich den Schatten, welchen eine Elektrode durch ihre eigne Gestalt wirft, welchen ein interpolirter Körper, wenn man ihn elektrisirt, endlich welchen ein Strahlenbündel selber wirft, und untersuchte zugleich den elektrischen Zustand, welchen ein Körper dadurch annimmt, daß man ihn kürzer oder länger zwischen Spitze und Fläche interpolirt. Die hierbei gewonnenen Resultate führten zu der Erkenntniß, daß der elektrische Zustand der interpolirten Körper für ihre Schatten und deren eigenthümliche Formen von wesentlicher Bedeutung sei, und daß hierbei nicht bloß die äußerlich mitgetheilte Elektricität, sondern auch die Vertheilung der Elektricität innerhalb der Körper selbst durch Influenz der Elektroden eine Rolle spiele. So ließ sich auch eine frühere bisher unerklärte Erscheinung, die Verzerrung des Bildes in sonst axialer Lage des Körpers bei einfacher Drehung desselben deuten. Ferner untersuchte ich, wie weit gleichgerichtete Strahlenbündel einander abstoßen, und fand, daß eher eine Anziehung resultire, für welche jedoch eine rein mechanische Ursache zulässig schien. Dann untersuchte ich die Schattenbildung bei allmählig abnehmendem Druck der Luft, wobei sich verschiedene Gegensätze bei positiver und negativer Ausstrahlung erkennen ließen. Endlich constatirte ich, daß Büschel, an sehr feinen Spitzen erzeugt, ein den Glimmlichtstrahlen in mehrfacher Hinsicht ähnliches Verhalten zeigen.

Universität.

Beneke'sche Preisstiftung.

Die Aufgabe der Beneke'schen Preisstiftung für das Jahr 1884 ist folgende:

»Die philosophische Facultät verlangt, daß ein allgemeiner Ueberblick über die Entwicklung der Cultur der italischen Völker gegeben und dann im Besonderen gezeigt werde, was die bildenden und zeichnenden Künste bei den Italern den Künsten der Nichtitaler verdanken, und hinwiederum, wo sie außerhalb der italischen Länder Wurzel getrieben und wiefern sie einen Einfluß auf die Entwicklung der Künste bei Nichtitalern gehabt haben.«

Bewerbungsschriften sind in deutscher, lateinischer, französischer oder englischer Sprache mit einem versiegelten Briefe, welcher den Namen des Verfassers enthält, Schrift und Brief mit dem gleichen Spruch bezeichnet, bis zum 31. August 1883 an uns einzusenden.

Die Entscheidung erfolgt am 11. März 1884, dem Geburtstage des Stifters, in öffentlicher Sitzung. Der erste Preis beträgt 1700 Mark, der zweite 680 Mark. Die gekrönten Arbeiten bleiben unbeschränktes Eigenthum des Verfassers.

Göttingen, 1. April 1881.

Die philosophische Facultät.
Der Dekan.
E. Ehlers.

Promotionen der Juristischen Facultät in dem Zeitraume vom 18. März 1880 bis dahin 1881.

26. April 1880. Graf *Percy von Bernstorff* aus Stintenburg.
28. April. *Max Theodor Paul Spieß* aus Berlin.
30. April. *Adolf Kuttner* aus Berlin.
3. Mai. *Richard Wolff* aus Cöln.
10. Mai. *Ludwig Cohausz* aus Borken.
12. Mai. *Carl Wilhelm Spitta* aus Bonn.
14. Mai. *Carl Limbourg* aus Bitburg.
14. Juni. *Hugo Wrubel* aus Breslau.
18. Juni. *Julius Waldthausen* aus Essen.
19. Juni. *Siegfried Sommer* aus Rotenburg a/F.
21. Juni. *Eberhard Wichmann* aus Wolfenbüttel.
30. Juni. *Erich Oehlmann* aus Braunschweig.
1. Juli. *Ludwig Calm* aus Bernburg.
2. Juli. *Leopold Cohn* aus Bremen.
5. Juli. *Robert Völckers* aus Hamburg.
9. Juli. *Adolf Ludw. Gerhard von Thadden* aus Triglaff.
12. Juli. *Georg Meyer* aus Berlin.
14. Juli. *Max von Bergen* aus Hamburg.
16. Juli. *Hermann Weigel* aus Cassel.
19. Juli. *Gustav Simon* aus Werden.
21. Juli. *Wilhelm Dewitz von Woyna* aus Ruhrort.
23. Juli. *Paul Lorsbach* aus Bonn.
26. Juli. *Carl Schilling* aus Berlin.
28. Juli. *Curt Lehmann* aus Berlin.
30. Juli. *Carl Linckelmann* aus Hannover.
31. Juli. *Paul Blanckenhorn* aus Cassel.
2. August. *Gustav Bloem* aus Düsseldorf.
4. August. *Carl Bischoff* aus Erfurt.

5. August. *Gebhard Friedrich von Alvensleben* aus Potsdam.

6. August. *Georg Peckham Miller* aus Milwaukee.

7. August. *Sigismund von Pomian-Dziembowski* aus Marburg.

9. August. *Edmund Munroe Smith* aus New-York.

10. August. *Paul Hoepke* aus Berlin.

11. August. *Paul Kent* aus Frankfurt a/M.

12. August. *Paul Rosenbohm* aus Königsberg i/Pr.

22. October. *Albert Krause* aus Bloemfontein, Orange Freistaat, Afrika.

23. October. *Franz Hubert von Tiele-Winckler* aus Schlesien.

29. October. *Julius Katz* aus Berlin.

12. November. *Max Hübener* aus Hannover.

15. November. *Victor Hugo Max Adam Heidrich* aus Brieg.

17. November. *Victor Hartogensis* aus Haag, Niederlande.

19. November. *Eduard Hermann Parow* aus Cassel.

22. November. *Richard Schilling* aus Blankenburg.

24. November. *Victor Spanjer-Herford* aus Braunschweig.

6. Decbr. *Paul Koepnick* aus Stargard i/P.

7. Decbr. *Julius Teichert* aus Berlin.

8. Decbr. *Friedrich von Michael* aus Mecklenburg.

11. Decbr. *Ludwig Schaffner* aus Homburg.

13. Decbr. *Ludwig Goldschmidt* aus Breslau.

14. Decbr. *Wolfgang Kapp* aus Berlin.

16. Decbr. *Ernst Rosenfeld* aus Berlin.

17. Decbr. *Eugen Daniel* aus Celle.

18. Decbr. *Max Brückner* aus Calbe a/Saale.
20. Decbr. *Alexander Steinmeister* aus Bonn.
21. Decbr. *Walther Langen* aus Bonn.
22. Decbr. *Otto Stürken* aus Hamburg.
22. Decbr. *Arnold Johnen* aus Kirchberg.
24. Januar 1881. *Peter Anton Koll* aus Bonn.
26. Januar. *Albert Gustav Hermann Luyken* aus Landfort.
28. Januar. *Joh. Jakob Daniel Kriege* a. Minden.
31. Januar. *Leopold Sternau* aus Warburg.
2. Februar. *Ernst Gustav Adolf Jacobi* aus Berlin.
7. Februar. *Eugen Boehm* aus Berlin.
16. Februar. *Max Callmann* aus Cöln.
21. Februar. *Hugo Radt* aus Koschmin.
23. Februar. *August Bodenstein* aus Nedlitz.
25. Februar. *Richard Henckel* aus Ballin.
4. März. *Gustav Ewald Wülfing* aus Barmen.
7. März. *Carl Kirsten* aus Ohrdruf.
8. März. *Siegfried Reinert* aus Ostpreußen.
9. März. *Alfred Sigismund Heimann* a. Berlin.
11. März. *Paul Zirndorfer* aus Frankfurt a/M.
12. März. *Georg August von Lepell* a. Colberg.

Bei der Königl. Gesellschaft der Wissenschaften eingegangene Druckschriften.

Man bittet diese Verzeichnisse zugleich als Empfangsanzeigen ansehen zu wollen.

Februar 1881.

(Fortsetzung).

Von der Universität Santjago, Chile.

Annario Estadistico de la República de Chile correspondiente a los annos de 1876 a 1877. Tomo XIX — Santiago 1879.

Anales de la Universidad de Chile 1a, 2a seccion, correspondiente al anno de 1878 i primer semestre de 1879.

Setiones del Congreso Nacional de Chile correspondiente al annó 1878.

Lei de contribucion sobre los haberes. — Memorias de los Ministros del Interior; Relaciones Esteriores i Colonisacion; Justicia, Culto e Instruccion Pública i Guerra i Marina — Estadistica bibliografica de la literatura chilena etc., por don Ramon Briseenno — Tomo 2°. 1879.

Revista Medica de Chile. Entregas 7a, 8a, 9a, 10a, 11a i 12a del tomo VI i entregas 1a, 2a, 3a, 4a, 5a i 6a del tomo VII. 1878.

Annario Hidrografico de la Marina de Chile. Anno V. 1879.

Geografia nautica i derrotero de las costas del Perú, etc., por la Oficina Hidrográfica de Chile. Entregas 1a, 2a i 3a 1879.

Mineralojia por Ignacio Domeyko profesor de Quimica i Mineralojia en la Universidad de Santiago de Chile. 3a edicion. 1879.

Annario de la Oficina Central metéorolójica de Santiago de Chile. Annos quinto i Sesto correspondiente a 1873 i 1874. Santiago 1879.

Proyecto de Codigo rural para la República de Chile-Santiago 1878.

Estadistica agricola de la República de Chile, correspondiente a los annos de 1877 i 1878. Santiago 1879.

Von der Ungarischen Akad. der Wiss. Budapest[1]).

Literarische Berichte aus Ungarn. Von P. Hunfalvy. Bd. 4. Heft 1—4.

Ungarische Revue. Von P. Hunfalvy. 1881. Heft 1. 2.

K. Torma, Repertorium ad literaturam Daciae archaeolog. et epigraphicam.

Almanach der Ungar. Akad. der Wiss. 1881.

Archaeolog. Mittheilungen hrsg. v. d. Ung. Ak. d. Wiss. Bd. 13. Heft 2. 4°.

Philologische Mittheilungen hrsg. v. d. Ungar. Ak. d. Wiss. Bd. 15. Heft 3. Bd. 16. Heft 1. ib. 1880.

1) In ungarischer Sprache. Vom J. 1880 u. 1881.

K. Szász, Graf Istvan Szechenyi.
Monumenta Hungariae archaeologica. Bd. 4. Hft. 1. 2. 4.
Forschungen hrsg. v. d. Ungar. Akad. d. Wiss.
Philolog. Abtheilg. Bd. 8. Th. 5—10. Bd. 9. Th. 1. 2.
Naturwiss. Abtheilg. Bd. 9. Th. 20—25. Bd. 10. Th. 1—18.
Historische Abtheilg. Bd. 8. Th. 10. Bd. 9. Th. 1—3.
Staatswissensch. Abtheilg. Bd. 5. Th. 9. Bd. 6. Th. 1—8.
Mathemat. Abth. Bd. 7. Th. 6—22.
Archaeologischer Berichterstatter. Organ. d. archaeol. Commission d. Ung. Ak. d. Wiss. XIII. 1879. Heft 1—10.
Berichte d. Ungar. Akademie d. Wiss. XIII, 7. 8. XIV, 1—8.
Codex Cumanicus ed. Geza Kuun.
G. Wenzel, kritische Geschichte des Magyar. Bergbaus.
Frig. esty, Das Verschwinden der alten Comitate. Bd. IP 2.
K. Thaly, Ladislaus Ocskay 1703—1710.
Sammlung Alt-Ungar. Dichter hrsg. v. d. Ung. Akad. d. Wiss. Bd. 2.
Monumenta Comitialia regni Transylvaniae. Bd. 6. 1608 - 1614.
Monumenta Hungariae historica. II. Scriptores 30.
A. Sziladiz, Des Pelbart von Temermar Leben und Wirken.
E. Abel, Analecta zur Geschichte des Humanismus in Ungarn.
Jahrbuch der K. Ungar. Akademie der Wissenschaften. Bd. 16, Heft 6.

Von der Akademie der Wiss. zu Krakau[1]).

Scriptores rerum Polonicarum. Tom. 5. Collectanea ex Archivio collegii historici.
Acta historica res gestas Poloniae illustrantia. T. 2. Acta Joannis Sobieski. T. I. p. 1.

1) In polnischer Sprache. Vom J. 1880.

(Fortsetzung folgt).

Für die Redaction verantwortlich: F. Bechtel, Director d. Gött. gel. Anz.
Commissions-Verlag der Dieterich'schen Verlags-Buchhandlung.
Druck der Dieterich'schen Univ.-Buchdruckerei (W. Fr. Kaestner).

Nachrichten

von der

Königl. Gesellschaft der Wissenschaften
und der Georg-Augusts-Universität
zu Göttingen.

25. Mai. | № 9. | 1881.

Königliche Gesellschaft der Wissenschaften.

Sitzung am 7. Mai.

Ehlers: Beiträge zur Kenntniß des Gorilla und des Chimpanse. (S. Abhandl. Bd. XXVII.)

Pauli: Ueber einige Bestandtheile des Königl. Staatsarchivs in Hannover.

Kronecker, Mitglied: Auszug aus einem Briefe an E. Schering.

Ueber einige Bestandtheile des Königlichen Staatsarchivs in Hannover.

Von

R. Pauli.

Die Geschichte des Anrechts der braunschweig-lüneburgischen Linie des Welfenhauses auf den englischen Thron ist besonders mit Rücksicht auf Leibnitz und die Kurfürstin Sophie neuerdings in einigen hervorragenden Werken mit umfassender Benutzung namentlich des urkundlichen Materials behandelt worden. Dagegen muß es auffallen, daß die Ausführung dieses Anrechts, das mehr als einmal mit Vernichtung bedroht war, aus einer Anzahl vorzüglich werthvoller Akten des hannöverischen Staatsarchivs bisher nur fast beiläufig berührt worden ist. In England selber gar, wo man doch gegenwärtig der Geschichte des achtzehnten Jahrhunderts mit gesteigertem Eifer nachgeht, haben dieselben nicht die allergeringste Beachtung gefunden. Indeß gerade aus den Jahren des Uebergangs und der Besitznahme der Krone finden sich hier ganz unschätzbare Berichte, die wegen unmittelbarer Wiedergabe der dortigen Hergänge den Leser in Erstaunen setzen. Es sind wesentlich zwei Gruppen, über welche ich einige Bemerkungen gesammelt habe, die vielleicht in weiteren Kreisen Interesse finden.

Die erste dieser Gruppen besteht aus den Correspondenzen der drei Gesandten, welche der hannöverische Hof seit 1711 nach einander bei der Königin Anna beglaubigte. Sie liegen der Schrift eines bewährten Kenners des Archivs zu Grunde, nämlich Schaumanns Geschichte der Erwerbung der Krone Großbritanniens von Seiten des Hauses Hannover. Aus Akten und Urkunden des Archivs zu Hannover und den Manual-Akten Leibnitz's. Hannover 1878. Ich gestehe gern, daß die Lectüre dieses kleinen Werks dazu beigetragen hat mir den Wunsch zu bestärken dem Gegenstande einmal näher nachzugehen. Doch muß ich zugleich hervorheben, daß über die Vorgänge in England, wo seit dem Sturze der Whig-Regierung und der Verdrängung Marlborough's die Tories unter den Lords Oxford und Bolingbroke am Ruder standen und nahe daran waren beim Ableben der Königin das Scepter in die Hände ihres Stiefbruders zu spielen, des Stuart Prätendenten, dem Anna selber trotz allen Tractaten doch im Herzen den Vorzug gegeben zu haben scheint, diese Berichte noch unendlich viel reicher fließen, als Schaumanns Mittheilungen ahnen lassen.

Eben die Gefahr seine Ansprüche einzubüßen, die mit den Friedensverhandlungen zu Utrecht eine brennende wurde, veranlaßte den Hof von Herrenhausen die beinah passive Haltung aufzugeben, die er bis dahin im Vertrauen auf die Act of settlement und die ihr folgenden Verträge zu der wenig entgegenkommenden Sinnesart Annas beobachtet hatte. Er that es in jenen Missionen, die nicht mehr rein kurfürstlichen Zwecken, sondern bereits der großen Politik dienten. Das kurfürstliche Haus unterhielt in London wie anderswo einen stehenden Geschäftsträger bürgerlicher Herkunft, der alle Aufträge zu besorgen, in politischen Kreisen und bei den Levées der Minister Zutritt hatte, auch wohl Audienz bei der Königin erhielt, aber doch streng genommen kein Vertreter seines Herrn, nicht Diplomat von Rang und Stand war. Im Jahre 1711 wurde ein Herr Berie, ich weiß nicht ob Franzose oder Engländer von Herkunft, seines Alters wegen von dem Herrn Kreyenberg abgelöst, der jedenfalls im Kurfürstenthum zu Hause war. Ihre Stellung entsprach der jener Gebrüder Bonnet, der beiden provenzalischen Protestanten, die in London nach einander den Hohenzollern vom Großen Kurfürsten bis auf Friedrich Wilhelm I. herab dienten und im Königlich Preußischen Staatsarchiv die unvergleichlichen Berichte hinterlassen haben, von denen Ranke für die englische und namentlich für die preußische Geschichte einen so vortrefflichen Gebrauch gemacht hat. Allein der Uebergang der hannöverischen Residentur von Berie auf Kreyenberg traf nicht von ungefähr zusammen mit der ersten wirklichen Gesandtschaft. Von Anfang Januar 1711 nämlich bis in den Juli befand sich Johann Caspar von Bothmer, der Gesandte im Haag, ein unter Georg I. hoch verdienter Staatsmann, als sein Bevollmächtigter am Hofe von St. James in London, mit einigen officiösen Aufträgen, doch vorzüglich in vertraulicher Sendung um die ganze politische Lage, die Stellung der Parteien, die hervorragenden Persönlichkeiten beider Seiten, die Stimmung bei Hofe und in der Nation zu sondiren und zu beobachten, vertraulich sich mit den Whig Freunden zu verständigen, nebenbei auch in aller Stille bei dem neuen Residenten an Stelle der bisherigen etwas abgeänderte und vermehrte Vollmachten der Kurfürstin Sophie für den Fall des Ablebens der Königin Anna zu hinterlegen. Wir verdanken Schaumann a. a. O. S. 61—74 lehrreiche Andeutungen über diese staatsmännische Thätigkeit und in der Allgem. Deutsch. Biographie III, S. 197 sehr erwünschte Personalnachrichten über Bothmer selber. Aus seinen lehrreichen Berichten an den Grafen A. G. von Bernstorff, den langjährigen Leiter der Politik des Kurfürsten und Königs, und aus lebendigen Briefen an einige hervorragende Mitarbeiter, durch welche eine reiche Fülle von Einzelheiten über die Königin und ihre Minister, über den Herzog von Marlborough und seine Gemahlin, über das Leben und Treiben namentlich der Whig Lords erschlossen wird, hoffe ich nächstens an einem anderen Orte eine Reihe interessanter Notizen zusammen zu stellen. Bothmer's Instructionen gestatteten ihm nicht, auch wenn er vertraulich angewiesen wurde sich mit der Opposition, der Partei der protestantischen Zukunft, ins Einvernehmen zu setzen, irgend wie entscheidend einzugreifen. Er sollte lediglich referiren und er hat dies, gestützt auf langjährige eigene Erfahrung und auf den trefflichen Rath anderer, in vorzüglicher Weise gethan. Nachdem seine Aufgabe gelöst, kehrte er zu seiner eigentlichen Mission am Friedenscongreß in die Niederlande zurück, wo sich um diese Zeit thatsächlich der äußerst bedenkliche Umschwung der englischen Politik vollzog.

Erst über ein Jahr später, als die Dinge in England nur noch dunkler geworden, erhielt er in dem Reichsgrafen Thomas von Grote einen Nachfolger. Derselbe hatte kaum seine Wirksamkeit im December 1712 begonnen, als er erkrankte und am 15. März 1713 neuen Stils auf seinem Posten starb. Das ist denn auch die Ursache, weshalb die Papiere seiner Mission, neben Reinschriften die Concepte, die ihm mitgegebenen Instructionen und Denkschriften bisweilen in doppelter Ausfertigung, selbst die seinen Tod betreffenden Aktenstücke besonders ausführlich erhalten sind. Er wurde wie sein Vorgänger angewiesen sich den Häuptern beider Parteien, so weit eventuell auf ihre Unterstützung bei der Thronfolge zu hoffen auch den Tories zu nähern, wobei die von Bothmer verzeichneten Personalnotizen offenbar die Richtschnur bildeten. Vor den Intrigen Oxfords und seines Vetters Mr. Harley, der als Gesandter in Hannover ein nicht minder zweifelhaftes Benehmen zeigte, sollte er besonders auf seiner Hut sein. Trotzdem wurde er ermächtigt, falls es ihm gelingen sollte, gewisse rückständige Soldzahlungen für Kurhannöverische Hilfstruppen einzucassiren, bestimmte Procente davon diesen beiden Herren und dem Generalzahlmeister Bridges zu verabreichen. Aber selbst den vertrautesten unter den Whigs, den Lords Townshend, Halifax und Somers, durfte er nur im Allgemeinen über die von ihm erst endgiltig mitgebrachten neuen, bei Kreyenberg zu hinterlegenden Ernennungen für den bei Annas Tode sofort zu berufenden Regentschaftsrath Mittheilung machen. Wie unsicher, wie überaus zweideutig Grote die Verhältnisse in England und die ihm von Seiten der Machthaber zu Theil werdende Behandlung fand, hat Schaumann a. a. O. S. 75 in einer kurzen Analyse der Relation vom 3. (? 7.) Februar 1713 angegeben. Allein vor und nach diesem Datum und selbst noch während seiner Krankheit hat Grote eine Anzahl meist eben so ausführlicher Berichte entworfen, nicht französisch wie Bothmer, sondern vorzugsweise in deutscher Sprache, in welchen er die Zustände nicht schwarz genug zu schildern weiß, da er, als er seine Aufträge anbringen wollte, überall auf Schritt und Tritt mit Abneigung, Hinhalten und kleinlichen Ausflüchten zu thun hatte. Diese Mittheilungen, denen mehrere Schreiben des Kurfürsten Georg Ludwig beiliegen, harren eben so wie die seines Vorgängers auf Verwerthung für die höchst wechselvolle Entwicklungsgeschichte der protestantischen Succession[1]).

1) Der Relation vom 18. Januar 1713 ist folgendes Postscriptum angehängt, das für die Geschichte der Musik und die Biographie Händels Bedeutung hat: Auch hat mir der Mylord Bolingbroke nahmens der Königin gesaget, es hatte Ihre Majestät Ew. Kurf. Durchlaucht Capellmeister Haendel eine Musik für dieselbe zu componiren aufgegeben. Weil sie ihn nun zu solchem Ende gerne hier behalte, aber erfahren hatte, daß dessen von Ew. Kurf. Durchlaucht erhaltene Erlaubniß zu Ende seye, so mochte ich Ew. Kurf. Durchl. in truste referiren, daß Dieselbe Ihr zu gefallen besagten Haendel noch eine Weile hier zu belassen belieben mochte. Ich habe solches gerne

Während beim Friedensschluß mit Frankreich sogar der zu Gunsten Hollands ausbedungene Barrierenvertrag und damit die erste internationale Anerkennung der hannöverischen Erbfolge bedroht erschien und die Tories allen Forderungen, daß der Prätendent aus Frankreich ausgewiesen würde, ein taubes Ohr liehen, vermochte der Gesandte erst nach wochenlangem Bemühen bis zu den Ministern selber durchzudringen und vernahm nichts Anderes als leere Redensarten von der Nothwendigkeit eines harmonischen Einvernehmens der Königin mit dem kurfürstlichen Hause. Darüber erkrankte er bereits im Februar der Art, daß er vor Rheumatismus nicht die Feder führen konnte. Vergebens hoffte er Linderung seiner Leiden, die sich auf die Brust geworfen, in der frischeren Luft von Kensington zu finden. Bald führte Kreyenberg die Geschäfte und berichtete denn auch schon am 17. März, „daß der Baron von Grote vorgestern 35 Minuten nach 1 Uhr des Nachmittags, nachdem ein neuer Paroxysmus ihn um 10 Uhr des Morgens überfallen, aus dieser Zeitlichkeit geschieden sei". Kurz vor seinem Ende hatte er noch in Gegenwart des Legationssecretärs Gätke die sämmtlichen Papiere, darunter seine Instructionen und Vollmachten zu versiegeln befohlen. Die englische Regierung gewährte

versprochen und anbey bezeuget, wie ich nicht zweifelte, es würde Ew. Kurf. Durchl. froh seyn, daß jemand von Dero Bedienten Ihrer Majestät in einigen Sachen nach Gefallen zu dienen die Ehre hätte. Diese Musik ist, wie ich vernehme, ein Tedeum so in der St. Paulskirche bei Publicirung des Friedens soll gesungen werden und werden dazu über hundert Musicanten employiret werden. Die Zeit anlangend, so scheinet man damit ziemlich zu eilen und sollte man etwa auf vier Wochen a dato muthmaßen.

eine Jacht um die Leiche über Bremen in die Heimath zu führen.

Unter äußerst mißlichen Umständen, welche England beim Friedensschluß fast auf die Seite Frankreichs und in Gegensatz zu seinen bisherigen Alliirten stellten, war es geradezu unmöglich die große Angelegenheit der Succession allein den Händen eines Residenten anzuvertrauen. Doch vergiengen wieder Monate, bis Georg Wilhelm Helwig Sinold Freiherr von Schütz, ausgerüstet mit eigenhändig vom Kurfürsten und seiner Mutter ausgefertigten Instructionen, sich nach London begab. Neben den noch lateinisch abgefaßten Vollmachten finden sich drei französische Memoires von Georg Ludwig und eines von der Kurfürstin Sophie ausgestellt, welche seine Aufgabe specificiren, wie denn auch die Akten dieser Mission in Entwürfen und Reinschriften fast durchweg doppelt vorhanden sind. Ein Kanzleivermerk auf einem der Convolute bezeugt, daß die Angehörigen Nichts zurückbehalten: „Erst im Jahre 1798 von Baron Schütz aus der Hinterlassenschaft seines Bruders an die Geheime Kanzlei ausgeliefert."

Selbstverständlich erhielt Schütz den Auftrag endlich Erfüllung der von seinen Vorgängern eingereichten Anliegen zu erwirken: Ausweisung des Prätendenten wie aus Frankreich so jetzt auch aus Lothringen in die Schweiz oder nach Italien, Jahrgelder (établissement) für die Kurfürstin Mutter als Erbin des Throns, Auszahlung jenes rückständigen Soldes im Betrage von 682735 holländischen Gulden. Außerdem aber wurde ihm dringend eingeschärft im Verkehr nach links und rechts äußerst vorsichtig zu sein und von seiner Mission keinen éclat zu machen. Die Kurfürstin hob hervor, daß er fleißig die Minister, namentlich auch den Klerus aufsuche, da man sich beklage: que cette cour négligeoit trop un corps, qui peut avoir tant d'influence sur l'affaire de la succession. Er soll stets vom Erbrecht als fest begründet sprechen: puisque les Papistes étant exclus de la succession, elle passe de plus droit au plus proche héritier protestant. Sollten die Minister gegen dies gute Recht des Hauses taub bleiben, so werde die Nation vollends aufmerken, daß zwischen den beiden Höfen kein rechtes Einvernehmen bestehe. Ihr Sohn drang auf Beseitigung noch anderer Uebelstände. Er wies Schütz nicht nur an die Papiere Grote's, die drei doppelt versiegelten alten und neuen Vollmachten behufs Einsetzung eines Regentschaftsraths, von Kreyenberg in Empfang zu nehmen, sondern gegen diesen selber eine Untersuchung anzustellen. Es schwebte nämlich der Verdacht wider ihn, daß er die ihm vom Kurfürsten und anderen Persönlichkeiten des Hofs anvertrauten Gelder zum Mindesten mit sträflicher Fahrlässigkeit verwalte. Die Kurfürstin Sophie, von deren Hand eine Anzahl Briefe, die zu den letzten ihres Lebens gehören, der Correspondenz beiliegen, beklagt sich wiederholt, daß die 5000 L. sterl., die sie in Loosen von Harley's (Lord Oxford's) Südseecompagnie angelegt, Nichts abwürfen. Die eigenen Verhältnisse Kreyenberg's, der tief in Schulden stack, steigerten den Verdacht dahin, qu'il se jette par un coup de désespoir entre les bras des ennemis de la succession. Den Whigs für Wahlzwecke, wie ihm vorgeschlagen worden, Gelder vorzustrecken, weigerte sich der Kurfürst mit dem Bemerken, daß der Großschatzmeister (Oxford) die vollere Börse haben werde. Es findet sich bei den Papieren eine lange Liste von Summen, für welche auch die vornehmsten Häupter des Oberhauses käuflich zu haben sein würden. Das Wichtigste aber war, daß Georg Ludwig seinen Gesandten anwies, daß bei Lebzeiten der Königin Anna von seiner und seines Kurprinzen Uebersiedlung nach England nicht die Rede sein dürfe, weil dadurch auch wohlgesinnten Tories vor den Kopf gestoßen würde. So im dritten Memoire und im Widerspruch mit Schaumann a. a. O., der eine solche Uebersiedelung geradezu unter den zu stellenden Forderungen aufführt. Man würde dadurch selber nur dem Prätendenten in die Hände arbeiten. Schütz soll vor Allem nicht vergessen: qu'à Hannovre on ne sçait pas ce que c'est Whig et Tori et qu'on n'y reconnoit que deux partis en Angleterre, sçavoir celui de la maison Electorale et celui du Prétendant de sorte que Son Altesse Elect. doit regarder comme ses amis ceux, qui seront pour la succession et cela sans aucune distinction de party. Höchstens sei im Fall einer jakobitischen Erhebung der Beistand der Gutgesinnten ins Auge zu fassen. Aber die Sachen standen so mißlich, daß, wie der Kurfürst selber einräumt, wenn die Engländer sich dem Stuart fügen würden, jetzt auch an Hollands Hilfe nicht mehr wie im Jahre 1688 zu denken wäre.

Schütz fand denn auch, als er im Herbst in London eintraf, die Lage äußerst kritisch, vollends aber als im Januar 1714 eine sehr heftige, obschon vorübergehende Erkrankung der Königin das Aeußerste befürchten ließ und seit Eröffnung eines neuen Parlaments die Lords „the state of the Nation" in ernste Berathung zogen. Verzweifelte Anschläge von entgegengesetzter Seite waren nicht ausgeschlossen, wenn die Pees auf eine Proclamation drangen, wonach ein hoher

Preis auf Beibringung des Prätendenten todt oder lebendig ausgesetzt werden sollte. Gleichzeitig wurde über den tiefen Zwiespalt zwischen Bolingbroke und Oxford Allerlei ruchtbar. Während dieser seit dem Januar dem hannöverischen Gesandten in stereotypen Phrasen seine treue Gesinnung für das kurfürstliche Haus versicherte, schien Bolingbroke die protestantische Succession ganz abstreifen zu wollen. Wenn auch die Thronrede noch derselben gedachte, so wurden darin doch diejenigen, welche in England darauf pochten, beschuldigt damit nur Unruhe und Verdruß hervorrufen zu wollen. Vergebens suchten die Lords den Dr. Swift wegen der ihm zugeschriebenen giftigen Flugschrift: The publick Spirit of the Whigs zur Verantwortung zu ziehn. Es wurde bekannt, daß Bolingbroke und der Lord Kanzler Harcourt Alles aufgeboten hätten um den jakobitischen Bischof Atterbury von Rochester zum Erzbischof von York zu befördern. Aus Irland verlautete, daß Truppen abgedankt werden sollten, welche „für die Succession in Ew. Kurf. Durchlaucht hohem Hause gahr zu sehr affectioniret sind“, während die schottischen Hochländer, „jeder Zeit vor offene Jakobiten gehalten“, vom Hofe bezahlt würden. Im Oberhause ereiferten sich die Wohlgesinnten in langathmigen Debatten für Sicherstellung der Erbfolge und beschlossen zu deren Gunsten mit 76 gegen 62 Stimmen. Die Gemeinen dagegen stießen schimpflich Richard Steele aus ihrer Mitte, weil er in Wort und Schrift der Wühlerei der torystischen Presse zu begegnen suchte. Die Aeußerungen Oxfords, welchem Schütz Tag für Tag auf den Leib rückte um auf Ausweisung des in Lothringen in viel zu bedenklicher Nähe weilenden Prätendenten zu dringen oder über die Rückkehr vieler verdächtigen einst mit König Jakob II. ausgewichenen Irländer Beschwerde zu führen, wurden immer orakelhafter. Ueber die in dem durch die Verhandlungen der Lords aufgescheuchten Ministerium herrschende Uneinigkeit hieß es: „Mylord Bolingbroke, Mylord Harcourt und der Duc d'Ormond haben zur Königin gehen und selbiger declariren wollen, daß es ihnen unmöglich länger mit Mylord Oxford zu dienen, welchen sie mit gahr gutem Grunde in Verdacht hätten, daß er in ihren mesures nicht aufrichtig gienge, sondern gahr selbige zu eröffnen und zu publiciren gedächte." Endlich lehnte die Königin den ihr in der Adresse nahe gelegten Wunsch, die Unruhe der Gemüther durch eine königliche Proclamation zu beschwichtigen, kurzer Hand ab. Am 13/24. April berichtete der Gesandte in chiffrirter Depesche über die weit verbreitete Stimmung: „Daß Ew. Kurf. Durchlaucht Succession in diesen Königreichen von Seiten des Ministerium in großer Gefahr sei, weswegen sie dann Nichts als einen schlimmen Ausgang dieses ganzen Werks sich fürstellen, falls die Sache in diesem Stande noch eine Zeit lang bleiben sollte." Unter solchen Umständen entschloß sich Schütz, da er die Entscheidung vor der Thür sah, zu einem allerdings sehr gewagten Schritt.

Schon im März hatte er in einem nach Hannover gerichteten Privatbrief [1]) dringend empfohlen, der Kurfürst selber möge alsbald wenigstens nach Holland kommen, um von dort aus mit niederländischer und kaiserlicher Hilfe bereit zu sein, nöthigenfalls in England einzugreifen, was an den Gedanken anklingt, welchen Lord

1) An Robethon März 16/27. 1714.

Halifax im Oberhause in Betreff einer Erneuerung der Allianz mit dem Kaiser und den Niederlanden aussprach. Jetzt wandte sich Schütz, durch ein den Akten beiliegendes eigenhändiges Schreiben der Kurfürstin Sophie vom 12. April dazu ermächtigt, mit der Forderung an den Lord Kanzler, ihm die Ladung (writ) des Kurprinzen, der seit einigen Jahren Herzog von Cambridge in der englisehen Pairie war, in das Haus der Lords einzuhändigen. Zwei Tage ohne Antwort drang er am 13/24. April brieflich darauf und erhielt nunmehr den Bescheid, daß Lord Harcourt die Angelegenheit der Königin vorgetragen habe, diese aber ohne alle Nachricht aus Hannover „sich schwerlich einbilden könne, daß der Freiherr von Schütz auf Ordre von Hause diese Nachfrage gethan hätte.“ Uebrigens sei die Ladung wie jede andere den Gesetzen gemäß ausgestellt. Als Schütz kam um das Instrument in Empfang zu nehmen, fragte ihn der Lord Kanzler, bis wann etwa des Herzogs Reise nach England zu erwarten sei, worauf jener freilich keine Antwort hatte. Indeß die bloße Abforderung des Writ genügte um bei Hofe und in den Parteien je nach den Hoffnungen und Befürchtungen, die im Schwunge waren, eine unglaubliche Erregung hervorzurufen. Die Minister machten Herrn von Schütz die heftigsten Vorwürfe, „daß er diese Sache nicht wohl angefangen“ und gaben ihm zu verstehen, die Königin „desapprobire seine Conduite, als habe er an dem ihr schuldigen Respect manquiret.“ Nachdem ihm am 16/27. April von Lord Oxford und dem Staatssecretär Bromley der Rath gegeben fürs Erste lieber nicht zu Hofe zu gehn und nachdem Tags darauf der Writ ihm ausgeliefert worden, erschien am 18/29. der Ceremonienmeister

Sir Clement Cotterel bei ihm um ein Schreiben des Staatssecretärs zu verlesen, das ihm im Namen der über Mangel an Respect schwer verletzten Königin den Hof und jeden weiteren Verkehr mit den Ministern verbot. Lord Paget sollte sich bereit halten in besonderer Mission nach Hannover zu gehn. Anschreiben der Königin an die alte Kurfürstin, ihren Sohn und Enkel wurden aufgesetzt um über den Schritt des Gesandten Beschwerde zu führen, vorzüglich aber um dem Eintreffen des Kurprinzen vorzubeugen. Man sprach es offen aus, daß die Anwesenheit eines Prinzen von Sophias Geblüt der Königin, so lange sie am Leben, widerwärtig sei. Besonders scharf aber wurde gerügt, daß die Würde der Monarchin erfordert hätte jenes Gesuch nicht an den Lord Kanzler, sondern an sie selber zu richten. Dem gegenüber erhielt Kreyenberg demonstrativ eine Zuschrift, in welcher seine Person für Weiterführung des Verkehrs als fort agréable bezeichnet wurde. Der Affront, der einem in allen Formen beglaubigten und feierlich empfangenen Minister geboten wurde, konnte nicht ärger sein. Um so ernster ist die Frage, ob und wie weit Schütz auf eigene Hand oder im Auftrage seiner Vollmachtgeber gehandelt habe. Jedenfalls liegt es auf der Hand, daß die Aufträge, die er vom Kurfürsten und dessen Mutter empfangen, nicht mit einander stimmten.

Einige Entwürfe von seiner und fremder Hand deuten auf Dies und Jenes hin. Ein schon am 16/27. an den Kurfürsten abgegangener Bericht enthält Folgendes: „Der Writ J. Durchl. des Kurprinzen, weswegen ich mich auf Befehl J. Kurf. Durchl. der Frau Kurfürstin bei dem Großkanzler Mylord Harcourt angegeben, hat das hiesige Ministerium in gahr große Unruhe gesetzet, indem sofort darauf Geheimder Rath bei der Königin gehalten worden." Die Auslieferung zu verweigern hätte niemand vertreten, aber eben so wenig den Erbprinzen auf Grund seines englischen Titels zur Stelle haben wollen. Daher denn der von Lord Oxford aufgebrachte Vorwand, die Königin sei äußerst erzürnt darüher, daß sie umgangen worden. Ein Blatt in englischer Sprache rechtfertigt dagegen die Eingabe an den Lord Kanzler als allein den englischem Gesetzen entsprechend und scheint mir im Einverständniß mit dem rechtsgelehrten Lord Somers, der unter den Whigs Lord Kanzler gewesen, aufgesetzt zu sein. Auf einem anderen notificirt der Freiherr von Schütz seine schleunige Rückkehr nach Hannover um sich dort zu verantworten und bezeichnet es als: the greastest mortification that ever happened, to find that I am fallen under Her Majesty's displeasure, for whom I have the greatest respect and veneration imaginable. I could have no comfort under such a misfortune, were I not conscious to myself that I have done nothing to deserve it. I have precisely and strictly obeyed my orders and followed the constant usage and custom of Parliament etc. Auch finden sich Entwürfe zu Briefen an den Kurprinzen, dem er von dem Jubel der Freunde über seine demnächst zu erwartende Ankunft und hinterdrein von der brüsken Abweisung durch die Königin Anzeige macht. Er hält die Krone für verloren, wenn der Schritt nicht trotzdem erfolge: nous perdrons la couronne, si ce pas n'est pas soutenu.

Da ist es nun in hohem Grade bezeichnend, daß Georg Ludwig seinen Gesandten in fast verletzender Weise desavouirt hat. In seinem Schreiben vom 11. Mai heißt es: „Uns gereicht Solches und daß ihr bey solcher Gelegenheit Hochgeboren Unser Frau Mutter Gnaden Nahmen gebrauchet zu besonderem Mißfallen und Befremdung," weil ihm das in seinen Instructionen nicht aufgegeben worden. Es wurde ihm bedeutet fernerhin: „Unseren und keinen anderen Befehlen zu folgen." Sein Gesuch sich nach der Rückkehr in Herrenhausen vorstellen zu dürfen wurde zweimal durch Graf Platen abschlägig beschieden. Man weiß, daß die Kurfürstin Sophie, tief erschüttert durch die Behandlung von Seiten ihrer Nichte der Königin, welche sie in einem Briefe vom 19/30. Mai hart und bitter beschuldigte ihr Erbrecht selber gefährdet zu haben — qu'une telle conduite pourroit certainement avoir des suites prejudiciables à cette succession même — und vermuthlich nicht minder durch die Haltung ihres Sohns, der wieder mit seinem Sohne gespannt war, am 14. Juni gestorben ist. Georg Ludwig beantwortete erst nach der Mutter Tode Annas auch an ihn gerichtete Vorwürfe ziemlich einsilbig mit der Versicherung sich immerdar von dem ihr so widerwärtigen Treiben der Factionen fern gehalten zu haben. Leibnitz, damals in Wien, hatte hoch aufgehorcht, als Schütz zu rechter Stunde (à propos à mon avis) eingeschritten, aber in dem allerletzten seiner an seine alte Gönnerin gerichteten Briefe[1]) doch bemerkt: Je presume que M. de Schütz a eu ordre de Mgr. l'Electeur de la faire, mais s'il avoit agi sans ordre, je le comparerois à un General d'armée, qui auroit gagné une bataille, sans avoir

1) Leibnitz à l'Electrice Sophie, Vienne, ce 24 de May 1714. Die Werke von Leibniz Bd. 9. S. 449. 1873.

receu du chef l'ordre de combattre. Am 31. Juli 10. August erfolgte der Tod der Königin Anna.

In den Correspondenzen der Bothmer, Grote, Schütz erscheint beständig ein anderer Mann, an den neben Kurfürst und Kurfürstin oder dem Grafen Bernstorff gelegentlich auch ihre Briefe gerichtet sind. Das ist der aus Frankreich stammende Protestant Robethon, so recht der Repräsentant der über die Kreise des deutschen Kleinstaats hinausdringenden Politik, die der Sprache der Diplomatie und der Erfahrung in den Geschäften anderer Länder nicht mehr entrathen kann. Als Hugenot hatte Robethon einst Aufnahme und treffliche Verwendung bei König Wilhelm III. in England gefunden. Dieser staatskluge Fürst benutzte ihn nicht nur als Privatsecretär, sondern gab ihn seinem Vertrauten dem Grafen von Pembroke im Jahre 1698 zu jenen Verhandlungen nach Paris mit, in welchen mit Ludwig XIV. die erste Theilung der spanischen Monarchie berathen wurde. Nach Wilhelms Tode fand er unter Anna keinen Platz und wurde — man darf vielleicht auf Leibnitz's Rath schließen — vom Grafen Bernstorff herangezogen, der ihm auch den Adel verschaffte. Zuerst in Diensten Georg Wilhelms von Celle, nach dessen Ableben im Jahre 1708 Georg Ludwigs von Hannover war er die Seele der diplomatischen Kanzlei. Da er in England die leitenden Persönlichkeiten und den Gegensatz zwischen Whigs und Tories genau kannte und neben seinem Französisch auch gut Englisch schrieb, führte er in der Successionssache von Hannover aus vorzugsweise die Correspondenz. Selbständig wie im Auftrage richtete er sich an die dort beschäftigten Gesandten. Während Bothmer's Abwesenheit vom Haag muste er ihn dort vertreten. „Das hat nie noch ein Secretär in Deutschland gegolten und gewürkt was Robethon in Hannover und in England galt“ . . . „Bernstorff rieth nur was Robethon gut hieß“ . . . „Ohne ihn wäre Churfürst Georg Ludwig nie König Georg geworden,“ sagt Spittler von ihm [1]). Als Geheimer Legationssecretär stand er denn auch während der ersten Jahre der neuen Regierung in St. James wie in Herrenhausen dem Könige und seinen Räthen mit seinem reichen Wissen und Können und seiner stets schlagfertigen Feder, seinem scharfen, kaustischen, fast skeptischen Stil zur Verfügung. Er war recht eigentlich das Bindeglied zwischen den englischen und den kurbraunschweigschen Ministern, das in diesem überaus delicaten, von steten Reibungen bedrohten Verhältniß keiner von beiden Theilen entbehren konnte. Aber wo ist heute die von ihm selber in sieben Bänden Quart angelegte Sammlung seiner Correspondenz aufzufinden, von welcher Spittler noch berichtet? War sie jemals ein Bestandtheil des hannöverischen Staatsarchivs? Ist sie im Privatbesitzbesitz vorhanden? Nach Allem, was wir sonst von Robethon wissen, müste sie als eine unvergleichlich werthvolle Quelle zur Zeitgeschichte gelten.

Zum Glück stecken viele hundert seiner Schreiben in einer anderen, nicht minder unschätzbaren Sammlung desselben Archivs, deren Kennt-

1) Meiners und Spittler, Göttingisches Historisches Magazin Bd. I. S. 546 ff.

niß und Verwerthung für die europäische Geschichte zu Anfang des 18. Jahrhunderts, so weit ich bemerkt habe, bisher noch sehr geringfügig ist. Das sind an 50 Bände Protocoles des négociations faites pour S. M. le Roy de la Grande Brétagne par Mons. F. L. de Pesmes, Seigneur de Saint Saphorin, welche die Jahre 1716 bis 1727, also beinah die Regierungszeit Georg's I., umfassen, in trefflicher Reinschrift Copien der erhaltenen Anschreiben und Briefe, von Vertragsentwürfen, Relationen, Depeschen, Noten, Antworten, wie sie sich in der Kanzlei einer großen Gesandtschaft ansammeln.

François Louis de Pesmes[1]), geboren im Jahre 1668 auf dem Schloß St. Saphorin im Waadland, also Berner Unterthan, und eben dort gestorben im Jahre 1737, that zuerst den vereinigten Niederlanden Kriegsdienste, trat jedoch bald nach Oesterreich über um unter den Fahnen des Prinzen Eugen von Savoyen den großen Krieg gegen die Türken mitzumachen, der im Jahre 1699 siegreich mit dem Frieden von Carlowitz abschloß. Im Jahre 1696 bekleidete er das Amt eines Viceadmirals auf der Donau und schied dann aus mit dem Range eines Feldwachtmeisters. Nachdem er vorübergehend Gesandter des Pfalzgrafen bei den Eidgenossen gewesen, auch für König Friedrich I. von Preußen den Uebergang des Fürstenthum Neufchatel aus der oranischen Erbschaft verhandelt hatte, diente er wieder der Eidgenossenschaft, deren Bündniß mit Holland vom 2. Januar 1714 sein Werk war. Vom October 1716 an erscheint er mit dem Range eines Generallieutenants als bevollmächtigter Minister Georg's I. in Wien, wo

1) Lutz, Nekrolog Merkwürdiger Schweizer. S. 392.

er sich namentlich seit Abschluß der Quadrupelallianz durch Umsicht und Thatkraft hohes Vertrauen bei seinen Vollmachtgebern und Respect an dem von Intrigen aller Art unterwühlten Hofe Kaiser Karl's VI. erwarb. Der Herzog von St. Simon freilich munkelt in seinen Memoiren[1]) von unehrenhaften Handlungen, welche St. Saphorin sich habe zu Schulden kommen lassen. Doch wird dabei ohne Zweifel der Haß des Franzosen gegen den sehr energischen Parteigänger einer protestantischen Politik im Spiel gewesen sein. Der Durchführung und Befestigung der protestantischen Erbfolge in England gegenüber allen Zerklüftungen, welche ihr in Europa nach Abschluß der Verträge von Utrecht und von Rastadt und Baden gefährlich werden konnten, war denn auch in Wien seine Thätigkeit vorzugsweise gewidmet. Daß er da mit Robethon zusammengriff, lag in der Natur der Dinge und in der Eigenart dieser beiden Männer, neben welchen noch ein dritter Fremdling erscheint, Lucas Schaub, ein Berner von Herkunft, aber trotz seinem Deutschen Namen gleichfalls ein französisch geschulter Diplomat, welcher im Dienste England-Hannovers sowohl an auswärtigen Gesandschaften als in unmittelbarer Nähe des Staatssecretärs, des Grafen Stanhope, thätig war, im Jahre 1720 als Sir Luke Schaub mit der englischen Ritterwürde belohnt und 1721 britischer Gesandter in Paris wurde.

Unzählige Aktenstücke, officielle Berichte und vertrauliche Mittheilungen, füllen diese Bände. Sie erläutern nicht nur die wechselvolle, noch immer von innen und außen bedrohte Politik Englands unter dem ersten Herrscher

1) Vol. XX, p. 193 ed. 1829.

aus dem Welfenhause, nicht nur dessen deutsche und Reichspolitik zwischen Oesterreich und Preußen, Rußland und Scandinavien, Frankreich und Spanien, sondern bergen eine noch kaum angerührte Fundgrube für die allgemeinen Verwicklungen der Epoche vom Ausgange des spanischen Erbfolgekriegs an über die letzten Jahre des nordischen, über Krieg und Frieden mit den Osmanen, den von Spanien aus durch Alberoni hervorgerufenen Kampf um die Herrschaft in Italien, die allmäliche Umwandlung der Allianzen, die financielle Erschütterung in Frankreich und England, die Handels- und Colonialpolitik der Zeit. Nicht minder liegt in vielen sehr anschaulichen Relationen eine reiche Fülle von Personalien begraben, ein Schatz, der nur darauf wartet von den Geschichtsforschern gehoben zu werden. Ich will demnächst anderen Orts versuchen an einem Beispiel auszuführen, was sich für die engere und weitere Geschichte der Zeit den Protokollen St. Saphorin's entnehmen läßt, und schließe diese Bemerkungen, die auf eine recht fleißige Ausbeutung der unvergleichlichen Sammlung hinwirken sollen, mit einer für die Literaturgeschichte interessanten Notiz.

Am 17. Juni 1719 war Joseph Addison, der die einst viel bewunderte Tragödie Cato und den Lobgesang auf die Sieger von Höchstädt-Blenheim gedichtet hatte, von unvergänglicherem Namen durch seine Beiträge zum Spectator, erst 48 Jahre alt gestorben. Am 9. September schreibt sein Freund und Nachfolger im Staatssecretariat Craggs an St. Saphorin:

Je prends cette même occasion pour vous recommander une souscription pour les ouvrages de feu Mr. Addison, mon predecesseur dans la charge de Secretaire d'Etat du Roy, lequel les a laissés dediés à moy en temoignage de l'amitié, qui avoit éte long temps entre nous deux. C'estant un ecrivain si audelà de la portée ordinaire que je serois bien aise de voir la liste de ses souscrivains aussi peu commune que l'a été le merite de l'autheur. Comme l'on se propose d'obtenir de plusieurs princes souverains la permission d'inserer leurs noms dans cette liste, l'honneur qu'on voudroit procurer à cet ouvrage seroit complet, si l'Empereur et l'Imperatrice y vouloyent paroitre à la tête. Le Prince Eugène a été celebré d'une maniere si relevée par le Sieur Addison, que je me persuade qu'il se contentera de laisser voir son nom, peutêtre aussi en sera-t-il de même des autres personnes distinguées de la cour de Vienne. Mr. Tickell, l'un de mes Secretaires, a le soin de cette publication et vous enverra avec cette lettre des receus signés de luy.

Eine Antwort vom 4. November lautete wenig tröstlich: Je tâcheray de remplir de mon mieux ses souhaits touchant les souscriptions à l'égard des oeuvres de feu Mr. Addison. Si elles etayent latines, j'espererois de trouver icy 10 fois plus de souscriptions, que l'on ne m'a envoyé de billets. Mais si elles sont en Anglois, personne ne l'entend dans ce païs. Je n'ay vu des oeuvres de Mr. Addison que quelques traductions, qui sont dans le Spectateur, et son Caton, mais quoique les traductions fassent beaucoup perdre, personne selon moy n'a ecrit plus sensement et plus delicatement que luy, outre que la droiture de son coeur se fait connaitre dans tous ses ouvrages.

Am 16. schrieb er indeß hoffnungsvoller: Le Comte de Sinzendorff s'est chargé de parler à l'Empereur pour les souscriptions du livre de Mr.

Addison. J'en ay parlé au Prince Eugène, qui souscrira aussi avec plaisir, ainsi j'espere que je pourray remplir à cet égard les desirs de V. E.

Auszug aus einem Briefe des Herrn **Kronecker** an E. Schering.

Ich erlaube mir Ihnen anläßlich des in Nr. 4 der „Nachrichten" abgedruckten Aufsatzes von Herrn Karl Heun einige Bemerkungen über die dort behandelten Determinanten mitzutheilen.

Jacobi ist schon im Jahre 1835 bei der Entwickelung der Bézout'schen Eliminations-Methode, wie er sie in seinem Aufsatze „de eliminatione variabilis e duabus aequationibus algebraicis" im 15. Bande des Crelleschen Journals dargelegt hat, auf Determinanten $n$ter Ordnung

$$|A_{r+s}| \qquad (r, s = 0, 1, \ldots n-1)$$

geführt worden, welche aus $2n-1$ Elementen $A_0, A_1, \ldots A_{2n-2}$ zu bilden sind. Er ist dann, genau 10 Jahre später, bei der Beschäftigung mit einem nahe verwandten Gegenstande auf solche Determinanten zurückgekommen und hat dieselben in der bezüglichen vom August 1845 datirten Arbeit „über die Darstellung einer Reihe gegebener Werthe durch eine gebrochene rationale Function" (Crelle's Journal Bd. 30) allgemeiner und ausführlicher behandelt. Nachher erscheinen dieselben Determinanten in vielen auf den Sturm'schen Satz und die Kettenbruchs-Entwickelung rationaler Functionen bezüglichen Arbeiten, von denen nur zwei ältere, die Cayleysche im 11. Bande von Liouville's Journal 1846 erschienene und die Joachimsthalsche im 48. Bande des Crelleschen Journals 1854 veröffentlichte hervorgehoben werden mögen. Doch ist überdies zu erwähnen, daß dieselben Determinanten den Gegenstand einer Abhandlung bilden, welche Hermann Hankel als „Inauguraldissertation zur Erlangung der philosophischen Doctorwürde an der Universität Leipzig" im Jahre 1861 (Göttingen, Druck der Dieterichschen Universitäts-Buchdruckerei) hat erscheinen lassen, und daß darin auch eine besondere Bezeichnung („orthosymmetrisch") für die Determinanten vorgeschlagen ist, welche aber keinen Eingang gefunden hat.

Bei allen Untersuchungen, welche auf die erwähnten Determinanten $|A_{r+s}|$ geführt haben, läßt sich eine unmittelbare Beziehung zu jener vielfach behandelten Aufgabe erkennen, zu gegebenen ganzen Functionen $f(x)$ und $f_1(x)$ zwei Multiplicatoren $\Phi(x)$ und $\Psi(x)$ zu finden, für welche die Differenz $f_1(x)\,\Psi(x) - f(x)\,\Phi(x)$ sich auf eine Function von einem bestimmten niedrigeren Grade reducirt, d. h. also für zwei gegebene ganze Functionen $f(x)$ und $f_1(x)$, welche resp. vom Grade n und vom Grade $n - n_1 < n$ vorausgesetzt werden, drei ganze Functionen $F(x)$, $\Phi(x)$, $\Psi(x)$ beziehungsweise von den Graden μ, $\nu - n_1$, ν zu bestimmen, so daß

$$F(x) = f_1(x)\,\Psi(x) - f(x)\,\Phi(x)$$

und $\mu + \nu < n$ wird. Abgesehen davon, daß sich die Functionen $\Phi(x)$ und $\Psi(x)$ als Zähler und Nenner der Näherungsbrüche der Kettenbruchs-Entwickelung von $\dfrac{f_1(x)}{f(x)}$ bestimmen, können erstens die Functionen $\Phi(x)$ und $\Psi(x)$ dadurch charakterisirt werden, daß die Differenz

$$\frac{f_1(x)}{f(x)} - \frac{\Phi(x)}{\Psi(x)}$$

für unendlich große Werthe von x unendlich klein von der Ordnung $x^{-2\nu-\lambda}$ werden muß, wo λ eine positive ganze Zahl bedeutet, also $\lambda \geqq 1$ ist.

Zweitens können die Functionen $F(x)$ und $\Psi(x)$ nach der Cauchyschen Interpolationsformel als Zähler und Nenner eines rationalen Bruches bestimmt werden, der für die n Werthe $x = \xi_\varkappa$, wofür $f(x) = 0$ ist, die vorgeschriebenen Werthe $f_1(\xi_\varkappa)$ annimmt.

Drittens kann die Function $\Psi(x)$ abgesehen von einem constanten Factor durch die ν Gleichungen

$$\sum_{\varkappa=1}^{\varkappa=n} \xi_\varkappa^{t}\, \Psi(\xi_\varkappa) \frac{f_1(\xi_\varkappa)}{f'(\xi_\varkappa)} = 0 \qquad (t = 0, 1, \ldots \nu-1)$$

und ebenso die Function $F(x)$ durch die μ Gleichungen

$$\sum_{\varkappa=1}^{\varkappa=n} \frac{\xi_\varkappa^{r}\, F(\xi_\varkappa)}{f_1(\xi_\varkappa) f'(\xi_\varkappa)} = 0 \qquad (r = 0, 1, \ldots \mu-1)$$

bestimmt werden, wie z. B. in meinen in den Monatsberichten der Berliner Akademie abgedruckten Aufsätzen vom 17. Febr. 1873 und vom 14. Febr. 1878 geschehen ist. Hier bedeutet $f'(x)$ die Ableitung von $f(x)$, und die

n Wurzeln ξ_χ sind ebenso wie bei der zweiten Methode zunächst als verschieden vorauszusetzen; doch kann man leicht zu dem allgemeineren Falle, wo beliebig viele einander gleiche Wurzeln vorkommen, übergehen, wenn man die Ausdrücke, auf welche sich alsdann jene Summen, bei denen $f'(\xi)$ im Nenner steht, reduciren, an Stelle der Summenausdrücke in den Formeln substituirt. Dies findet sich schon in der citirten Jacobischen Abhandlung vom Jahre 1845 (Crelle's Journal Bd. 30. S. 149) vollständig entwickelt.

Bei allen drei angegebenen Methoden zur Bestimmung der Functionen $F(x)$, $\Phi(x)$, $\Psi(x)$ treten die Determinanten $|A_{r+s}|$ auf, und zwar bei der ersten und dritten ganz unmittelbar und ausschließlich, während sie bei der zweiten Methode, bei welcher bis dahin nur die Cauchysche combinatorische Formel zur Verwendung gekommen war, erst von Jacobi in der Abhandlung vom Jahre 1845 eingeführt worden sind. Scheinbar haben die Elemente der Determinanten $|A_{r+s}|$ in allen den erwähnten Fällen ihres Auftretens eine specielle Bedeutung, in Wahrheit aber sind diese Elemente, wie näher dargelegt werden soll, völlig allgemeine.

Der Einfachheit halber setze ich zunächst die Wurzeln ξ als verschieden voraus und knüpfe an die zuletzt erwähnte Methode an, bei der sich $F(x)$ abgesehen von einem constanten Factor als eine Determinante

$$|xs_{p+q} - s_{p+q+1}| \qquad (p, q = 0, 1, \ldots \mu - 1)$$

bestimmt, in welcher die Größen s durch die Gleichung

$$s_h = \sum_{\varkappa=1}^{\varkappa=n} \frac{\xi_\varkappa^h}{f_1(\xi_\varkappa) f'(\xi_\varkappa)}$$

definirt werden (vgl. den Abschnitt II meiner citirten Arbeit vom 14. Febr. 1878). Bestimmt man nun für $2n$ beliebig gegebene Größen

$$s_0, s_1, s_2, \ldots . s_{2n-1}$$

n Größen $\xi_1, \xi_2, \ldots \xi_n$ als die n Wurzeln der Gleichung

$$|x s_{p+q} - s_{p+q+1}| = 0 \qquad (p, q = 0, 1, \ldots n-1)$$

und alsdann n Größen $u_1, u_2, \ldots u_n$ durch die n Bedingungen

$$s_h = \sum_{\varkappa=1}^{\varkappa=n} u_\varkappa \xi_\varkappa^h \qquad (h = 0, 1, \ldots n-1)$$

so läßt sich leicht zeigen, daß diese Bedingungen auch noch für die folgenden n Werthe $h = n$, $n+1, \ldots 2n-1$ erfüllt sind, so daß also, da die Function $f_1(x)$ den n Relationen

$$u_\varkappa f_1(\xi_\varkappa) f'(\xi_\varkappa) = 1 \qquad (\varkappa = 1, 2, \ldots n)$$

gemäß anzunehmen ist, die obige Bedeutung der Größen s, nämlich

$$s_h = \sum_{(\xi)} \frac{\xi^h}{f_1(\xi) f'(\xi)},$$

beliebigen $2n$ Größen s beigelegt werden kann. Um den Nachweis zu führen, daß die Gleichungen

$$s_h = \sum_{\varkappa=1}^{\varkappa=n} u_\varkappa \xi_\varkappa^h$$

für $h = n, n+1, \ldots . 2n-1$ erfüllt sind, seien $\sigma_{0n}, \sigma_{1n}, \ldots \sigma_{nn}$ die $n+1$ Determinanten $n$ter Ordnung, welche aus dem System von $n(n+1)$ Größen

$$s_{p+q} \qquad \begin{pmatrix} p = 0, 1, \ldots n \\ q = 0, 1, \ldots n-1 \end{pmatrix}$$

zu bilden sind, und zwar so, daß wenn man diesem System eine $(n+1)$te Vertikalreihe $a_0, a_1, \ldots a_n$ anfügt, die Determinante gleich

$$a_0 \sigma_{0n} + a_1 \sigma_{1n} + \ldots + a_n \sigma_{nn}$$

wird. Dies vorausgeschickt, ist bekanntlich

$$|x s_{p+q} - s_{p+q+1}| = \sigma_{0n} + \sigma_{1n} x + \ldots . + \sigma_{nn} x^n$$

und also für jeden beliebigen Werth von h

$$\sigma_{0n} \Sigma u_\varkappa \xi_\varkappa^h + \sigma_{1n} \Sigma u_\varkappa \xi_\varkappa^{h+1} + .. + \sigma_{nn} \Sigma u_\varkappa \xi_\varkappa^{h+n} = 0,$$

während andrerseits vermöge der Bedeutung der Größen σ als Determinanten des Systems s_{p+q} für $h = 0, 1, \ldots n-1$ die Relationen

$$\sigma_{0n} s_h + \sigma_{1n} s_{h+1} + \ldots . + \sigma_{nn} s_{h+n} = 0$$

bestehen. Nimmt man in beiden Relationen der Reihe nach $h = 0, 1, 2, \ldots n-1$, so erschließt man daraus der Reihe nach die Uebereinstimmung von s_r mit

$$\sum_{\varkappa=1}^{\varkappa=n} u_\varkappa \xi_\varkappa^r$$

für $r = n, n+1, \ldots 2n-1$.

Aus der vorstehenden Entwickelung folgt, daß die aus beliebigen Elementen $s_0, s_1, s_2, \ldots s_{2n-1}$ zu bildenden Determinanten

$$|xs_{p+q} - s_{p+q+1}| \quad (p, q = 0, 1, \ldots t-1; \; t \geqq n)$$

alle jene Eigenschaften besitzen, welche ich in meinem mehrfach citirten Aufsatze vom 14. Febr. 1878 für diejenigen Determinanten hergeleitet habe, die bei der Kettenbruchsentwickelung rationaler Brüche auftreten und a. a. O. mit $D_t(x)$ bezeichnet sind. Ich erinnere dabei namentlich an die früher unbemerkt gebliebene Eigenschaft der Determinanten $D_t(x)$, daß alle diejenigen, für die nicht eine der beiden Zahlen $n-t$ oder $n-t-1$ als Grad eines Näherungsnenners der Kettenbruchsentwickelung von $\frac{f_1(x)}{f(x)}$ vorkommt, identisch gleich Null sind, während die übrigen mit den „Restfunctionen" $f(x), f_1(x), f_2(x), \ldots$, welche sich bei dieser Entwickelung ergeben bis auf constante Factoren übereinstimmen; ich erinnere ferner daran, daß in dem sogenannten regulären Falle, d. h. wenn bei der Kettenbruchsentwickelung alle Theilnenner vom ersten Grade und also alle Determinanten $D_t(x)$ von Null verschieden sind, zwischen je drei aufeinanderfolgenden Determinanten $D_t(x)$ eine Relation

$$aD_{t+1}(x) - (x+b) D_t(x) + \frac{1}{a} D_{t-1}(x) = 0$$

besteht, in welcher a den Coefficienten der höchsten Potenz von x in $D_t(x)$ dividirt durch denjenigen in $D_{t+1}(x)$ bedeutet. Diese Relation findet sich schon in Jacobi's Abhandlung vom Jahre 1835 und ferner im § 9 der citirten Joachimsthalschen Arbeit für beliebige Größen s entwickelt, jedoch unter der dabei erforderlichen Voraussetzung, daß die Determinanten D von Null verschieden sind. Von dieser Voraussetzung habe ich in meiner beregten Arbeit von 1878 völlig abstrahirt; aber es ist darin die andere Voraussetzung gemacht, daß die Wurzeln der Gleichung

$$|xs_{p+q} - s_{p+q+1}| = 0 \qquad (p, q = 0, \ldots n-1)$$

von einander verschieden seien. Doch kann auch diese Voraussetzung fallen gelassen werden, wenn man die Bedeutung der Größen s so modificirt, wie es durch jene schon oben angedeutete Umgestaltung erfordert wird, welche im Falle gleicher Wurzeln die bezüglichen Summenausdrücke s_h erfahren müssen. Aber der allgemeinere, voraussetzungslose Fall gestattet noch eine einfachere Behandlung, wenn man eine anderweite Bedeutung jener Summenausdrücke s_h in Rücksicht zieht, bei welcher es überhaupt nicht in Frage kommt, ob die Werthe der mit $\xi_1, \xi_2, \ldots \xi_n$ bezeichneten Wurzeln der Gleichung

$$|xs_{p+q} - s_{p+q+1}| = 0 \quad (p, q = 0, 1, \ldots n-1)$$

unter einander gleich oder ungleich sind. Da

nämlich zunächst für den Fall ungleicher Wurzeln s_h oder

$$\sum_{\varkappa=1}^{\varkappa=n} u_\varkappa \xi_\varkappa^h$$

der Coefficient von x^{-h-1} in der Entwickelung von

$$\sum_{\varkappa=1}^{\varkappa=n} \frac{u_\varkappa}{x-\xi_\varkappa}$$

nach fallenden Potenzen von x ist, also in der Entwickelung eines rationalen Bruches mit dem Nenner

$$|x s_{p+q} - s_{p+q+1}| \qquad (p, q = 0, 1, \ldots n-1),$$

so kann diese Bedeutung der Größen s auch im allgemeinen Falle zu Grunde gelegt werden. Auf diese Bedeutung wird man ganz unmittelbar geführt, wenn man die oben zuerst angeführte Methode der Bestimmung der Functionen $\Phi(x)$ und $\Psi(x)$ anwendet; ich habe deßhalb an diese direct anknüpfend die Eigenschaften der Determinanten $D_t(x)$ ohne alle beschränkende Voraussetzungen in einer kleinen Arbeit entwickelt, welche im Monatsberichte der Berliner Akademie erscheinen wird.

Bei der Königl. Gesellschaft der Wissenschaften eingegangene Druckschriften.

Man bittet diese Verzeichnisse zugleich als Empfangsanzeigen ansehen zu wollen.

Februar 1881.

(Fortsetzung).

Sammlung von Mittheilungen zur vaterländischen Archaeologie. T. 4.
Bericht der physiologischen Commission der Akad. der Wiss. zu Krakau. T. 14.
Wistocki, Catalog. codicum manusc. Bibliothecae univ. Jagellon. Krakau. Heft 6.
Abhandlungen und Sitzungsberichte der Akademie der Wissenschaften
histor.-philos. Abth. T. 12.
math.-naturw. Abth. T. 7.
philolog. Abth. T. 8.

März.

Bulletin de l'Acad. Imp. des Sciences de St. Petersbourg. T. XXVII. Nr. 1.
Bulletin de l'Acad. R. des Sciences de Belgique. 50e année, 3e serie. T. 1. Nr. 1—2.
65. Jahresbericht d. naturf. Gesellsch. zu Emden. 1870/80.
Atti della R. Accad. dei Lincei. Vol. V. Fasc. 6—9. 1881.
J. Hann, Zeitschrift für Meteorologie. Bd. XVI. März u. April 1881.
19. 20. u. 21. Bericht des Offenbacher Vereins für Naturkunde. 1880.
Mitth. der deutschen Gesellschaft für die Kunde Ostasiens. Hft. 22. 1880.
A. Issel, Instruzioni scientifiche pei Viaggiatori. Roma. 1881.

(Fortsetzung folgt.)

Für die Redaction verantwortlich: *F. Bechtel*, Director d. Gött. gel. Anz.
Commissions-Verlag der *Dieterich'schen Verlags-Buchhandlung.*
Druck der Dieterich'schen Univ.-Buchdruckerei (W. Fr. Kaestner).

Nachrichten

von der

Königl. Gesellschaft der Wissenschaften
und der Georg-Augusts-Universität
zu Göttingen.

22. Juni. № 10. 1881.

Königliche Gesellschaft der Wissenschaften.

Sitzung am 4. Juni.

de Lagarde: Iohannis Euchaitorum archiepiscopi quae in codice Vaticano sopusunt graece. (Erscheint in den Abhandlungen.)

Kohlrausch, ausw. Mitgl.: Messung des Erdmagnetismus auf galvanischem Wege.

Enneper: Zur Theorie der Curven doppelter Krümmung.

Absolute Messung der Stärke des Erdmagnetismus auf galvanischem Wege ohne Zeitbestimmung.

Von

F. Kohlrausch, auswärtigem Mitgliede.

Auf Anregung von Herrn Weber habe ich schon vor längerer Zeit im magnetischen Observatorium zu Göttingen den Versuch gemacht, die Horizontal-Componente des Erdmagnetismus mit Hülfe des elektrischen Stromes anstatt des Magnetes zu messen, und hatte die Ehre, der Königlichen Gesellschaft der Wissenschaften die Ergebnisse dieser Arbeit am 6. Februar 1869 vorzulegen.

Der Strom durchlief nämlich ein großes Weber'sches Bifilargalvanometer und gleichzeitig eine Tangentenbussole. Die Ablenkung des Bifilargalvanometers mißt hier das Product aus dem Erdmagnetismus in die Stromstärke, die Ablenkung der Tangentenbussole ist dem Quotienten aus beiden Größen proportional. Aus beiden Beobachtungen zusammen ergibt sich sowohl die Stromstärke, wie die erdmagnetische Intensität.

Wenn so diese Methode entsprechend dem Gauß'schen Wege verfährt, auf welchem ja das Product und der Quotient aus dem Erdmagnetismus und einem Stabmagnetismus bestimmt wird, so bietet das galvanische Verfahren den wesentlichen Vorteil, daß alle entscheidenden Messungen gleichzeitig, also unabhängig von den erdmagnetischen Variationen ausgeführt werden. Eine schätzenswerte Eigenschaft der galvanischen Methode liegt ferner in dem Umgehen aller dauernden größeren Magnete, die im Beobachtungsraume sich und andere Instrumente stören.

Trotz diesen Vorteilen konnte das Verfahren in der damals beschriebenen Gestalt mehr nur von der theoretischen Seite ein großes Interesse als eine ausgebreitete praktische Verwendung beanspruchen. Zu letzterem Zwecke war vor allem zu wünschen, daß die Instrumente in kleineren Dimensionen ausgeführt wurden als damals, wo der als Bifilargalvanometer aufgehangene Drahtring einen Durchmesser von $^2/_3$ Meter und ein Gewicht von $^1/_4$ Centner besaß.

Außerdem lagen in den Messungen einige größere Schwierigkeiten, unter denen die genaue Messung der Windungsfläche des Bifilargalvanometers und die Bestimmung von dessen Trägheitsmoment obenan stehen. Auch die elastische

Nachwirkung der dickdrähtigen Aufhängung des Galvanometers verlangte besondere Hülfsmittel der Elimination.

Ich denke hier ein Verfahren zu beschreiben, welches alle die genannten Schwierigkeiten beseitigt. Die Instrumente sind handlich und nehmen einen kleinen Raum ein, die Elasticitätskräfte werden überhaupt nicht zum Messen benutzt. Endlich braucht weder eine Windungsfläche noch ein Trägheitsmoment bestimmt zu werden, ja man bedarf gar keiner Uhr zu den Bestimmungen. Die Tangentenbussole wird durch einen kleinen magnetisirten Stahlspiegel ersetzt. Von genauen Messungen werden nur diejenigen von zwei Scalenausschlägen und die Messungen einiger Längen und zweier Fadenabstände verlangt.

1. Uebersicht des Verfahrens.

Ein Drahtring sei an seinen beiden Zuleitungsdrähten mit der Windungsfläche im magnetischen Meridian (als Bifilargalvanometer) aufgehängt. Seine Windungsfläche sei gleich f, die statische Directionskraft der bifilaren Aufhängung gleich D, und T bedeute die Horizontalcomponente des Erdmagnetismus. Alsdann bringt der Strom i im Drahtringe eine kleine Ablenkung α desselben hervor, gegeben durch

$$\text{I.} \qquad D \operatorname{tang} \alpha = f i T.$$

Nördlich oder südlich in dem großen Abstande a von der Mitte des Ringes befinde sich eine Magnetnadel, so erfährt die letztere durch den Strom im Ringe eine Ablenkung φ, gegeben durch

$$\text{II.} \qquad a^3 \operatorname{tang} \varphi = \frac{fi}{T}.$$

Durch Division beider Gleichungen fällt die Windungsfläche f und die Stromstärke i heraus und kommt

$$\text{III.} \qquad T^2 = \frac{D}{a^3}\frac{\operatorname{tang}\alpha}{\operatorname{tang}\varphi}.$$

Ermittelung der Directionskraft D. Die statische Directionskraft des Bifilargalvanometers läßt sich, wie schon von Weber im Jahre 1839 geschehen, aus dem Trägheitsmoment und der Schwingungsdauer der Rolle bestimmen. Bekanntlich liefern aber auch die Dimensionen der bifilaren Aufhängung mit dem Gewicht des angehängten Körpers die Directionskraft in absolutem Maaße. Ist l die Fadenlänge, e_1 und e_2 der gegenseitige Abstand der Befestigungspuncte der Fäden oben und unten, m die Masse, also gm das Gewicht des Bifilargalvanometers, so wird

$$D = \frac{e_1 e_2}{4l} gm.$$

Dies in III eingesetzt, erhält man

$$\text{IIIa.} \qquad T^2 = \frac{1}{a^3}\frac{e_1 e_2}{4l} gm \frac{\operatorname{tg}\alpha}{\operatorname{tg}\varphi}.$$

Zu messen sind hier also nur 2 Ablenkungswinkel, 4 Längen und ein Gewicht. Nur die Bestimmung von e_1 und e_2 erfordert dabei einen Aufwand von Sorgfalt, der über die gewöhnlichen Ansprüche einer Messung hinausgeht. Gegenüber dem Gauß'schen Verfahren, welches ebenfalls zwei Ablenkungen und ein Gewicht, ferner aber drei Längen und drei Schwingungsdauern zu messen aufgiebt, sind wir also wesentlich im Vorteil. Dazu kommt, daß die Schwingungs-

und teilweise auch die Ablenkungs-Beobachtungen bei Gauß eine gleichzeitige Beobachtung der Intensitätsvariationen nicht wohl umgehen lassen und daß endlich die Fehler der Magnetabstände und Magnetometerausschläge, wegen des Gauß'schen Eliminationsverfahrens für die Verteilung des Stabmagnetismus, einen relativ hohen Einfluß auf das Resultat ausüben. Auch der nicht einfach zu bestimmende „Magnetismus der Lage" d. h. der von dem Erdmagnetismus herrührende Unterschied des Stabmagnetismus, je nachdem der Magnet als Schwingungsstab oder als Ablenkungsstab gebraucht wird, bildet einen unbequemen Bestandteil der Messung auf magnetischem Wege, der bei uns wegfällt.

2. Beschreibung der Instrumente.

Das Bifilargalvanometer bestand zunächst aus einem 200 mm weiten Ringe von feinstem besponnenem Kupferdraht (0,12 mm Durchmesser). Der Ring enthält bei einem Gewicht von nur 108 g 1300 Windungen, also etwa 40 qm Windungsfläche. Ein leichter horizontaler Stab von 100 mm Länge trägt diesen Ring und einen dünnen Planspiegel. Der Stab selbst wird getragen durch zwei 0,09 mm dicke weiche Kupferdrähte, die mit dem Ringdrahte in leitender Verbindung stehen und über die etwas abgeschrägten Endflächen des Stabes nach oben führen. An der Zimmerdecke sind diese Drähte an einer ähnlichen Suspension befestigt, die, zur Orientirung des Ringes in den magnetischen Meridian, horizontal drehbar ist.

Der Umstand, daß die Ebene der Aufhängedrähte ostwestlich liegt, bewirkt erstens, daß der Strom kein Drehungsmoment von Seiten des

Erdmagnetismus auf die Drähte hervorbringt, zweitens aber, daß auch die Einwirkung dieses Stromes auf die Bifilarrolle und auf das Magnetometer sich bei dem Commutiren heraushebt.

Der Fadenabstand beträgt oben wie unten nahe 100 mm. Zu seiner genauen Messung dienen kleine Millimeterteilungen, an den vier Befestigungspunkten nahe hinter den Drähten angebracht. Der Abstand der Teilstriche von einander ist vorher mit dem Comparator gemessen worden. Die Beobachtung der Teilungen und der Fäden mittels eines Mikroskopes mit Mikrometerocular läßt den Abstand der Fäden auf einige Hundertel des Millimeters, also relativ zum Ganzen auf ebensoviele Zehntausendtel messen.

Das kleine Magnetometer wird in einem Abstande von 700 mm seitlich von dem Bifilargalvanometer aufgestellt. Es trägt an einem kleinen Torsionskreise einen am Coconfaden aufgehängten magnetisirten Stahlspiegel. Wegen des Eisengehaltes fast aller käuflichen Metalle und wegen des Diamagnetismus, welchen das reine Kupfer zeigt, ist das Instrument bis auf einige kleinere kupferne Verbindungsstücke ganz metallfrei gearbeitet. Die Schwingungen werden durch einen Töpler'schen Luftdämpfer (Pogg. Ann. Bd. 149. 416) beruhigt.

Die gleichzeitige Ablenkung des Bifilargalvanometers und des Magnetometers wird zweimal gemessen, einmal mit nördlich, das andere Mal mit südlich gestelltem Magnetometer. Als Abstand a des Magnetometers von dem Drahtringe gilt dann die Hälfte des sehr genau meßbaren Abstandes des Magnetometerfadens in beiden Stellungen.

Die Wägung des Drahtringes mit Zubehör kann controlirt werden, ohne das Instrument von seinen Drähten abzunehmen. Eine einfache Vorrichtung liefert dabei die Prüfung, ob die beiden Drähte gleich stark belastet sind.

Der Ausdruck für T^2 verlangt von den beiden (nahe gleichen) Ablenkungswinkeln α und φ nur das Verhältnis ihrer Tangenten. Die Beobachtung beider Winkel geschieht deswegen an einer und derselben geradlinigen Millimeterscale von 2 m Länge. Hätten die beiden Spiegel genau denselben Abstand von der Scale, so brauchte der letztere gar nicht gemessen zu werden. In Wirklichkeit genügt es wenigstens, den Abstand genähert zu kennen, aber den kleinen Unterschied beider Abstände genau zu ermitteln, was ohne Mühe durch eine Visirvorrichtung erreicht wird.

3. Genauere Berechnung.

Zu der schematischen Behandlung der Aufgabe unter Nr. 1 treten einige kleine Ergänzungen.

1. Zu der Directionskraft der bifilaren Aufhängung kommt noch die Torsionskraft der Fäden. Es sei ε_1 und ε_2 das Torsionsmoment beider Fäden.

ε kann bestimmt werden aus der Schwingungsdauer τ eines an den Draht angehängten Körpers vom Trägheitsmomente $\varkappa$ als $\varepsilon = \frac{\varkappa . \pi^2}{\tau^2}$.

Aus der Länge l des Drahtes und dessen Halbmesser findet man auch ε mit Hülfe des Elasticitätsmodul des Kupfers. Als praktisch hier genügende Rechnungsregel nenne man σ das Gewicht eines Meters von dem Draht in Milligrammen. Dann ist ε nahe $= 100000 \frac{\sigma^2}{l}$. Das Elasticitätsmoment ist gegen die ganze Directionskraft so klein, daß eine rohe Kenntnis von ε genügt.

2. Die Drahtlänge wird nicht auf beiden Seiten genau gleich sein. Man setzt für l in der Formel für D das Mittel beider Längen l_1 und l_2.

3. Zu dem Gewicht des an den beiden Drähten aufgehangenen Körpers tritt noch das halbe Gewicht der Aufhängedrähte selbst. Dasselbe sei in gm bereits mit begriffen.

Hiernach wird die gesammte Directionskraft des Bifilargalvanometers

$$D = \tfrac{1}{2}\frac{e_1 e_2}{l_1 + l_2} gm + \varepsilon_1 + \varepsilon_2.$$

4. Die Magnetometernadel übt auf den Ort des Bifilargalvanometers eine kleine, den Erdmagnetismus verstärkende Kraft aus. Es sei k das in bekannter Weise bestimmte Verhältnis des Nadelmagnetismus zum Erdmagnetismus, so wird die Formel I

$$D \operatorname{tg} \alpha = fi T\left(1 + 2\frac{k}{a^3}\right).$$

5. Die Torsion des Magnetometerfadens wird in bekannter Weise berücksicht, indem zu T in Gleichung II der Factor $1 + \theta$ hinzutritt, wo θ den Torsionscoëfficienten der Magnetometernadel bedeutet.

6. Der Ausdruck $\frac{fi}{a^3}$ für die Fernewirkung des Drahtringes setzt voraus, daß man das Quadrat des Verhältnisses vom Ringhalbmesser r gegen die Entfernung a vernachlässigen darf. In unserem Falle aber ist das Verhältnis etwa

$= 1:7$. Die Rechnung zeigt, daß anstatt $\frac{fi}{a^3}$ genauer zu setzen ist

$$\frac{fi}{a(a^2 - r^2)}\left(1 + \tfrac{1}{8}\frac{r^2}{a^2}\right).$$

7. Endlich erleidet die Wirkung der Bifilarrolle auf das Magnetometer eine kleine Abschwächung dadurch, daß die Rolle durch ihre Ablenkung ein wenig aus dem magnetischen Meridian heraustritt. Man trägt diesem Umstande hinreichend genaue Rechnung, indem man in Glei- II zu fi den Factor setzt.

$$\cos\alpha - 2\sin\alpha \operatorname{tg}\varphi.$$

Mit Rücksicht auf alle diese Correctionen würde also nach dem Ausdruck zu rechnen sein

$$T^2 =$$

$$\tfrac{1}{2}\frac{e_1 e_2}{l_1 + l_2} gm + \varepsilon_1 + \varepsilon_2 \Big) \frac{1 + \frac{1}{8}\frac{r^2}{a^2}}{a(a^2 - r^2)} \frac{\cos\alpha - 2\sin\alpha \operatorname{tg}\varphi}{(1+\theta)\left(1 + 2\frac{k}{a^3}\right)} \frac{\operatorname{tg}}{\operatorname{tg}}$$

Die hier neu eingetretenen Größen sind sämmtlich klein und leicht hinreichend genau zu ermitteln.

Hier bedeutet also

m die Masse des Bifilargalvanometers einschließlich der halben Masse der Aufhängefäden,

r den Halbmesser der Bifilarrolle,

$e_1\, e_2$ den oberen und den unteren Fadenabstand,

$l_1\, l_2$ die Länge der beiden Fäden,

$\varepsilon_1\, \varepsilon_2$ deren elastisches Torsionsmoment,

g die Schwerbeschleunigung am Beobachtungsorte,
$2a$ die Entfernung zwischen den beiden Orten des Magnetometerfadens in der nördlichen und der südlichen Stellung des Instruments,
θ den Torsionscoëfficienten des Magnetometers,
k das Verhältnis des Nadelmagnetismus des Magnetometers zum Erdmagnetismus,
α den Ablenkungswinkel der Bifilarrolle und
φ den Ablenkungswinkel des Magnetometers, beide im Mittel aus den beiden Beobachtungen.

4. Beispiel.

1880 Dec. 20 wurde in dem von größeren Eisenmengen abgelegenen nordöstlichen Zimmer des Physikalischen Instituts zu Würzburg gefunden:

$$m = 144560 \text{ mg} \qquad r = 97 \text{ mm}$$
$$e_1 = 101{,}83 \text{ mm} \qquad e_2 = 99{,}54 \text{ mm}$$
$$l_1 + l_2 = 5402{,}9 \text{ mm}$$
$$\varepsilon_1 + \varepsilon_2 = 216000$$
$$\theta = 0{,}00016 \qquad k = 75300$$
$$a = 700{,}0 \text{ mm}$$

und bei dem Scalenabstande 2433,0 mm bez. 2438,7 mm der doppelte Ausschlag der Bifilarrolle = 135,07 mm und des Magnetometers = 142,80 mm, woraus

$$\frac{\operatorname{tg}\alpha}{\operatorname{tg}\varphi} = 0{,}9481.$$

Daraus berechnet sich die Horizontalcomponente des Erdmagnetismus

$$T = 1{,}938 \frac{\text{mg}^{\frac{1}{2}}}{\text{mm}^{\frac{1}{2}} . \text{sec}}.$$

Würzburg im Mai 1881.

Zur Theorie der Curven doppelter Krümmung.

Von

A. Enneper.

In der Note »Problème de géométrie« (Journal de Mathématiques. T. VII p. 65, Année 1842) hat Hr. Puiseux zuerst nachgewiesen, daß nur für die Helix eines Kreiscylinders der Krümmungsradius und der Torsionsradius gleichzeitig constant sind. Eine Erweiterung dieses Satzes hat Hr. Bertrand gegeben in: »Sur la courbe dont les deux courbures sont constantes.« (J. d. M. T. XIII p. 423, A. 1848). Durch rein geometrische Betrachtungen hat Hr. Bertrand gezeigt, daß für die Helix einer beliebigen Cylinderfläche das Verhältniß des Krümmungsradius zum Torsionsradius constant ist und umgekehrt. Durch eine gewandte analytische Rechnung, enthalten in »Sur la ligne dont les deux courbures ont entre elles un rapport constant« (J. d. M. T. XVI p. 208, A. 1851) hat Hr. Puiseux den erweiterten Satz deducirt. Durch etwas einfachere und mehr symmetrische Rechnungen hat Hr. Serret in der Abhandlung »Sur quelques formules relatives à la théorie des courbes à double courbure« (J. d. M. T. XVI p. 197 A. 1851) den Satz des Hn. Bertrand bewiesen. Eine weitere Ausdehnung haben die Sätze der Hn. Puiseux und Bertrand in den »Bemerkungen über Curven doppelter Krümmung« erfahren, welche der Verfasser der vorliegenden Untersuchungen der K. Societät 1866 mitgetheilt hat. (Nachrichten von der K. Gesellschaft d. Wissenschaften. Göttingen 1866, p. 134—140). Im Puncte P einer Curve sei ϱ der Krümmungshalbmesser, r der Torsionsradius, durch s werde der Bogen der Curve bezeichnet, von einem festen Puncte P_0 bis zum Puncte P gerechnet. Sind g und h Constanten, so ist durch die Gleichung:

$$1)\qquad \frac{\varrho}{r} = gs + h,$$

eine geodätische Linie einer Kegelfläche characterisirt. Für $g = 0$ geht die Kegelfläche in eine cylindrische Fläche über, es ergiebt sich dann der Satz des Hn. Bertrand. Man kann eine conische Fläche als besondern Fall einer developpabeln Fläche auffassen, deren Wendecurve in jedem Punkte denselben constanten Krümmungsradius hat. Für eine geodätische Linie einer solchen Fläche findet folgende Gleichung statt, in welcher a, b und c Constanten bedeuten:

$$2)\qquad a^2\left[1 + \left(\frac{\varrho}{r}\right)^2\right] = \left[b\frac{\varrho}{r} - s + c\right]^2.$$

Es ist a der constante Krümmungsradius der Wendecurve einer developpabeln Fläche. Dem Fall $a = 0$ entspricht die Gleichung 1). Es lassen sich noch einige andere Relationen von der Art der Gleichung 2) aufstellen, wenn die Wendecurve einer developpabeln Fläche, auf welcher eine gegebene Curve geodätische Linie sein soll, einer bestimmten Bedingung zu genügen hat. Eine kurze Begründung der Gleichung 2) und einiger analogen Resultate bildet den Gegenstand dieser Mittheilung. Es mußte dabei ein Weg eingeschlagen werden, welcher wesentlich von dem verschieden ist, auf dem sich die Gleichung 1) ergeben hat. Man kann allgemein eine Curve doppelter Krümmung als geodätische Linie einer developpabeln Fläche ansehn. In Beziehung hierauf gilt das folgende, leicht zu beweisende, fast selbstverständliche

Theorem:

Durch eine Curve doppelter Krümmung C läßt sich nur eine developpabele Fläche legen, auf welcher die Curve C geodätische Linie ist. Diese Fläche ist die, von Lancret aufgestellte rectificirende Fläche der Curve C.

Dieser einfache Satz gestattet, mit geringem Aufwand von Rechnung, die Gleichung 2) und ähnliche Gleichungen herzustellen.

Es seien ξ, η, ζ die Coordinaten eines Punctes P einer Curve C. Im Puncte P sei ϱ der Krümmungshalbmesser und r der Torsionsradius. Es seien ferner:

$$\begin{array}{ccc} \alpha, & \beta, & \gamma; \\ \lambda, & \mu, & \nu; \\ l, & m, & n; \end{array}$$

die Winkel, welche respective die Tangente, die Hauptnormale und die Binormale der Curve C im Puncte P mit den Coordinatenaxen einschließen. Ist allgemein s der Bogen der Curve, so können bekanntlich die sämmtlichen bemerkten Quantitäten als Functionen von s angesehn werden.

Dem Puncte P der Curve C entspreche der Punct P_1 einer Curve C_1 mittelst der Coordinaten ξ_1, η_1, ζ_1. Im Puncte P_1 sollen die zu s, ϱ, r, α, λ, l u. s. w. entsprechenden Quantitäten mit dem Index 1 versehen werden. Es sei P_1 der Punct der Wendecurve der rectificirenden Fläche der Curve C, welcher dem Puncte P entspricht. Setzt man:

$$3)\qquad \frac{\varrho}{r} = \operatorname{tang} u$$

und:

$$\frac{du}{ds} = u',$$

so bestehen die Gleichungen:

$$4)\quad \begin{cases} \xi_1 = \xi - \dfrac{\cos u}{u'}(\cos\alpha \sin u - \cos l \cos u), \\ \eta_1 = \eta - \dfrac{\cos u}{u'}(\cos\beta \sin u - \cos m \cos u), \\ \zeta_1 = \zeta - \dfrac{\cos u}{u'}(\cos\gamma \sin u - \cos n \cos u). \end{cases}$$

Nimmt man:

$$5)\quad \begin{cases} \cos\alpha_1 = \cos\alpha \sin u - \cos l \cos u, \\ \cos\beta_1 = \cos\beta \sin u - \cos m \cos u, \\ \cos\gamma_1 = \cos\gamma \sin u - \cos n \cos u, \end{cases}$$

so geben die Gleichungen 4) durch Differentiation nach s, mit Rücksicht auf die Gleichung 3):

$$\frac{ds_1}{ds} = \sin u - d\frac{\frac{\cos u}{u'}}{ds}.$$

Diese Gleichung läßt sich durch Multiplication von $\cos u$ auf folgende Form bringen:

$$6) \qquad \cos u \frac{ds_1}{ds} = -d \frac{\frac{\cos^2 u}{u'}}{ds}.$$

Unter Zuziehung der Gleichung 3) leitet man durch Differentiation nach s aus den Gleichungen 5) die folgenden ab:

$$7) \qquad \frac{1}{\varrho_1} \frac{ds_1}{ds} = u'.$$

$$8) \qquad \begin{cases} \cos\lambda_1 = \cos\alpha \cos u + \cos l \sin u, \\ \cos\mu_1 = \cos\beta \cos u + \cos m \sin u, \\ \cos\nu_1 = \cos\gamma \cos u + \cos n \sin u. \end{cases}$$

Die Gleichungen 5) und 8) geben:

$$9) \qquad \cos l_1 = -\cos\lambda, \quad \cos m_1 = -\cos\mu, \quad \cos n_1 = -\cos\nu.$$

Die Gleichungen 9) nach s differentiirt führen in Verbindung mit den Gleichungen 3) und 8) auf:

$$10) \qquad \frac{1}{r_1} \frac{ds_1}{ds} = \frac{1}{\varrho \cos u}.$$

Die Gleichungen 3), 6), 7) und 10) bilden die Basis der folgenden Betrachtungen.

Für eine Cylinderfläche sind in den Gleichungen 5) $\alpha_1, \beta_1, \gamma_1$ constant, es ist dann in 7) $\varrho_1 = \infty$, also $u' = 0$ oder u constant. Die Gleichung 3) giebt dann den Satz des Hn. Bertrand. Für eine conische Fläche sind ξ_1, η_1, ζ_1 constant, es ist dann $\frac{ds_1}{ds} = 0$. Die Gleichung 6) giebt:

$$\frac{\cos^2 u}{u'} = \frac{1}{g}, \quad \frac{u'}{\cos^2 u} = g,$$

$$\operatorname{tang} u = gs + h,$$

wo g und h Constanten sind. Setzt man links den Werth von $\operatorname{tang} u$ aus 3), so ergiebt sich wieder die Gleichung 1).

Statt der Gleichung 3) soll eine allgemeinere Gleichung aufgestellt werden, die zu einigen besondern Fällen Veranlassung giebt. Zu diesem Zweck führe man den Contingenzwinkel $d\varepsilon$ und den Torsionswinkel $d\omega$ mittelst folgender Gleichungen ein:

$$11) \qquad d\varepsilon = \frac{ds}{\varrho}, \quad d\omega = \frac{ds}{r}.$$

In der Abhandlung: »Mémoire sur les lignes courbes non planes« (Journal de l'École polytechnique. T. XVIII. Cahier 30. p. 1—76 Paris 1845) hatte Hr. de Saint-Venant (pag. 48, Anmerkung) folgende Frage aufgeworfen:

»Sur la surface gauche formée par l'ensemble des rayons de courbure d'une courbe donnée, peut on tracer une seconde courbe dont les génératrices de la surface soient aussi des rayons de courbure?

Diese Frage findet sich beantwortet bei Bertrand: »Mémoire sur les courbes à double courbure« (Journ. de Math. T. XV p. 347 Année 1850). Die gesuchte Bedingung ist enthalten in:

$$\frac{a}{\varrho} + \frac{b}{r} = 1,$$

wo a und b Constanten sind. Einen sehr einfachen analytischen Beweis hat Hr. Serret gegeben in der Note »Sur un théorème relatif aux courbes à double courbure«. (J. d. M. T. XVI, p. 499—500. A. 1851.) Eine rein geometrische Deduction von Hn. Mannheim findet sich in: »Démonstration géométrique d'une proposition due à M. Bertrand. (J. d. M. 2de série. T. XVII. p. 403, A. 1872).

Die Bedingung, daß die Hauptnormalen einer Curve gleichzeitig die Hauptnormalen einer zweiten Curve sind, soll für die Wendecurve der developpabeln Fläche angenommen werden und zwar in folgender Form:

$$\text{12)} \qquad \frac{\cos p}{\varrho_1} + \frac{\sin p}{r_1} = \frac{1}{a},$$

wo p und a Constanten sind. Die Gleichung 12) mit $\cos u \dfrac{ds_1}{ds}$ multiplicirt, giebt nach 6), 7) und 10):

$$\cos p \cos u \, . \, u' + \frac{\sin p}{\varrho} = -\frac{1}{a} \, d \, \frac{\dfrac{\cos^2 u}{u'}}{ds}.$$

Man setze hierin $\dfrac{1}{\varrho} = \dfrac{d\varepsilon}{ds}$. Bedeutet b eine Constante, so folgt durch Integration:

$$\text{13)} \qquad \cos p \, . \sin u + \varepsilon \, . \sin p = -\frac{\cos^2 u}{a u'} + b,$$

oder:

$$14)\quad \cos p\frac{\sin u\,.\,u'}{\cos^2 u}+\sin p\frac{s\,.\,u'}{\cos^2 u}=-\frac{1}{a}+\frac{bu'}{\cos^2 u}.$$

Es ist nun nach 3) und 10):

$$\frac{s\,.\,u'}{\cos^2 u}=d\frac{s\tan u}{ds}-\frac{1}{\varrho}\tan u=$$

$$d\frac{s\tan u}{ds}-\frac{d\omega}{ds}.$$

Mit Rücksicht hierauf giebt die Gleichung 14) durch Integration folgende Gleichung, in welcher c eine beliebige Constante ist:

$$\frac{\cos p}{\cos u}+\sin p\,.\,(s\tan u-\omega)=-\frac{s}{a}+c+b\tan u,$$

oder:

$$15)\quad \frac{\cos p}{\cos u}+\tan u\,.\,(s\,.\,\sin p-b)$$
$$-(\omega\,.\,\sin p-c)=-\frac{s}{a}.$$

Hierin ist u durch die Gleichung 3) bestimmt. Als besondere Fälle sind die folgenden hervorzuheben.

Für $p=0$ giebt die Gleichung 12) $\varrho_1=a$. Die Gleichung 13) reducirt sich auf:

$$\frac{1}{\cos u}=b\tan u-\frac{s}{a}+c.$$

Setzt man $\frac{b}{a}$ und $\frac{c}{a}$ statt b und c, so giebt die vorstehende Gleichung in Verbindung mit der Gleichung 3):

$$a^2\left[1+\left(\frac{\varrho}{r}\right)^2\right] = \left[b\frac{\varrho}{r} - s + c\right]^2.$$

Durch diese Gleichung ist eine kürzeste Linie einer developpabeln Fläche characterisirt, deren Wendecurve constanten Krümmungsradius hat. Für $p = \frac{\pi}{2}$ giebt die Gleichung 12) $r_1 = a$. Die Gleichung 15) giebt dann nach 3):

$$16)\qquad \frac{\varrho}{r}(s-b) - (\omega - c) + \frac{s}{a} = 0.$$

Durch diese Gleichung ist eine geodätische Curve einer developpabeln Fläche bestimmt, deren Wendecurve constanten Torsionsradius hat. Für $a = \infty$ giebt die Gleichung 12):

$$\frac{\varrho_1}{r_1} = -\cot p.$$

Die Gleichungen 13) und 15) reduciren sich für $a = \infty$ auf:

$$\cos p \sin u + s.\sin p - b = 0,$$

$$\frac{\cos p}{\cos u} + \operatorname{tang} u.(s \sin p - b) = \omega \sin p - c.$$

Die Elimination von u zwischen diesen Gleichungen giebt:

$$17)\qquad (s.\sin p - b)^2 + (\omega.\sin p - c)^2 = \cos^2 p.$$

Durch diese Gleichung ist eine geodätische Linie einer developpabeln Fläche characterisirt, deren Wendecurve eine beliebige Helix ist.

Man kann die Gleichung 17) aus der Gleichung 13) auch auf folgende Art herleiten. Für $a = \infty$ folgt aus 13):

$$\cos p \sin u + s . \sin p - b = 0.$$

Wird hierin der Werth von $\sin u$ aus 8) gesetzt, so folgt:

$$\pm \frac{\varrho}{r} = \frac{s . \sin p - b}{\sqrt{\cos^2 p - (s . \sin p - b)^2}}.$$

Diese Gleichung multiplicire man mit $\frac{\sin p}{\varrho}$, setze:

$$\frac{1}{r} = \frac{d\omega}{ds}, \quad \frac{1}{\varrho} = \frac{de}{ds}.$$

Durch Integration nach s folgt darauf wieder die Gleichung 17). Dieselbe läßt sich noch etwas einfacher schreiben, wenn:

$$b = s_0 . \sin p, \quad c = \omega_0 \cos p, \quad \cot p = k$$

gesetzt wird. Dann folgt:

18) $$(s - s_0)^2 + (\omega - \omega_0)^2 = k^2.$$

Für den Fall, daß ϱ_1 und r_1 beide constant sind, ist die Wendecurve der developpabeln Fläche die Helix eines Kreiscylinders. An Stelle der Gleichung 18) läßt sich dann eine algebraische Gleichung zwischen ϱ und r aufstellen. Für $\cos p = 1$ giebt die Gleichung 13):

19) $$a \sin u = -\frac{\cos^2 u}{u'} + ab.$$

In der Gleichung 13) nehme man $\sin p = 1$, differentiire die erhaltene Geichung nach s und setze c statt a, dann folgt:

$$\frac{c}{\varrho} = -d\frac{\frac{\cos^2 u}{u'}}{ds}.$$

Aus dieser Gleichung und der Gleichung 19) erhält man:

$$\frac{c}{\varrho} = a\cos u \,.\, u'.$$

Die Elimination von u' zwischen der vorstehenden Gleichung und der Gleichung 19) führt auf:

$$\operatorname{tang} u + \frac{\varrho}{c}\cos^2 u = \frac{b}{\cos u}.$$

Wird endlich u mittelst der Gleichung 3) eliminirt, so erhält man:

$$\left[\frac{\varrho}{r} + \frac{\varrho}{c}\frac{1}{1+\left(\frac{\varrho}{r}\right)^2}\right]^2 = b^2\left[1+\left(\frac{\varrho}{r}\right)^2\right].$$

Die vorstehende Gleichung bestimmt eine geodätische Linie der developpabeln Fläche, welche die Helix eines Kreiscylinders zur Wendecurve hat.

Universität.

Preisvertheilung.

Die Feierlichkeit der Preisvertheilung war diesmal vom 4. Juni, dem Sonnabend vor dem Pfingstfest, auf den 15. verlegt worden. Die Festrede, welche nach altem Brauche dem Bericht über die bei den vier Fakultäten eingegangenen Versuche die Preisaufgaben des vorigen Jahres zu lösen vorangeht, hielt diesmal Professor Sauppe. Er sprach über die Stellung der Religion im Leben Athens, sowol der Einzelnen als des Staates. Aus den Berichten der Fakultäten ergab sich, das bei der medicinischen gar keine Preisarbeit eingegangen war, ebensowenig bei der philosophischen für die zweite, aus dem Gebiete der Physik im vorigen Jahre gestellte Aufgabe. Dagegen hatten die theologische, die juristische, und die erste Aufgabe der philosophischen Fakultät, aus dem Gebiete der deutschen Geschichte, je einen Bearbeiter gefunden. Der theologischen Abhandlung würde die Fakultät den Preis zuerkannt haben, wenn sie nicht deutsch geschrieben wäre, während die Abfassung in lateinischer Sprache gefordert war. Die juristische Fakultätp konnte dem eingereichten Versuch den vollen Preis nicht zuerkennen, da weder die Quellen vollständig benutzt sind noch die Untersuchung genügend im Einzelnen durchgeführt ist. Ebensowenig zeigte die der philosopbischen Fakultät vorliegende Abbandlung in Forschung und Darstellung die Reife, welche für die Ertheilung des Preises nöthig wäre. Aber um dem rühmlichen Fleiß der Bewerber die verdiente Anerkennung zu Theil werden zu lassen haben alle drei Fakultäten beschlossen den Verfassern, wenn sie sich bei dem Dekan ihrer Fakultät melden, einen Theil der Preissumme auszuzahlen. Das königliche Curatorium hat schon die Gewogenheit gehabt die Anträge der Fakultäten zu genehmigen.

Die Aufgaben für das nächste Jahr sind folgende:

1. der theologischen Fakultät:
Historia ecclesiastica Asiae minoris Antenicena ita adumbretur, ut et rerum nexus appareat et illius ecclesiae indoles.

Als Predigttext giebt sie: 1 Petri 2, 9.

2. der juristischen Fakultät:
Geschichtliche und dogmatische Darstellung der Lehre von dem Gerichtsstande der belegenen Sache.

3. der medicinischen Fakultät:
Es soll durch Untersuchung menschlicher Lungen und unter Zuhülfenahme des Experiments das Verhalten des Epithels der Lungenalveolen bei der fibrinösen Pneumonie mit besonderer Rücksichtnahme auf etwaige ursächliche Beziehungen, welche zwischen Veränderungen dieses Epithels und der Gerinnung des Exsudates bestehen, festgestellt werden.

4. der philosophischen Fakultät:

1. *Poetarum scaenicorum Graecorum loci ad ornatum et gestum scaenicum pertinentes colligantur, disponantur, explicentur ita, ut contendantur inter se atque cum reliquis scriptorum veterum locis cumque artium operibus ad easdem res referendis.*
2. *Es soll eine kritische Zusammenstellung dessen gegeben werden, was zur Zeit über das Krystallsystem des Perowskit bekannt ist. Im Anschluß hieran wäre dann zu erforschen, wie sich dieses Mineral mit Rücksicht auf die in letzterer Zeit an optisch anomalen Kry-*

stallen des regulären Systems gewonnenen Beobachtungen verhält und, wenn möglich, die Frage nach seinem Krystallsystem definitiv zu erledigen.

(Der Arbeit ist eine wohlgeordnete Anzahl von Zeichnungen und eine solche von optischen Präparaten anzufügen; an einem Theile letzterer müßten auch die Aetzerscheinungen dieses Minerals wahrgenommen werden können).

Die Bearbeitung der einzelnen Aufgaben wird in der Sprache erwartet, in der sie gestellt sind.

Die Bearbeitungen müssen, mit einem Motto versehn, und begleitet von einem versiegelten Zettel, der außen das gleiche Motto trägt und innen den Namen des Verfassers enthält, vor dem 15. April 1882 den Dekanen der Fakultäten übergeben werden.

Nach diesem Bericht war der Redner so glücklich der zahlreichen Versammlung noch mittheilen zu können, dass Sr. Majestät unser erhabener Kaiser und König das einstimmige Gesuch des akademischen Senats huldreich aufgenommen und uns sein allerhöchstes Bild zum Schmuck der Aula allergnädigst verliehen habe, das zum erstenmal an dem Tage unseren Räumen zu hoher Zierde gereichte. Nachdem tiefgefühlter Dank und innige Wünsche für das Wohl unseres allergnädigsten Herrn in den Worten des Redners Ausdruck gefunden, stimmte die Versammlung begeistert in den Ruf ein: Gott segne unsern Kaiser und König Wilhelm.

Für die Redaction verantwortlich: *F. Bechtel*, Director d. Gött. gel. Anz.
Commissions-Verlag der *Dieterich'schen Verlags-Buchhandlung.*
Druck der Dieterich'schen Univ.-Buchdruckerei (W. Fr. Kaestner).

Nachrichten
von der
Königl. Gesellschaft der Wissenschaften
und der Georg-Augusts-Universität
zu Göttingen.

27. Juli. №. 11. 1881.

Königliche Gesellschaft der Wissenschaften.

Bemerkungen über einige Transformationen von Flächen.

Von

A. Enneper.

Die nachstehenden Untersuchungen bilden eine Fortsetzung einer in den „Nachrichten von der K. Gesellschaft d. Wissenschaften a. d. J. 1877« (p. 369—396) erschienenen Abhandlung. Der Einfachheit halber sind dieselben Bezeichnungen beibehalten; zur Erleichterung der Uebersicht sollen einige wenige Hauptformeln wiederholt werden, so daß diese neue Abhandlung ein selbständiges Ganze bildet.

Die correspondirenden Puncte P und P_1 zweier Flächen S und S_1 sollen sich in Beziehung auf einen festen Punct O auf folgende Art entsprechen:

Die Ebene durch die Puncte O, P und P_1 enthalte die Normalen zu den Flächen S und S_1 in den respectiven Puncten P und P_1.

Problem: Wann entsprechen allgemein den Krümmungslinien der Fläche S Curven derselben Art auf der Fläche S_1?

Der feste Punct O sei der Anfangspunct orthogonaler Coordinaten, man bezeichne durch x, y, z und x_1, y_1, z_1 die Coordinaten der Puncte P und P_1. Es seien ξ, η, ζ und ξ_1, η_1, ζ_1 die Winkel, welche die Normalen zu S und S_1 in den Puncten P und P_1 mit den Coordinatenaxen einschließen.

Man setze ferner:

$$1)\quad \begin{cases} x\cos\xi + y\cos\eta + z\cos\zeta = p, \\ x^2 + y^2 + z^2 = r^2, \end{cases}$$

$$2)\quad \begin{cases} x_1\cos\xi_1 + y_1\cos\eta_1 + z_1\cos\zeta_1 = p_1, \\ x_1^2 + y_1^2 + z_1^2 = r_1^2. \end{cases}$$

Es ist p die Länge des Perpendikels, gefällt vom festen Puncte O auf die berührende Ebene zur Fläche S im Puncte P, ferner ist r der Radiusvector OP. Analoge Bedeutungen haben p_1 und r_1.

Es sollen im Folgenden die Flächen ausgeschlossen sein, für welche eine der Quantitäten r oder p constant ist und solche, für welche p und r gegenseitig von einander abhängig sind.

Wegen der Gleichungen 1) kann man x, y und z als Functionen von p und r ansehn, also auch ξ, η und ζ. Sind x_1, y_1 und z_1 von $x, y,$ und z abhängig, so kann man x_1, y_1 und z_1 ebenfalls als Functionen von p und r ansehn.

Die Gleichungen:

$$3)\quad \begin{cases} \frac{dx}{dp}\cos\xi + \frac{dy}{dp}\cos\eta + \frac{dz}{dp}\cos\zeta = 0, \\ \frac{dx}{dr}\cos\xi + \frac{dy}{dr}\cos\eta + \frac{dz}{dr}\cos\zeta = 0, \end{cases}$$

in Verbindung mit den Gleichungen 1) geben:

$$4)\quad \begin{cases} x\dfrac{d\cos\xi}{dp}+y\dfrac{d\cos\eta}{dp}+z\dfrac{d\cos\zeta}{dp}=1, \\ x\dfrac{d\cos\xi}{dr}+y\dfrac{d\cos\eta}{dr}+z\dfrac{d\cos\zeta}{dr}=0. \end{cases}$$

Es ist ferner:

$$5)\quad \begin{cases} x\dfrac{dx}{dp}+y\dfrac{dy}{dp}+z\dfrac{dz}{dp}=0, \\ x\dfrac{dx}{dr}+y\dfrac{dy}{dr}+z\dfrac{dz}{dr}=r. \end{cases}$$

Wegen der gegenseitigen Abhängigkeit der Flächen S und S_1 finden folgende Gleichungen statt:

$$\begin{vmatrix} \cos\xi & \cos\eta & \cos\zeta \\ x_1 & y_1 & z_1 \\ x & y & z \end{vmatrix} = 0, \quad \begin{vmatrix} \cos\xi_1 & \cos\eta_1 & \cos\zeta_1 \\ x_1 & y_1 & z_1 \\ x & y & z \end{vmatrix} = 0.$$

Sind M, N, M_1 und N_1 Unbestimmte, so lassen sich die vorstehenden Gleichungen durch die folgenden ersetzen:

$$6)\quad \begin{cases} x_1 = M\cos\xi + Nx, \\ y_1 = M\cos\eta + Ny, \\ z_1 = M\cos\zeta + Nz. \end{cases}$$

$$7)\quad \begin{cases} H\cos\xi_1 = M_1\cos\xi + N_1 x, \\ H\cos\eta_1 = M_1\cos\eta + N_1 y, \\ H\cos\zeta_1 = M_1\cos\zeta + N_1 z, \end{cases}$$

wo:

8) $$H^2 = M_1^2 + 2p M_1 N_1 + r^2 N_1^2.$$

Analog den Gleichungen 3) hat man:

$$\frac{dx_1}{dp}\cos\xi_1 + \frac{dy_1}{dp}\cos\eta_1 + \frac{dz_1}{dp}\cos\zeta_1 = 0,$$

$$\frac{dx_1}{dr}\cos\xi_1 + \frac{dy_1}{dr}\cos\eta_1 + \frac{dz_1}{dr}\cos\zeta_1 = 0.$$

Unter Zuziehung der Gleichungen 3) bis 7) geben die vorstehenden Gleichungen:

9) $$\begin{cases} M_1\left(\frac{dM}{dp}+p\frac{dN}{dp}\right)+N_1\left(p\frac{dM}{dp}+r^2\frac{dN}{dp}+M\right)=0, \\ M_1\left(\frac{dM}{dr}+p\frac{dN}{dr}\right)+N_1\left(p\frac{dM}{dr}+r^2\frac{dN}{dr}+rN\right)=0. \end{cases}$$

Bedeutet L eine Function von p und r, so ist in Folgendem

10) $$dL = \frac{dL}{dp}\,dp + \frac{dL}{dq}\,dq.$$

Die Differentialgleichungen der Krümmungslinien der Flächen S und S_1 sind in folgenden Gleichungen enthalten:

11) $$\begin{vmatrix} dx & dy & dz \\ d\cos\xi & d\cos\eta & d\cos\zeta \\ \cos\xi & \cos\eta & \cos\zeta \end{vmatrix} = 0.$$

12) $$\begin{vmatrix} dx_1 & dy_1 & dz_1 \\ d\cos\xi_1 & d\cos\eta_1 & d\cos\zeta_1 \\ \cos\xi_1 & \cos\eta_1 & \cos\zeta_1 \end{vmatrix} = 0.$$

Die Gleichung 12) läßt sich, ungeachtet einer scheinbaren Complication, leicht behandeln, wenn der Fall $N_1 = 0$ ausgeschlossen wird.

Für $N_1 = 0$ hat man aus 7) und 8)

$$\cos\xi_1 = \cos\xi, \quad \cos\eta_1 = \cos\eta, \quad \cos\zeta_1 = \cos\zeta.$$

Die Gleichung 12) nimmt dann die Form an:

$$\text{13)} \qquad \begin{vmatrix} dx_1 & dy_1 & dz_1 \\ d\cos\xi & d\cos\eta & d\cos\zeta \\ \cos\xi & \cos\eta & \cos\xi \end{vmatrix} = 0.$$

Man setze hierin für x_1, y_1 und z_1 ihre Werthe aus 6), sollen dann die Gleichungen 11) und 13) gleichzeitig bestehn, so reducirt sich die Gleichung 13) auf:

$$\begin{vmatrix} x & y & z \\ d\cos\xi & d\cos\eta & d\cos\zeta \\ \cos\xi & \cos\eta & \cos\zeta \end{vmatrix} dN = 0.$$

Hieraus folgt allgemein $dN = 0$, also N constant. Die Gleichungen 9) geben für $N_1 = 0$ und N constant auch für M einen constanten Werth.

Es sei N_1 von Null verschieden. In den Gleichungen 7) und 9) setze man:

$$\frac{M_1}{N_1} = t.$$

Dann folgt:

$$\text{14)} \qquad \begin{aligned} H_1 \cos\xi_1 &= t\cos\xi + x, \\ H_1 \cos\eta_1 &= t\cos\eta + y, \\ H_1 \cos\zeta_1 &= t\cos\zeta + z, \end{aligned}$$

wo:

15) $$H_1^2 = t^2 + 2pt + r^2.$$

An Stelle der Gleichungen 9) treten die folgenden:

16) $$\begin{aligned} &(p+t)\frac{dM}{dp} + (pt+r^2)\frac{dN}{dp} + M = 0, \\ &(p+t)\frac{dM}{dr} + (pt+r^2)\frac{dN}{dr} + rN = 0. \end{aligned}$$

Um die Differentialgleichung 11) auf eine einfache Form zu bringen, führe man folgende abkürzende Bezeichnungen ein:

17) $$\left\{\begin{aligned} &\begin{vmatrix} \frac{dx}{dp} & \frac{dy}{dp} & \frac{dz}{dp} \\ x & y & z \\ \cos\xi & \cos\eta & \cos\zeta \end{vmatrix} = A, \quad \begin{vmatrix} \frac{dx}{dr} & \frac{dy}{dr} & \frac{dz}{dr} \\ x & y & z \\ \cos\xi & \cos\eta & \cos\zeta \end{vmatrix} = B \\ &\begin{vmatrix} \frac{d\cos\xi}{dp} & \frac{d\cos\eta}{dp} & \frac{d\cos\zeta}{dp} \\ x & y & z \\ \cos\xi & \cos\eta & \cos\zeta \end{vmatrix} = C, \quad \begin{vmatrix} \frac{d\cos\xi}{dr} & \frac{d\cos\eta}{dr} & \frac{d\cos\zeta}{dr} \\ x & y & z \\ \cos\xi & \cos\eta & \cos\zeta \end{vmatrix} = D. \end{aligned}\right.$$

Zwischen den vorstehenden Determinanten leitet man mit Hülfe der Gleichungen 3), 4) und 5) folgende Relation ab:

$$AD - BC = r.$$

Zur Herstellung dieser Gleichung ist noch folgende zu beachten:

$$\frac{dx}{dp}\frac{d\cos\xi}{dr}+\frac{dy}{dp}\frac{d\cos\eta}{dr}+\frac{dz}{dp}\frac{d\cos\zeta}{dr}=$$

$$\frac{dx}{dr}\frac{d\cos\xi}{dp}+\frac{dy}{dr}\frac{d\cos y}{dr}+\frac{dz}{dr}\frac{d\cos\zeta}{dp}.$$

Man findet die vorstehende Gleichung leicht durch Differentiation der ersten Gleichung 3) nach r und der zweiten Gleichung 3) nach p.

Man multiplicire die Gleichung 11) mit der folgenden:

$$18)\quad \begin{vmatrix} \cos\xi & \cos\eta & \cos\zeta \\ x & y & z \\ y\cos\zeta - z\cos\eta & z\cos\xi - x\cos\zeta & x\cos\eta - y\cos\xi \end{vmatrix} = -(r^2-p^2).$$

Mit Rücksicht auf die Gleichungen 3), 4), 5) und die in 17) aufgestellten Bezeichnungen folgt:

$$\begin{vmatrix} 0 & 0 & 1 \\ rdr & dp & p \\ Adp+Bdr & Cdp+Ddr & 0 \end{vmatrix} = 0.$$

Setzt man also:

$$19)\quad \Sigma = (Cdp+Ddr)\,rdr - (Adp+Bdr)\,dp,$$

so ist $\Sigma = 0$ die Differentialgleichung der Krümmungslinien der Fläche S.

Um die Gleichung 12) auf eine möglichst einfache Form zu bringen, setze man die Werthe von x, y und z aus den Gleichungen 14) in die Gleichungen 6). Nimmt man zur Abkürzung:

$$20)\quad tN - M = Q,$$

so erhält man:

$$x_1 = -Q\cos\xi + NH_1\cos\xi_1,$$
$$y_1 = -Q\cos\eta + NH_1\cos\eta_1,$$
$$z_1 = -Q\cos\zeta + NH_1\cos\zeta_1.$$

Diese Werthe von x_1, y_1 und z_1 setze man in die Gleichung 12), darauf für $\cos\xi_1$, $\cos\eta_1$ und $\cos\zeta_1$ die Werthe aus den Gleichungen 14). Werden in der Determinante der Gleichung 12) der Einfachheit halben nur die Elemente der ersten Verticalreihe angemerkt, so nimmt die bemerkte Gleichung folgende Form an:

$$21)\qquad \begin{vmatrix} dQ\,.\cos\xi + Q\,d\cos\xi & \cdot\;\cdot \\ dt\,.\cos\xi + t\,d\cos\xi + dx & \cdot\;\cdot \\ t\cos\xi + x & \cdot\;\cdot \end{vmatrix} = 0.$$

Diese Gleichung multiplicire man mit der Gleichung 18). Mit Rücksicht auf die Gleichungen 1), 3), 4), 5) und 17) folgt dann:

$$\begin{vmatrix} dQ & dt & t+p \\ p\,dQ + Q\,dp & p\,dt + t\,dp + r\,dr & tp + r^2 \\ Q(Cdp + Ddr) & t\,(Cdp + Ddr) + Adp + Bdr & 0 \end{vmatrix} = 0.$$

Die vorstehende Gleichung entwickelt gibt, mit Rücksicht auf die Bedeutung von Σ aus 19):

$$22)\qquad (t+p)\,Q\Sigma + (r^2 - p^2)\,\Sigma_1 = 0,$$

wo

$$23)\qquad \Sigma_1 = (Cdp + Ddr)(t\,dQ - Q\,dt) + (Adp + Bdr)\,dQ.$$

Es sollen die Gleichungen 11) und 12) zwischen p und r dieselbe Differentialgleichung geben. Wegen $\Sigma = 0$ reducirt sich die Gleichung 22) auf $\Sigma_1 = 0$. Die beiden Gleichungen $\Sigma = 0$ und $\Sigma_1 = 0$ geben nach 19) und 23):

$$\frac{A dp + B dr}{C dp + D dr} = \frac{r dr}{dp},$$

$$\frac{A dp + B dr}{C dp + D dr} = \frac{Q dt - t dQ}{dQ}.$$

Sollen diese Gleichungen zusammenfallen, so folgt:

$$\frac{r dr}{dp} = \frac{Q dt - t dQ}{dQ}$$

d. i.

$$\frac{r dr}{dp} = \frac{\left(Q\frac{dt}{dr} - t\frac{dQ}{dr}\right)dr + \left(Q\frac{dt}{dp} - t\frac{dQ}{dp}\right)dp}{\frac{dQ}{dr}dr + \frac{dQ}{dp}dp}.$$

Hieraus folgt unmittelbar:

$$24)\qquad Q\frac{dt}{ap} - t\frac{dQ}{ap} = 0.$$

$$25)\qquad \frac{dQ}{dr} = 0.$$

$$26)\qquad r = \frac{Q\frac{dt}{dr} - t\frac{dQ}{dr}}{\frac{dQ}{dp}}.$$

Die Gleichung 26) nimmt nach 25) die einfachere Form an:

$$27)\qquad r\frac{dQ}{dp} = Q\frac{dt}{dr}.$$

Ist $\varphi(p)$ nur von p, $\psi(r)$ nur von r abhängig, so geben die Gleichungen 25) und 24):

$$28)\quad Q = \varphi(p),\ \ t = Q\psi(r) = \varphi(p)\,\psi(r).$$

Für diese Werthe von Q und t erhält man aus der Gleichung 27):

$$\frac{\varphi'(p)}{\varphi(p)^2} = \frac{\psi'(r)}{r}.$$

Bedeutet α eine Constante, so zerfällt die vorstehende Gleichung in:

$$\frac{\varphi'(p)}{\varphi(p)^2} = -2\alpha,\quad \frac{\psi'(r)}{r} = -2\alpha.$$

Hieraus folgt:

$$\frac{1}{\varphi(p)} = 2(\beta + \alpha p),\ \psi(r) = \gamma - \alpha r^2,$$

wo β und γ Constanten sind. Mit Hülfe der vorstehenden Gleichungen erhält man aus 28):

$$29)\qquad Q = \frac{1}{2(\beta+\alpha p)},\ t = \frac{\gamma - \alpha r^2}{2(\beta + \alpha p)}.$$

In die Gleichungen 16) setze man aus 20) $M = tN - Q$. Mit Rücksicht auf die Gleichungen 28) nehmen die Gleichungen 16) folgende Formen an:

$$(t + 2pt + r^2)\frac{dN}{dp} + [(t + p)\frac{dt}{ap} + t]\; N =$$

$$(p + t)\frac{dQ}{dp} + Q = (t + p)\,\varphi'(p) + \varphi(p).$$

$$(t^2 + 2pt + r^2)\frac{dN}{dr} + \left[\left(t + p\right)\frac{dt}{dr} + r\right] N = 0.$$

Diese Gleichungen lassen sich auf folgende Art schreiben:

$$d\frac{N\sqrt{t^2 + 2pt + r^2}}{dp} = \frac{(t + p)\,\varphi'(p) + \varphi(p)}{\sqrt{t^2 + 2pt + r^2}},$$

30)

$$d\frac{N\sqrt{t^2 + 2pt + r^2}}{dr} = 0.$$

Die Elimination von N zwischen den vorstehenden Gleichungen führt auf:

$$\frac{dt}{dr}[(r^2 - p^2)\,\varphi'(p) - (t + p)\,\varphi(p)] =$$

$$[(t + p)\,\varphi'(p) + \varphi(p)]\; r.$$

Nach 28) und 29) reducirt sich die vorstehende Gleichung einfach auf:

$$\beta^2 = \alpha\gamma.$$

Diese Gleichung ersetze man durch:

$$\beta = \alpha k, \quad \gamma = \alpha k^2.$$

Hierdurch werden die Gleichungen 28) und 29):

31) $$Q = \frac{1}{2\alpha(p + k)} = \varphi(p).$$

$$32)\qquad t = \frac{k^2 - r^2}{2(p+k)}.$$

Die Substitution der Werthe von $\varphi(p)$ und t aus den Gleichungen 31) und 32) in die Gleichungen 30) gibt:

$$d\,\frac{\dfrac{N(r^2+2pk+k^2)}{p+k}}{dp} = \frac{1}{\alpha(p+k)^2}.$$

$$d\,\frac{\dfrac{N(r^2+2pk+k^2)}{p+k}}{dr} = 0.$$

Durch Integration folgt hieraus:

$$33)\qquad N = \frac{g - 2mp}{r^2+2pk+k^2}.$$

Es bedeutet m eine beliebige Constante, an Stelle von α ist eine neue Constante g mittelst der Gleichung

$$\frac{1}{\alpha} = -(g+2mk)$$

eingeführt. Die Gleichung 31) wird dann:

$$Q = -\frac{g+2mk}{2(p+k)}.$$

Setzt man diesen Werth von Q, so wie die Werthe von t und N aus 32) und 33) in die Gleichung 20), so ergibt sich für M folgende Gleichung:

$$M = \frac{gk + (r^2 + k^2)m}{r^2 + 2pk + k^2},$$

oder:

$$34) \qquad M = m + \frac{k(g - 2mp)}{r^2 + 2pk + k^2}.$$

Mit Hülfe der Gleichungen 33) und 34) sind nach 6) x_1, y_1 und z_1 durch folgende Gleichungen bestimmt:

$$35) \begin{cases} x_1 = m\cos\xi + \frac{(g - 2mp)(x + k\cos\xi)}{r^2 + 2pk + k^2}, \\ y_1 = m\cos\eta + \frac{(g - 2mp)(y + k\cos\eta)}{r^2 + 2pk + k^2}, \\ z_1 = m\cos\zeta + \frac{(g - 2mp)(z + k\cos\zeta)}{r^2 + 2pk + k^2}: \end{cases}$$

Die Gleichungen 14), 15) und 32) geben:

$$36) \begin{cases} \cos\xi_1 = -\cos\xi + \frac{2(p + k)(x + k\cos\xi)}{r^2 + 2pk + k^2}, \\ \cos\eta_1 = -\cos\eta + \frac{2(p + k)(y + k\cos\eta)}{r^2 + 2pk + k^2}, \\ \cos\zeta_1 = -\cos\zeta + \frac{2(p + k)(z + k\cos\zeta)}{r^2 + 2pk + k^2}, \end{cases}$$

Aus den Gleichungen 35) und 36) leitet man noch die folgenden ab; wo $g + 2mk = k_1$ gesetzt ist:

$$x_1 + m \cos \xi_1 = \frac{k_1 (x + k \cos \xi)}{r^2 + 2pk + k^2},$$

37) $$y_1 + m \cos \eta_1 = \frac{k_1 (y + k \cos \eta)}{r^2 + 2pk + k^2},$$

$$z_1 + m \cos \zeta_1 = \frac{k_1 (z + k \cos \zeta)}{r^2 + 2pk + k^2}.$$

Da nach den in 1) gewählten Bezeichnungen:

$$(x + k \cos \xi)^2 + (y + k \cos \eta)^2 + (z + k \cos \zeta)^2 = r^2 + 2pk + k^2,$$

so geben die Gleichungen 37) unmittelbar:

Eine Parallelfläche der Fläche S_1 ist die transformirte Fläche mittelst reciproker Radii vectores einer Parallelfläche der Fläche S in Beziehung auf den Punct O.

Bei der Königl. Gesellschaft der Wissenschaften eingegangene Druckschriften.

Man bittet diese Verzeichnisse zugleich als Empfangsanzeigen ansehen zu wollen.

März 1881.

(Fortsetzung).

Sitzungsb. der philos.-philolog. u. histor. Classe der Akad. der Wiss. zu München. 1880. H. 4—5.
Memoirs of the Geological Survey of India. Vol. XV. 2. Vol. XVII. 2. Calc. 1880.
Memoirs of the Geological Survey of India. (Palaeontologica Indica). Series X. Part 4—5. Ser. XIII. 2. Fol. Ebd. 1880.

Records of the geolog. Survey of India. Vol. XIII Part. 2. 1880.
Nature. 593. 594. 596. 598. 599.
Leopoldina. XVII. Nr. 3—6.
Monatsbericht der Berliner Acad. der Wiss. Nov. und. Dec. 1880.
Monthly notices of the R. Astronomical Society. Ann. Report. Vol. XLI. Nr. 4. 5.
J. Plateau, Bibliographie analytique etc. 2ième Suppl.
Verhandlungen des Vereins für Natur- u. Heilkunde zu Presburg. Neue Folge. Hft. 3. Jahrg. 1873—75. Presb. 1880.
E. Kuhn, wissensch. Jahresb. über die Morgenländ. Studien. Hft. 1. Leipzig. 1881.
The transactions of the Linnean Soc. of London. Zoology. Vol. II. P. 1. 4°.
— Botany. Vol. I. P. 7—9. 4°.
The Journal of the Linnean Soc. Botany. Vol. XVII. Nr. 103—105. Vol. XVIII. Nr. 106—107.
— — Zoology. Vol. XIV. Nr. 80. Vol. XV. Nr. 81—83.
List of Fellows. 1879.
Memoirs of the lit. and philosoph. Soc. of Manchester. Vol. 6. 1879.
Memoirs, old series. Vol. 6—12. 1842—1855.
Proceedings. Vol. 16—19. 1877—1880.
Actas de la Academia national de Cencias. Tomo III. Entrega 1—2. Buenos-Aires. 1877. 4°.
Bulletin de l'Acad. national. T. III. Entrega 2—3. Cordoba.
Verhandelingen rakende den natuurlijken en geopenbaarten Godsdienst. Utgeven door Teyler's godgeleerte Genootschap. Nieuwe Serie, negende d. 1—2 Stuk. Harlem. 1880.
Handelingen en Mededeelingen van de maatschappij te Leiden. Overheft Jaar 1880.
Levensberichten der afgestorvenen medeleden. Leiden. 1880.
Natuurkundige tidschrift voor Nederlandsch-Indie. D. 39. Batavia. 1880.
Archives Néerlandaises des Sciences exactes et naturelles. T. XV. 3—5 Livr.
Mittheil. aus dem naturwiss. Verein von Neupommern u. Rügen. Jahrg. 12.
American Journal of Mathematics. Vol. III. Nr. 3.
Bulletin de la Soc. Mathem. T. IX. Nr. 1.

50—51. Jahresber. des Vogtländ. Alterthumsforsch. Vereins zu Hohenleuben.
Proceed. of the London Mathem. Soc. Nr. 165—66.
Mémoires de la Société physique et d'hist. naturelle d. Genève. T. 27. P. 1.
Anzeiger für Kunde der deutschen Vorzeit. 1880. Nr. 1—12.
26. Jahresbericht des germanischen Museums. 1. Jan. 1880.
Erdélyi Muzeum. 3. 4. SZ. VIII. ev. 1881.
Verhandelingen der K. Akademie van Wetensch. Naturkunde. Deel XX. Amsterdam. 4°.
Id. Letterkunde. D. XIII. 4°.
Verslagen en mededeelingen. Naturk. 2. Reeks. D. XV.
Id. Letterkunde. — — — — IX.
Jaarboek van de k. Akademie to Amsterdam voor 1879.
Processen-Verbal. Afd. Natuurkunde. 1879—80.
Satira et Consolatio. Amsterd. 1880.
Naam - en Zaakregister op de Verslagen. Afd. Natuurk. D. I—XVII.
Bulletin of the American Geograph. Society. 1880. Nr. 2.
Sitzungsber. der naturwiss. Gesellsch. Isis in Dresden. Jahrg. 1880.

Von der R. Society of New South Wales, Sidney. Austr.

A. Liversidge, report upon certain Museums for Technologie, Science and Arts, etc. Fol.
Annual Report of the Department of Mines, for 1878 and for 1879. 4°.
Maps to Annual Report for 1879.
Reports of the Council of Education, etc. for 1879.
Transactions of the R. Society, for the year 1868, 1872, 1873.
Transactions of the Philosophical Society. 1862—1865.
Journal and Proceedings of the Royal Society. Vol. XIII.

Von der k. Akademie der Wiss. in Brüssel.

Mémoires de l'Academie R. T. XLIII. lière Partie. 1880. 4°.

(Fortsetzung folgt.)

Für die Redaction verantwortlich: *F. Bechtel*, Director d. Gött. gel. Anz.
Commissions-Verlag der *Dieterich'schen Verlags-Buchhandlung.*
Druck der Dieterich'schen Univ.-Buchdruckerei (W. Fr. Kaestner).

Nachrichten

von der

Königl. Gesellschaft der Wissenschaften
und der Georg-Augusts-Universität
zu Göttingen.

3. August. №. 12. 1881.

Universität.

Verzeichniß der Vorlesungen
auf der Georg-Augusts-Universität zu Göttingen während des Sommerhalbjahrs 1881.

= *Die Vorlesungen beginnen den 15. October und enden den 15. März.* =

Theologie.

Geschichte des Volks Israel: Prof. *Duhm* dreistündig, Mont. Dienst. Mittwochs um 4 Uhr.

Hebräische Grammatik: *Derselbe*, zweistündig, Donnerst. und Freitags, um 4 Uhr.

Ueber die griechischen Uebersetzungen der Genesis: Prof. *de Lagarde* einmal oder öfter, Dienstags um 2 Uhr öffentlich.

Einleitung in das Neue Testament: Prof. *Wendt* viermal um 9 Uhr.

Erklärung des Buches des Propheten Jesaia: Prof. *Bertheau* fünfstündig um 10 Uhr; Prof. *Schultz* fünfstündig um 10 Uhr.

Erklärung der Psalmen: Prof. *Duhm* fünfstündig um 10 Uhr.

Erklärung der chaldäischen Abschnitte des Buchs Daniel: Prof. *Bertheau* Dienstags und Freitags um 2 Uhr.

Erklärung der synoptischen Evangelien: Prof. *Wiesinger* fünfmal um 9 Uhr.

Erklärung des Evang. u. der Briefe Johannis: Prof. *Lünemann* fünfmal um 9 Uhr.

Erklärung des Briefs des Paulus an die Römer: Prof. *Ritschl* fünfmal um 11 Uhr.

Kirchengeschichte Theil II: Prof. *Wagenmann* fünfstündig um 8 Uhr.

Kirchengeschichte seit der Zeit der Reformation: Prof. *Reuter* fünfmal um 8 Uhr u. Mittwochs um 11 Uhr.

Geschichte der Kirche und Theologie seit Mitte des achtzehnten Jahrh., vornehmlich im neunzehnten: *Derselbe* viermal um 11 Uhr.

Hannoversche Kirchengeschichte: Prof. *Wagenmann* zweistündig um 6 Uhr.

Geschichte des protestantischen Lehrbegriffs: *Derselbe* vier- bis fünfstündig um 5 Uhr.

Apologie des Christenthums: Prof. *Schultz* fünfstündig um 4 Uhr.

Dogmatik Th. II: Prof. *Ritschl* fünfstündig um 11 Uhr.

Praktische Theologie: Prof. *Wiesinger* vier- bis fünfmal um 3 Uhr.

Kirchenrecht u. Geschichte der Kirchenverfassung s. unter Rechtswissenschaft S. 323 f.

Die alttestamentlichen Uebungen der wissenschaftlichen Abtheilung des theologischen Seminars leitet Prof. *Bertheau* Freitags um 6 Uhr; die neutestamentlichen Prof. *Wiesinger* Dienstags um 6 Uhr; die kirchen- und dogmenhistorischen Prof. *Reuter* Montags um 5 Uhr; die dogmatischen Prof. *Ritschl* Donnerstags um 6 Uhr.

Die Uebungen des königl. homiletischen Seminars leiten Prof. *Wiesinger* und Prof. *Schultz* abwechselnd Sonnabends von 10—12 Uhr öffentlich.

Katechetische Uebungen: Prof. *Wiesinger* Mittwochs von 2—3 Uhr, Prof. *Schultz* Sonnabends von 2—3 Uhr öffentlich.

Eine historisch-theologische Societät leitet Freitags um 6 Uhr Prof. *Wagenmann*; eine exegetische Prof. *Wendt* wöchentlich einmal in zu bestimmenden Stunden.

Rechtswissenschaft.

Encyklopädie der Rechtswissenschaft: Prof. *John* Montag, Dienstag, Donnerstag von 12—1 Uhr.

Institutionen: Prof. *Hartmann*, viermal wöchentlich von 11—12 Uhr.

Römische Rechtsgeschichte: Prof. *Hartmann*, fünfmal wöchentlich von 10—11 Uhr.

Römischer Civilprocess: Prof. *Hartmann*, Montag und Donnerstag von 4—5 Uhr.

Pandekten, allgemeiner Theil: Prof. *Leonhard*, Montag, Dienstag, Mittwoch von 10—11 Uhr.

Römisches Sachenrecht: Prof. v. *Jhering* viermal wöchentlich von 11—12 Uhr.

Römisches Obligationenrecht: Prof. v. *Jhering* fünfmal von 12—1 Uhr und Mittwoch von 11—12 Uhr.

Römisches Familien- und Pfandrecht als Theil der Pandekten: Prof. *Leonhard*, Donnerstag und Freitag von 10—11 Uhr öffentlich.

Römisches Erbrecht: Prof *Wolff*, fünf Stunden von 3—4 Uhr.

Pandektenpraktikum: Prof. *Leonhard* Montags von 5—7 und Donnerstag von 5—6 Uhr.

Exegetische Uebungen für Anfänger: Prof. *Leonhard* Donnerstag von 6—7 Uhr.

Anleitung zur Anfertigung wissenschaftlicher Arbeiten aus dem Pandektenrecht: Prof. *Leonhard* nach mündlicher Verabredung privatissime und unentgeltlich.

Deutsche Rechtsgeschichte: Prof. *Mejer*, viermal wöchentlich um 3 Uhr.

Deutsche Verfassungsgeschichte von der Gründung der fränkischen Monarchie bis in die erste Hälfte des 13. Jahrhunderts: Dr. *Sickel* Dienstag und Freitag von 5—6 Uhr.

Deutsches Privatrecht: Prof. *Frensdorff* fünfmal wöchentlich von 11—12 Uhr.

Handelsrecht mit Wechselrecht und Seerecht: Prof. *Thöl* viermal wöchentlich von 9—10 Uhr.

Einige schwierigere Lehren des Handelsrechts: Dr. *Ehrenberg* zweistündig.

Preussisches Privatrecht: Prof. *Ziebarth* fünfmal von 11—12 Uhr.

Deutsches Reichs- und Staatsrecht: Prof. *Mejer* fünfmal wöchentlich von 11—12 Uhr.

Völkerrecht: Prof. *Frensdorff* Mittwoch und Sonnabend von 12—1 Uhr.

Strafrecht: Prof. *Ziebarth* fünfmal wöchentlich von 9—10 Uhr.

Strafrecht: Dr. v. *Kries*, Montag bis Freitag von 11—12 Uhr.

Kirchenrecht einschliesslich des Eherechts: Prof. *Dove* sechsmal von 8—9 Uhr.

Geschichte der Kirchenverfassung und des Verhältnisses von Staat und Kirche: Prof. *Dove* Dienstag und Freitag von 6—7 Uhr öffentlich.

Civilprocess: Prof. *v. Bar* fünfmal wöchentlich von 10—11 Uhr.

Theorie des Concurs- und der summarischen Processe: Dr. *v. Kries* Montag u. Donnerstag von 4—5 Uhr.

Strafprocess: Prof. *v. Bar* viermal wöchentlich von 9—10 Uhr.

Civilprocesspraktikum: Prof. *John* Dienstag von 4—6 Uhr.

Criminalpraktikum: Prof. *John* Mittwoch von 4—6 Uhr.

Medicin.

Zoologie, vergleichende Anatomie, Botanik, Chemie, siehe unter Naturwissenschaften.

Knochen- und Bänderlehre: Prof. *Henle* Montag, Mittwoch, Sonnabend von 11—12 Uhr.

Osteologie nebst Mechanik der Gelenke trägt Prof. *Krause* Montag, Mittwoch, Sonnabend von 11—12 Uhr vor.

Systematische Anatomie I. Theil: Prof. *Henle* täglich von 12—1 Uhr.

Topographische Anatomie: Prof. *Henle* Dienstag, Donnerstag, Freitag von 2—3 Uhr.

Präparirübungen: Prof. *Henle* in Verbindung mit Prosector Dr. *v. Brunn* täglich von 9—4 Uhr.

Allgemeine Histologie trägt Prof. *Krause* Mittwoch um 2 Uhr oder zu anderer passender Stunde öffentlich vor.

Mikroskopische Uebungen hält Dr. *v. Brunn* für Anfänger (allgemeine Anatomie) Dienstag, Donnerstag, Freitag um 11 Uhr, Mittwoch um 5 Uhr, für Geübtere (specielle mikroskopische Anatomie) Montag u. Sonnabend um 9 Uhr, Sonnabend von 2—4 Uhr.

Mikroskopische Curse in der normalen Histologie hält Prof. *Krause* viermal wöchentlich um 2 Uhr.

Allgemeine und besondere Physiologie mit Erläuterungen durch Experimente und mikroskopische Demonstrationen: Prof. *Herbst* in sechs Stunden wöchentlich um 10 Uhr.

Experimentalphysiologie II. Theil (Physiologie des Nervensystems und der Sinnesorgane): Prof. *Meissner* täglich von 10—11 Uhr.

Die medicinisch wichtigsten Capitel der Chemie in Verbindung mit praktischen Uebungen (für Anfänger) trägt Dr. *Flügge* Montag und Freitag von 2—4 Uhr, Dienstag und Donnerstag von 4—5 Uhr vor.

Arbeiten im physiologischen Institute leitet Prof. *Meissner* täglich in passenden Stunden.

Ein physiologisch-chemisches Prakticum (für Geübtere) hält Dr. *Flügge* Dienstag u. Donnerst. von 2—4 Uhr.

Allgemeine Aetiologie trägt Prof. *Orth* Freitag von 12—1 Uhr öffentlich vor.

Allgemeine pathologische Anatomie und Physiologie lehrt Prof. *Orth* Montag, Dienstag, Mittwoch, Donnerstag von 12—1 Uhr.

Demonstrativen Cursus der pathologischen Anatomie hält Prof. *Orth* privatissime Montag u. Mittwoch um 2 Uhr.

Physikalische Diagnostik mit praktischen Uebungen lehrt Prof. *Eichhorst* Montag, Mittwoch, Donnerstag von 5—6 Uhr. Dasselbe trägt Dr. *Wiese* viermal wöchentlich in später näher zu bezeichnenden Stunden vor.

Laryngoskopische Uebungen hält Prof. *Eichhorst* Sonnabend von 12—1 Uhr.

Ueber Diagnostik des Harns und Sputums verbunden mit praktischen Uebungen trägt Prof. *Eichhorst* Mittwoch von 6—7 Uhr vor.

Anleitung in der Untersuchung von Nervenkranken mit Einschluss der Elektrotherapie: Prof. *Ebstein* in Verbindung mit Dr. *Damsch* zweimal wöchentlich in zu verabredenden Stunden.

Arzneimittellehre und Receptirkunde verbunden mit Experimenten und Demonstrationen lehrt Prof. *Marmé* dreimal wöchentlich von 6—7 Uhr.

Die gesammte Arzneimittellehre, mit Demonstrationen, Versuchen und Uebungen im Abfassen ärztlicher Verordnungen verbunden, trägt Prof. *Husemann* an den vier ersten Wochentagen von 3—4 Uhr vor.

Die wichtigsten anorganischen Gifte demonstrirt experimentell Prof. *Marmé* ein Mal wöchentlich Freitag von 6—7 Uhr öffentlich.

Arbeiten im pharmakologischen Institut leitet Prof. *Marmé* täglich in passenden Stunden.

Ein pharmakologisches Practicum, Uebungen im Receptiren und Dispensiren, hält Prof. *Marmé* einmal wöchentlich von 7—8 Uhr.

Pharmakologische und toxikologische Uebungen leitet Prof. *Husemann* in passenden Stunden privatissime.

Pharmakognosie lehrt Prof. *Marmé* viermal wöchentlich von 8—9 Uhr.

Pharmacie lehrt Prof. *von Uslar* viermal wöchentlich um 3 Uhr.

Specielle Pathologie u. Therapie 2. Hälfte: Prof. *Ebstein* Montag, Dienstag, Donnerstag, Freitag von 4—5 Uhr.

Ueber Kinderkrankheiten 2. Theil liest Prof. *Eichhorst* Dienstag und Freitag von 6—7 Uhr.

Ueber die aus dem Genusse verdorbener Nahrungsmittel entstehenden Krankheiten trägt Prof. *Husemann* Freitag von 3—4 Uhr öffentlich vor.

Die medicinische Klinik und Poliklinik leitet Prof. *Ebstein* fünfmal wöchentlich von 10½—12 Uhr, Sonnabend von 9½—10¾ Uhr.

Poliklinische Referatstunde hält Prof. *Eichhorst* in gewohnter Weise.

Specielle Chirurgie lehrt Prof. *König* in noch zu verabredenden Stunden; Dasselbe Prof. *Lohmeyer* fünfmal wöchentlich von 8—9 Uhr.

Die Lehre von den chirurgischen Operationen trägt Prof. *Rosenbach* viermal wöchentl. Abends von 6—7 Uhr vor.

Die chirurgische Klinik leitet Prof. *König* von 9½—10¾ Uhr täglich ausser Sonnabend.

Chirurgische Poliklinik wird Sonnabend von 10¾—12 Uhr von Prof. *König* und Prof. *Rosenbach* gemeinschaftlich gehalten.

Klinik der Augenkrankheiten hält Prof. *Leber* Montag, Dienstag, Donnerstag, Freitag von 12—1 Uhr.

Augenoperationscursus hält Prof. *Leber* Dienstag u. Freitag von 3—4 Uhr.

Augenspiegelcursus hält Dr. *Deutschmann* Mittwoch und Sonnabend von 12—1 Uhr.

Ueber die Krankheiten des Gehörorgans mit Einschluss der Anatomie des Ohrs und mit Uebungen an Gesunden und Kranken trägt Dr. *Bürkner* Dienstag und Freitag von 4—5 Uhr vor.

Poliklinik für Ohrenkranke hält Dr. *Bürkner* (für Geübtere) an zwei noch zu bestimmenden Tagen von 12—1 Uhr öffentlich.

Geburtskunde trägt Prof. *Schwartz* Montag, Dienstag, Donnerstag, Freitag um 3 Uhr vor.

Geburtshülflichen Operationscursus am Phantom hält Dr. *Hartwig* Mittwoch und Sonnabend um 8 Uhr.

Gynaekologische Klinik leitet Prof. *Schwartz* Montag, Dienstag, Donnerstag und Freitag um 8 Uhr.

Psychiatrische Klinik in Verbindung mit systematischen Vorträgen über Pathologie und Therapie der Geisteskrankheiten hält Prof. *Meyer* Montag u. Donnerstag von 4—6 Uhr.

Gerichtliche Medicin trägt Prof. *Krause* Dienstag und Freitag von 3—4 Uhr vor.

Forensische Psychiatrie lehrt Prof. *Meyer* in wöchentlich zwei zu verabredenden Stunden.

Ueber öffentliche Gesundheitspflege trägt Prof. *Meissner* Dienstag, Mittwoch, Freitag von 5—6 Uhr vor.

Die hygienischen Untersuchungsmethoden (Untersuchung von Luft, Boden, Wasser etc.) lehrt Dr. *Flügge* Montag u. Freitag von 4—5 Uhr.

Ueber die Verfälschungen und die Untersuchung der Nahrungsmittel trägt Dr. *Flügge* Mittwoch und Sonnabend von 2—3 Uhr öffentlich vor.

Anatomie, Physiologie und den I. Theil der speciellen Pathologie der Hausthiere lehrt Prof. *Esser* fünf Mal wöchentlich von 8—9 Uhr.

Klinische Demonstrationen im Thierhospitale hält Prof. *Esser* in zu verabredenden Stunden.

Philosophie.

Geschichte der alten Philosophie: Prof. *Peipers*, Mont., Dienst., Donn., Freit., 12 Uhr. — Geschichte der neueren Philosophie mit Ueberblick über Patristik u. Scholastik: Prof. *Baumann*, Mont., Dienst., Donnerst., Freit., 3 Uhr.

Logik: Prof. *Baumann*, Mont., Dienst., Donn., Freit. 5 Uhr.

Logik und Encyclopädie der Philosophie: Prof. *Rehnisch*, vier Stunden, 12 Uhr.

Ueber die Unhaltbarkeit der herkömmlichen logischen Lehre: Prof. *Rehnisch*, eine oder zwei Stunden, 12 Uhr, öffentlich.

Psychologie: Prof. *G. E. Müller*, vier Stunden, 10 Uhr.

Ueber die Ausbildung des Willens und des Charakters: Prof. *Baumann*, Mittw. 5 Uhr, öffentlich.

Prof. *G. E. Müller* wird in einer philosophischen Soc. Berkeley's Abhandlung über die Principien der menschl. Erkenntniss behandeln, Mittw. 10 Uhr, öffentl.

Prof. *Peipers* wird in einer philos. Societät Abschnitte aus Kants Kritik der reinen Vernunft, Mittw. 12 Uhr, behandeln, öffentlich.

Die Uebungen des K. pädagogischen Seminars leitet Prof. *Sauppe*, Mont. und Dienst., 11 Uhr, öffentlich.

Mathematik und Astronomie.

Algebraische Analysis, mit einer Einleitung über die Grundbegriffe der Arithmetik: Prof. *Stern*, fünf Stunden, 11 Uhr.

Elementargeometrische Herleitung der wichtigsten Eigenschaften der Kegelschnitte: Prof. *Schwarz*, Mont. u. Donn. 4 Uhr, öffentlich.

Analytische Geometrie: Prof. *Schwarz*, Mont. bis Freit. 11 Uhr.

Differential- und Integralrechnung nebst kurzer Einleitung in die analytische Geometrie der Ebene: Prof. *Enneper*, Mont. bis Freit., 10 Uhr.

Theorie der krummen Flächen und Curven doppelter Krümmung: Dr. *Hettner*, Mont., Dienst., Mittw., Donn., 12 Uhr.

Elliptische Functionen: Prof. *Schering*, Dienst., Mittw., Donnerst., Sonnabend, 9 Uhr.

Theorie der analytischen Functionen: Prof. *Schwarz*, Mont. bis Freit. 9 Uhr.

Potential-Functionen: Prof. *E. Schering*, Dienst., Mittw., Donn., Sonnabend, 8 Uhr.

Mechanik: Prof. *Stern*, vier Stunden, 10 Uhr.

Sphärische Astronomie: Prof. *Klinkerfues*, Mont., Dienst., Mittw., Donnerst. 12 Uhr.

Mathematische Optik für krystallinische Körper und die Theorien der Dispersion des Lichtes: Dr. *K. Schering*, Dienst. u. Donnerst. 12 Uhr.

In dem mathematisch-physikalischen Seminar leiten mathematische Uebungen Prof. *Stern*, Mittwoch 10 Uhr; Prof. *E. Schering*, Sonnab. 11 Uhr; Prof. *Schwarz*, Freit., 12 Uhr; giebt Anleitung zur Anstellung astronomischer Beobachtungen Prof. *Klinkerfues*, in einer passenden Stunde. Vgl. *Naturwissenschaften* S. 330 f.

Eine mathematische Societät leitet in geeigneter Stunde Prof. *E. Schering*.

Mathematische Colloquien wird Prof. *Schwarz* privatissime, unentgeltlich, wie bisher leiten.

Naturwissenschaften.

Vergleichende Entwicklungsgeschichte u. Anatomie: Prof. *Ehlers*, Mont. bis Freit. 10 Uhr.

Zootomischer Kurs: Prof. *Ehlers*, Dienst. und Mittw. 10—12 Uhr.

Zoologische Uebungen wird Prof. *Ehlers* täglich mit Ausnahme des Sonnabend von 10—1 Uhr anstellen.

Zoologische Societät für Geübtere: Prof. *Ehlers*, öffentl.

Pflanzen-Anatomie: Prof. *Graf zu Solms*, Dienst., Donn., Freit. 4 Uhr.

Physiologie der Pflanzen: Prof. *Reinke*, Dienst., Donn., Freit. 12 Uhr.

Ueber Thallophyten (Algen und Pilze): Dr. *Falkenberg*, Dienst. und Freit. 3 Uhr.

Ueber Pflanzenkrankheiten: Dr. *Berthold*, Mittw. 12 Uhr, unentgeltlich.

Mikroskopisch-botanischer Kursus: Prof. *Reinke*, Sonnabend von 9—1 Uhr.

Mikroskopisch-pharmaceutischer Kursus: Prof. *Reinke*, zwei Stunden.

Anleitung zu selbständigen Arbeiten im Laboratorium des botanischen Gartens, ausschliesslich für Vorgeschrittene, leitet Prof. *Graf zu Solms* in zu bestimmenden Stunden.

Tägliche Arbeiten im pflanzenphysiologischen Institut leitet Prof. *Reinke*.

Uebungen einer botanischen Societät leitet Prof. *Reinke* Freitag 6 Uhr.

Mineralogie: Prof. *Klein*, fünf Stunden, 11 Uhr.

Krystallographie (nach Miller) Prof. *Listing*, Mont., Dienst., Donn. 4 Uhr.

Geologie: Prof. *von Koenen*, fünf Stunden, 9 Uhr.

Palaeophytologie: Prof. *Graf zu Solms*, öffentlich, in zwei zu bestimmenden Stunden.

Ueber einzelne Klassen von Versteinerungen: Prof. *von Koenen*, eine Stunde, öffentlich.

Mineralogische Uebungen: Prof. *Klein*, Sonnabend 10—12 Uhr, öffentlich.

Krystallographische Uebungen: Prof. *Klein*, privatissime, aber unentgeltlich, in zu bestimmenden Stunden.

Uebungen im Bestimmen: Prof. *von Koenen*, zwei Stunden, öffentlich.

Experimentalphysik, zweiter Theil: Magnetismus, Elektricität und Wärme: Prof. *Riecke*, Mont., Dienstag, Donnerstag, Freitag, 5 Uhr.

Ueber Auge und Mikroskop: Prof. *Listing*, in zwei zu verabredenden Stunden, privatissime.

Die Uebungen im physikalischen Laboratorium leitet Prof. *Riecke*, in Gemeinschaft mit Dr. *Schering* und Dr. *Meyer* (erste Abtheilung: Dienst., Donnerst., Freit. 2—4 Uhr u. Sonnab. 9—1 Uhr; zweite Abtheilung: Donnerst. 2—4 Uhr, Sonnabend 9—1 Uhr).

Physikalisches Colloquium: Prof. *Listing*, Sonnabend 11—1 Uhr.

In dem mathematisch-physikalischen Seminar leitet physikalische Uebungen Prof. *Listing*, Mittwoch um 12 Uhr. Ausgewählte Kapitel der mathematischen und Experimentalphysik: Prof. *Riecke*. Vgl. *Mathematik und Astronomie* S. 328.

Allgemeine Chemie (s. g. unorganische Chemie): Prof. *Hübner*, sechs Stunden, 9 Uhr.

Chemie der Benzolverbindungen: Prof. *Hübner*, Freit. 12 Uhr.

Organische Chemie: Prof. *Post*, 3 Stunden, 12 Uhr.

Organische Chemie für Mediciner: Prof. *v. Uslar*, 4 St., 9 Uhr.

Pharmacie: Prof. *Boedeker*, fünf Stunden, 9 Uhr.

Pharmaceutische Chemie (organischer Theil): Dr. *Polstorff*, Mont., Dienst., Donnerst., Freit., 5 Uhr.

Gerichtlich chemische Analyse: Dr. *Polstorff*, Mittw. u. Sonnabend, 8 Uhr.

Technische Chemie für Landwirthe (mit Excursionen): Prof. *Tollens*, Mont., Dienst., Mittw., 10 Uhr.

Chemische Technologie, in Verbindung mit Excursionen: Prof. *Post*, zwei Stunden, 12 Uhr.

Die Vorlesungen üb. Pharmacie s. unter *Medicin* S. 325.

Die praktisch-chemischen Uebungen und wissenschaftlichen Arbeiten im akademischen Laboratorium leiten die Professoren *Wöhler* und *Hübner*, in Gemeinschaft mit den Assistenten Prof. *Post*, Dr. *Jannasch*, Dr. *Polstorff*, Dr. *Stünkel* und Dr. *Lellmann*.

Prof. *Boedeker* leitet die praktisch-chemischen Uebungen im physiologisch-chemischen Laboratorium täglich (mit Ausschluss des Sonnab.) 8—12 und 2—4 Uhr.

Prof. *Tollens* leitet die Uebungen im agriculturchemischen Laboratorium in Gemeinschaft mit dem Assistenten Dr. *Kehrer*, Mont. bis Freit. von 8—12 und von 2—4 Uhr.

Historische Wissenschaften.

Anleitung im Untersuchen von Urkunden der älteren deutschen Könige und Kaiser: Prof. *Steindorff*, Montag 11—1 Uhr.

Staat und Volk der Roemer unter dem iulisch-claudischen Kaiserhause: Prof. *Volquardsen*, Mittw. u. Sonnabend, 8 Uhr, öffentlich.

Allgemeine Geschichte des Mittelalters: Prof. *Pauli*, 4 St., 8 Uhr.

Geschichte unserer Zeit seit 1830: Prof. *Pauli*, vier Stunden, 5 Uhr.

Deutsche Geschichte vom Interregnum an: Dr. *Bernheim*, Mont., Dienst., Donn., Freit., 9 Uhr.

Geschichte des niedersächsischen Volksstammes bis zur Mitte des 13. Jahrhunderts: Prof. *Steindorff*, Mittw. u. Sonnabend, 10 Uhr.

Geschichte Italiens seit dem Beginn des Mittelalters: Assessor Dr. *Wüstenfeld*, Mont., Dienst., Donn., Freit., 11 Uhr, unentgeltlich.

Historische Uebungen leitet Prof. *Pauli*, Mittwoch, 6 Uhr, öffentlich.

Historische Uebungen leitet Prof. *Volquardsen*, Dienst., 6 Uhr, öffentlich.

Historische Uebungen leitet Prof. *Steindorff*, Donnerst., 5 Uhr, öffentlich.

Historische Uebungen: Dr. *Bernheim*, Mont., 6 Uhr, unentgeltlich.

Kirchengeschichte: s. unter *Theologie* S. 322.

Deutsche Rechtsgeschichte vgl. unter *Rechtswissenschaft* S. 323.

Erd- und Völkerkunde.

Ausgewählte Kapitel der allgemeinen Erdkunde: Dr. *Krümmel*, Sonnabend, 10 – 12 Uhr.

Geographie von Europa: Prof. *Wagner*, Mont. Dienst. Donnerst. Freitag 11 Uhr.

Vergleichende Physiognomik der Hochgebirge: Dr. *Krümmel*, Mittw. 11 Uhr, unentgeltlich.

Geographische Uebungen: Prof. *Wagner*, Mittwoch 9 Uhr, öffentlich.

Geographisches Colloquium: Prof. *Wagner*, privatissime, aber unentgeltl., in später zu bestimmenden Stunden.

Länder- und Völkerkunde Kleinasiens und Griechenlands: s. *Alterthumskunde* S. 333.

Staatswissenschaft und Landwirthschaft.

Volkswirthschaftspolitik (praktische Nationalökonomie): Prof. *Hanssen*, vier Stunden, 4 Uhr.

Finanzwissenschaft (mit besonderer Berücksichtigung der Reichsfinanzen): Dr. *Eggert*, vier Stunden, 5 Uhr.

Volkswirthschaftliche Uebungen: Prof. *Soetbeer*, privatissime, aber unentgeltlich, in später zu bestimmenden Stunden.

Einleitung in das landwirthschaftliche Studium: Prof. *Drechsler*, 1 Stunde, öffentlich.

Allgemeine Ackerbaulehre: Dr. *Fesca*, 3 St., 10 Uhr.

Die Ackerbausysteme (Felderwirthschaft, Feldgraswirthschaft, Fruchtwechselwirthschaft u. s. w.): Prof. *Griepenkerl*, in zwei passenden Stunden.

Die allgemeine und specielle landwirthschaftliche Thierproductionslehre (Lehre von den Nutzungen, der Züchtung, Ernährung und Pflege des Pferdes, Rindes, Schafes und Schweines): Prof. *Griepenkerl*, Mont., Dienst., Donnerst., Freit., 5 Uhr.

Die Rassenkunde: Prof. *Griepenkerl*, 2 St., unentgeltl. Im Anschluss an diese Vorlesungen werden Excursionen nach benachbarten Landgütern und Fabriken veranstaltet werden.

Landwirthschaftliche Betriebslehre: Prof. *Drechsler*, fünf Stunden, 12 Uhr.

Die Lehre von der Futterverwerthung: Prof. *Henneberg*, Mont. und Dienst. 11 Uhr.

Uebungen in Futterberechnungen: Prof. *Henneberg*, Mittw. 11 Uhr öffentlich.

Landwirthschaftliches Praktikum: Prof. *Drechsler* und Dr. *Fesca* (Uebungen im landw. Laboratorium, Freit. und Sonnab. 9—1 Uhr; Uebungen in landw. Berechnungen, Dienst. und Donnerst. 6 Uhr).

Excursionen und Demonstrationen: Prof. *Drechsler*, Mittwoch Nachmittag.

Techn. Chemie u. praktisch-chemische Uebungen f. Landwirthe vgl. *Naturwissenschaften* S. 330.

Anatomie, Physiologie u. Pathologie der Hausthiere vgl. *Medicin* S. 327.

Literär- und Kunst-Geschichte.

Geschichte der griechischen Poesie, mit Ausschluss des Drama's, bis auf Alexander d. Gr.: Prof. *Dilthey*, vier Stunden, 12 Uhr.

Geschichte der römischen Beredsamkeit: Prof. *von Leutsch*, vier Stunden, 10 Uhr.

Ueber deutsche Dichtung des XVI. Jahrhunderts: Prof. *Goedeke*, Donnerst. 4 Uhr, öffentlich.

Geschichte der deutschen Dichtung im 17. Jahrhundert: Assessor Dr. *Tittmann*, 5 St., 9 Uhr.

Ueber Lessings Leben und Schriften: Prof. *Goedeke*, Montag 4 Uhr, öffentlich.

Geschichte der italienischen Kunst im 15. Jahrhundert: Dr. *Schmarsow*, Mont., Mittw., Freit. 6 Uhr.

Rom im Zeitalter der Renaissance: Dr. *Schmarsow*, 1 Stunde, 6 Uhr, unentgeltlich.

Alterthumskunde.

Alte Länder-, Völker- u. Denkmälerkunde von Kleinasien und Griechenland: Dr. *Gilbert*, vier Stunden, 4 Uhr.

Griechische Alterthümer: Prof. *Volquardsen*, Mont., Dienst., Donn., Freit. 8 Uhr.

Archäologische Kritik und Hermeneutik: Prof. *Wieseler*, zwei Stunden, 10 Uhr.

Theaterwesen des Aristophanes und Erklärung der Vögel: Prof. *Wieseler*, drei Stunden, 4 Uhr.

Altitalische Kunst und Kulturgeschichte: Dr. *Körte*, zwei Stunden.

Ueber die Burg von Athen, nach Pausanias descriptio arcis Athenarum, edidit Otto Jahn. Editio altera recognita ab A. Michaelis. Bonnae 1880: Dr. *Körte*, eine Stunde, unentgeltlich.

Im k. archäologischen Seminar wird Prof. *Wieseler* ausgewählte Kunstwerke erklären lassen, Sonnabend 12 Uhr, öffentlich. — Die schriftlichen Arbeiten der Mitglieder wird er privatissime beurtheilen.

Archäologische Uebungen: Dr. *Körte*, Donnerstag 6 Uhr, privatissime, unentgeltlich.

Vergleichende Sprachlehre.

Entwickelungsgeschichte der indogermanischen Sprachen: Prof. *Fick*, zwei Stunden.

Orientalische Sprachen.

Die Vorlesungen über das A. und N. Testament siehe unter *Theologie* S. 321 f.

Arabische Grammatik: Prof. *Wüstenfeld*, privatissime.

Die syrische Uebersetzung der Recognitionen des Clemens legt zweimal, Mont. und Donnerst. 2 Uhr, zur Erklärung vor Prof. *de Lagarde*, öffentlich.

Grammatik der assyrischen Sprache: Dr. *Haupt*, Montag, Dienstag und Donnerst., 5—6 Uhr.

Erklärung ausgewählter akkadischer Zauberformeln: Dr. *Haupt*, Montag und Donnerstag, 6 Uhr.

Erklärung leichter Keilschrifttexte (Annalen Sardanapal's etc.): Dr. *Haupt*, für Anfänger, zweimal in zu bestimmenden Stunden, unentgeltlich.

Assyriologische Uebungen: Dr. *Haupt*, einmal, privatissime, aber unentgeltlich.

Anfangsgründe der ägyptischen Sprache: Prof. *de Lagarde*, 4 St., 11 Uhr.

Interpretation eines vedischen Textes: Dr. *Bechtel*, zwei Stunden, Mittw. und Sonnabend, 12 Uhr.

Griechische und lateinische Sprache.

Aristophanes Frösche: Prof. *von Leutsch*, vier Stunden, 12 Uhr.

Aristophanes Vögel: s. *Alterthumskunde* S. 12.

Interpretation des Thukydides: Dr. *Bruns*, Mittwoch und Sonnabend, 12 Uhr.

Pausanias: s. *Alterthumskunde* S. 13.

Griechische Syntax: Prof. *Sauppe*, Montag, Dienst., Donnerst., Freit., 9 Uhr.

Quellen der griechischen Dialekte: Prof. *Fick*, zwei Stunden, privatissime.

Ueber den homerischen Dialekt: Prof. *Fick*, 4 Stunden.

Plautus Pseudolus: Prof. *Sauppe*, Mont., Dienst., Donnerst., Freit., 2 Uhr.

Im K. philologischen Seminar leitet die schriftlichen Arbeiten und Disputationen Prof. *Dilthey*, Mittw. 11 Uhr; lässt Euripides Phoenissen erklären Prof. *von Leutsch*, Mont. u. Dienst., 11 Uhr; lässt den Dialogus de oratoribus erklären Prof. *Sauppe*, Donnerst. u. Freit., 11 Uhr, alles öffentlich.

Im philologischen Proseminar leiten die schriftlichen Arbeiten und Disputationen die Proff. *v. Leutsch* (Mittw. 10 Uhr) und *Sauppe* (Mittw. 2 Uhr); lässt Euripides Alkestis Prof. *von Leutsch* erklären, Mittw. 10 Uhr, und Ausgewählte Briefe des Plinius Prof. *Sauppe*, Mittw. 2 Uhr, alles öffentlich.

Philologische Uebungen: Dr. *Bruns*, eine Stunde, unentgeltlich.

Deutsche Sprache.

Althochdeutsche Grammatik und Erklärung althochdeutscher Texte: Dr. *Wilken*, Mittw. u. Sonnabend, 11 Uhr.

Ueber althochdeutsche Dialekte und ihre Quellen: Dr. *Bechtel*, Mittw. 6 Uhr, unentgeltlich.

Altsächsische Grammatik und Erklärung des Gedichts Hêliand: Prof. *W. Müller*, Mont. u. Donnerst. 10 Uhr.

Erklärung des Nibelungenlieds, mit einer Einleitung über die deutsche Heldensage: Prof. *W. Müller*, vier Stunden, 3 Uhr.

Die Uebungen der deutschen Gesellschaft leitet Prof. *W. Müller*, Dienst. 6 Uhr.

Geschichte der deutschen Literatur: s. *Literärgeschichte* S. 333.

Neuere Sprachen.

Encyclopädie der englischen Philologie: Prof. *Vollmöller*, drei Stunden.

Erklärung von Shakespeare's Iulius Caesar: Dr. *Andresen*, Donnerst. 12 Uhr, unentgeltlich.

Historische Grammatik der französischen Sprache, I.: Prof. *Vollmöller*, vier Stunden.

Uebungen in der französischen Sprache: Dr. *Andresen*, Mont., Dienst., Mittw. 12 Uhr.

Romanisch-englische Gesellschaft: Erklärung eines altfranzösischen Textes; Einführung in das Studium der spanischen Sprache und Erklärung des Poema del Cid: Prof. *Vollmöller*, 2 Stunden privatissime, aber unentgeltlich.

Schöne Künste. — Fertigkeiten.

Unterricht im Zeichnen mit besonderer Rücksicht auf naturhistorische und anatomische Gegenstände: Zeichenlehrer *Peters*, Sonnabend Nachm. 2—4 Uhr.

Harmonie- und Kompositionslehre, verbunden mit praktischen Uebungen: Musikdirector *Hille*, in passenden Stunden.

Zur Theilnahme an den Uebungen der Singakademie und des Orchesterspielvereins ladet *Derselbe* ein.

Reitunterricht ertheilt in der K. Universitäts-Reitbahn der Univ.-Stallmeister, Rittmeister a. D. *Schweppe*, Montag, Dienstag, Donnerstag, Freitag, Sonnabend, Morgens von 8—12 und Nachm. (ausser Sonnabend) von 3—4 Uhr.

Fechtkunst lehrt der Universitätsfechtmeister *Grünekle*, Tanzkunst der Universitätstanzmeister *Höltzke*.

Oeffentliche Sammlungen.

Die *Universitätsbibliothek* ist geöffnet Montag, Dienstag, Donnerstag u. Freitag von 2 bis 3, Mittwoch und Sonnabend von 2 bis 4 Uhr. Zur Ansicht auf der Bibliothek erhält man jedes Werk, das man in gesetzlicher Weise verlangt; verliehen werden Bücher nach Abgabe einer Semesterkarte mit der Bürgschaft eines Professors.

Ueber den Besuch und die Benutzung der *theologischen Seminarbibliothek*, des *Theatrum anatomicum*, des *physiologischen Instituts*, der *pathologischen Sammlung*, der *Sammlung von Maschinen und Modellen*, des *zoologischen* und *ethnographischen Museums*, des *botanischen Gartens* und des *pflanzenphysiologischen Instituts*, der *Sternwarte*, des *physikalischen Cabinets* und *Laboratoriums*, der *mineralogischen* und der *geognostisch-paläontologischen Sammlung*, der *chemischen Laboratorien*, des *archäologischen Museums*, der *Gemäldesammlung*, der *Bibliothek des k. philologischen Seminars*, des *diplomatischen Apparats*, der *Sammlungen des landwirthschaftlichen Instituts* bestimmen besondere Reglements das Nähere.

Bei dem Logiscommissär, Pedell *Bartels* (Kleperweg 2), können die, welche Wohnungen suchen, sowohl über die Preise, als andere Umstände Auskunft erhalten und auch im voraus Bestellungen machen.

Für die Redaction verantwortlich: *F. Bechtel*, Director d. Gött. gel. Anz.
Commissions-Verlag der *Dieterich'schen Verlags-Buchhandlung.*
Druck der *Dieterich'schen Univ.-Buchdruckerei (W. Fr. Kaestner).*

Nachrichten

von der

Königl. Gesellschaft der Wissenschaften und der Georg-Augusts-Universität zu Göttingen.

17. August. № 13. 1881.

Königliche Gesellschaft der Wissenschaften.

Sitzung am 6. August.

Wüstenfeld: Die Geschichtschreiber der Araber und ihre Werke. (S. Abhandl. XXVIII.)
Wieseler: Ueber die Biehler'sche Gemmen-Sammlung.
Boedeker: Ueber das Lycopodin.

Lycopodin

von

Karl Boedeker.

Jedes Jahr läßt die große Zahl der den phanerogamischen Pflanzen entstammenden Alkaloide durch neu entdeckte beträchtlich höher anschwellen; aber aus dem großen Reiche der Kryptogamen kennen wir nur aus deren niedrigster Ordnung, — der der Pilze, — im Muscarin und Amanitin, zwei interessante Alkaloide, (abgesehn von den noch erst sehr untersuchungsbedürftigen Alkaloiden im Pilz des Mutterkorns); aus dem weiten Gebiete der übrigen Kryptogamen — (der Laub- und Leber-

Moose, Lichenen und Algen, sowie auch der sämmtlichen Gefäß-Kryptogamen, -Farne, Schachtelhalme, Lycopodien u. a.) — ist bisher nicht ein einziges Beispiel von Alkaloid-Bildung in der Pflanze bekannt. Möge eine kurze Mittheilung der Darstellung, Zusammensetzung und der Haupteigenschaften des ersten Alkaloides aus dieser großen Abtheilung der Pflanzenwelt — den nicht zu den Pilzen zählenden Kryptogamen — hier Platz finden.

Lycopodium complanatum L. von Holland durch Nordwest- bis nach Nordost- auch Mittel-Deutschland sich ausbreitend, lenkte mich durch seinen bitteren Geschmack auf seine Untersuchung. Einem alkoholischen eingedickten Auszuge der Pflanze wurde durch Wasser alles Bittere entzogen, diese Lösung mit Bleiessig gefällt, das Filtrat durch H_2S entbleit, dann im concentriertem Zustande mit $NaOH$ alkalisiert und mit Aether ausgeschüttelt; der aus dem abgehobenen Aether nach dessen Entfernung bleibende braune zähe Rückstand wird in neutrales salzsaures Salz verwandelt und wiederholt umkrystallisiert.

Durch Ausschütteln der alkalisierten Lösung des reinen salzsauren Salzes mit Aether, Chloroform, Benzol, und Verdunsten solcher Lösungen hinterbleibt das freie Alkaloid fast nur als zähe klebrige Masse, die dann aus Alkohol sehr langsam einigermaßen krystallisiert. Es reagiert stark alkalisch, wird durch Jodwasser auch aus sehr verdünnter schwachsaurer Lösung stark kermesbraun gefällt, schmeckt sehr bitter, ist in Wasser, wie Alkohol, leicht löslich. Auch aus ziemlich concentrierten Lösungen des salzsauren Salzes läßt sich das Alkaloid (wegen seiner hohen Löslichkeit in Wasser) nicht wie Chinin,

Morphin, fällen; erst wenn man die ganz concentrierte Salzlösung mit höchst concentrierter Aetzlauge und noch festem Aetzkali im Ueberschuß versetzt, scheidet es sich als eine harzig klebrige Masse aus, die sich nun aber beim Stehn unter der Flüssigkeit in farblose 1,5 Cm. große monokline Prismen verwandelt. Am natürlichsten wird dies Alkaloid nach der Familie und der Gattung, der es entstammt, Lycopodin, zu nennen sein.

Das wasserfrei krystallisierte Lycopodin, $C_{32}H_{52}N_2O_3$, schmilzt bei 114—115° C. ohne Gewichts-Aenderung. Die großen Schwierigkeiten das freie Alkaloid in zur umfassenden Analyse genügender Menge und Reinheit zu erhalten, ließen hauptsächlich das salzsaure Salz und das Golddoppelsalz zur Analyse geeignet erscheinen. Die obige Formel

$$C_{32} H_{52} N_2 O_3$$

	fordert:	gefunden wurde:
C	= 75,00	75,8
H	= 10,15	10,3.

Salzsaures Lycopodin. Läßt man einer neutralen Lösung des salzsauren Salzes recht lange Zeit zum Krystallisieren, so erhält man es nach öfterem Umkrystallisieren endlich in prächtigen farblosen, glashell glänzenden großen sehr eigenthümlichen monoklinen Prismen, die bei oberflächlicher Betrachtung wie 3-seitige oben und unten gerade abgestutzte Prismen erscheinen. Ueber ihre krystallographischen, zumal merkwürdigen optischen Verhältnisse dürfen wir wohl später auf Mittheilungen von Herrn Professor Klein hoffen.

$C_{32}H_{52}N_2O_3$, 2HCl, $1H_2O$

fordert:	gefunden ist:
C = 63,68	63,1—63,3
H = 9,29	9,8— 9,2
N = 4,65	4,5— 5,2
Cl = 11,77	10,6—10,8.

Bei 100° C. getrocknet verliert das Salz 1 Mol. H_2O:

berechnet 3,0 %; gefunden: 3,0—3,5 %.

Solches Salz

$C_{32}H_{52}N_2O_3$, 2HCl

fordert:	gefunden:
Cl = 12,1	12,1—11,98
N = 4,8	4,7— 4,9.

Salzsaures Lycopodin-Goldchlorid scheidet sich aus mäßig starker Lösung des neutralen Salzes mittelst etwas überschüssiger Goldchloridlösung zuerst als hellgelbe milchige Trübung aus, die sich beim Stehen unter der Lösung in glänzende feine Nädelchen umsetzt.

$C_{32}H_{52}N_2O_3$, 2HCl, $2AuCl_3$, $1H_2O$:

fordert:	gefunden:
C = 31,74	31,51—31,21
H = 4,63	4,70— 4,67
Au = 32,56	32.53—33,07.

Mit Platinchlorid wurde kein brauchbares Doppelchlorid dargestellt. Sobald der Besitz von mehr Lycopodin die weitere Verfolgung einiger bereits beobachteter interessanter Zersetzungen desselben gestattet, behalte ich mir weiteren Bericht vor.

Bei der Königl. Gesellschaft der Wissenschaften eingegangene Druckschriften.

Man bittet diese Verzeichnisse zugleich als Empfangsanzeigen ansehen zu wollen.

März 1881.

(Fortsetzung).

Mémoires couronnés et Mém. des savants étrangers. T. XXXIX. 1879. T. XLII. 1879. T. XLIII. 1880. 4°.
Mémoires couronnés et autres Mém. T. XXIX. XXX. XXXII. 8°.
Tables des Mémoires des membres. 1816—1857 et 1858—1878.

Collection des Chroniques Belges inédits, in 4°.

Cartulaire de l'Abbaye Dorval. 1879.
Istoire et Chroniques de Flandres. T. I. 1879.. T. II. 1880.
Chroniques de Brabant et de Flandra. 1879.
Correspondance du Cardinal de Granville. 1880.
Ly Myreur des Histors. T. VI. 1880.

Camera dei Deputati Relazione della Commissione etc. T. I—II. Roma. 1880.
Ch. Lütken, Spolia Atlantica. Om Formforandringer hos Fiske. Kjöbenhavn. 1880.
K. Prytz, Undersoegelser over Lysets brydning i dempe og tilsvarande vaedsker. Ebd. 1880. 4°.
Oversigt over det K. Danske Videnskabernes Selskabs Forhandlinger. 1880. No. 2.
Sitzungsberichte der naturf. Gesellsch. zu Leipzig. 1880. No. 1—2.
Da B. Boncompagni, Bulletino di Bibliografia e di Storia delle Scienze mathem. e fisiche. Roma. 1880. 4°.
Revista Euskara. Anno quarto. No. 35. 36.
C. Schmidt, chem. Untersuchungen der Schwarzerden von Ufa u. Ssmara. Dorpat.
Annales de la Faculté des lettres de Bordeaux. 1881. Nr. 1.

April.

Statistica dei Debiti comunalial 1° Gennario 1879. Roma 1880.

John Hopkins University Circulars. No. 5. Baltimore 1881.

Report of the United States Coast and Geodetic Survey for 1877. Wash. 1880. 4°.

H. Wild, die Temperatur-Verhältnisse des Russischen Reichs. 4°. Mit Atlas in Folio. St. Petersburg 1881.

Memoirs of the R. Astronomical Society. Vol. XLV. 1879—80. London 1881.

Annales de la Société Geologique de Belgique. T. VI. Liège 1881.

Abhandlungen der histor. Classe d. k. Akad. der Wiss. zu München. Bd. XV. Abth. 3.

Abhandl. der philosoph.-philolog. Classe. Bd. XV. Abth. 3. Ebd.

Meteorolog. und magnetische Beobachtungen d. königl. Sternwarte bei München. Jahrg. 1880.

Atti della R. Accademia dei Lincei. Anno CCLXXVII. 1879 — 80. Serie terza. Memorie della classe di Scienze Morale, Storiche e Filologiche. Vol. IV. V. Roma 1880. Memorie dellà classe di Scienze Fisiche, Mathematiche e Naturali. Vol. V. VI. VII. VIII. 1880.

Sitzungsberichte der physik. medicinischen Gesellschaft zu Erlangen. 12. Heft. 1880.

Bulletin de l'Acad. Imp. des Sciences de St. Petersbourg. T. XXVII. No. 2. Fol.

Statistica della Società di matuo soccorso. Anno 1878. Roma.

Den Norske-Nordhavs-Expedition. Zoologi. Fiske, ved R. Collet. — Chemi af H. Tornöe. Christiania. 1880. Fol.

Botanisches Centralblatt. Register des Jahrg. 1880. Kassel.

Transactions and Proceed. and Report. of the R. Society of South Australia. Vol. III. Adelaide 1880.

Forschungen auf dem Gebiete der histor. Wissensch. herausg. von der Ungarischen Akad. d. Wiss. Bd. VIII. Hft. IX. 1879. (In ungar. Sprache.)

Verhandl. des naturf. Vereins in Brünn. Bd. XVIII. 1879.

Revista Euskara. Anno primero. No. 6. 8. 9. 10. A. secundo. No. 11—21. A. terzero. No. 22.

Travaux et Mémoires du Bureau international des Poids et Mesures. T. I. Paris 1881. 4°.
Annali di Statistica. Vol. 21. 24. 1881. Roma.
K. Pettersen, Lofoten og Vesteraalen. (Archiv for Mathem. og. Natur vid.) Christiania 1878.
Rendiconto dell' Accademia delle Scienze fisiche e mathematiche. Anno XV. 1—12. Napoli 1876. A. XVI. 1—12. Nap. 1877. A. XVII. 1—12. Nap. 1878. A. XVIII. 1—12. Nap. 4. 1879.
Sitzungsber. der philos. philolog. u. histor. Cl. d. Akad. zu München. 1880. VI. 1881. I.
Bulletin de la Société mathém. T. IX. No. 2.
Jahresber. des naturhistor. Vereins von Wisconsin für 1880—1881.
Atti della R. Accademia delle Scienze fisiche e matematiche. Vol. 7. Napoli 1878. Vol. 8. ibid. 1879.
Mittheilungen des naturwissenschaftlichen Vereines für Steiermark. Jhrg. 1880. Graz 1881.
Geographical Explorations and Surveys. West of the 100th Meriian Topographical Atlas. Wheeler 1875.

Mai.

Atti de la R. Accademia dei Lincei. Vol. V. Fasc. 10. 11. 12.
Annuario statistico italiano. Anno 1881. Roma.
B. Boncompagni, Bulletino di bibliografia e di storia delle scienze mathemat. e fisiche. T. XIII. Roma. 1880. 4°.

Nach einer brieflichen Mittheilung, die betreffende Widmung steht auf dem Exemplare selbst, ist dies Geschenk für die Gauss' Bibliothek bestimmt. E. Schering.

Journal of the R. Microscopical Society. April 1881.
Bulletin of the American Geographical Society. 1881. Nr. 1. 3.
ΘΕΟΔΩΡ. ΦΛΟΓΑΙΤΙΣ, ΕΓΧΕΙΡΙΔΙΟΝ ΣΥΝΤΑΓΜΑΤΙΚΟΥ. Athen. 1879.
Wheeler, Geographical Surveys and Explorations west of the 100th meridian.
Topographical Atlas.
Leopoldina. H. XVII. No. 7—8.
Annual Report of the J. Hopkins University. Baltimore 1880.

J. Hopkins University. Circulars. No. 8. 9.
Nature. 602. 603. 604. 605.
Mitth. der deutschen Gesellsch. für Naturkunde etc. Ostasiens. Hft. 23. 1881. 4°.
Atti della Società Toscana. Processi verb. 13 Marzo. 1881.
Jahrbuch der k. k. geolog. Reichsanstalt. Bd. XXXI. 1881.
Verhandlungen derselben. No. 1—4. 6. 7 (letztere No. doppelt). 1881.
Verhandl. der physik. medic. Gesellsch. in Würzburg. Bd. XV. 3-4. 1881.
A. Weber, Zu weiterer Klarstellung. (1881.) 8°.
Bilanci comunale. Anno XVII. 1879. Roma. 1880.
Monthly Notices of the R. Astronomical Society. Vol. XLI. No. 6.
Jahresbericht der Lese- und Redehalle der deutschen Studenten in Prag. 1880—81.
Verhandl. der zoolog. botan. Gesellsch. in Wien. Bd. XXX.
B. Hasselberg, über die Spectra der Kometen (St. Petersb. Akad. Mém. T. XXVIII. 2.) 4°.
A. Schiefner, über das Bonpo-Sûtra: »Das Weisse Nâga-Hunderttausend.« (St. Petersb. Akad. Mém. T. XXVIII. 2.) 4°.
Zeitschrift der deutschen Morgenländ. Gesellschaft. Bd. 35. Hft. 1.
C. N. Caix, le origini della lingua poetica italiana. Firenze. 1880.
F. Pacini, del processo morboso del colera asiatico. Ebd. 1880.
Monatsbericht der Berliner Akademie. Januar. 1881.
Proceed. of the London Mathem. Society. No. 167-169.
Erdélyi Muzeum. 4—5 SZ. VIII. evtolyam. 1881.
Bulletin of the Museum of comparative Zoology at Harvard College. Vol. VIII.
Astronomische, magnet. und meteorolog. Beobachtungen an der K. K Sternwarte zu Prag im Jahre 1880.
J. Böckh, Geologische- und Wasser-Verhältnisse der Umgebung der Stadt Fünfkirchen. Budapest. 1881.

(Fortsetzung folgt.)

Für die Redaction verantwortlich: *F. Bechtel*, Director d. Gött. gel. Anz.
Commissions-Verlag der *Dieterich'schen Verlags-Buchhandlung.*
Druck der Dieterich'schen Univ.-Buchdruckerei (*W. Fr. Kaestner*).

Nachrichten

von der

Königl. Gesellschaft der Wissenschaften
und der Georg-Augusts-Universität
zu Göttingen.

16. November. № 14. 1881.

Königliche Gesellschaft der Wissenschaften.

Sitzung am 5. November.

Wüstenfeld: Die Geschichtsschreiber der Araber und ihre Werke. Abth. 2. (Abhandl. Bd. XXVIII.)
Pauli: Noch einmal über das Rechnungsbuch zur zweiten Kreuzfahrt des Grafen Heinrich von Derby, nachmaligen Königs Heinrich IV. von England.
de Lagarde: Iohannis Euchaitorum archiepiscopi quae in codice Vaticano supersunt graece. Th. 2. (Abhandl. Bd. XXVIII.)
Derselbe: Zur Nachricht.
Schering: Ueber Geschenke des Princ. Boncompagni an Gauss Bibliothek.

Noch einmal über das Rechnungsbuch zur zweiten Kreuzfahrt des Grafen Heinrich von Derby, nachmaligen Königs Heinrich IV von England

von

R. Pauli.

Nachdem ich eine Ausgabe des Rechnungsbuchs über die preußisch-lithauische Fahrt des Grafen Derby vom Jahre 1290/1 so ziemlich druckfertig hergestellt habe, damit sie zunächst in der Sammlung der Camden Society in London erscheinen könne, ist mir aus dem Public Record Office daselbst in gleicher Weise eine beglaubigte vollständige Abschrift des Buchs über die andere, noch unendlich bedeutendere Fahrt desselben Fürsten zugestellt worden. Erst dadurch wird es möglich den reichen Inhalt dieser Urkunde sicherer zu erkennen, als ich es vor anderthalb Jahren in wenigen flüchtigen Stunden aus dem Original selber zu thun vermochte. Meine Mittheilungen in den Nachrichten vom 1. Mai 1880 bedürfen daher vielfach einer Ergänzung.

Nach einer sorgfältigen Durchsicht der eng beschriebenen 77 Folioseiten und der über dieselben vertheilten 23 Rubriken, unter welchen unzählige Ausgabesätze eingezeichnet sind, läßt sich, was in erster Linie unerläßlich erscheint, das Itinerar, so bedeutsam für die Topographie und Culturgeschichte der Zeit, viel besser feststellen, als ich es damals versuchte.

Ohne Frage galt die zweite Unternehmung des Fürstensohns ursprünglich ganz wie die erste lediglich einem Auszuge oder, wie man allgemein sagte, einer Reise an der Seite der Deutschritter gegen die heidnischen Lithauer. Im Juli 1392 trat Heinrich von Lynn in Norfolk aus, einem Hafenort mit hansischem Stahlhof und im regsten Handelsverkehr mit den deutschen Seestädten der Ostsee, die Seefahrt an, über die aus den Rechnungen nur durchschimmert, daß die Küste von Norwegen angelaufen wurde. Die Landung fand bei Leba an der Küste von Pomerellen statt; am 10. August, dem St. Lorenztage, genau wie vor zwei Jahren, ritt Graf Heinrich wieder in Danzig ein. Dort aber warf schon in den nächsten Tagen eine Gewaltthat der Engländer den bisherigen Kriegsplan um. Die Erklärung findet sich bei einem gleichzeitigen preußischen Geschichtsschreiber, Johann von Posilge, SS. rerr. Pruss. III, p. 182: „Item dornoch uf dem herbest qwąm der here von Lantkastel in das land, und wolde gereyset habin mit den herrin. Nu slugen dy synen einen erbaren Knecht tot czu Danczk, der hys Hannus von Tergawisch (Targowitz), hie us deme lande. Do besorgete sich der herre vor synen frunden, das sie das worden rechen, als sy an hatten gehabin, und czog weder us deme lande ungereyset.“ Dies wird bestätigt durch die auf fol. 10 des Rechnungsbuches unter dem 25. August eingetragene Notiz: Rectori ecclesie de Dansk — d. h. dem Pfarrherren von St. Marien — pro sepultura Hans et famuli sui per convencionem secum factam per dominum Hugonem Heslec ibidem eodem die 7 nobles 5 solidos sterl. Damit stimmt ferner auf fol. 66 unter der Rubrik Oblaciones et Elemosine nach dem 16. August die Notiz: Item in oblacione domini et familie sue apud Dansk die sepulture Hans et famuli sui una cum elemosinis distributis ibidem diversis pauperibus eodem die 3 nobles.

Die Fahrt des Grafen von Danzig nach Königsberg und zurück: Aug. 26 Dirschau, Aug. 28 Elbing, Aug. 31 Braunsberg, Sept. 1 Heiligenbeil, Sept. 2 Königsberg, Sept. 4 Brandenburg, Sept. 5 Braunsberg, Sept. 6 Elbing, Sept. 7 Dirschau galt offenbar einem Besuche der Ordensbehörden, bei welcher Gelegenheit in Folge jenes fatalen Ereignisses der Entschluß zu Stande kam von einer Reise gegen die Lithauer abzustehen, dagegen aber, vermuthlich doch um dem gethanen Gelübde nachzukommen, die weite

Land- und Seefahrt zu den Johannitern auf Rhodos anzutreten und von dort aus zum heiligen Grabe zu pilgern. Zu diesem Behuf war zunächst ein abermaliger Aufenthalt in dem wohl bekannten Danzig erforderlich, der sich an einer Fülle von Anschaffungen bis zum 23. September verfolgen läßt. Ein Theil der reisigen Mannschaft und der Pferde mit ihrer Ausrüstung und reichlicher Verpflegung wurde zur See in die Heimath zurückgeschickt, wofür der deutsche Schiffer, Ludkyn Drankmaister, magister navis, vertragsmäßig 100 Mark englisch erhielt, fol. 69. Mit den übrigen machte sich Graf Heinrich nach gehöriger Verproviantirung landeinwärts auf. Deutlich lassen sich die Spuren verfolgen, daß Fouriere einige Tage früher vorauf giengen um Führer und Gespanne anzunehmen und Quartier zu machen. Auch für Geleitsbriefe derjenigen Landesfürsten, deren Gebiet der Zug berührte, mußte gesorgt werden, wie gleich zu Anfang des Pommernherzogs Wartislav VII., pro scriptura et sigillacione unius sauveconductus ducis de Stulpez (Stolp), fol. 16. Mächtigeren Fürsten wurde dann auch wohl ein Besuch abgestattet, an ihrer Residenz ein längerer Aufenthalt genommen, was gelegentlich in deren wirthschaftliche Zustände erwünschte Ausblicke gestattet. Das fernere Itinerar des Grafen selber aber ergiebt sich aus den verschiedenen Rubriken des Rechnungsbuches folgendermaßen:

Sept. 24 Schöneck, Sept. 25 Polysene, Polessine (nicht Polzin, sondern Poleschken, drei Meilen weiter, wie mir Herr Professor Caro in Breslau freundlichst angegeben), Sept. 26 Hamerstede = Hammerstein, Sept. 27 Schevebene = Schievelbein, wo die Länder des Hauses Luxemburg, zunächst das Gebiet des Kurfürsten von Brandenburg, des jungen Markgrafen Sigismund, seit 1387 Königs von Ungarn, betreten wurde, Sept. 28 Drawyngburgk = Dramburg, Sept. 29 Arnswalde, Oct. 1 Londesburgh = Landsberg, Oct. 2 Dresse = Driesen, Oct. 4 Frankfurt a/O., Oct. 5 Gobin = Guben in der Lausitz, Oct. 6 Treboll = Tribel, Oct. 7 Gorlech = Görlitz, Oct. 7—9 Zittaw = Zittau, Oct. 10 Nemance = Niemes in Böhmen, Oct. 11 Whytwater = Weißwasser, Oct. 12 Brounslowe, vermuthlich Bunzlau. Vom 13. bis zum 25. October wird in Prag Quartier genommen, was nicht nur die vielen Summen, mit denen in diesen Tagen die Verpflegung und weitere Ausrüstung bestritten wurde, sondern namentlich auch Ausgaben für kostbare Stoffe und kunstvolle Schmuckgegenstände beweisen, wie sie in der von Karl IV. mächtig gehobenen Hauptstadt seines deutschböhmischen Reichs zu haben waren. Der englische Fürstensohn hat sich denn auch an dem stattlichen Orte, in seinen Heiligthümern und den Schlössern der Nachbarschaft fleißig umgesehen, am 20. und 21. October den Hradschin, castellum de Prake, fol. 66, am folgenden Tage den stolzen Bau des verstorbenen Kaisers, den Karlstein — apud Charlestan ad reliquias infra castrum 3 nobles, fol. 65, und in denselben Tagen, wie es scheint, zu wiederholten Malen den mit Richard II. von England verschwägerten Wenzel, König der Römer und von Böhmen, auf seinem Lieblingssitz, dem Jagdschloß Bettlern (böhmisch Zebrak), besucht: per 3 dies quo dominus fuit apud Bedell' cum rege Boemie ... pro diversis victualibus cariandis de Prake usque Bedeler fol. 21. Sollte nicht auch Berne, von wo am 19. und am 22. October verrechnet wird, das ich früher durch Bezno südwestlich von Bunzlau erklären wollte, wofür Professor Caro Benatek, speciell Alt-Benatek vorschlägt, ebenso gut wie Bedell' nur eine abgekürzte Form für Bettlern sein, wie sie dem Schreiber in die Feder kam? Es ist bekannt, daß König Wenzel in den Bedrängnissen, die er sich bereits zugezogen, höcht ungern von seinen Schlössern nach Prag kam [1]). Unsere Rechnungen deuten aber bestimmt auf mehrfachen Verkehr des Lancasters mit ihm hin.

Am 26. setzte Graf Heinrich die Reise fort und rastete Nachts im Prada (Böhmisch Brod?), Oct. 27 in Deuchebrod = Deutsch Brod, Oct. 18 in Misserich = Groß Meseritsch in Mähren, Oct. 29 erreichte er Bronne = Brünn. Von hier scheint er am 1. November weiter gezogen zu sein und an einem Orte übernachtet zu haben, der fol. 23 als Wiskirke eingetragen ist, erreichte am 2. Drising = Drösing in Unter-Oesterreich, am 3. Sconekirke, Schönkirchen bei Gänserndorf, und am 5. Wien (Wene), wo 4 Tage Aufenthalt genommen wurde. Es ist bezeichnend, daß er in längeren Quartieren wie hier, wie in Brünn und besonders auch in Prag die Herberge stets durch seinen Lancaster oder Mowbray Herold mit seinen Wappenschilden schmücken ließ, vermuthlich mit Rücksicht auf die vornehmen Besuche, die ihm erwidert wurden. In Wien aber wurde nicht nur mit Erzherzog Albrecht III., sondern namentlich auch mit dem jungen Sigismund, König von Ungarn, verkehrt, der damals in den ungarischen und böhmischen Wirren mit Oesterreich zusammenhielt, und vielleicht jetzt schon die politische

1) Vgl. Lindner, Gesch. d. D. R. unter König Wenzel II, 212. Bettlern 1395 durch eine Feuersbrunst zerstört, ibid. 218. 471.

Verbindung zwischen den Häusern Lancaster und Luxenburg angeknüpft, welche später zur Zeit des Constanzer Concils die höchste Bedeutung gewann, vgl. fol. 26: Nov. 6. pro batillagio ultra aquam iuxta mansionem regis Hungarie, willkommen für das bis dahin dürftige Itinerar Sigismunds. Außerdem aber wurde wieder ein mehrtägiger Aufenthalt in einer größeren Stadt benutzt um die Schäden an Geschirr und Fuhrwerk auszubessern, Wagenführer mit ihren Thieren, die von Danzig aus nicht nur bis Prag und Wien, sondern sogar bis Venedig Contract gemacht zu haben scheinen, abzulöhnen und für weitere Ausrüstung und Geleit zu sorgen, wie denn z. B. ein Schildknappe (scutifer) des Erzherzogs von Wien bis Venedig mitgieng, pro quodam scutifero ducis Ostricie veniente cum domino de Wene usque Venis, fol. 72.

Die Weiterreise läßt sich wie bisher an den einzelnen Stationen verfolgen, die zunächst keine Schwierigkeit machen, denn die zweifachen Daten finden in dem Vorausziehen der Fouriere ihre Erklärung. Nov. 8 wird noch aus Wien, aber auch aus Drossekirke = Traiskirch datirt. Es folgen Nov. 9 Newkirke = Neunkirchen, Nov. 9 (11) Mersolech = Mürzzuschlag, der erste Haltplatz in Steiermark, Nov. 10 Slomerestowe, auch Stamerestowe geschrieben, das sich nur mit dem Semering decken wird, 11. Kimburgh = Kindberg, 12. Lauban = Leoben, 13. (14) Knotilsfel = Knitterfeld, 14. Newmark = Neumarkt, 14. (15) Roudenburgh (Roweingburgh), nach Professor Caro's Meinung Rothenthurm bei Judenburg, No. 16. (17) Fresak (nicht Husak) = Frisach in Kärnthen, Nov. 15. (16.) Seintfete = St. Veit, Nov. 17. (18.) Felkirke (Fellekirke) = Feldkirch, Nov. 17. (18.) Fillak (Fillawk,

Felowe) = Villach, Nov. 19 **Malberget** (Malborgeth), Nov. 20. Posilchoppe (Posidolfe?) an der Grenze von Friaul [1]), Nov. 23 apud civitatem Hostrie, Nov. 22 apud St. Danielem, Nov. 23 Chichon? Nov. 24, Gisill (Cysele), etwa Chiusa? Portgruer = Portogruaro.

Der Vortrab gieng Nov. 16 über Stamford = St. Veit, Nov. 17 Felowe = Villach, Nov. 18. Pontafle = Pontafel, Nov. 19. Posidolfe? Nov. 20. Spillingberk = Spilimberg, Nov. 21. Gecur? Conigl' = Conegliano, Nov. 22. Trevis = Treviso, Nov. 24. Ponteglo? Moce?

Der Graf, welcher vom 23. bis 26. in Portogruaro und im Verkehr mit dem Patriarchen von Aquileja nachzuweisen ist, sandte von dort das schwere Gepäck in Barken nach Venedig, wo er seit dem 29. häuslich eingerichtet erscheint. Die Stationen Nov. 28. Gaverley und Nov. 29 Leo vermag ich nicht unterzubringen.

Der Prinz aber residierte in San Giorgio, von wo in häufig für Menschen und Lebensmittel verrechneten Gondelfahrten auch andere Stadttheile berührt, insonderheit die Kirchen von San Marco, Santa Lucia, San Nicolao, Santa Agnete, Sant Antonio, San Cristoforo, Sant Innocente mit frommen Opferspenden bedacht wurden. Einmal erscheint Graf Heinrich gemeinsam mit dem Dogen in San Giorgio, cum duce Ven', fol. 67. Der reich versehene Markt der Lagunenstadt tritt aus den unendlichen Einkäufen von Fleisch, Wildpret, Geflügel, Fischen aller Art, Gemüsen, Früchten, Gewürzen, Weinen deutlich hervor.

Mindestens drei Wochen verstrichen über die unerläßlichen Vorbereitungen zu der weiten

1) Was mag am selben Tage fol. 37 apud Ochen sein?

Meerfahrt, von der die Urkunde doch mehr, als sich bei der ersten eiligen Durchsicht heraus bringen ließ, ja, zum Theil sehr bedeutende Angaben bewahrt. Mit Unterstützung der venetianischen Behörden, besonders aber, wie ausdrücklich hervorgehoben wird, durch die Vermittlung des Johanniter Priors in England, Johann von Radington, der sich in Venedig der Expedition anschloß, wurden für 2785 Ducaten die Galeen geheuert, welche den Prinzen nach Jaffa hin und zurück führen sollten: pro Galeis domini de Venis' usque portum Jaff' et redeundo Venis' ex convencione cum eis facta per priorem St. Johannis Jherosolimital' in Anglia et per senescalcum fol. 69. Daß sie mit Allem, was die Reise erforderte, versehen wurden, geht aus vielen Rechnungen hervor. Der Tag der Ausfahrt hingegen ist nicht verzeichnet, nur ergibt sich aus der Liste der Opferspenden, daß man am Weihnachtstage vor Zara lag: in oblac' domini apud Jarr' die natalis domini fol. 68. Darauf sind Lissa, Corfu, Modon (Südwestspitze des Peloponnes) angelaufen, bis man nach Rhodos kam, wo wieder beträchtlich Proviant an Bord genommen wurde. Nach der Landung bei Jaffa (Jaffr') werden die Einzeichnungen, ohne daß auch nur ein Datum angegeben wäre, in der That sehr einsilbig. Offenbar war dem Prinzen nur gestattet in wenigen Tagen als schlichter Pilger das heilige Grab zu besuchen. Ein Esel wird gemiethet um Lebensmittel, darunter Ziegen, Reh, Geflügel, Fisch, Eier, Oel, Wein, Zuckerwasser, Salz nach Ramah (Rames, d. i. Ramla, Arimathia) und von dort nach Jerusalem zu schaffen. Hier werden Wachskerzen (candel' cer') und Wein gekauft fol. 39. 40. Von Oblationen keine Spur, wenn nicht fol. 68 *super montem* auf den Oelberg zu deuten sein dürfte. Dann gieng es auf derselben Straße an die Galeen zurück, die, nachdem sie einige Nahrungsmittel verladen, nunmehr nach Cypern steuerten, wo noch immer ein Lusignan, Jakob I., ein christliches Königreich beherrschte, dessen Beziehungen zu England seit Richard Löwenherz niemals ganz abgerissen waren [1]). Die Eintragungen bezeugen, daß man bei Famagosta an das Land gieng und von dort aus an den Königshof nach Nicosia zog: in expensis domini prioris Sancti Johannis, domini Otes Graunson et aliorum militum et scutiferorum euntium versus regem Cyprie de Ffamagast usque Nikasye . . . 19 duc. fol. 40. Baff fol. 42, Paphos auf Cypern, wurde auf der Weiterfahrt berührt. Ein längerer Aufenthalt galt alsdann den Johannitern in Rhodos, in deren Schloß Graf Heinrich nicht nur den Reliquien der Kapelle Opfer spendete, sondern auch wieder sein, seiner Ritter und Knappen Wappenschilde aufhängen ließ. Viele Lebensmittel wurden dort angeschaft, fortan auch während der ganzen Heimreise bis England beständig für einen Leoparden Sorge getragen, der in Rhodos vermuthlich dem Prinzen zum Geschenk gemacht wurde. Die Fahrt gen Westen gieng durch die Inseln des Archipelagus, berührte Kos (apud Langon) Polykandro (in Cornona, d. i. Corogna) und Modon. Im adriatischen Meere wurde bei Corfu, Ragusa, Lissa, Zara und Pola angelegt. Unter den von Graf Heinrich im Spiel verlorenen Summen sind zwei am 23. und 25. Februar eingetragen: in galeia, fol. 60.

1) Jacob von Cypern an Richard II., Juli 1393 bei Raine, Extracts from Northern Registers p. 425 vgl. Stubbs, The Medieval Kingdoms of Cyprus and Armenia, Two Lectures p. 45.

Seit dem 21. März spätestens weilte der Prinz wieder zu San Giorgio in Venedig, aula domini apud S. Georgium fol. 44, wo er, wie es scheint, die Osterzeit und beinahe den ganzen April verbrachte. Allein er wie seine Diener waren in beständiger Bewegung auf Wasser- und Landwegen um zu sehen und zu kaufen, darunter namentlich viele kostbare Stoffe, Sammet, Seide, Brokat, Pelze, Gold und Silber für Schmuck und Rüstung. Zwölf Ducaten kosteten die acht Tafeln, auf welchen der Mowbray Herold die Wappenschilde des Herrn und seines edlen Gefolges in San Marco anheften mußte. Wiederholt wird über Mestre nach Treviso gefahren, wohin gegen Ende April auch das Hauptquartier aufbrach. Aus Nowall = Noale wird am 28. datirt. Die Städte Padua, Vicenza, Verona, Lodi (Lauda) Mai 10., Mailand (Melan) Mai 13, Pavia sind, wenn auch nicht alle vom Prinzen selber, so doch von seinen Boten besucht worden, fol. 46—48. Am 18. dieses Monats befand sich der Trupp in Vercelli und erreichte noch am selben Tage Chevaux = Chivasso. Am 21. stand man in Turin wieder am Eingange in die Alpen, am 22. apud Velayn, apud Avylan = Avigliana, Ryweleo = Rivoli. Vom 23.—25. war Sehusa = Susa Heerlager, von wo aus der Mont Cenis überstiegen wurde.

Die datirten Stationen in Savoyen, Burgund und Frankreich sind hierauf folgende: Mai 26. Launcebrugge = Lanslebourg, 27. Fourneworthe, ein arg verschriebener Name, hinter welchem Termigeon stecken mag, apud S. Michaelem = 28. Chambore = Chambery, 29. 30. Egebelle = Aigebelette (nicht Aix les bains), 31. Floren'? Juni 1 Jan = Yenne, wo der Rhonefluß, ultra aquam, überschritten wurde, Juni 2. Russebon

Rossilon, 3. Syrombert = St. Rambert, 4 Pompinet? 5. Fowntenay? Brom? Bagg' = Bage, 6. Macon, 7. Turnes = Tournus, 8. Chalons sur Saone, 9. Bewn, Beaume = Beaune, 10. Floreyn? 11. Chance = Chanceaux; 12. Moyvilarbard (Ampilly les Bordes?), Chastelon = Châtillon sur Seine, 13. 14. Berce = Bar sur Seine, 15. Troys = Troyes, 16. Marin = Marigny, 17. Nogent, 18. Province = Provins, 19. Grauntpnisse, 20. Bricounte Robert = Bri Comte Robert, 21. Pountchareton = Charenton, 22. Parys.

Nur wenige Tage Erholung in der französischen Hauptstadt waren vergönnt, dann gieng es weiter über Amiens (Amyas) nach Calais, von wo am 30. die Ueberfahrt nach Dover erfolgte. Am 1. Juli wurde in Canterbury geopfert und datirt, dann ritt man weiter über Sittingbourne und Osprey nach Rochester am 2., nach Dartford am 3. Juli. Das letzte Datum Juli 5 ist aus London. Dort wahrscheinlich erfolgten auch die Ablöhnungen der Mannschaft am 13. Juli.

Dies Itinerar, das sich über ein ganzes Jahr erstreckt, corrigirt nicht nur wesentlich den Bericht, welchen ein halbes Jahrhundert später John Capgrave über die zweite Kreuzfahrt des Grafen von Derby seinem Liber de illustribus Henricis p. 99—101 eingereiht hat, sondern dient vor allem als das feste Gerippe für die zahllosen Ausgaben, Löhne und Preise, die in der seltenen Urkunde als die statistischen Belege für die Verkehrs- Lebens- und Culturverhältnisse der Zeit in verschiedenen europäischen und außereuropäischen Ländern verzeichnet stehn. Das Document dürfte für den Verkehr in den germanisch-slavischen Grenzgebieten und die politischen Bewegungen daselbst, die aus den Jahren 1392/3 nur dürftig überliefert sind, geradezu einzig in seiner Art sein.

Für den Schatzmeister Richard Kyngeston war es wahrlich keine kleine Arbeit die Ausgaben, darunter reiche Gaben und Geschenke, in den verschiedensten Währungen nach englischen Goldnobeln, preußischer Mark, böhmischen Groschen und Gulden, Gulden von Aragon, venetianischen Scudi und Ducaten, orientalischen Aspern, grosses siccez, picherons, blanks, imperiales zu verrechnen, das Wechsel-Agio richtig auszugleichen und schließlich in Sterling Münze genau auf Heller und Pfennig anzuschreiben. Durch Erlaß des Grafen Heinrich, datirt Leicester den 4. Januar 1394, wurde ihm Décharge ertheilt.

Zur Nachricht.

von

Paul de Lagarde.

Im Jahre 1860 habe ich in der Vorrede zu meiner Ausgabe der syrischen Uebersetzung der Geoponica Mitteilungen über eine ebenso wie die von mir zuerst identificierten Geoponiker in London damals noch nicht als das was sie ist erkannte Handschrift der nitrischen Sammlung gemacht, welche des Antonius Buch über die Wissenschaft der Rhetorik enthält, und ich habe die Herausgabe dieser Handschrift vor Allem im Interesse der syrischen Lexikographie gefordert.

Stücke des dort besprochenen Werkes sind von mir dem verstorbenen E. Roediger und

Herrn Th. Noeldeke zur Verfügung gestellt worden: siehe die zweite Ausgabe von Roedigers Chrestomathie V und Nöldekes mandäische Grammatik 382.

Danach habe ich einem jüngeren Gelehrten, welcher mich über die zweckmäßigste Art seine Studien einzurichten befragte, geraten, diesen Antonius ins Auge zu fassen: ich konnte im Jahre 1871 (man sehe jetzt meine Symmicta I 85, 33—41) ankündigen, daß mein Rat befolgt worden sei.

Seit ich damals — vor nun schon recht langer Zeit — meiner Freude darüber Ausdruck gegeben, daß der wichtige Text werde vorgelegt werden, hat man von Antonius dem Rhetor nichts mehr gehört und gesehen.

Nunmehr werde ich ihn selbst ans Licht stellen, da ich für mir am Herzen liegende lexikalische und syntaktische Studien ihn nicht entbehren will. Es handelt sich um zwei Bücher, das über die Rhetorik — in W. Wrights Catalogue Seite 614 — und das über die Vorsehung — ebenda Seite 617. Jenes füllt in meiner Copie 156, dieses 126 Seiten in Quart.

Ich werde mich hüten diese Documente besonders herauszugeben: sie sollen — sorgfältig bearbeitet, nicht bloß abgeklatscht — in einer bibliotheca syriaca mit vielem andern, teils bereits angekündigtem, teils noch nicht angekündigtem (wie dem vollständigen auçar ẹrâzê) zusammen erscheinen. Der einzige Grund sehr wider meine Neigung eine Reihe einzelner Bändchen statt eines einzigen Quartanten oder Folianten in die Welt zu schicken war in den letzten Jahren — vor 1866 lag die Sache anders — der Wunsch, Privatleuten die Anschaffung dieser Texte zu erleichtern: da ich aber nach wie vor mit dem

Absatze meiner Drucke auf die großen Bibliotheken allein angewiesen bleibe, sehe ich nicht ein, weshalb ich mir das schwere und undankbare Geschäft des Herausgebens nicht erleichtern und es nicht nach meinen Wünschen betreiben soll. Für syrische Typen werde ich sorgen.

Ein eignes Glossar soll meiner bibliotheca syriaca beigefügt werden oder ihr folgen: ich will es so einrichten, daß es als syrisches Handwörterbuch wird dienen können: es ist bestimmt, die Kosten der Bibliotheca zu beschaffen: meine Sammlungen verkommen zu lassen beabsichtige ich nicht.

Für meine bibliotheca aegyptiaca hat mir der Bischof von Durham unlängst Fragmente der çaïdischen Uebersetzung des neuen Testaments zum Geschenke gemacht.

Ich hoffe neben und nach meiner im Drucke befindlichen Septuaginta diese großen Arbeiten und eine mit erklärendem Commentare versehene Gesammtausgabe aller unter dem Namen des Clemens von Rom laufenden Schriften noch zu Ende zu führen. Daß ich den Mut für so große Pläne finde, danke ich meinen schottischen und englischen Freunden, welche mir im ablaufenden Jahre die Mittel zu einer Reise nach Rom, und damit die Möglichkeit verschafft haben, in etwa 13 Wochen den Chisianus R vi 38 = 19 Holmes und den Vaticanus graecus 330 = 108 Holmes zu vergleichen, beziehungsweise abzuschreiben, und in Folge davon meine Ausgabe der Septuaginta mit dem ersten Bande (Symmicta II 147) beginnen zu können: ich danke es auch den römischen Gönnern, welche mir in der ewigen Stadt eine Arbeitszeit geschaffen, wie sie dort in gleicher Ausdehnung so leicht bisher Niemandem zu Gehote gestanden hat: Deutschland wird an Allem was ich etwa noch leisten mag, völlig unschuldig sein. Eine einige Bogen starke Ankündigung und Probe meiner Septuaginta soll um das neue Jahr herum ausgegeben werden: sie beansprucht auch selbstständigen Wert: mehr als 200 oder 250 Exemplare lasse ich von dieser Ankündigung nicht abziehen.

Göttingen 2 November 1881.

Bei der Königl. Gesellschaft der Wissenschaften eingegangene Druckschriften.

Man bittet diese Verzeichnisse zugleich als Empfangsanzeigen ansehen zu wollen.

Mai 1881.

(Fortsetzung).

Annali di Statistica. Vol. 20. 23. 1881.
R. Wolf, Astronomische Mittheilungen. LII.
J. Hann, Zeitschrift für Meteorologie. Bd. XVI. Juni. 1881.
ΛΟΓΟΔΟΣΙΑ ... ὑπο ΕΜΜΑΝΟΥΗΛ ΔΡΑΓΟΥΜΗ. Athen. 1881.
Hugo Gyldén, Om banan af en punkt etc.

Berichtigung.

In Nro. 12 dieser Nachrichten, S. 321, Z. 10 ist zu lesen: »des Winterhalbjahrs 1881/82« für »des Sommerhalbjahrs 1881.«

Für die Redaction verantwortlich: *F. Bechtel*, Director d. Gött. gel. Anz.
Commissions-Verlag der *Dieterich'schen Verlags-Buchhandlung.*
Druck der Dieterich'schen Univ.-Buchdruckerei (*W. Fr. Kaestner*).

Nachrichten

von der

Königl. Gesellschaft der Wissenschaften
und der Georg-Augusts-Universität
zu Göttingen.

3. December. № 15. 1881.

Königliche Gesellschaft der Wissenschaften.

Öffentliche Sitzung am 3. December.

Graf zu Solms-Laubach: Die Herkunft, Domestication und Verbreitung des gewöhnlichen Feigenbaums (Ficus Carica.) (S. Abhandl. Bd. XXVIII.)

Pauli: Ueber Jean Robethon und die Thronfolge des braunschweigisch-lüneburgischen Hauses in England.

de Lagarde: Ueber die semitischen Namen des Feigenbaumes und der Feige.

K. Schering: Beobachtungen im magnetischen Observatorium. (Vorgelegt von E. Schering.)

Die K. Gesellschaft der Wiss. war am 3. d. M. versammelt, um das Andenken an ihren Stiftungstag zum dreißigsten Mal im zweiten Jahrhundert ihres Bestehens zu feiern. Sie feierte ihn durch einen Vortrag, der von Hrn. Prof. Pauli über Jean Robethon und die Thronfolge des braunschweigisch-lüneburgischen Hauses in England gehalten wurde. Nachdem die beiden anderen Mittheilungen vorgelegt waren, wurde der folgende Jahresbericht abgestattet:

Die in ihren regelmäßigen Sitzungen gehaltenen oder vorgelegten ausführlicheren Arbeiten sind in dem in diesem Jahre herausgegebenen Bd. XXVII und dem demnächst erscheinenden Bd. XXVIII ihrer »Abhandlungen« veröffentlicht; die kürzeren Mittheilungen sind in dem gegenwärtigen Jahrgang 1881 dieser »Nachrichten« enthalten. Das Verzeichniß derselben findet sich zur Hälfte in der Vorrede zum XXVII., zur Hälfte in der zum XXVIII. Band der Abhandlungen.

Der lebhafte Tauschverkekr zwischen der K. Societät und den auswärtigen Akademien und anderen wissenschaftlichen Vereinen ist in regelmäßiger Weise fortgesetzt und noch weiter ausgedehnt worden, wie aus den in den Nachrichten erscheinenden Accessionslisten zu ersehen ist.

Für die auf den November d. J. von der physikalischen Classe gestellte Preisaufgabe über die Entwicklungsvorgänge bei den Echinodermen, ist eine Arbeit mit dem Motto »sunt denique fines« rechtzeitig und mit Beobachtung der vorgeschriebenen Bedingungen eingegangen. Es ist ein Manuscript von 186 Seiten 4⁰ begleitet von 11 zum Theil farbig ausgeführten Tafeln. In der Arbeit ist der Versuch gemacht, die Lösung der Aufgabe in der Weise zu geben, daß die Entwicklung einer characteristischen Art beobachtet und dargestellt wurde. Gewählt ist dazu mit gutem Vorbedacht die Asterina gibbosa (Forb.) und hieran die Entwicklung vom frisch abgelegten Ei bis zum 7 Wochen alten, die Sternform besitzenden Thiere untersucht.

Das gesteckte Ziel ist insofern nicht erreicht, als in der Aufgabe gefordert wurde, daß in diesem Falle die Anlage sämmtlicher Organsysteme des ausgebildeten Thieres dargestellt werden sollte, und in der Arbeit die Anlage des Geschlechtsapparats nicht behandelt wird: die Untersuchung mußte abgebrochen werden, ehe die jungen Thiere die Anlage der Genitalorgane erkennen ließen. Auch das ist zu bemerken, daß bei der Besprechung der Anlage des Blutgefäßsystemes die perihaemalen Räume nicht erwähnt werden, und mithin nicht zu ersehen ist, welche Auffassung etwa der Verfasser der Arbeit von diesen Räumen gewonnen hat. — Daß über das Auftreten von Pollbläschen im Beginn der Entwicklung Nichts mitgetheilt, der Aufbau des Larvenleibes aus den Embryonalzellen nicht in allen Einzelheiten verfolgt wurde, giebt zu einer Ausstellung keine Veranlassung, da dieser Theil der Entwicklungsgeschichte bei der Stellung der Aufgabe nicht gefordert war; daß der Verfasser ihn mit herangezogen und bearbeitet hat, ist um so dankenswerther, als damit die continuirliche Entwicklung des untersuchten Seesternes vorgeführt wird. — Die Vorgänge, durch welche in einer Metamorphose der radiäre Leib der Asterina sich aufbaut, die Organe sich entwickeln, ist klar und anschaulich beschrieben, und mit gut gewählten bildlichen Darstellungen erläutert. Ein sorgfältiges Eingehen auf die Arbeiten früherer Autoren, eine kritische Zusammenstellung dessen, was von der Entwicklungsgeschichte anderer Echinodermen bekannt war, mit dem neu Beobachteten, und das Bestreben aus der Fülle der Einzelheiten mit Vorsicht das allgemein Gültige hervorzuheben, geben der Untersuchung den vollen wissenschaftlichen Werth. Da mithin das Wesentliche der Aufgabe, die Darstellung der Metamorphose, in der Arbeit geliefert wurde, so sieht die K. Gesellschaft der Wissenschaften sich veranlaßt, dem Verfasser den ausgesetzten Preis zuzuerkennen, in der Hoffnung, daß derselbe Gelegenheit finden möge, die in der Arbeit befindlichen, von ihm selbst hervorgehobenen Lücken auszufüllen.

Bei Eröffnung des versiegelten, mit dem obigen Motto versehenen Zettels ergab es sich, daß der Verfasser dieser Arbeit

Herr Professor Dr. Hubert Ludwig
in Gießen ist.

Für die nächsten 3 Jahre werden von der K. Societät folgende Preisfragen gestellt:

Für den November 1882 von der mathematischen Classe (wiederholt):

Während in der heutigen Undulationstheorie des Lichtes neben der Voraussetzung transversaler Oscillationen der Aetherteilchen das mechanische Princip der Coëxistenz kleiner Bewegungen zur Erklärung der Polarisations- und der Interferenz-Erscheinungen genügt, reichen diese Unterlagen nicht mehr aus, wenn es sich um die Natur des unpolarisirten oder natürlichen Lichtes, oder aber um den Conflict zwischen Wellenzügen handelt, welche nicht aus derselben Lichtquelle stammen. Man hat dem Mangel durch die Voraussetzung einer sogenannten großen Periode von innerhalb gewisser Grenzen regelloser Dauer abzuhelfen gesucht, ohne nähere erfahrungsmäßige Begründung dieser Hülfsvorstellung. Die K. Societät wünscht die Anstellung neuer auf die Natur des unpolarisirten Lichtstrahls gerichteter Untersuchungen, welche geeignet seien, die auf natürliches Licht von beliebiger Abkunft bezüglichen Vorstellungen hinsichtlich ihrer Bestimmtheit denen nahe zu bringen, welche die Theorie mit den verschiedenen Arten polarisirten Lichtes verbindet.

Für den November 1883 von der historisch-philologischen Classe:

Die Aramäer haben im Laufe der Zeiten ihre Grenzen mehrfach verlegen müssen: sie sind durch Eroberer semitischer und nichtsemitischer Herkunft in nicht wenigen Gegenden um ihre Nationalität gebracht worden.

Die K. Gesellschaft der Wissenschaften wünscht eine vollständige Uebersicht über die Veränderungen, welche das aramäische Gebiet in Hinsicht auf seinen Umfang nach außen und innen erlitten hat.

Eine Zusammenstellung der Gründe, welche in Betreff gewisser Landstriche anzunehmen zwingen oder rathen, daß dieselben von einer ursprünglich aramäischen Bevölkerung bewohnt sind, wird sich nicht ohne Rücksicht auf die vergleichende Grammatik der semitischen Sprachen und nicht ohne Eingehn auf die Ortsnamen des zu behandelnden Districts geben lassen: die K. Gesellschaft der Wissenschaften erwartet, daß diese beiden Gesichtspunkte die leitenden der Untersuchung sein werden: sie würde es für außerordentlich nützlich erachten, wenn eine vollständige Liste aller aramäischen Ortsnamen als Anhang zu der verlangten Abhandlung vorgelegt würde.

Für den November 1884 von der physikalischen Classe:

Die vorhandenen Angaben über die Chloride und Amide des Cyans sind zum Theil so unsicher, daß sie der Bestätigung oder der Berichtigung bedürfen; die K. Societät verlangt daher eine auf neue genaue Versuche gegründete Erforschung dieser Verbindungen.

Die Concurrenzschriften müssen, mit einem Motto versehen, vor Ablauf des Septembers des betreffenden Jahres an die K. Gesellschaft der Wissenschaften portofrei eingesandt werden, begleitet von einem versiegelten Zettel, welcher den Namen und Wohnort des Verfassers enthält und auswendig mit dem Motto der Schrift versehen ist.

Der für jede dieser Aufgaben ausgesetzte Preis beträgt mindestens funfzig Ducaten.

Die Preisaufgaben der Wedekind'schen Preisstiftung für deutsche Geschichte für den Verwaltungszeitraum vom 14. März 1876 bis zum 14. März 1886 finden sich in den »Nachrichten« 1879 S. 225 veröffentlicht.

Das Directorium der Societät ist zu Michaelis d. J. von Herrn Obermedicinalrath Henle auf Herrn Geheimen Hofrath W. Weber übergegangen.

Die K. Societät hat wieder einen großen Verlust zu betrauern, den Tod ihres ordentlichen Mitgliedes Theodor Benfey. Er starb im 73. Lebensjahre.

Von ihren auswärtigen Mitgliedern und Correspondenten verlor sie durch den Tod:

Sainte-Claire-Deville in Paris im 63 J.
H. E. Heine in Halle, im 61. J.
Th. Bergk in Bonn, im 69. J.
H. L. Ahrens in Hannover, im 72. J.
B. von Dorn in St. Petersburg, im 75. J.
L. von Spengel in München, im 78. J.
J. Bernays in Bonn, im 57. J.

Als hiesige ordentliche Mitglieder wurden begrüßt:

Hr. Adolf von Koenen,
Hr. Ferdinand Frensdorff,

mit dem Wunsche, daß ihr wissenschaftliches Wirken der K. Societät lange erhalten bleibe, gleich wie es unserm hochverehrten Senior der mathematischen Classe, Herrn Geheimen Hofrath W. Weber, erhalten geblieben ist, dessen 50jähriges Jubiläum als Mitglied der Societät am 12. vorigen Monats gefeiert worden ist.

Zu auswärtigen Mitgliedern wurden erwählt:

Hr. Julius Weizsäcker in Berlin, (seit 1879 hiesiges ord. Mitglied),
Hr. Adolf Kirchhoff in Berlin, (seit 1865 Corresp.).

Zu Correspondenten:

Hr. Franz Bücheler in Bonn,
Hr. Georg Hoffmann in Kiel,
Hr. Adrian de Longpérier in Paris,
Hr. August Nauck in St. Petersburg.

I. Ueber die semitischen Namen des Feigenbaums und der Feige.
II. Astarte.
III. Die syrischen Wörter נסיון und גַליון.
IV. Das hebräische ענר.

von

Paul de Lagarde.

I.

Unser College Graf Herman zu Solms-Laubach hat an mich die Frage gerichtet, wie alt bei den Semiten die Kenntnis des Feigenbaums und der Feige sei. Ich beantworte diese Frage öffentlich, weil ich dem Herrn Fragsteller die Möglichkeit verschaffen möchte, über meine Antwort die Ansicht andrer Personen zu hören, bevor er auf sie Folgerungen baut, oder auch nur von ihr öffentlich Notiz nimmt.

Wer die semitischen Idiome mit einander vergleichen will, wird wohl tun sich zu erinnern, daß die Documente der israelitischen Sprache wie sie im Canon vorliegt, von etwa 900 bis etwa 200 vor Christus reichen, und in den letzten 300 Jahren dieses Zeitraums von Schriftstellern herrühren, welche Hebräisch nicht als Muttersprache redeten, sondern als Gelehrte mehr oder wenig correct schrieben: daß die Urkunden des Aramäischen aus wirklich wenigstens einigermaßen alten Jahrhunderten recht spärlich und nur wenig umfassend sind, Urkunden des späteren Aramäisch in erträglicher Naturwüchsigkeit sich nur aus der zwischen 250 und 900 nach Christus gelegenen Periode finden, wir von den von mir in den Beiträgen 79 genannten aramäischen Dialekten nur spärlichste Reste kennen: daß das Arabische erst um 600 nach Christus uns bekannt zu werden beginnt, und die Kenntnis seiner Dialecte uns so gut wie völlig fehlt. Woraus folgt, daß die vergleichende Grammatik und Lexikographie der semitischen Zungen nicht so ohne Weiteres Hebräisches, Aramäisches, Arabisches neben einander verwenden darf: daß eine völlige oder teilweise Entstellung der zur Vergleichung kommenden Formen und Vokabeln anzunehmen unbedenklich ist: daß aus dem Umstande, daß Einer der drei Dialekte ein Wort oder eine Wortform in der uns bekannten Epoche nicht besitzt, nicht gleich geschlossen werden darf, daß er das Wort oder die Wortform überhaupt niemals besessen habe: daß zu befürchten steht, uns liege ein Dialektwort vor, wann ein Wort einer vorerst allgemein geltenden Regel nicht gehorsamt.

Der Feigenbaum hat — so scheint es zunächst — auf semitisch, das heißt, in dem den drei oben genannten Einzelsprachen voraufgehenden Idiome, TI'N, die Feige BALAS geheißen: der Feigenbaum gehörte — so scheint es zunächst — der Urheimat der Semiten an.

Das Arabische wie wir es kennen, besitzt kein تئن, sondern nur تين: das Hebräische für Anfänger kein תְּאֵן, sondern nur die verlängerte Form תְּאֵנָה, welche freilich statt תְּאֵן in den Wörterbüchern aufgeführt zu werden eigentlich kein Recht hat: das Aramäische bietet nur ein mit jenem תְּאֵנָה scheinbar identisches, in Wahrheit eine Entartung desselben darstellendes ܬܐܢܐ.

In تين für تئن ist der zweite Radical nicht mehr Alif, sondern Yâ — es kann leicht noch einmal ein arabisches TI'AN zum Vorscheine kommen, wie ich hiermit nachgewiesen haben will, daß die spanischen Araber das Korankapitel mit einem sonst nur in den Glossaren stehenden Alif als zweitem Buchstaben kannten, da die in Spanien gemachte lateinische Uebersetzung des Koran die Kapitel regelmäßig azoara nennt —: in תְּאֵנָה liegt ein durch das ה der Einheit vermehrtes תְּאֵן vor (Stade § 311[a]), welches im späteren Style nicht mehr als das was es ist, erkannt wird, sondern trotz der Mehrheit תְּאֵנִים als Nomen der Form קְטֵלָה gilt: ܬܐܢܐ ist auf aramäischem Gebiete für uns unverständlich, da in den uns zugekommenen Urkunden der Sprache ein א der Einheit nicht mehr lebt, und das Wort als Diminutivum zu fassen (G. Hoffmann Auszüge 111) nicht angeht: im Aramäischen ist in ܬܐܢܐ das weibliche Geschlecht doppelt bezeichnet: Herr Nöldeke bucht § 81 unter Verweisung auf § 28 ohne Erklärungsversuch die Tatsache daß »ܬܬܐ *Feige*« [schreibe »*die Feige*«] den Plural ܬܐ̈ܢܐ bilde.

Die Bedeutung des ti'n und seiner Entstellungen ist in unsern Texten ebenfalls nicht mehr durchgängig die ursprüngliche, soferne die Wörter nicht bloß den Feigenbaum, sondern vielfach schon die Frucht des Feigenbaums, die Feige, bezeichnen: siehe die Lexica und I. Löw aramäische Pflanzennamen § 335.

An der Zusammengehörigkeit von ܬܐܢܐ תאן تين zweifelt gleichwohl kein Mensch.

balas ist durch بلس = በለስ: und das hebräische Denominativum בלס *ein capricierender* Amos 7, 14 als Arabern, Aethiopiern, Israeliten bekannte Vokabel erhärtet: auf aramäischem Gebiete ist BALAS nicht nachweisbar, kann aber allerdings in historischen Zeiten, über welche wir nur nicht unterrichtet sind, dort verloren gegangen sein: ist doch auch im alten Testamente ein Hauptwort בלס *Feige* nicht vorhanden.

Es fragt sich nun, ob über die oben in vorsichtiger Fassung vorgelegte These hinausgegangen werden muß, das heißt, ob man wirklich behaupten darf, TI'N und BALAS seien semitische, vor der Trennung der Semiten in einzelne Nationen vorhandene Wörter — was eines und dasselbe wäre mit dem Satze, daß der Feigenbaum der Urheimat sämmtlicher Semiten angehört habe —, oder ob die nach dem oben Bemerkten sich von den Israeliten und Arabern hier scheidenden Aramäer, ob vielleicht auch die Israeliten den Feigenbaum ursprünglich nicht gekannt, oder aber die Araber ihn vielleicht nicht ursprünglich besessen, sondern von den Israeliten erhalten haben — was eines und dasselbe wäre mit dem Satze, daß der Feigenbaum nicht in der Urheimat der Semiten gestanden habe, sondern von Einem semitischen Volke zu den andern verbreitet worden sei.

Es kommen hier zwei Lautverschiebungsgesetze in Betracht, über welche nicht nur keine abschließende, sondern sogar noch gar keine der Rede werte Untersuchung angestellt ist: meine eignen Studien sind noch nicht vorlegbar. Im allgemeinen gilt als Regel, daß

niedersemitisches oder aramäisches	d	t	θ
im mittelsemitischen oder arabischen	ḍ	ṭ	
und im hochsemitischen oder hebräischen	z	š	ç

lautet.

Es ist dabei zu bedenken was ich 1853 zur Sache gesagt, und 1877 in meinen Symmicta

I 122 wiederholt habe — es gibt auch ursprünglich z š ç haltende Stämme —: für Theologen citiere ich hierzu meine deutschen Schriften I 223.

Warum zeigen alle drei Dialekte gleichmäßig T als Anlaut?

Ein semitisches Wort T'N mußte aramäisch ܬܐܢ, hebräisch שאן, arabisch ثن lauten.

Man hat, und zwar ohne von vergleichender Grammatik der semitischen Sprache etwas Erhebliches zu verstehn, תאנה (also auch das entsprechende arabische und aramäische Wort) als Ableitung einer Wurzel אני angesehen: die Urheber dieser Etymologie haben an die Gesetze der Lautverschiebung gar nicht gedacht: sie haben nicht gemerkt, daß die Gleichung

ܬ = ت = ת

auffällig ist, mindestens darum auffällig ist, weil ihr die andere Gleichung

ܬ = ث = ש

mit recht weitem Geltungsgebiete zur Seite geht. Wäre die angegebene Etymologie richtig, so würde T in unserm Worte Bildungsbuchstabe, und als solcher regelrecht unverschoben sein.

Ueber das in die Wurzel gedrungene T hat meines Wissens zuerst S. Bochart im Hierozoicon ∂ 26 einige Worte gesagt: 1846 handelte — allerdings in wenig genügender Weise — ein Mann, der ohne Zweifel keine semitische Sprache in Texten verstanden hat, und doch über semitische Grammatik und Lexikographie noch jetzt mit Nutzen gehört werden wird, F. Dietrich, in den Abhandlungen zur hebräischen Grammatik 159—172 über den »Character der nominalen Ableitung mit ת« wie über »die formale Verwandtschaft der dritten, durch ת gebildeten Person des Futurs mit der nominalen Ableitung durch ת« (ich bin mir schuldig, da mein Auge bei Dietrich auf ein Citat aus des alten Hoffmann syrischer Grammatik 240 fällt, Herrn Nöldeke für seine Kritik ZDMG 32 404 auf das dort zu Findende neben Symmicta II 100 101 zu verweisen): in Schulwörterbüchern wird חבן auf בני, חבל und חמם auf בל und מם zurückgeführt, und Herr Lotz verzeichnet in seinem für mich sehr nützlichen Werke über die Inschriften »Tiglathpilesers« des ersten 218 mehr als eine Vokabel, welche in Analogie einer Ableitung des תאן von אני aufgefaßt werden muß. Ich wage eine Vermutung. Durch Herrn Lotz 204 weiß ich, daß auf assyrisch die Krone agû heißt. Herr Friedrich Delitzsch behauptet nun zwar im Buche seines Schülers und Freundes 78, daß das »seiner Etymologie nach so lange streitige« agû »als Lehnwort aus sumerischem agu erwiesen« sei. Die Richtigkeit dieses Satzes mögen die Herren unter sich abmachen: ich habe vermutet, تاج sei vielleicht kein ursprünglich persisches Wort (die Armenier lehren, daß es einmal nicht tâǧ, sondern tâg gelautet hat), sondern verhalte sich als Erweichung eines wie tapdû tamlû gebildeten ta'gû zu diesem, wie das vulgärarabische râs zu ra's. Daß man bei agû bereits — nur ohne die Form erklären zu können — an تاج gedacht, hat Herr Privatdocent Haupt mir gesagt, als ich ihm meinen Einfall mitteilte. Der unvergeßliche und nichts vergessende E. W. Lane kennt allerdings 322 kein ta'g: aber er kennt auch kein ti'n, und dies wenigstens ist one Frage einmal da gewesen. Es ist nur natürlich, daß die Perser das Wort für Krone denjenigen Völkern entlehnten, welche vor den Persern höchste

Herrschaft besaßen — auch unser Krone ist undeutsch — und ihre Könige unter Krone gehn hießen, also den Assyriern und Babyloniern. Mit dieser Etymologie ist endlich meinen Notizen gesammelte Abhandlungen 83 84 Symmicta I 27, 23 armenische Studien § 834—836 der letzte Abschluß gegeben.

Ich füge hier beiläufig die Erklärung ein, daß ich das semitische Imperfectum oder Futurum längst nicht mehr als ein Tempus ansehe — es ist, indoceltisch geredet, eine Art Participium —, und daß ich von diesem Gesichtspunkte aus die semitische Tempuslehre umzugestalten vorhabe, welche Arbeit mir S. R. Drivers nun in wohlverdienter zweiter Auflage erschienenes Buch sehr erleichtern wird: vergleiche יאיר und מאיר im Psalterium Hieronymi 154.

Um die Ableitung des TI'N von אני glaublich zu finden, und TI'N für ein semitisches Wort halten zu dürfen, muß man nun aber die Gewißheit haben, daß אני in allen drei Dialekten wie ܐܬܐ אתה behandelt worden ist, das heißt, daß das Infectum in allen drei Dialecten YI'NAY, nicht YA'NAY gelautet hat. Daß אנה je יֶאֱנֶה = YI'NAY gebildet, ist mir zweifelhaft: da die Sprache zwei אנה besaß — das Isaias 3, 26 19, 8 zu treffende ἐστέναξε, und unser Wort — und daneben ein ינה, dessen Ableitungen denen der beiden אנה höchst ähnlich sein mußten, wird sie nach Kräften auf Differenzierung ausgewesen sein. ינה = ونى liefert Psalm 74, 8 נינם: da YI'NAY sich von YÎNAY nur bei sehr genauem Sprechen unterscheiden läßt, halte ich von vorne herein für wahrscheinlich, daß die Hebräer von unserm אנה ein später zu יאֻנֶה gewordenes יֶאֱנֶה gebildet haben. Dies beweist mir unumstößlich die überlieferte Vocalisierung des ganz sicher zu אני gehörenden Wortes תֹּאֲנָה: denn das von allen mir bekannten Lexikographen bei אני untergestellte ἅπαξ εἰρημένον תַּאֲנָה Ieremias 2, 24 ist mir zu bedenklich, als daß ich es benutzen möchte. Die חָטֵף-Vokale (חָטֵף ist ein aramäisches Participium wie קָמֵץ und פַּתַח) gelten mir wie meine Schüler wissen, längst nur als eine Art qeri perpetuum: nach dem unsrer Vocalisation zu Grunde liegenden Systeme mußte etwa χimâr חִמָר werden: da aber die Ueberlieferung χamór zu sagen lehrte, was in unserm Systeme ein Fehler gewesen wäre, verband man die Ueberlieferung mit dem Systeme so, daß man zu dem ͺ des Systems das ˍ der Tradition hinzusetzte: χamór zu lesen ist mithin genau genommen so richtig wie יְהוָה: entweder יַהְוָה oder אֲדֹנָי, und entweder χemór oder χamór ohne Punkt unter dem a. Analog fasse ich תֹּאֲנָה auf. Ueberliefert war תֹּאנָה, welches neben יֹאמַר und ähnliches zu stellen ist: die Gelehrsamkeit brachte ˍ, unter das Aleph dieses seltenen Wortes, wagte aber nicht den aus אֲ zu â und danach regelrecht zu ó gewordenen überlieferten Vokal der ersten Sylbe zu ändern.

תְּאָן = TI'N ist mithin im Gebiete des Hebräischen nicht zu Hause, in welchem ein von אני stammendes תאן sicher תֹּאן gesprochen worden wäre.

Ueber ein aramäisches בְּאַנְאָ muß ich schweigen, weil die Wurzel אנא im aramäischen gar nicht nachweisbar ist, mithin den Erwägungen jede tatsächliche Grundlage fehlen würde. In Betreff des Syrischen genügt es auf Payne Smith zu verweisen: Buxtorfs 134 אתְּנָאָה hat sogar Herr J. Levy[1] I 15[1] als zur vierten von תְּנָה gehörig erkannt: אוֹנְאָה (so ist zu sprechen) verhielt sich zu אוֹנִי (von יְנָא) genau wie אוֹרָאָה zu אוֹרִי (von יְרָא) — אוראה ist der Vertreter des hebräischen תּוֹרָה —: mit dem Artikel אוֹנָיְתָא (nicht, wie es Herrn Levy beliebt, אוֹנָאִיתָא) wie אוֹרָיְתָא. Daß אוֹנָאָה hier richtig aufgefaßt worden, zeigt die Vergleichung der von Buxtorf beigebrachten Beläge mit dem Urtexte von Leviticus 25, 14 17, in welchem הוֹנָה = ינה IV zu lesen steht: bereits Gesenius 601[1] hat chaldäisches אוני und אונאה neben hebräisches הונה gestellt, so daß für Herrn J. Levy die Straße gebahnt war.

Als einzige Beweise dafür, daß die uns beschäftigende Wurzel אני auch auf wenigstens nachmals aramäischem Gebiete bekannt war, sehe ich die durch die Herren Schrader ZDMG **26** 290 und Lotz 205[2] zu mir gedrungenen assyrischen Wörter ana und ina an: meine Muße ist zu knapp, als daß ich die bei dem unhistorischen Charakter der schwer zu controllierenden Assyriologie eigentlich durch die Feindschaften ihrer Träger nötig gemachte Untersuchung anzustellen vermöchte, ob ana und ina schon von irgend jemandem erklärt sind: Herrn Schraders Versuch übergehe ich lieber mit Stillschweigen. Ina »in, mit« ist das Masculinum des nachher zu besprechenden hebräischen Femininums אֵת = אִנְתְּ = INAT, und würde auf massoretisch אֵן lauten: ana »zu, nach« verhielt sich zur Wurzel אני wie كَمْ = עַד in كَمْصَا zu dem in meinen Symmicta II 101—103 ausreichend besprochenen עַד = عدى, wozu assyrisches adi Schrader ZDMG **26** 289 Lotz 204 (nicht »entsprechend hebräischem עֲדֵי«, sondern entsprechend dem von mir nach der Theorie angesetzten und nun vielleicht geradezu erwiesenen עֲדָה = عدى, Verbindungsform עֲדֵה = ADI) gehört.

YIQTULU findet sich in Arabien nur an Einer Stelle. Xarîrî erzählt in durrat alǵauwâç 184 (Thorbeckes), daß in Arabien der Stamm Bahrâ sich der sogenannten taltalat schuldig machte, das heißt, daß er den Praeformanten des Imperfectums den Vocal I gab. Ich finde Bahrâ nicht in Wüstenfelds Bakrî, auch nicht bei Yâqût: Ibn Qutaiba 51, 14 (Wüstenfeld) nennt Bahrâ unter den zu Quçâa gehörigen Stämmen: Silvestre de Sacy anthologie grammaticale 149 citiert Ibn Qutaibas einschlägige Angabe nach Eichhorn. Folglich ist TI'N kein — im technischen Sinne dieses Ausdrucks — semitisches Wort.

TI'N von אני herleiten hieße vielmehr bis auf weiteres den Feigenbaum im Clan Bahrâ des Stammes Quçâa zu Hause glauben. Das Wort TI'N und darum auch der mit TI'N bezeichnete Feigenbaum hat mithin eine ganz bestimmte Heimat in Arabien gehabt, und von da wird das Wort mit der Sache gewandert sein. Die Botanik wird hier ebenso viel entscheiden können wie die Philologie. Stellte sich etwa heraus, daß die Botaniker mir unbekannte und wahrscheinlich für mich unverständliche Gründe haben, die Heimat des Feigenbaums irgendwo in Arabien zu suchen, und daß sie diese Heimat im Gebiete von Quçâa suchen müssen, so würde die Erklärung des Wortes תין sicher sein, und ihrerseits die Vermutungen der Botaniker zur Gewißheit erheben. Quçâa läßt A. Sprenger (Leben und Lehre des Muhammed III CXXIX) »früh von der SüdOstküste Arabiens gekommen« sein, und sich [später] am roten Meere und in Idumaea niedergelassen haben. Der Bahrâstamm lebte zu Muχammads Zeit nach Sprenger III 433 in der Ebene Coelesyriens: wo er früher gehaust, entzieht sich meiner Kenntnis: Geographen mögen hier Genaueres erforschen, wenn anders es lohnt.

Handelt es sich weiter darum festzustellen, was ein von אני stammendes אִיד ursprünglich bedeutet habe, so muß ich unter Verweisung auf meine gesammelten Abhandlungen 98, 6—11 ablehnen, an dieser Feststellung mich anders als unter allen Vorbehalten zu beteiligen. So altmodisch ich bin, reiche ich doch nicht in die Zeit der Sprachbildung, namentlich nicht in die Zeit der Bildung der mir innerlich fremden semitischen Sprachen hinauf: einen Feigenbaum habe ich niemals beobachtet, so daß ich wissen könnte, was an seiner Entwickelung charakteristisch ist, also zur Namengebung Veranlassung geboten haben kann. Man muß weit moderner sein als ich bin, um hier mitsprechen zu dürfen.

Ich verlange mir ab, die Beispiele nach Schocken zu besitzen, in denen ein Wort vorkommt, bevor ich ihm eine Etymologie versuche, deren Anname ich fordere: für انى I liefert mir Silvestres de Sacy Register aus Xarîrî 143, 10 den Satz

لم يان لك ان تقلع عن الخنا

= ist es nicht Zeit für dich [alten Kerl] der Lüderlichkeit dich zu enthalten?, und Freytags Register zur Xamâsa aus dieser 455, 9 den andern

انى لى لو ابيد

= es ist Zeit für mich unterzugehn: dazu kommt die aus Willmet bekannte Stelle des Koran 55, 44

يطوفون بينها وبين حميم ان

= sie wandern einher zwischen ihr (der Gahannam) und zwischen [die Siedehitze] erreichendem Badewasser — vergleiche Zamaχšarîs Ḳaššâf 1437, 1 (woher A. Sprenger Leben und Lehre des Moḥammed II 221 die Uebersetzung *bald werden sie sich diesem, bald stinkendem Eiter nahn* hat, weiß ich nicht: Marracci 694[43] *circuibunt inter eum et aquam fervidam calidissimam:* Rodwell 72 *to and fro shall they pass between it and the boiling water*).

Bekannt ist eine andere Koranstelle (33, 53)

غير ناظرين اناه

weil Lane sie 118 übersetzt hat: *not waiting or watching for its becoming thoroughly cooked, or for its cooking becoming finished.* Damit bin ich am Ende. Mit einer Brille aus so elendem Fensterglase vor meinen blöden Augen sehe ich nicht über vier oder fünf Jahrtausende hinweg: in jener grauen Vorzeit erkennen nur Leute etwas, welche noch blinder sind als ich.

Dazu jedoch genügen auch die wenigen vorgelegten Fälle, die Deutung des תאנה — das übrigens gar nicht zuerst die Frucht, sondern zuerst den Baum bezeichnet — als »die frühreife Frucht, von أنى [dies ist eine dritte Person Perfecti] zeitig sein [dies ist ein Infinitiv], إنا tempus opportunum« abzuweisen. Was heißt »zeitig sein«? »Zeitig«, das heißt am Ende ihrer Entwickelung, an dem Punkte angelangt, wo es mit ihr berg-ab geht, ist jede reife Frucht, die, welche im März, wie die, welche im November genießbar wird: es ist also nicht begreifbar wie die Erfinder einer feinen Sprache gerade den Feigenbaum mit einem Namen genannt haben sollen, der jedem Obstbaume zustand. أنى bedeutet aber gar nicht er (Masculinum) war zeitig, sondern es (Neutrum) war Zeit, es kam nahe.

Für das Hauptwort اناة genügen aus der von Thomas van Erpen 1616 herausgegebenen Uebersetzung des neuen Testaments (der zu Grunde liegende Codex ist 1342 in Ober-Aegypten geschrieben) folgende Stellen: Corinth. β 6, 6 Galat. 5, 22 Ephes. 4, 2 Coloss. 1, 11 3, 12 Timoth. α 1, 16 β 3, 10 4, 2 Hebr. 6, 12 — in denen اناة für *μακροθυμία* steht: vergleiche ebenda الروح اناة *μακροθυμία* Rom. 2, 4. In der von mir wiederholten Version des Psalters in der Pariser Polyglotte ist *μακρόθυμος* كثير الاناة ρβ 8, عظيم الاناة πε 15, طويل الاناة ρμδ 8: Scialacs Text, den ich ja ebenfalls abgedrückt habe, gibt *μακρόθυμος* durch عظيم oder كثير الاناة πε 15 ρμδ 8.

Ich erwäne Xamâsa 317, 15

منا الاناة وبعض القوم يحسبنا
انا بطاء وفى ابطائنا سرع

»zu unsern Eigenschaften gehört Langmut, und manche Leute meinen daß wir träge seien, allein in unsrer Trägheit ist Schnelligkeit«, weil Tabrîzî dort الاناة الرفق glossiert, und ich gerne daraus *Ρεβεκκα* [*πολλὴ*] *ὑπομονὴ* der alten Verzeichnisse (meine Onomastica sacra 179, 26 197, 29 griechisch, und [*multa*] *patientia* bei Hieronymus ebenda 9, 23 74, 29 81, 16) erläutern und erwänen mochte, daß Tourneboeufs Ausgabe des Philo (daß das *Ρεβεκκα ὑπομονὴ* auf Philo ruhe, bemerkte Siegfried 368) den Namen — ich denke stehend — *Ρεβεκα*, nicht *Ρεβεκκα* schreibt: 77, 40 *Ρεβεκα ἐπιμονὴ τῶν καλῶν*: 88, 31 *Ρεβεκα ἡ ὑπομονή*, vergleiche 111, 32 287, 32: 291, 35 *ὑπομονὴ Ρεβεκα*: 300, 32 nur der Name *Ρεβεκα*: 308, 24 *ἐπιμονὴ Ρεβεκα*: 310, 29 *Ρεβεκα ἡ ἐπιμονή*. Bestätigen die Handschriften der nicht interpolierten Familie (J. G. Müller Philos Buch von der Weltschöpfung, Einleitung) diese Schreibung, so hat das mit dem im syrischen bei I. D. Michaelis 874 nicht belegten ܢܨܒܐ verwandte نكة (die Form *Ρεβεκκα* hat noch niemand seiner Verwunderung wert gehalten) sein rif- oder rib so in rebe- umgesetzt, wie das indische ऋ in der unter semitischen Einflüssen (Lagarde Beiträge 63) entstandenen, und darum von reinen Indoceltisten für die Lautlehre kaum mit voller Sicherheit zu untersuchenden sogenannten bactrischen Schrift (nicht Sprache, denn wie kein *αη ααι αο αω*, haben die Classiker auch kein *ερι* aus Persien oder Bactrien überliefert, Lagarde Symmicta I 44, 44) in ere : kere verhält sich zu kar genau wie גֶּבֶר zu gabr: ich frage endlich auch einmal öffentlich, zu welcher Zeit man — in der Cantillation —

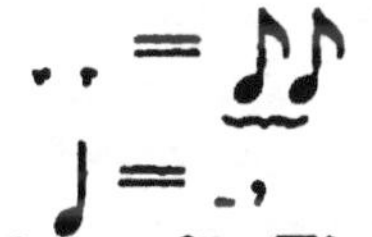

.. = ♪♪

für ♩ = -,

zwei kleine pâraχ für Ein großes pâraχ zu schreiben anfieng. Vergleiche noch ترفق ق Iob 7, 16 in meinen beiden Uebersetzungen = *ἵνα μακροθυμήσῃς,* womit wir wieder bei اناة = رفق Tabrîzîs angelangt wären.

Die Deutung dieses اناة gibt Tabrîzî zu Xamâsa 600, 9: اناة steht für وناة, und hat mit der Wurzel, von welcher ich oben تنى abgeleitet, nichts zu schaffen: in استانى und ähnlichem liegt ebenfalls ein Uebertritt des ونى in انى vor.

Vermuten läßt sich aber — ich kehre nach der Abschweifung zur Sache zurück — über die Urbedeutung des Wortes تنى doch etwas: ich sage Vermuten.

Von jener Wurzel אני leitet sich nach Gesenius thesaurus 167[a] Olshausen § 223[d] Böttcher § 513 (Ende) Stade § 377[a] die sogenannte Praeposition

את *mit* ab: ich habe die Citate trotzdem daß die Ableitung die landläufige ist, also Citate eigentlich unnütz sind, gehäuft, um nicht wegen einer allgemein geltenden Ansicht, wenn ihr letzter Vertreter irgendwem nicht paßt, allein abgekanzelt zu werden. את = אנת enthält dieselben Elemente wie תאן, die Urform des Wortes تين: nur ist jenes reines Nomen, dieses eine halbparticipiale Verbalform: die Bedeutung der beiden muß im Wesentlichen die gleiche sein. Ich wage תאן als den Baum zu deuten, welcher nur durch »Zugesellung« reife Früchte trägt. Aristoteles berichtet *περὶ τὰ ζῷα ἱστοριῶν ε* 32 *οἱ ἐρινεοὶ οἱ ἐν τοῖς ἐρινεοῖς ἔχουσι τοὺς καλουμένους ψῆνας. γίνεται δὲ τοῦτο πρῶτον σκωλήκιον, εἶτα περιρραγέντος τοῦ δέρματος ἐκπέτεται τοῦτο ἐγκαταλιπὼν ὁ ψήν, καὶ εἰσδύεται εἰς τὰ τῶν συκῶν ἐρινᾶ, καὶ διὰ στομάτων ποιεῖ μὴ ἀποπίπτειν τὰ ἐρινᾶ· δι' ὃ περιάπτουσί τε* (das konnte zur Not אַצִּר übersetzt werden) *τὰ ἐρινᾶ πρὸς τὰς συκᾶς οἱ γεωργοί, καὶ φυτεύουσι πλησίον ταῖς συκαῖς ἐρινεούς.* Am meisten von allen Obstbäumen werfen *συκῆ καὶ φοῖνιξ* (erzählt Theophrast *β* 8, 1) die Früchte unreif ab, und zwar tut der Feigenbaum dies in einigen Gegenden weniger oder gar nicht, in andern häufig: auch die Windrichtung, die Bodenbeschaffenheit, die Sorte sind für Reifen oder Nicht-Reifen der Feigen maßgebend: *πρὸς ἃ καὶ τὰς βοηθείας ζητοῦσιν· ὅθεν καὶ ὁ ἐρινασμός. ἐκ γὰρ τῶν ἐπικρεμαμένων ἐρινῶν ψῆνες ἐκδυόμενοι κατεσθίουσι καὶ διείρουσι τὰς κορυφάς.* Bei Plinius *ιε* 79 (oder 21 oder 18 Ende) heißt es von der Feige: admirabilis est pomi huiusce festinatio unius in cunctis ad maturitatem properantis arte naturae. caprificus vocatur e silvestri genere ficus numquam maturescens, sed quod ipsa non habet aliis tribuens ..., culices parit: hi fraudati alimento in matre ad cognatam volant, morsuque ficorum crebro.... aperientes ora earum, ita penetrantes intus solem primo secum inducunt cerealisque auras immittunt foribus adapertis, mox lacteum umorem.... absumunt .... ideoque ficetis caprificus permittitur ad rationem venti, ut flatus evolantis in ficos ferat. inde repertum, ut inlatae quoque aliunde et inter se conligatae inicerentur fico. Vergleiche dazu Geoponica 10, 48 *συκῆ οὐκ ἀποβάλλει τὸν καρπόν, ἐὰν συκάμινα λαβὼν χρίσῃς ταύτης τὸ στέλεχος. ὁμοίως.... ἐὰν ὀλύνθους αὐτῇ περιάψῃς· δι' ὃ τινες εἰς ἕκαστον κλάδον ἐγκεντρίζουσιν* [verderbter Text, lies Niclas], *ἵνα μὴ κατ' ἕκαστον ἐνιαυτὸν εἰς τοῦτο ἀσχολῶνται.* Darf man تبن erklären ما بنى به *das womit gebaut wird*, so darf man auch تين auffassen als ما أتى له *das dem* [zu seinem Gedeihen] *entgegengebracht wird.*

Ich komme hier noch einmal auf das oben bereits erwänte hebräische תֹּאֲנָה zurück. Wir finden diese Vokabel nur Einmal im Buche der Richter 14, 4 תאנה הוא מבקש = er sucht einen Vorwand, eine Gelegenheit. Dies תאנת = TA'NAT, welches mir als die israelitische Gestalt des quçâischen TI'NAT gilt, erlaubt vielleicht den Feigenbaum als den zu verstehn, welcher eine Gelegenheit, einen Vorwand bedarf, um seine Früchte zu reifen oder sie zu erhalten.

Zum Schlusse dieser Erörterungen will ich noch auf den vielleicht einmal etwas zu bedeuten bestimmten Umstand hinweisen, daß der Clan Bahrâ, in dessen zuerst in SüdOstArabien belegenen Sitzen ich die Heimat des Feigenbaums suche, ursprünglich Bahrân geheißen hat: P. de Lagarde armenische Studien § 1038: unser unlängst von uns an Bernhards von Dorn Stelle berufener College Georg Hoffmann hat ZDMG 32 743 (die Dissertationen zweier meiner Schüler anzeigend) das dort Geschriebene leider nicht berücksichtigt.

Wende in mich nun zu بلس በለስ: בלס, so scheint — ich bitte wohlwollende, gewissenhafte und kenntnisreiche Kritiker nicht zu übersehen, daß ich von Scheinen rede — so scheint mir erstens die Möglichkeit nicht ausgeschlossen, daß diese im Semitischen sonderbare Vokabel gar nicht ursprünglich semitisch, sondern indisch sei — es ist zur Zeit in Göttingen niemand, der die indischen Dialecte verstände —, so scheint mir zweitens die Gleichung س = ס zu erweisen, daß בלס kein einheimisch israelitisches Wort ist.

Ich habe in den Symmicta I 114, 1 darauf hingewiesen, daß ס anfänglich ξ gewesen sei, wobei man — ich vermeide abermals einem Gerechten in die Hände zu fallen — ohne Schaden an seiner Seele zu leiden immerhin würde annemen dürfen, daß ich die Geschichte des griechischen ξ kenne: ich citiere gleichwohl A. Kirchhoffs Studien zur Geschichte des griechischen Alphabets 1, allerdings nur nach der zweiten Auflage, da ich nur diese besitze und die, wenn ich mich recht erinnere, erschienene dritte im Augenblicke nicht erlangen kann.

Eine in den Monatsberichten der berliner Akademie veröffentlichte Abhandlung des Herrn E. Schrader über die semitischen Zischlaute habe ich, wie bei den hiesigen Einrichtungen selbstverständlich ist, nicht gesehen, als sie erschien: während ich diesen Aufsatz schreibe, sind die letzten Jahrgänge jener Monatsberichte auf unserer Bibliothek allesammt verliehen, und ich habe den viel geplagten Herrn Custoden nicht die Mühe machen mögen sie einzufordern. Herr Privatdocent Haupt besitzt jene Abhandlung des Herrn Schrader nicht: über ihren Inhalt habe ich nichts erfahren können. Ich begnüge mich also damit, ihr Dasein zu erwähnen.

Ein Urteil über das Verhältnis der semitischen Zischlaute zu einander hat nur der Verfasser eines hebräischen Wurzelwörterbuchs: ich bekenne mich schuldig, seit 1850 für ein solches zu denken und zu sammeln, stelle aber, bis das andere der oben erwähnten Lautgesetze völlig fest stehn wird, hier nur folgende Tatsachen zur Erwägung.

Noch jetzt schwankt im Arabischen der Gebrauch von s und š, worüber H. L. Fleischer dissertatio de glossis Habichtianis (ein schon in den Symmicta I 95, 27 empfohlenes Buch) 58 W. Spitta Grammatik des arabischen Vulgärdialekts von Aegypten 18 G. A. Wallin ZDMG 9 60 (kommt für ס = ξ ganz besonders in Betracht, was Wallin nicht bedacht hat), und erklärend zu des letzteren nach Sacy geschriebenen Mitteilungen S. de Sacy anthologie grammaticale 267 wenigstens Einiges beibringen. Bevor nicht aus den arabischen Grammatikern — den originalen, nicht den copierenden — alles Einschlägige über den Gebrauch der Dialekte gesammelt, und bevor nicht festgestellt ist, wie sich die Schriftsprache zu den Dialekten verhält — etwa das vulgär-Armenische ist in vielem wie in dem nachschlagenden ẹ, das wenigstens oft Rest einer verloren gegangenen Endung ist, ursprünglicher als das Schrift-Armenische, und von semitischen Vulgärdialekten kann dasselbe gelten was vom vulgär-Armenischen gilt—, wird man gut tun, nicht zu dreist aufzutreten.

Vorläufig ist mein Ergebnis das, daß regelrecht ס einem ش entspricht, und daß es mit allen Wörtern, in denen diese Gleichung sich als nicht gültig erweist, eine, von Fall zu Fall zu erörternde, besondere Bewandnis hat. Mehr zu sagen verbietet der mir jetzt zugemessene Raum, und verbietet mein Septuagintadruck: ich citiere nur als von ferne hergehörig Semitica I 50. Ich kann בלס nur dann zu بلس stellen lassen, zu welchem es ohne Frage gehört, wenn בלס nicht ursprünglich israelitisch, sondern entlehnt ist. Das würde zu dem über תאנה Ermittelten stimmen.

Noch anhangsweise ein Wort über einige indoceltische Wörter, welche die Feige und den Feigenbaum bezeichnen.

Da neben σῦκον ein τῦκον hergeht, neben συκῆ ein τυκῆ (Stephanus VII 2569 1017) bin ich 1854 in meinem Hefte zur Urgeschichte der Armenier 820 auf den Einfall gekommen, das armenische θουζ *Feige* mit τῦκον = σῦκον zusammenzustellen: θζενι *Feigenbaum* zeigt die in meinen Beiträgen zur bactrischen Lexicographie 15, 13 behandelten Bildungssylbe, beweist auch nicht, daß ου jenes θουζ kurz war: wie ein persisches môz neben βαυκίς steht, könnte auch ein armenisches θουζ neben τῦκον stehn, allein der Anlaut macht mir Bedenken, über den ich zu wenig weiß, um mich bindend erklären zu dürfen: ich möchte jezt widerraten, θουζ für mit τῦκον = σῦκον verwandt zu halten, da das armenische θ recht oft auf Entlehnung des Wortes weist, in welchem es vorkommt, und da, falls die Feige aus dem SüdOsten nach Griechenland eingewandert ist, σῦκον selbst kein ursprünglich hellenisches Wort, mithin mit einem armenischen Worte auch nicht urverwandt sein kann: ein Versuch σῦκον τῦκον (τῦκον ist vielleicht ein Pseudodorismus) aus den hellenischen Dialekten zu erklären ist meines Wissens noch nicht gemacht: das gotische smakka, das mit diesem zusammen gehörende altslavische smokwa *Feige* (dazu etwa das plattdeutsche Schmackeduzchen?) sind wohl noch ebenso dunkel wie — das verwandte? — σῦκον.

Wer ein Wissen um die älteste Geschichte des Menschengeschlechtes erwerben will, muß mit kleinsten Quadraten zu rechnen verstehn. Ob er richtig gerechnet, wird er selbst nicht entscheiden dürfen und mögen: wer ihm nachzurechnen sich anschickt, hat seine eigne Meisterschaft in jenem Rechnen selbst zu erhärten, aber auch das Dasein der für seine Ausübung derselben notwendigen Vorbedingungen nachzuweisen. Es ist hergebracht, die älteste Zeit unserer Geschichte einfachen Wilden zuzuweisen, welche je nach Bedarf Jäger, Hirten oder Ackerbauer gewesen sind: man vergißt diesen einfachen Wilden, daß sie auch die Sprachen gebildet haben müßten, deren Tiefsinn ihren Schöpfern andere Gedanken- und Empfindungscentren nachweist als Zoten — die Religion ist nicht auf der Bierbank beim zehnten Seidel zur Welt gekommen, und gesunde Menschen haben trotz der modernsten mythologischen Wissenschaft, wann sie Feuer anrieben, gewiß nicht an Vorgänge des Geschlechtslebens gedacht —, andre Gedanken und Empfindungscentren auch als den Regen, den Sonnenaufgang und den unsern großen Männern zufolge in der Urzeit wie eine Morgenzeitung regelmäßig auftretenden und wichtigen Blitz: der sogenannte einfache Mensch kümmert sich um Naturerscheinungen gar nicht, falls sie nicht in sein praktisches Leben eingreifen. Mir steht zweifellos fest, daß in der ältesten Zeit auch auf dem Gebiete des Geistes die Ekliptik sich mit Einem Schlage einmal geändert hat, daß ein großer Fall eingetreten ist, von dem aller edlen Völker Erinnerungen wissen, und der allein die tatsächlich vorhandnen Zustände erklärt: mir steht auch fest, daß Religion ursprünglich Ethos — ich sage nicht Ethik —, nicht Physik war, wie sie jetzt Ethos — ich sage abermals nicht: Ethik — und nicht Dogmatik ist. Daher suche ich in allem Aeltesten ethischen Sinn, und wo ich ihn nicht finde, bekenne ich lieber meine Unwissenheit, als daß ich zu den Zumutungen der herrschenden Schule meine Zuflucht nehme. Das nachher anzuführende Buch Kuhns zum Beispiel ist in meinen Augen allerdings völlig unwiderleglich, denn es wendet sich nur an den Glauben, gegen den man bekanntlich mit Gründen nichts ausrichtet, aber für mich auch völlig unbeweisend. Wenn etwa *πέτρα Fels*, für das man bisjetzt vergeblich nach einem Etymon gesucht habe, 178 als auf das nächste mit *πτερὸν* und dem neuhochdeutschen *Feder* verwandt erklärt wird, und wie das indische patará *geflügelt, fliegend, im Fluge durchschreitend* bedeuten soll, da die Begriffe Wolke und Berg, Wolke und Felsen in einander übergehn, so kann ich dies nur Dogmatik nennen, nicht Wissenschaft: was würde mir begegnen, wenn ich derartiges behauptete?

Dies mußte ich voranschicken, um was ich noch vorzutragen habe, in das rechte Licht zu rücken. Ich greife über die Scheidung der Indocelten und Semiten hinüber, und weiß ganz klar, daß ich dies tue.

A. Kuhn hat in der von ihm und Th. Aufrecht herausgegebenen Zeitschrift für vergleicheude Sprachforschung I 439—470 einen Aufsatz Saraṇyû[s] Ἐρινύς drucken lassen, aus welchem ich nicht viel mehr für beständig halte als die Gleichung der Ueberschrift, die Bemerkung, daß ἐρινεὸς »dem ein sanskritisches sâraṇyava entsprechen würde« — â = ε? — mit Ἐρινὺς nahe verwandt sei, und den Nachweis, daß saraṇyu *herbeieilend* bedeute. Die Erinnyen sind nach meiner Deutung diejenigen, welche niemals fehlen wo eine Schuld ist, die auf jedes Aas *stoßenden* Raubvögel. Ich muß dieser Abhandlung Kuhns hier darum gedenken, weil ἐρινεὸς *wilder Feigenbaum* mir eine Bestätigung meiner Deutung des تين zu bieten scheint. Der ἐρινεὸς ist der Baum, mit welchem die zamen Feigenbäume nach den oben aus Aristoteles, Theophrast, Plinius, den Geoponikern ausgehobenen Stellen in nutzenstiftende Verbindung treten: ich denke mir, er habe so geheißen, weil seine Sendboten (er ist männlich) auf die weibliche συκῆ *loseilen*. Der Name wäre also von derselben Tatsache aus gegeben, welche das Wort تين *der Baum, dem man mit etwas kommen muß* hat bilden heißen.

In A. Kuhns Buche über die Herkunft des Feuers und des Göttertranks wird 103 eine längere, in ihren Einzelheiten nur mit großer Vorsicht zu benutzende Auseinandersetzung dahin zusammengefaßt — ich muß den Styl Kuhns ein wenig ändern —, daß Griechen, Römer und Inder bei der Wahl der zum Feuerzünden gebrauchten Hölzer ganz besonders diejenigen Gewächse ausgesucht haben, welche schon die Natur miteinander vereinigt hatte, Schlingpflanzen und Schmarotzergewächse, und die Bäume, welche von diesen Schlingpflanzen und Schmarotzergewächsen als Stützen erwählt zu werden pflegen. Aus dem Verhältnisse des indischen açvattha zur çamî werden dann bekanntlich von Kuhn weitgehende Folgerungen abgeleitet, welche zu billigen ich ablehnen muß. Es freut mich auf die Warnungen H. D. Müllers verweisen zu können, welche in dessen Mythologie der griechischen Stämme II 219—250 nachgelesen zu haben Niemanden gereuen wird, der den Muth besitzt, mitten unter der mythologischen Dogmatik der Schulen der Wahrheit selbst nüchtern nachzuforschen. Soviel aber glaube ich, und zwar ohne und gegen Kuhn, als richtig ansehen zu dürfen, daß Gewächse, welche in denselben oder ähnlichen Beziehungen stehn wie der açvattha und die çamî, leicht symbolische Bedeutung erhalten, oder aber, daß vor aller Geschichte eine ethische Idee durch sie zum Verständnisse gekommen ist. Noch Goethe sah nach einem seiner bekanntesten Aussprüche Ideen, während für Schiller die Idee sein Leben lang unsichtbar geblieben ist: Newton sah sein — soviel ich weiß, bis heute noch unbewiesenes, gleichwol als gültig anerkanntes — Fallgesetz: ich meine, wirklich große Mathematiker sehen noch heute die abstraktesten Wahrheiten lange ehe sie dieselben irgendwie den Kleinen durch Erubh aufzwingen können: warum sollte man nicht annehmen dürfen, daß auch das Verhältnis des *ἐρινεός* zur *συκῆ* Urvätern die Sätze klar gemacht hat, daß *πάντες θεῶν χατέουσ' ἄνθρωποι* und daß *πᾶσα δόσις ἀγαθὴ καὶ πᾶν δώρημα τέλειον* dem Menschen aus der Ferne kommt? Es würde sich so erklären, wie der Feigenbaum — ganz wie die Palme, deren Liebe ja viel besungen ist — eine Bedeutung für die Religion, den Cultus hat erhalten können. Ich bitte zu vergleichen was ich in den Beiträgen zur bactrischen Lexikographie 28 über gaomaêza vermutet habe.

Hieran wird sich vielleicht eine Erklärung des Verses Genesis 3, 7 knüpfen dürfen.

Knobel bemerkt »Da die Blätter des gewöhnlichen Feigenbaums sich für diesen Zweck [Schürzen aus ihnen zu nähen] wenig eignen, so verstehn manche ... den ... Paradiesesfeigenbaum, Pisang, Banane, Musa genannt [Lassen indische Altertumskunde[2] I 307] .... als eine Art Feigenbaum kam er zur Kunde des Erzählers, der auch andere indische Erzeugnisse kennt. Schwerlich aber hatte er [nämlich nicht der Feigenbaum, sondern der Erzähler *Lagarde*] Kenntnis von der wahren Größe der oft bis 10 Fuß langen Blätter, da er ein Zusammennähen erwähnt.« Herr Dillmann wiederholt dies one Zusatz: für unsern Herrn Fragsteller will ich dazu setzen, daß die jüdische Orthodoxie den Adam 200, nach dem Falle 100 Ellen hoch sein läßt (Eisenmenger 821), für welche Größe zehnfüßige Blätter freilich angemessen gewesen sein würden. Auf der Insel Ceylon traf Ibn Baθûθa 4 181 eine Stapfe Adams, welche eilf Spannen groß war. Das sieht allerdings nach zehn Fuß langen Schürzenblättern aus.

Herr Franz Delitzsch[4] 144: »Dem Wortlaute nach von ficus carica, vielleicht aber, da die gewöhnlichen Feigenblätter keine straffen Fasern haben und zu weich sind, Pisang- oder Bananenlaub von musa paradisiaca, obwohl dieser sogenannte Paradiesfeigenbaum mit seinen großen Blättern und saftigen Früchten, botanisch angesehen, keine Feigenart ist, und, wie auch die großblätterigen Feigenarten, seine Heimat in Indien hat.« Feigenbaum bedeutet also auch hier einen Baum, der kein Feigenbaum ist, auch nicht von ferne wie ein Feigenbaum aussieht.

Herr C. Fr. Keil[2] 60: »תאנה bedeutet überall nur den Feigenbaum, nicht den Pisang, musa paradisiaca, die indische Banane mit Blättern von 12 Fuß Länge und 2 Fuß Breite, die sie nicht hätten zusammenzunähen brauchen.« Diesem Erklärer ist also sicher Adam so klein wie wir alle sind: und ihm wenigstens ist ein Kalb ein Kalb.

Einige der älteren Ausleger stehn höher als diese neuern, weil sie eine Religionsurkunde als solche auslegen, wenn sie auch in der Art der Deutung irre gehn, andre ältere tiefer als die neuern, weil sie, den Feigenbaum aus eigner Anschauung kennend, die Schwierigkeit totschweigen. Philo behandelt die Sache in seinen nur in armenischer Uebersetzung erhaltnen *τῶν ἐν Γενέσει ζητημάτων καὶ λύσεων βίβλοι δ* in *α* 41 der Ausgabe Aukers vom Jahre 1826 spaßhaft genug, aber zu lang, als daß ich seine Deutung hersetzen möchte. Hippolytus in der Catene des Nicephorus I 87[6] (die Stelle fehlt schmählicher Weise in meiner überhasteten Ausgabe dieses Vaters Seite 125) läßt die Feigenblätter Symbole der Sünde sein: ein auf die Haut gebrachtes Feigenblatt verursache Jucken: Adam habe sich also selbst die Zukunft geweißagt: geistiges Jucken = Sündenbewußtsein sei die Folge der Sünde. Mehr gut gemeint als geschmackvoll. Origenes wird sich die Feigenblätterschürze für seine Erbaulichkeiten nicht haben entgehn lassen, nur kenne wenigstens ich keine Stelle, in der er sich geäußert — wie viel ist uns denn von den Schriften dieses ehrlichen und klugen Enthusiasten erhalten? über des Origenes und andrer Väter Meinung von den von

Jahwe für die Ureltern gemachten Lederröcken handelt Peter Daniel Huet in den Origeniana β 8. Chrysostomus war ein viel zu kluger Praelat, um über die Feigenblätter sich vor seiner Gemeinde auszulassen, in welcher männiglich wußte, daß Feigenblätter zu einem Schurze in keiner Weise verwendbar sind: man mag in Pokornys Buche über Oesterreichs Holzpflanzen (1864), dem einzigen Stücke meiner Bibliothek, das mir etwas Citierbares liefert, auf Tafel 14 die Nummern 156 157 ansehen, um sich zu überzeugen, daß Feigenblätter mit ihren fünf Lappen schlecht decken: zum Ueberflusse hat der Feigenbaum noch außerdem spärliche Aeste (Pokornys Text 52), also auch nur spärliches Laub. Auch Theodoret schweigt sich satt. Noch am verständigsten Augustinus, wenigstens wenn man sein occulto instinctu (de Genesi ad litteram ια 42 = III 291[1]) ausführen darf: man könnte ja in allerdings wohl einlegender, nicht auslegender Erörterung dieses Ausdrucks sagen, in der ersten Angst hätten die Ureltern gerade das Dummste von allem getan, was sich habe tun lassen: sie hätten sich zu verhüllen Unnähbares genäht, sich mit Nicht-deckendem gedeckt.

Soll es erlaubt sein, nun auch meine eigne Auffassung der Sache bescheidentlich vorzutragen?

Feigenbaumblätter sind als zu weich im Stiele ungeeignet genäht zu werden: sie sind knapp vorhanden, würden also, selbst wenn sie taugten, nicht an erster Stelle zu Gewändern genommen worden sein: sie verbergen schlecht. Gleichwohl werden Feigenbaumblätter genannt, auf welche der dümmste Erfinder nicht hätte fallen können. Es muß also erstens die Erwänung der Feigenbaumblätter ein Bestandteil der Urgestalt der Sage gewesen sein — dies ist es, was unsern Collegen interessiert —, weil jeder Spätere eine geschicktere Wahl getroffen haben würde: es müssen zweitens die Feigenbaumblätter ursprünglich einen guten Sinn gehabt haben: denn je älter ein Autor, desto concreter ist er, desto mehr kennt er das wirkliche Leben, desto weniger greift er so töricht umher wie ein Mitarbeiter eines Sonntagsblattes der Provinz.

Bedeutet der Name des Feigenbaums ein Gewächs, welches nur durch Zutreten eines Andern seine Früchte reift oder aber am Zweige hält, so darf der Feigenbaum als Symbol des Glaubens gelten, daß ohne Hülfe Gottes der Mensch nicht gedeihen könne. Wir würden das in unserm modernen Kauderwelsch ausdrücken: der Feigenbaum ist das Symbol der Offenbarungs- und Erlösungsbedürftigkeit des Menschen: als solches wird er genannt.

Ich habe schon 1848 in den rudimenta mythologiae semiticae § 7 mein Augenmerk auf die Feige gerichtet gehabt, nur mit dogmatischen Vorurteilen, indem ich aus تتامن *dolo circumvenire studuit* erweisen wollte, daß die תאנה memoriam historiae paradisiacae etymo servavit. Wenn ich nur ein einziges Mal dies تتامن in einem auch nur meiner Texte gelesen hätte! es stammt aus Freytag, und wieviel ist es wert?

Entstanden kann der Mythus — ich schelte mit diesem Worte nicht: ich lobe — nur in einer Zeit sein, in welcher das Wort تمن noch völlig durchsichtig war. Wer meine Auslegung annimmt, welche freilich die Richtigkeit meiner nur unter Vorbehalten gegebenen Etymologie voraussetzt, nimmt zugleich an, daß der Mythus vom Sündenfalle in sehr hohes Altertum gehöre.

Ob er ursprünglich israelitisch sei, darüber ließe sich streiten.

Soll ich nun schließlich noch etwas über das Vorkommen der Feige in der hebräischen Litteratur sagen, so verweise ich zunächst auf das in meinen deutschen Schriften I 129 festgestellte, um so mehr so, als ich das dort Vorgetragene in den Büchern andrer — die meine Vorlesungen besucht haben — entlehnt finde, welche selbstverständlich auf jene deutschen Schriften durch ein Citat aufmerksam zu machen für nicht opportun hielten. Die kümmerlichen Reste der israelitischen Litteratur sind noch nicht so durchforscht, daß eine auf allgemeine Zustimmung zu rechnen berechtigte sichere Datierung ihrer einzelnen Stücke möglich wäre. Es ist daher davon Abstand zu nehmen, schon jetzt im größeren Umfange auf angeblich älteste und jüngste Stücke des jüdischen Canons sich zu beziehen.

Wohl aber darf bemerkt werden, daß die Sage schon die ersten Menschen nach dem Falle — siehe oben — Feigenblätter zur Deckung ihrer Blöße verwenden läßt, also den Feigenbaum als in der Urzeit vorhanden ansieht: daß der Feigenbaum in der Parabel des Richterbuchs 9 seine Rolle spielt, daß die Redensart »unter seinem Weinstocke und seinem Feigenbaume sitzen« (Lagarde gesammelte Abhandlungen 283, 2) schon bei dem ganz sicher alten Propheten Michaeas 4, 4 zur Bezeichnung eines nach israelitischen Begriffen glücklichen Lebens dient, und daß der ebenfalls sicher alte Prophet Amos nach seiner eignen Angabe 7, 14 sich mit dem Caprificieren der Sycomoren abgab. Man darf behaupten, daß die Israeliten keine Kunde davon haben, daß es jemals in ihrem Lande keine Feigenbäume gegeben hat.

Ich wünsche, daß der verehrte Fragsteller was ich geboten habe, durch seine eignen Untersuchungen bestätigt finden möge. Er weiß — und damit kehre ich zum Anfange meines Aufsatzes zurück —, daß ich sehr zum Schaden meines Fortkommens in dieser Welt schlechterdings kein Talent zur Unfehlbarkeit besitze: ich bitte ihn ausdrücklich, ehe er meine Daten benutzt, die Meinung oder, wenn möglich, das Urteil anderer Semitisten — als Semitisten muß ich mich ja heute ansehen — über meine Darlegung einzufordern.

Göttingen 19 November 1881.

II. Astarte.

A. Kuhn hat bei seinen Auseinandersetzungen über die älteste Feuerzündung nichts von dem gewußt, was Thomas Hyde, ein Gelehrter, dem jeder Ehrenmann gut sein muß, im fünfundzwanzigsten Kapitel der historia religionis veterum Persarum 333—336 der ersten Ausgabe schon im Jahre 1700 mitgeteilt hat. Ich erinnere an Hydes Aufsatz, einmal, weil derselbe lehren wird, daß man mit Schlüssen auf die älteste Geschichte unsres Geschlechts nicht vorsichtig genug sein kann — bei Hyde erscheint als arabisch was bei Kuhn als autochthon indoceltisch behandelt wird —, sodann, weil sich einige Vermutungen bei seiner Lesung ergeben, welche ich auf die Gefahr hin widerlegt werden zu müssen, glaube aussprechen zu sollen.

Auch die Araber zündeten vor Alters (wie das wohl alle Menschen taten) Feuer mittelst zweier Hölzer an: das Obere der beiden oder der Mann hieß den Arabern عفار, das untere oder die Frau مرخ: nach anderen Zeugen ist عفار

die Frau, مرخ der Mann. Mein lieber Schüler, William Robertson Smith in Edinburg, früher in Aberdeen, hat diese beiden Hölzer 1880 selbst im Innern Arabiens nicht mehr im Gebrauche gefunden: in seinem in einer schottischen Zeitung (dem Scotsman) abgedruckten dritten Reisebriefe aus Xigâz sagt er: *the broomlike markh* sei *used by the Arabs for making cords*, und gibt ohne an Hyde zu denken, eine Antwort auf dessen Frage *Quaestio est an march et aphar sint diversae arbores vel potius diversa instrumenta ex eadem arbore? cum eadem sit utriusque arboris definitio seu descriptio* durch den Satz *in the Sudan Ismail when a little boy saw a very old man produce fire by rubbing two pieces of this wood together.* Doch ist عفار meines Erachtens nicht die ursprüngliche Gestalt des Worts. E. W. Lane III 2090 verweist von عفار auf عافور, von diesem auf عاثور: es scheint mir عثر die echtere Form der Wurzel zu sein, und dieselbe Erscheinung vorzuliegen, welche ich in meinen Orientalia II 45 in فوم aus ثوم, in افور aus اثور und in der Umdrehung in تخنث aus تخنف nachgewiesen habe. Jeder Kenner der semitischen Sprachen weiß, daß dem Stamme עפר die Bedeutung Staub eignet: weil sie dies tut, vermag ich عفار als Pflanzennamen nicht zur Wurzel עפר zu stellen, sondern muß ihr ف als dialektische Entartung eines ث ansehen, wie umgekehrt unter den Ableitungen von عثر Vokabeln vorkommen (Lane 1953), welche in Tat und Wahrheit zu עפר gehören, und wahrscheinlich von Hause aus nur einem der vielen Dialekte Arabiens eigneten. Nun weist bei عاثور, dessen älteste Bedeutung — ich wiederhole mit

Absicht Laues Fassung — *a pit dug for a lion or other animal, that he may fall into it, in order that he may be taken* ist, die letzte, welche man angibt, auf mythologische Färbung: عاثور ist auch *a channel that is dug for the purpose of irrigating a palmtree such as is termed* بعل. Ich kann seit lange den Gedanken nicht los werden, daß בעל und עשתרת mit hierher ihre Erklärung oder doch eine Erläuterung zu finden haben. Indem ich W. Wrights Note on a bilingual inscription latin and aramaic, recently found at South Shields um das unten über Atargatis zu sagende nachschlage, lese ich dort 4[r], daß schon Georg Hoffmann unter Billigung Wrights عثرى *such as it watered by the rain alone*, auf die Aṯtar zurückgeführt hat. *Ἀσιάρτη* sichert die alte Aussprache des hebräischen עַשְׁתֹּרֶת (Lagarde gesammelte Abhandlungen 255, 38): die Homeriten hatten, wie man seit F. Fresnel JAP 1845 II 199 226 und dem ihm folgenden E. Osiander ZDMG 7 472 (vergleiche ihn auch ebenda 10 62) weiß, eine عثتر: die Istar der Assyrer läuft jetzt durch aller Lesenden Mund. Hängen عثتر und مريخ — das ist meine Frage — irgendwie mit عثار = عفار und مرخ zusammen? Sie könnten es nur, wenn Hydes andere, nicht seine ersten Zeugen über die Bedeutung der Wörter عفار und مرخ das Richtige aussagten.

Da man nicht müde wird die Atargatis mit der Astarte zusammenzubringen, verweise ich auf William Wrights oben citiertes Schriftchen 4, in welchem als die in den Inschriften vorliegende Gestalt des Namens Atargatis עתרעתה erscheint, und ich setze die in meinen gesammelten Abhandlungen 238[r] one Nutzen aufgegrabene Stelle des

Simplicius daneben (zu Aristoteles *περὶ φυσικῶν ἀκροαμάτων* 150[a] Aldus) *ἡ περιοχὴ τόπος ἐκεῖ λέγεται πολλάκις· δι᾽ ὃ καὶ τὴν συρίαν Ἀταράτην τόπον θεῶν καλοῦσιν καὶ τὴν Ἴσιν οἱ Αἰγύπτιοι, ὡς πολλῶν θεῶν ἰδιότητας περιεχούσας*. Simplicius hat עתרעתה = עתר עתה für אתר עתה genommen: über ܐܬܪ = אשר siehe die sorgsam ausgewählten Citate in meinen armenischen Studien § 23: zur Sache Lagarde Symmicta I 23, 29 Gregor von Nyssa über die Seele 229[a] (Krabinger 98). Wichtig ist das *τ* des Wortes *Ἀταργάτη*, sofern es erweist, daß Simplicius ṭṭ one Verdoppelung als Dentaltenuis hörte: weder Herr Nöldeke ZDMG **24** 92 noch William Wright haben diese ganz außerordentlich erhebliche Tatsache bemerkt: Wrights עתתר עתה = עתר עתה habe ich nämlich nach Analogie des von Wright selbst angeführten עשתר כמש der Moabiter anzuzweifeln keinen Grund. Das andere *τ* des simplicischen *Ἀταρατη* ist im höchsten Maße schwierig. Bekanntlich kennt schon Strabo die *Ἀταργατις*, welche Form auch Inschriften bestätigen: daneben aber laufen die Namen *Ἀθηακαβος Ζαβδααθης*. Wäre nichts als Strabo und Simplicius auf der Welt, so ließe sich עתה als Intensivform fassen, deren Doppeldental zu einfachem *τ* verdünnt worden wäre, wie der Doppeldental des עתר = עתתר = *Ἀταρ* anerkanntermaßen zu *τ* verdünnt worden ist: gäbe es nur *Ἀθηακαβος* und *Ζαβδααθης*, so dürfte man annemen, daß עתה eine Doppelung des ת nicht besessen habe: die Formen *Ἀθηακαβος Ζαβδααθης* in derselben Periode zu finden, in welcher sowohl Strabo wie Simplicius ein τ überliefern, ist äußerst befremdlich, wenn Atargatis wirklich עתתר עתה ist. Noch verwickelter wird die Untersuchung durch das von mir in den armenischen Studien § 846 an das Licht gezogene *Θarahaι Θarhaι Θarhaιaκ Θaraιaκ Θaraϑaκ* der Armenier. Ich habe in dem Schriftchen zur Urgeschichte der Armenier 1060 ff den in Sadyattes Myattes Alyattes und auch einzeln erhaltenen Namen des lydischen Gottes als עתי zu erkennen gemeint: Curetons Spicilegium 25, 9 mit der Adiabenerin עתי, welche göttlich verehrt worden, finde ich nirgends erklärt.

Warum schließt עתה auf ה? das doch ganz so aussieht, als sei es das Pronomen der dritten Person Singularis, allerdings in einem zu dem voraussichtlich weiblichen עתתי nicht passenden Geschlecht: vergleiche den Eigennamen ܐܠܗܗ ܕܐܠܗܐ der Syrer.

III. Die syrischen Wörter נסיון und גליון.

Herr Nöldeke behandelt in seiner syrischen Grammatik § 128 diejenigen syrischen Hauptwörter, welche mit dem Suffixum ân gebildet sind: ich kann nicht sagen, daß dieser Paragraph auf der Höhe der sonstigen Leistungen des Herrn Nöldeke stehe.

Ich habe (jetzt Symmicta I 88, 38 verglichen mit II 94) zuerst die Forderung aufgestellt, die Ableitungen der abgeleiteten Formen des Verbums von den Ableitungen der Grundform streng zu scheiden: ich mache kein Hehl daraus, daß die Triebfeder meiner Untersuchungen auch hierbei ein theologisches Interesse war, wie man aus meinem Psalterium Hieronymi 158—160 (vergleiche Semitica I 32) unschwer ersehen kann.

Ich habe ebenso klar durch das Symmicta I 98, 37—99, 5 gesagte wenigstens erschließen lassen, daß ich in einer wissenschaftlichen Grammatik irgend einer semitischen Sprache das Semitische, das heißt, das aus der gemeinsamen Urzeit aller semitischen Idiome Stammende von dem den einzelnen Idiomen Eignenden streng geschieden zu haben fordern muß: daß ich Lehnwörter nicht als Beweismittel für die Gesetze der entlehnenden Sprache ansehen lasse. Es hängt dies alles mit dem theologischen, das heißt historischen, Character meiner Studien zusammen.

Für mich sind ܒܢܝܢ von ܒܢܐ = arabischem بنيان, ܪܥܝܢ = רָצוֹן = arabischem رضوان und ܚܙܘܢ = חָזוֹן sehr von ܚܙܬܐ und ܚܙܝܢ — rein syrischen Bildungen — unterschieden: ich kann nicht raten, die beiden in Einen Topf zu werfen.

Herr Nöldeke lehrt: »Von der Verdoppelung wie in פִּקָּדוֹן, הִגָּיוֹן erscheint keine sichere Spur mehr. So weit wir es controlieren können, ist ev. der 2 Rad. immer weich, der 3 Rad. hart.«

Wir können eben noch sehr wenig controlieren. Ueber Bar Ebrâyâ habe ich mich sehr unumwunden ausgesprochen. Bernsteins Text der harklensischen Uebersetzung des Iohannes stammt aus einer im Jahre 1483 geschriebenen Handschrift. Die Ausgabe von Urûmia hat mich wenigstens in den hier zur Frage kommenden Wörtern im Stiche gelassen: Herr Nöldeke braucht zum Beispiel in Betreff des ܦܘܩܕܢ nur den 119 Psalm durchzugehn, um zu erfahren, daß dort das ܕ des Wortes ohne Angabe über Weiche und Härte gedruckt ist.

Ich bin also bis auf Weiteres hier zu meinem lebhaften Bedauern nur auf die Analogie angewiesen. Diese lehrt mich, daß ܝܘܬܪܢ = יִתְרוֹן mit Recht ein weiches ܬ hat, daß aber ܝܘܠܦܢ, weil es nicht von ܝܠܦ I *er lernte*, sondern von ܝܠܦ II *er lehrte* stammt, yullẹfân, daß ܦܘܩܕܢ, weil es nicht zu ܦܩܕ I, sondern zu ܦܩܕ II gehört, puqqẹᴅân = פִּקָּדוֹן zu sprechen ist: sie lehrt mich, daß puqdân und yulpân, wo sie vorkommen, Entartungen sind, welche den Stubengelehrten des dreizehnten und funfzehnten Jahrhunderts allerdings für gutes Syrisch gegolten haben können, da diesen die Einsicht abgieng, daß Bildungen der zweiten Form von Bildungen der ersten wesentlich verschieden sind. Es wäre an sich eben so möglich gewesen, daß diese braven Leute in Folge der Analogie des

ܕܘܟܪܢ = זִכְרוֹן

ܦܘܩܕܢ = פִּקָּדוֹן

lauter Paelformen in ihre Texte hinein corrigiert hätten, wie sie nach dem bis jetzt Vorliegenden nach Analogie von

ܝܘܬܪܢ = יִתְרוֹן

lauter Pealformen hergestellt zu haben scheinen.

Herr Nöldeke nennt im Verlaufe seiner Darstellung des ܘܢ der Wörter ܢܘܣܝܘܢ und ܥܬܝܩܘܢ »alt«, und scheint danach für möglich zu halten, daß die in alter Zeit stets ûn gesprochene Endung einmal in noch älterer »ôn ûn« gelautet habe. Ich bedaure widersprechen zu müssen.

Die Syrer kennen keine erste Form des Zeitworts ܢܣܐ: auch die Hebräer haben nur נִסָּה. Von ܢܣܝ II käme echtsyrisch ܢܘܣܝܢ nussây oder ܬܢܣܝܐ tanseyâ oder ܢܣܝܢ nusseyân her: von diesen drei Möglichkeiten ist, so weit bis jetzt unsere Kunde reicht, nur ܢܣܝܢ wirklich geworden.

Nun haben die Juden von נִסָּה ein regelrechtes נִסְיוֹן entnommen (Buxtorf 1354). Da die Versuchung ein technischer Begriff der jüdischen Theologie ist, wanderte das Wort נִסְיוֹן mit der von ihm ausgedrückten Anschauung zu den Aramäern: da es, als es wanderte, bereits Sitte war (Lagarde reliquiae graece xli[r]) die Endung ân ון zu schreiben, wanderte es als ܢܣܝܘܢ, das nisseyôn zu sprechen ist (der Vocal der offnen Sylbe vor der betonten wird regelrecht halbiert), und ܘܢ ist gar nicht »alt«, sondern gerade im Gegenteile jung.

Analog wird es sich mit ܓܠܝܘܢ verhalten. Daß גִּלָּיוֹן Isaias 8, 1 als ܓܠܝܘܢ entlehnt, und von dieser Bibelstelle aus in der syrischen Litteratur in Umlauf gesetzt worden ist, lehrt Payne Smith 720. ܓܠܝܘܢ = gilleyôn ist das im Leben, ܓܠܝܘܢ = gillâyôn das aus dem Buche entlehnte Wort: jenes trat über, weil Offenbarung ein israelitischer Begriff war, für den das »heidnische« Aramäisch kein Aequivalent hatte: dieses, weil der Uebersetzer von Isaias 8, 1 das ihm nur in dem Sinne von Offenbarung bekannte גִּלָּיוֹן nicht zu übersetzen verstand, und es daher Buchstab für Buchstab abschrieb. Das echtsyrische — zunächst undogmatische — ܓܠܝܢ ist gilyân zu sprechen, und gehört der ersten

Form: גִּלְיָן ist als gilliyân auch in das Arabische aufgenommen, Lane I 448.

Ueber ܓܠܝܘܢ = חֶזְיוֹן Payne Smith 1236 kann sich nun jeder das Nötige selbst sagen.

IV. ענִי = צנוע.

Als ich den zwölften Bogen des Iohannes von Euchaita drucken ließ, hatte ich keine Ahnung davon, daß ich in kurzer Zeit öffentlich zur Erklärung semitischer Vokabeln das Wort werde ergreifen müssen. So ist an eine dort auf Seite 89 zu gebende Erklärung des griechischen ωα aus dem aramäischen עעא eine Bemerkung angeknüpft worden, welche den Fachgenossen zur Kenntnis zu bringen mir am Herzen lag. Ich wiederhole sie hier, um ihr eine weitere Verbreitung zu sichern.

De ὤα videatur Stephani thesaurus V 1710—1712 VIII 1983. sunt autem ὤα ni fallor duo: ᾤα = μηλωτής, quod GCurtius[5] 589 ad ὄις rettulit, ωα = ܥܥܐ Syrorum IDMichaelis 629 Lagarde praetermissa. 54, 44: quod ante me Georgius Hoffmannus meus ZDMG **32** 753[m] ad צאצאה Hebraeorum referendum esse intellexit, ego in Semiticorum parte priore (non prima, taedet enim convitiis me exponere) 22—27 praetermisi, ut aliud vocabulum praetermisi theologorum, si qui sunt theologi, curae sedulo commendandum: nam ענו = ταπεινὸς πραΰς Hebraeos ab Aramaeis mutuo desumpsisse volueram docere inde ex anno 1863: esse enim hebraice צנוע quod aramaice עני diceretur: Arabes ضنء habere Freytag III 29[a] Lane III 1806: confer Arabum ضجع = סגע = ܣܓܝ [vielmehr ܣܓܝܐ] Lagarde Symmicta I 144, 10m. comparandum cum צאצאה Hebraeorum, ܚܚܐ Syrorum Arabum ضيضى et ضوضو Freytag III 1' Lane III 1759. de ωα vide etiam Schleusneri· opuscula critica 353. ne quis vero miretur quod עזא et צאצאה proposuerim, sciat eam semiticis vocabulis legem esse scriptam, ut quotquot metaphorice usurpentur, pluralem forma feminina effingant, si singularis forma masculina gaudeat, masculinâ contra, si ille femininum videatur.

צנוע wird Proverbien 11, 2 ebenso ταπεινὸς übersetzt wie עני an den von Tromm II 873 verzeichneten Stellen: vergleiche bei demselben II 875 ταπείνωσις für עני und ענוה: der Grieche dachte bei Michaeas 6, 8 für צנוע, wenn er ἕτοιμος überträgt, nicht an ضنع, sondern an صنع = ܥܢܘ, was ja nicht richtig zu sein braucht, aber doch erklärbar ist.

Wie חָכָם und לָבָן und קָטָן Olshausen § 161a, wie ܚܟܝܡ und ܡܚܠܐ und ܚܡܠܐ und ܫܚܠܐ Nöldeke § 94d, wie حسن und بطل Wright § 232², würde עָנָר gebildet sein: עניו enthielte עָנִי + dem unverständlich gewordenen Nominativvocale u: vergleiche מַלְכָיו aus MALAKAIHU.

Daß die Syrer vorzugsweise geeignet waren den Begriff der ענוה zu finden — they were always a trodden-down race, sagte oder schrieb einmal W. Cureton —, ist ebenso sicher wie der andre Satz, daß von allen semitischen Stämmen der ענוה niemand von Hause aus ferner stand als die Israeliten und Phoenicier, deren עברה, wenn sie nicht geradezu als ὕβρις zu den Griechen gewandert ist, jedenfalls ihre charakteristischste, die ענוה ganz ausschließende Eigenschaft war: vergleiche das Genesis 49, 5—7 über Simeon und Levi Geurteilte und die Tatsachen Genesis 34, auf denen das Urteil des Erzvaters über die beiden Stämme ruhte. Die ענוה mußte gerade, weil sie den Israeliten nicht im Blute lag, ihnen am meisten gepredigt, und zur unabweisbaren Forderung ihrer besten Männer werden.

עָנָו wäre zunächst ein sich duckender, עָנִי ein geduckter. Das Ethos der Synagoge hätte die aramäische Physis umgebildet und vergeistigt.

Bei der Königl. Gesellschaft der Wissenschaften eingegangene Druckschriften.

Man bittet diese Verzeichnisse zugleich als Empfangsanzeigen ansehen zu wollen.

Juni, Juli 1881.

Nature 605. 607—609.
Leopoldina. H. XVII. Bd. 9—10.
Revista Euskara. No. 37. 1881.
Bulletin de la Société Mathematique. T. IX. No. 3.
Movimento della Navigazione ne porté del regno. Anno XIX. 1879. Roma.
F. v. Müller, Eucalypti of Australia. Sixth Decade. Melbourne. 4.
Schriften der naturf. Gesellschaft in Danzig. Bd. V. 1. 2. H.
Abhandl. für die Kunde des Morgenlandes. Bd. VII. No. 4. (A. Weber, das Saptaçatakam der Hâla). 1881.
Zeitschrift für die gesammten Naturwissenschaften. 1880. Bd. V.
Catalogus der Bibliothek van het k. Zoölogisch Genootschap Natura artis magistra te Amsterdam. 1881.
Th. Lyman, Ophiuridae and Astrophytidae of the Challanger Expedition. P. I. (Bulletin of the Museum of Comparative Zoölogy. Vol. V. No. 7.

Transactions of the Zoological Society of London. Vol. XI. 3–4. 1881. 4.
Proceedings for 1880. Part IV. 1881.
Bulletin des travaux de la Société Murithienne du Valais. IX Fasc. Neuchatel 1880.
29. u. 30. Jahresbericht der naturhistor. Gesellschaft zu Hannover. 1880.
Annales de l'Observatoire R. de Bruxelles. 21. feuill.
O. Herman, Sprache u. Wissenschaft. Budapest. 1881.
Journal of the R. microscopical Soc. Ser. II. Vol. I. Part 3. 1881.
Abhandl. des naturwiss. Vereins zu Bremen. Bd. VII. H. 1. 2. nebst Beilage. 8.
C. Struckmann, Parallelismus der hannover. u. der englischen oberen Jurabildungen.
Erdélyi Muzeum. 6 SZ. VIII. évtolyam. 1881.
Oversigt over det K. Danske Vidensk. Selskabs förhandlingar. 1880. Nr. 3. 1881 Nr. 1.
Memorie della Accademia delle Scienze dell' Istituto di Bologna. Serie 4. T. I. 1880. 4.
Indice generali dei dièci tomi della terza seriè delle Memorie dell' Istituto di Bologna, negli anni 1871–1879.
Verhandl. des Vereins für Natur- u. Heilkunde zu Presburg. 1875–1880.
Annales de la Sociedad cientif. Argentina. Entrega V. T. XI.
Vierteljahrsschrift der Astronomischen Gesellschaft. 15. Jahrg, H. 3.
Monthly Notices of the R. Astronomical Society. Vol. XLI. No. 7.
Annuaire statistique de la Belgique. Onzième année. 1880.
Exposé de la situation du royaume de la Belgique de 1861. à 1875. 7 fasc.
Das K. K. Quecksilberwerk zu Idria in Krain. Wien 1881. fol.
Annales de l'Observatoire R. de Bruxelles. Astronomie. T. III. 1880. 4.
Ann. de l'Observ. R. de Brux. Météorologie. T. I. 1881. 4.
Annuaire de l'Observ. 1880 et 1881.
Annual Report of the Smithsonian Institution for 1879. Wash. 1880.
Transactions of the American Philos. Society. Part III. 1881. 4.

Proceed. of the Americ. philos. Society held at Philadelphia. Vol. XIX. No. 107.
Proceeding of the Academy of Natural Sciences of Philadelphia. Part. I. II. III. 1880.
Proceed. of the Amer. Acad. of Arts and Sciences. Vol. VIII. Boston. 1881.
Proceed. of the Amer. Pharmaceutical Association. 28. Meeting. 1880.
Bulletin of the Buffalo Society. Buff. 1877.
Bulletin mensuel de l'Observat. Météorologique d'Upsal. Vol. XII. Ann. 1880. 4.
Popolazione. Movimento dello stato civile. Anno XVIII. 1879. Introduzione. Id. Anno XVIII. 1879. Parte II.
Proceed. of the London Mathem. Society. No. 170. 171.
Atti della R. Accademia dei Lincei. Vol. V. Fasc. 13.
Bulletin de l'Acad. R. des Sciences de Belgique. 50e année. 3e Série. T. I. No. 3. 4.
Bulletin de la Soc. Imp. des Naturalistes de Moscou. 1880. No. 3. 4.
Revue de l'histoire des religions. T. I. 1—3. T. II. 4—6. T. III. No 1. Paris 1880.
Mémoires de la Société des Sciences de Bordeaux. T. IV. 2e cahier.
Mémoires de la Société des Sciences nat. de Cherbourg. T. XXII.
Journal de l'Ecole polytechnique. T. XXIX. Paris. 1880.
Mémoires de la Société des Antiquaires de Picardie. T. IX. Amiens. 1880. 4.
Mittheil. der deutschen Gesellsch. für Natur- u. Völkerkunde Ostasiens. April. 1881.
Bulletin of the American Geographical Society. 1880. No. 4.
Verhandl. der k. k. Reichsanstalt. No. 5. 1881.
Statistique internationale des Banques d'emission. Russie. Rome. 1881.
Atti della Società Toscana. Proc. verbali. Maggio. 1881.
Flora Batava. Aflevering 249, 250, 251, 252.
Archiv för Mathematik og Naturvidenskab. Femte bind. Heft 1—3. Kristiania. 1880.

(Fortsetzung folgt.)

Für die Redaction verantwortlich: *F. Bechtel*, Director d. Gött. gel. Anz.
Commissions-Verlag der *Dieterich'schen Verlags-Buchhandlung.*
Druck der Dieterich'schen Univ.-Buchdruckerei (W. Fr. Kaestner).

Nachrichten

von der

Königl. Gesellschaft der Wissenschaften und der Georg-Augusts-Universität zu Göttingen.

21. December. №. 16. 1881.

Königliche Gesellschaft der Wissenschaften.

Jean Robethon und die Thronfolge des braunschweig-lüneburgischen Hauses in England

von

R. Pauli.

Am 7. Mai hatte ich die Ehre der Kgl. Gesellschaft der Wissenschaften von Forschungen Mittheilung zu machen, die sich auf den Regierungsantritt des Welfenhauses in England beziehen. Das Staatsarchiv in Hannover bietet für diese große Angelegenheit eine kaum berührte Fundgrube um nicht nur der tragischen Parallele zwischen den Stuarts und den Welfen, sondern vor allem den nationalen und internationalen Momenten nachzugehen, die aus dem Ereigniß entsprangen. Ich bedauerte damals sieben Bände mit Memoiren und Correspondenzen des Herrn Robethon im Staatsarchiv nicht vorgefunden zu haben, welche einst im Jahre 1787 Spittler vorgelegen, die Hinterlassenschaft eines Mannes, der in Verbindung mit Leibniz wie in den officiellen Aktenstücken der hannoverischen Regierung, in englischen Briefsammlungen und Autoren der Zeit erscheint, eines Mannes, von dem Spittler versichert, daß ohne ihn Kurfürst Georg Ludwig niemals König Georg I. von Großbritannien und Irland geworden wäre. Nun weiß ich auch heute noch nicht, wann und wo Robethon geboren, wann und wo er gestorben ist. Denn keine der zahlreichen Encyklopädien, keines der endlosen Inhaltsverzeichnisse, die ich durchgesehen habe, hat auch nur auf die geringste Spur eines biographischen Abrisses, auf eine Parentation am Sarge oder Aehnliches geführt. Dagegen ersah ich erst hinterdrein aus dem neunten und bisher letzten Bande der von Onno Klopp herausgegebenen Werke von Leibniz, S. LVII, N. 1, daß jene 7 Bände in der Stadtbibliothek zu Hannover aufbewahrt werden. Nicht nur sie, sondern überdies ein sehr werthvolles Convolut mit Papieren desselben Ursprungs, gegenwärtig Eigenthum des Historischen Vereins für Niedersachsen, sind mir in dankenswerthester Weise zur Benutzung anvertraut worden, so daß nunmehr in Verbindung mit dem, was ich aus den Gesandtschaftsberichten der Bothmer, Grote, Schütz, St. Saphorin, aus der von Hannover, London und Wien aus vor und nach dem Jahre 1714 geführten Correspondenz, und aus den bereits im Jahre 1775 von James Macpherson in London publicirten *Original Papers* gesammelt habe, ein sehr bedeutender Theil des geistigen Vermächtnisses eines Mannes vorliegt, der, ein Fremdling unter Engländern und Deutschen, niemals zum leitenden Staatsmann emporstieg, sondern in der bescheidenen Stellung eines Secretärs oder Legationsraths im Dienste seiner Fürsten rastlos thätig, weit unterrichtet und echt staatsmännisch nur das eine Ziel verfolgte, der protestantischen Succession in England die Stätte zu bereiten und zu sichern.

Es sei mir erlaubt an der Hand dieser Documente, über deren Herkunft, Zustand und Umfang das Nöthigste vorausgeschickt werden muß, ein Bild von Robethon's großartiger amtlicher Wirksamkeit zu entwerfen.

Jene sieben handschriftlichen Bände, welche seine Manualakten zwischen 1692 und 1711, zahllose Originalbriefe an ihn, die er bis 1701 in fast tagebuchartige Memoiren verwebte, seine Concepte zu Antworten, Denkschriften und Gutachten, gedruckte Relationen und Deductionen, zum Theil aus seiner Feder enthalten, sind mit einem lose beiliegenden Schreiben des Sohns aus Lüneburg vom 4. Mai 1743 dem Cammermeister S. Majestät und kurfürstlichen Hoheit H. v. Reiche übersandt worden, der den Empfang am 7. bescheinigt. Der Vater — feu mon père Mr. de Robethon — habe sie vor langer Zeit — il y a long tems — dem Bruder des Adressaten, dem Geheimsecretär J. C. von Reiche, versprochen, dessen testamentarische Schenkung an die Stadt Hannover nach Rathsbeschluß vom 31. März 1777 in feierlichem Latein gedruckt jedem Bande eingeklebt ist. Der Sohn, der sich seltsamer Weise nicht de Robethon, sondern de Maxuel (schottisch Maxwell, nach der Mutter? Stiefsohn?) unterzeichnet und Soldat gewesen zu sein scheint — nous nous preparons pour notre marche selon nos ordres, qui sera le 20 de ce mois — erwähnt noch andere Papiere seines Vaters, qui regardaient les affaires de Sa Majesté, die mit allem, was die Succession betreffe, dem Präsidenten von Hardenberg in London ausgeliefert sein müßten. Diese Masse ist vorhanden, nur leider auszugsweise ins Englische übersetzt, in Macpherson's viel benutzten *Original Papers* etc. London 1775, 2 Vols. 4., in welchen von 1702 bis 1714 Mittheilungen aus den *Stuart Papers* Jahr für Jahr mit solchen aus den *Hanover Papers* wechseln. Der Herausgeber oder besser Verarbeiter giebt I, p. 7 an, daß ihm die letzteren, welche die ganze Zeit von der Act of settlement (1701) bis zur Befestigung der Herrschaft Georg's I. umfaßten, zehn starke Bände in Quart, zu literarischen Zwecken mit großer Liberalität von einem Mr. Duane überlassen seien, der das gute Glück gehabt sie käuflich zu erwerben. Der Herausgeber, der wenigstens so gewissenhaft ist bei seinen Uebersetzungen anzumerken, ob die einzelnen Nummern von einem französischen oder deutschen Text, aus einem Original oder Entwurf herrühren, hat I, p. 619 eingeflochten, was er über Robethon in Erfahrung gebracht. Derselbe scheint, so sagt er, französischer Refugié und so etwas wie Privatsecretär König Wilhelm's III. (a kind of private secretary to king William) gewesen zu sein, was wir jedenfalls bestimmter fassen dürfen. Nach des Königs Ableben trat er zu Celle in die Dienste Georg Wilhelm's, mit dem ihn schon im Jahre 1701 sein Gönner William Bentinck, Graf von Portland, Wilhelm's III. Intimus und Landsmann, bekannt gemacht hatte, nach Herzog Georg Wilhelm's Tod im Jahre 1705 in die seines Bruders Kurfürst Georg Ludwig zu Hannover, für den, seinen Sohn und dessen Gemahlin er alle Correspondenz mit England habe führen müssen. Originale, die sich noch in England oder auswärts befinden möchten, seien sämmtlich nach Robethon's Entwürfen ins Reine geschrieben. Das Haus Hannover hätte für seine Zwecke niemand besser verwenden können, da er unermüdlich und treu und, wenn auch nicht von hervorragenden Fähigkeiten, doch von großer Gewandtheit und mit den englischen Verhältnissen hinreichend vertraut gewesen sei um zahlreiche Correspondenten der kurfürstlichen Familie zu »amüsieren«. Dies etwas spöttische Urtheil wird aus meinem umfangreicheren Material wesentlich zu Robethon's Gunsten modificirt. Auch hätte Macpherson nicht verschweigen sollen, was er wissen mußte, daß Robethon unter Wilhelm III. lange in England lebte, während der ganzen Regierung Anna's dagegen abwesend war und, bis er mit König Georg dorthin zurückkehrte, beständig mit den Gesandten seines Herrn so wie mit leitenden Persönlichkeiten ersten Ranges und nicht nur mit Mitgliedern des kurfürstlichen Hauses, welche amüsirt sein wollten, im intimsten Briefwechsel stand. Die allervertrautesten Verbindungen, Fäden, welche bis zu den Cameronianern in Westschottland, zu Parteigängern in Dublin, bis in die Umgebungen Ludwig's XIV. und den exilirten Stuarthof zu St. Germain reichten, liefen in seinen Händen zusammen. Das wird nicht nur durch das inhaltreiche Convolut, welches ich finde nicht wie in den Besitz des Geschichtsvereins zu Hannover gerathen ist, nicht nur durch die Gesandtschaftsakten, sondern gerade durch Macpherson's Auszüge hinreichend bezeugt. Sicherlich wird sich seine Thätigkeit unter Wilhelm III. und Georg I. im englischen Staatsarchiv, unter ersterem vermuthlich auch im Haag weiter verfolgen lassen. Ob von dort jedoch oder aus den von mir noch nicht vollständig durchgesehenen Wiener Protokollen des Herrn von St. Saphorin etwas weite res über seine Persönlichkeit, über Anfänge und Ende abfällt, scheint zweifelhaft.

Ueber Robethon's Ursprung darf man daher nur schließen, daß er Franzose von Geburt und reformirten Glaubens, nach Aufhebung des Edicts von Nantes wie viele andere der besten Unterthanen Ludwig's XIV. ausgetrieben nach Holland kam. Eine Berührung mit seinem berühmten Landsmann, dem Encyklopädisten Bayle, kann ich nicht nachweisen. Wohl aber erscheint er nach den frühesten Documenten aus seiner Hand, einem Briefe an Leibniz vom Juli 1690 und jener losen Vereinigung von Briefsammlung und Memoiren, frühzeitig im persönlichen Dienst Wilhelm's III., des größten Gegners Ludwig's XIV. [1]. Daß der staatskluge Oranier nur einen politisch geschulten Geheimsecretär beschäftigen würde, bedarf keines Nachweises. Spuren dieser Verbindung begegnen in einer englischen Denkschrift: Brief an ein Parlamentsmitglied über den gegenwärtigen Krieg, auf dessen Titel Robethon eigenhändig bemerkt: composé par moy en françois l'an 1692 et traduit en Anglais par M. Wickard chapellain du Roy. Auf einem englischen Gutachten über das Testament Karls II von Spanien bemerkt er ähnlich: Traduction par le Dr. d'Auvergne chapellain du Roy. Ein Diener, der regelmäßig vertraute Briefe aus Paris über die inneren und äußeren, über die militärischen und kirchlichen Zustände Frankreichs, dabei auch gelegentlich eine Notiz über die *pauvres nouveaux convertys*, aus Wien über den Türkenkrieg, von dem Baron von Goertz in Got-

1) Die Adresse eines Briefs des schwedischen Gesandten in Paris vom 8. Dec. 1700 lautet: à Monsieur, Monsieur Robethon, Secretaire de S. M. Britannique à Londres.

torp über die nordischen Angelegenheiten empfing, der unermüdlich auf allen Seiten zur eigenen Weiterbildung und zur Verwendung im Dienste einer großen europäischen Sache Information sammelte, konnte dem Führer derselben nur in hohem Grade willkommen sein. Wir finden ihn daher denn auch beständig in Wilhelm's Gefolge, was bei den alljährlichen Ueberfahrten von England nach Holland und zurück und während des Sommers in den Campagnen wider die französischen Marschälle Luxembourg, Villeroi, Boufflers deutlich hervortritt. Sein Tagebuch verzeichnet pünktlich jede Verlegung des Hauptquartiers, alle größeren und kleineren Affairen. Eine Menge Ordres de bataille sind beigelegt, nicht nur der Armee des Königs, der Truppen des Kurfürsten von Bayern, des brandenburgischen Contingents, des Markgrafen von Baden am Oberrhein, sondern eben so gut die französischen, in den Niederlanden wie der armées d'Allemagne, d'Italie, de Catalogne. Eine Menge Correspondenten an den verschiedenen Kriegsschauplätzen wie über die Bewegungen der Flotten halten Robethon auf dem Laufenden. In gleicher Weise aber wie den Krieg begleiten diese aus originalen Documenten und eigenhändigem Text an einander gereihten Memoiren die inneren, ganz besonders die englischen Hergänge. Jedesmal bei Eröffnung und Schluß des Parlaments übersetzt der Verfasser Thronrede und Adressen beider Häuser ins Französische und schließt das Nöthigste über Gang und Resultat der Debatten, die Einwirkungen der großen Politik, die Lage der Finanzen in lichtvoller Darstellung mit kurzer Beurtheilung an, wie etwa zu Ende des Jahrs 1696: Je ne doute point que S. M. n'obtienne du Parlement tout ce qu'Elle souhaitte. Jamais l'Angleterre n'a esté si bien disposée. Gleich darauf jedoch werden der Tod der Königin Marie, über den sich außerdem im hannoverischen Archiv ein noch nicht bekannter Bericht gefunden hat, die Debatten über die Triennal Bill, über die Währungsverhältnisse und die Anfänge der Bank von England, und während im Sommer 1695 die Feldzugsakten fehlen, die europäischen Angelegenheiten durch die laufende Correspondenz beleuchtet, nicht minder die Session vom Winter 1695/6, die heftigen Angriffe des Unterhauses gegen des Königs Verleihungen an Fremde wie Portland, die Entdeckung des jakobitischen Attentats, woran der vertriebene Stuart, Wilhelm's Schwiegervater, selbst betheiligt erscheint, Proceß und Execution der Compromittirten, die Associationsacte zum Schutze des Fürsten aus Parlamentsbeschlüssen und Documenten immer breiter ausgeführt. Aehnliches gilt von der Campagne des folgenden Sommers, aus deren günstigem Verlauf und den immer hoffnungsvolleren Resultaten des Türkenkriegs trotz der Aussöhnung Ludwig's mit dem Herzoge von Savoyen der Anfang von Friedensverhandlungen entsprang. Die Aufzeichnungen über die Sessionen und den Feldzug des nächsten Jahrs, die Correspondenzen, welche die Lage in Paris und Wien, in Polen wie in Holstein und Dänemark betreffen, werden nunmehr überflügelt von Mittheilungen über den diplomatischen Verkehr zwischen dem Herrn von Dijckvelt und M. de Callières und einer langen Reihe von Briefen eines Herrn von Kotzebue, der vom Haag aus über die Einleitungen zum Congreß von Rijswick und den Verlauf der Friedensconferenzen die eingehendsten Mittheilungen macht. Bezeichnend ist eine Notiz vom 26. Juli 1697 aus

Paris: Il ne se passe rien de considérable en Flandres si ce n'est les conférences du Maréchal de Boufflers avec le comte de Portland, dont on ignore encòre le sujet. Robethon's vertraute Beziehungen zu diesem einflußreichen Gönner werden wiederholt sichtbar. Schon im September 1796 begegnet auch der Herzog Georg Wilhelm von Celle, als er mit König Wilhelm in Dieren zur Jagd fährt. Zwei Wochen später reisen beide vom Loo nach Cleve dem Kurfürsten und der Kurfürstin von Brandenburg einen Besuch abzustatten, wobei der flüchtige Gedanke der Wiederverheirathung des Oraniers mit einer brandenburgischen Prinzessin auftaucht. Auch die internationale Anerkennung der hannoverischen Kurwürde, welche König Wilhelm vor Abschluß der Friedensverhandlungen vollzogen zu sehen wünschte, der Eintritt des Herrn von Bothmer als Bevollmächtigten Georg Ludwig's bei den Rijswicker Conferenzen wird durch Aktenstücke belegt. Der Zeit der zwischen den Königen von Frankreich und England über Theilung der spanischen Monarchie geführten Verhandlungen gehören die mitunter in Chiffren geschriebenen und zur Mittheilung an Wilhelm III. bestimmten Briefe des schwedischen Gesandten Palmquist in Paris an. Ich wage es so ausführlich zu werden, weil es mir geradezu unbegreiflich erscheint, daß so werthvolle unmittelbare Aufzeichnungen, wie sie in vier starken Bänden vorliegen, bisher der Aufmerksamkeit der Forscher des In- und Auslandes über einen der großartigsten Momente der neueren Geschichte so gut wie völlig entgangen sind.

Nirgends aber habe ich eine Andeutung entdeckt, weshalb und auf wessen Anregung Robethon, wie es scheint, unverzüglich nach Wilhelm's

Tode England verlassen hat und in welfische Dienste getreten ist. Palmquist, der die Correspondenz mit ihm noch eine Weile fortsetzte, adressirte nach Celle, und Klingraef, der Braunschweig-Lüneburgische Resident im Haag, betitelt: M. de Robethon, conseiller de S. Alt. Ser. le Duc de Bronswic-Lunebourg à Celle, bis nach dem Tode Georg Wilhelm's im Jahre 1705 Titel und Adresse lauten: conseiller de S. Alt. Elect. de B. L. à Hannovre. An beiden Orten aber beharrte der unermüdliche Mann in der bisherigen Thätigkeit unter der immer mächtigeren Einwirkung der beiden gewaltigen um die spanische Erbfolge und die Vormacht im Norden geführten Kriege, nur daß fortan für ihn die hannoverische Succession im Mittelpunkt und er selber mit den Leitern der hannoverischen Politik, insbesondere den Herren von Bernstorff und von Bothmer, als gewiegter Gehülfe im engsten Verkehr steht. In diesem Zusammenhange ist er wahrscheinlich im Jahre 1709[1]) geadelt und zum conseiller privé des legations de S. Alt. Elect. befördert worden.

Aus der hannoverischen Epoche stammen wesentlich die Bände IV—VII des Stadtarchivs, aus deren mannigfaltigem Inhalt ich noch Einiges hervorhebe. Eine Correspondenz mit dem Baron Goertz, damals Gottorpschem Minister, zwischen den Jahren 1705 und 1711, betrifft die Coadjutorschaft im Bisthum Lübeck, das Verhältniß zu Dänemark, die Kriege Karl's XII. in Polen und Sachsen. Am 13. April 1707 schreibt Goertz aus dem schwedischen Hauptquartier zu Altrahnstädt: Vous savez deja que Patkoul est

1) A new mark of favour His El. Highness has paid to your great merit. Lord Halifax an Robethon, April 26. 1709 bei Macpherson II, 139.

delivré au regiment de Meierfeld, un petit detachement le requit aux portes de Königstein à minuit. Ou ne sait pas encore ce qu'on en fera. Ein anderer Correspondent seit Februar 1706, bis er sich im Jahre 1711 entschieden der Sache der englischen Tories zuwandte, war Lord Raby, Gesandter der Königin Anna in Berlin, dessen Briefe viel über Karl XII., August den Starken, Stanislaus Leczinski, über Patkul, über die Anwartschaft Preußens auf Neufchatel enthalten. Im Juni 1708 bedauert Raby durch Hannover gereist zu sein: sans avoir pu jouer de votre conversation, car je ne connois personne, qui est mieux instruite que vous. Ein Packet eigenhändig bezeichneter Lettres de ma femme de Berlin 1708 et 1709 ist leider, wie ich vermuthe, durch den Sohn herausgeschnitten, so daß nicht einmal der Name dieser ebenfalls politisch thätigen Dame zu constatieren ist. Ein gewisser Martines, der seit 1705 meist in Chiffre aus Paris schreibt und 1709 nicht ohne Besorgniß meldet, daß Ludwig XIV. auf ihn aufmerksam geworden, nebenbei jedoch auch mit dem preußischen Hofe in Verbindung steht, wünscht durch die Vermittelung Robethon's und seiner Frau un caractère de residant à cette cour, d. h. in Paris zu erhalten, was ihm von Seiten des Landgrafen von Hessen auch zu Theil wurde. Ein Vetter Robethon's hält sich 1710 in London auf.

Robethon's Beziehungen zu den ersten Größen der Zeit erhellen aus Gutachten von Leibniz[1]) über Toscana und die neueste Kurwürde, die er seinen Sammlungen einverleibt hat, und aus ei-

1) Ein Brief Robethon's an Leibniz, datirt Gembloux Juli 26/16, 1690, zugleich der früheste Beweis seines Verhältnisses zu Wilhelm III. findet sich bei J. M. Kemble, Statepapers and Correspondence p. 58.

nem sehr interessanten Bericht über die vom Herzog von Marlborough im Jahre 1707 unternommene Reise in das Hauptquartier Karl's XII. nach Berlin und Hannover. Robethon hat nicht nur ein Exposé über den Erfolg derselben in Hinsicht auf die beiden gleichzeitigen Kriege hinzugefügt, sondern scheint dem Herzog auf jener Rundfahrt persönlich beigegeben gewesen zu sein.

Eine beträchtliche Anzahl Denkschriften, theils von seiner Hand, theils gedruckt, bezeugt die ungemein vielseitige sowohl staatsrechtliche wie diplomatische Thätigkeit des Mannes. Bald handelt es sich um den Oberbefehl der Truppen des Herzogs Rudolf August von Braunschweig-Wolfenbüttel 1705, über die hannoverischen Truppen in englischem Sold 1706, bald über langwierige Differenzen Hannovers mit dem Capitel von Hildesheim und der Krone Preußen, über das Rangverhältniß zwischen dem Kurfürsten und dem Könige von Schweden, über den Vortritt desselben vor Magdeburg und Bremen am Reichstage. Die Umbständliche Relation von der bei Hochstedt an der Donau . . . erhaltenen großen Victorie übersetzt Robethon sofort ins Französische und legt ihr eine andere aus der Feder eines französischen Generals bei. Auf das Titelblatt einer anonymen *Justification des armes* des Czaren Peter notirt er: par le prince Kurakin. Mich interessirt vorwiegend was das Verhältniß zu England betrifft. Da finden sich im eigenhändigen Entwurf: Advis désinteressez à ceux qui doivent élire les membres du Parlement prochain. Composé par moy l'an 1705, doch fingirt, als ob von einem Engländer herrührend, denn es ist stets von *nos loix* und von *la grande Reyne, qui nous gouverne aujour-*

dhuy die Rede. Bedeutsam für die Biographie ist der Satz: J'ay passé plusieures années à Londres et y ayant eu des liaisons étroites avec des personnes des deux partis sans être prévenu pour aucun je me suis fait une étude d'apprendre à les connoitre tant par de frequents entretiens avec elles que par la lecture de divers écrits publiés de part et d'autre. Erst die abscheulichen Cabalen gegen König Wilhelm, die ihm abgenöthigte Auflösung der Armee nach dem Frieden von Rijswick, die Lüge, daß er durch die Act of settlement vom Jahre 1701 die Thronbesteigung Anna's habe verhindern wollen, die infamen Schmähungen der Tories wider sein Andenken, die feste Einigung von Jacobiten und Hochkirchlern haben es dem Verfasser unmöglich gemacht parteilos zu bleiben. Im Jahre 1710 nach dem Sturze der Whigs übersetzt er aus dem Englischen und läßt in London erscheinen: Raisons pour ne pas recevoir le Pretendant et pour ne pas restablir la ligue papiste avec quelques questions de la derniere importance à la Grande Bretagne. Derselben politischen Situation entspringt dann eine Verwendung im auswärtigen Dienst, als er vorübergehend den mit den wichtigsten Aufträgen als Gesandten nach London abgefertigten Freiherrn von Bothmer auf dessen Posten in Holland vertreten mußte. Seine Briefe an den Kurfürsten und an Bernstorff vom 13. März bis zum 1. August 1711 nebst Abschriften der Relationen Bothmer's aus London füllen den sechsten, endlich die Erlasse Georg Ludwig's an Robethon im Haag den siebenten Band dieser überaus inhaltreichen Sammlung.

Eine sehr willkommene Ergänzung ganz vorzüglich in Hinsicht auf die große englische Angelegenheit aus der Zeit vor wie nach dem Jahre 1711 bieten nun neben den Gesandtschaftsakten das dem historischen Verein gehörende Convolut und die Hanover Papers bei Macpherson, nur zufällig getrennte Akten, aus denen ich Folgendes anmerke.

Schon im Sommer 1702 wird ihm vom englischen Gesandten in Kopenhagen und von M. d'Alonne, der sein College in Wilhelm's Cabinet gewesen, zu der neuen Stellung in Celle Glück gewünscht. Er arbeitet dort hauptsächlich unter Bernstorff in Diensten der Kurfürstin Sophie, der präsumptiven Erbin des englischen Thrones kraft der Act of settlement. Während englische und schottische Freunde ihn über die mißlichen Aussichten in beiden Ländern unterrichten, sind mehrere Entwürfe vom October 1705 bald nach seiner Uebersiedelung nach Hannover Macpherson unbekannt geblieben, in welchen damals schon das Verlangen der Anhänger der protestantischen Succession discutirt wird, zur Sicherung derselben die Kurfürstin Wittwe, den Kurfürsten oder den Kurprinzen nach England kommen zu lassen. Robethon kann dies nur dann anrathen, wenn Whigs und gemäßigte Tories in beiden Häusern des Parlaments sich einigen und Königin Anna ihre ausgesprochene Abneigung überwinden würde. Lord Portland steht mittels der Chiffre des lüneburgischen Gesandten in London nach wie vor mit ihm in Gedankenaustausch. Noch werthvoller erscheint das von früher her vertraute Verhältniß zu Lord Halifax, dem besonders behutsamen und staatsmännischen Kopfe unter den Whigs. Zur Zeit der größten Annäherung der beiden Stuart-Cousinen, als Anna sich im Frühling 1706 entschloß dem Kurprinzen das Hosenband und mit dem Titel eines Herzogs von Cambridge die Naturalisation in England zu ertheilen, schreibt Halifax, der als Specialbotschafter nach Hannover ging, an Robethon am 7. Mai: I am overjoyed that I shall have again the honour to renew our acquaintance and you needed no recommandation to put an entire confidence in Mr. Robethon. Als gleichzeitig die parlamentarische Union zwischen England und Schottland zu Stande kam, gedieh ein Garantievertrag zu Gunsten des hannoverschen Hauses, zu dem die Instructionen, Vollmachten und Urkunden im brieflichen Einverständniß mit Lord Halifax und Joseph Addison sämmtlich von Robethon ausgearbeitet wurden. In den nächsten Jahren aber gediehen die Cabalen, durch welche die Regierung Marlborough's und Godolphin's entwurzelt, die Whigs gestürzt werden und bedenkliche Politiker wie Harley und St. John an das Ruder kommen sollten.

Sie und ihr Anhang empfanden nun freilich das dringende Bedürfniß wie ihre Gegner die Whigs ein gutes Verhältniß zum Hof in Hannover zu gewinnen. So wurde im Herbst 1710 Lord Rivers ohne officiellen Charakter in vertraulicher Sendung dorthin abgefertigt. Was er bei Ueberreichung der Anschreiben Anna's und der Tory Lords am 14. October dem Kurfürsten eröffnete, ist von Robethon's Hand in jenem Convolut aufbewahrt. Von einer Einladung Georg Ludwig's nach England oder Uebertragung des Commando der verbündeten Armeen an Stelle des in Ungnade gefallenen Herzogs von Marlborough kein Wort. Dagegen ließ die Königin anzeigen, daß sie sich einer unerträglichen Faction entwunden, die dem Volke einzureden gewagt, ihr und des Hauses Hannover Titel zur Krone beruhe in einem populären Wahlrecht, und daß sie nunmehr Minister berufen habe: qui sans être dans les interets de cette cabale sont veritablement dans ceux de leur patrie. Begeistert für die protestantische Succession, verträten sie das Erbrecht und damit die in den Garantieverträgen gesicherte Sache des kurfürstlichen Hauses. Auch die Kirche sei einverstanden, was doch Angesichts ihres stark hervorgetretenen Jacobitismus mindestens zweifelhaft war. Daher wird denn in der äußerst zahmen Erwiderung des Kurfürsten vom 18. aus Robethon's Feder das Erbrecht nicht als ein absolutes, sondern als dans la ligue protestante et à l'exclusion des princes papistes bezeichnet. Merkwürdig nun, wie gleich darauf St. John — wer kennt ihn nicht unter dem Namen Lord Bolingbroke — den Versuch machte, Robethon, der ihm in einem dem Lord Rivers mitgegebenen Briefe vom 23. October die Correspondenz angetragen und die bevorstehende Entsendung des Herrn von Bothmer an den Hof von St. James angekündigt hatte, für sich einzunehmen. Nachdem ein alter Bekannter M. d'Hervart, ehedem Wilhelm's III. Gesandter bei der Eidgenossenschaft, am 3. November brieflich sondirt, am selben Tage jedoch auch M. de la Motte ein Warnzeichen gegeben hatte, schrieb St. John selbst am 10. höchst verbindlich: You will always do me a particular favour, when you give me your orders. This is a truth of which I beg you to be persuaded. Robethon's Antwort vom 17. December wird den geriebenen Politiker wenig befriedigt haben. Nicht nur daß er seinem Herrn dem Kurfürsten ihre Correspondenz vorgelegt und lediglich den Verkehr für den Fall angeboten zu haben versichert, wenn Bothmer einmal von London abwesend sein sollte. Er fügt hinzu: »Ich bin erstaunt, mein Herr, daß Sie für den Minister, den Ihre Maj. hierher schicken will, meine Protection erbitten. Ich habe an diesem Hofe keine solche Stellung, um irgend jemand zu protegiren; auch bedürfen die Minister einer so großen Königin hier außer ihrem Charakter keiner anderen Protection«. In einem Briefe vom 11. Januar betheuerte St. John noch einmal unendlich höflich seine unbegrenzte Ergebenheit für den Kurfürsten und sein Haus und bemerkte, daß während Bothmer's Anwesenheit ein directer Austausch zwischen ihnen beiden allerdings überflüssig sein dürfte[1]). Wie Bothmer weit eher das Vertrauen der Whigs besaß als offenem Vertrauen bei Harley und St. John begegnete, ergeben seine Berichte nach Hannover. Das chiffrirte Schreiben der Lords Halifax und Sunderland an Robethon vom 10. November 1710, bei Macpherson II, 202, worin sie die erlogene Beschuldigung, daß sie Republikaner seien, mit der Betheuerung ihrer unveränderlichen Ergebenheit für die protestantische Erbfolge zurückweisen, findet sich auch von Robethon's Hand copiert im Convolut. In seinen Handakten und den officiellen Schreiben ist auch nicht die geringste Spur eines Verdachts an seiner Treue zu entdecken. Der Umstand, daß er in besonders kritischer Zeit den in London abwesenden Bothmer bei den Generalstaaten vertreten mußte, bezeugt im Gegentheil hervorragende Zuverlässigkeit. Der Rathspensionarius Heinsius versichert Bernstorff, der Kurfürst habe keine geeignetere Persönlichkeit entsenden können[2]). Die Illusionen der Tory Minister Robethon und Bothmer etwa zu corrumpiren waren

1) Alles bei Macpherson II, 199. 200. 201. 204. 242.
2) Aug. 3. 1711 Macpherson II, 245.

denn auch alsbald zerstoben. Ihr galliger Publicist, Jonathan Swift, ist beiden darum bitter böse. Den zweiten, a very inconsiderable Frenchman, hätte man, meint er, zeitig bestechen sollen [1]). In seiner History of the four last years of the queen [2]) heißt es höhnisch: There was likewise at the elector's court a little Frenchman without any merit and consequence, called Robethon, der sich mit Hülfe der Whigs in des Fürsten Gunst eingeschlichen und ihm von der Hinneigung der Tories zum Prätendenten und ihrem faulen Frieden mit Frankreich vorgeredet hätte. Noch nach dem Tode Anna's schreibt der Schotte Ker an Leibniz, daß selbst Bernstorff sich bei der Nase führen lasse: by an ignorant fellow called Robethon, who has nothing to recommend him, but his own private interest, party rage and insolence enough to do too much mischief at this critical juncture upon which all our future happiness depends [3]). Diese Animosität findet ihre Erklärung in dem Umstand, daß Bothmer und Robethon statt einem verkappten Jacobiten wie Ker von Kersland zu trauen, mit einem gewissen Ridpath in Verbindung standen, den Swift a Scotch rogue schilt, der seit Ende December 1713 als Flüchtling in Holland, damit die katholische Reaction nicht siege, in Briefen und Denkschriften auf schleuniges Er-

1) Swift, Inquiry into the behaviour of the Queen's late ministry. Works, ed. by Sir Walter Scott V, 319.

2) Works V, 201.

3) Aug. 25. 1714, Memoirs of John Ker of Kersland in North Britain, Esq., containing his recent transactions and negotiations in Scotland, England, the courts of Vienna, Hanover and other foreign parts, published by himself, 2 Vols. 1726.

scheinen des Kurprinzen in England drang[1]). Auf derselben entschieden protestantischen Seite stand ein Rival Ker's, der Colonel J. Erskine, der in einer langen, nach dem Frieden von Rastadt (März 6. 1714) verfaßten Eingabe den Hannoveranern bei ihrem Erscheinen die fanatisch presbyterianischen, aber streitbaren Cameronianer zur Verfügung stellte. Aus solchen Documenten erhellt allerdings hinreichend, bei welchen Kräften Robethon nach Unterstützung ausschauen mußte, sobald Lord Bolingbroke's Intriguen ihr Ziel zu erreichen schienen.

General Schulenburg's absprechendes Urtheil über Robethon in einem Briefe an Leibniz vom Juli 1714, auf welches Klopp[2]) so viel Gewicht legt, findet in dem kühlen Ton der wenigen Briefe, welche Leibniz an Robethon richtete, eine theilweise Erklärung. Bezeichnend aber ist Schulenburg's Bemerkung, daß letzterer mit Ausnahme Bernstorff's beim hannoverischen Ministerium gründlich verhaßt sei. Im Vergleich zu den unentwickelten Beamten eines Kleinstaats war er eben seit Jahren an der großen europäischen Politik hergekommen und viel zu sehr geschulter Diplomat, um sich selbst mit einem Leibniz, dem philosophischen Gewissensrath der alten Kurfürstin, auf vertrauten Fuß zu stellen.

Es würde nun zu weit führen, wenn ich hier die zweite Sendung des Lord Rivers und die Missionen des Mr. Harley, Vetter des zum Grafen von Oxford erhobenen ersten Lords der Schatzkammer, nach Hannover, der Herren von Bothmer, von Grote, von Schütz des jüngeren nach London bis ins Einzelne begleiten und aus

1) Macpherson II, 519. 540. Zwei andere in Robethon's Convolut.

2) Werke von Leibniz IX, p. LXII u. p. 496.

den officiellen wie aus den in Hannover und in England zerstreuten Documenten Robethon's Stellung als des eigentlichen Bindeglieds weiter erörtern wollte. Genug, daß in allen Dingen, um die es sich handelte, er die officiellen Aufträge ausarbeitete, sie mit eigenen Briefen an die draußen weilenden Diplomaten bis herab zum Residenten Kreyenberg und dessen Untergebenem Galke begleitete und mit den wöchentlichen Relationen und Briefen aus London auch solche für sich erhielt. Sehr oft liegen auf beiden Seiten von Instructionen, Vollmachten, Berichten, vertraulichen Mittheilungen Kladde und Reinschrift vor [1]). Nur Eins will ich aus dieser Periode noch betonen, die wiederholt zur Erwägung kommende Frage, ob es gerathen sei den Kurprinzen als Herzog von Cambridge nach England zu schicken, damit sein Erscheinen gegenüber etwa den jacobitischen Anschlägen Lord Bolingbroke's und einem plötzlichen Ableben der Königin Anna die angstvollen Freunde sammle und ermuthige. Seit 1712 sandte ein englischer Advocat Roger Acherley Denkschrift über Denkschrift zu Gunsten dieses Projects durch Leibniz an Robethon, in dessen Convolut sie sich vorfinden [2]). Man weiß dann, wie der Baron v. Schütz im Frühling 1714 diese Sache durch eine officielle Eingabe beim englischen Ministerium lösen wollte, darüber aber in unliebsamer, in der Geschichte der Diplomatie fast unerhörter Weise aus dem Lande gewiesen wurde. Als sein Vorgänger, der Herr von Grote, von den Whigs bestürmt wurde, vom englischen Ministerium nicht nur die Ausweisung des Prätendenten aus Loth-

1) Vgl. Macpherson II, 462. 463.
2) Vgl. Leibniz, Werke IX, 362. 364. 374 vgl. Doebner, Leibnizens Briefwechsel mit Bernstorff. 59.

ringen, sondern die schleunige Herüberkunft des protestantischen Thronerben zu verlangen, hatte der Kurfürst sie durch Robethon seiner unveränderlichen Treue versichern lassen, aber die Entsendung des Prinzen, und gar mit Truppen und Geldmitteln entschieden verweigert [1]). Bei der schweren Erkrankung Anna's um Neujahr 1714 verschärfte sich der Sturm. Von den eigenen politischen Freunden wurden bereits Bothmer und Robethon, weil sie durch Unthätigkeit den Jacobiten in die Hände spielten, für alle Folgen ernstlich verantwortlich gemacht. Die Whigs, der Herzog von Marlborough, der sich nach Antwerpen zurückgezogen, die Vertrauten in Edinburgh und in Holland, Alles wandte sich immer nur mit dem einen Anliegen, das allein die Thronfolge Hannovers retten könne, an Robethon. Schütz hielt ihn bis zu seiner Katastrophe im April auf dem laufenden. Lord Townshend, welcher Lord Strafford (Raby) am Utrechter Congreß hatte Platz machen müssen, damit der verhängnißvolle Friede mit Frankreich zu Stande käme, hat ihn lebhaft beglückwünscht, weil die dem Lord Kanzler abgenöthigte Ladung des Prinzen zum Hause der Lords sofort die Gemüther zu beruhigen beginne [2]). Die einzige Frage ist, wie steht es mit der Vollmacht, kraft deren Schütz handelte? In wie weit war Robethon betheiligt? Der eigenhändige Auftrag der alten Kurfürstin an Schütz vom 12. April 1714, die Ladung (writ) ihres Enkels officiell zu erwirken, liegt bei den im Staatsarchiv zu Hannover befindlichen Akten des Gesandten. Dieselben Documente bestätigen, daß der Kurfürst den ge-

1) Juli 4. 1713 Macpherson II, 497.
2) Macpherson II, 597.

wagten Schritt desavouirte und Schütz bei seiner Rückkehr nicht vor sich ließ. Der alten Mutter brach darüber das Herz. Ohne Rührung, in devoter Kälte erwiderte der Sohn den erbitterten Erguß der Königin Anna, die nach wenigen Monaten selbst ihrem Ende entgegen ging. In Robethon's intimen Akten, dem Convolut, sind einer anonymen Denkschrift, welche das Erscheinen des Kurprinzen als Privatmann befürwortet, von seiner Hand *Raisons pour ne pas envoyer le Prince Electoral en Angleterre* beigelegt, die im Januar 1714 aufgesetzt wurden, man sieht nicht, ob auf höheren Befehl, oder zu eigener Verwendung. Es fehlt an jedem Beweise, daß er das von Schütz der englischen Regierung eingereichte Schreiben Sophia's aufgesetzt habe. Völlig sicher ist es andererseits, daß Leibniz nicht darum wußte [1]). Die Robethon-Papiere bewahren zwar alle möglichen Formulare für Erlasse und Ernennungen, damit bei Anna's Ableben sofort wohlgesinnte Statthalter, Richter, Oberbefehlshaber zur Stelle seien. Diese Instrumente sind allesammt ursprünglich in Sophia's Namen ausgefertigt, ein lateinisches von ihr eigenhändig: Sophia R. paraphirt. Erst hinterdrein wurde der Name getilgt und überall lateinisch, französisch, englisch oder deutsch: Georg I., von Gottes Gnaden, König u. s. w. dafür gesetzt. Nirgends aber begegnet der Entwurf zu jenem eigenhändigen Schreiben der Kurfürstin an Schütz vom 12. April 1712. Es ist daher, wie ich meine, noch geheimeren Ursprungs und schwerlich aus dem geheimen Cabinet des Kurfürsten erflossen.

1) Letzter Brief an Sophie, Wien, Mai 24. 1714 bei Klopp IX, 448.

Zur entscheidenden Stunde jedoch befand sich der Freiherr von Bothmer wieder in London, von wo er seit dem 10. Juli mit jeder Post an Robethon schrieb. Seine Thätigkeit, zumal nachdem Anna am 1. August gestorben, als stummer Regent Englands, bis der neue König eintreffen konnte, verdient einmal eine besondere Darstellung. Mittlerweile begrüßten die englischen Freunde brieflich auch Robethon, unter ihnen nicht nur Lord Halifax und Joseph Addison, sondern sogar Lord Strafford (Raby), der sich beeilte mit der neuen Ordnung gut zu stehn, wie einst nach Wilhelm's III. Tode mit Anna [1]).

Robethon selbst ist erst im Gefolge des Königs sammt dem deutschen Hofstaat und den Ministern am 30. September in London eingetroffen und fand gleich den anderen zunächst »in S. Exc. des Herrn Geh. Raths von Bothmers Hause sein assignirtes Quartier« [2]). Zu seinen ersten Arbeiten wird ein ausführliches, im Convolut erhaltenes, Manuscript gehören, eine Antwort auf das perfide Pamphlet: Advice to the Freeholders of England, in welchem die Jacobiten gegen die Thronbesteigung Hannovers protestirten. Noch mehrere Jahre hindurch kann ich ihn ununterbrochen am Hoflager verfolgen, mochte dasselbe nun in St. James oder in Hamptoncourt oder, wie fast regelmäßig im Sommer, in Herrenhausen oder in der Göhrde verweilen. Die kurfürstlichen Minister wie die englischen Staatssecretäre, jene einem absoluten Herrn, diese dem Könige und dem Parlament verantwortlich, bedienten sich seiner um die Wette. Nur selten begegnet er wie bei Swift in den gleichzeitigen

1) Macpherson II, 633 folg.
2) Reisejournal im Staatsarchiv zu Hannover vgl. mit Tindal (Rapin) History of England IV, 401.

Werken englischer Autoren. Der Whig Tindal [1]) beschuldigt ihn mit echt englischer Abneigung gegen den Fremdling im Jahre 1716 mit Bernstorff und Bothmer die Intriguen Lord Sunderland's unterstützt zu haben, durch welche Lord Townshend und Robert Walpole aus der Regierung verdrängt wurden. Seine Thätigkeit aber, die nach wie vor der auswärtigen Correspondenz gewidmet blieb, ergiebt sich wesentlich aus den Archiven. Das hannoverische gewährt außer seinen officiellen Entwürfen im Verkehr mit auswärtigen Höfen unstreitig den besten Nachweis in den zahlreichen Briefen, welche St. Saphorin, von 1716 bis 1727 König Georg's I. Gesandter am Kaiserhof in Wien, seinen unvergleichlichen Protokollen, den vollständigen Abschriften aller Akten dieser Mission, einverleibt hat. Auf seiner eigenen Gesandtschaft im Haag, wie er an den Kurfürsten und Bernstorff berichtet [2]), war er mit dem Waadtländer de Pesme, Sieur de St. Saphorin, zusammengetroffen, der bei den Generalstaaten die Republik Bern vertrat, mit den Seemächten für das im nordischen Kriege erforderlich werdende Neutralitätsheer die Uebernahme von Schweizer Soldtruppen verhandelte und zugleich mit den Angelegenheiten von Neufchatel und Valengin, welche der König von Preußen aus der oranischen Erbmasse beanspruchte, betraut war. Das oft erwähnte Convolut enthält ein langes an Robethon gerichtetes Exposé aus dem Haag vom 2. Januar 1714, in welchem St. Saphorin beim Abschiede von den Niederlanden bittet: de me conserver votre amitié, qui me sera toujours si précieuse, dann aber die äußerst

1) History of England IV, 503.
2) Juni 20. 23. Juli 7. 1711. Bd. VI im Stadtarchiv.

gespannte Lage Europas und Englands insbesondere überblickt. Da Holland durch den Utrechter Frieden gefesselt ist, da drüben aber mit dem Prätendenten die Freiheit und der Glaube bedroht erscheint, dringt er als guter Protestant und Gegner Ludwig's XIV. auf schleunigen Beistand der Whigs, der nur von Hannover aus in Verbindung mit den niederländischen Freunden gewährt werden könne. Für die Ansprüche Sophia's und des Kurfürsten ist er voll Begeisterung. Vous connaissez la main, et ainsi il n'est pas nécessaire que signe (eigenhändig:) St. Saphorin. Es ist wohl außer Frage, daß vornehmlich durch diese intime Beziehung ein eifrig protestantischer Diplomat, ein alter Officier, der unter dem Prinzen Eugen tapfer gegen die Türken gefochten, in die königlich-kurfürstlichen Dienste kam.

Wie Robethon in den Jahren 1717 bis 1720, als der nordische Krieg abspielte und Alberoni von Spanien aus Europa von Neuem in Brand setzen wollte, recht eigentlich die diplomatische Action des englischen und des hannoverischen Cabinets vermittelte, indem er mit gewohntem Feuer überall die Stuart-Complotte und die katholische Reaction wider die protestantische Thronfolge in Britannien bekämpfen half, habe ich aus den erwähnten Protokollen a. a. O. darzustellen gesucht[1]). Sein voller Titel lautet fortan: Conseiller privé d'ambassade de S. M. le roy de la Grande Brétagne et employé spécialement par Sa dite Majesté dans ses correspondances étrangères. Indeß die heikle Aufgabe zwei heterogene Behörden zu einigen ist für ihn an exponirter Stelle eben so wenig glatt verlaufen wie

1) Historische Zeitschrift XLVI, S. 254 ff.

für das deutsche Königshaus selber auf britischem Thron. Zerwürfnisse mit Vorgesetzten und Freunden traten ein und führten schließlich zur Entzweiung. Während Bothmer, wegen seiner Verdienste zum Reichsgrafen erhoben, das alte, von jeher in denselben Anschauungen und in einer bedeutenden diplomatischen Erfahrung wurzelnde Verhältniß aufrecht zu erhalten schien, trübte sich das zu dem langjährigen Gönner Bernstorff, dem die Engländer Habgier und Einmischung in ihre Dinge vorwarfen, dessen echt welfische Abneigung gegen den König von Preußen nur zu gut bezeugt ist. Auch hat Eifersucht gegen Freunde und Genossen mitgewirkt, die wie er fremd geboren und reformirter Confession in auswärtigen Diensten des Königs von England beschäftigt waren. Der Hergang ist, so viel ich habe ermitteln können, folgender gewesen.

In zahllosen Briefen an St. Saphorin hatte Robethon während der Jahre 1717—1719 die Aufträge der Lords Sunderland und Stanhope, des Herrn von Bernstorff, bisweilen des Königs selber ausgeführt und eben so oft aus eignem Antrieb über die mannigfaltigsten Materien der inneren und äußeren Politik die werthvollsten Winke ertheilt, als seit 1718 die Correspondenz zunächst von St. Saphorin's Seite zu erlahmen begann. Im August 1717 hatte Robethon einmal geschrieben, er und Bernstorff seien beim Kronprinzen Georg in Ungnade gefallen; nur Bothmer werde noch vorgelassen. Doch hat das Zerwürfniß zwischen Georg I. und seinem Sohn schwerlich eingewirkt. Vielmehr meldete Lucas Schaub, ein Schweizer, der in Lord Stanhope's Diensten emporkam und später selber englischer Gesandter in Paris werden sollte, dem ihm vertrauten Landsmanne in Wien am 30. November

1717, daß seit seinem Eintritt in die Geschäfte Robethon nur wenig mit Stanhope, Sunderland und Bothmer verkehre, um so enger aber mit Bernstorff zusammenhänge. Am 12. Januar 1718 spricht Schaub von Robethon's humeurs; mais qui ne les a pas? und bittet St. Saphorin, daß er dem alten Freunde bei den englischen Ministern ein gutes Wort rede: avec qui il se brouille quelque fois. Im Juni, bei einer die Quadrupelallianz begutachtenden Sitzung zu St. James finden wir Sunderland, Stanhope, Craggs, Bernstorff, Bothmer und Robethon noch einträchtig beisammen. Ein Jahr später indeß klagt St. Saphorin an Schaub über die Uneinigkeit zwischen den englischen und den deutschen Ministern und verhehlt nicht, daß Bernstorff mit seiner starren Abneigung gegen Preußen und der Vielgeschäftigkeit in der continentalen Politik daran Schuld sein möge. Am 3. September 1719 drückt er ihm seinen Kummer aus, daß ihm sein bester Freund Robethon zürne, weil er angewiesen sei in Angelegenheiten des Reichs seine Aufträge nur durch Bernstorff zu empfangen, fügt aber hinzu: je ne cesseray pourtant pas d'estre de ses amis. Am 30. October berührt St. Saphorin die Sache in Briefen an Bernstorff und an Robethon selber. Indem er gegen letzteren die fatalité beklagt, über die er nicht Herr gewesen, versichert er ihn gleichwohl: de la parfaite reconnaissance que j'auray toute ma vie pourtant et de si réels temoignages d'amitié que j'ay receu de vous. Um Neujahr 1720 endet ihre zur Geschichte der Zeit überaus lehrreiche Correspondenz.

Allein im November bereits, wie am 9. und 13. Schaub nach Wien schreibt, hatte es in Hannover einen Auftritt zwischen Bernstorff und

Robethon gegeben. Letzterer war im Unmuth ohne Urlaub abgereist, durch einige nachgesandte Officiere indeß in Osnabrück wieder eingebracht und feierte am 7. nebst seiner Gemahlin auf einem Souper bei Bernstorff Versöhnung. Am 11. waren dann die beiden mit des Königs Erlaubniß nach London abgegangen, indem sie nicht vergaßen Grüße an St. Saphorin aufzutragen. Dieser, dem längere Zeit Lord Cadogan beigegeben worden, dachte an Rücktritt von seinem Posten, zumal als Bernstorff sich nun vollends mit den englischen Ministern überworfen hatte. Die Katastrophe des Südseeschwindels im Jahre 1720, der Tod, welcher rasch nach einander Stanhope und Craggs hinraffte, hatte durch Wiedereintritt Townshend's und Walpole's eine Umwandlung des englischen Cabinets zur Folge; Bernstorff aber hatte fortan in Hannover verbleiben müssen. St. Saphorin, der im Februar 1721 aus der Gazette erfahren, daß Robethon und sein Sohn in England naturalisirt worden, und das gleiche für sich begehrte, schrieb am 26. März noch einmal über die zwischen ihnen eingetretene Entfremdung an Bernstorff und Bothmer, indem er dringend zu wissen wünschte, ob und wie Lord Townshend sich mit Robethon gestellt habe. Am 15. April antwortete Bothmer, Robethon habe als Widersacher des Bündnisses zwischen England, dem Kaiser und August II. von Polen den Bruch der beiden Cabinette gefördert und Lord Stanhope's unversöhnlichen Haß gegen Bernstorff angefacht, aber Nichts für sich dadurch gewonnen. Il se trouve exclu de toutes les affaires. Le chagrin a ruiné entièrement sa santé, qui reste toujours languissante. Les principaux amis sont morts; vous pouvez estre asseuré que Mylord Townshend ne l'en dedommagera pas; mais il est en revanche assez bien avec Mylord Carteret — dem anderen Staatssecretär. Während St. Saphorin beglückwünscht wurde, daß er zwischen den beiden Klippen geschickt hindurch gesteuert, hatte Robethon, eine entschieden internationale Natur, als gewiegter Staatsmann sich auf die Seite der englischen Minister geschlagen, dafür aber schließlich den Undank Hannovers geerntet.

Bei der Königl. Gesellschaft der Wissenschaften eingegangene Druckschriften.

Man bittet diese Verzeichnisse zugleich als Empfangsanzeigen ansehen zu wollen.

Juli 1881.

Fortsetzung.

Forhandlingar i Vidensk.-Selskabet i Christiania. Aaar 1880.

De Kongelige Norske Videnskabers Selskabs Skrifter. 1879. Trondjen 1880.

Publicationen des kgl. Preuss. Geodätischen Instituts.

Astronomisch-geodätische Arbeiten in den Jahren 1879 und 1880. 4.

W. Seibt, das Mittelwasser der Ostsee bei Swinemünde. Berlin 1881. 4.

A. Westphal, die Ausdehnungscoëfficienten der Küstenvermessung. Berlin 1881. 4.

Sitzungsber. der kgl. Akademie der Wiss. zu München. Mathem.-phys. Cl. 1881. H. 3.

Verhandlungen der Kaiserl. Leop.-Carol. Akad. der Naturf. Bd. 41. Abth. 1 u. 2. 4.

Monatsbericht der Berliner Akademie. Febr. 1881.

Bulletin of the Museum of Comparative Zoology. Vol. 8. p. 231—284.
Nature 610. 611. 613. 614.
Leopoldina. H. XVII. Nr. 11—12. 13—14.
Revista Euskara. Ann. quarto. Numb. 38, 39.
Zeitschrift für Meteorologie. Bd. XVI. Juli u. August 1881.
Donders en Engelmann, Onderzoekningen in het Physiol. Laboratorium der Utrechtsche Hoogschool. Derde Reeks. VI. Aflev. 1.
Proceedings of the California Academy of Science. Juni 1881.
Erdélyi Muzeum. 7. 8. SZ. VIII. évtolyam. 1881.
L. Grunmach, über elektromagnetische Drehung der Polarisationsebene der strahlenden Wärme in festen und flüssigen Körpern. Berlin 1881.
Monatsbericht der Berliner Akademie. März, April u. Mai 1881.
Von der geologischen Untersuchung Schwedens. 7 Karten und 15 Kartenblätter.
S. A. Tullberg, om Agnostus-Arterna.
Den Norske nordhavs-expedition 1876—78. III. Zoologi. Gephyrea, ved D. C. Danielssen og J. Koren. Christiania 1881. 4.
Bulletin de l'Acad. R. de Bruxelles. 50e année. 3e Serie. T. 1. Nr. 5.
Atti della R. Accad. dei Lincei. Vol. V. Fasc. 14.
Anales de la Sociedad scientif. Argentina. Junio 1881. T. XI.
Neues Lausitzisches Magazin. Bd. 57. H. 1.
H. Scheffler, die Naturgesetze etc. Th. IV. Leipzig 1881.
D. Saint-Lager, nouvelles remarques sur la nomenclature botanique. Paris 1881.
Mémoires de l'Acad. des Sciences etc. de Lyon. Cl. des Sciences. Vol. 24.
— Cl. des Lettres. Vol. 15.
Annales de la Société d'Agriculture etc. de Lyon. 5e Serie. T. 2. 1879.
Sitzungsberichte der philosoph.-philolog. histor. Classe der Akademie in München 1881. H. 2.
Jahrbuch für Schweizerische Geschichte. Bd. 6.
Monthly Notices of the R. Astronomical Soc. Vol. XLI. Nr. 8.

A. Kölliker, Zur Kenntniss des Baues der Lungen des Menschen. Würzb. 1881.
Vierteljahrsschrift der Astron. Gesellschaft. Jahrg. 16. H. 1.
Transactions of the Zoological Society of London. Vol. XI. Part 5. 4.
Proceedings of the Zoolog. Soc. 1881. Part I.
Transactions of the Cambridge Philos. Society. Vol. XIII. P. 1. 4.
Proceedings of the Cambridge Philos. Soc. Vol. III. P. 7. 8. Vol. IV. P. 1.
Jahresbericht des physik. Vereins in Frankfurt a.M 1879—1880.
Annali di Statistica. Serie 2. Vol. 6. Roma 1881.
Politische Correspondenz Friedrichs des Grossen. Bd. VI.

August, September, October 1881.

Vierteljahrsschrift der Astronomischen Gesellschaft. Jahrg. 16. H. 2.
F. v. Müller, plants of north-western Australia. Pesth 1881. 4.
Bulletin de l'Acad. R. des Sciences de Belgique. 50 ann. 3 Ser. T. 1. 2. (Nr. 6. 7. 8).
Öfversigt af Kongl. Vetenskabs Akademiens Förhandlingar. Jahrg. 34. 35. 36. 37. Stockholm 1877—81.
Bihang till kongl. Svenska Vetenskabs Akademiens Handlingar. Bd. IV. H. 1. 2. Bd. V. H. 1. 2. Ebd. 1877—1878.
Lefnadsteckningar öfver K. Svenska Vetensk. Akademiens efter år 1854 afledna Ledamöter. Bd. 2. H. 1. Ebd. 1878.
P. H. Malmsten, Minnesord öfver C. von Linné 1878.
Idem, Minnesteckning öfver Peter af Bjerkén. 1878.
J. E. Arenschoug, Minnesteckning öfver C. J. Sundevall. 1879.
E. Hildebrand, Minnesteckning öfver J. Halleberg. 1880.
C. Santersson, Minnest. öfver Christopher Carlander. 1877.
Compte rendu de la Commission Imp. Archéolog. pour les années 1878—1879. Avec un Atlas. St. Petersbourg 1881.

J. G. Agardh, Florideernes Morphologi. Stockholm 1879. 4.
Kongl. Svenska Vetenskabs-Akademiens Handlingar. Bd. XIV. H 2. Bd. XV. XVI. XVII. Stockholm 1877—79. 4.
Meteorologiska Jakttagelser i Sverige. Bd. 17. 18. 19. 1875—77. 4.
Sitzungsber. der philos.-philolog.-histor. Cl. der Akademie in München 1881. Bd. II. H. 1. 3.
Journal of the R. Microcosmical Soc. Vol. I. P. 4. 5.
Revue de l'histoire des religions. T. III. Nr. 2. Paris 1881.
Mémoires de la Société des Antiquaires de Picardie. T. IX. Amiens 1880. 4.
Jahrbuch über die Fortschritte der Mathematik. Bd. 11. H. 1. 2.
Archives Néerlandaises. T. XVI. Livr. 1. 2.
Archives du Musée Teyler. Serie II. 1. Partie.
Nature 616. 617. 620—626.
R. Wolf, Astronomische Mittheilungen. LIII.
Mittheil. des histor. Vereins in Steiermark. H. 29.
N. P. Angelin, Geologisk Öfversigts-Karta öfver Skåne. Lund 1877.
Verhandl. des histor. Vereins von Oberpfalz und Regensburg. Bd. 35.
Die Ehre bei Christen und bei Juden.

Von der Königlich Sächsischen Gesellschaft der Wiss.

A. Springer, die Psalter-Illustrationen im frühen Mittelalter.
M. Voigt, über das Vadimonium.
W. Scheibner, über die Reduction elliptischer Integrale in reeller Form.
C. Neumann, die Vertheilung der Elektricität auf einer Kugelcalotte.
Berichte über die Verhandlungen. Philosoph.-histor. Classe. I. II.
Berichte. Mathem.-physikalische Classe. I. II.

(Fortsetzung folgt.)

Für die Redaction verantwortlich: *F. Bechtel*, Director d. Gött. gel. Anz.
Commissions-Verlag der *Dieterich'schen Verlags-Buchhandlung*.
Druck der Dieterich'schen Univ.-Buchdruckerei (W. Fr. Kaestner).

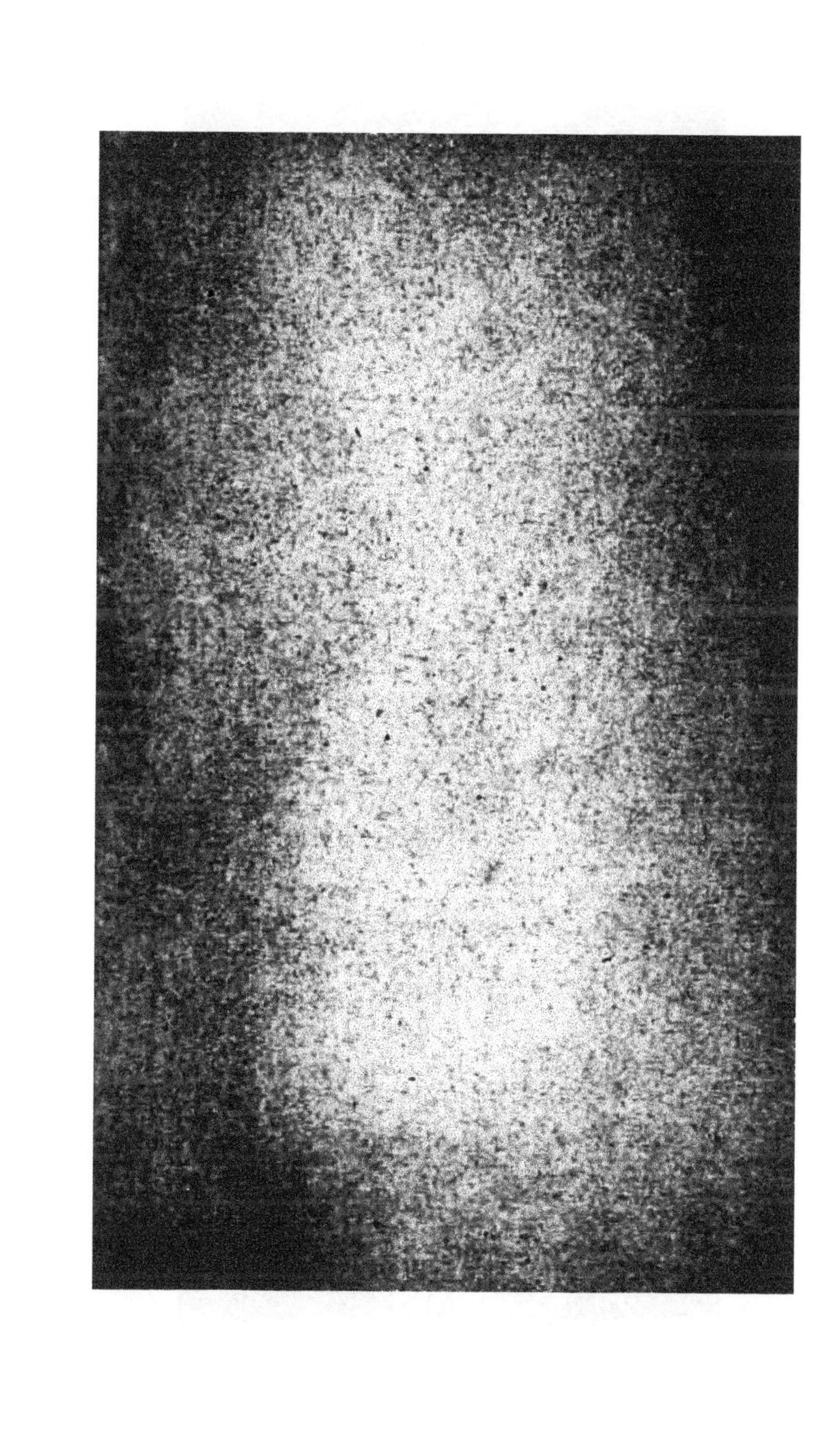

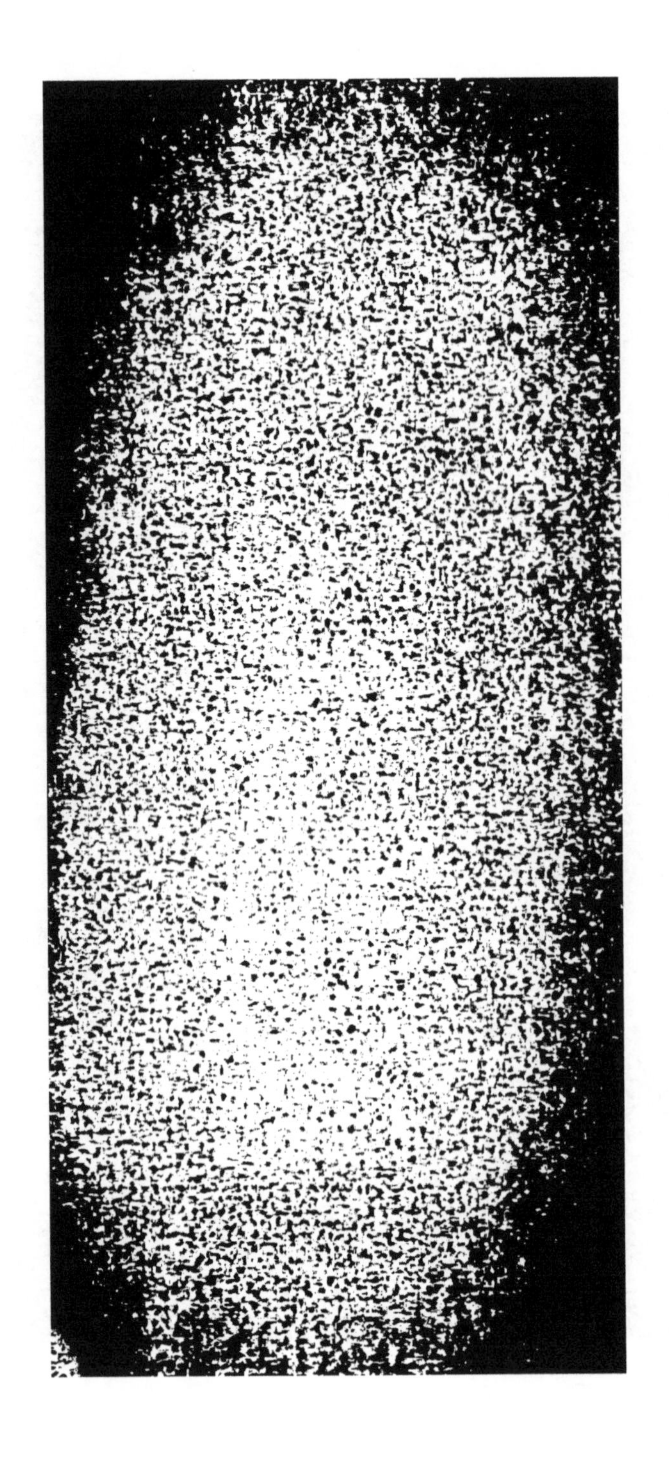

Lightning Source UK Ltd.
Milton Keynes UK
UKHW050441030119
334817UK00019B/803/P

9 780331 269772